자율학습시
비상구
완자로 53

화학 Ⅱ

Structure

01 | 단원 시작하기

기본기가 튼튼해야 학습할 내용을 쉽게 이해할 수 있다. 중등이나 통합과학, 화학Ⅰ에서 배운 내용이 화학Ⅱ로 연계된 경우가 많으니 본 학습에 들어가기에 앞서 복습한다.

이미 배운 내용을 한눈에 파악하고, ☐ 넣기 문제로 확인해 보자.

단원을 시작하기 전에 학습 계획을 미리 세워 보자.

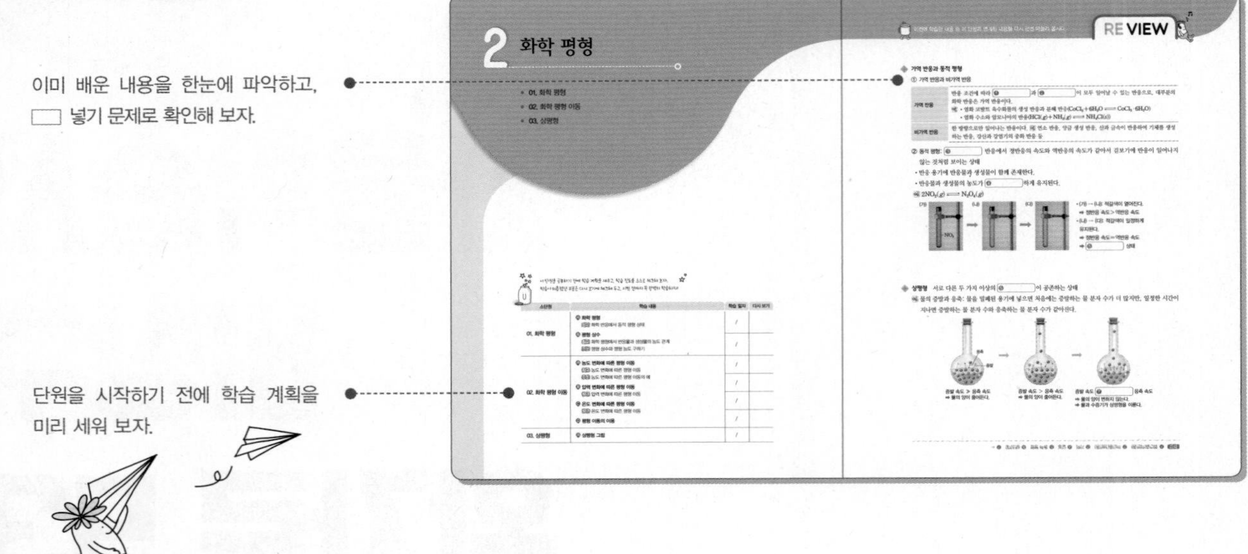

03 | 내신 문제 풀기

시험에 자주 출제되는 핵심 자료를 철저하게 분석해 보고, 내신 기출을 반영한 다양한 문제를 풀어 보면서 실력을 검증한다.

시험에 자주 출제되는 핵심 자료와 그 자료에 관련된 문제를 통해 자료를 완벽하게 분석할 수 있어.

시험에 자주 출제되는 문제에는 중요 표시가 되어 있어.

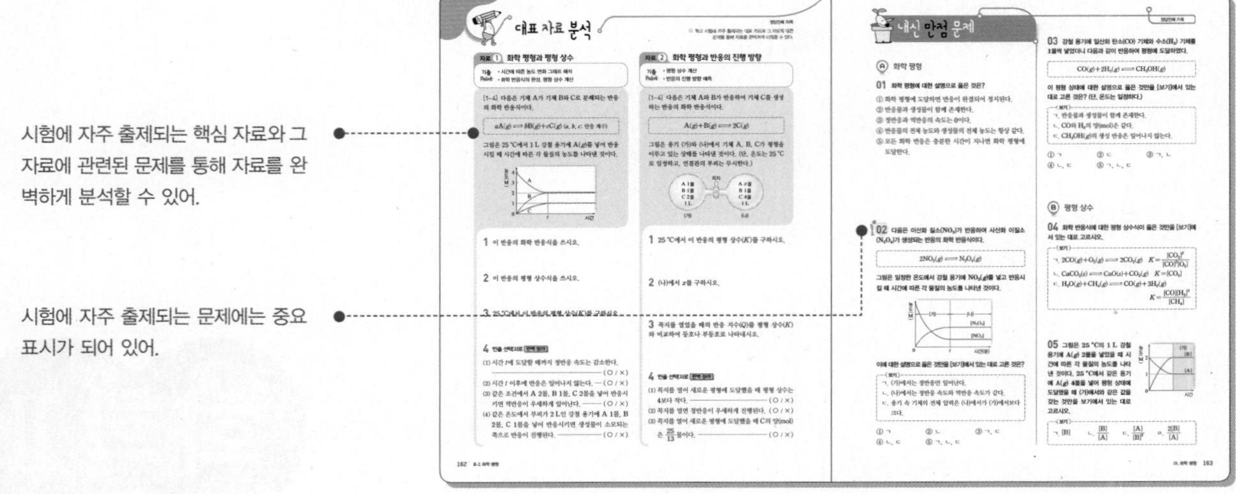

02 | 단원 핵심 내용 파악하기

단원에서 꼭 알아야 하는 핵심 포인트를 확인하고, 친절하게 설명된 내용 정리로 개념을 이해한다. 그리고 나서 개념 확인 문제를 통해 핵심 개념을 정확히 이해했는지 확인한다.

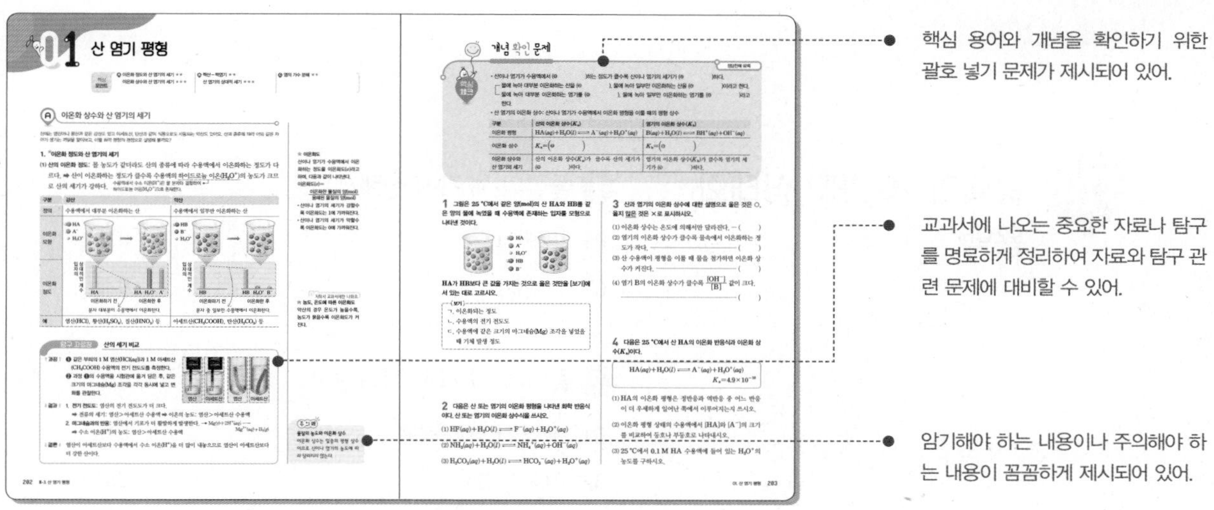

핵심 용어와 개념을 확인하기 위한 괄호 넣기 문제가 제시되어 있어.

교과서에 나오는 중요한 자료나 탐구를 명료하게 정리하여 자료와 탐구 관련 문제에 대비할 수 있어.

암기해야 하는 내용이나 주의해야 하는 내용이 꼼꼼하게 제시되어 있어.

04 | 반복 학습으로 실력 다지기

중단원 핵심 정리로 다시 한번 복습한 후, 중단원 마무리 문제를 통해 자신의 실력을 확인한다. 그리고 나서 수능 실전 문제를 통해 수능 문제에 도전한다.

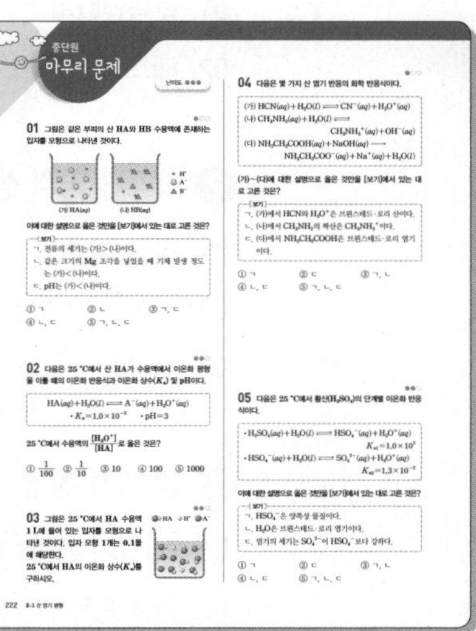

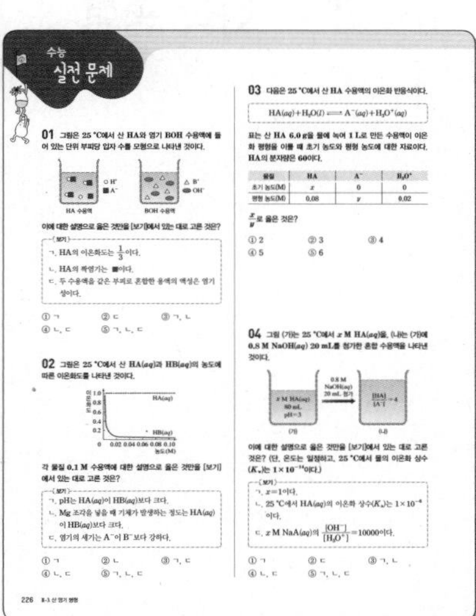

Contents

완자와 내 교과서 비교하기

대단원	중단원	소단원	완자	비상	교학사	미래엔	상상	지학사	천재
I 물질의 세 가지 상태와 용액	1 물질의 세 가지 상태(1)	01 기체(1)	12~21	11~14	13~18	14~19	15~20	13~16	11~17
		02 기체(2)	22~43	15~19	19~28	20~29	21~30	17~25	18~23
	2 물질의 세 가지 상태(2)	01 분자 간 상호 작용	46~53	20~23	31~34	30~35	33~37	26~30	24~30
		02 액체와 고체	54~77	24~31	35~50	36~48	41~52	31~42	31~44
	3 용액	01 용액의 농도	80~91	39~41	53~58	52~57	55~59	49~52	49~52
		02 묽은 용액의 총괄성	92~113	42~48	59~69	58~67	63~70	53~60	53~61

대단원	중단원	소단원	완자	비상	교학사	미래엔	상상	지학사	천재
II 반응 엔탈피와 화학 평형	1 반응엔탈피	01 반응엔탈피	118~129	61~63	81~84	78~81	83~86	75~79	75~78
		02 헤스 법칙	130~151	64~69	85~89	82~89	89~94	80~84	79~85
	2 화학 평형과 상평형	01 화학 평형	154~165	77~81	93~96	90~97	97~102	91~97	89~94
		02 화학 평형 이동	166~181	82~90	97~102	98~106	105~111	98~105	95~102
		03 상평형	182~199	97~99	103~105	108~111	115~117	106~108	104~107
	3 산 염기 평형	01 산 염기 평형	202~215	100~103	109~114	112~121	121~126	115~121	111~117
		02 완충 용액	216~229	104~106	115~119	122~125	129~132	122~125	118~124

물질의 세 가지 상태와 용액

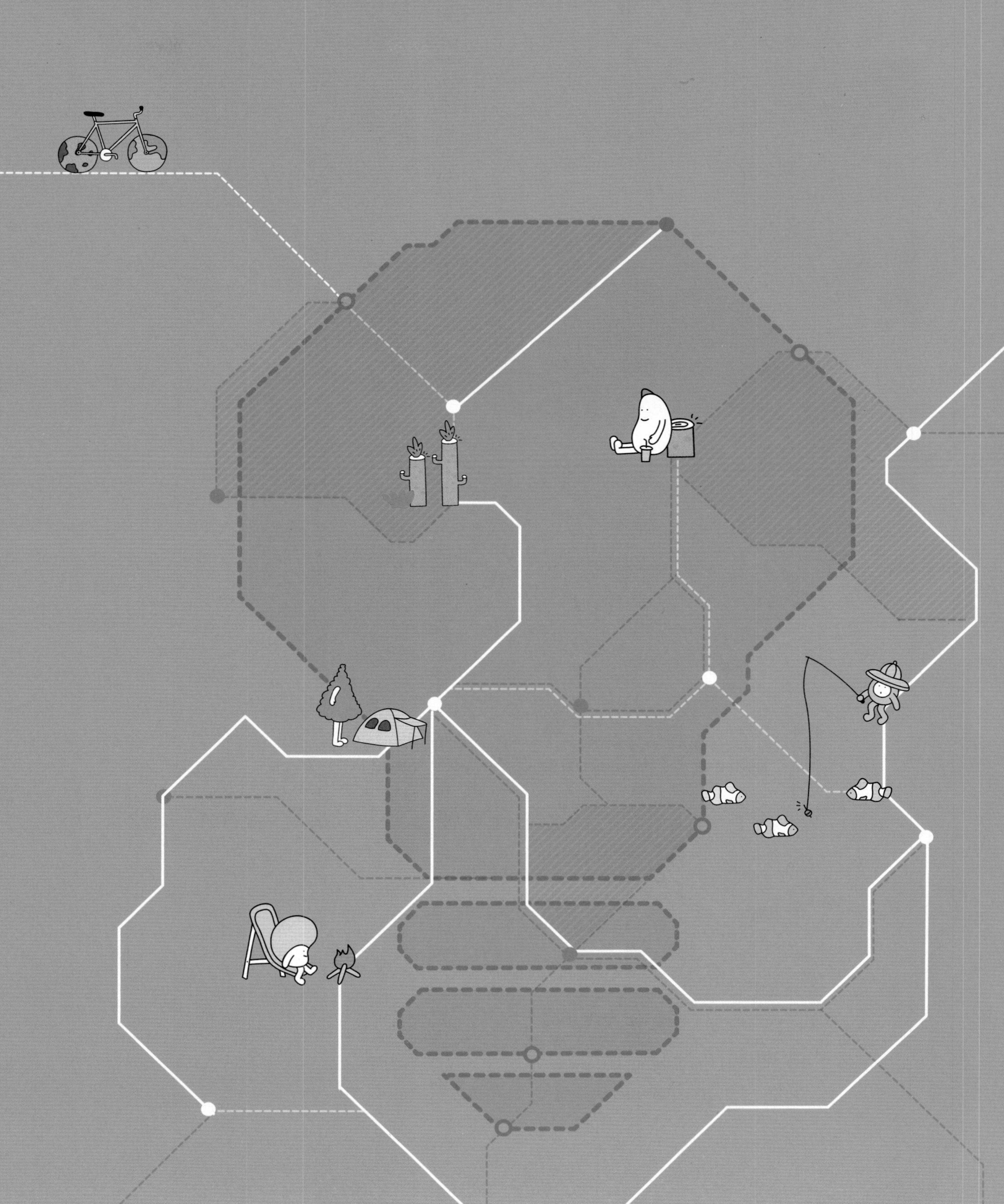

1 물질의 세 가지 상태(1)

- 01. 기체(1)
- 02. 기체(2)

이 단원을 공부하기 전에 학습 계획을 세우고, 학습 진도를 스스로 체크해 보자.
학습이 미흡했던 부분은 다시 보기에 체크해 두고, 시험 전까지 꼭 완벽히 학습하자!

소단원	학습 내용	학습 일자	다시 보기
01. 기체(1)	Ⓐ 기체의 압력	/	
	Ⓑ 기체의 압력과 부피의 관계 탐구 기체의 압력과 부피의 관계	/	
	Ⓒ 기체의 온도와 부피의 관계 탐구 기체의 온도와 부피의 관계	/	
	Ⓓ 기체의 양(mol)과 부피의 관계	/	
02. 기체(2)	Ⓐ 이상 기체 방정식 탐구 기체의 분자량 구하기	/	
	Ⓑ 기체 분자 운동론	/	
	Ⓒ 기체의 부분 압력	/	

이전에 학습한 내용 중 이 단원과 연계된 내용을 다시 한번 떠올려 봅시다.

REVIEW

기체의 압력과 부피 관계

① 온도가 일정할 때 일정량의 기체에 가하는 압력이 증가하면 기체의 부피는 ❶ ( ) 하고, 기체에 가하는 압력이 감소하면 기체의 부피는 ❷ ( ) 한다.

② 보일 법칙: 온도가 일정할 때 일정량의 기체의 부피는 압력에 반비례한다.

③ 압력에 따른 기체 입자의 운동과 부피 변화

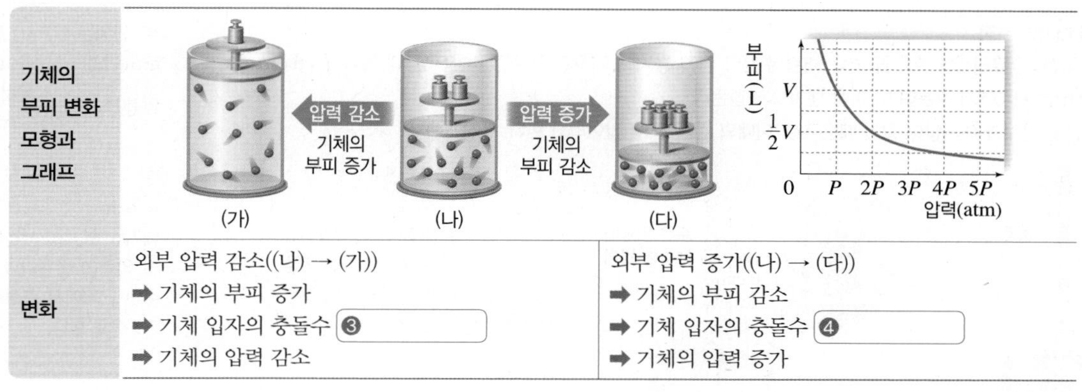

기체의 부피 변화 모형과 그래프	(가) ← 압력 감소, 기체의 부피 증가 ← (나) → 압력 증가, 기체의 부피 감소 → (다)	
변화	외부 압력 감소((나) → (가)) ➡ 기체의 부피 증가 ➡ 기체 입자의 충돌수 ❸ ( ) ➡ 기체의 압력 감소	외부 압력 증가((나) → (다)) ➡ 기체의 부피 감소 ➡ 기체 입자의 충돌수 ❹ ( ) ➡ 기체의 압력 증가

기체의 온도와 부피 관계

① 압력이 일정할 때 일정량의 기체는 온도가 높아지면 부피가 ❺ ( ) 하고, 온도가 낮아지면 부피가 ❻ ( ) 한다.

② 샤를 법칙: 압력이 일정할 때 일정량의 기체의 부피는 온도가 높아지면 일정한 비율로 증가한다.

③ 온도에 따른 기체 입자의 운동과 부피 변화

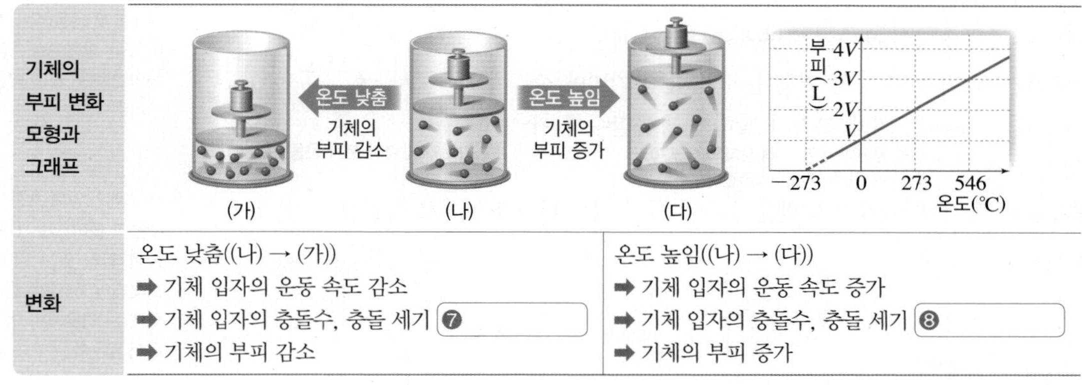

기체의 부피 변화 모형과 그래프	(가) ← 온도 낮춤, 기체의 부피 감소 ← (나) → 온도 높임, 기체의 부피 증가 → (다)	
변화	온도 낮춤((나) → (가)) ➡ 기체 입자의 운동 속도 감소 ➡ 기체 입자의 충돌수, 충돌 세기 ❼ ( ) ➡ 기체의 부피 감소	온도 높임((나) → (다)) ➡ 기체 입자의 운동 속도 증가 ➡ 기체 입자의 충돌수, 충돌 세기 ❽ ( ) ➡ 기체의 부피 증가

물질의 양

① ❾ ( ) : 원자, 분자, 이온 등과 같이 매우 작은 입자의 양을 나타내는 묶음 단위

② ❿ ( ) : 1몰의 입자 수로, 6.02×10^{23}이다.

③ 몰 질량: ⓫ ( ) 몰의 질량으로, 화학식량에 g을 붙인 값

④ 기체 1몰의 부피: 0 °C, 1기압에서 모든 기체 1몰의 부피는 ⓬ ( ) L이다.

정답 ❶ 감소 ❷ 증가 ❸ 감소 ❹ 증가 ❺ 증가 ❻ 감소 ❼ 감소 ❽ 증가 ❾ 몰 ❿ 아보가드로수 ⓫ 1 ⓬ 22.4

01 기체(1)

핵심 포인트
- Ⓐ 기체의 압력 측정 ★★
- Ⓑ 기체의 압력과 부피의 관계 ★★★ 보일 법칙과 그래프 ★★
- Ⓒ 기체의 온도와 부피의 관계 ★★★ 샤를 법칙과 그래프 ★★
- Ⓓ 기체의 양(mol)과 부피의 관계 ★★★

Ⓐ 기체의 압력

1. 대기압 지구를 둘러싼 공기(대기) 때문에 생기는 *압력

토리첼리의 대기압 측정

한쪽 끝이 막힌 긴 유리관에 수은을 가득 채워 수은이 담긴 용기에 거꾸로 세우면 수은 기둥의 높이가 76 cm (=760 mm)인 위치에서 수은이 더 이상 내려오지 않는다.

➡ 수은 기둥의 압력과 대기압이 같기 때문으로, 이때의 압력을 1기압이라고 한다.

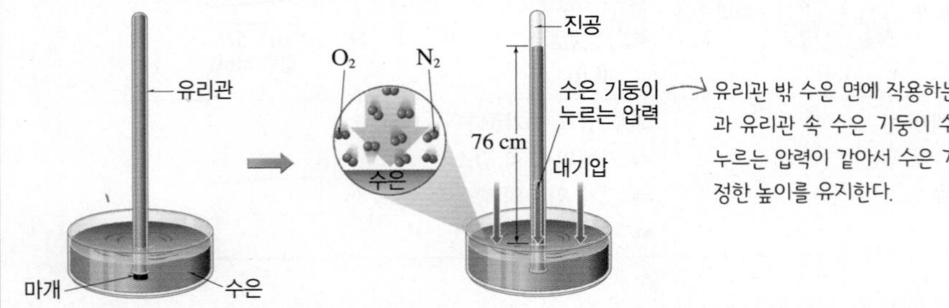

1기압(*atm)=76 cmHg(=760 mmHg)=1.013×10^5 *Pa

2. *기체의 압력(기압) 기체 분자가 단위 면적에 작용하는 힘

(1) **기체의 압력이 나타나는 까닭:** 기체 분자들이 끊임없이 자유롭게 운동하면서 기체가 담긴 용기의 벽면에 충돌하기 때문이다.

(2) **기체의 압력 크기:** 단위 시간 동안 기체 분자가 용기 벽면에 충돌하는 횟수가 많을수록, 기체 분자가 강하게 충돌할수록 기체의 압력이 크다. (• 온도, 용기의 부피, 기체 분자의 수에 따라 충돌수와 충돌 세기가 달라진다.)

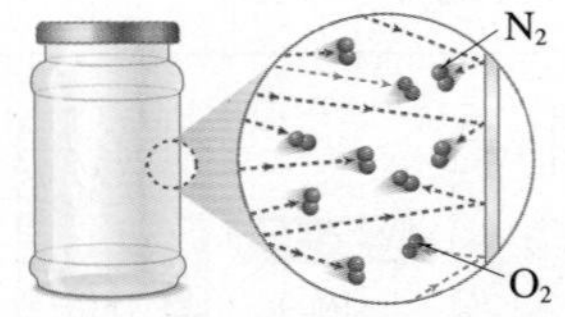

⊙ 기체의 압력과 분자 운동

(3) **기체의 압력 측정:** 용기 속 기체의 압력은 수은이 들어 있는 U자관 장치로 측정할 수 있다.

***기체의 압력 측정** (천재 교과서에만 나와요.)

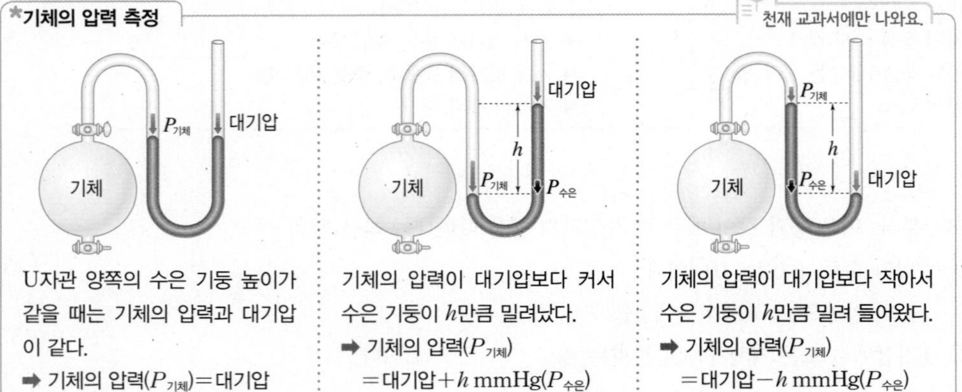

- U자관 양쪽의 수은 기둥 높이가 같을 때는 기체의 압력과 대기압이 같다.
  ➡ 기체의 압력($P_{기체}$)=대기압
- 기체의 압력이 대기압보다 커서 수은 기둥이 h만큼 밀려났다.
  ➡ 기체의 압력($P_{기체}$) =대기압+h mmHg($P_{수은}$)
- 기체의 압력이 대기압보다 작아서 수은 기둥이 h만큼 밀려 들어왔다.
  ➡ 기체의 압력($P_{기체}$) =대기압−h mmHg($P_{수은}$)

★ 압력
단위 면적에 작용하는 힘의 크기로, 단위는 N/m^2, Pa(파스칼), atm(기압), mmHg, torr 등이다.

$$압력(Pa)=\frac{작용하는\ 힘(N)}{힘을\ 받는\ 면적(m^2)}$$

★ atm
대기(atmosphere)에서 이름을 딴 압력의 단위이다. 지구의 해수면 근처에서 측정한 대기압을 기준으로 한다.

★ Pa
프랑스의 과학자 파스칼의 이름에서 딴 압력의 단위이다. 1 Pa은 1 m^2의 넓이에 1 N의 힘이 작용할 때의 압력이다.

★ 기체의 압력이 나타나는 방향
자유롭게 운동하는 기체 분자들이 모든 방향으로 충돌하므로 기체의 압력은 모든 방향에서 같은 크기로 작용한다.

★ 기체의 압력 측정
수은이 들어 있는 U자관의 한쪽 끝이 열려 있는 경우 대기압을 고려해야 하지만, 한쪽 끝이 닫혀 있는 경우에는 대기압을 고려하지 않는다.

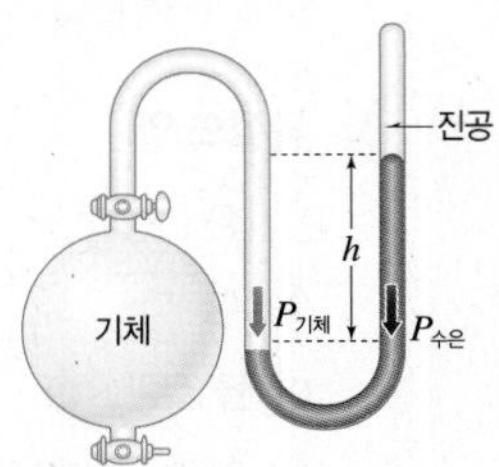

➡ 기체의 압력($P_{기체}$) =h mmHg($P_{수은}$)

기체의 압력과 부피의 관계

기체는 고체나 액체와 달리 압력에 의해 쉽게 부피가 변한다는 것을 중학교 때 배웠어요. 그러면 기체의 압력과 부피 사이에는 어떤 정량적 관계가 있을까요? 그 관계를 알아보아요.

1. 기체의 압력과 *부피의 관계 온도가 일정할 때 일정량의 기체에 가하는 압력이 증가하면 기체의 부피는 감소하고, 가하는 압력이 감소하면 기체의 부피는 증가한다.

* **기체의 부피**
기체 분자들이 운동하는 공간의 크기로, 기체 분자 자체의 크기는 기체가 차지하는 전체 부피에 비해 매우 작으므로 무시한다. 또, 기체는 용기 전체로 퍼지는 성질이 있으므로 기체의 부피는 항상 기체가 들어 있는 용기의 부피와 같다.

2. 보일의 실험

(1) 일정한 온도에서 한쪽 끝이 막힌 J자관에 수은을 넣으면서 압력을 증가시키면 J자관에 들어 있는 공기의 부피가 감소한다.

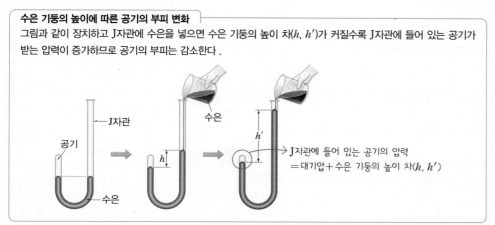

수은 기둥의 높이에 따른 공기의 부피 변화
그림과 같이 장치하고 J자관에 수은을 넣으면 수은 기둥의 높이 차(h, h')가 커질수록 J자관에 들어 있는 공기가 받는 압력이 증가하므로 공기의 부피는 감소한다.

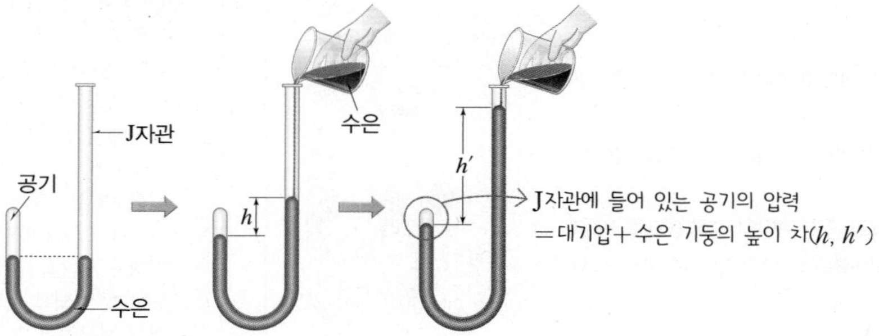

J자관
공기
수은
h
수은
h'
J자관에 들어 있는 공기의 압력
=대기압+수은 기둥의 높이 차(h, h')

(2) 이 실험을 통해 일정한 온도에서 일정량의 기체의 압력과 부피 사이에 반비례 관계가 성립하는 것을 발견하였다.

3. 보일 법칙 일정한 온도에서 일정량의 기체의 부피(V)는 압력(P)에 반비례한다.

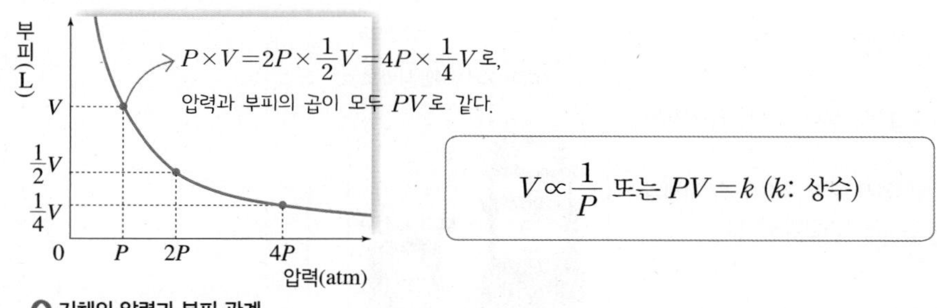

$$V\propto\frac{1}{P} \text{ 또는 } PV=k\ (k\text{: 상수})$$

▲ 기체의 압력과 부피 관계

(1) 온도가 일정하면 일정량의 기체에 대한 압력과 부피의 곱(PV)은 항상 일정하다.

$$PV=k \Rightarrow P_1V_1=P_2V_2$$
(P_1: 처음 압력, P_2: 나중 압력, V_1: 처음 부피, V_2: 나중 부피)

[예제 1] 20 °C, 1기압에서 부피가 100 mL인 질소 기체에 압력을 가했더니 부피가 50 mL가 되었다. 이때 질소 기체의 압력을 구하시오.

풀이 $P_1V_1=P_2V_2$이므로 1기압×100 mL=P×50 mL, P=2기압

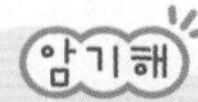

보일 법칙
일정한 온도에서 일정량의 기체의 부피(V)는 압력(P)에 반비례한다.
$PV=k$
$P_1V_1=P_2V_2$

(2) **보일 법칙 관련 그래프**: 일정한 온도(T)에서 일정량의 기체의 압력(P)과 부피(V) 사이의 관계를 나타낸다.

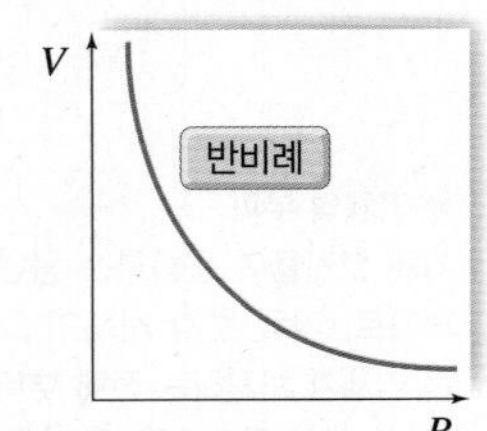

기체의 압력과 부피는 서로 반비례한다. ➡ $P \propto \frac{1}{V}$

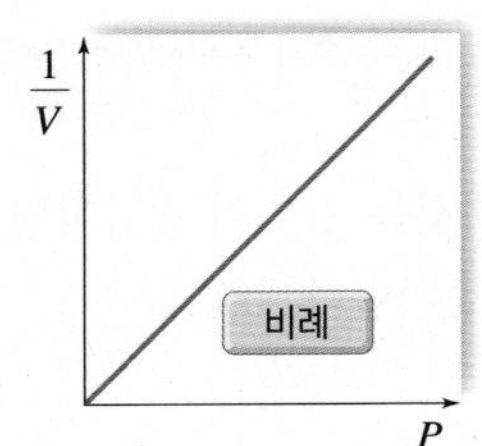

기체의 압력과 $\frac{1}{부피}$은 비례한다. ➡ $P \propto \frac{1}{V}$

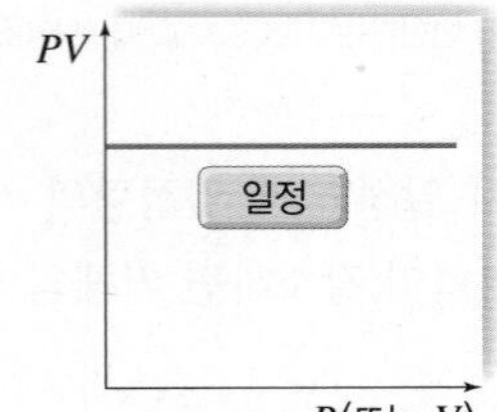

기체의 압력과 부피의 곱(PV)은 일정하다. ➡ PV = 일정

주의해

온도에 따른 PV 값의 변화

온도가 일정하면 일정량의 기체에 대한 PV 값은 항상 일정하지만, 온도가 높아지면 PV 값은 증가하고, 온도가 낮아지면 PV 값은 감소한다. 즉, 일정량의 기체의 PV는 T에 비례한다.

탐구 자료창 *기체의 압력과 부피의 관계

감압 용기를 이용하는 경우

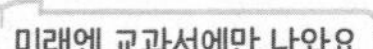

과정

❶ 주사기 속 공기의 부피가 2 mL가 되도록 피스톤을 조절한 후, 주사기의 입구를 마개로 막는다.

❷ 과정 ❶의 주사기를 감압 용기의 중앙에 거꾸로 세운 다음 넘어지지 않도록 고정한다.

❸ 감압 용기의 뚜껑을 닫고, 뚜껑 중앙의 공기 구멍에 맞춰 펌프를 끼운다.

❹ 펌프를 상하로 움직여 용기 내부 압력을 0.2기압씩 낮추면서 주사기 속 공기의 부피를 측정한다.

결과 및 해석

압력(기압)	1.0	0.8	0.6	0.4	0.2
공기의 부피(mL)	2.0	2.5	3.3	5.0	10.0
압력×부피	2.0	2.0	약 2.0	2.0	2.0

➡ 공기의 압력이 감소하면 부피가 증가하고, 공기의 압력과 부피의 곱은 일정하다.

같은 탐구 다른 실험

보일 법칙 실험 장치를 이용하는 경우

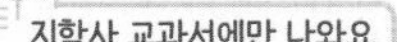

과정

❶ 보일 법칙 실험 장치의 밸브를 조절하여 부피 측정관 속 기체의 부피를 16 mL로 맞춘다.

❷ 장치에 추를 1개씩 계속 올려놓으면서 부피 측정관 속 기체의 부피를 측정한다. (단, 추 1개의 압력은 1기압과 같다.)

결과 및 해석

추를 올리지 않았을 때 기체의 압력은 대기압(1기압)과 같다.

추의 수(개)	0	1	2	3	4
압력(기압)	1	2	3	4	5
기체의 부피(mL)	16	8	5.3	4	3.2
압력×부피	16	16	약 16	16	16

➡ 기체의 압력은 대기압과 추가 가하는 압력을 합한 값이다. 기체의 압력이 증가하면 기체의 부피가 감소하고, 기체의 압력과 부피의 곱은 일정하다.

★ 기체의 압력과 부피 관계로 설명할 수 있는 현상

- 헬륨 기체를 채운 풍선은 하늘 높이 올라갈수록 부피가 커지다가 결국 터진다.
- 물속에서 잠수부의 호흡으로 만들어진 기포는 수면에 가까워질수록 점점 커진다.
- 자동차가 충돌할 때 팽창한 에어백은 사람과 부딪치면서 압력을 받게 되고 부피가 줄어들면서 사람에게 가해지는 충격을 완화한다.

개념 확인 문제

정답친해 2쪽

핵심 체크

- (❶): 지구를 둘러싼 공기(대기) 때문에 생기는 압력. 대기압은 1기압으로 수은 기둥 (❷) cm에 해당하는 압력이다.
- 기체의 (❸): 기체 분자가 단위 면적에 작용하는 힘으로, 기체 분자의 충돌수가 (❹)을수록, 충돌 세기가 (❺)할수록 힘의 크기가 크다.
- 보일 법칙: 일정한 (❻)에서 일정량의 기체의 부피는 압력에 (❼)한다.
- 온도가 일정하면 일정량의 기체에 대한 압력과 부피의 곱(PV)은 항상 (❽)하다.
  ➡ P_1V_1=(❾) (P_1: 처음 압력, P_2: 나중 압력, V_1: 처음 부피, V_2: 나중 부피)

1 기체의 압력에 대한 설명으로 옳은 것은 ○, 옳지 않은 것은 ×로 표시하시오.

(1) 기체 분자들이 자유롭게 운동하면서 기체가 담긴 용기 벽면에 충돌하므로 기체의 압력이 나타난다. ( )

(2) 기체의 압력은 단위 시간 동안 기체가 벽면에 충돌하는 횟수가 많을수록 작게 나타난다. ( )

(3) 기체의 압력은 모든 방향에서 같은 크기로 작용한다. ( )

2 그림은 수은이 들어 있는 U자관과 연결된 용기에 기체가 각각 담긴 모습을 나타낸 것이다.

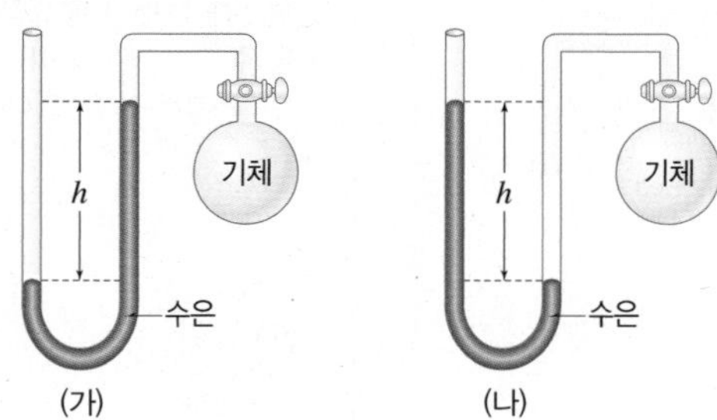

(1) (가)에서 기체의 압력($P_{기체}$)과 대기압의 크기를 비교하여 등호나 부등호로 나타내시오.

(2) (나)에서 기체의 압력($P_{기체}$)을 대기압과 h를 이용하여 나타내시오.

3 기체의 압력과 부피의 관계에 대한 설명으로 옳은 것은 ○, 옳지 않은 것은 ×로 표시하시오.

(1) 온도가 일정할 때 일정량의 기체의 부피는 압력에 비례한다. ( )

(2) 온도가 일정할 때 일정량의 기체에 가하는 압력이 커질수록 기체의 부피는 작아진다. ( )

(3) 물속에서 잠수부가 호흡할 때 내뿜는 기포는 수면에 가까워질수록 받는 압력이 증가하므로 부피가 점점 작아진다. ( )

(4) 20 °C, 1기압에서 부피가 500 mL인 질소 기체를 같은 온도에서 부피가 100 mL인 용기로 옮기면 압력이 5기압이 된다. ( )

4 그림은 일정한 온도에서 일정량의 기체의 압력(P)과 부피(V)의 관계를 나타낸 것이다.
A와 B의 면적 크기를 비교하여 등호나 부등호로 나타내시오.

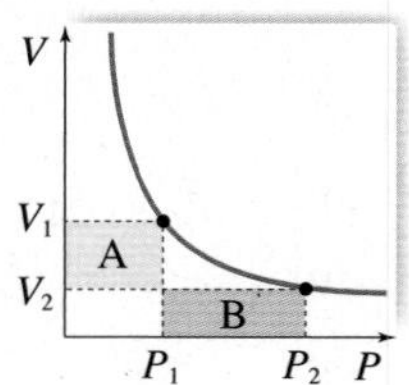

5 25 °C, 1기압에서 일정량의 기체 X의 부피가 200 mL이다. 같은 온도에서 이 기체의 압력을 2기압으로 높일 때 기체의 부피(mL)를 구하시오.

C 기체의 온도와 부피의 관계

기체의 온도와 부피 사이에는 어떤 정량적 관계가 있을까요? 이번에는 그 관계를 알아보아요.

1. 기체의 온도와 부피의 관계 압력이 일정할 때 일정량의 기체는 온도가 높아지면 부피가 증가하고, 온도가 낮아지면 부피가 감소한다.

2. 샤를의 실험 *일정한 압력에서 일정량의 기체의 부피는 온도가 1 ℃ 높아질 때마다 0 ℃ 때 부피의 $\frac{1}{273}$씩 증가한다. ➡ 일정한 압력에서 일정량의 기체의 부피와 온도 사이에 비례 관계가 성립하는 것을 발견하였다.

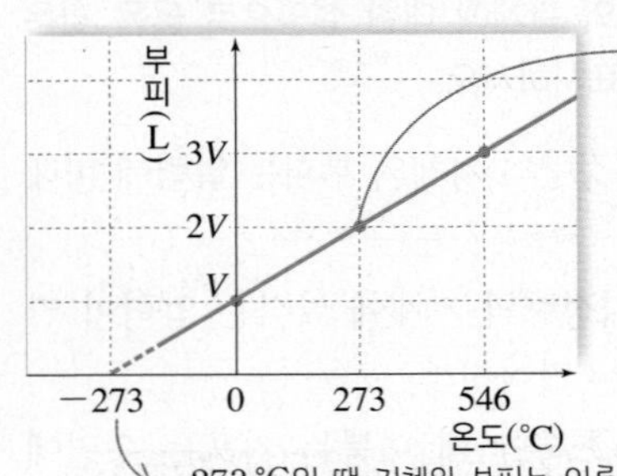

온도가 1 ℃ 높아질 때마다 기체의 부피가 0 ℃ 때 부피의 $\frac{1}{273}$씩 증가하므로 273 ℃에서 0 ℃ 때 부피의 2배가 된다.

$$V_t = V_0 + \frac{V_0}{273}t \quad \begin{pmatrix} t\text{: 온도, } V_t\text{: } t\text{ ℃에서의 부피,} \\ V_0\text{: 0 ℃에서의 부피} \end{pmatrix}$$

−273 ℃일 때 기체의 부피는 이론적으로 0이다.

⬆ *섭씨온도와 기체의 부피 관계

3. 샤를 법칙

(1) **절대 온도**: −273 ℃를 0으로 하여 섭씨온도와 같은 간격으로 나타낸 온도로, 단위는 K(kelvin, 켈빈)이다.

① 절대 영도: 이론적으로 기체의 부피가 0이 되는 온도로 −273 ℃이며, 0 K이라고 한다.

② 절대 온도(K)와 섭씨온도(℃)의 관계

절대 온도(K)=273+섭씨온도(℃)

(2) **샤를 법칙**: 일정한 압력에서 일정량의 기체의 부피(V)는 절대 온도(T)에 비례한다.

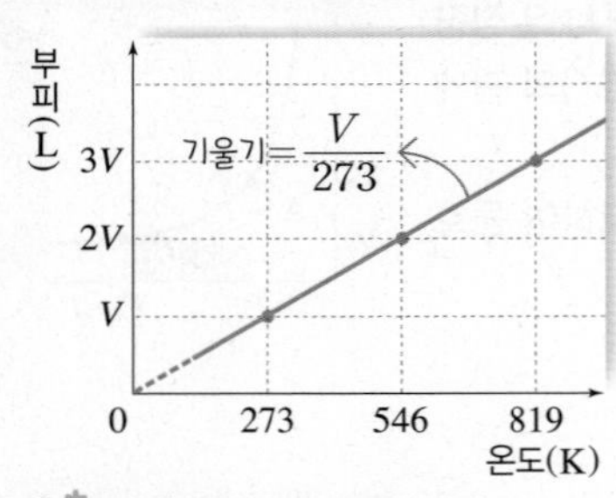

⬆ *절대 온도와 기체의 부피 관계

$V_t = V_0 + \frac{V_0}{273}t$를 절대 온도($T$)로 정리하면

$$V_t = V_0\left(1 + \frac{t}{273}\right) = V_0 \times \frac{273+t}{273}$$

$$= \frac{V_0}{273} \times (273+t) = kT\text{이다.}$$

$$V = kT \quad (k\text{: 상수})$$

① 일정한 압력에서 일정량의 기체의 부피와 절대 온도의 비$\left(\frac{V}{T}\right)$는 항상 일정하다.

$$V = kT \Rightarrow \frac{V}{T} = k,\ \frac{V_1}{T_1} = \frac{V_2}{T_2} \quad \begin{pmatrix} T_1\text{: 처음 온도, } V_1\text{: 처음 부피} \\ T_2\text{: 나중 온도, } V_2\text{: 나중 부피} \end{pmatrix}$$

상상 교과서에만 나와요.

★ 게이뤼삭의 실험
게이뤼삭은 기체의 팽창을 정밀하게 측정할 수 있는 장치를 고안하여 공기, 수소, 산소, 질소 등의 기체의 온도가 0 ℃에서 100 ℃까지 높아질 때의 부피 변화를 측정했다. 그는 이 실험으로 일정한 압력에서 기체의 종류에 관계없이 1 ℃당 기체의 부피 팽창률이 일정함을 발견하였다.

★ 섭씨온도(℃)
1기압 조건에서 물의 어는점(0 ℃)과 물의 끓는점(100 ℃) 사이를 100 등분하여 그 간격을 1 ℃로 정한 온도이다.

★ 그래프에서 0 K 근처는 점선으로 나타내는 까닭
기체의 온도를 낮추면 실제로는 절대 영도가 되기 전에 액체나 고체로 상태가 변한다. 액체나 고체 상태에서는 샤를 법칙을 적용할 수 없기 때문에 이 구간에서는 그래프를 점선으로 나타낸다.

암기해
샤를 법칙
일정한 압력에서 일정량의 기체의 부피(V)는 절대 온도(T)에 비례한다.

$$V = kT$$
$$\frac{V_1}{T_1} = \frac{V_2}{T_2}$$

② **샤를 법칙 관련 그래프**: 일정한 압력(P)에서 일정량의 기체의 온도(T)와 부피(V) 사이의 관계를 나타낸다.

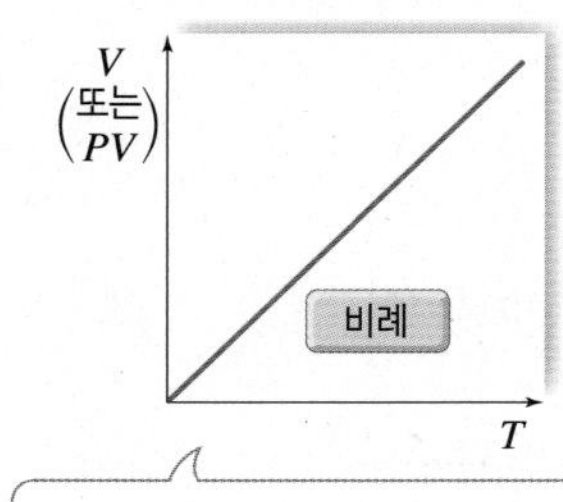

절대 온도와 기체의 부피는 비례한다. ➡ $T \propto V$

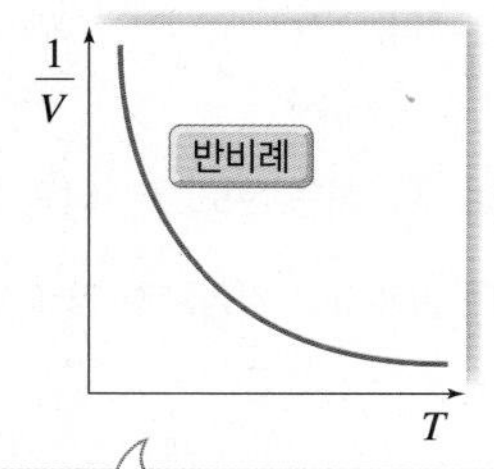

절대 온도는 $\frac{1}{부피}$에 반비례한다. ➡ $T \propto V$

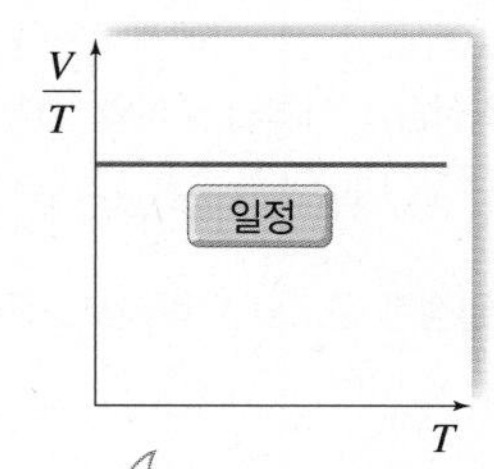

온도가 변해도 $\frac{부피}{절대\ 온도}$는 일정하다. ➡ $\frac{V}{T}$=일정

탐구 자료창 *기체의 온도와 부피의 관계

미래엔, 지학사 교과서에만 나와요.

과정

❶ 주사기 속 공기의 부피가 30 mL가 되도록 피스톤을 조절하여 입구를 막는다. (상상 교과서에서는 빨대로 실험한다.)

❷ 비커에 얼음물을 담고 ❶의 주사기를 담근 후 온도를 높여가며 주사기 속 공기의 부피를 측정한다.

$\frac{V_1}{T_1}=\frac{V_2}{T_2}$이므로 $\frac{27}{273}=\frac{V}{293}$, $V≒29$(mL)이다.

결과 및 해석

섭씨온도(°C)	0	20	40	60
절대 온도(K)	273	293	313	333
부피(mL)	27	29	31	33
$\frac{부피}{절대\ 온도}$	약 0.1	약 0.1	약 0.1	약 0.1

➡ 일정한 압력에서 일정량의 기체의 온도가 높아지면 기체의 부피는 절대 온도에 비례하여 증가한다.

★ **기체의 온도와 부피 관계로 설명할 수 있는 현상**

• 찌그러진 탁구공을 뜨거운 물에 넣으면 탁구공이 펴진다.

• 풍선을 액체 질소에 넣으면 쭈그러들고 꺼내면 다시 원래의 모양이 된다.

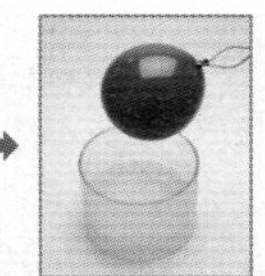

액체 질소 (약 −196 °C)

★ **아보가드로 법칙과 기체의 부피**

0 °C, 1기압에서 모든 기체는 1몰의 부피가 22.4 L로 같다.

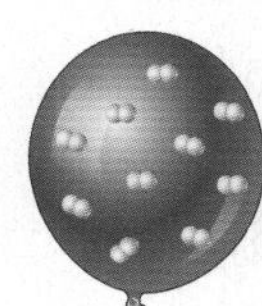
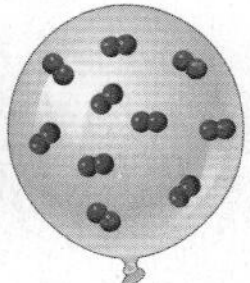

수소 1몰, 22.4 L　산소 1몰, 22.4 L

D 기체의 양(mol)과 부피의 관계

1. 기체의 양(mol)과 부피의 관계 온도와 압력이 같을 때 기체의 종류에 관계없이 모든 기체는 같은 부피 속에 같은 수의 입자를 포함한다.

2. 아보가드로 법칙

(1) **아보가드로 법칙**: 일정한 온도와 압력에서 기체의 종류에 관계없이 기체의 부피(V)는 기체의 양(mol, n)에 비례한다.

$$V=kn\ (k: 상수)$$

(2) *기체 1몰은 0 °C, 1기압에서 22.4 L의 부피를 차지하며, 기체의 양(mol)이 많아지면 부피도 이에 비례하여 증가한다.

암기해

아보가드로 법칙

일정한 온도와 압력에서 기체의 종류에 관계없이 기체의 부피(V)는 기체의 양(mol, n)에 비례한다.

$V=kn$

개념 확인 문제

정답친해 2쪽

핵심 체크

- (❶): -273 °C를 0으로 하여 섭씨온도와 같은 간격으로 나타낸 온도로, 단위는 K이다.
- 샤를 법칙: 일정한 (❷)에서 일정량의 기체의 부피는 (❸)에 비례한다.
- 일정한 압력에서 일정량의 기체의 부피와 절대 온도의 비는 항상 (❹)하다.

  ➡ $\frac{V_1}{T_1}$=(❺) (V_1: 처음 부피, V_2: 나중 부피, T_1: 처음 온도, T_2: 나중 온도)
- 아보가드로 법칙: 일정한 온도와 압력에서 기체의 종류에 관계없이 일정량의 기체의 부피는 기체의 (❻)에 비례한다.

1 기체의 온도와 부피에 대한 설명으로 옳은 것은 ○, 옳지 않은 것은 ×로 표시하시오.

(1) 일정한 압력에서 일정량의 기체의 부피는 절대 온도에 비례한다. ( )

(2) 일정한 압력에서 일정량의 기체의 부피와 절대 온도의 곱은 일정하다. ( )

(3) 일정한 압력에서 일정량의 기체의 부피는 온도가 1 °C 높아질 때마다 0 °C 때 부피의 273배씩 증가한다. ( )

2 27 °C, 1기압에서 부피가 500 mL인 헬륨(He) 기체를 같은 압력에서 -3 °C로 냉각시켰을 때 He 기체의 부피(mL)를 구하시오.

3 샤를 법칙과 관련된 그래프만을 [보기]에서 있는 대로 고르시오.

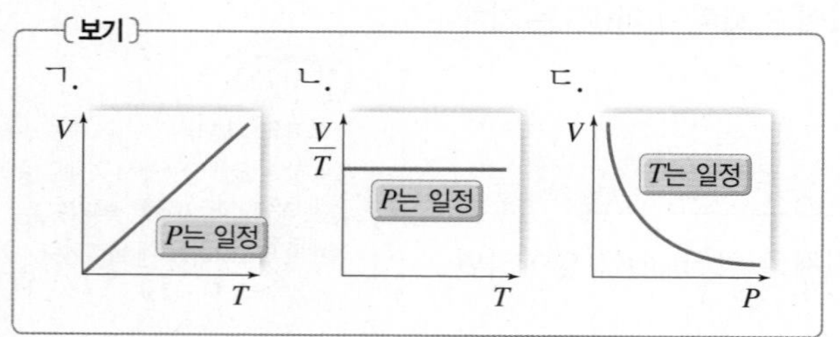

4 표는 일정량의 기체 X의 압력과 온도에 따른 부피이다.

실험	압력(atm)	온도(°C)	부피
(가)	1	27	V_1
(나)	2	27	V_2
(다)	1	54	V_3
(라)	2	327	V_4

V_1~V_4를 비교하여 등호나 부등호로 나타내시오.

5 기체의 양(mol)과 부피에 대한 설명으로 옳은 것은 ○, 옳지 않은 것은 ×로 표시하시오.

(1) 아보가드로 법칙은 기체의 양(mol)과 부피의 관계를 정리한 법칙이다. ( )

(2) 일정한 온도와 압력에서 기체의 부피는 기체의 양(mol)에 반비례한다. ( )

(3) 0 °C, 1기압에서 질소 기체 0.5몰의 부피는 11.2 L이다. ( )

6 0 °C, 1기압에서 헬륨(He) 기체 1몰의 부피가 22.4 L일 때, 같은 온도와 압력에서 네온(Ne) 기체 2몰의 부피(L)를 구하시오.

대표 자료 분석

정답친해 3쪽

학교 시험에 자주 출제되는 대표 자료와 그 자료에 대한 문제를 통해 자료를 완벽하게 이해할 수 있다.

자료 1 기체의 온도와 압력에 따른 부피 변화

기출 Point
- 기체의 온도와 부피 관계 그래프 해석
- 기체의 압력과 부피 관계 그래프 해석

[1~3] 그림은 일정량의 기체 X에 대하여 온도(T)와 압력(P)에 따른 부피를 나타낸 것이다.

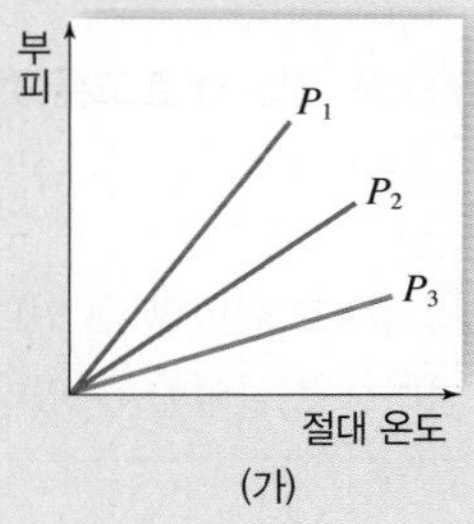

(가)

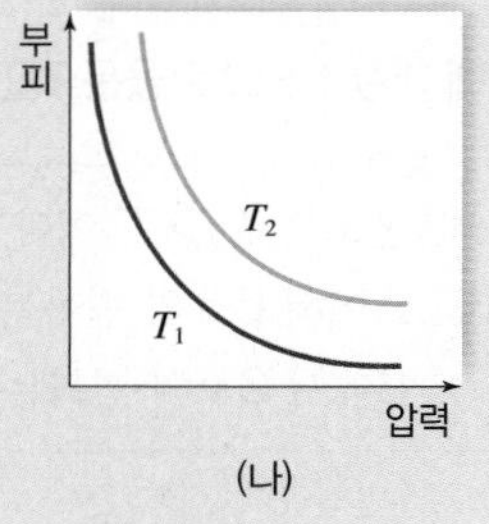

(나)

1 (가)에서 기체의 압력 P_1, P_2, P_3을 비교하여 등호나 부등호로 나타내시오.

2 (나)에서 기체의 온도 T_1, T_2를 비교하여 등호나 부등호로 나타내시오.

3 빈출 선택지로 완벽 정리!

(1) (가)에서 압력이 일정한 경우 샤를 법칙을 설명할 수 있다. ············ (○ / ×)

(2) (나)에서 온도가 일정한 경우 보일 법칙을 설명할 수 있다. ············ (○ / ×)

(3) (가)와 (나)는 모두 아보가드로 법칙으로 설명할 수 있다. ············ (○ / ×)

(4) (나)에서 압력이 같을 때 기체의 밀도는 T_1과 T_2가 같다. ············ (○ / ×)

자료 2 기체의 압력, 온도, 양(mol)에 따른 부피 변화

기출 Point
- 기체의 압력, 온도, 양(mol)에 따른 실린더 속 기체의 부피 변화

[1~4] 그림은 실린더에 같은 양(mol)의 헬륨(He) 기체와 질소(N_2) 기체를 함께 넣은 후 조건을 변화시켰을 때 실린더에 들어 있는 기체의 부피 변화를 나타낸 것이다. (단, 대기압은 1기압으로 일정하고, 추의 질량은 모두 동일하며, 피스톤의 질량과 마찰은 무시한다.)

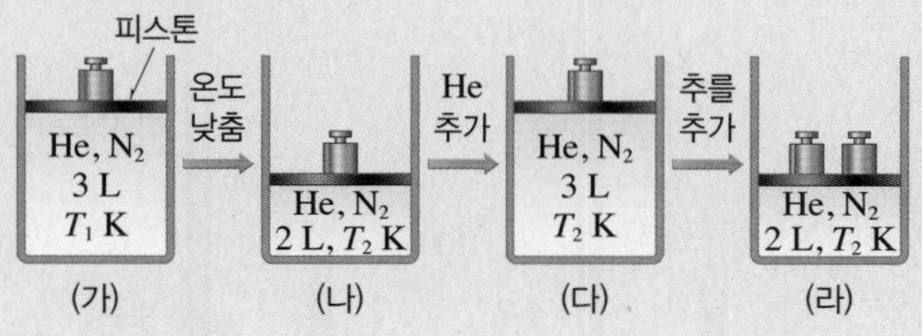

(가) (나) (다) (라)

1 (나)~(라)의 온도 T_2를 (가)의 온도 T_1을 이용하여 나타내시오.

2 (나)에서 전체 기체의 양(mol)을 n이라고 할 때 (나) → (다)에서 추가한 He의 양을 n으로 나타내시오.

3 (라)에서 기체의 압력(기압)을 구하시오.

4 빈출 선택지로 완벽 정리!

(1) (나) → (다)에서 추가하는 He의 양(mol)을 2배로 하고, 온도를 $\frac{1}{2}T_2$로 변화시켜도 (다)의 부피는 3 L이다. ············ (○ / ×)

(2) (다)에서 온도를 T_1로 변화시키면 부피는 4.5 L가 된다. ············ (○ / ×)

(3) (라)에서 추 1개를 더 올리면 기체의 부피는 $\frac{4}{3}$ L가 된다. ············ (○ / ×)

내신 만점 문제

A B C D 기체의 압력·온도·양(mol)과 부피의 관계

중요 **01** 그림 (가)는 헬륨(He) 기체와 수은이 들어 있는 J자관에 질소(N_2) 기체를 주입한 모습을, (나)는 (가)의 J자관에 펌프로 N_2 기체를 더 주입하여 변화된 모습을 나타낸 것이다.

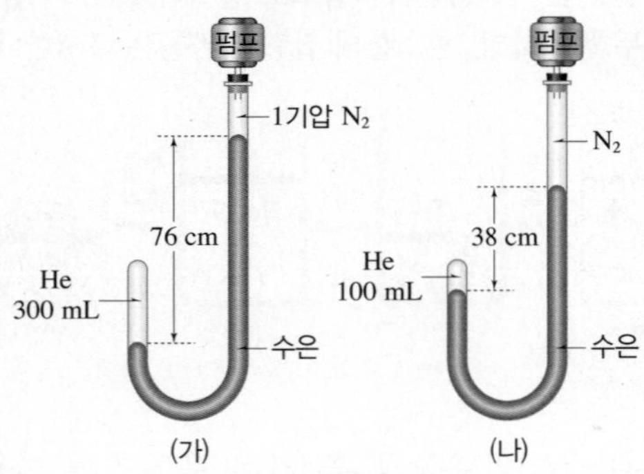

이에 대한 설명으로 옳은 것만을 [보기]에서 있는 대로 고른 것은? (단, 1기압은 76 cmHg이고, 온도는 일정하다.)

보기
ㄱ. (가)에서 He 기체의 압력은 2기압이다.
ㄴ. (나)에서 N_2 기체의 압력은 5.5기압이다.
ㄷ. (나)에서 N_2 기체의 압력은 He 기체의 압력보다 크다.

① ㄱ ② ㄷ ③ ㄱ, ㄴ
④ ㄴ, ㄷ ⑤ ㄱ, ㄴ, ㄷ

중요 **02** 표는 일정량의 기체 X의 압력과 온도에 따른 부피이다.

실험	압력(기압)	온도(K)	부피
(가)	1	273	V_1
(나)	2	273	V_2
(다)	1	546	V_3

이에 대한 설명으로 옳은 것만을 [보기]에서 있는 대로 고르시오.

보기
ㄱ. V_1은 V_2의 2배이다.
ㄴ. 부피는 $V_3>V_1>V_2$이다.
ㄷ. 2기압, 546 K에서의 부피는 $2V_2$이다.

03 그림은 서로 다른 온도 T_1과 T_2에서 일정량의 헬륨(He) 기체에 대하여 압력에 따른 부피를 나타낸 것이다.

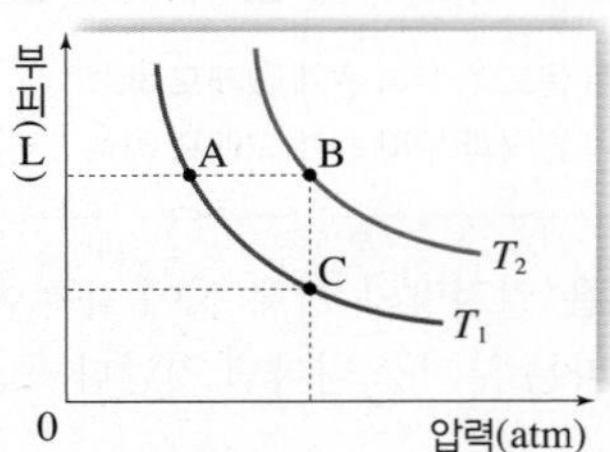

이에 대한 설명으로 옳은 것만을 [보기]에서 있는 대로 고른 것은?

보기
ㄱ. 온도는 $T_2>T_1$이다.
ㄴ. A에서 C로의 변화는 보일 법칙으로 설명할 수 있다.
ㄷ. B에서 C로의 변화는 샤를 법칙으로 설명할 수 있다.

① ㄴ ② ㄷ ③ ㄱ, ㄴ
④ ㄱ, ㄷ ⑤ ㄱ, ㄴ, ㄷ

04 그림은 1기압에서 일정량의 기체 X의 온도에 따른 부피를 나타낸 것이다.

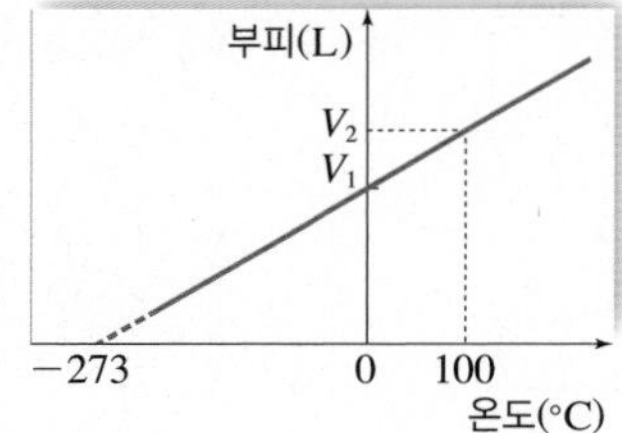

이에 대한 설명으로 옳은 것만을 [보기]에서 있는 대로 고른 것은?

보기
ㄱ. $V_2=\frac{373}{273}V_1$이다.
ㄴ. 0.5기압에서 0 °C일 때 X의 부피는 $\frac{V_1}{2}$이다.
ㄷ. 2기압일 때 직선의 기울기는 $\frac{V_1}{546}$이다.

① ㄱ ② ㄴ ③ ㄱ, ㄷ
④ ㄴ, ㄷ ⑤ ㄱ, ㄴ, ㄷ

05 그림은 일정량의 헬륨(He) 기체의 압력(P)에 따른 압력과 부피의 곱(PV)을 나타낸 것이다.

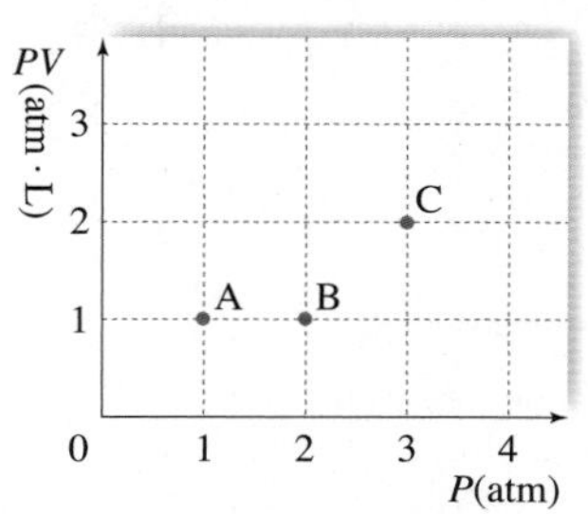

이에 대한 설명으로 옳은 것만을 [보기]에서 있는 대로 고른 것은?

[보기]
ㄱ. 부피는 A에서가 B에서의 2배이다.
ㄴ. 밀도는 B에서가 C에서보다 크다.
ㄷ. 온도는 C에서 가장 높다.

① ㄱ ② ㄴ ③ ㄱ, ㄷ
④ ㄴ, ㄷ ⑤ ㄱ, ㄴ, ㄷ

중요 **06** 그림 (가)는 일정량의 기체 A에 대해 서로 다른 압력 P_1, P_2에서 절대 온도에 따른 기체의 부피를, (나)는 압력 P_1에서 절대 온도에 따른 기체의 부피를 나타낸 것이다.

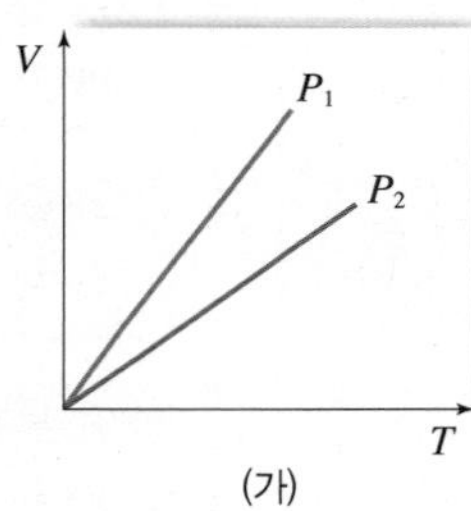

(가)

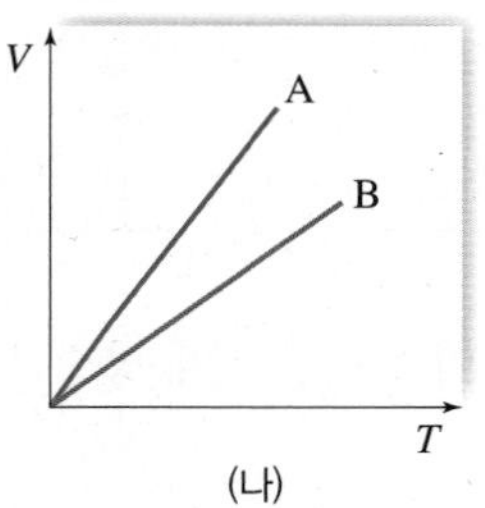

(나)

이에 대한 설명으로 옳은 것만을 [보기]에서 있는 대로 고른 것은?

[보기]
ㄱ. (가)에서 $P_2 > P_1$이다.
ㄴ. 기체의 양(mol)은 A가 B보다 크다.
ㄷ. (나)에서 압력이 P_2가 되면 B의 기울기는 커진다.

① ㄱ ② ㄷ ③ ㄱ, ㄴ
④ ㄴ, ㄷ ⑤ ㄱ, ㄴ, ㄷ

중요 **07** 그림은 27 °C, 1기압에서 일정량의 기체를 실린더에 넣고 압력과 온도를 변화시킬 때의 모습을 나타낸 것이다.

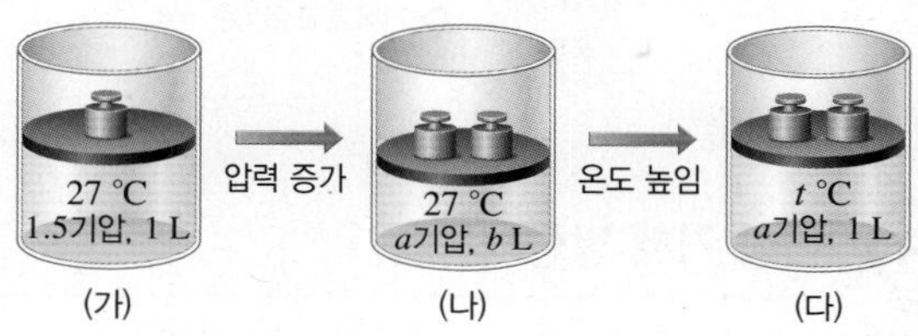

이에 대한 설명으로 옳은 것만을 [보기]에서 있는 대로 고른 것은? (단, 추의 질량은 모두 동일하며, 피스톤의 질량과 마찰은 무시한다.)

[보기]
ㄱ. (나)에서 $a \times b$는 1.5이다.
ㄴ. (나)에서 기체의 양(mol)을 2배로 하면 부피는 (가)와 같다.
ㄷ. (다)에서 t는 36이다.

① ㄱ ② ㄷ ③ ㄱ, ㄴ
④ ㄴ, ㄷ ⑤ ㄱ, ㄴ, ㄷ

08 그림은 절대 온도 T에서 강철 용기와 실린더에 각각 네온(Ne) 기체가 들어 있는 모습을 나타낸 것이다.

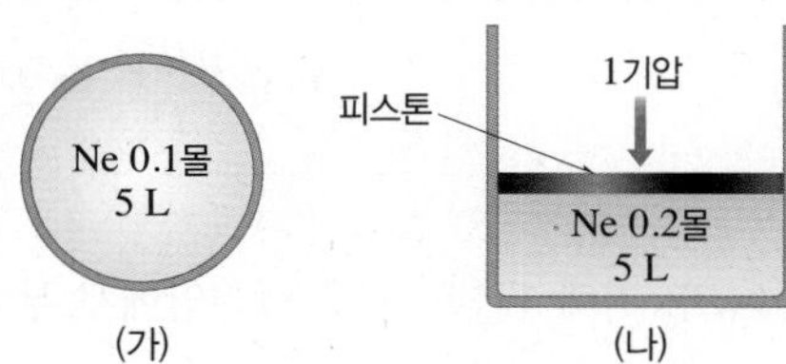

이에 대한 설명으로 옳은 것만을 [보기]에서 있는 대로 고른 것은? (단, 온도는 일정하고, 피스톤의 질량과 마찰은 무시한다.)

[보기]
ㄱ. (가)에서 Ne의 압력은 0.5기압이다.
ㄴ. 온도가 $2T$일 때 Ne의 압력은 (가)와 (나)가 같다.
ㄷ. 온도가 $2T$일 때 Ne의 밀도는 (가)가 (나)의 2배이다.

① ㄴ ② ㄷ ③ ㄱ, ㄴ
④ ㄱ, ㄷ ⑤ ㄱ, ㄴ, ㄷ

02 기체(2)

핵심 포인트	Ⓐ 이상 기체 방정식 ★★★ Ⓑ 기체 분자 운동론 ★★	Ⓒ 부분 압력 법칙 ★★★ 기체의 부분 압력 계산 ★★★

Ⓐ 이상 기체 방정식

앞에서 배운 보일 법칙, 샤를 법칙, 아보가드로 법칙은 이상 기체 방정식이라는 하나의 관계식으로 정리하여 표현할 수 있답니다. 그럼 지금부터는 이상 기체 방정식에 대하여 알아보아요.

1. 이상 기체 방정식

(1) **기체 관련 법칙의 정리**: 보일 법칙, 샤를 법칙, 아보가드로 법칙을 종합하면 기체의 부피(V)는 압력(P)에 반비례하고, 절대 온도(T)와 기체의 양(n)에 비례한다.

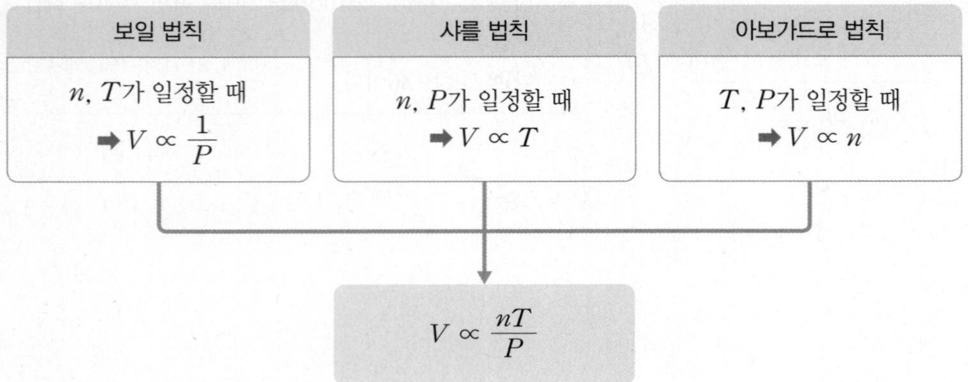

(2) ***이상 기체 방정식**: $V \propto \frac{nT}{P}$ 식에 비례 상수(R)를 대입하여 정리한 식으로, 기체의 압력, 부피, 양(mol), 온도의 관계를 나타낸다.

$$V=\frac{nRT}{P} \Rightarrow PV=nRT$$

(3) **기체 상수(R)**: 기체 1몰은 0 °C, 1기압에서 부피가 22.4 L이므로, 이를 이상 기체 방정식에 대입하여 구한 비례 상수

$$PV=nRT \Rightarrow R=\frac{PV}{nT}=\frac{1\text{ atm}\times 22.4\text{ L}}{1\text{ mol}\times 273\text{ K}} \fallingdotseq 0.082\text{ atm}\cdot\text{L}/(\text{mol}\cdot\text{K})$$

[예제 1] 어떤 용기에 질소(N_2) 기체 2.8 g을 넣고 온도를 27 °C로 일정하게 유지했더니 N_2의 압력이 76 mmHg로 측정되었다. 이 용기의 부피(L)를 구하시오. (단, N의 원자량은 14이고, N_2를 이상 기체로 가정하며, 기체 상수 R은 0.082 atm·L/(mol·K)이다.)

풀이 N_2의 양(mol) $n=\frac{2.8\text{ g}}{28\text{ g/mol}}=0.1$ mol, N_2의 압력: 76 mmHg$=0.1$ atm

$$PV=nRT \Rightarrow V=\frac{nRT}{P}=\frac{0.1\text{ mol}\times 0.082\text{ atm}\cdot\text{L}/(\text{mol}\cdot\text{K})\times(273+27)\text{ K}}{0.1\text{ atm}}=24.6\text{ L}$$

* 이상 기체 방정식과 기체 관련 법칙

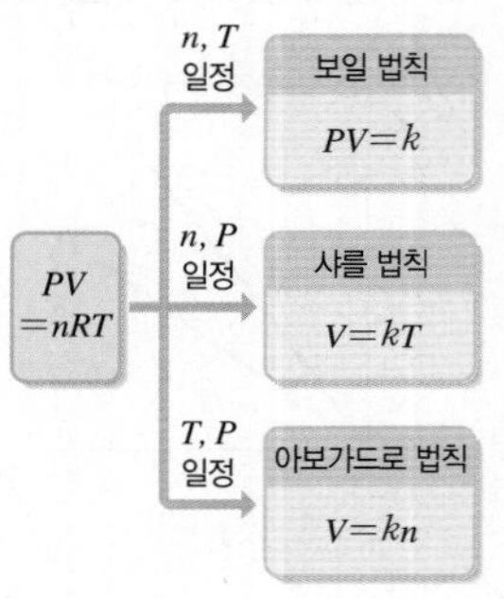

암기해
이상 기체 방정식
$PV=nRT$

2. 이상 기체 방정식을 이용하여 기체의 분자량(M) 구하기

(1) 기체의 질량(w) 이용: 분자량이 M, 기체의 질량이 w g인 경우 기체의 양(mol) n은 $\frac{w}{M}$이므로 이를 이상 기체 방정식에 대입하여 구한다.

$$PV = nRT = \frac{w}{M}RT \Rightarrow M = \frac{wRT}{PV}$$

[예제 2] 300 K, 1기압에서 기체 X 2.0 g의 부피가 24.6 L일 때, X의 분자량을 구하시오. (단, 기체 상수 R은 0.082 atm·L/(mol·K)이다.)

풀이 $M = \frac{wRT}{PV} = \frac{2.0\text{ g} \times 0.082\text{ atm·L/(mol·K)} \times 300\text{ K}}{1\text{ atm} \times 24.6\text{ L}} = 2.0\text{ g/mol}$, X의 분자량은 2이다.

(2) *기체의 밀도(d) 이용: 기체의 밀도 d는 $\frac{w}{V}$이므로 이를 $M = \frac{wRT}{PV}$에 대입하여 구한다.

$$M = \frac{wRT}{PV} = \frac{w}{V} \times \frac{RT}{P} = \frac{dRT}{P}$$

[예제 3] 1기압, 27 ℃에서 밀도가 1.3 g/L인 기체 A의 분자량을 구하시오. (단, 기체 상수 R은 0.082 atm·L/(mol·K)이다.)

풀이 $M = \frac{dRT}{P} = \frac{1.3\text{ g/L} \times 0.082\text{ atm·L/(mol·K)} \times (273+27)\text{ K}}{1\text{ atm}} \fallingdotseq 32\text{ g/mol}$, A의 분자량은 32이다.

* **기체의 밀도를 이용한 분자량 결정**

$M = \frac{dRT}{P}$이므로 일정한 온도와 압력에서 기체의 밀도는 기체의 분자량에 비례한다. 따라서 $\frac{d_B}{d_A} = \frac{M_B}{M_A}$이다. 이 식을 이용하면 두 기체의 밀도와 한 기체의 분자량을 알 때 나머지 한 기체의 분자량을 계산할 수 있다.

확대경 이상 기체와 실제 기체

미래엔, 천재 교과서에만 나와요.

1. 이상 기체: 이상 기체 방정식을 정확히 따르는 가상의 기체

❶ 분자 자체의 부피가 없고, 분자 사이의 인력이나 반발력이 작용하지 않는다.

❷ 압력과 온도에 관계없이 기체 1몰의 $\frac{PV}{RT}$ 값은 항상 1이다.

2. 실제 기체

❶ 분자 자체의 부피가 있고, 분자 사이에 인력이나 반발력이 작용한다.

❷ 기체 분자들 사이에 인력이나 반발력이 작용하므로 기체 1몰의 $\frac{PV}{RT}$ 값이 1에서 벗어날 수 있다. ➡ 기체 분자 사이에 인력이 작용할 때는 이웃 분자들의 끌어당기는 힘 때문에 기체 분자가 용기 벽면에 약하게 충돌한다. 따라서 기체의 압력이 이상 기체보다 작고, $\frac{PV}{RT}$ 값은 1보다 작다.

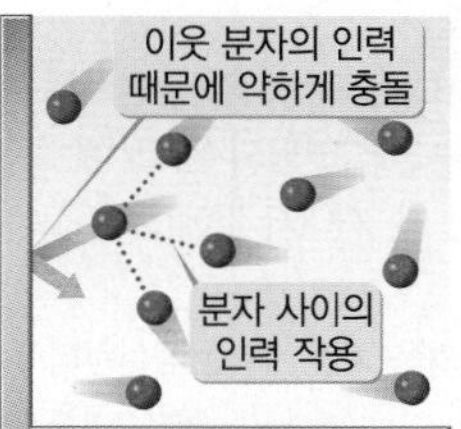

실제 기체의 분자 운동

❸ 온도가 높을수록, 압력이 작을수록, 분자량이 작을수록 기체 1몰의 $\frac{PV}{RT}$ 값이 1에 가까워 이상 기체에 가깝게 행동한다.

• 기체의 온도가 높고 압력이 낮을수록 분자 사이의 거리가 멀어져서 분자 자체의 부피, 분자 사이의 인력이나 반발력을 무시할 수 있다.

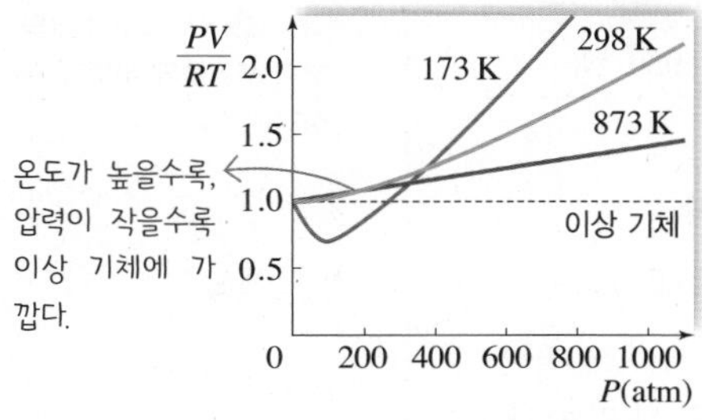

여러 온도에서 질소 기체 1몰의 $\frac{PV}{RT}$ 값

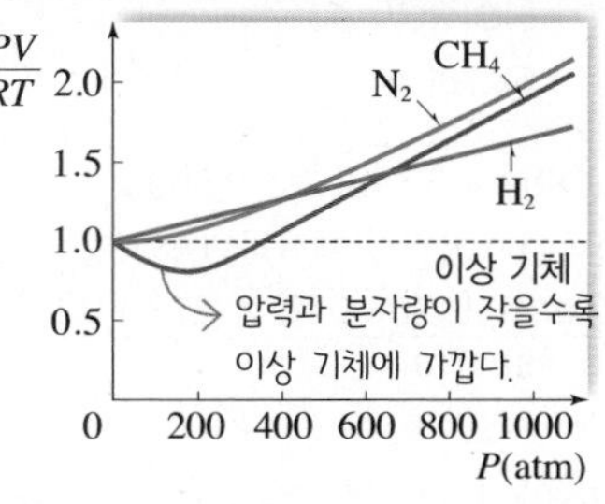

25 ℃에서 여러 가지 기체 1몰의 $\frac{PV}{RT}$ 값

기체의 분자량(M) 계산

$M = \frac{wRT}{PV}$ (w: 기체의 질량)

$= \frac{dRT}{P}$ (d: 기체의 밀도)

실제 기체는 실온, 대기압에서 이상 기체에 매우 가까워서 이상 기체 방정식을 적용할 수 있어요.

02 기체(2)

탐구 자료창 기체의 분자량 구하기

목표 이상 기체 방정식을 이용하여 산소와 에탄올의 분자량을 구할 수 있다.

산소의 분자량 구하기

비상, 미래엔 교과서에만 나와요.

과정

❶ 실험실의 온도(t)와 기압(P), 산소가 들어 있는 산소통의 질량(w_1)을 측정한다.
❷ 유리 주사기의 피스톤을 끝까지 눌러 주사기 내부의 공기를 모두 빼낸다.
❸ 산소통의 노즐에 고무관을 연결하고, 고무관의 다른 쪽에 과정 ❷의 주사기를 연결한다.
❹ 산소통의 노즐을 눌러 주사기에 산소를 모은 뒤 산소의 부피(V)를 측정한다.
└● 미래엔 교과서에서는 수상 치환으로 산소를 모은다.
❺ 산소통에서 주사기와 고무관을 분리한 뒤 산소통의 질량(w_2)을 다시 측정한다.

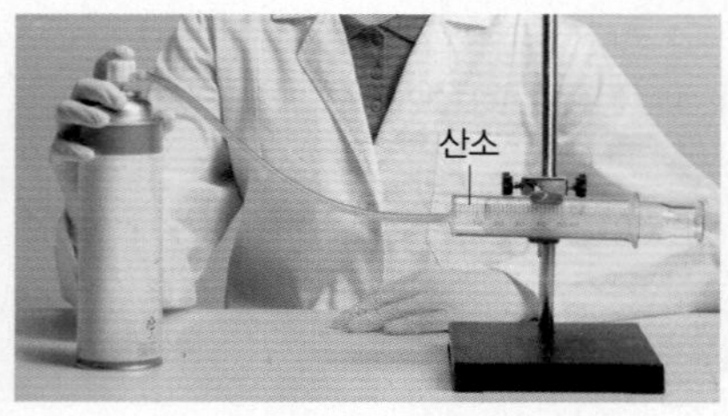

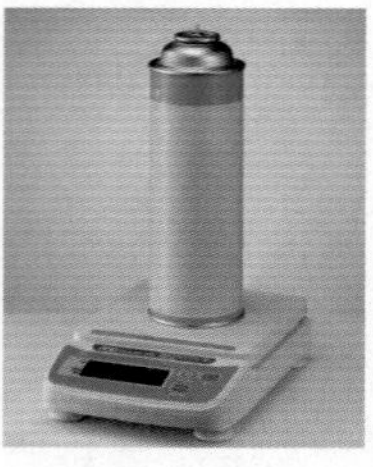

결과

실험실의 온도(t)	실험실의 기압(P)	산소통의 처음 질량(w_1)	산소통의 나중 질량(w_2)	산소의 부피(V)
17 ℃	1기압	120.530 g	120.380 g	100 mL

해석

1. **산소의 질량**: $w=w_1-w_2=120.530\text{ g}-120.380\text{ g}=0.150\text{ g}$
2. ***산소의 분자량**: 이상 기체 방정식을 이용하여 계산하면 분자량은 35.7이다.

$$M=\frac{wRT}{PV}=\frac{0.150\text{ g}\times0.082\text{ atm}\cdot\text{L/(mol}\cdot\text{K)}\times(273+17)\text{ K}}{1\text{ atm}\times0.1\text{ L}}\fallingdotseq35.7\text{ g/mol}$$

★ **산소의 분자량이 실제 값(32)보다 크게 측정되는 경우**
- 산소의 온도가 실험실의 온도보다 낮은 경우
- 과정 ❹에서 노즐을 눌렀을 때 산소가 주사기로 이동하지 못하고 주변으로 빠져 나가는 경우

같은 탐구 다른 실험

에탄올의 분자량 구하기

미래엔, 지학사 교과서에만 나와요.

과정

❶ 둥근바닥 플라스크에 알루미늄박으로 뚜껑을 만들어 씌운 뒤, 뚜껑에 바늘로 작은 구멍을 뚫고 질량(w_1)을 측정한다.
❷ 플라스크에 에탄올을 1 mL 정도 넣고 물중탕으로 가열한 다음 에탄올이 모두 기화하면 가열을 멈추고 물의 온도(t)를 측정한다.
❸ 플라스크를 실온까지 식힌 뒤, 꺼내서 겉에 묻은 물을 완전히 닦아 내고 질량(w_2)을 측정한다.
❹ 플라스크를 비우고 물을 가득 채운 뒤 눈금실린더로 옮겨 물의 부피(V)를 측정한다. (물의 부피: 플라스크의 부피와 같다.)
❺ 실험실의 기압(P)을 측정한다.

결과

물의 온도(t)	플라스크의 처음 질량(w_1)	플라스크의 나중 질량(w_2)	플라스크 부피(V)	기압(P)
92.5 ℃	52.280 g	52.780 g	315 mL	0.980기압

해석

1. **에탄올의 질량**: $w=w_2-w_1=52.780\text{ g}-52.280\text{ g}=0.500\text{ g}$
2. ***에탄올의 분자량**: 이상 기체 방정식을 이용하여 계산하면 분자량은 48.5이다.

$$M=\frac{wRT}{PV}=\frac{0.500\text{ g}\times0.082\text{ atm}\cdot\text{L/(mol}\cdot\text{K)}\times(273+92.5)\text{ K}}{0.980\text{ atm}\times0.315\text{ L}}\fallingdotseq48.5\text{ g/mol}$$

★ **에탄올의 분자량이 실제 값(46)보다 크게 측정되는 경우**
- 과정 ❸에서 플라스크 표면에 물기가 조금 남아 있는 경우
- 과정 ❹에서 플라스크의 실제 부피보다 물의 부피가 작게 측정되는 경우

확인 문제 1 27 ℃, 1기압에서 1.4 L 밀폐 용기에 기체 X 1.6 g이 들어 있다. X의 분자량을 구하시오. (단, 기체 상수 R은 0.082 atm·L/(mol·K)이고, 소수점 아래 첫째 자리에서 반올림한다.)

확인 문제 답
1 28
[풀이] $M=\frac{wRT}{PV}=\frac{1.6\text{ g}\times0.082\text{ atm}\cdot\text{L/(mol}\cdot\text{K)}\times300\text{ K}}{1\text{ atm}\times1.4\text{ L}}\fallingdotseq28\text{ g/mol}$

개념 확인 문제

정답친해 5쪽

• 이상 기체 방정식: 기체의 압력(P), 부피(V), 양(n), 온도(T)의 관계를 기체 상수(R)를 대입하여 나타낸 식

➡ $PV=$(❶   ), $R=$(❷   ) atm·L/(mol·K)

• 이상 기체 방정식을 이용하여 기체의 분자량(M) 구하기: $M=\dfrac{wRT}{(❸ \qquad)}=\dfrac{dRT}{P}$ (w: 질량, d: 밀도)

1 이상 기체 방정식에 대한 설명으로 옳은 것은 ○, 옳지 않은 것은 ×로 표시하시오.

(1) 보일 법칙, 샤를 법칙은 설명할 수 있지만, 아보가드로 법칙은 설명할 수 없다. ( )

(2) 0 °C, 1기압에서 기체 1몰의 부피를 이용하면 기체 상수를 구할 수 있다. ( )

(3) 이상 기체 방정식을 이용하여 물질의 분자량을 구할 수 있다. ( )

2 다음은 자동차가 충돌할 때 에어백 안에서 일어나는 아자이드화 나트륨(NaN_3) 분해 반응의 화학 반응식이다.

$$2NaN_3(g) \longrightarrow 2Na(g)+3N_2(g)$$

27 °C, 1기압에서 NaN_3 32.5 g이 분해될 때 생성되는 N_2의 부피(L)를 구하시오. (단, 기체 상수 R은 0.082 atm·L/(mol·K)이고, N, Na의 원자량은 각각 14, 23이다.)

3 27 °C, 1기압에서 메테인(CH_4) 기체의 부피가 246 mL일 때, 메테인의 질량(g)을 구하시오. (단, 기체 상수 R은 0.082 atm·L/(mol·K)이고, C, H의 원자량은 각각 12, 1이다.)

4 0 °C, 1기압에서 어떤 기체 240 mL의 질량이 0.3 g일 때, 이 기체로 예상되는 것은? (단, 기체 상수 R은 0.082 atm·L/(mol·K)이고, H, C, N, O의 원자량은 각각 1, 12, 14, 16이다.)

① H_2 ② N_2 ③ O_2
④ H_2O ⑤ CO_2

5 27 °C, 1기압에서 밀도가 0.82 g/L인 기체 X의 분자량을 구하시오. (단, 기체 상수 R은 0.082 atm·L/(mol·K)이고, 소수점 아래 첫째 자리에서 반올림한다.)

6 그림은 드라이아이스를 이용하여 CO_2의 분자량을 구하기 위한 실험 장치를 나타낸 것이다.

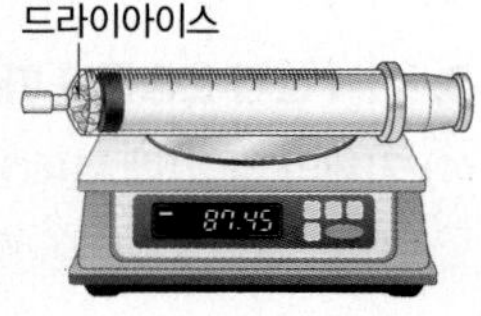

분자량을 구하기 위해 측정해야 하는 값만을 [보기]에서 있는 대로 고르시오.

[보기]
ㄱ. 실험실의 온도
ㄴ. 실험실의 대기압
ㄷ. 드라이아이스를 넣기 전과 후 주사기의 질량
ㄹ. 드라이아이스가 승화하기 전과 후 주사기 속 기체의 부피

B 기체 분자 운동론

기체는 액체나 고체와는 다른 성질이 있고, 기체의 성질은 기체 분자의 운동으로 나타납니다. 그런데 기체 분자는 크기가 매우 작아 눈에 보이지 않으므로 기체의 성질이 기체 분자의 운동에 의해 나타난다는 것을 쉽게 알 수 없어요. 그러면 어떻게 기체의 성질을 설명할 수 있을까요? 함께 알아보아요.

1. 기체 분자 운동론 *기체의 성질을 기체 분자의 운동으로 설명하는 이론으로, 기체 관련 법칙과 실험을 통해서 알아내었으며 다음과 같은 몇 가지 가정에 근거를 두고 설명한다.

기체 분자 운동론의 가정

① 기체 분자는 끊임없이 불규칙한 직선 운동을 한다.
② 기체 분자끼리 충돌한 후나 기체 분자가 용기 벽에 충돌한 후 에너지의 손실이 없다.
③ 기체 분자의 크기는 기체의 부피에 비해 매우 작으므로 무시한다.
④ 기체 분자 사이에는 인력이나 반발력이 작용하지 않는다.
⑤ 기체 분자의 평균 운동 에너지는 절대 온도에 비례한다. 즉, 온도가 같으면 기체의 종류에 관계없이 기체 분자의 평균 운동 에너지는 같다.
- 기체 분자의 평균 운동 에너지는 $E_k=\frac{3}{2}kT$이고, 질량이 m인 물체의 속력이 v일 때 운동 에너지는 $E_k=\frac{1}{2}mv^2$이다.

지학사, 천재 교과서에만 나와요.

2. 기체 분자의 평균 운동 속력 같은 종류의 기체에서 온도가 높을수록 기체 분자의 평균 운동 에너지가 크므로 평균 운동 속력이 빠르다.

온도에 따른 산소 분자의 운동 속력 분포

그래프는 각 기체의 운동 속력에 대한 분자 수 비율이다. 각각의 온도에서 그래프의 전체 면적은 모두 같다.

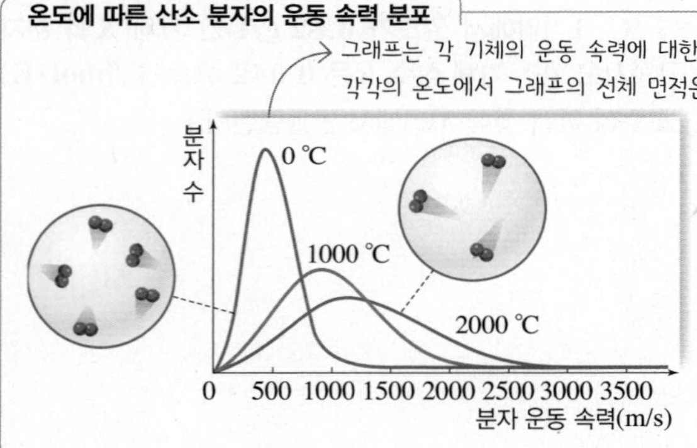

- 기체 분자들은 같은 온도에서도 제각기 다른 속력으로 운동하고 있다.
- 온도가 높을수록 속력이 빠른 기체 분자의 비율이 크다.

그래프가 오른쪽으로 치우칠수록 기체 분자의 평균 운동 속력이 빠르다.

3. 기체 분자 운동론에 따른 이상 기체 방정식의 해석

(1) 기체의 양(n)과 부피(V)가 일정할 때 온도(T)와 압력(P)의 관계: $PV=nRT$에서 n과 V가 일정할 때 T와 P는 비례한다. ➡ $T\propto P$

온도가 높아질 때 부피가 고정된 경우

일정한 부피의 실린더에 일정량의 기체를 넣고 실린더를 가열하면, 기체 분자의 평균 운동 에너지가 증가하여 기체 분자가 실린더 벽에 충돌하는 횟수와 세기가 증가하므로 압력이 커진다.

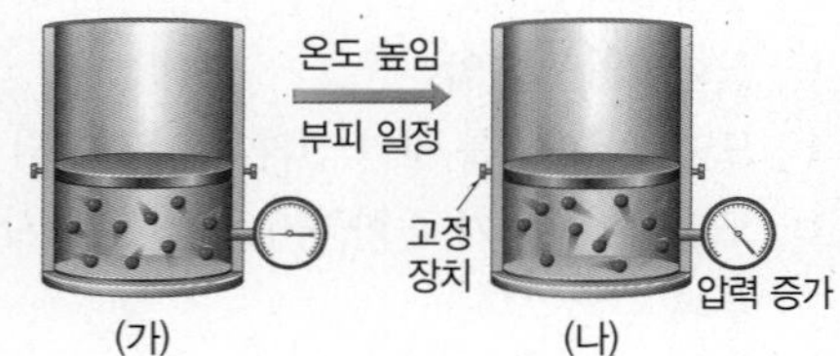

- 기체의 양(mol), 부피: (가)=(나)
- 온도: (가)<(나)
- 압력: (가)<(나)

기체 분자의 평균 운동 에너지, 평균 운동 속력: (가)<(나)

★ **기체의 성질**
- 액체나 고체에 비해 압축이 매우 잘되고, 밀도가 매우 작다.
- 용기의 모양에 관계없이 용기 전체에 고르게 퍼진다.
- 온도나 압력에 따라 부피가 크게 변한다.

기체 분자 운동론의 가정 순서는 교과서에 따라 다를 수 있어요.

주의해

기체 분자의 운동 속력

같은 온도에서 같은 종류의 기체라도 분자의 운동 속력은 각각 다르다. 따라서 기체 분자의 운동 속력은 평균 운동 속력으로 나타낸다.

(2) **기체의 양(n)과 압력(P)이 일정할 때 온도(T)와 부피(V)의 관계**: $PV=nRT$에서 n과 P가 일정할 때 T와 V는 비례한다. ➡ $T \propto V$

온도가 높아질 때 부피가 고정되지 않은 경우

일정한 압력에서 일정량의 기체를 실린더에 넣고 실린더를 가열하면, 기체 분자의 평균 운동 에너지가 증가하여 기체 분자가 실린더 벽에 충돌하는 횟수와 세기가 증가한다. 따라서 기체의 압력이 외부 압력과 같아질 때까지 기체의 부피가 증가한다.

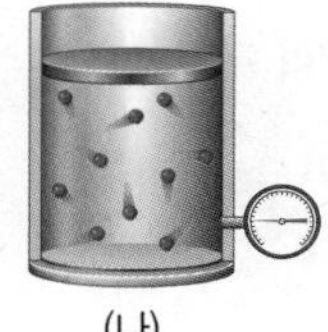

- 기체의 양(mol), 압력: (가)=(나)
- 온도: (가)<(나)
- 부피: (가)<(나)

기체 분자의 평균 운동 에너지, 평균 운동 속력: (가)<(나)

(3) **기체의 양(n)과 온도(T)가 일정할 때 압력(P)과 부피(V)의 관계**: $PV=nRT$에서 n과 T가 일정할 때 P와 V는 반비례한다. ➡ $P \propto \frac{1}{V}$ 또는 $V \propto \frac{1}{P}$

압력이 증가할 때 부피가 고정되지 않은 경우

일정한 온도에서 일정량의 기체를 실린더에 넣고 외부 압력을 증가시키면, 실린더의 부피가 감소하여 기체 분자가 실린더 벽면에 충돌하는 횟수가 많아지므로 기체의 압력이 증가한다.

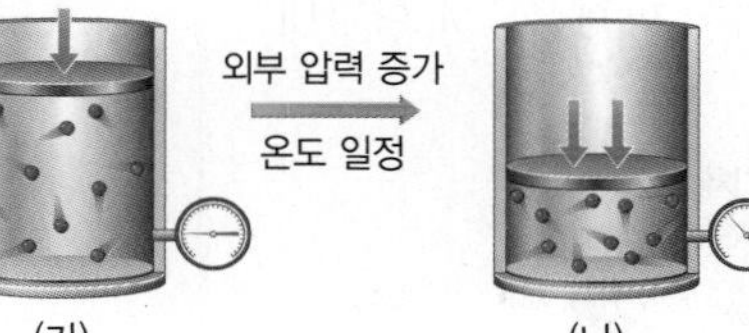

- 기체의 양(mol), 온도: (가)=(나)
- 부피: (가)>(나)
- 압력: (가)<(나)

(4) **기체 분자 운동론에 따른 이상 기체 방정식의 성립**: 기체의 압력, 부피, 온도의 관계는 $T \propto P$, $T \propto V$, $P \propto \frac{1}{V}$이므로 $PV \propto T$이다. 또, *아보가드로 법칙에 의해 기체의 부피는 기체의 양(mol)에 비례($V \propto n$)하므로 $PV=nRT$가 성립한다.

$$P \propto \frac{1}{V},\ V \propto n \Rightarrow PV=nRT\ (R: \text{기체 상수})$$

C 기체의 부분 압력

기체 혼합물의 압력, 부피, 온도, 양(mol)도 이상 기체 방정식과 관련이 있죠. 서로 반응하지 않는 기체를 섞는 경우에 기체의 압력은 어떻게 되는지 알아보아요.

1. 기체의 전체 압력과 부분 압력

(1) **전체 압력**: 서로 반응하지 않는 두 종류 이상의 기체가 일정한 부피의 용기에 들어 있을 때 혼합 기체가 나타내는 압력

(2) **부분 압력(분압)**: 서로 반응하지 않는 두 종류 이상의 기체가 일정한 부피의 용기에 들어 있을 때 혼합 기체를 이루는 각 성분 기체가 나타내는 압력

지학사 교과서에만 나와요.

기체의 확산과 분출

- 확산: 기체 분자가 스스로 움직여 무질서하게 퍼져 나가는 현상으로, 온도가 높을수록, 기체의 분자량이 작을수록 확산 속도가 빠르다.
- 분출: 기체 분자가 압력이 높은 밀폐된 공간에서 진공이나 압력이 낮은 공간으로 뿜어져 나오는 현상이다.
- 그레이엄 법칙: 일정한 온도와 압력에서 기체 분자의 분출 속도는 분자량의 제곱근에 반비례한다는 법칙으로, 확산 속도에도 적용된다.

$$\frac{v_A}{v_B}=\sqrt{\frac{M_B}{M_A}}=\sqrt{\frac{d_B}{d_A}}$$

(v_A, v_B: 기체의 분출 속도, M_A, M_B: 기체의 분자량, d_A, d_B: 기체의 밀도)

*** 아보가드로 법칙과 기체 분자 운동론**

실린더 속 기체 분자의 양(mol)이 증가하면 기체 분자가 실린더 벽면에 충돌하는 횟수가 증가하여 기체의 압력이 증가한다. 실린더의 부피가 고정되지 않은 경우, 기체의 압력이 외부 압력과 같아질 때까지 기체의 부피가 증가한다.

2. 부분 압력 법칙

(1) *부분 압력 법칙: 혼합 기체의 전체 압력은 각 성분 기체의 부분 압력의 합과 같다.

$$P = P_A + P_B + P_C + \cdots$$
(P: 혼합 기체의 전체 압력, P_A, P_B, P_C: 각 성분 기체의 부분 압력)

예 보일 법칙을 적용하여 혼합 기체를 구성하는 성분 기체의 부분 압력 구하기

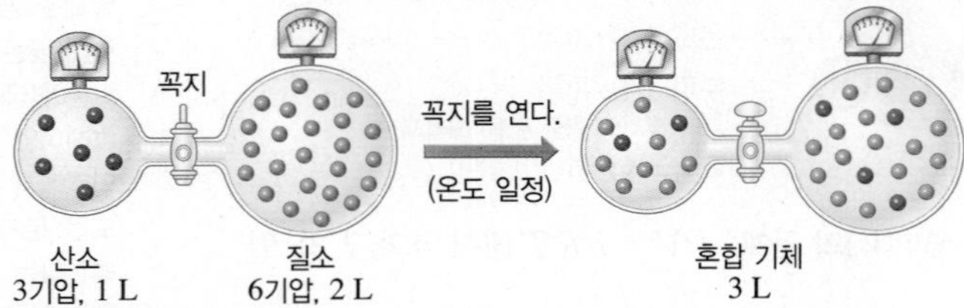

- 산소 기체의 부분 압력: 3기압×1 L=$P_{산소}$×3 L, $P_{산소}$=1기압
- 질소 기체의 부분 압력: 6기압×2 L=$P_{질소}$×3 L, $P_{질소}$=4기압
- 혼합 기체의 전체 압력: $P=P_{산소}+P_{질소}$=1기압+4기압=5기압

(2) **이상 기체 방정식과 부분 압력**: 온도 T에서 n_A몰의 기체 A와 n_B몰의 기체 B를 부피 V인 용기에 혼합했을 때 성분 기체의 부분 압력과 전체 압력을 이상 기체 방정식으로 나타내면 다음과 같다.

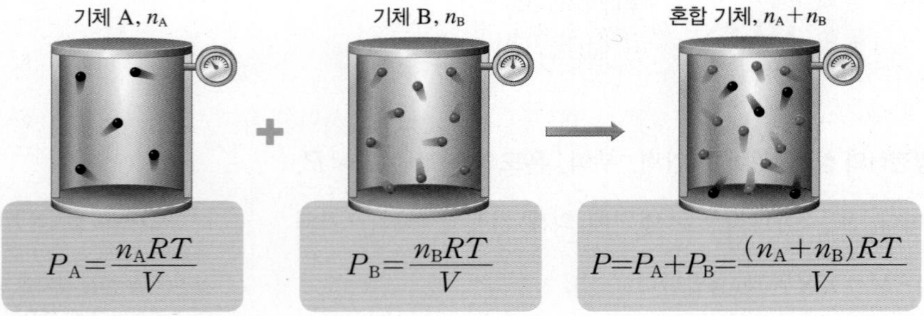

3. 몰 분율과 부분 압력

(1) **몰 분율**: 혼합물에서 각 성분 물질의 양(mol)을 전체 물질의 양(mol)으로 나눈 값

- A의 몰 분율 $X_A=\frac{n_A}{n_A+n_B}$
- B의 몰 분율 $X_B=\frac{n_B}{n_A+n_B}$

(2) *몰 분율과 부분 압력: 기체 혼합물에서 성분 기체의 부분 압력은 몰 분율에 비례한다. 따라서 전체 압력에 성분 기체의 몰 분율을 곱하여 부분 압력을 구할 수 있다.

- $P_A=P\times\frac{n_A}{n_A+n_B}=P\times X_A$
- $P_B=P\times\frac{n_B}{n_A+n_B}=P\times X_B$

[예제 1] 일정한 온도에서 밀폐된 용기 속에 기체 A 3몰과 기체 B 2몰이 혼합되어 있고, 혼합 기체의 압력은 2기압이다. 이때 기체 A와 B의 몰 분율과 부분 압력을 각각 구하시오. (단, 기체 A와 B는 반응하지 않는다.)

풀이 기체 A의 몰 분율$=\frac{3몰}{3몰+2몰}=\frac{3}{5}$, 기체 B의 몰 분율$=\frac{2몰}{3몰+2몰}=\frac{2}{5}$ (또는 $1-\frac{3}{5}=\frac{2}{5}$)

기체 A의 부분 압력=2기압$\times\frac{3}{5}$=1.2기압, 기체 B의 부분 압력=2기압$\times\frac{2}{5}$=0.8기압 (또는 2기압−1.2기압=0.8기압)

교학사, 상상 교과서에만 나와요.

★ 기체의 수상 치환과 부분 압력

부분 압력 법칙은 수상 치환으로 모은 기체의 압력을 계산하는 데 이용되기도 한다.

그림과 같이 수상 치환으로 기체를 모은 다음 눈금실린더 안의 수면과 수조의 수면을 일치시키면 눈금실린더 안의 기체의 압력은 대기압과 같아진다. 따라서 눈금실린더 안 기체의 부분 압력은 다음과 같다.

$P_{대기압}=P_{기체}+P_{수증기}$
➡ $P_{기체}=P_{대기압}-P_{수증기}$

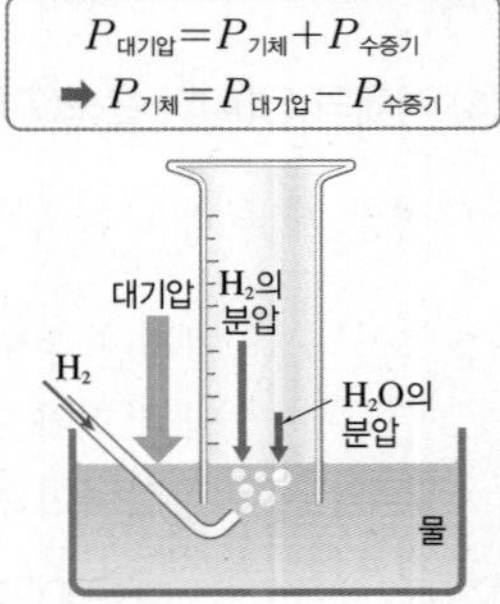

★ 몰 분율과 부분 압력의 관계식 유도

기체의 압력과 양(mol)의 관계는 다음과 같다.

$P_A=n_A\frac{RT}{V}$, $P_B=n_B\frac{RT}{V}$ … ❶

$P=(n_A+n_B)\frac{RT}{V}$ … ❷

❶식을 ❷식으로 나누면

$\frac{P_A}{P}=\frac{n_A}{n_A+n_B}=X_A$,

$\frac{P_B}{P}=\frac{n_B}{n_A+n_B}=X_B$이므로,

$P_A=P\times X_A$, $P_B=P\times X_B$ 이다.

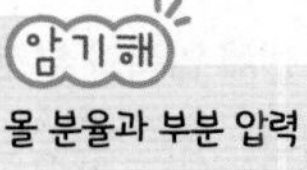

암기해

몰 분율과 부분 압력

- $P_A=P\times\frac{n_A}{n_A+n_B}$
- $P_B=P\times\frac{n_B}{n_A+n_B}$

개념 확인 문제

정답친해 6쪽

핵심 체크

- (❶): 기체의 성질을 기체 분자의 운동으로 설명하는 이론
- 기체 분자의 평균 운동 속력: 같은 종류의 기체에서 온도가 높을수록 기체 분자의 평균 운동 에너지가 (❷)므로 평균 운동 속력이 (❸)다.
- 기체 분자 운동론에 따른 이상 기체 방정식의 성립: 기체의 온도(T), 압력(P), 부피(V)의 관계에서 $PV \propto T$이고, 기체의 부피(V)와 양(n)의 관계에서 $V \propto n$이므로 $PV=$(❹)(R은 기체 상수)이다.
- 부분 압력 법칙: 기체 혼합물의 전체 압력은 각 성분 기체의 (❺)의 합과 같다.
- 몰 분율과 부분 압력: 전체 압력에 성분 기체의 (❻)을 곱하여 부분 압력을 구할 수 있다.

➡ 기체 A와 B로 이루어진 혼합물의 부분 압력: $P_A = P \times \left(❼ \qquad\right) = P \times X_A$, $P_B = P \times \left(❽ \qquad\right) = P \times X_B$

1 기체 분자 운동론과 그 가정에 대한 설명으로 옳은 것은 ○, 옳지 않은 것은 ×로 표시하시오.

(1) 기체 분자의 크기는 기체의 부피에 비해 매우 작아서 무시할 수 있다. ( )

(2) 기체 분자 사이에는 인력과 반발력이 작용한다. ( )

(3) 기체 분자의 평균 운동 에너지는 절대 온도에 반비례한다. ( )

(4) 기체 분자는 끊임없이 불규칙한 직선 운동을 한다. ( )

(5) 기체 분자끼리 충돌하면 기체 분자의 평균 운동 속력이 느려진다. ( )

2 그림은 부피가 고정된 실린더 속에 들어 있는 기체의 온도를 높일 때의 변화를 모형으로 나타낸 것이다.

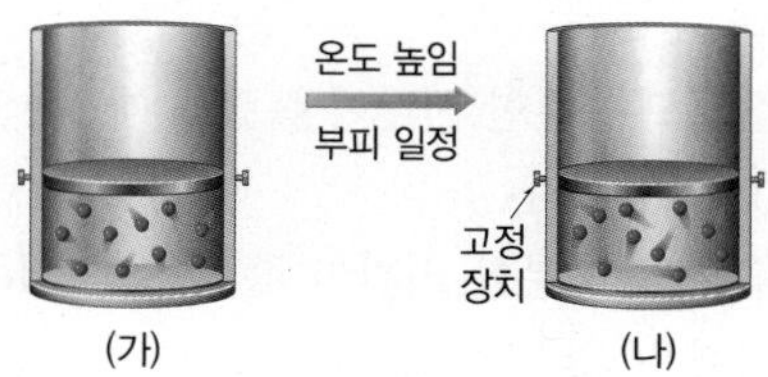

(가)에서 (나)로의 변화를 '증가', '감소', '일정'으로 구분하여 쓰시오.

(1) 기체의 압력: ( )

(2) 기체 분자의 충돌수: ( )

(3) 기체 분자의 충돌 세기: ( )

3 혼합 기체의 압력에 대한 설명으로 옳은 것은 ○, 옳지 않은 것은 ×로 표시하시오.

(1) 혼합 기체에서 성분 기체의 부분 압력은 전체 압력에 성분 기체의 양(mol)을 곱해서 구한다. ( )

(2) 혼합 기체에서 성분 기체의 부분 압력은 몰 분율에 비례한다. ( )

(3) 혼합 기체의 전체 압력은 각 성분 기체의 부분 압력의 곱과 같다. ( )

4 일정한 온도에서 2기압의 기체 A 3 L와 3기압의 기체 B 2 L를 부피가 4 L인 용기 속에 함께 넣었다. 혼합 기체의 전체 압력(기압)을 구하시오. (단, A와 B는 반응하지 않는다.)

5 그림과 같이 일정한 온도에서 10 L의 용기 속에 산소(O_2) 기체와 헬륨(He) 기체를 1 : 4의 몰비로 넣었더니 혼합 기체의 압력이 2기압이 되었다. (단, 산소와 헬륨은 반응하지 않는다.)

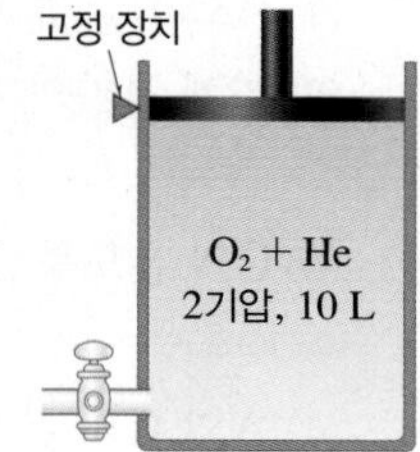

(1) 헬륨의 몰 분율을 구하시오.

(2) 산소의 부분 압력(기압)을 구하시오.

대표 자료 분석

정답친해 6쪽

학교 시험에 자주 출제되는 대표 자료와 그 자료에 대한 문제를 통해 자료를 완벽하게 이해할 수 있다.

자료 1 이상 기체 방정식과 기체 분자 운동론

기출 Point
• 이상 기체 방정식과 기체 분자 운동론을 이용한 그래프 해석

[1~3] 그림은 같은 질량의 기체 A~C의 절대 온도(T)와 압력과 부피의 곱(PV)의 관계를 나타낸 것이다.

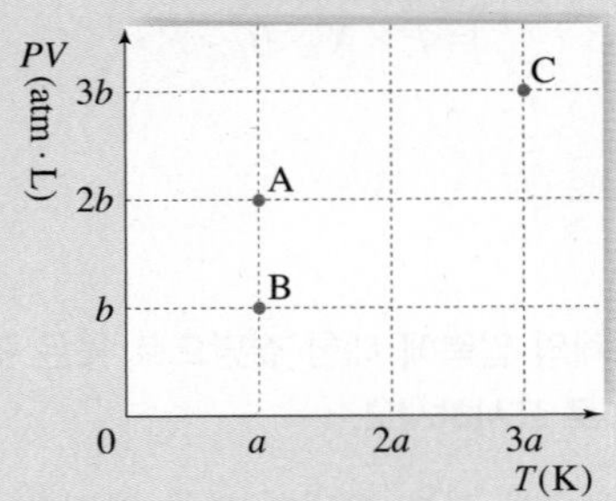

1 A~C 기체의 양(mol)을 비교하여 등호나 부등호로 나타내시오.

2 기체의 질량을 1 g이라고 할 때, A~C의 분자량을 구하시오. (단, 기체 상수는 R로 나타낸다.)

3 빈출 선택지로 완벽 정리!

(1) A와 B는 분자의 평균 운동 속력이 같다. (○ / ×)

(2) 기체 분자의 평균 운동 에너지는 C가 B의 3배이다. (○ / ×)

(3) C의 온도를 $2a$로 낮추면 PV 값은 b가 된다. (○ / ×)

(4) A와 C의 온도가 서로 같을 때, PV 값은 A가 C의 2배이다. (○ / ×)

자료 2 부분 압력 법칙

기출 Point
• 혼합 기체의 부분 압력과 전체 압력, 몰 분율 계산

[1~4] 그림은 300 K에서 꼭지로 연결된 2개의 용기에 헬륨(He) 기체와 네온(Ne) 기체가 각각 들어 있는 모습을 나타낸 것이다.

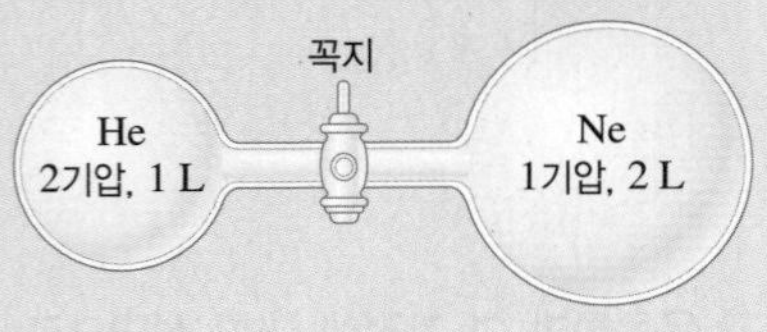

1 용기 안에 각각 들어 있는 He과 Ne의 분자 수비(He : Ne)를 구하시오.

2 꼭지를 열고 충분한 시간이 흘렀을 때 He과 Ne의 몰 분율을 각각 구하시오.

3 꼭지를 열고 충분한 시간이 흘렀을 때 전체 압력(기압)을 구하시오.

4 빈출 선택지로 완벽 정리!

(1) 꼭지를 열면 He의 압력이 처음보다 감소한다. (○ / ×)

(2) 꼭지를 열면 Ne의 평균 운동 에너지가 처음의 2배가 된다. (○ / ×)

(3) 꼭지를 열고 충분한 시간이 흘렀을 때 Ne의 부분 압력은 0.5기압이다. (○ / ×)

(4) 꼭지를 열고 충분한 시간이 흘렀을 때 He과 Ne의 부분 압력은 같다. (○ / ×)

(5) 꼭지를 열고 충분한 시간이 흘렀을 때 He과 Ne의 부피비는 1 : 1이다. (○ / ×)

(6) 꼭지를 열고, 온도를 600 K으로 높였을 때 전체 압력은 $\frac{8}{3}$기압이 된다. (○ / ×)

내신 만점 문제

정답친해 7쪽

Ⓐ 이상 기체 방정식

01 그림은 3개의 강철 용기에 각각 네온(Ne) 기체가 들어 있는 모습을 나타낸 것이다.

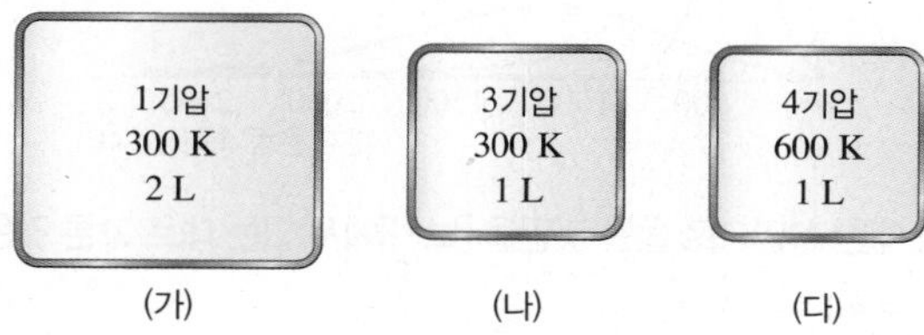

이에 대한 설명으로 옳은 것만을 [보기]에서 있는 대로 고른 것은?

[보기]
ㄱ. 기체의 양(mol)은 (나)가 가장 크다.
ㄴ. 기체의 밀도는 (다)가 (가)보다 크다.
ㄷ. 단위 부피당 분자 수는 (나)가 (다)보다 크다.

① ㄱ　② ㄴ　③ ㄱ, ㄷ
④ ㄴ, ㄷ　⑤ ㄱ, ㄴ, ㄷ

중요 **02** 그림은 기체 X 0.5몰의 $\frac{1}{압력}$과 부피의 관계를 나타낸 것이다. A에서 온도는 200 K이다.

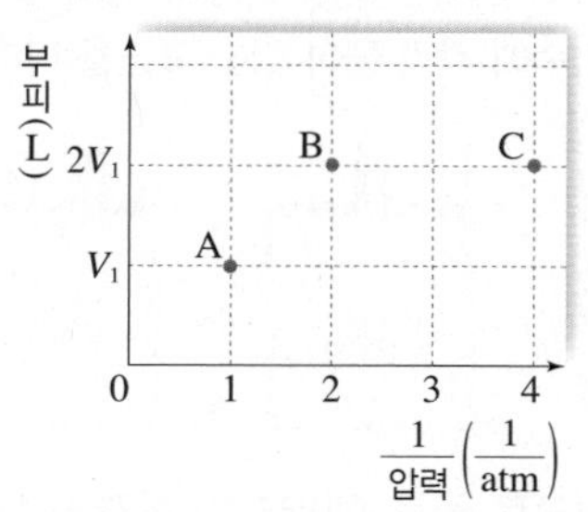

이에 대한 설명으로 옳은 것만을 [보기]에서 있는 대로 고른 것은? (단, 기체 상수 R은 0.08 atm·L/(mol·K)이다.)

[보기]
ㄱ. V_1은 8 L이다.
ㄴ. 기체의 밀도는 A에서가 B에서의 2배이다.
ㄷ. 절대 온도는 C에서가 A에서의 2배이다.

① ㄱ　② ㄷ　③ ㄱ, ㄴ
④ ㄴ, ㄷ　⑤ ㄱ, ㄴ, ㄷ

중요 **03** 표는 기체 A～C에 대한 몇 가지 자료이다.

기체	분자량	온도(K)	부피(L)	압력(기압)
A	20	273	2	2
B	44	546	1	2
C	4	273	3	3

이에 대한 설명으로 옳은 것만을 [보기]에서 있는 대로 고른 것은?

[보기]
ㄱ. 기체의 양(mol)은 B가 C의 9배이다.
ㄴ. 기체의 질량비는 A : B : C=20 : 11 : 9이다.
ㄷ. 밀도가 가장 큰 기체는 B이다.

① ㄱ　② ㄴ　③ ㄱ, ㄷ
④ ㄴ, ㄷ　⑤ ㄱ, ㄴ, ㄷ

04 그림 (가)는 압력 P_1에서 질량이 a g인 기체 A와 B의 온도에 따른 부피를, (나)는 압력 P_1과 P_2에서 질량이 b g인 기체 B의 온도에 따른 부피를 나타낸 것이다.

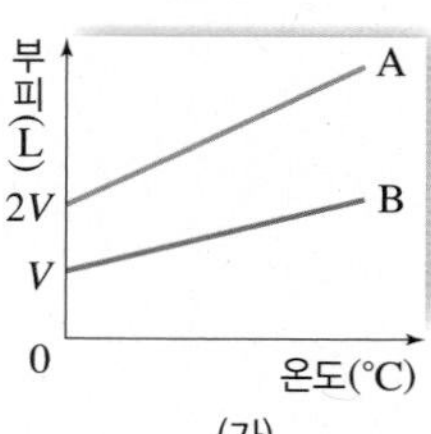

(가)

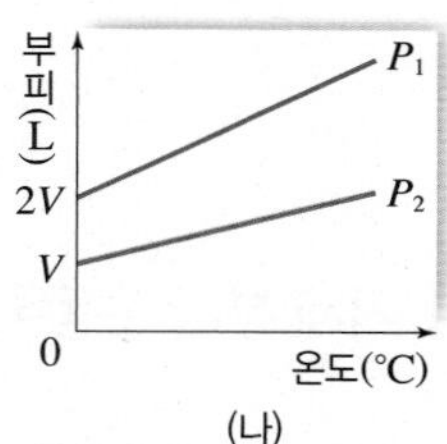

(나)

이에 대한 설명으로 옳은 것만을 [보기]에서 있는 대로 고른 것은?

[보기]
ㄱ. 분자량은 B가 A의 2배이다.
ㄴ. $a=2b$이다.
ㄷ. $P_1=2P_2$이다.

① ㄱ　② ㄷ　③ ㄱ, ㄴ
④ ㄴ, ㄷ　⑤ ㄱ, ㄴ, ㄷ

중요 **05** 다음은 산소의 분자량을 측정하기 위한 실험이다.

[실험 과정]
(가) 산소가 들어 있는 산소통의 질량(w_1)을 측정한다.
(나) 산소통의 노즐에 고무관을 연결하고, 고무관의 다른 쪽에 공기를 모두 빼낸 주사기를 연결한다.
(다) 충분한 시간이 흐른 후, 산소통의 노즐을 눌러 주사기에 산소를 모은 뒤 산소의 부피(V)를 측정한다.
(라) 산소통에서 주사기와 고무관을 분리한 뒤 산소통의 질량(w_2)을 측정한다.

[실험 결과]

구분	w_1	w_2	V
결과	135.68 g	135.53 g	0.10 L

이에 대한 설명으로 옳은 것만을 [보기]에서 있는 대로 고른 것은? (단, 실험실의 온도는 27 °C, 대기압은 1기압, 기체 상수 R은 0.08 atm·L/(mol·K)이다.)

보기
ㄱ. 주사기 속에 들어 있는 산소는 $\frac{1}{240}$몰이다.
ㄴ. 산소의 분자량을 구하는 식은 $\frac{(w_1-w_2)27R}{V}$이다.
ㄷ. 주사기 속 산소의 온도가 실험실의 온도보다 낮은 경우 산소의 분자량이 실제보다 작게 측정된다.

① ㄱ ② ㄷ ③ ㄱ, ㄴ
④ ㄴ, ㄷ ⑤ ㄱ, ㄴ, ㄷ

B 기체 분자 운동론

06 기체 분자 운동론의 가정으로 옳지 않은 것은?

① 기체 분자는 끊임없이 불규칙한 직선 운동을 한다.
② 기체 분자 사이에는 인력이나 반발력이 작용하지 않는다.
③ 기체 분자의 평균 운동 에너지는 절대 온도에 비례한다.
④ 기체 분자가 용기 벽에 충돌하면 에너지의 손실이 생긴다.
⑤ 기체 분자의 크기는 기체의 부피에 비해 매우 작으므로 무시한다.

07 그림은 온도 T_1~T_3에서 기체 X의 분자 운동 속력에 따른 분자 수 분포를 각각 나타낸 것이다.

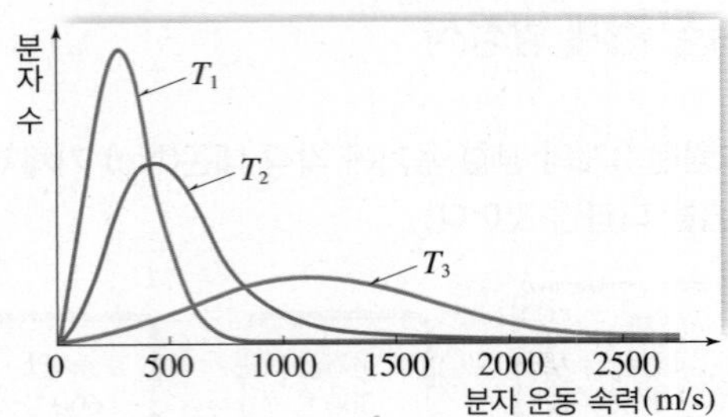

이에 대한 설명으로 옳은 것만을 [보기]에서 있는 대로 고른 것은?

보기
ㄱ. 온도는 T_1이 가장 높다.
ㄴ. 기체 분자의 평균 운동 에너지는 T_1~T_3에서 모두 같다.
ㄷ. 기체 분자의 평균 운동 속력은 T_3이 가장 빠르다.

① ㄴ ② ㄷ ③ ㄱ, ㄴ
④ ㄱ, ㄷ ⑤ ㄱ, ㄴ, ㄷ

08 그림은 25 °C에서 같은 질량의 기체 A~C가 단면적이 같은 실린더 속에 각각 들어 있는 모습을 나타낸 것이다.

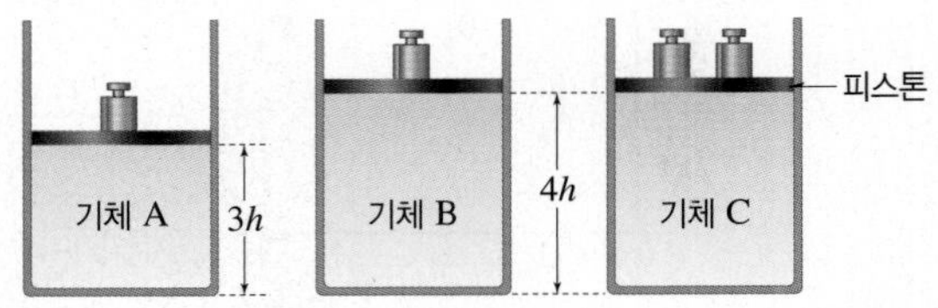

이에 대한 설명으로 옳은 것만을 [보기]에서 있는 대로 고른 것은? (단, 대기압과 추 1개에 의한 압력은 각각 1기압이고, 피스톤의 질량과 마찰은 무시한다.)

보기
ㄱ. 기체의 양(mol)이 가장 큰 것은 C이다.
ㄴ. 단위 면적당 기체 분자의 충돌수는 B와 C가 같다.
ㄷ. 분자량은 A가 C의 2배이다.

① ㄱ ② ㄴ ③ ㄱ, ㄷ
④ ㄴ, ㄷ ⑤ ㄱ, ㄴ, ㄷ

09 그림은 기체 X의 압력과 밀도를 나타낸 것이다.

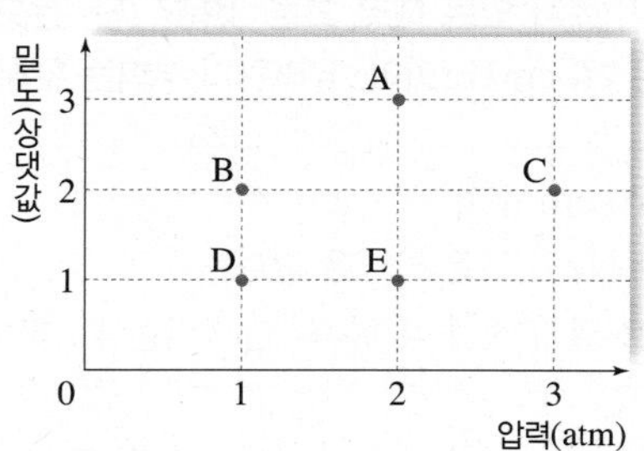

이에 대한 설명으로 옳은 것만을 [보기]에서 있는 대로 고른 것은?

[보기]

ㄱ. 온도가 가장 높은 상태는 E이다.

ㄴ. 기체 분자의 평균 운동 에너지는 B에서가 D에서의 2배이다.

ㄷ. 기체 분자의 평균 운동 속력은 B에서 가장 느리다.

① ㄱ ② ㄴ ③ ㄱ, ㄷ
④ ㄴ, ㄷ ⑤ ㄱ, ㄴ, ㄷ

C 기체의 부분 압력

10 부피가 일정한 용기 속에 질소(N_2) 기체 11.2 g과 이산화 탄소(CO_2) 기체 4.4 g이 혼합되어 있고, N_2 기체의 부분 압력이 200 mmHg일 때, 혼합 기체의 전체 압력(mmHg)을 구하시오. (단, 온도는 일정하고 N_2와 CO_2는 반응하지 않으며, C, N, O의 원자량은 각각 12, 14, 16이다.)

11 그림은 꼭지로 연결된 용기와 실린더에 각각 w_1 g의 네온(Ne) 기체와 w_2 g의 헬륨(He) 기체가 들어 있는 모습을 나타낸 것이다.

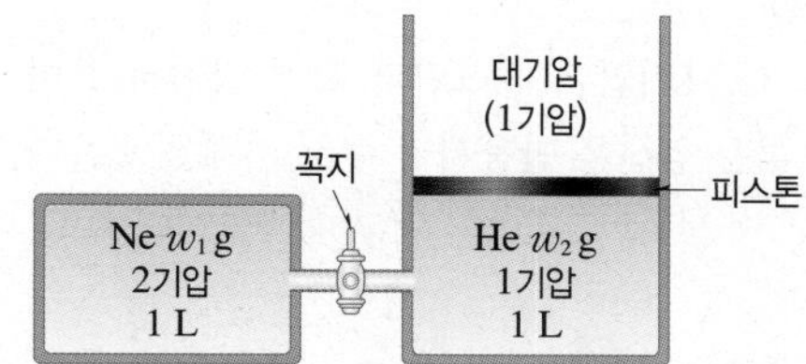

일정한 온도에서 꼭지를 열어 충분한 시간이 흘렀을 때에 대한 설명으로 옳은 것만을 [보기]에서 있는 대로 고르시오. (단, He, Ne의 원자량은 각각 4, 20이고, 피스톤의 질량과 마찰, 연결관의 부피는 무시한다.)

[보기]

ㄱ. $w_1=10w_2$이다.

ㄴ. 실린더의 부피는 3 L가 된다.

ㄷ. 실린더의 피스톤 위에 1.5기압의 추를 올려놓으면 Ne의 부분 압력은 1기압이 된다.

중요 **12** 다음은 기체의 성질을 알아보기 위한 실험이다.

(가) 그림과 같이 꼭지로 연결된 3개의 용기에 헬륨(He), 네온(Ne), 아르곤(Ar)을 각각 넣었다.

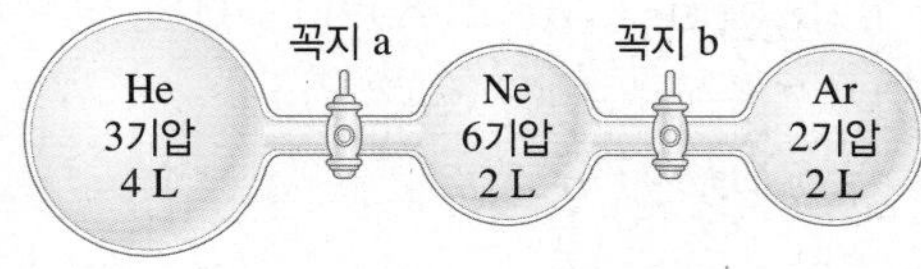

(나) 꼭지 a를 열고 충분한 시간이 흐른 후 닫았다.

(다) 꼭지 b를 열고 충분한 시간이 흐른 후 닫았다.

이에 대한 설명으로 옳은 것만을 [보기]에서 있는 대로 고르시오. (단, 온도는 일정하고, 연결관의 부피는 무시한다.)

[보기]

ㄱ. (가)에서 분자 수는 He과 Ne이 같다.

ㄴ. (나)에서 Ne의 부분 압력은 2기압이다.

ㄷ. (다)에서 Ar의 부분 압력은 1기압이다.

① ㄱ ② ㄷ ③ ㄱ, ㄴ
④ ㄴ, ㄷ ⑤ ㄱ, ㄴ, ㄷ

13 다음은 마그네슘과 묽은 염산을 이용하여 수소(H_2) 기체를 모으는 실험이다.

[실험 과정]

(가) 27 °C, 1기압에서 그림과 같이 장치하고 마그네슘과 묽은 염산을 반응시켜 수소 기체를 모은다.

(나) 마그네슘이 모두 반응하면 눈금실린더 안과 밖의 수면을 일치시켜 수소 기체의 부피를 측정한다.

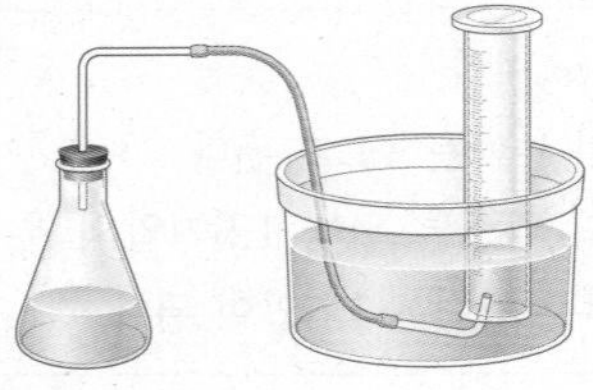

[실험 결과]

• 눈금실린더에 모인 기체의 부피: 100 mL

(1) 포집된 수소 기체의 압력을 구하시오. (단, 27 °C에서의 수증기압은 0.04기압이다.)

(2) 포집된 수소 기체의 질량을 구하시오. (단, 기체 상수 R은 0.08 atm·L/(mol·K)이고, H의 원자량은 1이다.)

14 그림은 헬륨(He) 기체와 네온(Ne) 기체가 각각 담겨 있는 용기가 꼭지로 연결되어 있는 모습을 나타낸 것이다.

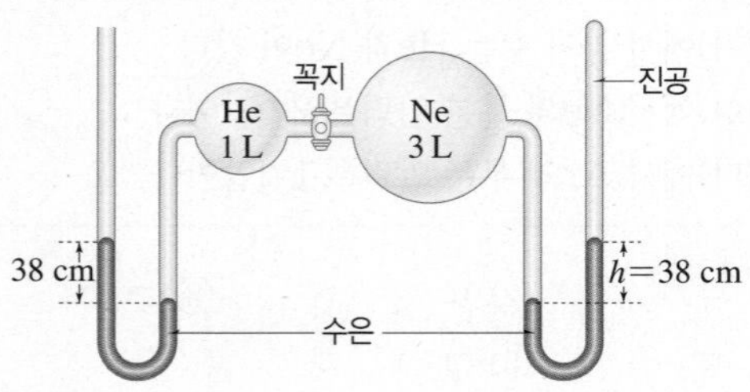

꼭지를 열고 충분한 시간이 흘렀을 때에 대한 설명으로 옳은 것만을 [보기]에서 있는 대로 고른 것은? (단, 온도는 일정하고 대기압은 76 cmHg이며, 유리관의 부피는 무시한다.)

[보기]

ㄱ. h는 76 cm이다.

ㄴ. He과 Ne의 부분 압력은 같다.

ㄷ. 꼭지를 열기 전과 후 Ne의 압력비는 4 : 3이다.

① ㄱ ② ㄴ ③ ㄱ, ㄷ ④ ㄴ, ㄷ ⑤ ㄱ, ㄴ, ㄷ

중요 **15** 그림 (가)는 피스톤으로 분리된 용기의 왼쪽에 헬륨(He) 기체 2.4 g이, 오른쪽에 질소(N_2) 기체 a몰이 들어 있는 모습을 나타낸 것이고, (나)는 (가)의 온도를 일정하게 유지하며 용기의 오른쪽에 b몰의 네온(Ne)을 넣었을 때의 모습을 나타낸 것이다.

(가)

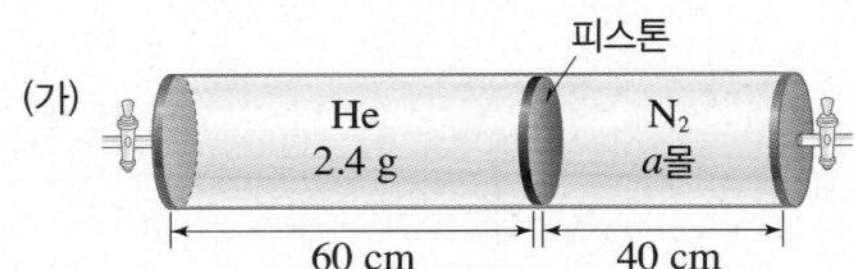

(나)

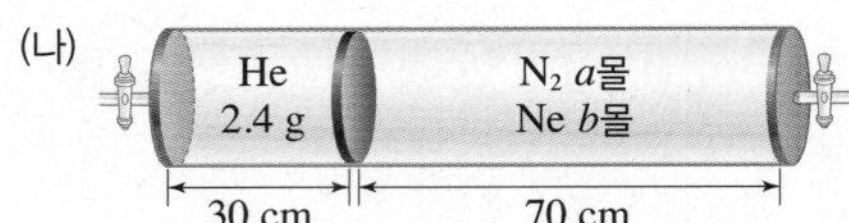

이에 대한 설명으로 옳은 것만을 [보기]에서 있는 대로 고른 것은? (단, N_2와 Ne은 서로 반응하지 않고, He, N, Ne의 원자량은 각각 4, 14, 20이며, 피스톤의 질량과 마찰, 연결관의 부피는 무시한다.)

[보기]

ㄱ. (가)에서 a는 0.4이다.

ㄴ. (나)에서 N_2와 Ne의 질량의 합은 31.2 g이다.

ㄷ. (나)에서 N_2와 Ne의 부분 압력의 비는 4 : 3이다.

① ㄱ ② ㄷ ③ ㄱ, ㄴ ④ ㄴ, ㄷ ⑤ ㄱ, ㄴ, ㄷ

정답친해 10쪽

01 기체(1)

1. 기체의 압력 기체 분자가 단위 면적에 작용하는 힘
➡ 단위 시간 동안 기체 분자가 용기 벽면에 충돌하는 횟수가 많을수록, 기체 분자가 강하게 충돌할수록 기체의 압력이 (❶)다.

2. 기체의 압력, 온도, 양(mol)과 부피의 관계

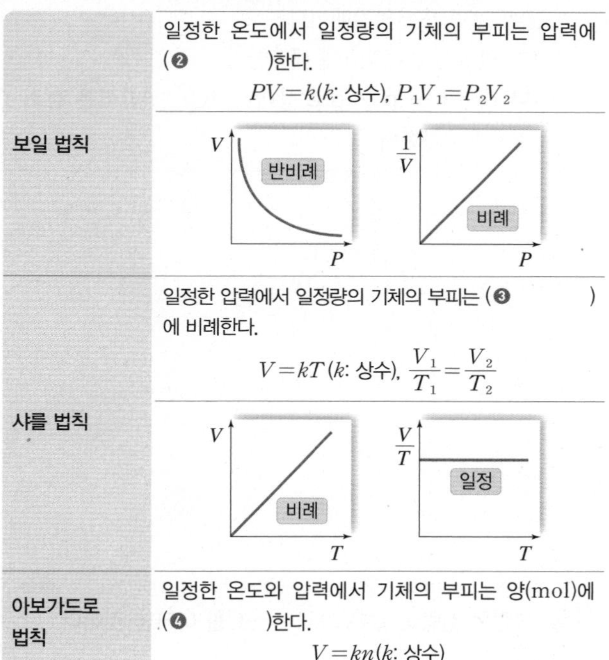

보일 법칙	일정한 온도에서 일정량의 기체의 부피는 압력에 (❷)한다. $PV=k$(k: 상수), $P_1V_1=P_2V_2$
샤를 법칙	일정한 압력에서 일정량의 기체의 부피는 (❸)에 비례한다. $V=kT$ (k: 상수), $\frac{V_1}{T_1}=\frac{V_2}{T_2}$
아보가드로 법칙	일정한 온도와 압력에서 기체의 부피는 양(mol)에 (❹)한다. $V=kn$(k: 상수)

02 기체(2)

1. 이상 기체 방정식

(1) 이상 기체 방정식: 기체의 압력, 부피, 양(mol), 온도의 관계를 나타낸 식

$PV=$(❺) (R: 0.082 atm·L/(mol·K))

(2) 기체의 분자량(M) 구하기

$$M=\frac{wRT}{PV}=\frac{dRT}{P}$$ (w: 질량, d: 밀도)

2. 기체 분자 운동론 기체의 성질을 기체 분자의 운동으로 설명하는 이론

가정	• 기체 분자는 끊임없이 불규칙한 직선 운동을 한다. • 기체 분자끼리 충돌한 후나 기체 분자가 용기 벽에 충돌한 후 에너지의 손실이 없다. • 기체 분자의 크기는 기체의 부피에 비해 매우 작으므로 무시한다. • 기체 분자 사이에는 인력이나 반발력이 작용하지 않는다. • 기체 분자의 평균 운동 에너지는 (❻)에 비례한다.
평균 운동 속력	같은 종류의 기체에서 온도가 높을수록 기체 분자의 평균 운동 에너지가 크므로 평균 운동 속력이 (❼)다.

3. 기체 분자 운동론에 따른 이상 기체 방정식의 해석

(1) $PV=nRT$에서 T, P, V의 관계

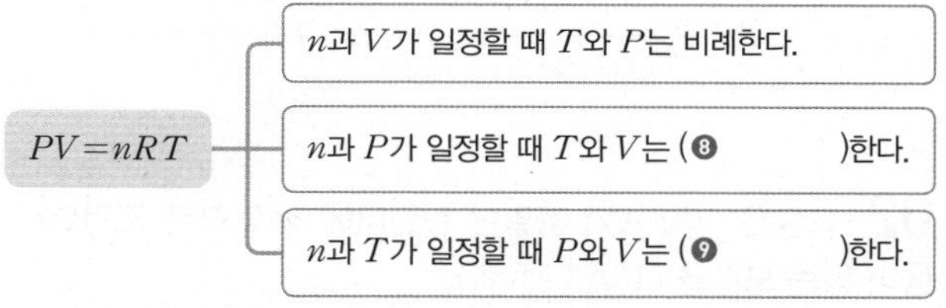

PV=nRT
n과 V가 일정할 때 T와 P는 비례한다.
n과 P가 일정할 때 T와 V는 (❽)한다.
n과 T가 일정할 때 P와 V는 (❾)한다.

(2) 이상 기체 방정식의 성립: $PV\propto T$이고, 아보가드로 법칙에 의해 $V\propto n$이므로 $PV=nRT$가 성립한다.

4. 기체의 부분 압력

부분 압력 법칙	혼합 기체의 전체 압력은 각 성분 기체의 (❿)의 합과 같다. $P=P_A+P_B+P_C+\cdots$ (P: 전체 압력, P_A, P_B, P_C: 성분 기체의 부분 압력)
이상 기체 방정식과 부분 압력	• $P_A=\frac{n_ART}{V}$, $P_B=\frac{n_BRT}{V}$ (n_A: A의 양(mol), n_B: B의 양(mol)) • $P=P_A+P_B=\frac{(n_A+n_B)RT}{V}$
몰 분율과 부분 압력	• 몰 분율: 혼합물에서 성분 물질의 양(mol)을 전체 물질의 양(mol)으로 나눈 값 • 기체 A의 몰 분율$=\frac{\text{기체 A의 양(mol)}}{\text{전체 기체의 양(mol)}}$ • 기체 A의 부분 압력=(⓫)×기체 A의 몰 분율

중단원 마무리 문제

난이도 ●●●

●●○

01 그림은 일정한 온도에서 수소(H_2) 기체와 **0.2**기압의 헬륨(**He**) 기체가 들어 있는 같은 부피의 플라스크 **2**개를 수은이 들어 있는 **U**자관으로 연결한 다음, 꼭지를 열어 충분한 시간이 흐른 후의 모습을 나타낸 것이다.

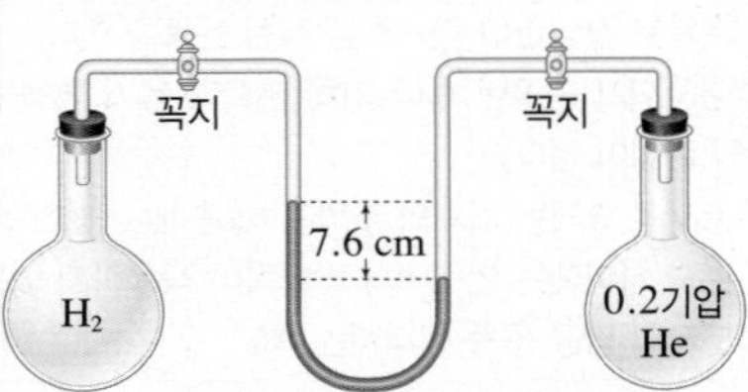

이에 대한 설명으로 옳은 것만을 [보기]에서 있는 대로 고르시오. (단, **H**, **He**의 원자량은 각각 **1**, **4**이고, **1**기압은 **76 cmHg**이며, 연결관의 부피는 무시한다.)

보기

ㄱ. 압력은 수소가 헬륨의 2배이다.
ㄴ. 밀도는 헬륨이 수소의 4배이다.
ㄷ. 분자 수는 헬륨이 수소의 2배이다.

●●○

02 그림은 기체 **A**가 동일한 실린더에 각각 다른 조건으로 들어 있는 모습을 나타낸 것이다.

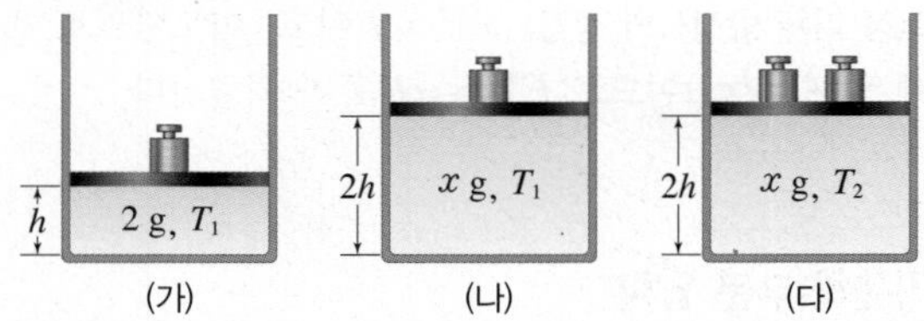

(가) (나) (다)

이에 대한 설명으로 옳은 것만을 [보기]에서 있는 대로 고른 것은? (단, 대기압은 **1**기압으로 추 **1**개의 압력과 같고, 피스톤의 질량과 마찰은 무시하며, 기체 상수는 R로 나타낸다. 기체의 부피는 실린더의 높이로 간주한다.)

보기

ㄱ. $x=4$이다.
ㄴ. 절대 온도 T_2는 T_1의 2배이다.
ㄷ. T_1이 27 °C라고 할 때 A의 분자량은 $\dfrac{300R}{h}$이다.

① ㄱ ② ㄴ ③ ㄱ, ㄷ
④ ㄴ, ㄷ ⑤ ㄱ, ㄴ, ㄷ

●●○

03 그림 (가)는 기체 **1**몰에 대한 부피와 압력을, (나)는 이 기체에 대한 온도와 부피를 나타낸 것이다.

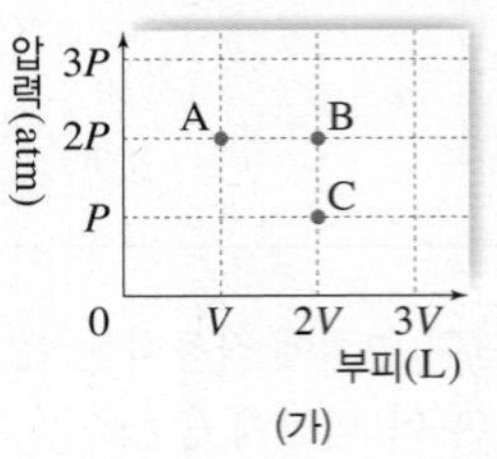

(가)

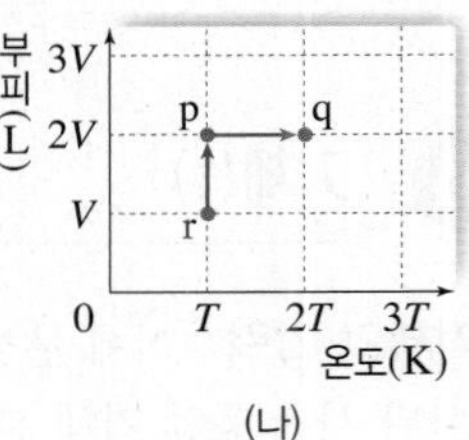

(나)

이에 대한 설명으로 옳은 것만을 [보기]에서 있는 대로 고른 것은? (단, (가)의 **A**, **B**, **C**는 각각 (나)의 **p**, **q**, **r** 중 하나와 같은 상태이다.)

보기

ㄱ. 온도는 A가 B의 2배이다.
ㄴ. (가)의 B는 (나)의 q에 해당한다.
ㄷ. (나)에서 r → p → q로 상태가 변할 때 압력은 감소하다가 증가한다.

① ㄱ ② ㄷ ③ ㄱ, ㄴ
④ ㄴ, ㄷ ⑤ ㄱ, ㄴ, ㄷ

●●○

04 그림은 질량이 같은 기체 **A**~**C**를 나타낸 것이다.

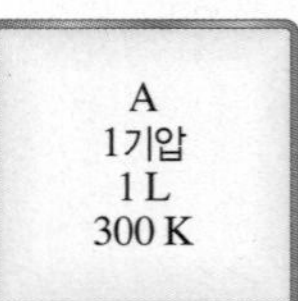

B
2기압
0.25 L
300 K

C
2기압
0.25 L
600 K

이에 대한 설명으로 옳은 것만을 [보기]에서 있는 대로 고른 것은?

보기

ㄱ. 기체 분자의 평균 운동 에너지는 A와 B가 같다.
ㄴ. 기체의 양(mol)은 B가 C의 2배이다.
ㄷ. 단위 부피당 기체 분자 수는 A와 C가 같다.

① ㄱ ② ㄴ ③ ㄱ, ㄷ
④ ㄴ, ㄷ ⑤ ㄱ, ㄴ, ㄷ

05 그림 (가)는 기체 X 1 g의 압력과 부피를, (나)는 이 기체의 절대 온도와 밀도를 나타낸 것이다. B는 C와 D 중 하나이다.

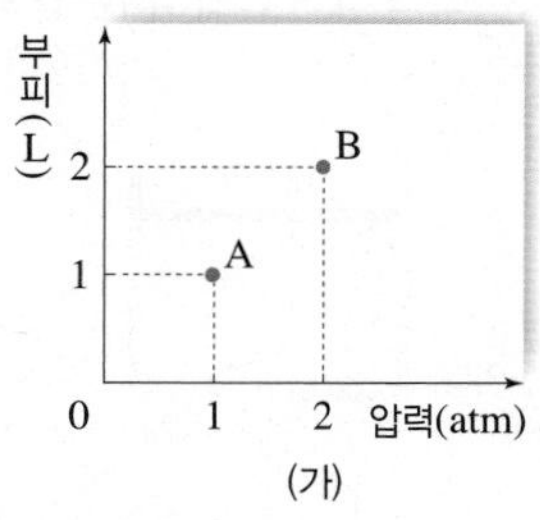

(가)

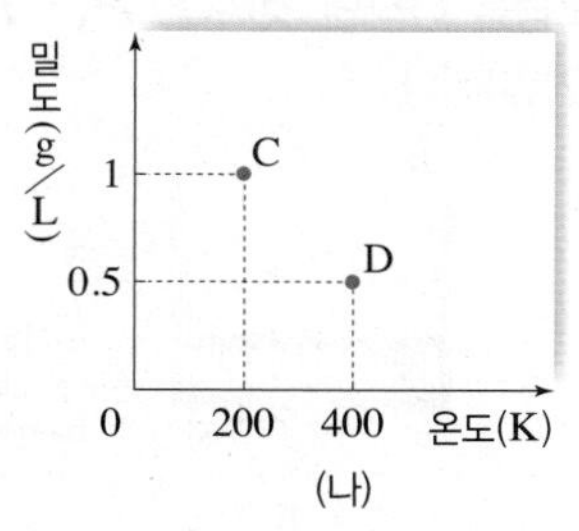

(나)

이에 대한 설명으로 옳은 것만을 [보기]에서 있는 대로 고른 것은? (단, 기체 상수는 R로 나타낸다.)

[보기]
ㄱ. 절대 온도는 B에서가 A에서의 2배이다.
ㄴ. 압력은 D에서가 C에서의 2배이다.
ㄷ. D의 양(mol)은 $\frac{1}{100R}$몰이다.

① ㄱ ② ㄷ ③ ㄱ, ㄴ
④ ㄴ, ㄷ ⑤ ㄱ, ㄴ, ㄷ

06 그림은 부피가 같은 용기에 질량이 같은 기체 A와 B가 각각 들어 있을 때 각 기체들의 절대 온도(T)에 따른 $\frac{\text{압력}(P)}{\text{절대 온도}(T)}$을 나타낸 것이다.

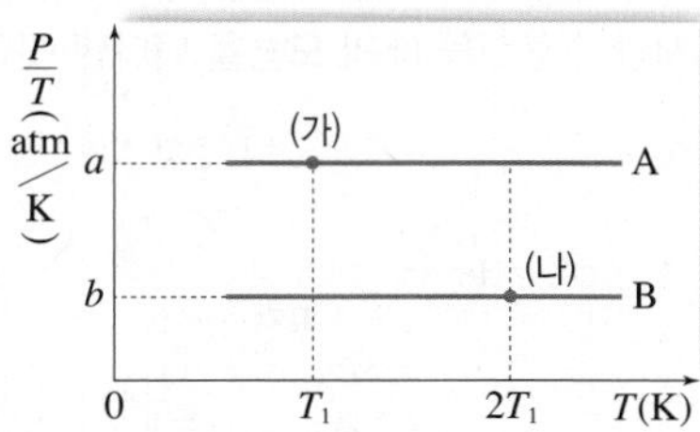

이에 대한 설명으로 옳은 것만을 [보기]에서 있는 대로 고른 것은?

[보기]
ㄱ. A와 B의 분자량비는 $a : b$이다.
ㄴ. (가)에서 A와 (나)에서 B의 압력의 비는 $a : 2b$이다.
ㄷ. (가)에서 A와 (나)에서 B의 단위 부피당 기체 분자 수 비는 $\frac{1}{a} : \frac{1}{b}$이다.

① ㄱ ② ㄴ ③ ㄱ, ㄷ
④ ㄴ, ㄷ ⑤ ㄱ, ㄴ, ㄷ

07 다음은 기체 A의 분자량을 구하는 실험이다.

[실험 과정]
(가) 기체 A가 담겨 있는 가스통의 질량(w_1)을 측정한다.
(나) 그림 Ⅰ과 같이 장치하고 눈금실린더에 기체 A를 모은다.
(다) 기체 A가 눈금실린더의 $\frac{2}{3}$ 정도 모이면 그림 Ⅱ와 같이 눈금실린더 안과 밖의 수면 높이가 같아지도록 한 후 눈금실린더 속 기체의 부피(V)를 측정한다.
(라) 가스통의 질량(w_2)을 다시 측정한다.
(마) 물의 온도(t)와 대기압(P)을 측정한다.
(바) t °C에서의 수증기압을 조사한다.

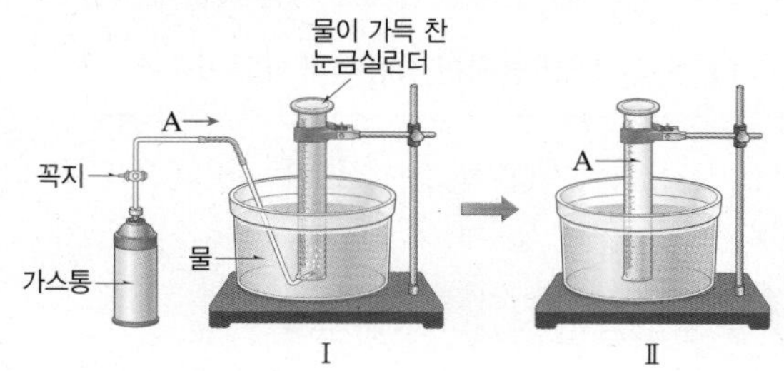

[실험 결과]

w_1(g)	w_2(g)	V(mL)	t(°C)	P(atm)	t °C에서의 수증기압 (atm)
150.70	150.61	50.0	27	1	0.04

눈금실린더에 모인 기체 A에 대한 설명으로 옳은 것만을 [보기]에서 있는 대로 고른 것은? (단, 기체 A는 물에 녹지 않으며 기체 상수 R은 0.08 atm·L/(mol·K)이다.)

[보기]
ㄱ. 압력은 0.96기압이다.
ㄴ. 기체의 양(mol)은 2몰이다.
ㄷ. 분자량은 $\frac{0.09 \times 0.08 \times 300}{0.96 \times 50}$이다.

① ㄱ ② ㄴ ③ ㄱ, ㄷ
④ ㄴ, ㄷ ⑤ ㄱ, ㄴ, ㄷ

08 그림은 실제 기체 X 8 g의 온도와 압력에 따른 $\frac{PV}{RT}$ 값을 나타낸 것이다.

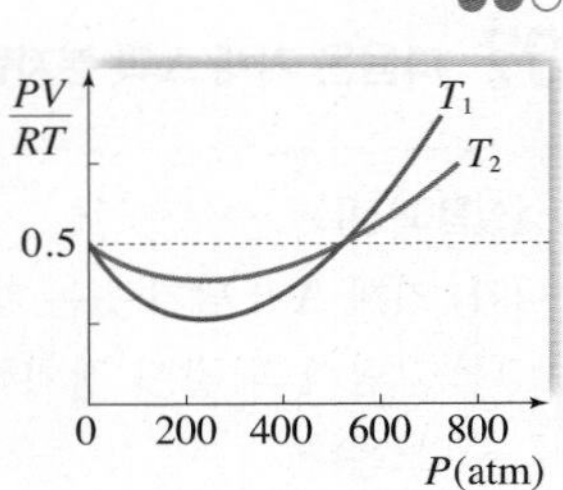

이에 대한 설명으로 옳은 것만을 [보기]에서 있는 대로 고른 것은? (단, 점선은 이상 기체의 값이다.)

보기
ㄱ. X의 분자량은 8이다.
ㄴ. 기체 분자의 평균 운동 에너지는 T_1일 때보다 T_2일 때 더 크다.
ㄷ. X의 $\frac{PV}{RT}$ 값이 이상 기체와 다른 것은 분자들 사이에 인력이나 반발력이 작용하기 때문이다.

① ㄱ ② ㄷ ③ ㄱ, ㄴ
④ ㄴ, ㄷ ⑤ ㄱ, ㄴ, ㄷ

09 그림 (가)는 온도 T_1, T_2에서 기체 A의 분자 운동 속력에 따른 분자 수 분포를, (나)는 온도 T_1에서 분자량이 다른 기체 A, B의 분자 운동 속력에 따른 분자 수 분포를 나타낸 것이다.

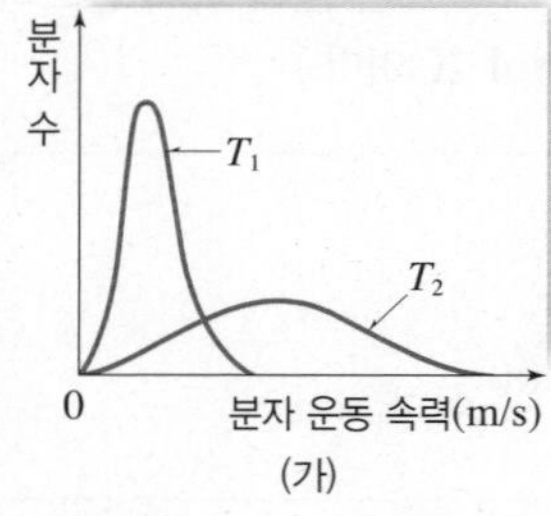

(가)

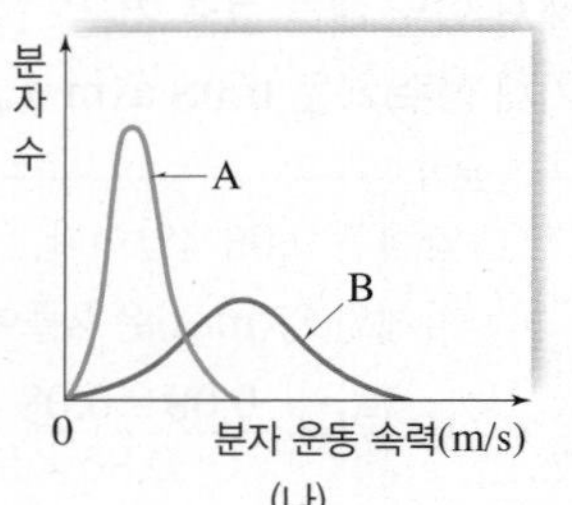

(나)

이에 대한 설명으로 옳은 것만을 [보기]에서 있는 대로 고른 것은?

보기
ㄱ. T_1은 T_2보다 높다.
ㄴ. 분자량은 A가 B보다 크다.
ㄷ. T_2에서 평균 분자 운동 속력은 B가 A보다 빠르다.

① ㄱ ② ㄷ ③ ㄱ, ㄴ
④ ㄴ, ㄷ ⑤ ㄱ, ㄴ, ㄷ

10 그림 (가)는 T K에서 서로 반응하지 않는 기체 A~C를 용기와 실린더에 넣은 초기 상태를, (나)는 꼭지를 열고 온도를 $2T$ K으로 높여 유지하며 충분한 시간이 흘렀을 때의 모습을 나타낸 것이다. P_A~P_C는 각각 A~C의 부분 압력(기압)이다.

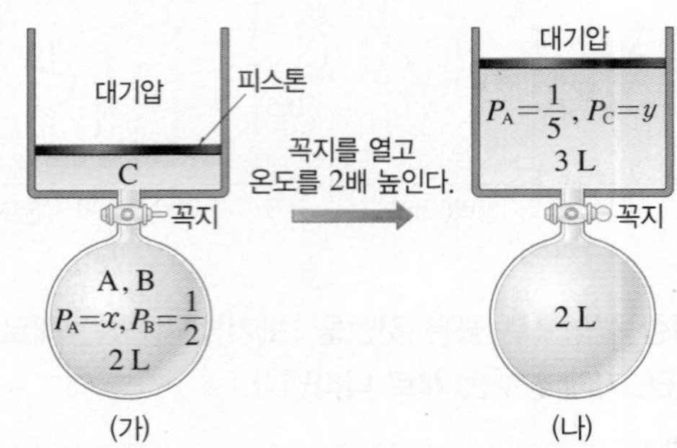

(가) (나)

$x : y$는? (단, 대기압은 1기압으로 일정하고, 연결관의 부피, 피스톤의 질량과 마찰은 무시한다.)

① 1 : 2 ② 1 : 4 ③ 1 : 5
④ 5 : 6 ⑤ 5 : 8

11 그림 (가)는 수소(H_2) 기체, 아르곤(Ar) 기체가 각각 들어 있는 용기와 헬륨(He) 기체가 들어 있는 용기가 수은이 채워진 U자관으로 연결되어 있는 모습을, (나)는 (가)의 꼭지를 열고 충분한 시간이 흘렀을 때의 모습을 나타낸 것이다.

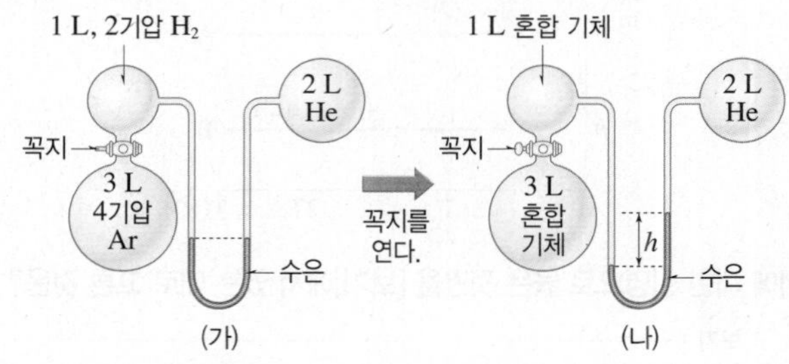

(가) (나)

이에 대한 설명으로 옳은 것만을 [보기]에서 있는 대로 고르시오. (단, 온도는 일정하고, H_2와 Ar은 반응하지 않는다. U자관의 부피는 무시하며, 1기압은 76 cmHg이다.)

보기
ㄱ. 분자 수는 수소가 헬륨의 2배이다.
ㄴ. (나)에서 혼합 기체의 압력은 3.5기압이다.
ㄷ. (나)에서 h는 114 cm이다.

●●○

12 다음은 기체의 부분 압력을 알아보기 위한 실험이다.

(가) 일정한 온도에서 진공 상태의 밀폐된 강철 용기에 헬륨(He(g)) 4 g을 넣었더니 0.2기압이 되었다.
(나) (가)에 네온(Ne(g))을 넣었더니 0.5기압이 되었다.
(다) (나)에 산소(O_2(g))를 넣었더니 1.0기압이 되었다.

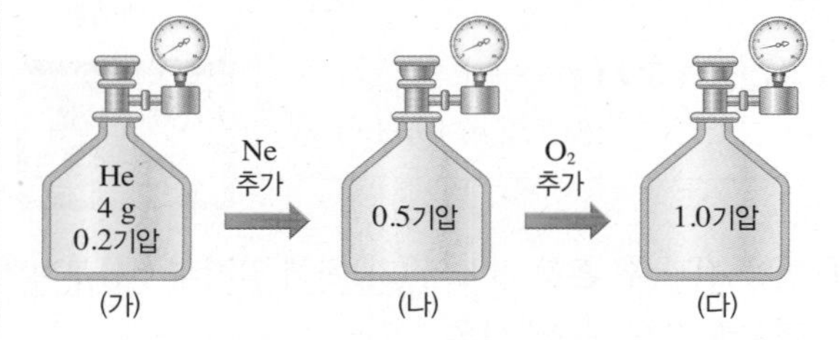

(다)에 대한 설명으로 옳은 것만을 [보기]에서 있는 대로 고른 것은? (단, **He**, **O**, **Ne**은 서로 반응하지 않고, 원자량은 각각 **4**, **16**, **20**이다.)

보기
ㄱ. Ne의 질량은 20 g이다.
ㄴ. 부분 압력은 O_2가 He의 2.5배이다.
ㄷ. Ne과 O_2의 몰 분율은 같다.

① ㄱ ② ㄴ ③ ㄱ, ㄷ
④ ㄴ, ㄷ ⑤ ㄱ, ㄴ, ㄷ

●●○

13 다음은 기체 A와 B가 반응하여 기체 C가 생성되는 반응의 화학 반응식이고, 그림은 25 °C, 1기압에서 실린더 속에 들어 있는 반응 전의 A와 B의 부분 압력을 나타낸 것이다.

$$A(g) + 2B(g) \longrightarrow 2C(g)$$

피스톤
25 ℃
A(0.2기압)
B(0.8기압)
실린더

이에 대한 설명으로 옳은 것만을 [보기]에서 있는 대로 고르시오. (단, 반응 전과 후의 온도는 일정하고, 피스톤의 질량과 마찰은 무시한다.)

보기
ㄱ. 반응 후 혼합 기체의 총 양(mol)은 감소한다.
ㄴ. 반응 후 기체 B와 C의 부분 압력은 같다.
ㄷ. 반응 전과 후 혼합 기체의 밀도비는 4 : 5이다.

●●●

14 다음은 기체 X와 Y가 반응하여 기체 Z가 생성되는 반응의 화학 반응식이고, 그림은 기체 X와 Y가 들어 있는 두 용기가 실린더에 꼭지로 연결되어 있는 모습을 나타낸 것이다.

$$X(g) + Y(g) \longrightarrow Z(g)$$

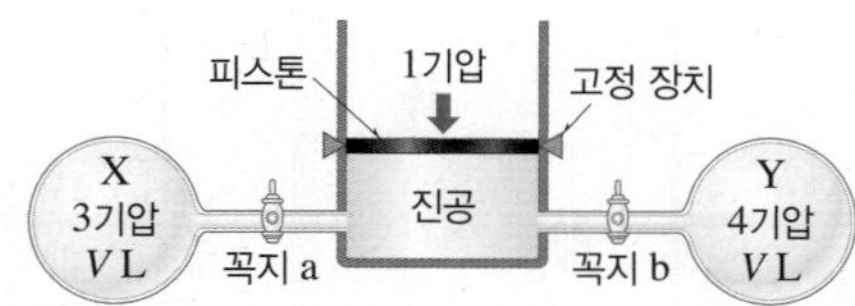

꼭지 **a**, **b**를 열어 반응이 완결된 후 고정 장치를 풀었더니, 실린더 속 기체의 부피는 **4 L**가 되었다.
이에 대한 설명으로 옳은 것만을 [보기]에서 있는 대로 고른 것은? (단, 반응 전과 후의 온도는 일정하고, 연결관의 부피, 피스톤의 질량과 마찰은 무시하며, 반응 전 기체 **X**의 양(**mol**)은 **3*V***몰이다.)

보기
ㄱ. 반응 전 X와 Y의 분자 수비는 3 : 4이다.
ㄴ. 반응 후 Z의 부분 압력은 0.75기압이다.
ㄷ. $V=2$이다.

① ㄱ ② ㄷ ③ ㄱ, ㄴ ④ ㄴ, ㄷ ⑤ ㄱ, ㄴ, ㄷ

●●●

15 그림은 부피가 **1.0 L**인 **2**개의 강철 용기에 **0.2**기압의 메테인(CH_4) 기체와 **1.0**기압의 산소(O_2) 기체가 각각 들어 있는 모습을 나타낸 것이다.

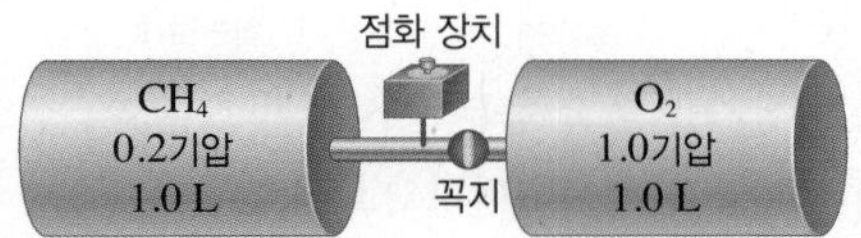

꼭지를 열어 두 기체를 혼합한 후 점화 장치로 메테인을 완전 연소시켰을 때에 대한 설명으로 옳은 것만을 [보기]에서 있는 대로 고른 것은? (단, 연소 반응 전과 후의 온도는 일정하고, 용기 내 모든 물질은 기체 상태이며, 연결관의 부피는 무시한다.)

보기
ㄱ. 반응 후 혼합 기체의 압력은 0.8기압이다.
ㄴ. 반응 후 남은 산소의 압력은 0.6기압이다.
ㄷ. 반응 전과 후 총 분자 수는 같다.

① ㄱ ② ㄷ ③ ㄱ, ㄴ ④ ㄴ, ㄷ ⑤ ㄱ, ㄴ, ㄷ

서술형 문제

●●○

16 **그림은 헬륨(He) 기체가 동일한 실린더에 각각 다른 조건으로 들어 있는 것을 나타낸 것이다. (단, 대기압은 1기압으로 일정하고, 추 1개의 질량은 동일하며, 피스톤의 질량과 마찰은 무시한다.)**

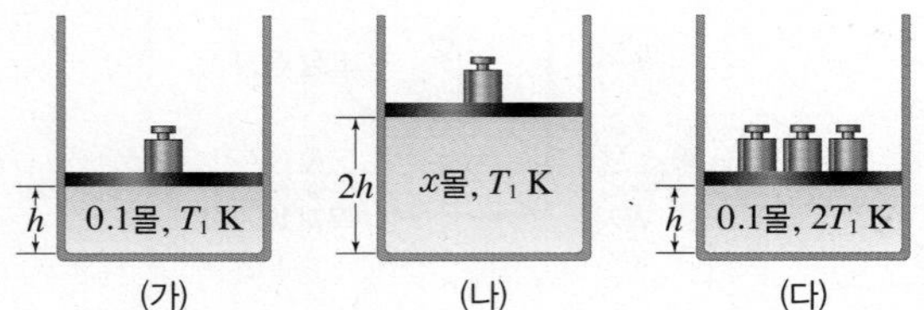

(1) (나)에서 x의 값을 구하시오.

(2) 추 1개의 압력(기압)을 구하고, 그 까닭을 서술하시오.

●●●

17 **다음은 기체의 성질을 알아보기 위한 실험이다. (단, 온도는 일정하고, 연결관의 부피와 피스톤의 마찰은 무시한다.)**

(가) 실린더 Ⅰ에 He을, 실린더 Ⅱ에 He과 Ar을 넣었다.

고정 장치 / 피스톤 / He 1기압 4 L / 꼭지 / He 1기압 1 L / Ar 1기압 1 L / 실린더 Ⅰ / 실린더 Ⅱ

(나) 고정 장치를 풀고 충분한 시간이 흐른 후, 실린더 Ⅰ의 부피를 측정하였더니 2 L이었다.

(다) 꼭지를 열고 충분한 시간이 흐른 후 꼭지를 닫았다.

(1) (나)에서 실린더 Ⅰ 속 He의 압력(기압)을 구하시오.

(2) (다)에서 실린더 Ⅱ 속 He과 Ar의 몰비(He : Ar)를 구하고, 풀이 과정을 서술하시오.

●●○

18 **다음은 프로페인(C_3H_8)의 연소 반응식이고, 그림은 일정한 온도에서 실린더 속에 들어 있는 반응물의 초기 상태를 나타낸 것이다. (단, 대기압은 1기압이고, 반응 전후에 온도는 일정하며, 피스톤의 질량과 마찰은 무시한다.)**

$$C_3H_8(g) + 5O_2(g) \longrightarrow 3CO_2(g) + 4H_2O(g)$$

피스톤 / C_3H_8 0.1기압 / O_2 0.9기압

(1) 반응 전과 후 혼합 기체의 (가)전체 압력과 (나)부피의 변화를 각각 서술하시오.

(2) CO_2의 부분 압력(기압)을 구하고, 몰 분율을 이용하여 풀이 과정을 서술하시오.

●●○

19 **다음은 기체 A_2와 B_2가 반응하여 기체 AB_2가 생성되는 반응의 화학 반응식이고, 그림은 기체 A_2와 B_2를 용기에 각각 넣은 모습을 나타낸 것이다. (단, 온도는 일정하고, 연결관의 부피는 무시한다.)**

$$A_2(g) + 2B_2(g) \longrightarrow 2AB_2(g)$$

꼭지 / A_2 2기압 3 L / B_2 10기압 2 L

(1) 꼭지를 열기 전 기체 A_2와 B_2의 몰비(A_2 : B_2)를 구하고, 풀이 과정을 서술하시오.

(2) 꼭지를 열어 모두 반응시켰을 때 용기 속에 남아 있는 기체의 부분 압력(기압)을 각각 구하시오.

정답친해 14쪽

01 그림은 360 K에서 한쪽 끝이 막힌 J자관에 18 cm^3의 $Ne(g)$이 들어 있는 모습을 나타낸 것이다. J자관 내부의 단면적은 1 cm^2이고, 대기압은 76 cmHg로 일정하다.

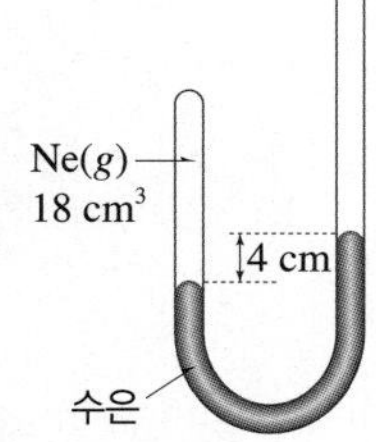

온도를 T K으로 낮추어 양쪽 수은 기둥의 높이가 같아졌을 때에 대한 설명으로 옳은 것만을 [보기]에서 있는 대로 고른 것은? (단, 온도에 따른 수은의 밀도 변화와 증기 압력은 무시한다.)

[보기]
ㄱ. $Ne(g)$의 압력은 76 cmHg이다.
ㄴ. $Ne(g)$의 부피는 16 cm^3이다.
ㄷ. T는 304이다.

① ㄱ ② ㄴ ③ ㄱ, ㄷ ④ ㄴ, ㄷ ⑤ ㄱ, ㄴ, ㄷ

02 그림은 일정한 압력에서 질량이 같은 기체 ㉠~㉤의 온도와 부피를 나타낸 것이다. 분자량은 ㉠이 ㉤의 2배이다.

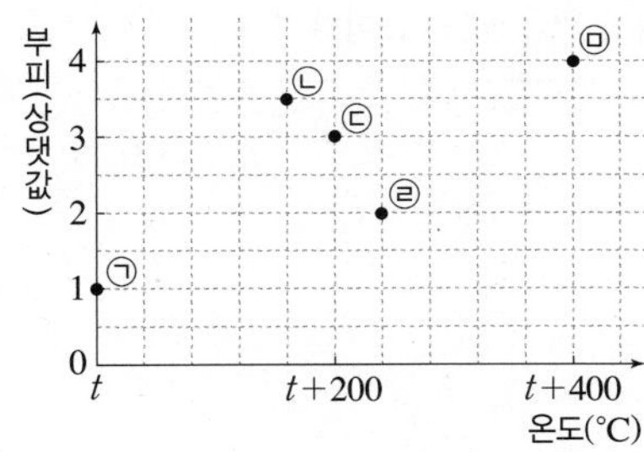

이에 대한 설명으로 옳은 것만을 [보기]에서 있는 대로 고른 것은? (단, 기체 ㉠~㉤은 모두 순물질이다.)

[보기]
ㄱ. t는 127이다.
ㄴ. ㉢과 ㉤은 분자량이 같다.
ㄷ. 기체의 양(mol)이 가장 큰 것은 ㉡이다.

① ㄱ ② ㄷ ③ ㄱ, ㄴ ④ ㄴ, ㄷ ⑤ ㄱ, ㄴ, ㄷ

03 그림 (가)는 질량이 같은 기체 A와 B의 압력과 절대 온도를 나타낸 것이고, (나)는 기체의 부피와 양(mol)을 나타낸 것이다. (나)의 ㉠과 ㉡은 각각 (가)의 A와 B 중 하나이다.

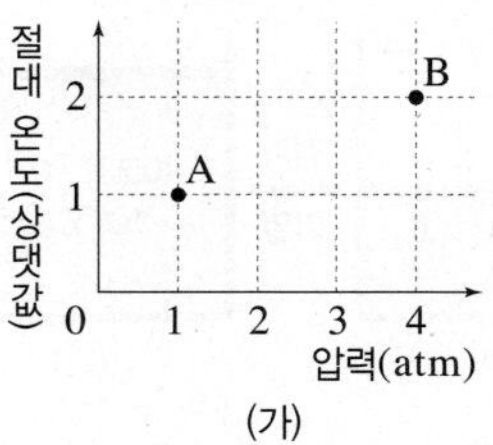

(가)

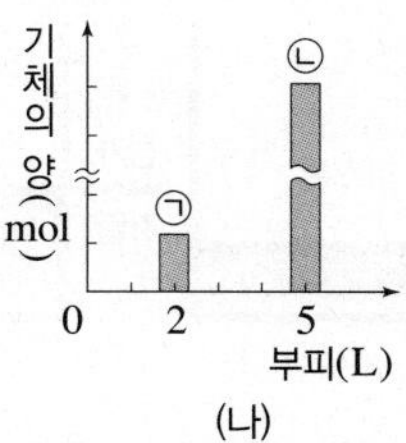

(나)

이에 대한 설명으로 옳은 것만을 [보기]에서 있는 대로 고른 것은?

[보기]
ㄱ. $\frac{P}{T}$는 A가 B의 2배이다.
ㄴ. A는 ㉠이다.
ㄷ. $M_A = 5M_B$이다.

① ㄱ ② ㄴ ③ ㄱ, ㄷ ④ ㄴ, ㄷ ⑤ ㄱ, ㄴ, ㄷ

04 다음은 X의 분자량을 구하기 위한 실험이다.

(가) 플라스크에 액체 X를 w_1 g 넣고, 구멍 뚫은 알루미늄박을 씌웠다.
(나) (가)의 플라스크를 가열하여 X를 모두 증발시켰다. 이때 물의 온도는 T K, 대기압은 P기압이었다.

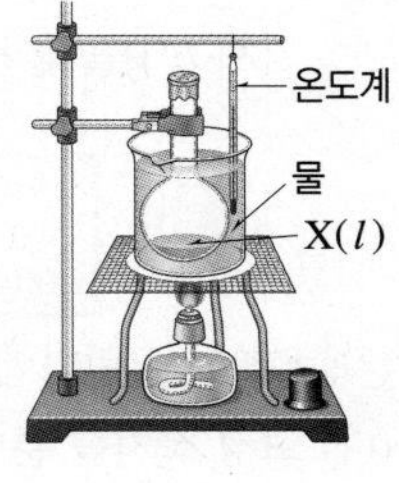

(다) (나)의 플라스크를 실온까지 충분히 식히고 바닥에 생긴 액체 X의 질량을 측정하였더니 w_2 g이었다.
(라) 사용한 플라스크의 내부 부피는 V mL이었다.

X의 분자량은? (단, 기체 상수는 R로 나타낸다.)

① $\frac{w_1RT}{PV}$ ② $\frac{w_2RT}{1000PV}$ ③ $\frac{1000w_2RT}{PV}$ ④ $\frac{(w_1-w_2)RT}{1000PV}$ ⑤ $\frac{1000(w_1-w_2)RT}{PV}$

05 그림은 1기압에서 200 K의 X(*g*) 1 g이 *V* L로 채워진 실린더에 Y(*g*)와 Z(*g*)를 차례대로 첨가하면서 가열할 때 서로 다른 온도에서 혼합 기체의 부피를 나타낸 것이다.

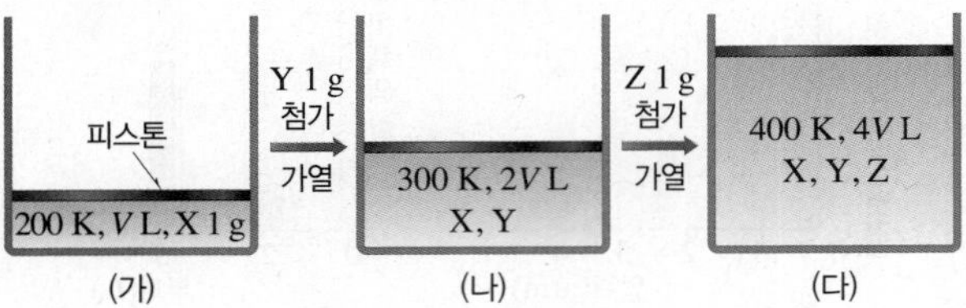

이에 대한 설명으로 옳은 것만을 [보기]에서 있는 대로 고른 것은? (단, X~Z는 서로 반응하지 않고, 피스톤의 질량과 마찰은 무시한다.)

보기

ㄱ. (나)에서 기체의 양(mol)은 X가 Y의 3배이다.
ㄴ. 기체 분자의 평균 운동 에너지는 (다)가 (가)의 2배이다.
ㄷ. 분자량비는 X : Y : Z=2 : 6 : 3이다.

① ㄱ ② ㄴ ③ ㄱ, ㄷ
④ ㄴ, ㄷ ⑤ ㄱ, ㄴ, ㄷ

06 다음은 기체의 성질을 알아보기 위한 실험이다.

(가) 그림과 같이 온도가 300 K인 실린더에 아르곤(Ar) 기체 *w* g을 넣는다.

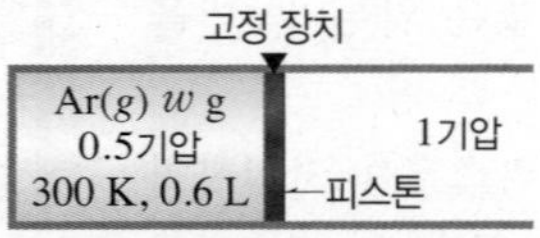

고정 장치
Ar(*g*) *w* g
0.5기압
300 K, 0.6 L
1기압
피스톤

(나) (가)의 실린더에 Ar(*g*) 2*w* g을 추가한다.
(다) 고정 장치를 푼다.
(라) 실린더의 온도를 200 K으로 낮춘다.

이에 대한 설명으로 옳은 것만을 [보기]에서 있는 대로 고른 것은? (단, (가)~(다)에서 온도는 일정하고, 피스톤의 질량과 마찰은 무시한다.)

보기

ㄱ. (나)에서 Ar(*g*)의 압력은 1.5기압이다.
ㄴ. (다)에서 Ar(*g*)의 부피는 (가)의 2배이다.
ㄷ. (라)에서 Ar(*g*)의 부피는 0.6 L이다.

① ㄴ ② ㄷ ③ ㄱ, ㄴ
④ ㄱ, ㄷ ⑤ ㄱ, ㄴ, ㄷ

07 다음은 헬륨(He)과 아르곤(Ar) 기체의 혼합 실험이다.

[실험 과정]

(가) 그림과 같이 온도 T에서 용기에 He과 Ar을 넣는다.

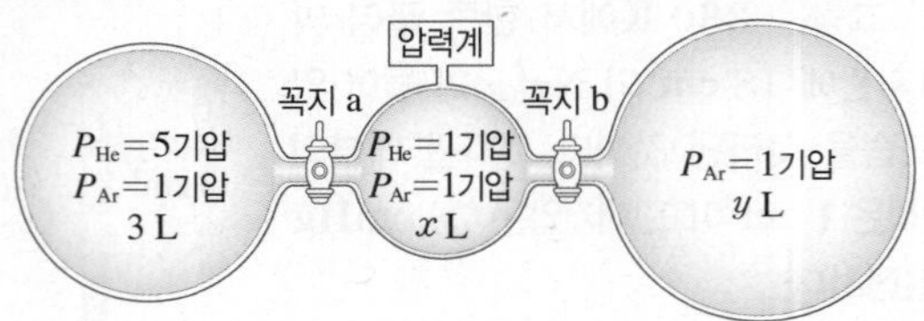

(나) t_1일 때 꼭지 a를 열어 충분한 시간 동안 놓아둔다.
(다) t_2일 때 꼭지 b를 열어 충분한 시간 동안 놓아둔다.

[실험 결과]

• 시간에 따라 측정한 압력

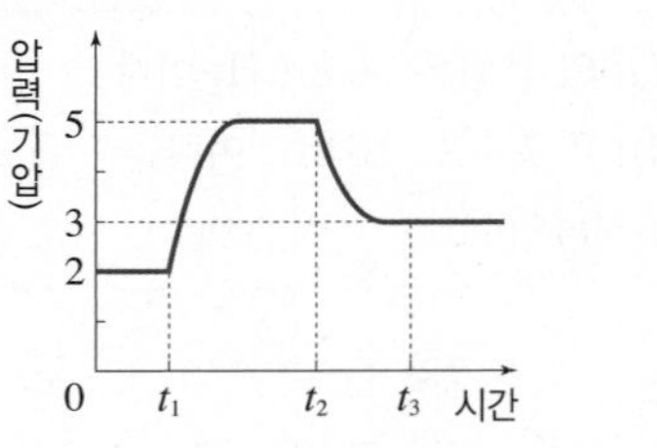

이에 대한 설명으로 옳은 것만을 [보기]에서 있는 대로 고른 것은? (단, 온도는 일정하고, 연결관과 압력계의 부피는 무시한다.)

보기

ㄱ. $x+y=6$이다.
ㄴ. (나)에서 P_{He}=4기압이다.
ㄷ. (다)에서 P_{Ar}=1기압이다.

① ㄱ ② ㄴ ③ ㄱ, ㄷ
④ ㄴ, ㄷ ⑤ ㄱ, ㄴ, ㄷ

08 그림은 400 K에서 두 강철 용기에 메테인(CH_4) 기체와 산소(O_2) 기체가, 실린더에 헬륨(He) 기체가 들어 있는 모습을 나타낸 것이다.

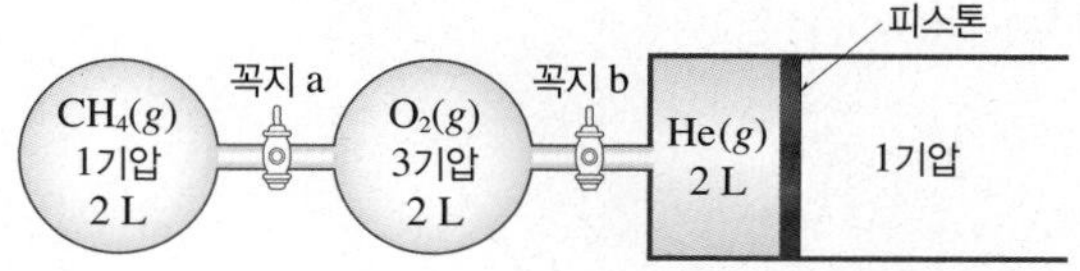

꼭지 a를 열어 CH_4을 완전 연소시켜 반응이 완결된 후, 꼭지 b를 열고 충분한 시간 동안 놓아두었다.
이에 대한 설명으로 옳은 것만을 [보기]에서 있는 대로 고른 것은? (단, 온도는 일정하고, 연결관의 부피, 피스톤의 마찰은 무시하며, 400 K에서 $RT=33$ atm·L/mol이다.)

[보기]
ㄱ. 실린더의 부피는 10 L가 된다.
ㄴ. 남아 있는 O_2의 부분 압력은 $\frac{1}{5}$기압이다.
ㄷ. 실린더 속 CO_2의 양은 $\frac{1}{33}$몰이다.

① ㄱ ② ㄴ ③ ㄱ, ㄷ
④ ㄴ, ㄷ ⑤ ㄱ, ㄴ, ㄷ

09 다음은 기체 A와 B가 반응하여 기체 C와 D가 생성되는 반응에 대한 실험이다.

• 화학 반응식
$a\text{A}(g)+\text{B}(g) \longrightarrow 3\text{C}(g)+4\text{D}(g)$ (a: 반응 계수)

[실험 과정]
(가) 300 K에서 그림과 같이 꼭지로 분리된 강철 용기와 실린더에 A(g)와 He(g)을 각각 넣는다.
(나) 강철 용기에 n_B몰의 B(g)를 넣어 A(g)를 모두 반응시킨 후 꼭지를 연다. (단, 온도는 일정하다.)

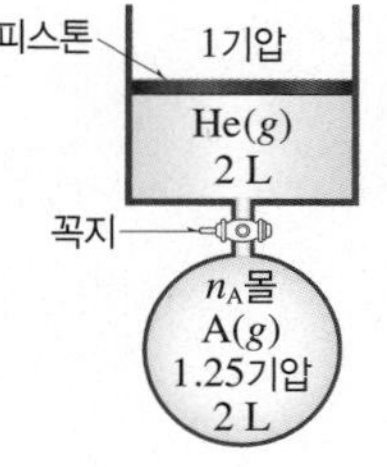

[실험 결과]
• 남아 있는 기체: B, C, D, He
• $\frac{\text{He}(g)\text{의 부분 압력}}{\text{B}(g)\text{의 부분 압력}}=1$

(나) 과정 후 혼합 기체의 온도를 400 K으로 높였더니 부피가 10 L가 되었다.
이에 대한 설명으로 옳은 것만을 [보기]에서 있는 대로 고른 것은? (단, 연결관의 부피, 피스톤의 질량과 마찰은 무시한다.)

[보기]
ㄱ. a는 5이다.
ㄴ. n_A와 n_B는 같다.
ㄷ. 혼합 기체의 온도를 500 K으로 높이면 부피는 12.5 L가 된다.

① ㄱ ② ㄷ ③ ㄱ, ㄴ
④ ㄴ, ㄷ ⑤ ㄱ, ㄴ, ㄷ

10 다음은 A(g)와 B(g)가 반응하여 C(g)가 생성되는 반응의 화학 반응식이다.

$$\text{A}(g)+2\text{B}(g) \longrightarrow 2\text{C}(g)$$

그림은 꼭지로 연결된 실린더와 두 강철 용기에 A(g), B(g) C(g)가 각각 들어 있는 모습을 나타낸 것이다.

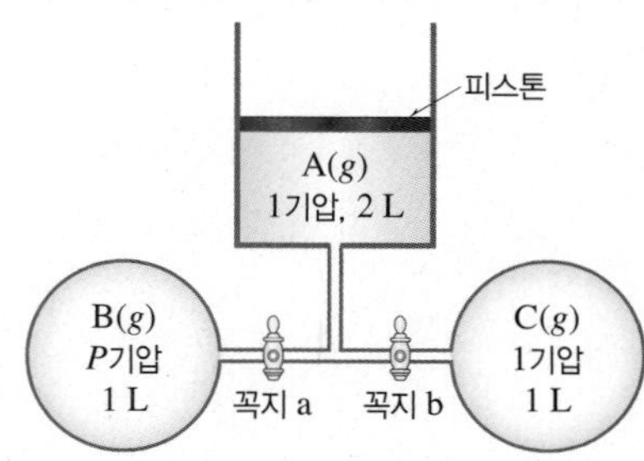

꼭지 a를 열어 반응이 완결된 후, 꼭지 b를 열고 충분한 시간이 흘렀을 때, 혼합 기체의 부피는 4 L이었다.
이에 대한 설명으로 옳은 것만을 [보기]에서 있는 대로 고른 것은? (단, 온도는 일정하고, 대기압은 1기압이며, 연결관의 부피, 피스톤의 질량과 마찰은 무시한다.)

[보기]
ㄱ. 반응 전 기체의 양(mol)은 A가 C의 2배이다.
ㄴ. P는 3이다.
ㄷ. 반응 후 C의 몰 분율은 $\frac{3}{5}$이다.

① ㄱ ② ㄴ ③ ㄱ, ㄷ
④ ㄴ, ㄷ ⑤ ㄱ, ㄴ, ㄷ

2 물질의 세 가지 상태(2)

- **01.** 분자 간 상호 작용
- **02.** 액체와 고체

이 단원을 공부하기 전에 학습 계획을 세우고, 학습 진도를 스스로 체크해 보자.
학습이 미흡했던 부분은 다시 보기에 체크해 두고, 시험 전까지 꼭 완벽히 학습하자!

소단원	학습 내용	학습 일자	다시 보기
01. 분자 간 상호 작용	Ⓐ 쌍극자·쌍극자 힘	/	
	Ⓑ 분산력	/	
	Ⓒ 수소 결합 탐구 분자 간 힘과 끓는점의 관계	/	
02. 액체와 고체	Ⓐ 물의 특성	/	
	Ⓑ 액체 탐구 여러 가지 액체의 증기 압력 곡선	/	
	Ⓒ 고체	/	

이전에 학습한 내용 중 이 단원과 연계된 내용을 다시 한번 떠올려 봅시다.

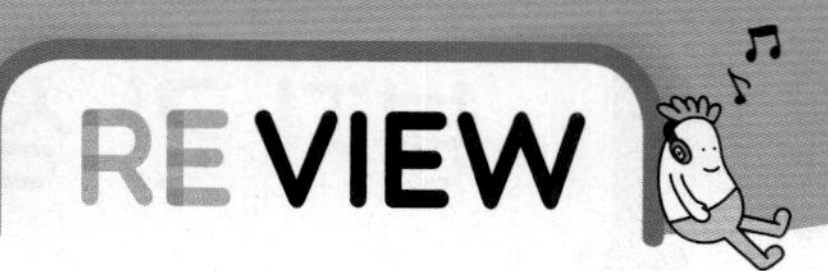

쌍극자 모멘트와 분자의 극성

① ❶ ______ : 한 분자 내에서 전자가 한쪽으로 치우쳐 서로 다른 부분 전하(δ^+, δ^-)를 띠는 것

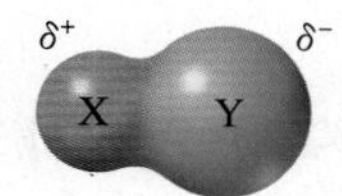

② ❷ ______ (μ): 분자 내 공유 결합의 극성 정도를 나타내는 척도

- 원자의 전하량이 $+q$, $-q$이고, 두 전하가 r 만큼 떨어져 있을 때 전하량(q)과 두 전하 사이의 거리(r)를 곱한 값으로 나타낸다.

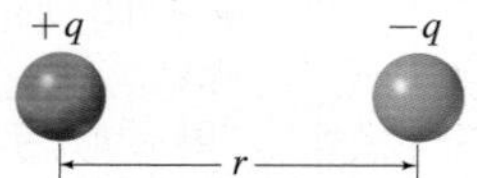

$$\mu = q \times r$$

- 쌍극자 모멘트가 클수록 극성이 강하다.

③ 분자의 극성

- ❸ ______ 분자: 분자 내에 전하가 고르게 분포되어 부분적인 전하를 띠지 않는 분자, 분자의 쌍극자 모멘트가 0이다.
- ❹ ______ 분자: 분자 내에 전하의 분포가 고르지 않아서 부분적인 전하를 띠는 분자, 분자의 쌍극자 모멘트가 0이 아니다.

화학 결합의 종류에 따른 고체 결정

	이온 결정	❻ ______ 결정	❼ ______ 결정	금속 결정
고체 결정	수많은 양이온과 음이온이 ❺ ______ 결합을 형성하여 3차원적으로 서로 둘러싸며 규칙적으로 배열되어 이룬 결정	분자들이 분자 사이에 작용하는 인력에 의해 규칙적으로 배열되어 이룬 결정	물질을 구성하는 모든 원자가 연속적으로 공유 결합을 형성하여 그물처럼 연결된 결정	금속 원소의 양이온과 ❽ ______ 사이의 정전기적 인력에 의해 금속 원자가 규칙적으로 배열된 결정
예	염화 나트륨(NaCl) Na^+ Cl^-	이산화 탄소(CO_2) CO_2	다이아몬드(C) C	칼륨(K) K

정답 ❶ 쌍극자 ❷ 쌍극자 모멘트 ❸ 무극성 ❹ 극성 ❺ 이온 ❻ 분자 ❼ 원자 ❽ 자유 전자

01 분자 간 상호 작용

핵심 포인트			
	Ⓐ 쌍극자·쌍극자 힘 ★★ 쌍극자·쌍극자 힘의 크기 ★★★	Ⓑ 분산력 ★★ 분산력의 크기 ★★★	Ⓒ 수소 결합 ★★ 분자 간 힘과 끓는점 ★★★

Ⓐ 쌍극자·쌍극자 힘

물질을 이루는 분자의 상호 작용을 분자 간 힘이라고 하는데, 분자 간 힘에는 쌍극자·쌍극자 힘, 분산력, 수소 결합이 있어요. 각 분자 간 힘을 자세히 알아보고, 물질의 끓는점으로 분자 간 힘의 크기를 비교해 보아요.

1. 쌍극자 한 분자 내에서 전자들이 한쪽으로 치우쳐 서로 다른 부분적인 전하를 띠는 것

➡ *한 분자 내에 부분적인 양전하(δ^+)와 부분적인 음전하(δ^-)가 존재한다.

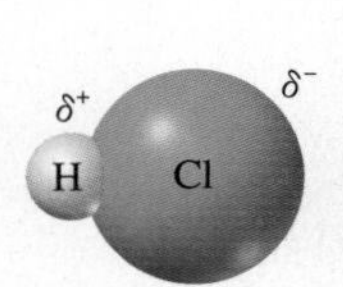

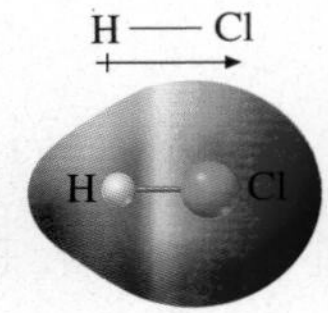

H 원자는 Cl 원자에 비해 *전기 음성도가 작아 공유 전자쌍이 Cl 원자 쪽으로 치우친다. 따라서 H 원자는 부분적인 양전하(δ^+)를 띠고, Cl 원자는 부분적인 음전하(δ^-)를 띤다.

▲ HCl 분자의 쌍극자

2. 쌍극자·쌍극자 힘 극성 분자들이 서로 접근할 때 한 분자의 쌍극자와 이웃한 분자의 쌍극자 사이에 작용하는 정전기적 인력

극성 분자 사이에 작용하는 쌍극자·쌍극자 힘

쌍극자가 있는 극성 분자들이 서로 가까워지면 한 분자의 쌍극자와 다른 분자의 쌍극자 사이에 정전기적 인력과 반발력이 작용한다. 이때 작용하는 정전기적 인력이 쌍극자·쌍극자 힘이다.

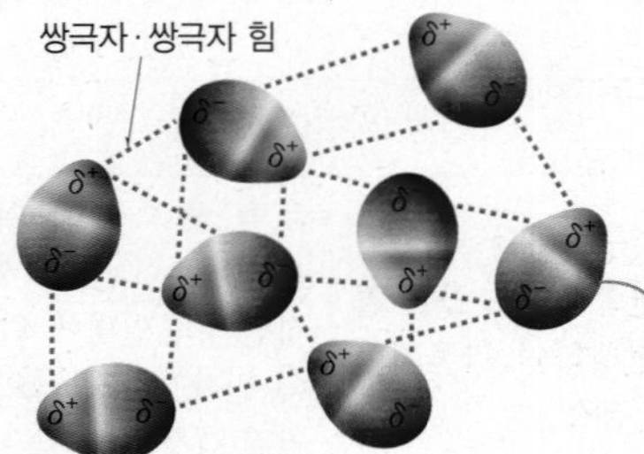

3. 쌍극자·쌍극자 힘의 크기 분자량이 비슷한 극성 분자에서 *쌍극자 모멘트가 클수록 쌍극자·쌍극자 힘이 크고, 물질의 끓는점이 높다.

분자식	분자량	쌍극자 모멘트(D)	끓는점(°C)
CH_3OCH_3	46	1.30	−25
CH_3Cl	50	1.9	−24
CH_3CHO	44	2.75	21
CH_3CN	41	3.93	82

지학사 교과서에만 나와요.

★ 전기장 내에서 극성 분자의 배열

기체 상태의 극성 분자에 전기장을 걸어 주면 극성 분자의 부분적인 전하를 띤 부분이 반대 전하를 띤 전기장의 전극 쪽으로 배열한다.

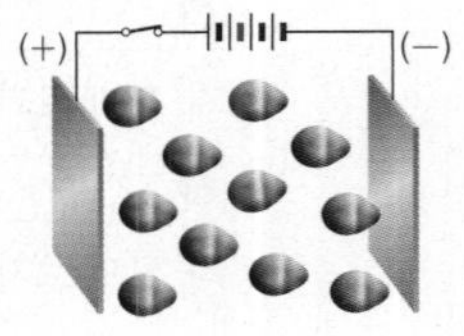

★ 전기 음성도

공유 결합을 형성한 두 원자가 공유 전자쌍을 끌어당기는 힘의 크기를 상대적으로 비교하여 정한 값이다. 같은 주기에서 원자 번호가 클수록, 같은 족에서 원자 번호가 작을수록 전기 음성도가 대체로 크다.

★ 쌍극자 모멘트(μ)

분자 내 공유 결합의 극성 정도를 나타내는 척도로, 쌍극자의 전하량(q)과 두 전하 사이의 거리(r)를 곱한 값으로 나타낸다. 단위는 D(debye)이다.

$$\mu = q \times r$$

B 분산력

1. 편극과 순간 쌍극자

(1) **편극**: 전자가 분자의 한쪽으로 치우치는 현상

(2) *__순간 쌍극자__: 무극성 분자에 편극이 일어나서 일시적으로 생성되는 쌍극자
└● 유도 쌍극자, 유발 쌍극자라고도 한다.

2. 분산력 순간 쌍극자 사이에 작용하는 정전기적 인력으로, 무극성 분자뿐만 아니라 극성 분자 사이에도 작용한다. ➡ 분자 내에서 전자 분포가 변하여 생기는 분자 간 힘이기 때문이다.

무극성 분자 사이에 분산력이 형성되는 과정

무극성 분자에서 편극이 일어나면 순간 쌍극자가 형성되고, 또 다른 순간 쌍극자를 유발하여 두 순간 쌍극자 사이에 분산력이 작용한다.

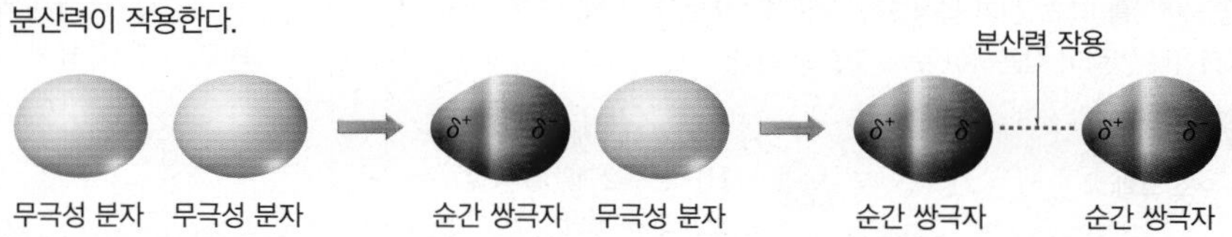

분산력 작용

무극성 분자 무극성 분자 → 순간 쌍극자 무극성 분자 → 순간 쌍극자 순간 쌍극자

δ^+ δ^-

❶ 분자 내의 전자들이 끊임없이 움직이고 있다.

❷ 전자들이 순간 한쪽으로 몰리는 편극이 일어나 순간 쌍극자가 형성된다.

❸ 순간 쌍극자에 의해 이웃의 무극성 분자에 편극이 일어나 또 다른 순간 쌍극자가 형성된다.

3. 분산력의 크기 무극성 분자에서 분자량이 클수록, 분자량이 비슷한 경우 분자의 모양이 넓게 퍼진 것일수록 분산력이 크다.

(1) ***분자량의 영향**: 분자량이 클수록 편극이 쉽게 일어나므로 분산력이 크고, 물질의 끓는점이 높다.
└● 전자의 수가 많고 전자가 움직일 수 있는 공간이 넓기 때문이다.

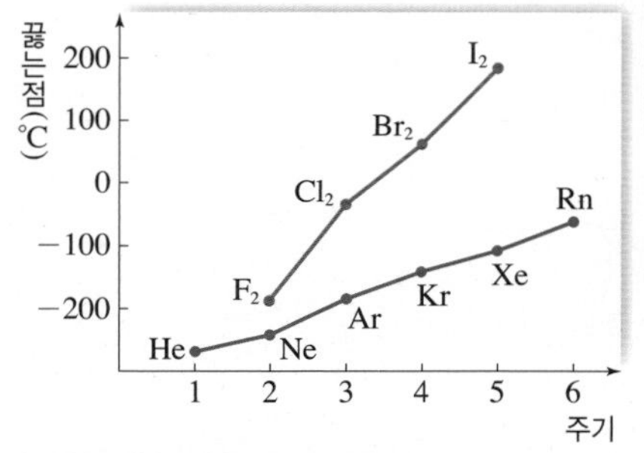

할로젠과 비활성 기체와 같은 무극성 물질인 경우 분자량이 클수록 분산력이 커서 끓는점이 높다.

⬆ 할로젠과 비활성 기체의 끓는점

(2) **분자 모양의 영향**: 분자량이 비슷한 경우 분자의 모양이 넓게 퍼진 것일수록 분자의 표면적이 커서 편극이 쉽게 일어나므로 분산력이 크고, 물질의 끓는점이 높다.

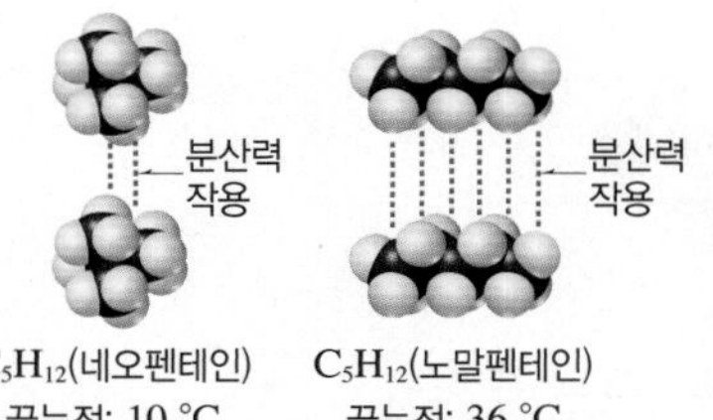

C_5H_{12}(네오펜테인) 끓는점: 10 °C

C_5H_{12}(노말펜테인) 끓는점: 36 °C

네오펜테인과 노말펜테인은 각 분자의 구성 원자와 분자량이 서로 같지만, 긴 사슬 모양인 노말펜테인이 둥근 모양인 네오펜테인보다 편극이 잘되어 분산력이 강하므로 끓는점이 높다.

⬆ 네오펜테인과 노말펜테인의 분자 모양과 끓는점

교학사 교과서에만 나와요.

*** 무극성 분자의 편극과 순간 쌍극자의 생성**

극성 분자에서의 편극은 영구적이지만, 무극성 분자에서의 편극은 순간적이다. 순간적 편극으로 만들어진 쌍극자는 가까이에 있는 다른 무극성 분자에 영향을 주어 순간 쌍극자를 유도할 수 있다.

천재 교과서에만 나와요.

*** 여러 가지 탄화수소의 분자량과 끓는점의 관계**

탄화수소는 분자량이 클수록 분산력이 커서 끓는점이 높다.

분자식	분자량	끓는점(°C)
CH_4	16	−161
C_2H_6	30	−89
C_3H_8	44	−42
C_4H_{10}	58	−0.5
C_5H_{12}	72	36
C_6H_{14}	86	69

주의해

극성 분자와 무극성 분자의 끓는점 비교

극성 분자와 무극성 분자의 끓는점을 비교하려면 분자량과 분자의 극성을 함께 고려해야 한다.

C 수소 결합

1. 수소 결합 한 분자 내 F, O, N 원자에 결합한 H 원자와 이웃한 분자의 F, O, N 원자 사이에 작용하는 강한 정전기적 인력

(1) **F, O, N, H 원자가 수소 결합에 관여하는 까닭**: 원자 반지름이 작아 서로 가깝게 접근할 수 있고, F, O, N 원자와 H 원자의 전기 음성도 차이가 커서 강한 정전기적 인력이 작용할 수 있기 때문이다.

(2) **수소 결합을 하는 물질의 예**: 물(H_2O), 플루오린화 수소(HF), 암모니아(NH_3), *에탄올(C_2H_5OH) 등

H_2O과 HF의 수소 결합

전기 음성도가 큰 O, F 원자는 부분적인 음전하(δ^-)를 띠고, 전기 음성도가 작은 H 원자는 부분적인 양전하(δ^+)를 띠어, 가까이에 있는 다른 분자와 강한 정전기적 인력이 작용하여 수소 결합을 한다.

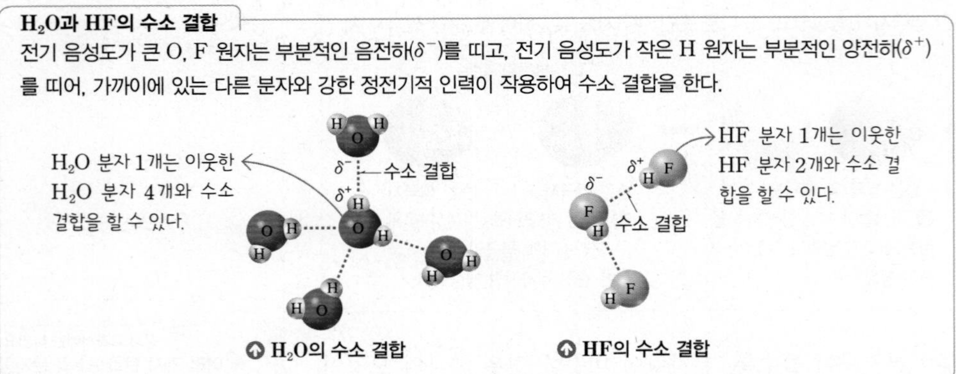

H_2O의 수소 결합 HF의 수소 결합

(3) **생명체 내에서의 수소 결합**: DNA의 이중 나선 구조와 단백질의 나선 구조는 수소 결합으로 형성된다.

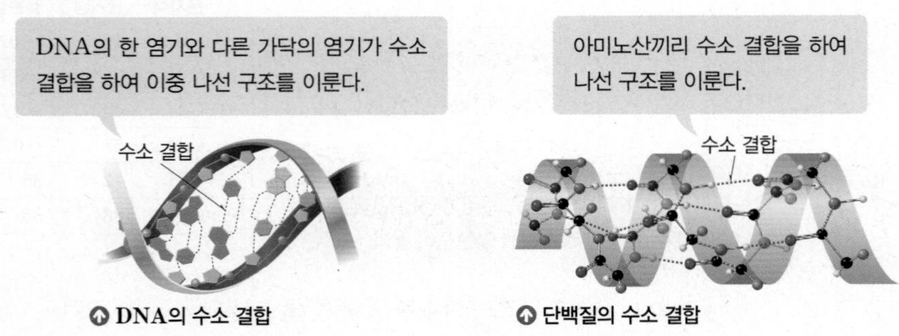

DNA의 한 염기와 다른 가닥의 염기가 수소 결합을 하여 이중 나선 구조를 이룬다.
아미노산끼리 수소 결합을 하여 나선 구조를 이룬다.
수소 결합
수소 결합

DNA의 수소 결합 단백질의 수소 결합

2. 수소 결합의 크기 분자량이 비슷한 경우 수소 결합은 분산력이나 쌍극자·쌍극자 힘보다 훨씬 강하다. → 수소 결합은 분산력의 100배 정도, 쌍극자·쌍극자 힘의 10배 정도 강하다.

분자 간 힘의 크기	분산력		쌍극자·쌍극자 힘 (X, Y=다른 종류의 비금속 원소)		수소 결합 (X=F, O, N)
	$\delta^+\delta^-$ XX ······ $\delta^+\delta^-$ XX	<	$\delta^+\delta^-$ YX ······ $\delta^+\delta^-$ YX	<	$\delta^+\delta^-$ HX ······ $\delta^+\delta^-$ HX

3. 분자 간 힘과 물질의 끓는점 분자 간 힘이 클수록 물질의 끓는점이 높다.

(1) 분자량이 비슷하면 분산력만 존재하는 무극성 물질보다 쌍극자·쌍극자 힘이 존재하는 극성 물질의 끓는점이 더 높지만, 수소 결합 물질의 끓는점이 가장 높다.

암기해
수소 결합
H(핸드)와 F, O, N(폰)의 결합!

★ 에탄올의 수소 결합
에탄올(C_2H_5OH) 분자 1개는 이웃한 C_2H_5OH 분자 1개와 수소 결합을 할 수 있다.

$H_5C_2 - O(-H) \cdots H - O - C_2H_5$ (수소 결합)

분산력만 존재하는 무극성 물질의 끓는점 < 쌍극자·쌍극자 힘이 존재하는 극성 물질의 끓는점 < 수소 결합 물질의 끓는점

• 분산력도 작용한다. •

⬆ 분자량이 비슷한 물질의 끓는점 비교

(2) 14족~17족 원소의 수소 화합물의 끓는점 비교

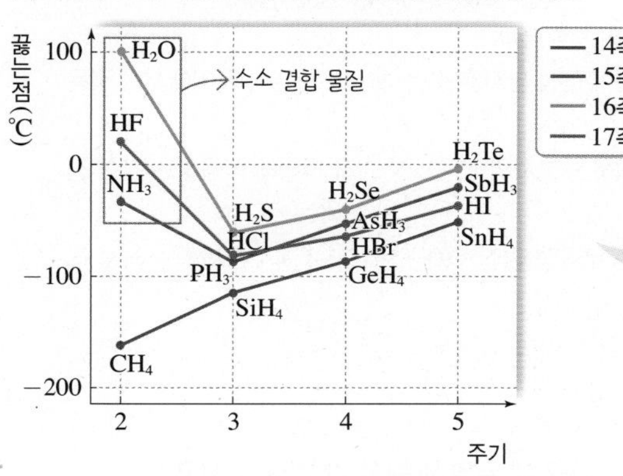

- 14족 원소의 수소 화합물: 무극성 분자이므로 주기가 커질수록 분산력이 커져 끓는점이 높다.
- 15족~17족 원소의 수소 화합물: 극성 분자이므로 분산력과 쌍극자·쌍극자 힘이 작용한다. 주기가 커질수록 분자의 극성은 작아지지만 분산력이 커져 끓는점이 높다.
- H_2O, HF, NH_3: 같은 족의 다른 수소 화합물보다 분자량이 작아도 수소 결합을 하므로 끓는점이 높다.

암기해

물질의 끓는점 비교(분자량이 비슷한 경우)

무극성 물질 < 극성 물질 < 수소 결합 물질

탐구 자료창 분자 간 힘과 끓는점의 관계

비상, 천재 교과서에만 나와요.

물질	*구조식	쌍극자 모멘트(D)	분자량	끓는점(°C)
질소	$N \equiv N$	0	28	−196
산소	$O=O$	0	32	−183
뷰테인	$CH_3-CH_2-CH_2-CH_3$	0	58	−0.5
암모니아	H-N-H (N에 H 결합)	1.47	17	−33
포스핀	H-P-H (P에 H 결합)	0.57	34	−88
아세톤	$CH_3-C(=O)-CH_3$	2.88	58	56

1. **쌍극자 모멘트가 0인 무극성 물질의 끓는점 비교:** 뷰테인(C_4H_{10}) > 산소(O_2) > 질소(N_2) ➡ 분자량이 클수록 분산력이 크므로 끓는점이 높다.
2. **분자량이 비슷한 무극성 물질과 극성 물질의 끓는점 비교:** 포스핀(PH_3) > 산소(O_2), 아세톤(CH_3COCH_3) > 뷰테인(C_4H_{10}) ➡ 분자량이 비슷한 경우 극성 물질의 쌍극자·쌍극자 힘이 무극성 물질의 분산력보다 크게 작용하므로 극성 물질이 무극성 물질보다 끓는점이 더 높다.
3. **암모니아(NH_3)와 포스핀(PH_3)의 끓는점 비교:** $NH_3 > PH_3$ ➡ NH_3가 PH_3보다 분자량이 작아 분산력은 작지만, 수소 결합을 하므로 끓는점이 더 높다.

★ 구조식
공유 결합에서 비공유 전자쌍은 생략하고, 공유 전자쌍을 결합선(−)으로 나타낸 식이다.

확대경 분산력이 쌍극자·쌍극자 힘보다 크게 작용하는 경우

천재 교과서에만 나와요.

분자량이 충분히 커지면 분산력이 극성 분자들 사이에 작용하는 쌍극자·쌍극자 힘과 비슷하거나 더 클 때도 있다. 예를 들어 극성 물질인 플루오린화 메틸(CH_3F, 분자량: 34)은 끓는점이 −78 °C이지만, 무극성 물질인 사염화 탄소(CCl_4, 분자량: 152)의 끓는점은 77 °C이다. 이는 CCl_4 분자들 사이에 작용하는 분산력이 CH_3F 분자들 사이에 작용하는 분산력과 쌍극자·쌍극자 힘의 합보다 크기 때문이다.

개념 확인 문제

정답친해 18쪽

핵심 체크

- (❶): 한 분자 내에서 전자들이 한쪽으로 치우쳐 서로 다른 부분적인 전하를 띠는 것
- (❷): 극성 분자들이 서로 접근할 때 한 분자의 쌍극자와 이웃한 분자의 쌍극자 사이에 작용하는 정전기적 인력
- (❸): 전자가 분자의 한쪽으로 치우치는 현상
- (❹): 무극성 분자에 편극이 일어나서 일시적으로 생성되는 쌍극자
- (❺): 순간 쌍극자 사이에 작용하는 정전기적 인력으로, 무극성 분자뿐만 아니라 극성 분자 사이에서도 작용한다.
- (❻): 한 분자 내 F, O, N 원자에 결합한 H 원자와 이웃한 분자의 F, O, N 원자 사이에 작용하는 강한 정전기적 인력
- 분자량이 비슷한 물질의 끓는점 비교: (❼)만 존재하는 무극성 물질<(❽)이 존재하는 극성 물질<(❾) 물질

1 분자 간 힘에 대한 설명으로 옳은 것은 ○, 옳지 않은 것은 ×로 표시하시오.

(1) 분자 사이에 작용하는 힘이 클수록 물질의 끓는점이 높다. ( )

(2) 분자량이 비슷한 경우 극성 분자의 쌍극자·쌍극자 힘은 무극성 분자의 분산력보다 크다. ( )

(3) 무극성 분자에서 분자량이 클수록 편극이 쉽게 일어나 분산력이 작아진다. ( )

(4) 분자량이 비슷한 경우 수소 결합은 분산력이나 쌍극자·쌍극자 힘보다 강하다. ( )

2 표는 몇 가지 물질의 분자량과 끓는점이다.

물질	H_2	N_2	O_2
분자량	2	28	32
끓는점(°C)	−253	−196	−183

위 물질들의 끓는점 차이에 영향을 미치는 가장 큰 요인은?

① 분산력
② 공유 결합
③ 쌍극자 모멘트
④ 수소 결합
⑤ 쌍극자·쌍극자 힘

3 수소 결합을 하는 물질을 [보기]에서 있는 대로 고르시오.

[보기]

ㄱ. HF　ㄴ. PH_3　ㄷ. NH_3
ㄹ. C_3H_8　ㅁ. C_2H_5OH　ㅂ. CH_3COOH

4 ( ) 안에 알맞은 분자 간 힘을 쓰시오.

(1) H_2O의 끓는점이 다른 16족 원소의 수소 화합물보다 높은 것은 분자 사이에 ( )을 하기 때문이다.

(2) CH_4과 SiH_4의 끓는점 차이에 가장 큰 영향을 미치는 분자 간 힘은 ( )이다.

(3) 4주기 수소 화합물인 H_2Se는 3주기 수소 화합물인 H_2S보다 ㉠( )은 약하지만 ㉡( )이 더 크게 작용하기 때문에 끓는점이 높다.

5 그림은 3가지 분자 간 힘을 모형으로 나타낸 것이다.

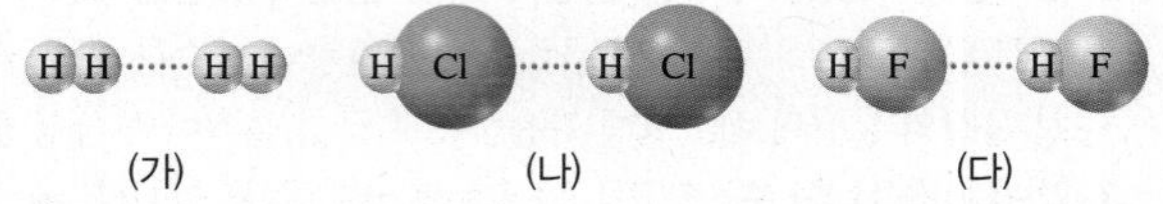

다음 물질의 끓는점 차이에 가장 크게 영향을 미치는 분자 간 힘을 (가)~(다)에서 각각 고르시오.

(1) NH_3의 끓는점이 PH_3보다 높다. (단, NH_3, PH_3의 분자량은 각각 17, 34이다.)

(2) H_2S의 끓는점이 O_2보다 높다. (단, H_2S, O_2의 분자량은 각각 34, 32이다.)

(3) Cl_2의 끓는점이 F_2보다 높다. (단, Cl_2, F_2의 분자량은 각각 71, 38이다.)

대표 자료 분석

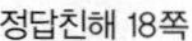

정답친해 18쪽

학교 시험에 자주 출제되는 대표 자료와 그 자료에 대한 문제를 통해 자료를 완벽하게 이해할 수 있다.

자료 1 분산력과 쌍극자·쌍극자 힘

기출 Point
- 극성 물질과 무극성 물질에 존재하는 분자 간 힘 비교
- 분자 간 힘과 끓는점의 관계

[1~3] 표는 물질 A~D에 대한 자료이다.

물질	분자량	쌍극자 모멘트(D)	끓는점(°C)
A		0	−191
B	30	0.15	−152
C	44	0	−48
D	44	2.6	

1 B와 C의 끓는점 차이에 가장 크게 영향을 미치는 분자 간 힘을 쓰시오.

2 C와 D의 끓는점을 비교하여 등호나 부등호로 나타내시오.

3 빈출 선택지로 완벽 정리!

(1) A와 B의 분자량이 비슷한 경우 B의 끓는점이 A보다 높은 까닭은 분산력 때문이다. (○ / ×)

(2) 분자의 극성은 D가 B보다 크다. (○ / ×)

(3) 무극성 분자로 이루어진 물질은 A와 C이다. (○ / ×)

(4) 분산력만으로 끓는점을 비교할 수 있는 물질은 C와 D이다. (○ / ×)

(5) A~C 중 분자 간 힘이 가장 큰 물질은 C이다. (○ / ×)

자료 2 수소 화합물의 끓는점

기출 Point
- 수소 화합물의 끓는점 비교

[1~3] 그림은 14족, 17족 원소의 수소 화합물 A~E의 끓는점을 주기에 따라 나타낸 것이다.

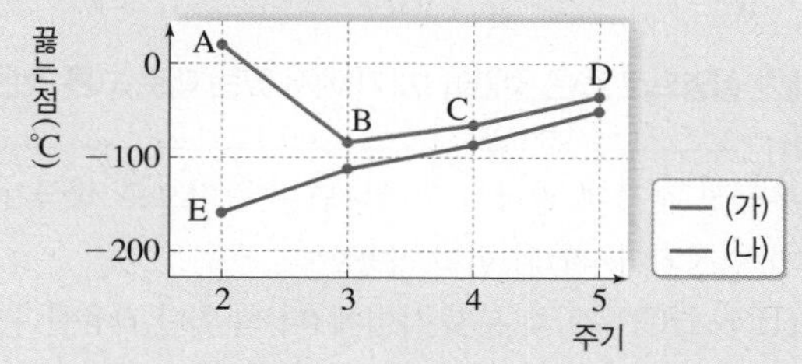

1 (가)와 (나)를 14족 원소의 수소 화합물과 17족 원소의 수소 화합물로 구분하시오.

2 (나)의 끓는점 경향에 가장 크게 영향을 미치는 분자 간 힘을 쓰시오.

3 빈출 선택지로 완벽 정리!

(1) 분자의 극성은 B가 C보다 크다. (○ / ×)

(2) A의 분자 사이에는 수소 결합만 작용한다. (○ / ×)

(3) B의 분자 사이에는 쌍극자·쌍극자 힘과 분산력이 작용한다. (○ / ×)

(4) A의 끓는점이 B보다 높은 까닭은 수소 결합 때문이다. (○ / ×)

(5) 끓는점이 D>C>B인 까닭은 수소 결합력이 커지기 때문이다. (○ / ×)

(6) A가 분자량이 비슷한 E보다 끓는점이 높은 까닭은 쌍극자·쌍극자 힘과 수소 결합 때문이다. (○ / ×)

내신 만점 문제

Ⓐ 쌍극자·쌍극자 힘 / Ⓑ 분산력 / Ⓒ 수소 결합

01 그림은 3가지 분자 간 힘을 모형으로 나타낸 것이다.

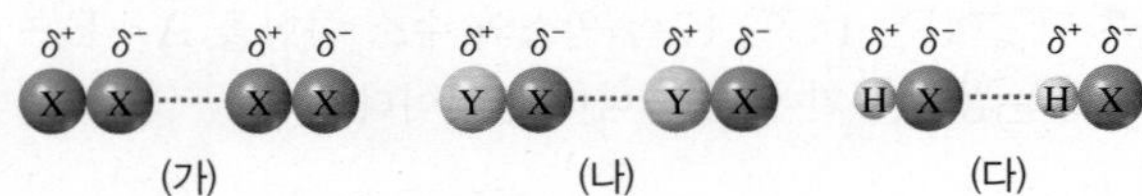

이에 대한 설명으로 옳은 것만을 [보기]에서 있는 대로 고른 것은?

[보기]
ㄱ. 무극성 분자에 편극이 일어나면 순간적으로 쌍극자가 형성되어 (가)의 힘이 작용한다.
ㄴ. HF와 HCl는 각각 분자 사이에 (나)의 힘만 작용한다.
ㄷ. 분자량이 비슷할 때 분자 사이에 작용하는 힘이 가장 큰 것은 (다)이다.

① ㄱ ② ㄴ ③ ㄱ, ㄷ
④ ㄴ, ㄷ ⑤ ㄱ, ㄴ, ㄷ

02 분자 간 힘과 끓는점에 대한 설명으로 옳지 <u>않은</u> 것은?

① 비활성 기체는 원자 번호가 클수록 끓는점이 높다.
② 암모니아(NH_3)는 분자 사이에 수소 결합만 작용한다.
③ 아르곤(Ar)과 염소(Cl_2)는 각각 분자 사이에 분산력만 작용한다.
④ 사염화 탄소(CCl_4)의 끓는점이 메테인(CH_4)보다 높은 까닭은 분산력 때문이다.
⑤ 염화 수소(HCl)의 끓는점이 분자량이 비슷한 산소(O_2)보다 높은 까닭은 쌍극자·쌍극자 힘 때문이다.

03 표는 1기압에서 3가지 탄소 화합물에 대한 자료이다.

물질	분자식	분자량	끓는점(°C)
노말뷰테인	C_4H_{10}	58	−0.5
노말펜테인	C_5H_{12}	72	36
네오펜테인	C_5H_{12}	72	10

이에 대한 설명으로 옳은 것만을 [보기]에서 있는 대로 고른 것은?

[보기]
ㄱ. 분자량이 같으면 분산력이 같다.
ㄴ. 분산력은 노말펜테인이 가장 크다.
ㄷ. 분자의 표면적은 노말펜테인이 네오펜테인보다 크다.

① ㄱ ② ㄴ ③ ㄱ, ㄷ
④ ㄴ, ㄷ ⑤ ㄱ, ㄴ, ㄷ

중요 **04** 그림은 1기압에서 4가지 화합물의 분자량과 끓는점을 나타낸 것이다.

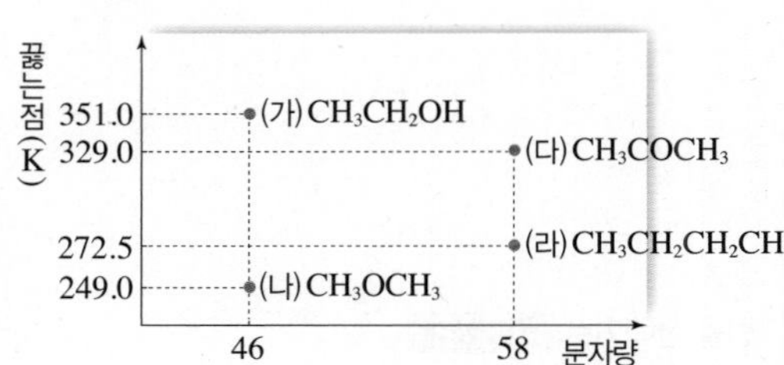

이에 대한 설명으로 옳은 것만을 [보기]에서 있는 대로 고른 것은?

[보기]
ㄱ. (가)가 (나)보다 끓는점이 높은 까닭은 수소 결합 때문이다.
ㄴ. 분산력은 (다)가 (나)보다 크다.
ㄷ. 쌍극자·쌍극자 힘은 (라)가 (나)보다 크다.

① ㄱ ② ㄷ ③ ㄱ, ㄴ
④ ㄴ, ㄷ ⑤ ㄱ, ㄴ, ㄷ

정답친해 19쪽

중요 05 표는 1기압에서 3가지 물질에 대한 자료이다.

물질	분자량	쌍극자 모멘트(D)	끓는점(°C)
H_2O	18	1.85	100.0
CH_3Cl	50.5	1.87	−24.0
I_2	254	0.00	184.4

이에 대한 설명으로 옳은 것만을 [보기]에서 있는 대로 고른 것은?

[보기]
ㄱ. 분자의 극성이 클수록 끓는점이 높다.
ㄴ. 분자 사이에 작용하는 힘이 가장 큰 물질은 수소 결합을 하는 H_2O이다.
ㄷ. I_2의 끓는점이 CH_3Cl보다 높은 것은 분산력 때문이다.

① ㄱ ② ㄷ ③ ㄱ, ㄴ
④ ㄴ, ㄷ ⑤ ㄱ, ㄴ, ㄷ

06 그림은 분자 A～D의 분자량과 분자를 구성하는 두 원자의 전기 음성도 차를 나타낸 것이다. A～D는 F_2, Cl_2, HCl, HBr 중 하나이다.

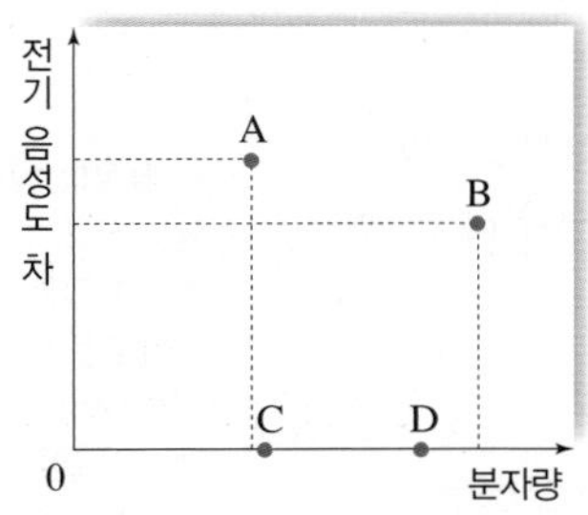

이에 대한 설명으로 옳은 것만을 [보기]에서 있는 대로 고른 것은?

[보기]
ㄱ. 쌍극자·쌍극자 힘이 작용하는 분자는 4가지이다.
ㄴ. 수소 결합을 하는 분자는 A이다.
ㄷ. 끓는점은 D가 C보다 높다.

① ㄱ ② ㄷ ③ ㄱ, ㄴ
④ ㄴ, ㄷ ⑤ ㄱ, ㄴ, ㄷ

07 그림은 1기압에서 3가지 물질 X～Z의 끓는점을 나타낸 것이다. X～Z는 각각 C_2H_6, C_2H_5OH, CH_3Cl 중 하나이다. 이에 대한 설명으로 옳은 것만을 [보기]에서 있는 대로 고른 것은?

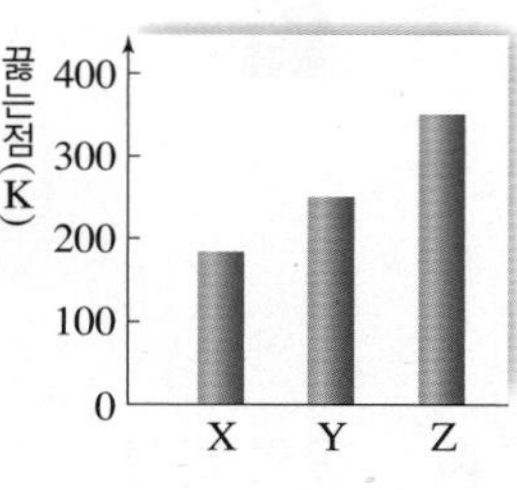

[보기]
ㄱ. X는 분자 사이에 쌍극자·쌍극자 힘이 작용하지 않는다.
ㄴ. Z는 CH_3Cl이다.
ㄷ. 분자 사이에 분산력이 작용하는 물질은 2가지이다.

① ㄱ ② ㄴ ③ ㄱ, ㄷ
④ ㄴ, ㄷ ⑤ ㄱ, ㄴ, ㄷ

중요 08 그림은 1기압에서 할로젠과 할로젠의 수소 화합물의 끓는점을 주기에 따라 각각 나타낸 것이다.

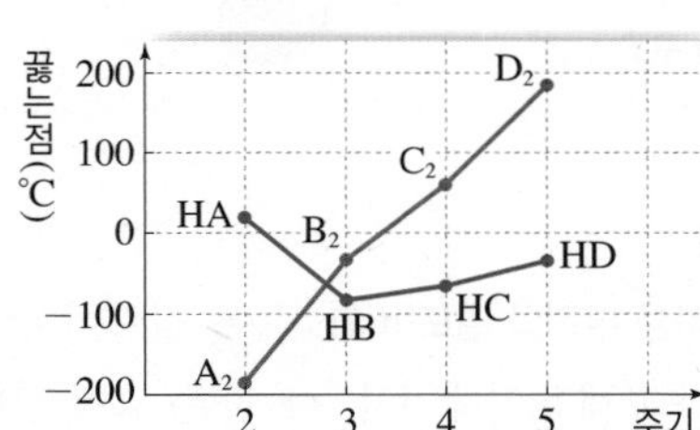

이에 대한 설명으로 옳은 것만을 [보기]에서 있는 대로 고른 것은? (단, A～D는 임의의 할로젠의 원소 기호이다.)

[보기]
ㄱ. HA가 HD보다 끓는점이 높은 까닭은 수소 결합을 하기 때문이다.
ㄴ. B_2가 HB보다 끓는점이 높은 까닭은 분산력 때문이다.
ㄷ. HD가 HC보다 끓는점이 높은 까닭은 쌍극자·쌍극자 힘 때문이다.

① ㄴ ② ㄷ ③ ㄱ, ㄴ
④ ㄱ, ㄷ ⑤ ㄱ, ㄴ, ㄷ

02 액체와 고체

핵심 포인트	Ⓐ 수소 결합과 물의 특성 ★★★ Ⓑ 증기 압력과 끓는점의 관계 ★★★	Ⓒ 결정성 고체의 분류 ★★ 결정 구조의 특징 ★★★ 단위 세포에 포함된 입자 수 ★★★

Ⓐ 물의 특성

액체는 기체에 비해 분자 간 힘이 강하게 작용하기 때문에 부피가 일정하고, 기체보다 분자의 움직임이 둔합니다. 분자 간 힘 때문에 나타나는 액체의 성질에는 또 어떤 것들이 있을까요? 우리 주변에서 가장 흔하게 접할 수 있는 액체인 물에 대해 살펴보아요.

1. 물 분자의 구조와 수소 결합

(1) **구조**: 수소(H) 원자 2개와 산소(O) 원자 1개가 공유 결합을 하고 있고, 결합각이 104.5°인 굽은 형 구조이다.

(2) **극성**: 물(H_2O) 분자에서 O 원자는 부분적인 음전하(δ^-)를 띠고, H 원자는 부분적인 양전하(δ^+)를 띠므로 H_2O 분자는 극성을 띤다. → 극성 물질이나 이온 결합 물질을 녹이는 용매로 이용된다.

(3) **수소 결합**: H_2O 분자는 전기 음성도가 큰 O 원자가 H 원자와 결합하고 있어 분자 사이에 수소 결합을 한다. ➡ 물이 수소 결합을 하기 때문에 다양한 특성이 나타난다.

물 분자의 구조와 수소 결합

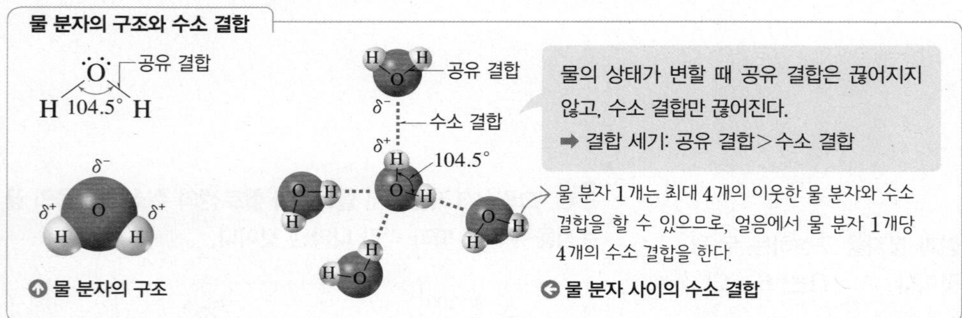

공유 결합
H 104.5° H
δ⁻
δ⁺ δ⁺
O H H
공유 결합
수소 결합
104.5°
물의 상태가 변할 때 공유 결합은 끊어지지 않고, 수소 결합만 끊어진다.
➡ 결합 세기: 공유 결합>수소 결합
물 분자 1개는 최대 4개의 이웃한 물 분자와 수소 결합을 할 수 있으므로, 얼음에서 물 분자 1개당 4개의 수소 결합을 한다.

▲ 물 분자의 구조　　◀ 물 분자 사이의 수소 결합

2. 물의 밀도

(1) *상태에 따른 부피와 밀도 비교: 물은 질량이 같을 때 부피가 액체<고체<기체(→ 물<얼음<수증기)이므로, 밀도가 액체>고체>기체(→ 물>얼음>수증기)이다. ➡ 물은 고체 상태일 때 수소 결합에 의해 빈 공간이 많은 육각형 구조를 이루기 때문에 액체 상태일 때보다 부피가 크고, 밀도는 작다.

***물과 얼음의 분자 배열 및 밀도 차이**

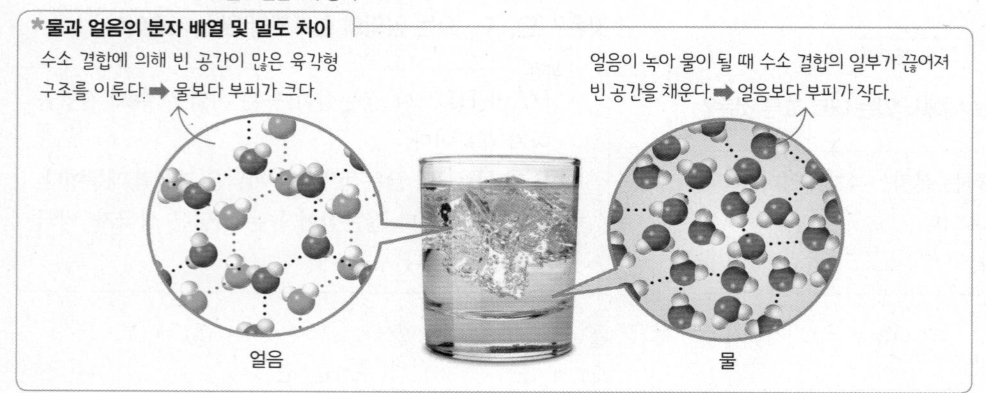

수소 결합에 의해 빈 공간이 많은 육각형 구조를 이룬다. ➡ 물보다 부피가 크다.
얼음이 녹아 물이 될 때 수소 결합의 일부가 끊어져 빈 공간을 채운다. ➡ 얼음보다 부피가 작다.
얼음
물

* **물질의 상태에 따른 부피와 밀도 비교**
물을 제외한 대부분의 물질은 질량이 같을 때 부피가 고체<액체<기체이므로, 밀도가 고체>액체>기체이다.

* **질량이 같은 물과 얼음의 비교**

부피	물<얼음
밀도	물>얼음
수소 결합 수	물<얼음
분자 사이에 작용하는 힘	물<얼음
분자 사이의 평균 거리	물<얼음

(2) 온도에 따른 부피 및 밀도 변화

구간	0 °C 이하의 얼음	0 °C 얼음~0 °C 물	0 °C 물~4 °C 물	4 °C 이상의 물
가열할 때의 변화	분자 운동이 활발해지고 분자 사이의 거리가 멀어진다.	수소 결합이 일부 끊어져 육각형의 빈 공간이 채워진다.	수소 결합이 더 끊어져 남아 있던 육각형의 빈 공간이 채워진다.	분자 운동이 활발해지고 분자 사이의 거리가 멀어진다.
부피	증가	감소	감소	증가
밀도	감소	증가	증가	감소

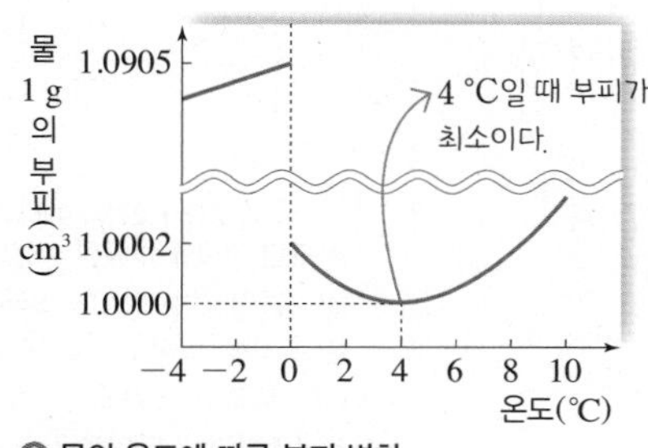

물의 온도에 따른 부피 변화

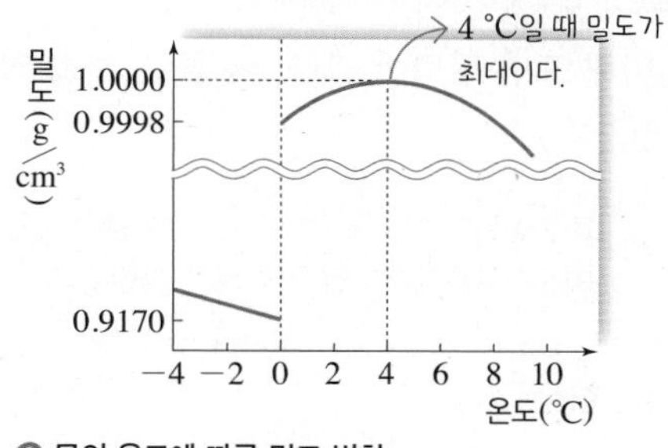

물의 온도에 따른 밀도 변화

(3) 물이 얼 때 부피 및 밀도 변화와 관련된 현상

① 겨울철에 호수나 강의 물은 표면부터 언다.
└● 얼음은 물보다 밀도가 작아 물 위에 뜨고, 4 °C 물의 밀도가 가장 크므로 물속에서 더 이상 대류가 일어나지 않기 때문이다.

② 추운 겨울날 수도관 속 물이 얼면 수도관이 터진다.
└● 물이 얼면서 부피가 증가하기 때문이다.

3. 물의 열용량

(1) 열용량(J/°C): 물질의 온도를 1 °C 높이는 데 필요한 열량으로, *같은 질량일 때 열용량이 큰 물질일수록 온도가 잘 변하지 않는다.
└● 열용량＝질량×비열

(2) 물의 열용량: 물은 질량이 비슷한 다른 액체에 비해 열용량이 커서 쉽게 가열되거나 냉각되지 않는다. ➡ 물을 가열할 때 흡수된 에너지는 물 분자 사이의 수소 결합을 끊는 데에 쓰이고, 물의 온도를 높이는 데에도 쓰이므로 물은 수소 결합을 하지 않는 다른 액체보다 온도 변화가 작다.

(3) 물의 열용량이 크기 때문에 나타나는 현상

① 지구 전체와 인체의 온도가 일정하게 유지된다.
└● 지구 표면은 약 70 %가 바다로 이루어져 있고, 인체의 약 70 %도 물로 이루어져 있기 때문이다.

② 해안 지역의 일교차는 내륙 지역보다 작다.
└● 바닷물이 천천히 데워지고 천천히 식기 때문이다.

천재 교과서에만 나와요.

4. 물의 녹는점과 끓는점, *융해열과 기화열

물은 분자량이 비슷한 다른 물질에 비해 녹는점과 끓는점이 매우 높고, 융해열과 기화열이 매우 크다. ➡ 물은 수소 결합을 하여 분자 사이에 작용하는 힘이 크기 때문이다.

화합물	분자량	융해열(kJ/mol)	기화열(kJ/mol)	녹는점(°C)	끓는점(°C)
물(H_2O)	18	6.0	40.7	0	100
메테인(CH_4)	16	0.94	8.2	−183	−161

물과 메테인의 물리적 성질

궁금해

겨울철에 호수나 강 속의 생물들이 얼어 죽지 않고 살 수 있는 까닭은 무엇일까?

겨울철 기온이 낮아져 호수나 강물의 표면 온도가 4 °C에 이르면 표면의 물의 밀도가 아래쪽의 물보다 커서 아래로 내려가므로 대류 현상이 일어난다. 그러다가 물 표면의 온도가 4 °C 이하로 낮아지면 물 표면의 밀도가 아래쪽의 물보다 작아져서 더 이상 대류 현상이 일어나지 않으므로 물은 표면부터 얼게 된다. 이때 얼음 아래쪽 물은 온도가 더 이상 낮아지지 않으므로 호수나 강 속 생물들이 얼어 죽지 않고 살 수 있다.

*** 비열(J/(g·°C))**
물질 1 g의 온도를 1 °C 높이는 데 필요한 열량으로, 질량이 같은 물질을 비교했을 때 열용량이 크다는 것은 비열이 크다는 것을 뜻한다. 물의 비열은 4.18 J/(g·°C)로 다른 물질에 비해 비열이 크다.

물질	비열(J/(g·°C))
물	4.18
에탄올	2.46
철	0.45
수은	0.14
금	0.13

*** 융해열과 기화열**
융해열은 고체 1 g이 액체로 융해될 때 흡수하는 열량이고, 기화열은 액체 1 g이 기체로 기화될 때 흡수하는 열량이다.

02 액체와 고체

5. 물의 표면 장력

(1) **표면 장력**: 액체가 표면에서 그 표면적을 최소화하려는 힘으로, 액체 표면에 있는 분자들의 분자 간 힘과 액체 내부에 있는 분자들의 분자 간 힘의 차이에 의해 생긴다.

→ '액체의 표면적을 단위 면적만큼 늘리는 데 필요한 에너지'라고도 한다.

액체 내부의 분자는 모든 방향으로 분자 간 힘이 작용한다.

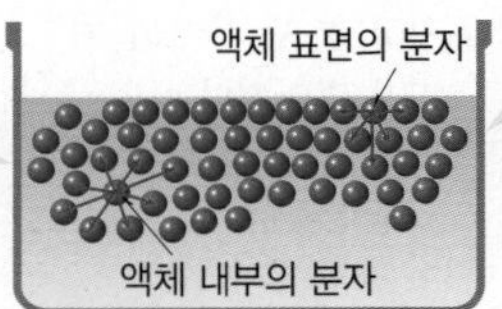

액체 표면의 분자
액체 내부의 분자

액체 표면의 분자는 옆과 아래 방향으로만 분자 간 힘이 작용한다. ➡ *액체 표면을 가능한 한 작아지게 한다.

⊙ 액체 표면과 내부에서 분자에 작용하는 힘

(2) **물의 표면 장력**: 물은 다른 액체에 비해 표면 장력이 크다. ➡ 물은 수소 결합을 하여 분자 사이에 작용하는 힘이 크기 때문이다.

수은
물
비눗물
에탄올

⊙ 몇 가지 액체의 표면 장력 비교

표면 장력이 클수록 액체 방울이 더 둥근 모양이다. 따라서 표면 장력은 수은 > 물 > 비눗물 > 에탄올이다.

→ 비누(계면 활성제)는 물에 녹아서 물의 표면 장력을 감소시킨다.

(3) ***물의 표면 장력이 크기 때문에 나타나는 현상**

① 풀잎에 맺힌 물방울의 모양이 동그랗다.

② 수면에 클립을 살짝 얹어 놓으면 가라앉지 않는다.

③ 소금쟁이와 같은 가벼운 곤충들은 물 위를 떠다닌다.

→ (②, ③) 물 표면의 분자 간 힘 때문에 떠 있을 수 있다.

④ 물이 가득 담긴 컵에 동전을 넣어도 물이 넘치지 않는다.

6. 물의 [1]모세관 현상

(1) **모세관 현상**: 액체가 가는 관이나 미세한 틈을 따라 올라가는 현상으로, 액체의 [2]응집력과 액체와 모세관 사이의 [3]부착력이 클수록 잘 일어난다.

(2) **물의 모세관 현상**: 물은 다른 액체에 비해 모세관 현상이 잘 일어난다. ➡ 물은 수소 결합에 의해 응집력이 매우 크고 유리와의 부착력도 크기 때문이다.

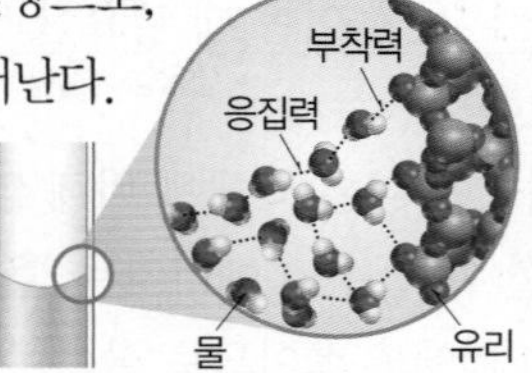

부착력
응집력
물
유리

모세관 현상의 원리

물과 유리의 부착력 때문에 물이 모세관 안쪽의 양 옆으로 올라가는데, 물은 응집력도 크기 때문에 가까운 곳에서는 서로 뭉치려 하고, 이 과정이 반복되면 물이 점차 위로 올라가게 된다.

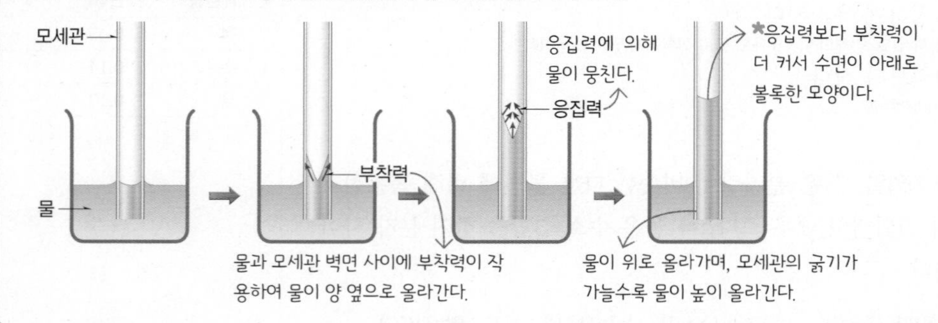

모세관
물
부착력
응집력에 의해 물이 뭉친다.
응집력
*응집력보다 부착력이 더 커서 수면이 아래로 볼록한 모양이다.
물과 모세관 벽면 사이에 부착력이 작용하여 물이 양 옆으로 올라간다.
물이 위로 올라가며, 모세관의 굵기가 가늘수록 물이 높이 올라간다.

(3) **물의 모세관 현상과 관련된 현상**

① 식물의 뿌리에서 흡수된 물이 물관을 따라 잎까지 올라간다.

② 종이나 수건의 한쪽 끝을 물에 대면 물이 스며들어 올라간다.

→ 식물의 물관, 종이, 수건의 면은 셀룰로스로 이루어져 있어 물과의 부착력이 크다.

교학사, 미래엔 교과서에만 나와요.

★ 액체 방울의 모양

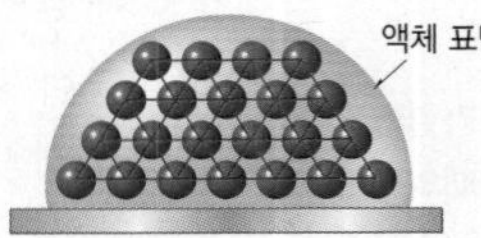

액체 표면

액체 방울이 둥근 공 모양인 것은 공 모양일 때 같은 부피에서 표면적이 가장 작기 때문이다.

지학사, 교학사 교과서에만 나와요.

★ 표면 장력을 이용한 실험

물이 들어 있는 수조에 스타이로폼 조각을 띄우고, 스타이로폼 조각 뒤쪽에 에탄올을 한 방울을 떨어뜨리면 스타이로폼 조각이 앞으로 이동한다. 이는 에탄올을 떨어뜨린 부분의 수소 결합이 끊어져 상대적으로 분자 간 힘이 크게 작용하는 쪽으로 물 분자가 이동하여 스타이로폼 조각이 따라 움직인 것이다.

★ 수은의 응집력과 부착력

수은은 응집력이 부착력보다 크므로 모세관 현상이 잘 나타나지 않고, 모세관에서 수은 면이 위로 볼록한 모양이다.

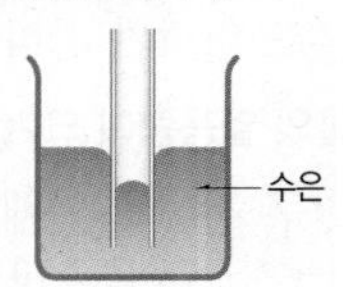

수은

용어

❶ **모세관(毛 털, 細 가늘다, 管 대롱)** 매우 가는 관

❷ **응집력(凝 엉기다, 集 모이다, 力 힘)** 같은 액체 분자 사이에 작용하는 인력

❸ **부착력(附 붙다, 着 붙다, 力 힘)** 서로 다른 물질 사이에 작용하는 인력

개념 확인 문제

정답친해 20쪽

핵심 체크

- 물 분자의 특성: (❶) 형 구조이고, 극성을 띠며, 분자 사이에 (❷) 결합을 한다.
- 수소 결합으로 인해 나타나는 물의 특성
  - 얼음과 물의 밀도: 물은 같은 질량의 얼음보다 부피가 (❸)으므로 밀도는 얼음보다 (❹)다.
  - (❺): 물질의 온도를 1 °C 높이는 데 필요한 열량으로, 물은 다른 액체에 비해 (❺)이 크다.
  - 녹는점과 끓는점: 물은 분자량이 비슷한 다른 물질에 비해 녹는점과 끓는점이 매우 (❻)다.
  - 융해열과 기화열: 물은 분자량이 비슷한 다른 물질에 비해 융해열과 기화열이 매우 (❼)다.
  - (❽): 액체가 표면적을 최소화하려는 힘으로, 물은 다른 액체에 비해 이 힘이 크다.
  - (❾) 현상: 액체가 가는 관이나 미세한 틈을 따라 올라가는 현상으로, 물은 응집력과 부착력이 커서 다른 액체에 비해 이 현상이 잘 일어난다.

1 물의 특성에 대한 설명으로 옳은 것은 ○, 옳지 않은 것은 ×로 표시하시오.

(1) 얼음은 수소 결합에 의해 육각형 모양의 빈 공간이 있는 구조를 형성한다. ( )

(2) 물은 열용량이 크므로 질량이 같은 다른 액체에 비해 가열할 때 온도가 서서히 높아진다. ( )

(3) 물이 분자량이 비슷한 메테인보다 끓는점이 높은 까닭은 더 강한 공유 결합을 하기 때문이다. ( )

(4) 물은 수소 결합을 하므로 다른 물질에 비해 표면 장력이 작다. ( )

(5) 물은 응집력과 부착력이 커서 모세관 현상이 잘 일어난다. ( )

2 그림은 물의 결합을 모형으로 나타낸 것이다.

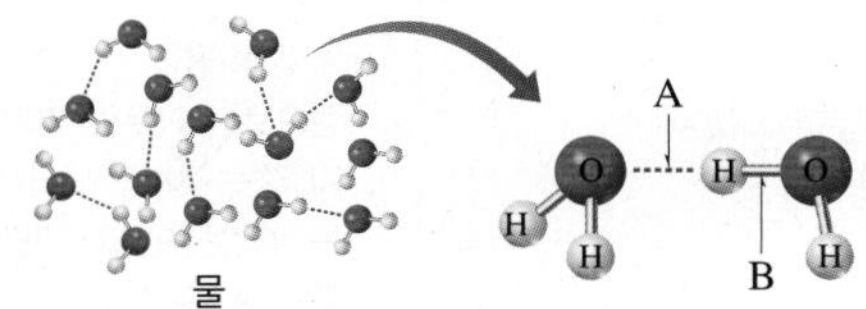

( ) 안에 A와 B 중에서 알맞은 기호를 골라 쓰시오.

(1) 얼음이 녹아 물로 될 때 결합 ( )가 끊어진다.

(2) 물이 수소와 산소로 분해될 때 결합 ( )가 끊어진다.

(3) 물이 얼 때 부피가 증가하는 까닭은 결합 ( )로 인해 분자 사이에 빈 공간이 생기기 때문이다.

(4) 물의 열용량과 표면 장력이 큰 까닭은 결합 ( ) 때문이다.

3 그림은 물의 온도에 따른 밀도를 나타낸 것이다.

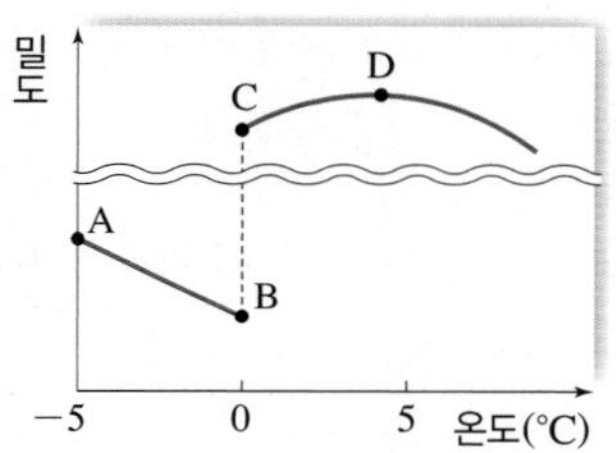

이에 대한 설명으로 옳은 것은 ○, 옳지 않은 것은 ×로 표시하시오.

(1) A → B로 변할 때 얼음의 부피가 증가한다. ( )

(2) B → C로 변할 때 수소 결합의 수가 증가한다. ( )

(3) 같은 질량의 물의 부피는 D에서 가장 작다. ( )

4 다음 현상들과 가장 관련이 있는 물의 특성을 [보기]에서 각각 고르시오.

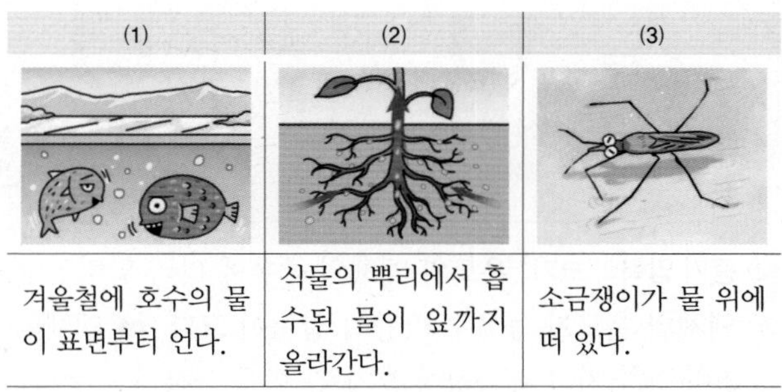

(1)	(2)	(3)
겨울철에 호수의 물이 표면부터 언다.	식물의 뿌리에서 흡수된 물이 잎까지 올라간다.	소금쟁이가 물 위에 떠 있다.

보기

ㄱ. 밀도 ㄴ. 열용량 ㄷ. 표면 장력 ㄹ. 모세관 현상

02 액체와 고체

B 액체

앞에서는 액체 중 물의 특성에 대해 알아보았어요. 이제 물뿐만 아니라 다른 액체들도 갖는 공통적인 특성을 살펴보아요.

1. 증기 압력(증기압) 일정한 온도에서 밀폐된 용기에 들어 있는 액체의 표면에서 증발하는 분자 수와 응축하는 분자 수가 같아졌을 때 증기가 나타내는 압력 → 액체와 동적 평형을 이루는 증기의 압력
(→ 동적 평형에 도달했을 때)

밀폐된 용기에서 액체의 *증발과 응축

*밀폐된 용기에 액체를 넣어두면 액체 표면에서 증발이 일어나 기체 분자 수가 많아지고 그중 일부가 다시 액체로 돌아간다. 일정 시간이 지나면 증발하는 분자 수와 응축하는 분자 수가 같아져 *동적 평형에 도달하는데, 이때 증기가 나타내는 압력이 증기 압력이다.

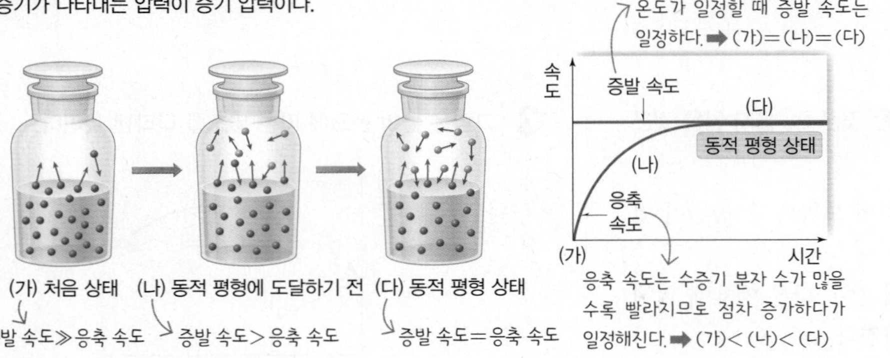

온도가 일정할 때 증발 속도는 일정하다. ➡ (가)=(나)=(다)
속도
증발 속도
(다)
동적 평형 상태
(나)
응축 속도
(가)
시간
응축 속도는 수증기 분자 수가 많을수록 빨라지므로 점차 증가하다가 일정해진다. ➡ (가)<(나)<(다)
(가) 처음 상태
(나) 동적 평형에 도달하기 전
(다) 동적 평형 상태
증발 속도≫응축 속도
증발 속도>응축 속도
증발 속도=응축 속도

(1) **증기 압력의 측정**: 진공인 밀폐된 플라스크 내부에 액체를 주입하는 경우 액체의 증기 압력은 증발하는 분자 수와 응축하는 분자 수가 같아졌을 때 수은 기둥의 높이 차(h)에 해당하는 압력이다.

액체의 증기 압력 측정

일정한 온도에서 진공 상태인 플라스크에 수은이 들어 있는 U자관을 연결하여 양쪽 수은 면의 높이를 같게 만든 후 액체를 넣어두면 수은 기둥의 높이 차가 점점 커지다가 일정해진다. 이때 수은 기둥의 높이 차(h)에 해당하는 압력이 액체의 증기 압력이다.

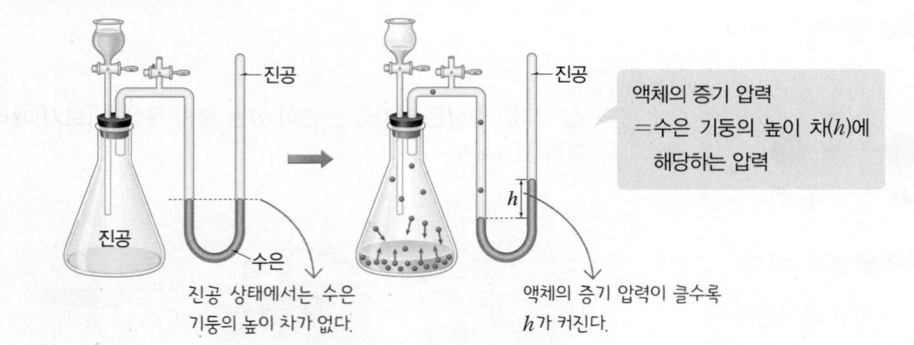

진공
진공
액체의 증기 압력 =수은 기둥의 높이 차(h)에 해당하는 압력
h
진공
수은
진공 상태에서는 수은 기둥의 높이 차가 없다.
액체의 증기 압력이 클수록 h가 커진다.

(2) **증기 압력의 크기**: 온도와 액체의 종류에 따라 달라진다. → 용기의 크기나 모양, 액체의 양에 관계없이 일정하다.

① 액체의 온도가 높을수록 증기 압력이 크다. ➡ 액체의 온도가 높아지면 액체 분자의 평균 운동 에너지가 증가하여 분자 간 힘을 극복하고 증발하기 쉬워지기 때문이다.

② 분자 간 힘이 작은 액체일수록 같은 온도에서 증기 압력이 크다. ➡ 분자 간 힘이 작은 액체일수록 증발이 잘 일어나기 때문이다.

천재 교과서에만 나와요.

*** 증발과 응축**
- 증발: 액체의 표면에 있는 분자의 일부가 분자 간 힘을 이겨내고 떨어져 나와 기체가 되어 공기 중으로 퍼지는 현상
- 응축: 증발한 기체 상태의 분자 중 운동 에너지가 작은 분자가 액체 표면에 부딪혀 다시 액체로 돌아가는 현상

미래엔 교과서에만 나와요.

*** 열린 용기와 밀폐된 용기에서 액체의 증발과 응축**

열린 용기의 액체는 계속 증발하여 양이 점점 줄어든다. 그러나 밀폐된 용기에서는 처음에는 액체가 증발하여 양이 줄어들지만, 생성된 증기가 응축하여 다시 액체가 되므로 양이 일정해진다.

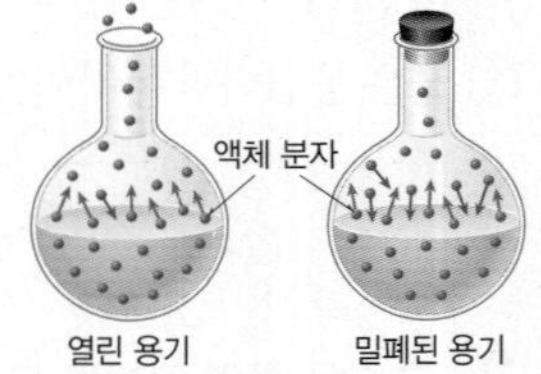

액체 분자
열린 용기
밀폐된 용기

*** 동적 평형**

겉으로는 아무런 변화가 일어나지 않는 것처럼 보이지만 실제로는 정반응(증발)과 역반응(응축)이 같은 속도로 일어나는 상태이다.

(3) **증기 압력 곡선**: 온도에 따른 액체의 증기 압력 변화를 나타낸 그래프로, 증기 압력 곡선 상의 온도와 압력에서 액체와 기체는 동적 평형 상태이다.

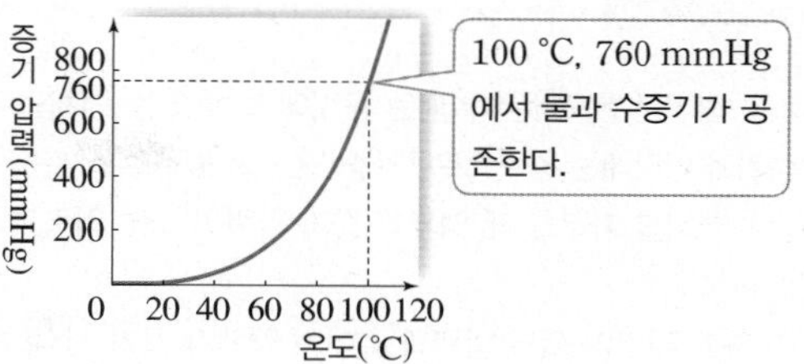

물의 증기 압력 곡선

2. 증기 압력과 끓는점

(1) **끓음**: 액체를 가열할 때 액체의 증기 압력이 외부 압력과 같아져 액체 내부에서도 기화가 일어나 기포가 생성되면서 끓는 현상

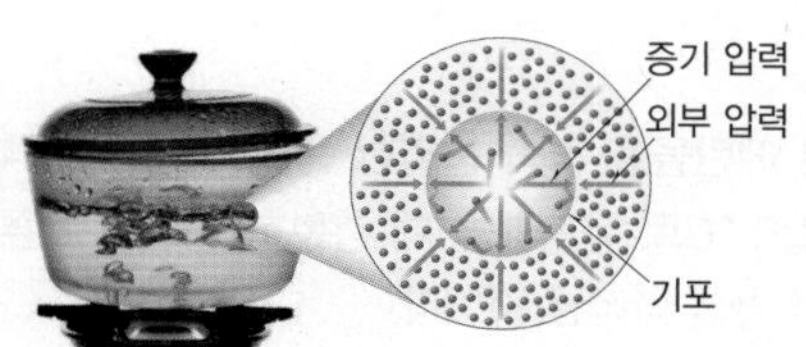

기포 내부의 증기 압력이 외부 압력보다 작으면 기포가 바로 없어지지만, 기포 내부의 증기 압력이 외부 압력과 같아지면 기포가 없어지지 않고 액체 위로 떠오른다.

액체의 끓음

(2) **끓는점**: 액체의 증기 압력이 외부 압력과 같아져 액체가 끓기 시작하는 온도

① 기준 끓는점: 외부 압력이 1기압(760 mmHg)일 때의 끓는점

예 물의 기준 끓는점: 100 °C

② *외부 압력과 끓는점의 관계: 외부 압력이 높을수록 액체의 끓는점이 높다. → 외부 압력이 높을수록 액체는 더 큰 증기 압력을 가져야 끓을 수 있기 때문이다.

예 • 높은 산 위에서는 물이 100 °C보다 낮은 온도에서 끓는다.
└ 높은 산 위는 대기압이 1기압보다 낮기 때문이다.

• 압력솥으로 물을 끓이면 100 °C보다 높은 온도에서 끓는다.
└ 압력솥 안의 압력이 1기압보다 높기 때문이다.

(3) **증기 압력과 끓는점**: 분자 간 힘이 작은 액체일수록 증발하기 쉬워 증기 압력이 크고, 끓는점이 낮다.

탐구 자료창 여러 가지 액체의 증기 압력 곡선

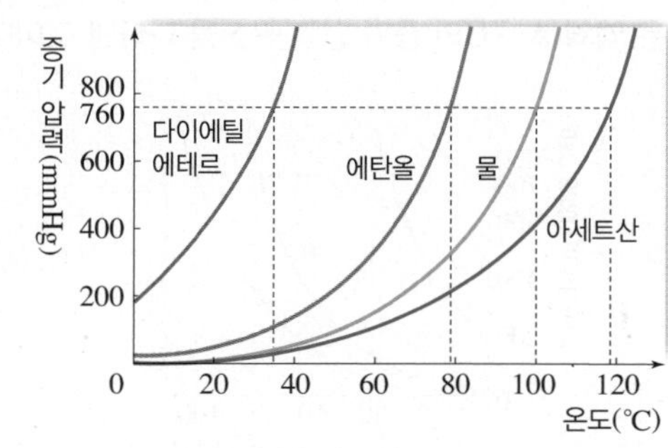

증기 압력은 같은 온도에서의 크기로 비교하고, 기준 끓는점은 1기압(760 mmHg)에서의 온도를 비교하면 돼요.

1. 같은 온도에서 다이에틸 에테르의 증기 압력이 가장 크다. ➡ 증기 압력: 다이에틸 에테르 > 에탄올 > 물 > 아세트산
2. 증기 압력이 작은 액체일수록 분자 간 힘이 크다. ➡ 분자 간 힘: 아세트산 > 물 > 에탄올 > 다이에틸 에테르
3. 증기 압력이 작은 액체일수록 끓는점이 높다. ➡ 기준 끓는점: 아세트산 > 물 > 에탄올 > 다이에틸 에테르

미래엔 교과서에만 나와요.

★ 외부 압력과 끓는점의 관계

감압 용기에 70 °C~80 °C 정도의 따뜻한 물을 반 정도 넣고 펌프로 용기 속의 공기를 빼내면 물이 끓기 시작한다. 이는 용기 속 압력이 낮아져 물의 끓는점이 100 °C보다 낮아졌기 때문이다.

물이 끓는다.

궁금해

높은 산에서 밥을 하면 쌀이 설익는 까닭은 무엇일까?

높은 산 위는 대기압이 1기압보다 낮아 물이 100 °C보다 낮은 온도에서 끓는다. 따라서 높은 산 위에서 밥을 하면 낮은 온도에서 물이 끓어 쌀이 설익는다.

암기해

증기 압력과 끓는점

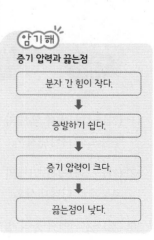

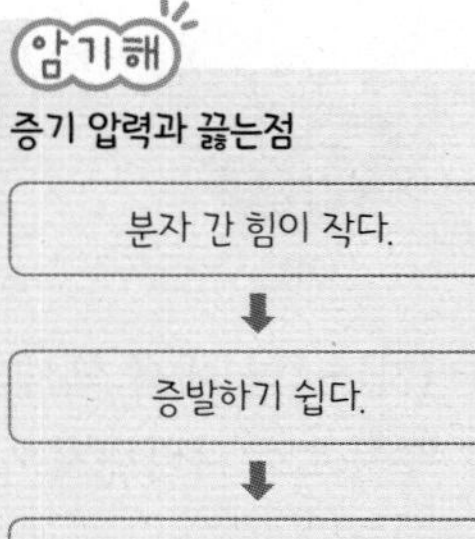

분자 간 힘이 작다.
증발하기 쉽다.
증기 압력이 크다.
끓는점이 낮다.

개념 확인 문제

정답친해 21쪽

핵심 체크

- (❶): 일정한 온도에서 밀폐된 용기에 들어 있는 액체의 표면에서 증발하는 분자 수와 응축하는 분자 수가 같아졌을 때 증기가 나타내는 압력으로 액체의 온도가 높을수록, 분자 간 힘이 작은 액체일수록 크기가 (❷).
- (❸): 액체를 가열할 때 액체의 증기 압력이 외부 압력과 같아져 액체 내부에서도 기화가 일어나 기포가 생성되면서 끓는 현상
- 끓는점: 액체의 증기 압력이 외부 압력과 같아져 액체가 끓기 시작하는 온도로, 외부 압력이 (❹)을수록 액체의 끓는점이 높다.
- (❺): 외부 압력이 1기압(760 mmHg)일 때의 끓는점
- 증기 압력과 끓는점: 분자 간 힘이 작은 액체일수록 증기 압력이 (❻)고, 끓는점이 (❼)다.

1 증기 압력에 대한 설명으로 옳은 것은 ○, 옳지 않은 것은 ×로 표시하시오.

(1) 액체와 동적 평형을 이루는 증기의 압력이다. ( )

(2) 같은 온도에서 분자 간 힘이 작은 액체일수록 증기 압력이 크다. ( )

(3) 같은 온도에서 액체의 종류가 같으면 액체의 양이 많을수록 증기 압력이 크다. ( )

(4) 분자 간 힘이 작은 액체일수록 기준 끓는점에서의 증기 압력이 크다. ( )

(5) 외부 압력이 높을수록 액체의 끓는점이 낮다. ( )

2 그림은 일정한 온도에서 밀폐 용기에 액체를 넣고 충분한 시간이 흐른 후 더 이상 변화가 없을 때까지의 모습을 나타낸 것이다.

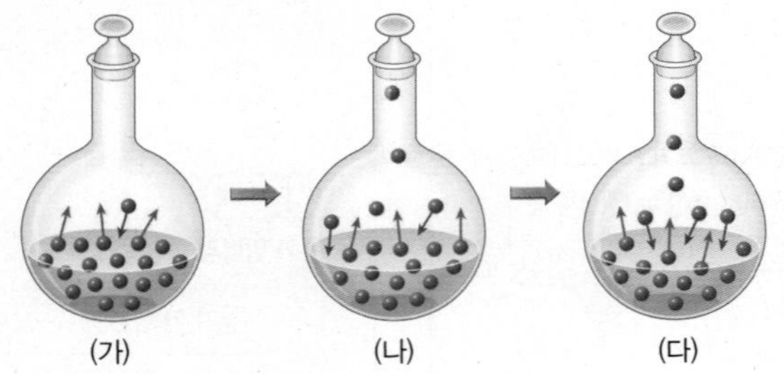

(1) (가)~(다)에서 액체의 증발 속도를 비교하여 등호나 부등호로 나타내시오.

(2) (가)~(다)에서 기체의 응축 속도를 비교하여 등호나 부등호로 나타내시오.

(3) (가)~(다)에서 동적 평형에 도달한 상태를 고르시오.

3 그림은 물과 에탄올을 각각 동일한 용기 속에 같은 부피씩 넣고 온도를 25 °C로 유지했을 때 충분한 시간이 흐른 후 수은 기둥의 높이 차를 나타낸 것이다.

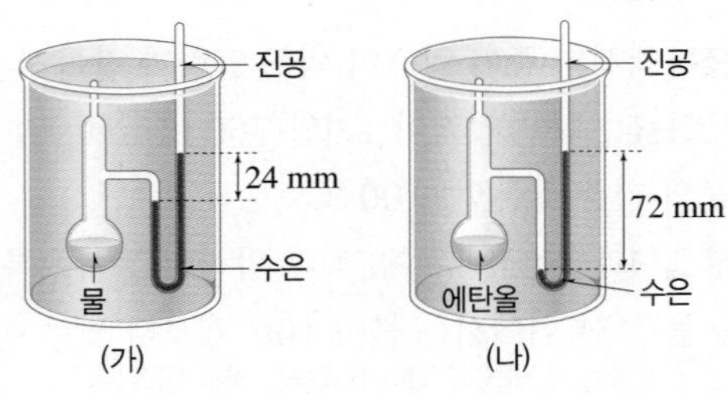

(1) (가)와 (나)에서 물과 에탄올의 증기 압력(mmHg)을 각각 구하시오.

(2) 물과 에탄올의 끓는점을 비교하여 등호나 부등호로 나타내시오.

4 그림은 액체 A~C의 증기 압력 곡선을 나타낸 것이다.

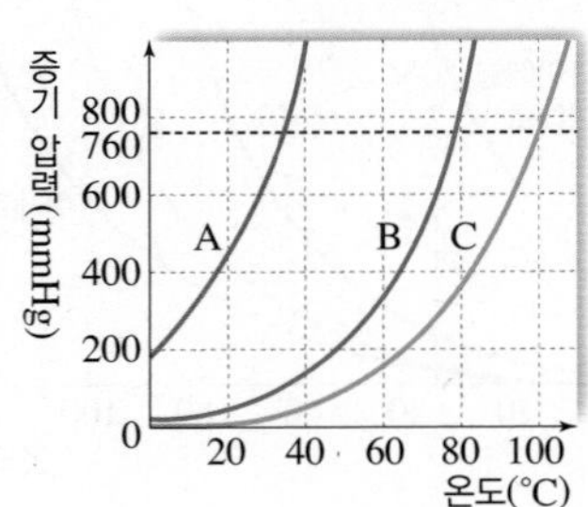

이에 대한 설명으로 옳은 것은 ○, 옳지 않은 것은 ×로 표시하시오. (단, 대기압은 760 mmHg이다.)

(1) 20 °C에서 증기 압력이 가장 큰 액체는 A이다. ( )

(2) 기준 끓는점이 가장 높은 액체는 C이다. ( )

(3) 분자 간 힘의 크기는 A > B > C이다. ( )

C 고체

1. 고체의 분류 고체를 이루는 원자, 이온, 분자 등의 입자들의 배열 상태에 따라 결정성 고체와 비결정성 고체로 분류한다.

구분	결정성 고체(결정)	비결정성 고체
정의	구성 입자들이 규칙적으로 배열되어 있는 고체	구성 입자들이 불규칙적으로 배열되어 있는 고체
모형	석영	석영과 유리는 모두 산소와 규소로 이루어진 고체 물질이며, 화학식은 SiO_2로 같다. 유리
특징	녹는점이 일정하다. ➡ 각 구성 입자 간 결합력이 모두 같기 때문이다.	녹는점이 일정하지 않다. ➡ 각 구성 입자 간 결합력이 다르기 때문이다.
예	석영, 염화 나트륨, 얼음, 금속 등	유리, 고무, 엿 등

2. 결정성 고체의 분류 결정을 구성하는 입자 사이의 결합 방식에 따라 이온 결정, 분자 결정, 공유 결정(원자 결정), 금속 결정으로 분류한다.

(1) **이온 결정**: 양이온과 음이온이 이온 결합을 하여 규칙적으로 배열된 결정

예 염화 나트륨(NaCl), 염화 세슘(CsCl), 산화 마그네슘(MgO) 등

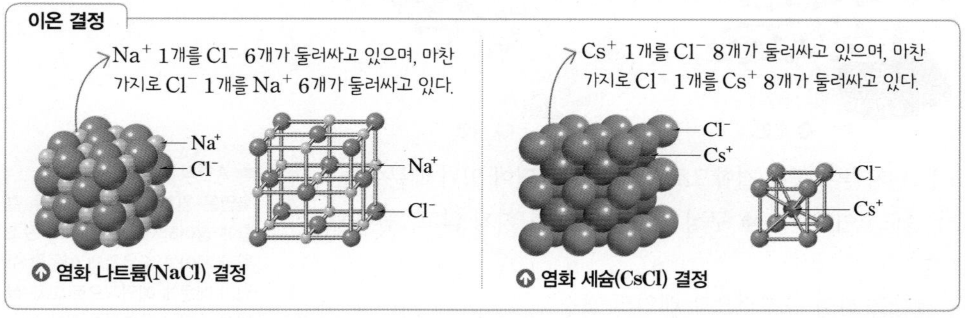

이온 결정
Na^+ 1개를 Cl^- 6개가 둘러싸고 있으며, 마찬가지로 Cl^- 1개를 Na^+ 6개가 둘러싸고 있다.
Na^+
Cl^-
Cs^+ 1개를 Cl^- 8개가 둘러싸고 있으며, 마찬가지로 Cl^- 1개를 Cs^+ 8개가 둘러싸고 있다.
Cs^+
Cl^-

염화 나트륨(NaCl) 결정

염화 세슘(CsCl) 결정

이온 결정은 이온성 고체, 분자 결정은 분자성 고체, 공유 결정은 공유성 고체라고도 해요. 또, 금속 결정은 일반적으로 금속이라고 하죠.

① 녹는점과 끓는점이 높다. ➡ 1개의 이온이 반대 전하를 띠는 여러 개의 이온과 결합하여 이온 간 결합력이 매우 강하기 때문이다.

② *고체 상태에서는 전기 전도성이 없으나, 액체 상태나 수용액 상태에서는 전기 전도성이 있다. ➡ 액체 상태나 수용액 상태에서는 이온들이 자유롭게 이동할 수 있기 때문이다.

③ 단단하지만, 외부 충격에 의해 쉽게 부스러진다. ➡ 힘을 가하면 이온층이 밀리면서 같은 전하를 띤 이온 사이에 반발력이 작용하기 때문이다.

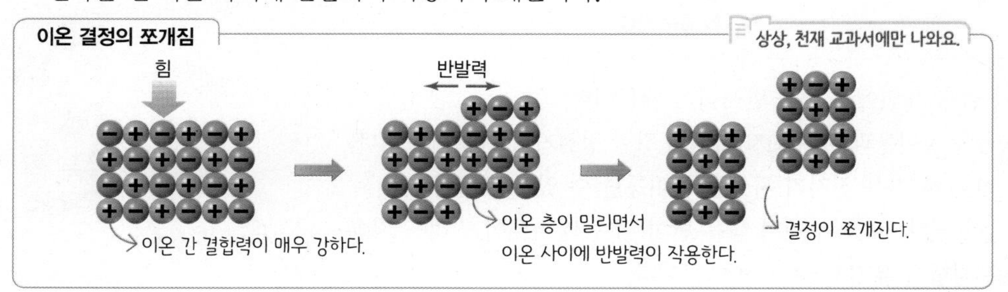

*** 온도에 따른 이온 결합 물질의 전기 전도도**

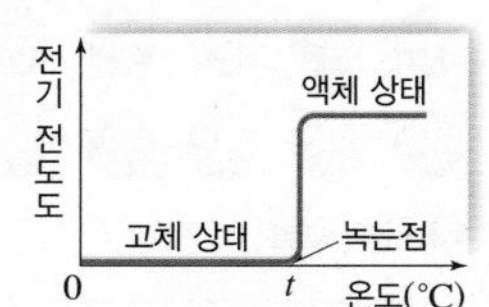

이온 결합 물질은 고체 상태에서 전기 전도도가 0이지만, 액체 상태가 되면 전기 전도도가 갑자기 증가한다.

(2) **분자 결정**: 공유 결합으로 이루어진 분자들이 분자 간 힘에 의해 규칙적으로 배열된 결정
예 얼음(H_2O), 드라이아이스(CO_2), 아이오딘(I_2), 나프탈렌($C_{10}H_8$) 등

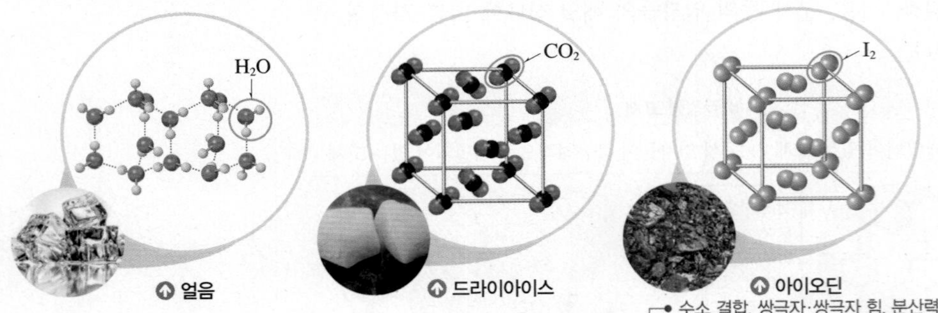

얼음 드라이아이스 아이오딘

① 녹는점과 끓는점이 매우 낮고, 일부는 승화성이 있다. ➡ 분자 간 힘(수소 결합, 쌍극자·쌍극자 힘, 분산력)으로 형성되어 다른 결정에 비해 결정을 이루는 입자 간 결합력이 상대적으로 약하기 때문이다.

② 전기 전도성이 없다. ➡ 구성 입자가 전하를 띠지 않고, 전자들이 이동할 수 없기 때문이다. (원자 사이에 공유되어 있거나 원자핵에 강하게 결합되어 있다.)

(3) **공유 결정(원자 결정)**: 원자들이 공유 결합을 하여 그물처럼 연결된 결정
예 다이아몬드(C), 흑연(C), 석영(SiO_2) 등

다이아몬드 흑연 석영

① 녹는점과 끓는점이 높다. ➡ 모든 원자들이 공유 결합으로 강하게 연결되어 있기 때문이다.

② *흑연을 제외한 대부분은 전기 전도성이 없다. ➡ 구성 입자가 전하를 띠지 않고, 전자들이 이동할 수 없기 때문이다.

(4) **금속 결정**: 금속 원자들이 금속 결합을 하여 규칙적으로 배열된 결정
예 나트륨(Na), 마그네슘(Mg), 구리(Cu), 칼륨(K) 등

금속 결합과 금속 결정

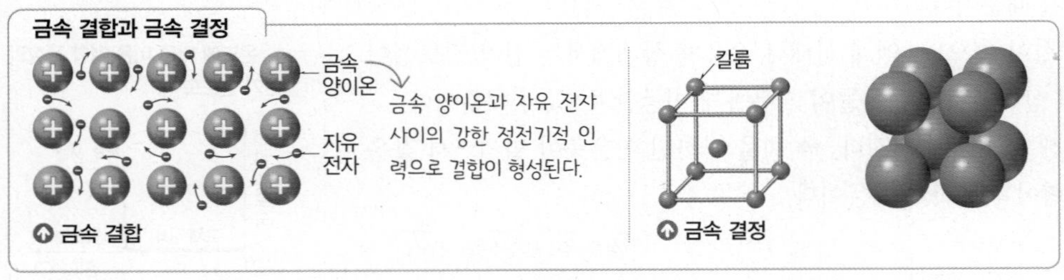

금속 결합 금속 결정

① 광택이 있다. ➡ 자유 전자가 금속 표면에서 빛을 반사하기 때문이다.

② 녹는점과 끓는점이 높다. ➡ 금속 양이온과 자유 전자 사이의 강한 정전기적 인력 때문이다.

③ 전기 전도성과 열전도성이 크다. ➡ 자유 전자가 자유롭게 이동할 수 있기 때문이다.

④ 전성(펴짐성)과 연성(뽑힘성)이 있다. ➡ 외부에서 힘을 받아 금속 양이온이 밀려도 자유 전자가 빠르게 이동하여 금속 결합이 유지될 수 있기 때문이다.

* **흑연의 전기 전도성**
흑연은 원자가 전자 중 공유 결합에 참여하지 않은 전자가 탄소 원자 사이를 자유롭게 이동할 수 있기 때문에 예외적으로 고체 상태에서 전기 전도성이 있다.

암기해
결정성 고체의 분류

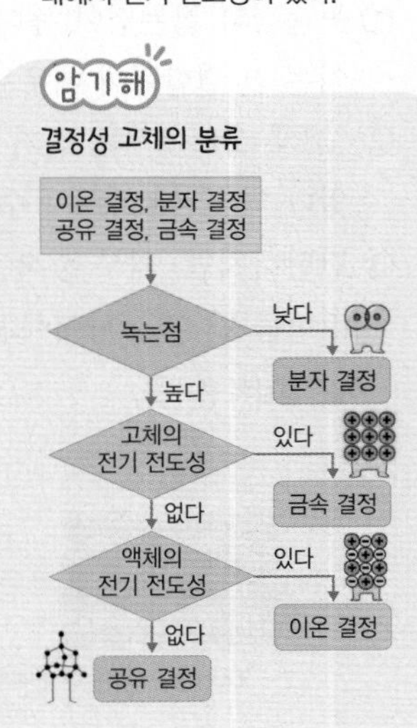

3. 고체의 결정 구조 고체를 이루는 입자들이 규칙적으로 쌓이면 결정이 생성되며, 결정은 입자들의 배열 방법에 따라 다양한 구조를 이룬다.

(1) ***단위 세포(단위격자)**: 결정 구조에서 반복되는 가장 간단한 기본 단위

(2) **결정 구조와 단위 세포** ─• 결정 구조를 이루는 입자는 모두 같은 종류이어야 한다.

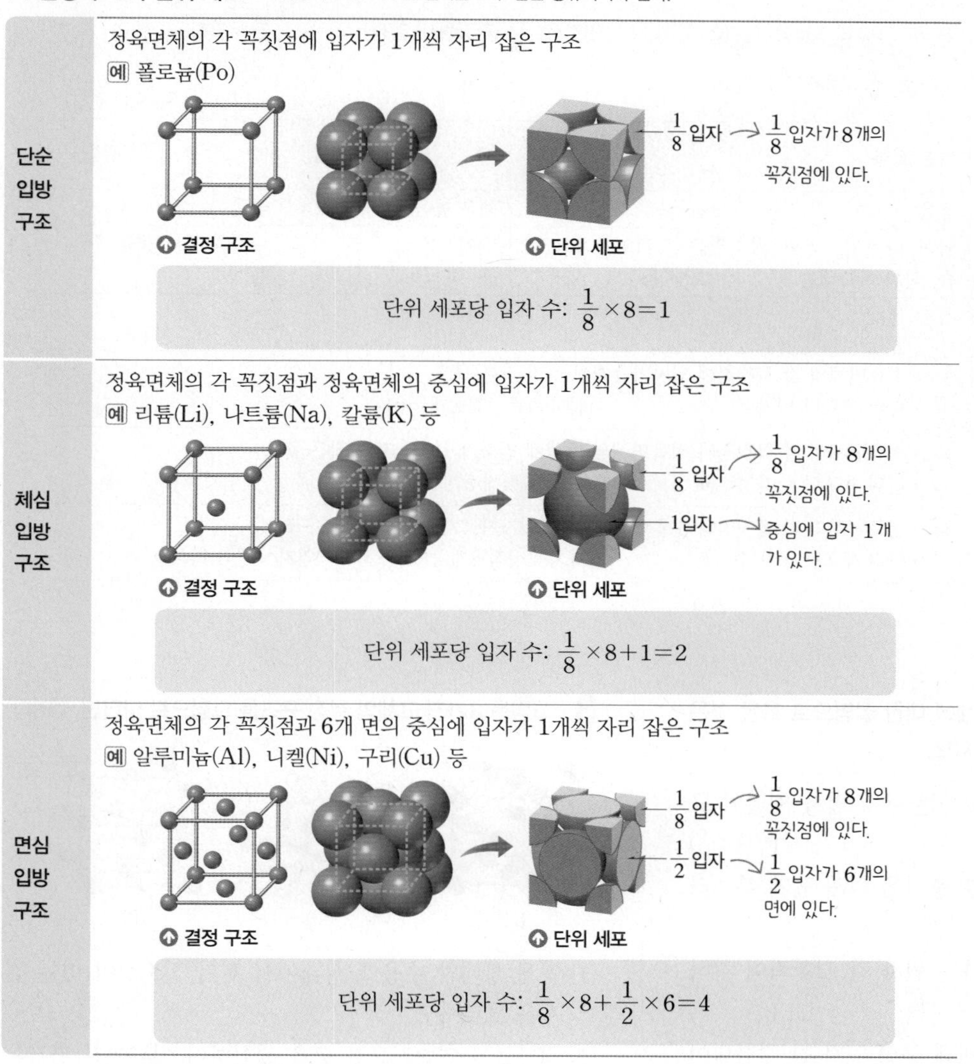

단순 입방 구조
정육면체의 각 꼭짓점에 입자가 1개씩 자리 잡은 구조
예 폴로늄(Po)
$\frac{1}{8}$입자
$\frac{1}{8}$입자가 8개의 꼭짓점에 있다.
결정 구조
단위 세포
단위 세포당 입자 수: $\frac{1}{8}\times8=1$
체심 입방 구조
정육면체의 각 꼭짓점과 정육면체의 중심에 입자가 1개씩 자리 잡은 구조
예 리튬(Li), 나트륨(Na), 칼륨(K) 등
$\frac{1}{8}$입자
$\frac{1}{8}$입자가 8개의 꼭짓점에 있다.
1입자
중심에 입자 1개가 있다.
결정 구조
단위 세포
단위 세포당 입자 수: $\frac{1}{8}\times8+1=2$
면심 입방 구조
정육면체의 각 꼭짓점과 6개 면의 중심에 입자가 1개씩 자리 잡은 구조
예 알루미늄(Al), 니켈(Ni), 구리(Cu) 등
$\frac{1}{8}$입자
$\frac{1}{8}$입자가 8개의 꼭짓점에 있다.
$\frac{1}{2}$입자
$\frac{1}{2}$입자가 6개의 면에 있다.
결정 구조
단위 세포
단위 세포당 입자 수: $\frac{1}{8}\times8+\frac{1}{2}\times6=4$

*** 결정과 단위 세포**

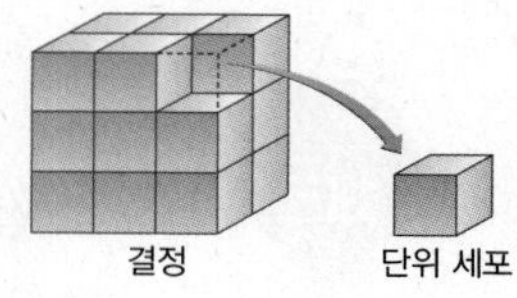

암기해

단위 세포 속 입자

- 꼭짓점에 있는 입자: $\frac{1}{8}$입자
- 모서리에 있는 입자: $\frac{1}{4}$입자
- 면에 있는 입자: $\frac{1}{2}$입자
- 중심에 있는 입자: 1입자

*** 단위 세포의 단면**

- 단순 입방 구조

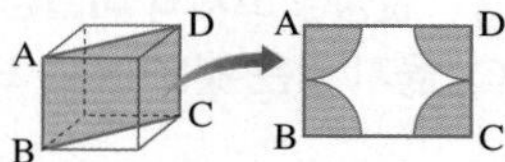

- 체심 입방 구조

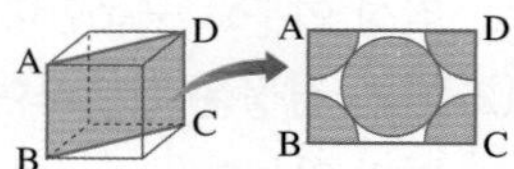

- 면심 입방 구조

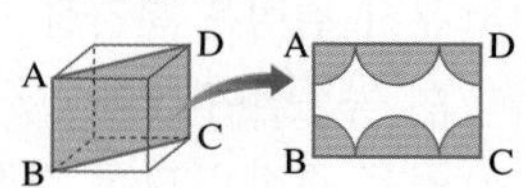

염화 나트륨(NaCl)의 결정 구조와 단위 세포

- NaCl의 결정 구조에서는 정육면체의 꼭짓점과 6개 면의 중심에 Cl^-이 1개씩 있고, 정육면체의 중심과 각 모서리의 중심에 Na^+이 1개씩 있다. ➡ NaCl 결정은 Cl^-과 Na^+으로 각각 이루어진 2종류의 면심 입방이 어긋나게 겹쳐 있는 구조이다.
- 단위 세포당 입자 수

  Na^+ 수: $\frac{1}{4}\times12+1=4$ Cl^- 수: $\frac{1}{8}\times8+\frac{1}{2}\times6=4$

  └• Na^+이 면심 입방 구조에서 꼭짓점에 자리 잡은 경우로 입자 수를 계산해도 결과는 같다. ➡ $\frac{1}{8}\times8+\frac{1}{2}\times6=4$

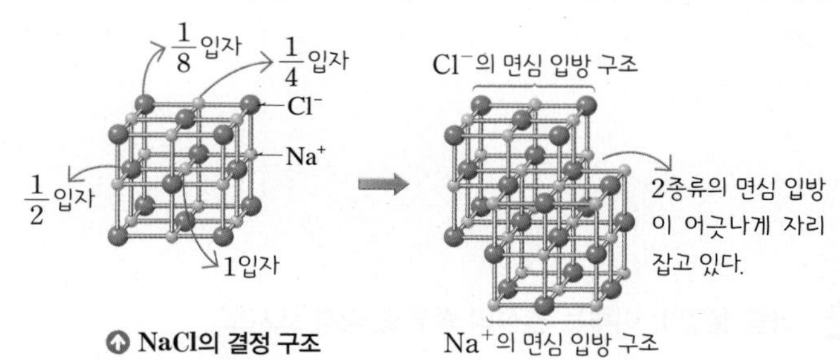

NaCl의 결정 구조

개념 확인 문제

정답친해 21쪽

- (❶   ) 고체: 구성 입자들이 규칙적인 배열을 이루고 있는 고체로, 녹는점이 일정하다.
- (❷   ) 고체: 구성 입자들이 불규칙적으로 배열되어 있는 고체로, 녹는점이 일정하지 않다.
- 결정성 고체의 분류

구분	(❸) 결정	(❹) 결정	공유(원자) 결정	금속 결정
구성 입자	양이온, 음이온	분자	원자	금속 원자 (금속 양이온, 자유 전자)
구성 입자 간 결합력	이온 결합	쌍극자·쌍극자 힘, 분산력, 수소 결합	(❺) 결합	(❻) 결합
녹는점	높음	낮음	매우 높음	높음
예	염화 나트륨, 염화 세슘, 산화 마그네슘 등	얼음, 드라이아이스, 아이오딘 등	다이아몬드, 흑연, 석영 등	나트륨, 마그네슘, 구리 등

- 결정 구조

(❼) 구조	• 정육면체의 각 꼭짓점에 입자가 1개씩 자리 잡은 구조 • 단위 세포당 입자 수: (❽)입자×꼭짓점 8개=(❾)
(❿) 구조	• 정육면체의 각 꼭짓점과 정육면체의 중심에 입자가 1개씩 자리 잡은 구조 • 단위 세포당 입자 수: (⓫)입자×꼭짓점 8개+중심의 (⓬)입자=(⓭)
(⓮) 구조	• 정육면체의 각 꼭짓점과 6개 면의 중심에 입자가 1개씩 자리 잡은 구조 • 단위 세포당 입자 수: (⓯)입자×꼭짓점 8개+(⓰)입자×면 6개=(⓱)

1 **결정성 고체와 비결정성 고체에 대한 설명으로 옳은 것은 ○, 옳지 않은 것은 ×로 표시하시오.**

(1) 결정성 고체와 비결정성 고체는 구성 입자 배열의 규칙성 여부로 구분한다. ( )

(2) 이온 결정은 단단하여 외부 충격에 의해 쉽게 부스러지지 않는다. ( )

(3) 분자 결정은 분자를 구성하는 원자 간 결합력이 강하여 녹는점이 높다. ( )

(4) 공유 결정은 다른 결정에 비해 구성 입자 간 결합력이 매우 강하다. ( )

(5) 금속 결정에 힘을 가해도 자유 전자가 결합을 유지시킨다. ( )

2 **다음 물질이 이루는 결정의 종류를 각각 쓰시오.**

(1) MgO (2) I_2 (3) Cu (4) C(흑연)

3 **그림은 3가지 고체의 결정 구조를 모형으로 나타낸 것이다.**

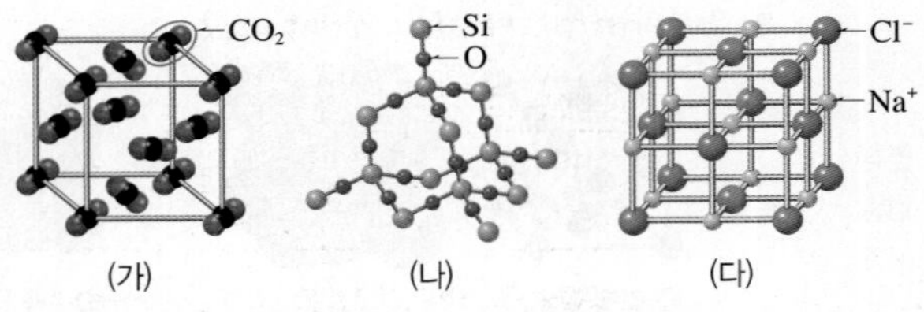

(1) 액체 상태와 수용액 상태에서 전기 전도성이 있는 결정을 고르시오.

(2) 원자들이 연속적으로 공유 결합하여 이루어진 결정을 고르시오.

(3) 입자 간 결합력이 약하여 녹는점과 끓는점이 낮은 결정을 고르시오.

4 **그림은 크로뮴(Cr) 결정의 단위 세포를 나타낸 것이다.**

(1) 크로뮴 결정의 결정 구조를 쓰시오.

(2) 단위 세포 안의 크로뮴 원자 수를 쓰시오.

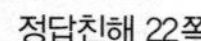

대표 자료 분석

정답친해 22쪽

학교 시험에 자주 출제되는 대표 자료와 그 자료에 대한 문제를 통해 자료를 완벽하게 이해할 수 있다.

자료 1 수소 결합과 물의 특성

기출 Point
- 온도에 따른 얼음과 물의 밀도 그래프 해석
- 수소 결합과 물의 특성

[1~3] 그림 (가)는 1기압에서 온도에 따른 얼음과 물의 밀도를, (나)는 물의 결합을 모형으로 나타낸 것이다.

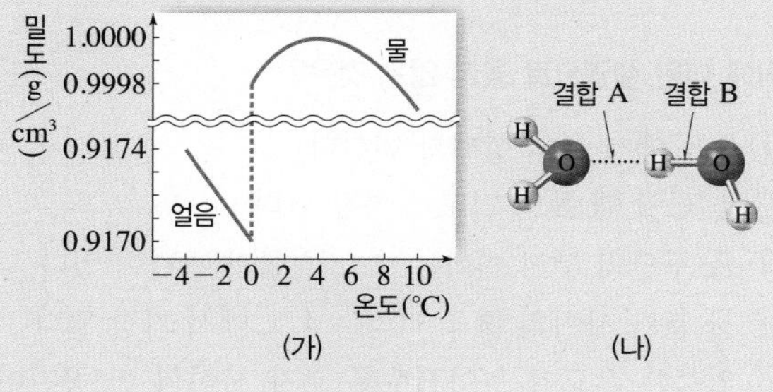

(가) (나)

1 (가)에서 0 °C 얼음이 물로 융해될 때의 부피 변화를 쓰시오.

2 (나)에서 결합 A와 B의 이름을 각각 쓰고, 결합 A와 B의 결합력을 비교하여 등호나 부등호로 나타내시오.

3 빈출 선택지로 완벽 정리!

(1) 얼음은 같은 질량의 물보다 부피가 작다. ······ (○ / ×)

(2) −4 °C에서 0 °C가 될 때 얼음의 부피가 증가한다. ······ (○ / ×)

(3) 0 °C 얼음이 0 °C 물로 융해될 때 밀도가 증가하는 까닭은 결합 B의 수가 감소하기 때문이다. (○ / ×)

(4) 물 분자 간 평균 거리는 4 °C에서 가장 멀다. (○ / ×)

(5) 물이 대부분의 액체와 다른 특성을 나타내는 것은 결합 A와 관련이 있다. ······ (○ / ×)

(6) (가)로 겨울철에 호수의 물이 표면부터 어는 현상을 설명할 수 있다. ······ (○ / ×)

자료 2 고체의 결정 구조

기출 Point
- 고체의 결정 구조
- 결정 구조에 따른 단위 세포당 입자 수

[1~3] 그림은 3가지 고체의 결정 구조를 모형으로 나타낸 것이다.

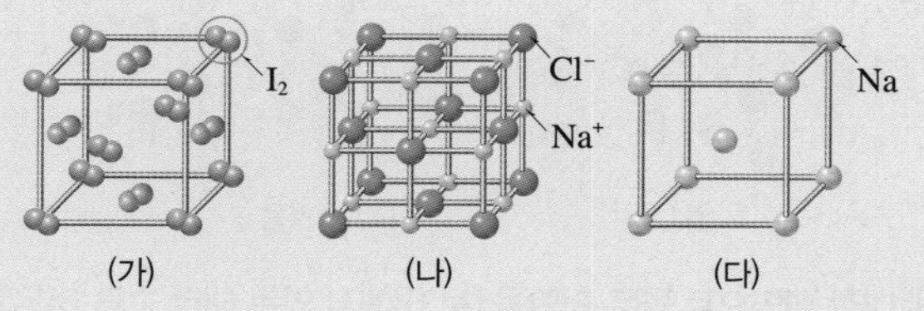

(가) (나) (다)

1 (가)~(다) 결정의 종류를 각각 쓰시오.

2 (가)에서 I_2, (나)에서 Na^+, (다)에서 Na이 이루는 결정 구조를 각각 쓰시오.

3 빈출 선택지로 완벽 정리!

(1) 결정을 이루는 입자 간 결합력이 가장 작은 것은 (가)이다. ······ (○ / ×)

(2) 액체 상태에서 전기 전도성이 있는 물질은 (나)와 (다)이다. ······ (○ / ×)

(3) (나)에서 Cl^-은 체심 입방 구조를 이루고 있다. ······ (○ / ×)

(4) (나)에서 단위 세포 안에 포함된 Na^+의 수는 2이다. ······ (○ / ×)

(5) 단위 세포 안에 포함된 입자 수는 (나)가 (다)의 2배이다. ······ (○ / ×)

내신 만점 문제

A 물의 특성

중요 01 그림은 물과 얼음의 구조를 물 분자의 결합 모형으로 나타낸 것이다.

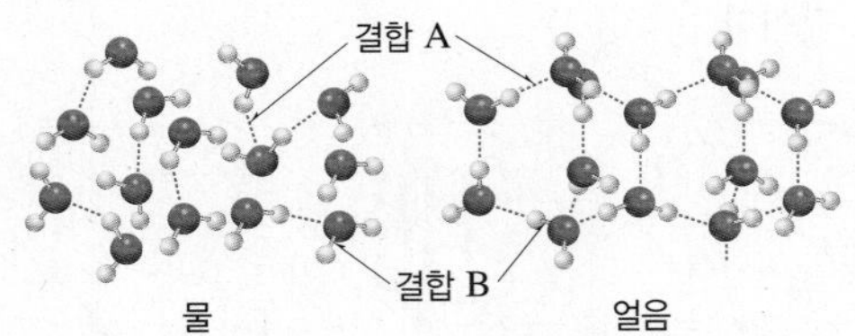

이에 대한 설명으로 옳은 것만을 [보기]에서 있는 대로 고른 것은?

[보기]
ㄱ. 결합력은 B가 A보다 강하다.
ㄴ. 얼음이 녹을 때 A의 수가 늘어난다.
ㄷ. 물이 다른 액체보다 표면 장력이 큰 것은 B 때문이다.

① ㄱ ② ㄷ ③ ㄱ, ㄴ
④ ㄴ, ㄷ ⑤ ㄱ, ㄴ, ㄷ

02 그림은 겨울철에 표면이 언 호수의 모습을 나타낸 것이다.

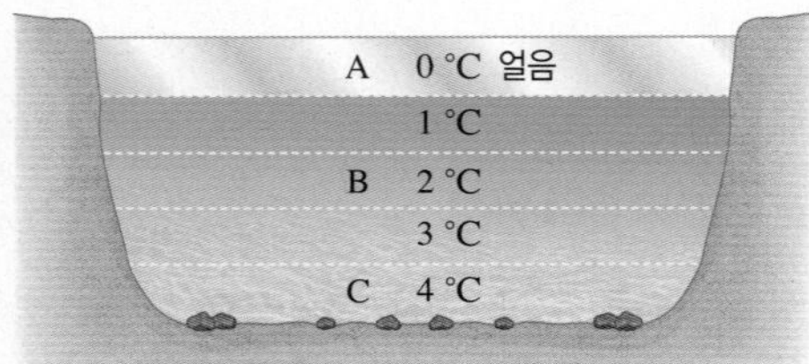

이에 대한 설명으로 옳은 것만을 [보기]에서 있는 대로 고른 것은?

[보기]
ㄱ. 호수의 표면이 언 것은 얼음이 물보다 밀도가 작기 때문이다.
ㄴ. 물 분자 사이의 평균 거리는 A가 B보다 멀다.
ㄷ. 물 1분자당 평균 수소 결합 수는 A가 C보다 크다.

① ㄱ ② ㄴ ③ ㄱ, ㄷ
④ ㄴ, ㄷ ⑤ ㄱ, ㄴ, ㄷ

중요 03 그림은 1기압에서 온도에 따른 물 1 g의 부피를 나타낸 것이다.

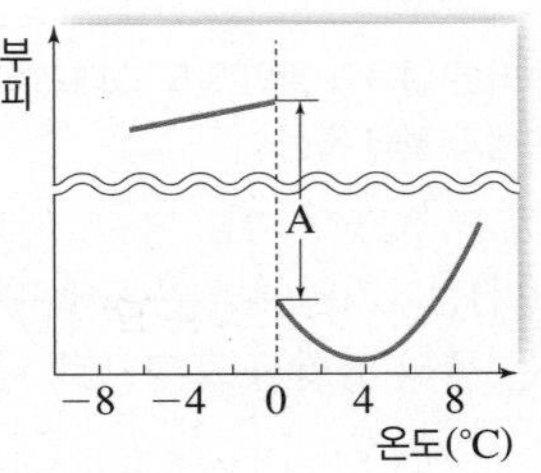

이에 대한 설명으로 옳지 않은 것은?

① 0 °C에서 물의 상태가 변한다.
② 4 °C일 때 물의 밀도가 가장 크다.
③ A 구간의 부피 변화는 수소 결합과 관련이 있다.
④ 물 분자 사이의 평균 거리는 4 °C에서 가장 멀다.
⑤ 얼음은 온도가 높아질수록 분자 사이의 빈 공간이 커진다.

04 서술형 지구 전체의 평균 온도가 일정하게 유지되는 까닭을 물의 열용량과 연관지어 서술하시오.

05 표는 물과 분자량이 비슷한 3가지 물질에 대한 자료이다.

화합물	화학식	녹는점(°C)	끓는점(°C)
메테인	CH_4	−183	−161
암모니아	NH_3	−78	−33
물	H_2O	0	100

이에 대한 설명으로 옳은 것만을 [보기]에서 있는 대로 고른 것은?

[보기]
ㄱ. 수소 결합을 하는 물질은 2가지이다.
ㄴ. 물은 암모니아보다 분자 사이에 작용하는 힘이 작다.
ㄷ. 물의 끓는점이 메테인보다 높은 까닭은 수소 결합 때문이다.

① ㄴ ② ㄷ ③ ㄱ, ㄴ
④ ㄱ, ㄷ ⑤ ㄱ, ㄴ, ㄷ

06 서술형 그림은 같은 양의 수은, 물, 에탄올을 유리판 위에 떨어뜨렸을 때 액체 방울의 모양을 나타낸 것이다.

이처럼 액체의 종류에 따라 액체 방울의 모양이 다른 까닭을 서술하시오.

07 그림은 가는 유리관을 물이 들어 있는 비커에 넣었을 때의 모습을 나타낸 것이다.
이에 대한 설명으로 옳은 것만을 [보기]에서 있는 대로 고른 것은? (단, 온도는 일정하다.)

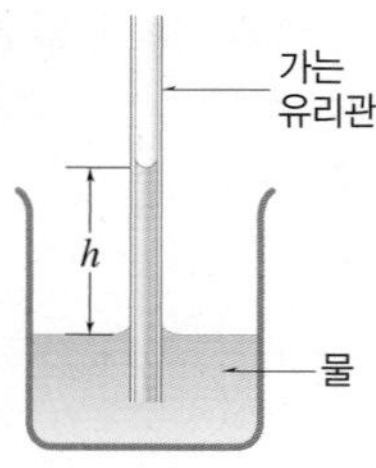

[보기]
ㄱ. 굵기가 더 가는 유리관을 사용하면 h는 감소한다.
ㄴ. 물 대신 수은을 사용하면 h는 증가한다.
ㄷ. 물이 유리관 속에서 위로 올라가는 까닭은 부착력과 응집력이 작용했기 때문이다.

① ㄱ ② ㄷ ③ ㄱ, ㄴ
④ ㄴ, ㄷ ⑤ ㄱ, ㄴ, ㄷ

08 중요 물 분자의 수소 결합으로 인해 나타나는 현상만을 [보기]에서 있는 대로 고르시오.

[보기]
ㄱ. 얼음이 물 위에 뜬다.
ㄴ. 풀잎에 맺힌 이슬 방울의 모양이 동그랗다.
ㄷ. 내륙 지방의 일교차가 해안 지방보다 크다.
ㄹ. 식물의 뿌리에서 흡수된 물이 잎까지 올라간다.

B 액체

09 그림은 동일한 비커에 같은 부피의 액체 A와 B를 각각 넣어 윗접시저울에 올려놓은 후 일정한 시간이 흘렀을 때의 모습을 나타낸 것이다.

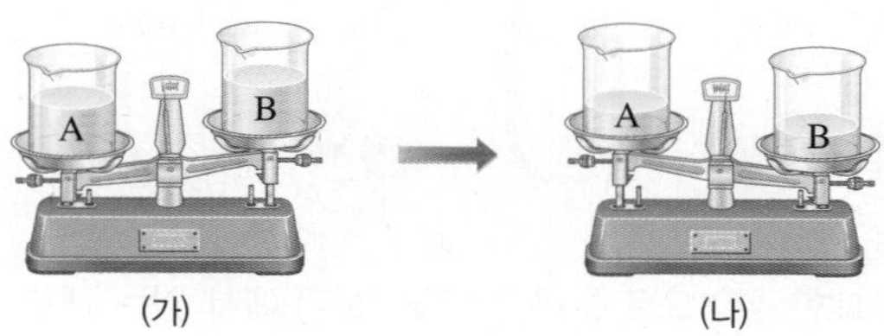

이에 대한 설명으로 옳은 것만을 [보기]에서 있는 대로 고른 것은? (단, 온도는 일정하다.)

[보기]
ㄱ. 분자 간 힘은 A가 B보다 작다.
ㄴ. 끓는점은 B가 A보다 높다.
ㄷ. 끓는점에서의 증기 압력은 A가 B보다 크다.

① ㄱ ② ㄷ ③ ㄱ, ㄴ
④ ㄴ, ㄷ ⑤ ㄱ, ㄴ, ㄷ

10 그림은 25 °C, 1기압에서 수은을 채운 유리관을 수조에 거꾸로 세우고 액체 A와 B를 각각 주입한 후 수은 기둥의 높이가 변하지 않을 때 수은 기둥의 높이를 측정한 것이다.

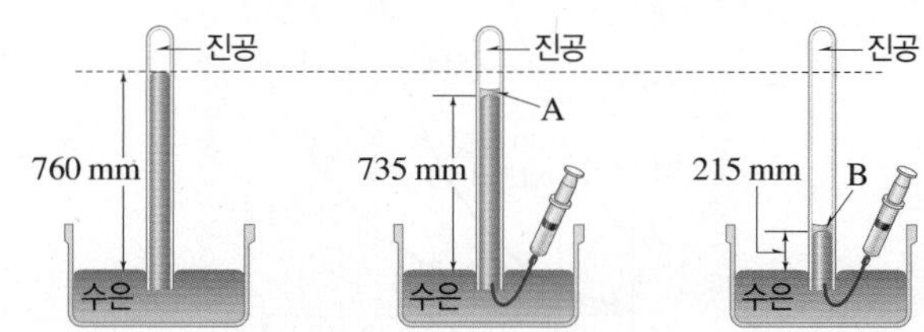

액체 A와 B에 대한 설명으로 옳은 것만을 [보기]에서 있는 대로 고른 것은? (단, 대기압은 760 mmHg이고, 수은 위에 남은 액체 A와 B의 부피는 무시한다.)

[보기]
ㄱ. A의 증기 압력은 735 mmHg이다.
ㄴ. 분자 간 힘은 A가 B보다 크다.
ㄷ. 50 °C에서 B의 증기 압력은 545 mmHg보다 크다.

① ㄱ ② ㄴ ③ ㄱ, ㄷ
④ ㄴ, ㄷ ⑤ ㄱ, ㄴ, ㄷ

11 그림은 25 °C에서 진공 상태의 두 플라스크에 액체 X와 Y를 각각 넣고 수은이 들어 있는 U자관으로 연결한 후 충분한 시간이 흘렀을 때의 모습을 나타낸 것이다.

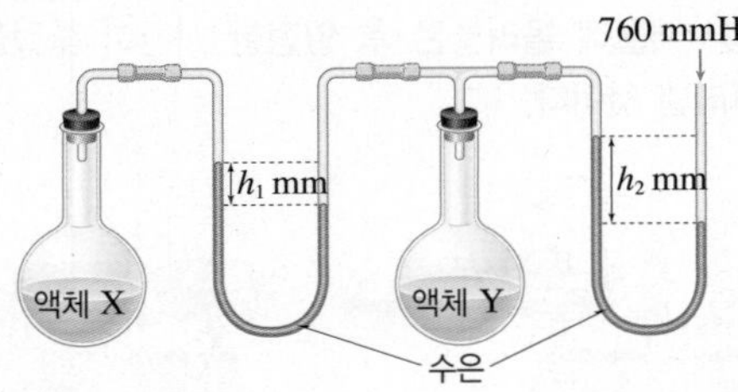

이에 대한 설명으로 옳은 것만을 [보기]에서 있는 대로 고른 것은? (단, 대기압은 760 mmHg이다.)

[보기]
ㄱ. 분자 간 힘은 X>Y이다.
ㄴ. 액체의 증발 속도는 X>Y이다.
ㄷ. 25 °C에서 X의 증기 압력은 $(760-h_1-h_2)$ mmHg이다.

① ㄴ ② ㄷ ③ ㄱ, ㄴ
④ ㄱ, ㄷ ⑤ ㄱ, ㄴ, ㄷ

중요 **12** 그림은 몇 가지 액체의 온도에 따른 증기 압력을 나타낸 것이다.

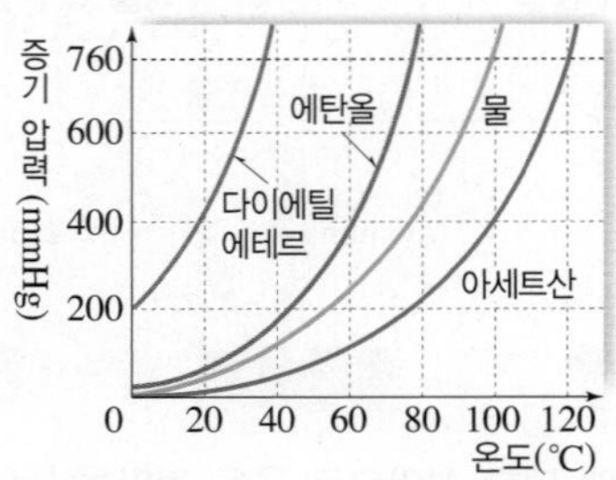

이에 대한 설명으로 옳은 것만을 [보기]에서 있는 대로 고른 것은? (단, 대기압은 760 mmHg이다.)

[보기]
ㄱ. 20 °C에서 증기 압력은 다이에틸 에테르가 가장 크다.
ㄴ. 분자 간 힘은 에탄올이 물보다 크다.
ㄷ. 기준 끓는점은 아세트산이 가장 높다.

① ㄱ ② ㄴ ③ ㄱ, ㄷ
④ ㄴ, ㄷ ⑤ ㄱ, ㄴ, ㄷ

Ⓒ 고체

13 그림은 고체 (가)~(다)를 구성하는 입자의 배열을 모형으로 나타낸 것이다.

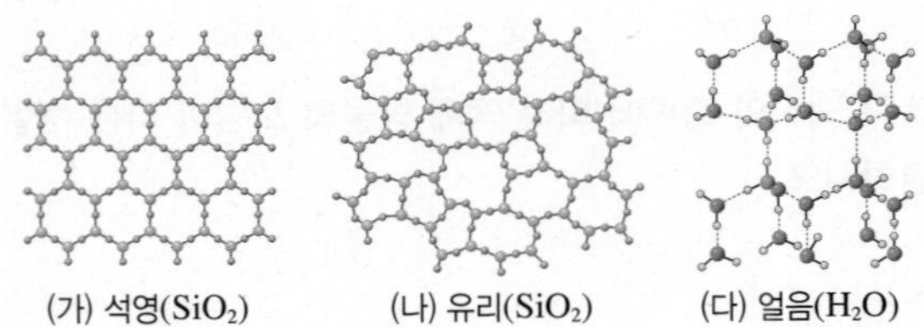

이에 대한 설명으로 옳은 것만을 [보기]에서 있는 대로 고른 것은?

[보기]
ㄱ. (가)와 (나)의 녹는점은 같다.
ㄴ. 녹는점이 일정한 고체는 (가)와 (다)이다.
ㄷ. (나)는 공유 결정이고, (다)는 분자 결정이다.

① ㄱ ② ㄴ ③ ㄱ, ㄷ
④ ㄴ, ㄷ ⑤ ㄱ, ㄴ, ㄷ

중요 **14** 그림은 결정성 고체 A~C를 분류하는 과정을 나타낸 것이다. A~C는 각각 이온 결정, 분자 결정, 공유 결정, 금속 결정 중 하나이다.

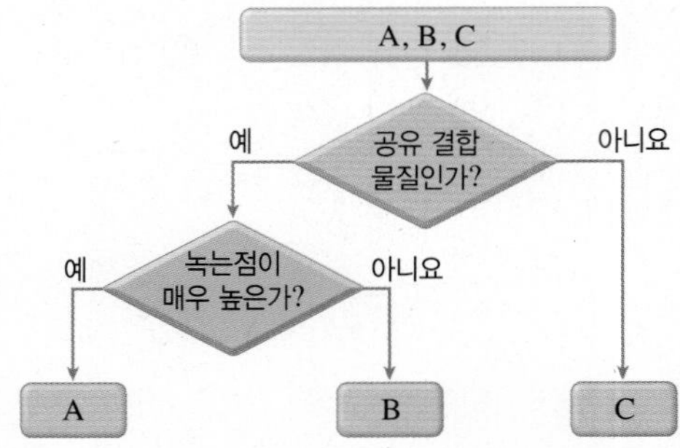

이에 대한 설명으로 옳은 것만을 [보기]에서 있는 대로 고른 것은?

[보기]
ㄱ. 흑연과 다이아몬드는 A에 해당한다.
ㄴ. A와 B를 구성하는 입자는 분자이다.
ㄷ. C에 해당하는 결정은 녹는점이 낮다.

① ㄱ ② ㄷ ③ ㄱ, ㄴ
④ ㄴ, ㄷ ⑤ ㄱ, ㄴ, ㄷ

15 그림은 서로 다른 3가지 고체의 결정 구조 또는 결합 모형을 나타낸 것이다.

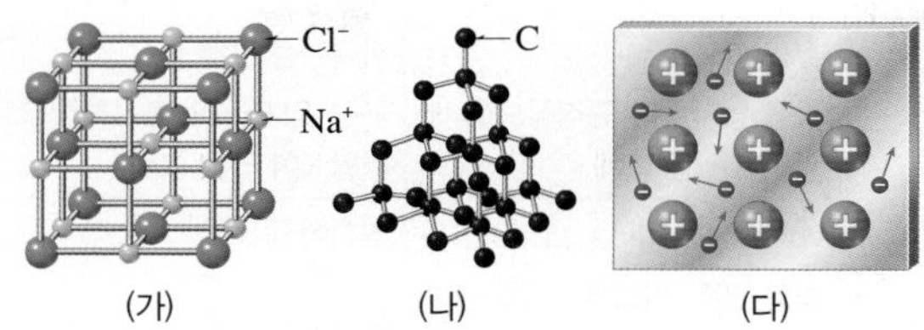

이에 대한 설명으로 옳은 것만을 [보기]에서 있는 대로 고른 것은?

[보기]
ㄱ. (가)는 액체 상태에서 전기 전도성이 있다.
ㄴ. (나)는 분자 결정으로 1기압에서 승화성이 있다.
ㄷ. (가)와 (다)에서 (−)전하를 띠는 입자의 종류는 같다.

① ㄱ ② ㄴ ③ ㄱ, ㄷ
④ ㄴ, ㄷ ⑤ ㄱ, ㄴ, ㄷ

16 표는 고체 A～C에 대한 자료이다. A～C는 각각 이온 결정, 분자 결정, 금속 결정 중 하나이다.

고체	녹는점(°C)	색깔	전기 전도성	
			고체	액체
A	1538	은백색	있음	있음
B	800	흰색	없음	있음
C	113	흑자색	없음	없음

이에 대한 설명으로 옳은 것만을 [보기]에서 있는 대로 고른 것은?

[보기]
ㄱ. A에는 자유 전자가 있어 열과 전기가 잘 통한다.
ㄴ. B는 외부에서 힘을 가할 때 부서지기 쉽다.
ㄷ. C는 분자 간 힘에 의해 규칙적으로 배열된 결정 구조를 이룬다.

① ㄴ ② ㄷ ③ ㄱ, ㄴ
④ ㄱ, ㄷ ⑤ ㄱ, ㄴ, ㄷ

중요 **17** 그림은 3가지 결정 구조의 단위 세포를 나타낸 것이다.

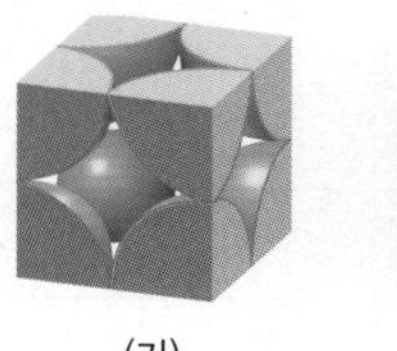
(가)

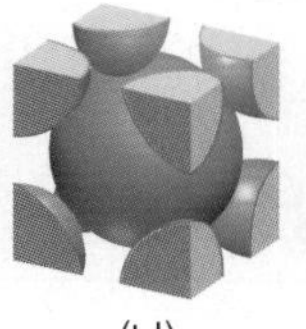
(나)

(다)

이에 대한 설명으로 옳은 것만을 [보기]에서 있는 대로 고른 것은?

[보기]
ㄱ. (가)는 단순 입방 구조이다.
ㄴ. (나)에서 단위 세포에 포함된 입자 수는 2이다.
ㄷ. 단위 세포에 포함된 입자 수는 (다)가 (가)의 2배이다.

① ㄱ ② ㄷ ③ ㄱ, ㄴ
④ ㄴ, ㄷ ⑤ ㄱ, ㄴ, ㄷ

중요 **18** 그림 (가)는 나트륨(Na)의 결정 구조를, (나)는 염화 나트륨(NaCl)의 결정 구조를 나타낸 것이다.

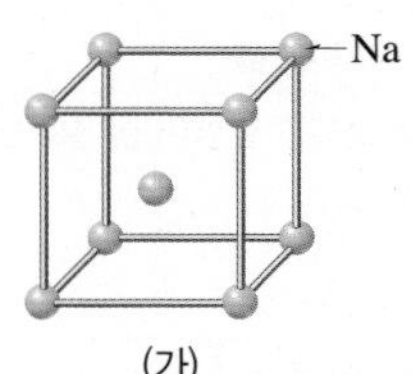

(가)

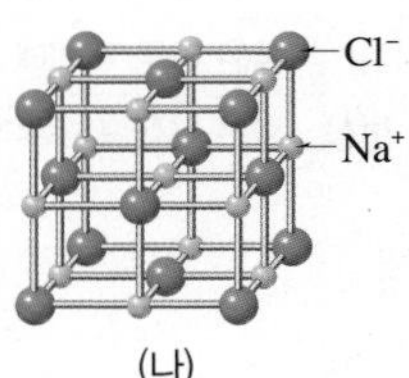

(나)

이에 대한 설명으로 옳은 것만을 [보기]에서 있는 대로 고른 것은?

[보기]
ㄱ. (가)는 면심 입방 구조이다.
ㄴ. (나)에서 Na^+과 가장 인접한 Cl^-은 8개이다.
ㄷ. (가)와 (나)에서 단위 세포에 포함된 Na 원자와 Na^+의 개수비는 1 : 2이다.

① ㄱ ② ㄷ ③ ㄱ, ㄴ
④ ㄴ, ㄷ ⑤ ㄱ, ㄴ, ㄷ

중단원 **핵심 정리**

정답친해 26쪽

01 분자 간 상호 작용

쌍극자·쌍극자 힘	• 극성 분자들이 서로 접근할 때 한 분자의 쌍극자와 이웃한 분자의 쌍극자 사이에 작용하는 정전기적 인력 • 분자량이 비슷한 극성 분자에서 쌍극자 모멘트가 클수록 쌍극자·쌍극자 힘이 (❶)고, 물질의 끓는점이 (❷)다.
분산력	• 순간 쌍극자 사이에 작용하는 정전기적 인력 • 무극성 분자에서 분자량이 클수록, 분자량이 비슷한 경우 분자의 모양이 넓게 퍼진 것일수록 분산력이 (❸)고, 물질의 끓는점이 (❹)다.
수소 결합	• 한 분자 내 F, O, N 원자에 결합한 (❺) 원자와 이웃한 분자의 F, O, N 원자 사이에 작용하는 강한 정전기적 인력 • 수소 결합 물질은 분자량이 비슷한 다른 물질에 비해 끓는점이 (❻)다.

02 액체와 고체

1. 수소 결합으로 인한 물의 특성

밀도	액체(물)의 밀도가 고체(얼음)의 밀도보다 (❼)다.
열용량	물은 질량이 비슷한 다른 액체에 비해 열용량이 커서 쉽게 가열되거나 냉각되지 않는다.
녹는점, 끓는점	물은 분자량이 비슷한 다른 물질에 비해 녹는점과 끓는점이 매우 높고, 융해열과 기화열이 매우 크다.
표면 장력	물은 다른 액체에 비해 표면 장력이 (❽)다.
모세관 현상	물은 응집력과 부착력이 커서 모세관 현상이 잘 일어난다.

2. 액체

증기 압력 (증기압)	• 일정한 온도에서 밀폐된 용기에 들어 있는 액체의 표면에서 증발하는 분자 수와 응축하는 분자 수가 같아졌을 때 증기가 나타내는 압력 • 액체의 온도가 높을수록, 분자 간 힘이 작은 액체일수록 증기 압력이 (❾)다.
끓는점	• 액체의 증기 압력이 외부 압력과 같아져 액체가 끓기 시작하는 온도 • (❿): 외부 압력이 1기압일 때의 끓는점 • 외부 압력이 높을수록 액체의 끓는점이 (⓫)다.
증기 압력과 끓는점	분자 간 힘이 (⓬) 액체일수록 증발하기 쉬워 증기 압력이 크고, 끓는점이 낮다.

3. 고체

(1) 고체의 분류

구분	결정성 고체	비결정성 고체
정의	구성 입자들이 규칙적으로 배열되어 있는 고체	구성 입자들이 불규칙적으로 배열되어 있는 고체
녹는점	(⓭)	일정하지 않음
예	석영, 염화 나트륨, 얼음, 금속 등	유리, 고무, 엿 등

(2) 결정성 고체의 분류

구분	이온 결정	(⓮) 결정	공유(원자) 결정	금속 결정
구성 입자	양이온, 음이온	분자	(⓯)	금속 원자 (금속 양이온, 자유 전자)
구성 입자 간 결합력	(⓰)	쌍극자·쌍극자 힘, 분산력, 수소 결합	공유 결합	(⓱)
전기 전도성	액체, 수용액 상태에서 있음	없음	없음 (흑연 예외)	고체, 액체 상태에서 있음
녹는점	높음	(⓲)	매우 높음	높음
예	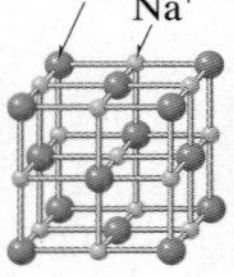 NaCl	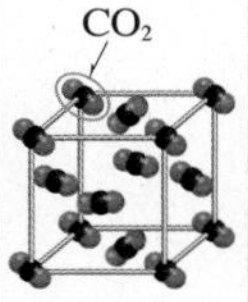 CO_2	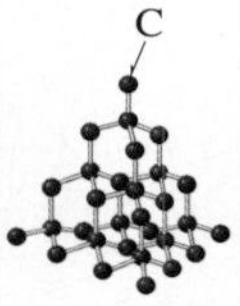 C(다이아몬드)	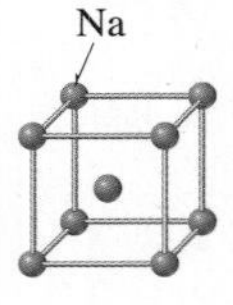 Na

(3) 결정 구조와 단위 세포

(⓳) 입방 구조	• 정육면체의 각 꼭짓점에 입자가 1개씩 자리 잡은 구조 • 단위 세포당 입자 수: $\frac{1}{8}$입자×꼭짓점 8개=1	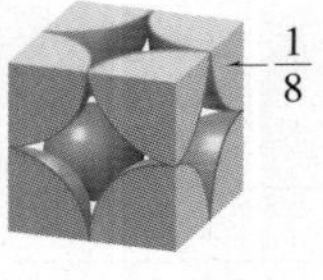
(⓴) 입방 구조	• 정육면체의 각 꼭짓점과 정육면체의 중심에 입자가 1개씩 자리 잡은 구조 • 단위 세포당 입자 수: $\frac{1}{8}$입자×꼭짓점 8개+중심의 1입자=2	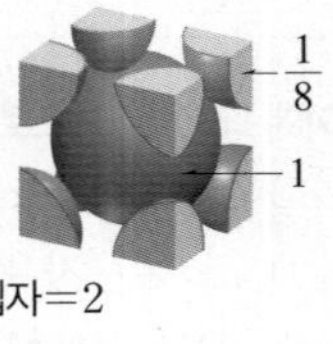
(㉑) 입방 구조	• 정육면체의 각 꼭짓점과 6개 면의 중심에 입자가 1개씩 자리 잡은 구조 • 단위 세포당 입자 수: $\frac{1}{8}$입자×꼭짓점 8개+$\frac{1}{2}$입자×면 6개=4	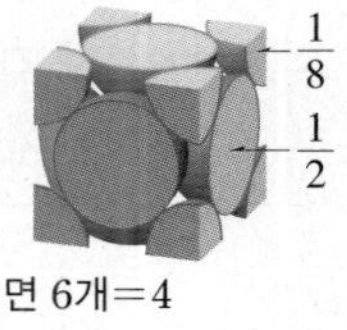

중단원 마무리 문제

정답친해 26쪽

난이도 ●●●

●○○

01 표는 몇 가지 물질에 대한 자료이다.

물질	구조식	분자량	끓는점(°C)
질소	N≡N	28	−196
산소	O=O	32	−183
사이안화 수소	H−C≡N	27	25.6
프로페인	$H_3C-CH_2-CH_3$	44	−42

이에 대한 설명으로 옳은 것만을 [보기]에서 있는 대로 고른 것은?

[보기]
ㄱ. 산소의 끓는점이 질소보다 높은 것은 산소의 쌍극자·쌍극자 힘이 질소보다 크기 때문이다.
ㄴ. 사이안화 수소의 끓는점이 프로페인보다 높은 것은 사이안화 수소가 수소 결합을 하기 때문이다.
ㄷ. 프로페인의 끓는점이 산소보다 높은 것은 프로페인의 분산력이 산소보다 크기 때문이다.

① ㄱ ② ㄷ ③ ㄱ, ㄴ
④ ㄴ, ㄷ ⑤ ㄱ, ㄴ, ㄷ

●○○

02 그림은 17족 원소의 수소 화합물의 분자량에 따른 끓는점을 나타낸 것이다. A~D는 각각 F, Cl, Br, I 중 하나이다.

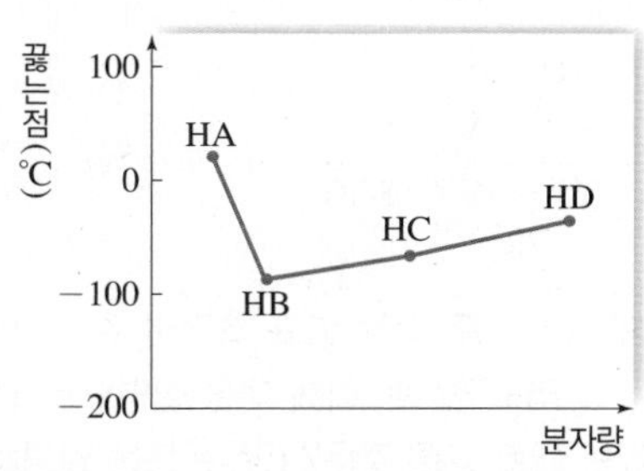

이에 대한 설명으로 옳은 것만을 [보기]에서 있는 대로 고른 것은?

[보기]
ㄱ. 분산력은 HD가 가장 크다.
ㄴ. 수소 결합을 하는 물질은 HA이다.
ㄷ. 쌍극자 모멘트는 HC가 HB보다 크다.

① ㄴ ② ㄷ ③ ㄱ, ㄴ
④ ㄱ, ㄷ ⑤ ㄱ, ㄴ, ㄷ

●●○

03 표는 물질 (가)~(다)에 대한 자료이다.

물질	(가)	(나)	(다)
화학식	CH_3CHO	C_3H_8	C_2H_5OH
분자량	44	44	46
끓는점(°C)	21	㉠	78

이에 대한 설명으로 옳은 것만을 [보기]에서 있는 대로 고른 것은?

[보기]
ㄱ. ㉠은 21보다 크고, 78보다 작다.
ㄴ. 분산력이 존재하는 물질은 3가지이다.
ㄷ. 분자 사이에 수소 결합을 하는 물질은 (가)와 (다)이다.

① ㄱ ② ㄴ ③ ㄱ, ㄷ
④ ㄴ, ㄷ ⑤ ㄱ, ㄴ, ㄷ

●○○

04 그림 (가)는 1기압에서 물의 온도에 따른 밀도를, (나)는 부피가 같고 온도가 서로 다른 물방울을 아크릴판 위에 떨어뜨렸을 때의 모양을 나타낸 것이다.

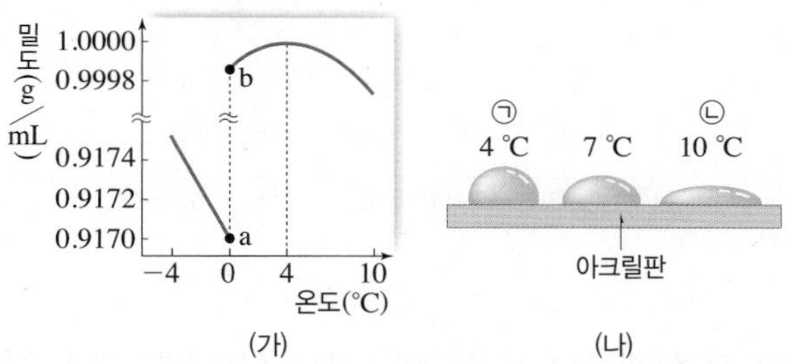

(가) (나)

이에 대한 설명으로 옳은 것만을 [보기]에서 있는 대로 고른 것은?

[보기]
ㄱ. (가)에서 평균 수소 결합 수는 a에서가 b에서보다 크다.
ㄴ. (나)에서 물방울의 질량은 ㉠이 ㉡보다 작다.
ㄷ. 온도가 높을수록 표면 장력이 크다.

① ㄱ ② ㄷ ③ ㄱ, ㄴ
④ ㄴ, ㄷ ⑤ ㄱ, ㄴ, ㄷ

●●○

05 그림은 25 °C에서 순물질인 액체 A와 물이 각각 담긴 비커에 가는 유리관을 꽂았을 때의 모습을 나타낸 것이다.

유리관 A 유리관 a 물

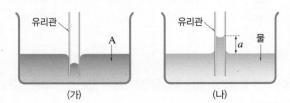

(가) (나)

이에 대한 설명으로 옳은 것만을 [보기]에서 있는 대로 고른 것은? (단, 표면 장력은 물이 에탄올보다 크다.)

[보기]
ㄱ. A는 응집력이 부착력보다 크다.
ㄴ. (나)에 같은 온도의 에탄올을 넣어 주면 a가 증가한다.
ㄷ. (나)에서 더 가는 유리관을 사용하면 a가 증가한다.

① ㄱ ② ㄴ ③ ㄱ, ㄷ
④ ㄴ, ㄷ ⑤ ㄱ, ㄴ, ㄷ

●●○

06 다음은 압력에 따른 물의 끓는점 변화를 알아보는 실험이다.

(가) 감압 용기에 그림 Ⅰ과 같이 90 °C의 물을 넣었다.
(나) 뚜껑을 덮고 용기 내부 압력을 낮추었더니 그림 Ⅱ와 같이 물이 끓었다.

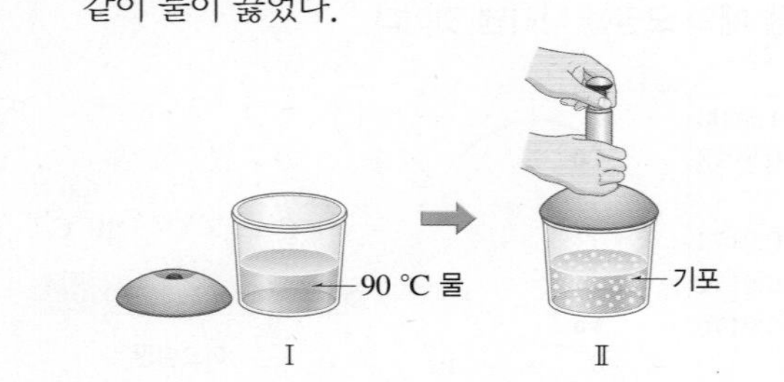

이에 대한 설명으로 옳은 것만을 [보기]에서 있는 대로 고른 것은? (단, 온도는 일정하고, 대기압은 1기압이다.)

[보기]
ㄱ. Ⅰ에서 물의 증발 속도는 응축 속도보다 빠르다.
ㄴ. 물의 증기 압력은 Ⅰ과 Ⅱ에서 같다.
ㄷ. 높은 산 위에서 물이 100 °C보다 낮은 온도에서 끓는 현상과 같은 원리로 설명할 수 있다.

① ㄱ ② ㄴ ③ ㄱ, ㄷ
④ ㄴ, ㄷ ⑤ ㄱ, ㄴ, ㄷ

●●○

07 그림은 액체 A~C의 온도에 따른 증기 압력을 나타낸 것이다.

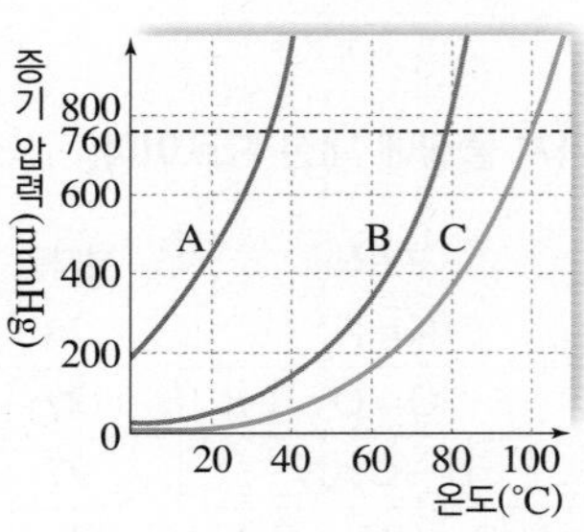

이에 대한 설명으로 옳은 것만을 [보기]에서 있는 대로 고르시오. (단, 대기압은 760 mmHg이다.)

[보기]
ㄱ. 20 °C에서 증발이 가장 잘되는 액체는 A이다.
ㄴ. 기준 끓는점에서 증기 압력이 가장 큰 액체는 B이다.
ㄷ. 분자 간 힘이 가장 큰 액체는 C이다.

●●○

08 그림 (가)는 분자량이 다른 3가지 액체 A~C의 끓는점을 나타낸 것이다. 이 액체들을 그림 (나)와 같이 장치한 플라스크에 각각 넣고 충분한 시간이 흐른 후 수은 기둥의 높이 차(h)를 측정하였다.

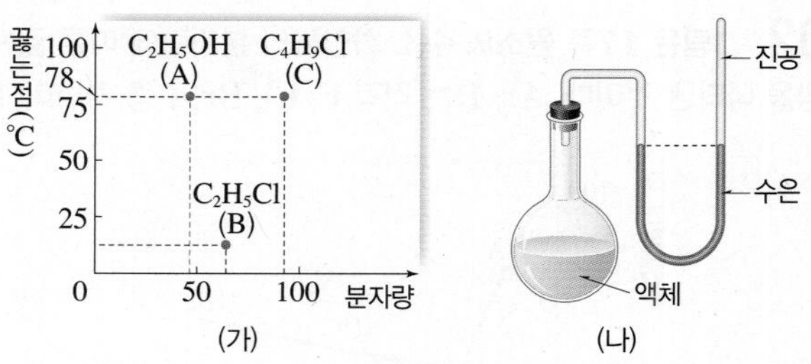

(나)에서 액체 A~C를 각각 넣고 측정한 수은 기둥의 높이 차를 h_A, h_B, h_C라고 할 때, 이에 대한 설명으로 옳은 것만을 [보기]에서 있는 대로 고른 것은? (단, 온도는 일정하다.)

[보기]
ㄱ. A의 끓는점이 B보다 높은 것은 분산력이 크기 때문이다.
ㄴ. h가 가장 큰 액체는 B이다.
ㄷ. 78 °C에서 h_A와 h_C는 같다.

① ㄱ ② ㄷ ③ ㄱ, ㄴ
④ ㄴ, ㄷ ⑤ ㄱ, ㄴ, ㄷ

●●○

09 그림 (가)~(다)는 3가지 물질의 결정 구조를 나타낸 것이다.

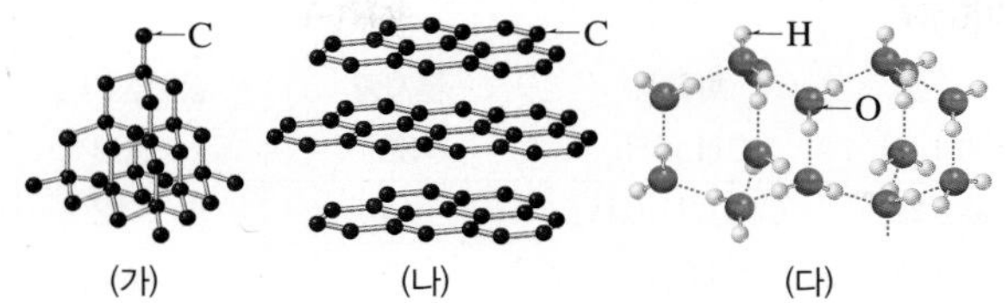

이에 대한 설명으로 옳은 것만을 [보기]에서 있는 대로 고른 것은?

[보기]
ㄱ. 원자 사이의 결합의 종류가 같다.
ㄴ. 결정을 구성하는 입자 간 힘의 종류가 같다.
ㄷ. 고체 상태에서 모두 전기 전도성이 있다.

① ㄱ ② ㄴ ③ ㄱ, ㄷ
④ ㄴ, ㄷ ⑤ ㄱ, ㄴ, ㄷ

●○○

10 그림은 3가지 고체 물질을 분류하는 과정을 나타낸 것이다.

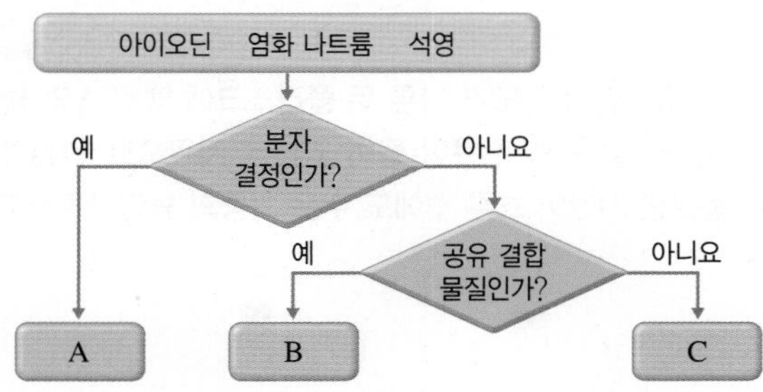

이에 대한 설명으로 옳은 것만을 [보기]에서 있는 대로 고른 것은?

[보기]
ㄱ. A는 승화성이 있다.
ㄴ. B는 A에 비해 녹는점이 매우 낮다.
ㄷ. C는 액체 상태에서 전기 전도성이 있다.

① ㄴ ② ㄷ ③ ㄱ, ㄴ
④ ㄱ, ㄷ ⑤ ㄱ, ㄴ, ㄷ

●●○

11 그림은 2가지 결정 구조의 단위 세포와 염화 세슘($CsCl$)의 결정 구조를 모형으로 나타낸 것이다.

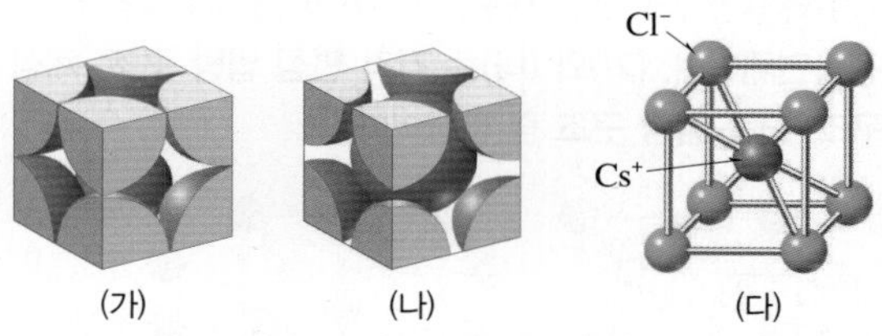

이에 대한 설명으로 옳은 것만을 [보기]에서 있는 대로 고른 것은?

[보기]
ㄱ. (나)와 (다)의 결정 구조가 같다.
ㄴ. (가)의 단위 세포에 포함된 입자 수는 2이다.
ㄷ. (다)의 단위 세포에 포함된 Cs^+과 Cl^-은 각각 1개씩이다.

① ㄱ ② ㄷ ③ ㄱ, ㄴ
④ ㄴ, ㄷ ⑤ ㄱ, ㄴ, ㄷ

●●○

12 그림은 2가지 금속 (가)와 (나) 결정의 단위 세포 모형과 각 단위 세포의 ABCD면과 A′B′C′D′면을 따라 각각 자른 단면을 나타낸 것이다. (가)와 (나)의 결정 구조는 각각 단순 입방 구조, 체심 입방 구조, 면심 입방 구조 중 하나이다.

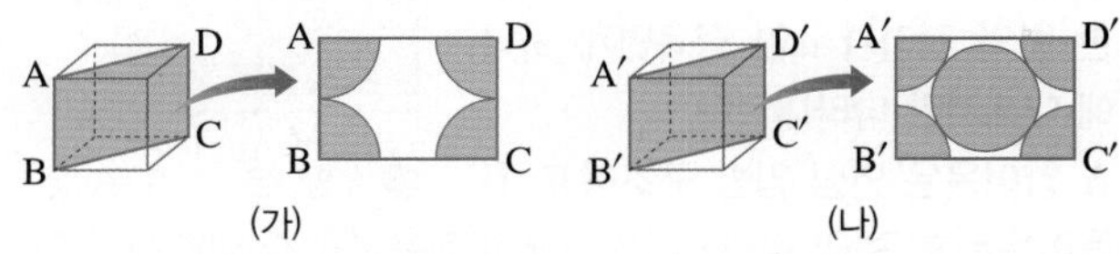

이에 대한 설명으로 옳은 것만을 [보기]에서 있는 대로 고른 것은? (단, 단위 세포 모형에 원자는 나타내지 않았다.)

[보기]
ㄱ. (가)는 단순 입방 구조이다.
ㄴ. (가)에서 단위 세포에 포함된 원자 수는 4이다.
ㄷ. (나)에서 한 원자에 가장 인접한 원자 수는 8이다.

① ㄱ ② ㄴ ③ ㄱ, ㄷ
④ ㄴ, ㄷ ⑤ ㄱ, ㄴ, ㄷ

13 그림은 2가지 이온 결합 물질의 결정 구조를 모형으로 나타낸 것이다. (가)에서 모든 A는 단위 세포 내부에 위치하고, (가)와 (나)에서 단위 세포는 한 변의 길이가 각각 a_1과 a_2인 정육면체이며, (가)와 (나)는 각각 면심 입방 구조, 체심 입방 구조, 단순 입방 구조 중 하나이다.

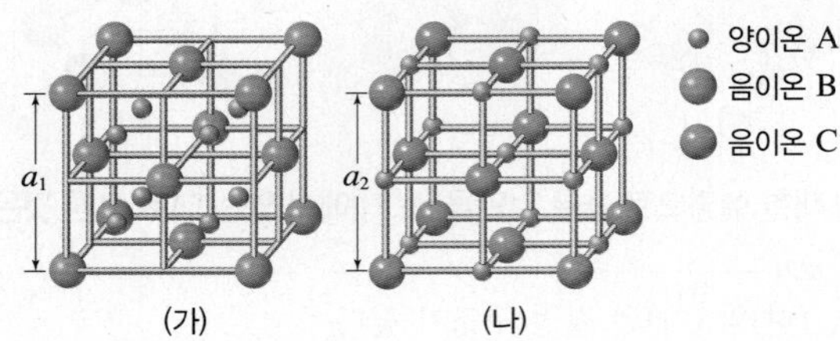

이에 대한 설명으로 옳은 것만을 [보기]에서 있는 대로 고른 것은? (단, A~C는 임의의 원소 기호이다.)

[보기]
ㄱ. (가)의 화학식은 A_8B_4이다.
ㄴ. (나)에서 A와 C는 각각 면심 입방 구조이다.
ㄷ. 전하량은 B가 C의 2배이다.

① ㄱ ② ㄴ ③ ㄱ, ㄷ
④ ㄴ, ㄷ ⑤ ㄱ, ㄴ, ㄷ

14 그림은 어떤 이온 결정의 단위 세포 모형을 나타낸 것이다. 단위 세포 한 변의 길이는 $2a$이고, 입자는 한 변의 길이가 a인 정육면체 하나에 대해서만 나타내었다.

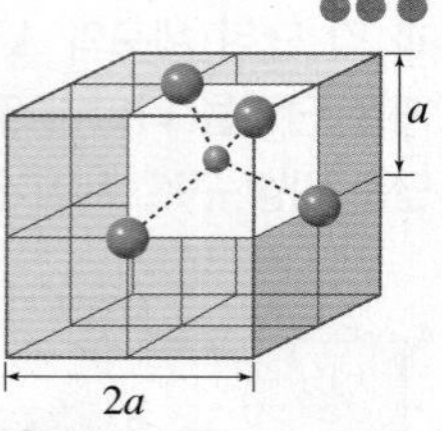

A 양이온 B 음이온

A 양이온은 면심 입방 구조이고, B 음이온은 한 변의 길이가 a인 8개의 정육면체 중심에 각각 위치할 때, 이에 대한 설명으로 옳은 것만을 [보기]에서 있는 대로 고른 것은? (단, A, B는 임의의 원소 기호이다.)

[보기]
ㄱ. A 양이온 1개와 가장 인접한 양이온의 수는 4이다.
ㄴ. 단위 세포에 포함된 이온 수는 12이다.
ㄷ. 이 화합물의 화학식은 AB_2이다.

① ㄱ ② ㄷ ③ ㄱ, ㄴ
④ ㄴ, ㄷ ⑤ ㄱ, ㄴ, ㄷ

서술형 문제

15 표는 3가지 물질에 대한 자료이다.

구분	화학식	분자량	끓는점(°C)
에테인	CH_3CH_3	30	−89
프로페인	$CH_3CH_2CH_3$	44	−42
메탄올	CH_3OH	32	65

메탄올의 끓는점이 가장 높은 까닭을 3가지 물질에 존재하는 분자 간 힘의 종류를 언급하여 서술하시오.

16 그림과 같이 온도가 다른 두 플라스크에 액체 A와 물을 각각 조금씩 넣은 후 수은이 들어 있는 U자관으로 연결하였는데, 충분한 시간이 흐른 후에도 수은 기둥의 높이가 같았다.

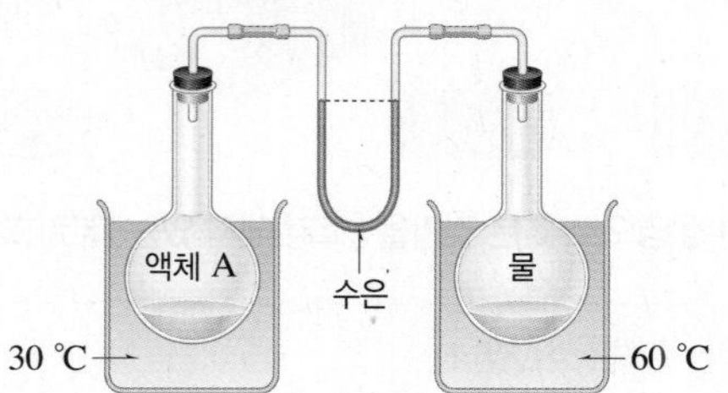

액체 A와 물의 기준 끓는점을 비교하여 등호나 부등호로 나타내고, 그 까닭을 증기 압력을 언급하여 서술하시오.

수능 실전 문제

정답친해 28쪽

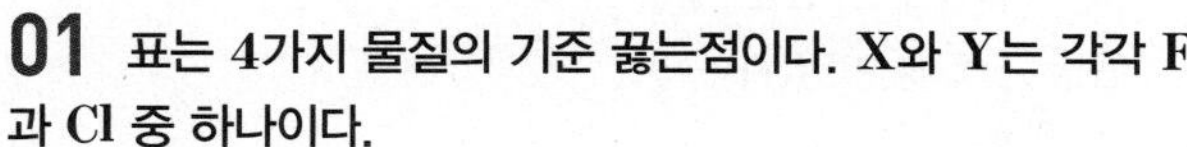

01 표는 4가지 물질의 기준 끓는점이다. X와 Y는 각각 F과 Cl 중 하나이다.

물질	HX	HY	X_2	Y_2
기준 끓는점(°C)	20	−85	a	−34

이에 대한 설명으로 옳은 것만을 [보기]에서 있는 대로 고른 것은?

[보기]
ㄱ. Y는 Cl이다.
ㄴ. $a>-34$이다.
ㄷ. 분산력은 HX가 HY보다 크다.

① ㄱ ② ㄷ ③ ㄱ, ㄴ
④ ㄴ, ㄷ ⑤ ㄱ, ㄴ, ㄷ

02 그림은 수소 화합물(XH_n) a～f의 기준 끓는점을 중심 원자 X의 족에 따라 나타낸 것이다. X는 C, N, O, Si, P, S에 해당한다.

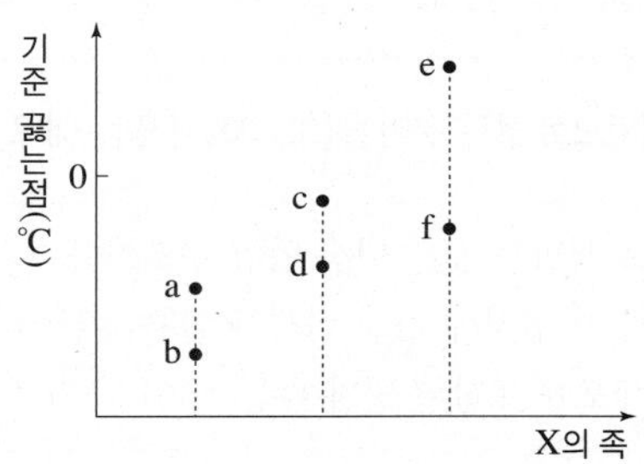

이에 대한 설명으로 옳은 것만을 [보기]에서 있는 대로 고른 것은?

[보기]
ㄱ. a는 CH_4이다.
ㄴ. 수소 결합을 하는 화합물은 c와 e이다.
ㄷ. 3주기 원소를 포함한 화합물은 a, d, f이다.

① ㄱ ② ㄴ ③ ㄱ, ㄷ
④ ㄴ, ㄷ ⑤ ㄱ, ㄴ, ㄷ

03 그림 (가)는 1기압에서 온도에 따른 물(H_2O)의 밀도를, (나)는 물의 결합 모형을 나타낸 것이다.

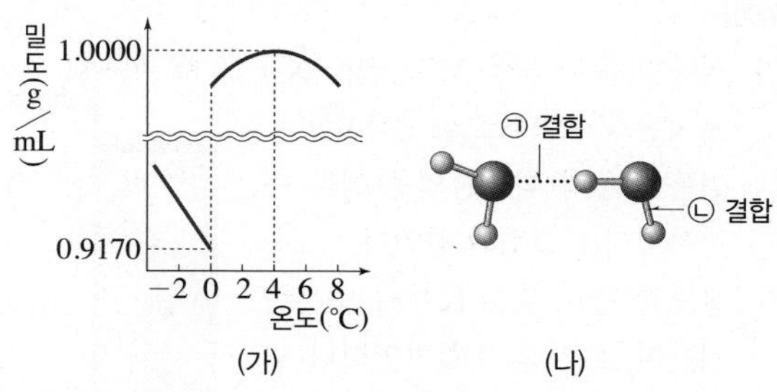

(가) (나)

이에 대한 설명으로 옳은 것만을 [보기]에서 있는 대로 고른 것은?

[보기]
ㄱ. 온도가 높을수록 $H_2O(s)$의 밀도가 감소하는 것은 ㉠ 결합의 수가 감소하기 때문이다.
ㄴ. 0 °C에서 $H_2O(s)$이 융해되면서 밀도가 급격히 증가하는 것은 ㉡ 결합 때문이다.
ㄷ. $H_2O(l)$의 질량이 일정할 때 0 °C와 4 °C에서 ㉡ 결합 수는 같다.

① ㄱ ② ㄷ ③ ㄱ, ㄴ
④ ㄴ, ㄷ ⑤ ㄱ, ㄴ, ㄷ

04 표는 3가지 물질에 대한 자료이고, 그림은 표에 제시된 물질의 온도에 따른 증기 압력을 나타낸 것이다.

물질	NH_3	N_2	NO
분자량	17	28	30
분자 극성	극성	무극성	극성

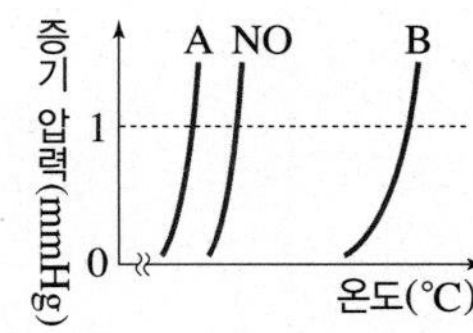

이에 대한 설명으로 옳은 것만을 [보기]에서 있는 대로 고른 것은?

[보기]
ㄱ. B는 NH_3이다.
ㄴ. A 분자 사이에는 분산력이 작용한다.
ㄷ. NO 분자 사이에는 쌍극자·쌍극자 힘이 작용한다.

① ㄱ ② ㄴ ③ ㄱ, ㄷ
④ ㄴ, ㄷ ⑤ ㄱ, ㄴ, ㄷ

05 다음은 물의 증기 압력과 관련된 실험이다.

[실험]

(가) 실린더 속에 물을 넣고 질소(N_2)를 채운 후 240 K으로 냉각시켰다.

(나) 얼음 기둥과 피스톤의 높이를 측정하였더니 그림과 같았다.

(다) 온도를 높여 320 K에서 충분한 시간이 흐른 후 관찰하였더니 얼음은 모두 녹았고, 피스톤의 위치는 (나)에서와 같았다.

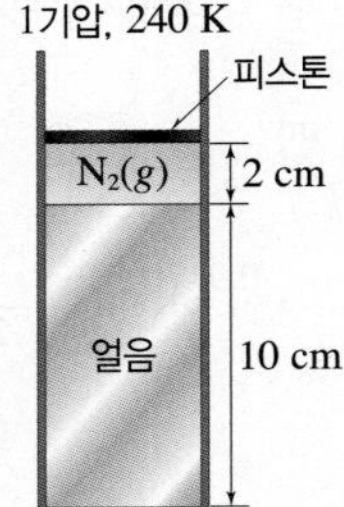

[자료]

구분	얼음(240 K)	물(320 K)
1기압에서의 밀도(g/mL)	0.9	1.0

이에 대한 설명으로 옳은 것만을 [보기]에서 있는 대로 고른 것은? (단, 대기압은 1기압이고, 얼음의 증기 압력, 증발에 의한 얼음과 물의 부피 변화, 질소의 용해, 피스톤의 질량과 마찰은 무시한다.)

보기

ㄱ. 240 K과 320 K에서 N_2의 부피비는 2 : 3이다.

ㄴ. 320 K에서 물의 높이는 11 cm이다.

ㄷ. 320 K에서 물의 증기 압력은 $\frac{1}{9}$기압이다.

① ㄱ ② ㄴ ③ ㄱ, ㄷ ④ ㄴ, ㄷ ⑤ ㄱ, ㄴ, ㄷ

06 다음은 어떤 학생이 학습한 내용과 수행한 탐구 활동이다.

[학습 내용]

• 고체 결정에는 단순 입방 구조, 면심 입방 구조, 체심 입방 구조 등이 있다.

[탐구 과정]

(가) 같은 크기의 구 6개를 정삼각형 모양으로 붙여 그림 Ⅰ과 같이 쌓는다.

(나) Ⅰ의 윗면과 아랫면의 중심에 각각 구 1개를 그림 Ⅱ와 같이 쌓는다.

(다) Ⅱ의 모양이 그림 Ⅲ과 같이 정육면체를 이루는지 확인한다.

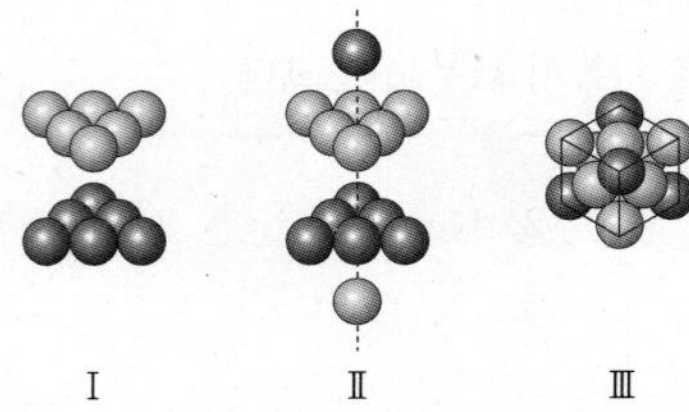

(라) 같은 크기의 구 4개를 정사각형 모양으로 붙여 그림 Ⅳ와 같이 쌓은 후, 그림 Ⅴ와 같은 정육면체를 이루는지 확인한다.

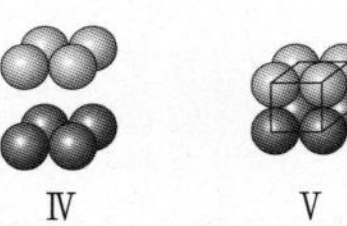

[탐구 결과]

• (다)에서 확인한 모형은 결정 구조 중 ㉠ 이다.

• (라)에서 확인한 모형은 결정 구조 중 ㉡ 이다.

이에 대한 설명으로 옳은 것만을 [보기]에서 있는 대로 고른 것은?

보기

ㄱ. ㉠으로 적절한 것은 면심 입방 구조이다.

ㄴ. ㉡에서 한 입자에 가장 인접한 입자 수는 6이다.

ㄷ. 단위 세포에 포함된 입자 수는 ㉠이 ㉡의 4배이다.

① ㄱ ② ㄷ ③ ㄱ, ㄴ ④ ㄴ, ㄷ ⑤ ㄱ, ㄴ, ㄷ

07 그림은 서로 다른 2가지 구를 각각 배열하여 만든 금속 결정의 단위 세포 모형을 나타낸 것이고, 표는 이 단위 세포에 대한 자료이다.

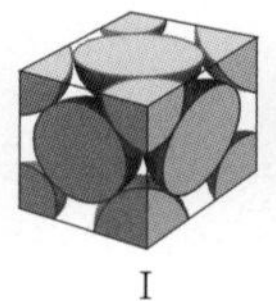
Ⅰ

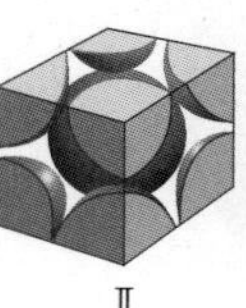
Ⅱ

구분	Ⅰ	Ⅱ
구 1개의 질량 (상댓값)	2	3
단위 세포 한 변의 길이(상댓값)	9	10

이에 대한 설명으로 옳은 것만을 [보기]에서 있는 대로 고른 것은?

[보기]
ㄱ. 단위 세포에 포함된 입자 수비는 Ⅰ : Ⅱ=2 : 1이다.
ㄴ. 단위 세포의 질량은 Ⅰ이 Ⅱ보다 크다.
ㄷ. 밀도는 Ⅱ가 Ⅰ보다 크다.

① ㄴ ② ㄷ ③ ㄱ, ㄴ
④ ㄱ, ㄷ ⑤ ㄱ, ㄴ, ㄷ

08 그림은 금속 X와 Y 결정의 단위 세포 모형과 단위 세포의 면을 나타낸 것이고, 표는 X와 Y 결정에 대한 자료이다. X와 Y의 결정 구조는 각각 단순 입방 구조와 체심 입방 구조 중 하나이다.

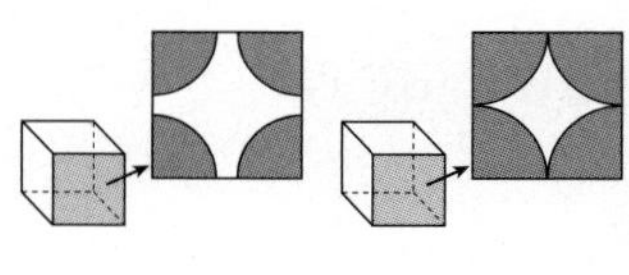

금속	X	Y
단위 세포에 포함된 원자 수	a	
한 원자에 가장 인접한 원자 수	8	b

이에 대한 설명으로 옳은 것만을 [보기]에서 있는 대로 고른 것은? (단, 단위 세포 모형에 원자는 나타내지 않았다.)

[보기]
ㄱ. X의 결정 구조는 단순 입방 구조이다.
ㄴ. Y 결정의 단위 세포에 포함된 원자 수는 2이다.
ㄷ. $b=3a$이다.

① ㄱ ② ㄷ ③ ㄱ, ㄴ
④ ㄴ, ㄷ ⑤ ㄱ, ㄴ, ㄷ

09 그림은 금속 X의 결정 구조를 나타낸 것으로, X의 결정 구조에서 단위 세포는 한 변의 길이가 a cm인 정육면체이다. X 원자 1개의 질량은 w g이고, X 1몰의 질량은 M g이다.

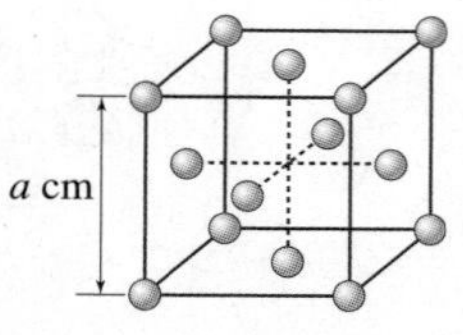

이에 대한 설명으로 옳은 것만을 [보기]에서 있는 대로 고른 것은?

[보기]
ㄱ. X의 결정 구조는 면심 입방 구조이다.
ㄴ. X 1몰의 부피는 $\frac{Ma^3}{4w}$ cm^3이다.
ㄷ. 한 원자에 가장 인접한 원자 수는 12이다.

① ㄱ ② ㄷ ③ ㄱ, ㄴ
④ ㄴ, ㄷ ⑤ ㄱ, ㄴ, ㄷ

10 그림은 화합물 (가)와 (나)의 결정 구조를 모형으로 나타낸 것이다. (가)와 (나)의 단위 세포는 한 변의 길이가 각각 a_1, a_2인 정육면체이다.

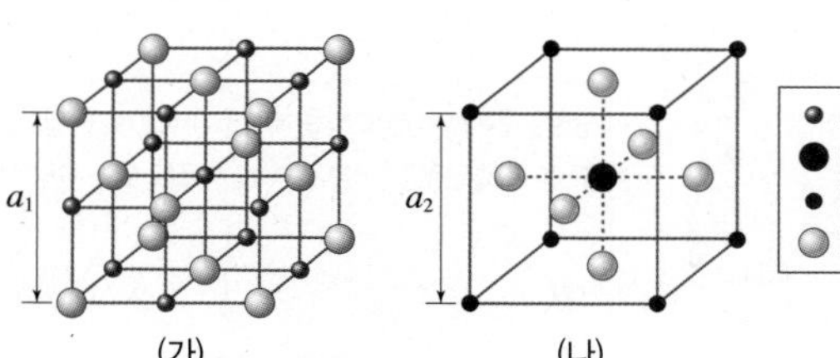

이에 대한 설명으로 옳은 것만을 [보기]에서 있는 대로 고른 것은? (단, A~D는 임의의 원소 기호이다.)

[보기]
ㄱ. (가)의 단위 세포에 포함된 양이온과 음이온 수의 비는 13 : 14이다.
ㄴ. (나)의 화학식은 CDB_3이다.
ㄷ. 단위 세포당 포함된 양이온 수는 (가)에서가 (나)에서의 2배이다.

① ㄱ ② ㄴ ③ ㄱ, ㄷ
④ ㄴ, ㄷ ⑤ ㄱ, ㄴ, ㄷ

3 용액

이 단원을 공부하기 전에 학습 계획을 세우고, 학습 진도를 스스로 체크해 보자.
학습이 미흡했던 부분은 다시 보기에 체크해 두고, 시험 전까지 꼭 완벽히 학습하자!

소단원	학습 내용	학습 일자	다시 보기
01. 용액의 농도	Ⓐ 용해와 용액	/	
	Ⓑ 용액의 농도 탐구 여러 가지 농도의 용액 만들기	/	
	Ⓒ 농도 단위 환산 특강 농도 단위 환산하기	/	
02. 묽은 용액의 총괄성	Ⓐ 증기 압력 내림	/	
	Ⓑ 끓는점 오름과 어는점 내림	/	
	Ⓒ 삼투압	/	
	Ⓓ 묽은 용액의 총괄성	/	

이전에 학습한 내용 중 이 단원과 연계된 내용을 다시 한번 떠올려 봅시다.

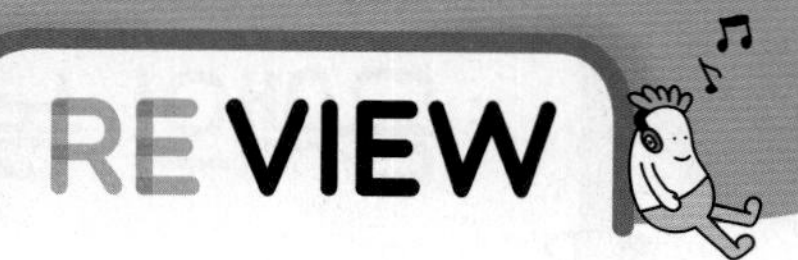

용해와 용액

- ❶ (　　　　) : 용질이 용매에 녹아 들어가는 과정
- ❷ (　　　　) : 다른 물질에 녹아 들어가는 물질
- ❸ (　　　　) : 다른 물질을 녹이는 물질
- ❹ (　　　　) : 두 종류 이상의 순물질이 균일하게 섞여 있는 혼합물

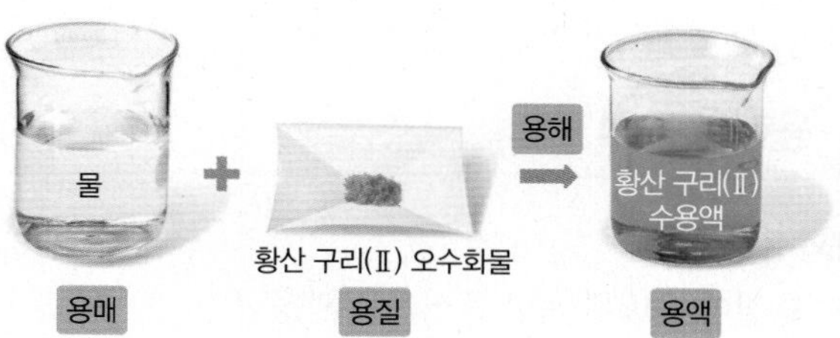

용액의 농도

퍼센트 농도(%)	몰 농도(M)
용액 100 g 속에 녹아 있는 용질의 질량(g)을 백분율로 나타낸 것 ➡ 퍼센트 농도(%) = $\frac{❺}{❻}$ × 100	용액 1 L 속에 녹아 있는 용질의 양(mol) ➡ 몰 농도(M) = $\frac{❼}{❽}$
용액의 퍼센트 농도가 같더라도 용질의 종류에 따라 일정한 질량의 용액에 녹아 있는 용질의 입자 수가 다르다.	용액의 몰 농도가 같으면 용질의 종류와 관계없이 일정한 부피의 용액에 녹아 있는 용질의 입자 수가 같다.

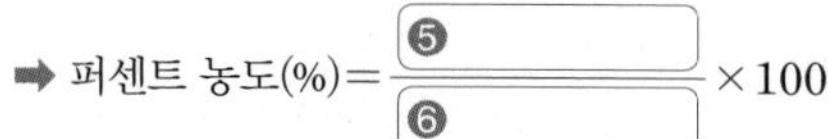

끓는점과 어는점

구분	끓는점	어는점
순물질	• 물질의 종류에 따라 다르며, 같은 물질은 양에 관계없이 끓는점이 일정하다. • 끓는 동안 온도가 일정하게 유지된다.	• 물질의 종류에 따라 다르며, 같은 물질은 양에 관계없이 어는점이 일정하다. • 어는 동안 온도가 일정하게 유지된다.
혼합물	• 순물질보다 ❾ (　　　　)은 온도에서 끓기 시작하며, 끓는 동안 온도가 조금씩 높아진다.	• 순물질보다 ❿ (　　　　)은 온도에서 얼기 시작하며, 어는 동안 온도가 조금씩 낮아진다.
예 물과 소금물의 가열·냉각 그래프	온도(℃) 95, 100, 105 / 시간(분) 0, 2, 4, 6, 8, 10 / 끓기 시작, 소금물, 물, 끓기 시작	온도(℃) −12, −8, −4, 0, 4, 8 / 시간(분) 0, 2, 4, 6, 8, 10 / 얼기 시작, 물, 얼기 시작, 소금물

정답 ❶ 용해 ❷ 용질 ❸ 용매 ❹ 용액 ❺ 용질의 질량(g) ❻ 용액의 질량(g) ❼ 용질의 양(mol) ❽ 용액의 부피(L) ❾ 높 ❿ 낮

01 용액의 농도

핵심 포인트
- Ⓐ 용해의 원리 ★
- Ⓑ 퍼센트 농도 계산 ★★ / ppm 농도 계산 ★★ / 몰 농도 계산 ★★ / 몰랄 농도 계산 ★★★
- Ⓒ 농도 단위 환산 ★★★

Ⓐ 용해와 용액

용해와 용액은 지학사, 천재 교과서에만 나오는 내용이지만 이 단원의 내용을 이해하는데 중요한 개념이니 함께 알아두도록 해요.

1. 용해와 용액

(1) **용해**: 용질이 용매에 녹아 들어가는 과정

① 용질: 다른 물질에 녹아 들어가는 물질

② 용매: 다른 물질을 녹이는 물질

(2) **용액**: 두 종류 이상의 순물질이 균일하게 섞여 있는 혼합물
(두 종류 이상의 순물질 → 용질과 용매, 균일하게 섞여 있는 혼합물 → 균일 혼합물)

용질 + 용매 —용해→ 용액
예 설탕 + 물 ——→ 설탕물

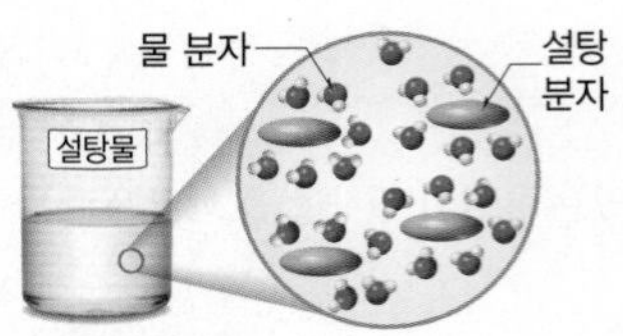

⊙ 설탕물(용액)

① 일반적으로 액체가 혼합된 용액은 액체 물질이 용매이다.

② 같은 상태의 물질이 섞여 있는 용액에서는 양이 많은 물질이 용매, 양이 적은 물질이 용질이다.

상태	용질	용매	예		
			용액	용질	용매
기체+기체	양이 적은 기체	양이 많은 기체	공기	산소, 아르곤 등	질소
액체+액체	양이 적은 액체	양이 많은 액체	식초	아세트산 등	물
고체+고체	양이 적은 고체	양이 많은 고체	황동	아연	구리

2. 물질의 성질과 용해

(1) 용해는 *용매 입자와 용질 입자 사이에 작용하는 인력의 차이에 의해 일어난다.

(2) 극성 물질은 극성 용매에 잘 녹고, 무극성 물질은 무극성 용매에 잘 녹는다.

예 극성 물질인 물에 에탄올은 잘 용해되지만, 식용유는 용해되지 않는다.
(에탄올 → 극성 물질, 식용유 → 무극성 물질)

★ **용해의 원리**
- (용매–용질) 입자 간 인력이 (용질–용질), (용매–용매) 입자 간 인력보다 큰 경우: 용해가 잘 일어난다.
- (용매–용질) 입자 간 인력이 (용질–용질), (용매–용매) 입자 간 인력보다 작은 경우: 용해가 잘 일어나지 않는다.

Ⓑ 용액의 농도

용액 속 용질의 양을 나타낸 것을 용액의 농도라고 하는데, 용액의 농도는 여러 가지 방법으로 나타낼 수 있어요. 여기서는 여러 가지 방법으로 나타낸 용액의 농도에 대해 알아보아요.

1. ❶퍼센트 농도 용액 100 g 속에 녹아 있는 용질의 질량(g)으로, 단위는 %이다. (퍼센트 농도 → 질량 퍼센트 농도를 의미한다.)

$$\text{퍼센트 농도}(\%) = \frac{\text{용질의 질량(g)}}{\text{용액의 질량(g)}} \times 100 = \frac{\text{용질의 질량(g)}}{\text{(용매+용질)의 질량(g)}} \times 100$$

예 10 % *포도당 수용액: 포도당 수용액 100 g 속에 녹아 있는 포도당의 질량이 10 g이다.

★ **용액의 이름**
용질의 이름을 먼저 부르고, 용매의 이름을 나중에 부른다. 용매가 물인 용액은 수용액이라고 한다.
예 염화 나트륨 수용액 (염화 나트륨 → 용질, 수용액 → 용매(물))

| 용어 |
❶ **퍼센트(백분율, %)** 전체 양을 100으로 할 때 특정 부분이 차지하는 양

(1) 온도에 영향을 받지 않는다. ➡ 온도가 변해도 용질이나 용매의 질량이 변하지 않기 때문이다.

(2) *제품 속 성분 물질의 양 등 일상생활에서 많이 사용한다.

2. ❶**ppm 농도** 용액 10^6 g 속에 녹아 있는 용질의 질량(g)으로, 단위는 ppm이다.

$$\text{ppm 농도(ppm)} = \frac{\text{용질의 질량(g)}}{\text{용액의 질량(g)}} \times 10^6 = \frac{\text{용질의 질량(g)}}{\text{(용매+용질)의 질량(g)}} \times 10^6$$

예 대기의 오존 농도 1 ppm: 공기 10^6 g 속 오존의 질량이 1 g이다.

(1) 온도에 영향을 받지 않는다. ➡ 온도가 변해도 용질이나 용매의 질량이 변하지 않기 때문이다.

(2) 대기 중 오존의 양, *물속에 녹아 있는 산소의 양, 식품에 남아 있는 농약의 양, 인체에 축적된 중금속의 양 등과 같이 용액 속 용질의 질량이 매우 적은 경우에 사용한다.

3. 몰 농도 용액 1 L 속에 녹아 있는 용질의 양(mol)으로, 단위는 M 또는 mol/L이다.

$$\text{몰 농도(M)} = \frac{\text{용질의 양(mol)}}{\text{용액의 부피(L)}}$$

[예제 1] NaOH 4.0 g이 녹아 있는 NaOH 수용액 1 L의 몰 농도를 구하시오. (단, NaOH의 화학식량은 40이다.)

풀이 몰 농도는 용질의 양(mol)을 먼저 구한 후에 용액의 부피로 나누어 구한다.

$$\text{용질의 양(mol)} = \frac{\text{용질의 질량(g)}}{\text{용질의 몰 질량(g/mol)}} = \frac{4.0\text{ g}}{40\text{ g/mol}} = 0.1\text{ mol}$$

$$\text{몰 농도(M)} = \frac{0.1\text{ mol}}{1\text{ L}} = 0.1\text{ M}$$

(1) 온도의 변화에 영향을 받는다. ➡ 온도가 변할 때 용질의 양(mol)은 변하지 않지만 용액의 부피가 변하기 때문이다.

(2) 용질의 입자 수를 사용하여 농도를 나타내므로 화학 실험에서 많이 사용한다.

4. 몰랄 농도 용매 1 kg 속에 녹아 있는 용질의 양(mol)으로, 단위는 m 또는 mol/kg이다.

$$\text{몰랄 농도}(m) = \frac{\text{용질의 양(mol)}}{\text{용매의 질량(kg)}}$$

[예제 2] 물 100 g에 NaOH 20 g을 녹인 NaOH 수용액의 몰랄 농도를 구하시오. (단, NaOH의 화학식량은 40이다.)

풀이 몰랄 농도는 용질의 양(mol)을 먼저 구한 후에 용매의 질량으로 나누어 구한다.

$$\text{용질의 양(mol)} = \frac{\text{용질의 질량(g)}}{\text{용질의 몰 질량(g/mol)}} = \frac{20\text{ g}}{40\text{ g/mol}} = 0.5\text{ mol}$$

$$\text{몰랄 농도}(m) = \frac{0.5\text{ mol}}{0.1\text{ kg}} = 5\ m$$

(1) 온도에 영향을 받지 않는다. ➡ 온도가 변해도 용매의 질량이나 용질의 양(mol)은 변하지 않기 때문이다.

(2) 화학 실험에서 온도 변화에 관계없이 일정한 농도의 용액이 필요할 때 사용한다.

*** 퍼센트 농도의 사용**
퍼센트 농도는 인원, 개수, 금액, 질량, 부피 등의 비율을 나타낼 때 사용한다. 보통 질량 퍼센트 농도를 많이 사용하지만, 액체 식품, 과일 음료 등에는 부피 퍼센트 농도를 사용한다.

교학사, 상상 교과서에만 나와요.
*** 용존 산소량**
하천이나 호수 등의 물속에 녹아 있는 산소의 양을 용존 산소량이라고 한다. 용존 산소량은 보통 물 1 L 속의 산소량을 질량(mg)으로 나타낸다.

암기해
- **몰 농도(M)**: 용액 1 L 속에 녹아 있는 용질의 양(mol)
- **몰랄 농도(m)**: 용매 1 kg 속에 녹아 있는 용질의 양(mol)

용어
❶ **ppm** parts per million의 약자, 백만(10^6)분의 일(1)이라는 뜻

01 용액의 농도

탐구 자료창 여러 가지 농도의 용액 만들기

목표 특정한 몰 농도와 몰랄 농도의 염화 나트륨 수용액을 만들 수 있다.

1 M NaCl 수용액 만들기

과정
❶ 빈 비커를 저울 위에 올려놓고 영점 조정을 한 후 염화 나트륨(NaCl) 58.5 g을 정확히 측정한다.
❷ ❶의 비커에 적당량의 증류수를 넣어 NaCl을 녹인 다음, 1 L 부피 플라스크에 붓는다.
❸ ❷의 비커에 남아 있는 용액을 소량의 증류수로 2~3회 정도 씻어 부피 플라스크에 붓는다.
❹ 부피 플라스크의 표시선에 맞춰 증류수를 채우고 마개를 닫은 후, 잘 흔들어 섞는다.
└ 스포이트나 씻기병을 이용하여 표시선까지 정확하게 채운다.

➡

➡

➡
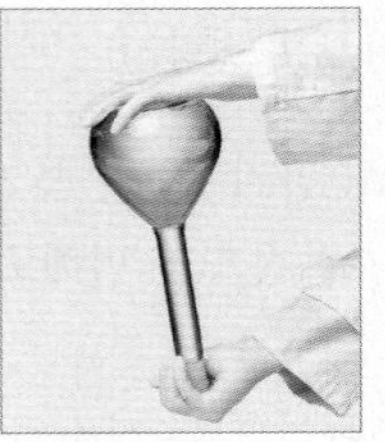

해석
1. **NaCl 58.5 g을 녹인 까닭:** 1 M NaCl 수용액 1 L를 만들기 위해 필요한 NaCl의 양(mol)은 1몰이므로 화학식량이 58.5인 NaCl 58.5 g이 필요하다.
2. **NaCl을 모두 녹인 후 증류수를 더 넣어 용액의 부피를 1 L로 맞추는 까닭:** 물 1 L에 NaCl 58.5 g을 녹이면 용액의 부피가 1 L보다 커져 농도가 1 M보다 작아지기 때문이다.

결론 1 M의 용액은 용질 1몰이 녹아 있는 용액의 전체 부피가 1 L가 되도록 맞추어 만든다.
└ 용질과 용매의 부피를 합한 값이 1 L이므로 용매만의 정확한 부피는 알 수 없다.

1 *m* NaCl 수용액 만들기

과정
❶ 빈 비커를 저울 위에 올려놓고 영점 조정을 한 후 염화 나트륨(NaCl) 58.5 g을 정확히 측정한다.
❷ 빈 부피 플라스크를 저울 위에 올려놓고 영점 조정을 한다.
❸ ❶의 비커에 적당량의 증류수를 넣어 NaCl을 녹인 다음, ❷의 부피 플라스크에 붓는다.
❹ ❸의 비커에 남아 있는 용액을 소량의 증류수로 2~3회 정도 씻어 부피 플라스크에 붓는다.
❺ 부피 플라스크의 질량이 1058.5 g이 될 때까지 증류수를 채우고 마개를 닫은 후, 잘 흔들어 섞는다.

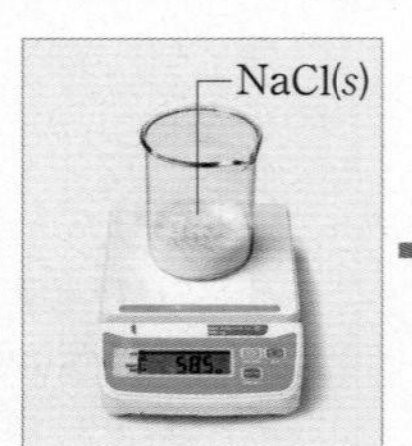

➡

➡

➡
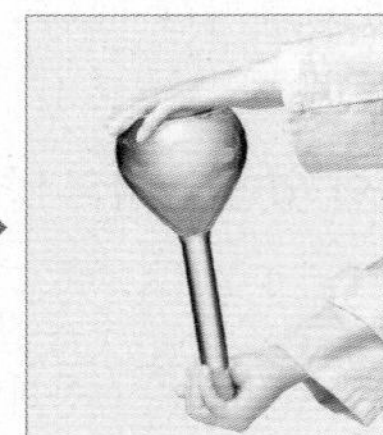

해석 **NaCl을 모두 녹인 후 증류수를 더 넣어 용액의 질량을 1058.5 g으로 맞추는 까닭:** 물 1 kg(=1000 g)에 NaCl 58.5 g을 녹이면 농도가 1 *m*가 되기 때문이다.

결론 1 *m*의 용액은 용질 1몰을 용매 1 kg에 녹여 만든다.

확인 문제
1 1 M NaCl 수용액 500 mL를 만들기 위해 필요한 NaCl의 질량(g)을 구하시오.
2 NaCl 5.85 g이 녹아 있는 NaCl 수용액 1005.85 g의 몰랄 농도(*m*)를 구하시오.

주의해
몰 농도의 성질
온도가 달라지면 용액의 부피가 달라져 몰 농도가 달라지므로 일정 농도의 용액을 만드는 실험을 할 때는 온도를 일정하게 유지해야 한다.

확인 문제 답
1 29.25 g
[풀이] 1 M NaCl 수용액은 수용액 1 L 속에 NaCl 58.5 g이 녹아 있다. 따라서 1 M NaCl 수용액 500 mL를 만들기 위해 필요한 NaCl은 29.25 $(=\frac{58.5}{2})$ g이다.
2 0.1 *m*
[풀이] NaCl 5.85 g은 0.1몰이고 용매의 질량은 1000 g(=1 kg)이므로 용액의 몰랄 농도는 0.1 *m* 이다.

개념 확인 문제

정답친해 32쪽

핵심 체크

용액의 농도	정의	식
(❶) 농도	용액 100 g 속에 녹아 있는 용질의 질량	$\frac{\text{용질의 질량(g)}}{\text{용액의 질량(g)}} \times 100$ (단위: %)
ppm 농도	용액 (❷) g 속에 녹아 있는 용질의 질량	$\frac{\text{용질의 질량(g)}}{\text{용액의 질량(g)}} \times$ (❷) (단위: ppm)
몰 농도	(❸) 1 L 속에 녹아 있는 용질의 양(mol)	$\frac{\text{용질의 양(mol)}}{\text{(❸ \quad)의 부피(L)}}$ (단위: M 또는 mol/L)
(❹) 농도	용매 1 kg 속에 녹아 있는 용질의 양(mol)	$\frac{\text{용질의 양(mol)}}{\text{(❺ \quad)의 질량(kg)}}$ (단위: m 또는 mol/kg)

1 (　　) 안에 알맞은 말을 쓰시오.

(1) 용질이 용매에 녹아 들어가는 현상을 (　　)라고 한다.

(2) (　　)은 두 종류 이상의 순물질이 균일하게 섞여 있는 혼합물이다.

(3) 액체와 액체로 이루어진 용액에서 양이 많은 액체가 ㉠(　　)이고, 양이 적은 액체가 ㉡(　　)이다.

2 용액의 농도에 대한 설명으로 옳은 것은 ○, 옳지 않은 것은 ×로 표시하시오.

(1) 퍼센트 농도는 용질의 입자 수를 이용하여 용액의 농도를 나타낸다. ········ (　　)

(2) 용액에 녹아 있는 용질의 양이 매우 적은 경우에 ppm 농도를 사용한다. ········ (　　)

(3) 몰 농도와 몰랄 농도는 온도에 따라 변한다. (　　)

3 다음 각 용액의 농도를 구하시오.

(1) 밀도가 1.84 g/mL인 황산 1 L 속에 순수한 황산 184 g이 들어 있을 때 황산의 퍼센트 농도(%)

(2) 지하수 10 kg 속에 산소가 10 mg 녹아 있을 때 이 지하수에 녹아 있는 산소의 ppm 농도(ppm)

(3) 수산화 나트륨(화학식량: 40) 4 g이 녹아 있는 수산화 나트륨 수용액 500 mL의 몰 농도(M)

(4) 물 100 g에 포도당(화학식량: 180) 9.0 g을 녹인 용액의 몰랄 농도(m)

4 용액의 농도 중 온도의 영향을 받는 것만을 [보기]에서 있는 대로 고르시오.

[보기]
ㄱ. 퍼센트 농도　　ㄴ. ppm 농도
ㄷ. 몰 농도　　ㄹ. 몰랄 농도

5 그림은 0.1 M NaOH 수용액 1 L를 만드는 과정을 나타낸 것이다.

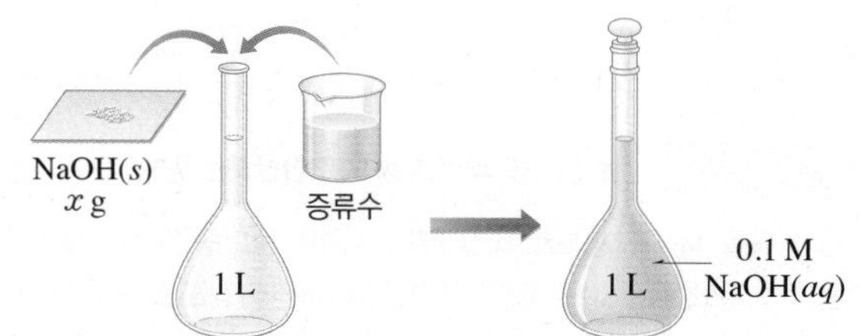

이에 대한 설명으로 옳은 것은 ○, 옳지 않은 것은 ×로 표시하시오. (단, NaOH의 화학식량은 40이다.)

(1) 이 용액 속에 녹아 있는 NaOH의 양(mol)은 0.1몰이다. ········ (　　)

(2) x는 0.4이다. ········ (　　)

(3) 온도가 높아지면 이 용액의 몰 농도는 0.1 M보다 커진다. ········ (　　)

(4) 이 용액 속 증류수의 부피는 1 L이다. ········ (　　)

(5) 이 용액 500 mL 속에 녹아 있는 NaOH의 양(mol)은 0.05몰이다. ········ (　　)

C 농도 단위 환산

완자쌤 비법특강 86쪽

실험에서는 주로 몰 농도나 몰랄 농도를 사용하지만, 시약병에 담겨 있는 화학 물질은 퍼센트 농도로 표시되어 있는 경우가 많아요. 퍼센트 농도로 표시된 물질로 특정 몰 농도나 몰랄 농도의 용액을 만들려면 농도 단위를 환산해서 사용해야 하죠. 용액의 농도를 다른 단위의 농도로 환산하는 방법을 알아보아요.

1. 퍼센트 농도를 몰 농도로 환산하는 방법 몰 농도는 용액 1 L 속에 녹아 있는 용질의 양(mol)이므로 퍼센트 농도를 몰 농도로 바꿀 때는 용액의 부피를 1 L로 가정하고, 용액의 밀도, 용질의 몰 질량을 이용하여 몰 농도를 구한다.

예제 35 % 염산($HCl(aq)$)의 몰 농도를 구해 보자. (단, HCl의 분자량은 36.5이고, $HCl(aq)$의 밀도는 1.18 g/mL이다.)

1단계 **밀도를 이용하여 용액 1 L의 질량을 구한다.**

$$HCl(aq)\text{의 질량(g)} = HCl(aq)\text{의 부피(mL)} \times HCl(aq)\text{의 밀도(g/mL)} = 1000\ \text{mL} \times 1.18\ \text{g/mL} = 1180\ \text{g}$$

2단계 **퍼센트 농도를 이용하여 용액 1 L 속에 녹아 있는 용질의 질량을 구한다.**

$$HCl\text{의 질량(g)} = HCl(aq)\text{의 질량(g)} \times \frac{\text{퍼센트 농도}}{100} = 1180\ \text{g} \times \frac{35}{100} = 413\ \text{g}$$

3단계 **2단계에서 구한 용질의 질량에 해당하는 양(mol)을 구한다.**

$$HCl\text{의 양(mol)} = \frac{HCl\text{의 질량(g)}}{HCl\text{의 몰 질량(g/mol)}} = \frac{413\ \text{g}}{36.5\ \text{g/mol}} \fallingdotseq 11.3\ \text{mol}$$

4단계 **몰 농도를 구한다.**

$$\text{몰 농도(M)} = \frac{HCl\text{의 양(mol)}}{HCl(aq)\text{의 부피(L)}} = \frac{11.3\ \text{mol}}{1\ \text{L}} = 11.3\ \text{M}$$

주의해

농도의 환산과 밀도

밀도는 단위 부피당 질량이므로 질량을 부피로 환산하거나 부피를 질량으로 환산할 때 밀도를 사용한다.

[예제 1] 10 % 탄산수소 칼륨($KHCO_3$)의 몰 농도를 구하시오. (단, $KHCO_3$의 화학식량은 100이고, 용액의 밀도는 1 g/mL이다.)

풀이 용액 1 L(=1000 g)에 녹아 있는 용질의 질량은 $1000\ \text{g} \times \frac{10}{100} = 100\ \text{g}$이다.

용질의 양(mol)은 $\frac{100\ \text{g}}{100\ \text{g/mol}} = 1\ \text{mol}$이므로 몰 농도(M)는 $\frac{1\ \text{mol}}{1\ \text{L}} = 1\ \text{M}$이다.

확대경 **몰 농도를 퍼센트 농도로 환산하는 방법**

몰 농도를 퍼센트 농도로 바꿀 때도 퍼센트 농도를 몰 농도로 바꿀 때처럼 용액의 부피를 1 L로 가정하고, 용액의 밀도, 용질의 몰 질량을 이용하여 퍼센트 농도를 구한다.

예제 1 M 염산($HCl(aq)$)의 퍼센트 농도를 구해 보자. (단, HCl의 분자량은 36.5이고, $HCl(aq)$의 밀도는 1.18 g/mL이다.)

1단계 밀도를 이용하여 용액 1 L의 질량을 구한다.

$$HCl(aq)\text{의 질량(g)} = HCl(aq)\text{의 부피(mL)} \times HCl(aq)\text{의 밀도(g/mL)} = 1000\ \text{mL} \times 1.18\ \text{g/mL} = 1180\ \text{g}$$

2단계 몰 농도를 이용하여 용액 1 L 속에 녹아 있는 용질의 양(mol)을 구한다.

$$HCl\text{의 양(mol)} = HCl(aq)\text{의 몰 농도(mol/L)} \times HCl(aq)\text{의 부피(L)} = 1\ \text{mol/L} \times 1\ \text{L} = 1\ \text{mol}$$

3단계 2단계에서 구한 용질의 양(mol)에 해당하는 질량을 구한다.

$$HCl\text{의 질량(g)} = HCl\text{의 몰 질량(g/mol)} \times HCl\text{의 양(mol)} = 36.5\ \text{g/mol} \times 1\ \text{mol} = 36.5\ \text{g}$$

4단계 퍼센트 농도를 구한다.

$$\text{퍼센트 농도(\%)} = \frac{HCl\text{의 질량(g)}}{HCl(aq)\text{의 질량(g)}} \times 100 = \frac{36.5\ \text{g}}{1180\ \text{g}} \times 100 \fallingdotseq 3.1\ \%$$

2. 퍼센트 농도를 몰랄 농도로 환산하는 방법 몰랄 농도는 용매 1 kg 속에 녹아 있는 용질의 양(mol)이므로 퍼센트 농도를 몰랄 농도로 바꿀 때는 용액의 질량을 100 g으로 가정하고, 용질의 몰 질량을 이용하여 몰랄 농도를 구한다.

예제 20 % 수산화 나트륨(NaOH) 수용액의 몰랄 농도를 구해 보자. (단, NaOH의 화학식량은 40이다.)

1단계 **퍼센트 농도를 이용하여 용액 100 g 속에 녹아 있는 용질의 질량을 구한다.**

$$\text{NaOH의 질량(g)} = \text{NaOH 수용액의 질량(g)} \times \frac{\text{퍼센트 농도}}{100}$$
$$= 100\text{ g} \times \frac{20}{100} = 20\text{ g}$$

2단계 **1단계 에서 구한 용질의 질량에 해당하는 양(mol)을 구한다.**

$$\text{NaOH의 양(mol)} = \frac{\text{NaOH의 질량(g)}}{\text{NaOH의 몰 질량(g/mol)}} = \frac{20\text{ g}}{40\text{ g/mol}} = 0.5\text{ mol}$$

3단계 **용액 100 g 속에 들어 있는 용매의 질량(kg)을 구한다.**

$$\text{물의 질량(kg)} = \text{NaOH 수용액의 질량(kg)} - \text{NaOH의 질량(kg)}$$
$$= 0.1\text{ kg} - 0.02\text{ kg} = 0.08\text{ kg}$$

4단계 **몰랄 농도를 구한다.**

$$\text{몰랄 농도}(m) = \frac{\text{NaOH의 양(mol)}}{\text{물의 질량(kg)}} = \frac{0.5\text{ mol}}{0.08\text{ kg}} = 6.25\ m$$

지학사 교과서에만 나와요.

3. 몰 농도를 몰랄 농도로 환산하는 방법 몰랄 농도는 용매 1 kg 속에 녹아 있는 용질의 양(mol)이므로 몰 농도를 몰랄 농도로 바꿀 때는 용액의 부피를 1 L로 가정하고, 용액의 밀도, 용질의 몰 질량을 이용하여 몰랄 농도를 구한다.

예제 3 M 수산화 나트륨(NaOH) 수용액의 몰랄 농도를 구해 보자. (단, NaOH의 화학식량은 40이고, NaOH 수용액의 밀도는 1.2 g/mL이다.)

1단계 **밀도를 이용하여 용액 1 L의 질량을 구한다.**

$$\text{NaOH 수용액의 질량(g)}$$
$$= \text{NaOH 수용액의 부피(mL)} \times \text{NaOH 수용액의 밀도(g/mL)}$$
$$= 1000\text{ mL} \times 1.2\text{ g/mL} = 1200\text{ g} = 1.2\text{ kg}$$

2단계 **몰 농도를 이용하여 용액 1 L 속에 녹아 있는 용질의 양(mol)을 구한다.**

$$\text{NaOH의 양(mol)} = \text{NaOH 수용액의 몰 농도(mol/L)} \times \text{NaOH 수용액의 부피(L)}$$
$$= 3\text{ mol/L} \times 1\text{ L} = 3\text{ mol}$$

3단계 **2단계 에서 구한 용질의 양(mol)에 해당하는 질량을 구한다.**

$$\text{NaOH의 질량(g)} = \text{NaOH의 양(mol)} \times \text{NaOH의 몰 질량(g/mol)}$$
$$= 3\text{ mol} \times 40\text{ g/mol} = 120\text{ g} = 0.12\text{ kg}$$

4단계 **용액 1 L 속에 들어 있는 용매의 질량(kg)을 구한다.**

$$\text{물의 질량(kg)} = \text{NaOH 수용액의 질량(kg)} - \text{NaOH의 질량(kg)}$$
$$= 1.2\text{ kg} - 0.12\text{ kg} = 1.08\text{ kg}$$

5단계 **몰랄 농도를 구한다.**

$$\text{몰랄 농도}(m) = \frac{\text{NaOH의 양(mol)}}{\text{물의 질량(kg)}} = \frac{3\text{ mol}}{1.08\text{ kg}} \fallingdotseq 2.8\ m$$

주의해

질량 단위

퍼센트 농도에서 사용하는 질량 단위는 g이고, 몰랄 농도에서 사용하는 용매의 질량 단위는 kg이므로 퍼센트 농도를 몰랄 농도로 환산할 때는 g과 kg을 주의해야 한다.

[예제 **2**] 10 % 수산화 나트륨(NaOH) 수용액의 몰랄 농도를 구하시오. (단, NaOH의 화학식량은 40이다.)

풀이 용액의 질량이 100 g이라면 용질의 질량(g)은 $100\text{ g} \times \frac{10}{100}$ $= 10$ g이다.

10 g에 해당하는 용질의 양(mol)은 $\frac{10\text{ g}}{40\text{ g/mol}} = 0.25$ mol이므로 몰랄 농도(m)는 $\frac{0.25\text{ mol}}{(0.1-0.01)\text{ kg}}$ $\fallingdotseq 2.8\ m$이다.

몰 농도를 몰랄 농도로 환산하는 방법은 지학사 교과서에만 제시되어 있지만, 몰 농도와 몰랄 농도의 개념만 정확히 알고 있어도 환산할 수 있으므로 시험 문제로 출제될 수 있어요. 그러니 정확히 이해하고 넘어가도록 해요.

농도 단위 환산하기

정답친해 32쪽

용액의 농도는 관련 문제가 거의 매년 수능에 출제되는 중요한 내용이에요. 농도 단위의 환산 문제는 계산 과정에서 시간이 많이 걸리므로 완자쌤 비법 특강을 통해 환산에 필요한 값이 무엇인지 정확히 알고, 각각의 농도를 서로 환산하는 식을 일반화하여 시간을 단축할 수 있는 방법을 알아보아요.

1 퍼센트 농도를 몰 농도로 환산하는 방법

화학식량이 M_w인 용질이 녹아 있는 a % 수용액의 밀도가 d(g/mL)일 때 수용액의 몰 농도 구하기

1단계	용액 1 L의 질량(g)을 구한다.	$1000(\text{mL}) \times d(\text{g/mL}) = 1000d(\text{g})$
2단계	용액 1 L 속에 녹아 있는 용질의 질량(g)을 구한다.	$1000d \times \frac{a}{100} = 10ad(\text{g})$
3단계	2단계에서 구한 용질의 질량(g)에 해당하는 양(mol)을 구한다.	$\frac{10ad}{M_w}(\text{mol})$
4단계	몰 농도를 구한다.	a % 수용액의 몰 농도(M)$=\frac{10ad}{M_w}$(M)

2 퍼센트 농도를 몰랄 농도로 환산하는 방법

화학식량이 M_w인 용질이 녹아 있는 a % 수용액의 몰랄 농도 구하기

1단계	용액 100 g 속에 들어 있는 용질과 용매의 질량(g)을 구한다.	용질의 질량$=a$(g), 용매의 질량$=100-a$(g)
2단계	1단계에서 구한 용매의 질량 단위를 g → kg으로 변환한다.	$\frac{100-a}{1000}$(kg) → g은 kg의 $\frac{1}{1000}$이므로
3단계	1단계에서 구한 용질의 질량(g)에 해당하는 양(mol)을 구한다.	$\frac{a}{M_w}$(mol)
4단계	몰랄 농도를 구한다.	a % 수용액의 몰랄 농도(m)$=\frac{1000a}{(100-a)M_w}$($m$)

3 몰 농도를 몰랄 농도로 환산하는 방법

화학식량이 M_w인 용질이 녹아 있는 a M 수용액의 밀도가 d(g/mL)일 때 수용액의 몰랄 농도 구하기

1단계	용액 1 L의 질량(g)을 구한다.	$1000(\text{mL}) \times d(\text{g/mL}) = 1000d(\text{g})$
2단계	용액 1 L 속에 녹아 있는 용질의 양(mol)을 구한다.	a(mol)
3단계	2단계에서 구한 용질의 양(mol)에 해당하는 질량(g)을 구한다.	aM_w(g)
4단계	용액 1 L 속에 들어 있는 용매의 질량(kg)을 구한다.	$\frac{1000d-aM_w}{1000}$(kg)
5단계	몰랄 농도를 구한다.	a M 수용액의 몰랄 농도(m)$=\frac{1000a}{1000d-aM_w}$($m$)

Q1 밀도가 1.84 g/mL인 98 % 황산($H_2SO_4(aq)$)의 몰 농도와 몰랄 농도를 각각 구하시오. (단, H_2SO_4의 화학식량은 98이다.)

Q2 밀도가 1.1 g/mL인 1 M 포도당 수용액의 몰랄 농도를 구하시오. (단, 포도당의 분자량은 180이고, 소수점 아래 둘째 자리에서 반올림한다.)

개념 확인 문제

정답친해 33쪽

핵심 체크

퍼센트 농도 ⇨ 몰 농도	[1단계] 용액의 밀도를 이용하여 용액 1 L의 (❶)을 구한다. [2단계] 퍼센트 농도를 이용하여 용액 1 L 속에 녹아 있는 용질의 질량을 구한다. [3단계] [2단계]에서 구한 용질의 질량에 해당하는 (❷)을 구한다. [4단계] 몰 농도를 구한다.
퍼센트 농도 ⇨ 몰랄 농도	[1단계] 퍼센트 농도를 이용하여 용액 100 g 속에 녹아 있는 용질의 질량을 구한다. [2단계] [1단계]에서 구한 용질의 질량에 해당하는 (❸)을 구한다. [3단계] 용액 100 g 속에 들어 있는 용매의 (❹)을 구한다. [4단계] 몰랄 농도를 구한다.
몰 농도 ⇨ 몰랄 농도	[1단계] 용액의 밀도를 이용하여 용액 1 L의 질량을 구한다. [2단계] 몰 농도를 이용하여 용액 1 L 속에 녹아 있는 용질의 양(mol)을 구한다. [3단계] [2단계]에서 구한 용질의 양(mol)에 해당하는 질량을 구한다. [4단계] 용액 1 L 속에 들어 있는 용매의 (❺)을 구한다. [5단계] 몰랄 농도를 구한다.

1 5 % 염화 나트륨(NaCl) 수용액의 몰 농도를 구하기 위해 필요한 자료만을 [보기]에서 있는 대로 고르시오.

보기

ㄱ. 물의 질량　　　　ㄴ. NaCl의 화학식량
ㄷ. 물의 분자량　　　ㄹ. NaCl 수용액의 밀도

2 다음은 6 % 요소 수용액의 몰랄 농도를 구하는 과정이다.

(가) 6 % 요소 수용액 100 g 속에는 요소 (　　　) g이 녹아 있다.
(나) (가)에서 구한 질량에 해당하는 요소의 양(mol)은 (　　　)몰이다.
(다) 6 % 요소 수용액 100 g 속에 들어 있는 물의 질량은 (　　　) kg이다.
(라) 6 % 요소 수용액의 몰랄 농도는 약 (　　　) m이다.

(　　　) 안에 알맞은 값을 쓰시오. (단, 요소의 분자량은 60이고, 몰랄 농도는 소수점 아래 셋째 자리에서 반올림한다.)

3 그림은 0.18 % 포도당 수용액을 나타낸 것이다. (단, 포도당의 분자량은 180이고, 포도당 수용액의 밀도는 1.0 g/mL이다.)

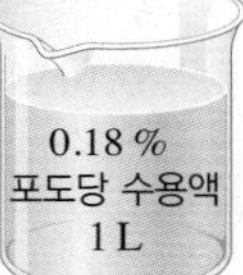

(1) 이 수용액의 몰 농도를 구하시오.

(2) 이 수용액의 몰랄 농도를 구하시오. (단, 소수점 아래 셋째 자리에서 반올림한다.)

4 농도가 36.5 %인 염산(HCl(aq))의 몰 농도를 구하시오. (단, HCl의 화학식량은 36.5이고, HCl(aq)의 밀도는 1.25 g/mL이다.)

5 20 % 수산화 나트륨(NaOH) 수용액의 몰랄 농도를 구하시오. (단, NaOH의 화학식량은 40이다.)

6 0.5 M 요소 수용액의 몰랄 농도를 구하시오. (단, 요소의 분자량은 60이고, 요소 수용액의 밀도는 1.11 g/mL이며, 소수점 아래 셋째 자리에서 반올림한다.)

대표 자료 분석

정답친해 33쪽

학교 시험에 자주 출제되는 대표 자료와 그 자료에 대한 문제를 통해 자료를 완벽하게 이해할 수 있다.

자료 1 용액의 농도

기출 Point
- 수용액에 녹아 있는 용질의 질량과 양(mol) 계산
- 수용액의 농도를 같은 농도로 환산하여 비교

[1~3] 그림은 일정한 온도에서 농도가 다른 3가지 포도당 수용액을 나타낸 것이다. (단, 포도당의 분자량은 180이고, 수용액의 밀도는 모두 1.05 g/mL로 가정한다.)

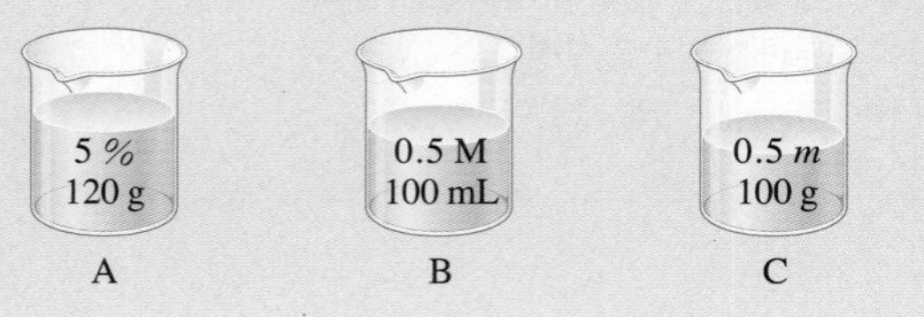

1 A~C 수용액에 각각 녹아 있는 포도당의 질량(g)을 비교하여 등호나 부등호로 나타내시오.

2 다음은 A 수용액의 농도를 몰랄 농도로 환산하는 과정의 일부이다.

- (가) $= 120\text{ g} \times \frac{5}{100}$
- (나) $= 120\text{ g} -$ (가)
- (다) $= \frac{(가)}{180\text{ g/mol}}$

(가)~(다)는 각각 무엇을 나타내는지 쓰시오.

3 빈출 선택지로 완벽 정리!

(1) 수용액에 녹아 있는 포도당의 양(mol)은 C 수용액이 가장 작다. (○ / ×)

(2) A 수용액의 몰 농도는 0.5 M이다. (○ / ×)

(3) B 수용액의 몰랄 농도는 0.5 *m*보다 크다. (○ / ×)

(4) C 수용액에 증류수 108.26 g을 더하면 수용액의 몰랄 농도는 0.25 *m*가 된다. (○ / ×)

자료 2 용액의 농도 단위 환산

기출 Point
- 퍼센트 농도를 몰 농도 또는 몰랄 농도로 환산
- 몰 농도를 몰랄 농도로 환산

[1~4] 그림은 25 °C의 A 수용액 (가)와 (나)를 나타낸 것이다. (단, A의 화학식량은 40이다.)

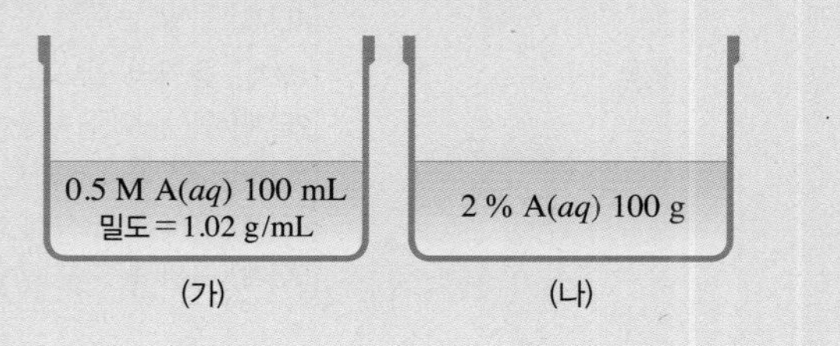

1 (가)와 (나)에서 A의 양(mol)을 비교하여 등호나 부등호로 나타내시오.

2 (가)와 (나)를 혼합한 수용액의 몰랄 농도를 구하시오. (단, 소수점 아래 둘째 자리에서 반올림한다.)

3 (가)에 물 98 g을 추가한 수용액의 퍼센트 농도를 구하시오.

4 빈출 선택지로 완벽 정리!

(1) (가)와 (나) 수용액 속에 녹아 있는 A의 질량은 같다. (○ / ×)

(2) (가) 수용액의 퍼센트 농도는 2 %보다 작다. (○ / ×)

(3) (나) 수용액의 몰랄 농도는 0.5 *m*보다 작다. (○ / ×)

(4) (가)와 (나) 두 수용액의 온도를 50 °C로 높여도 수용액의 농도는 변하지 않는다. (○ / ×)

내신 만점 문제

정답친해 34쪽

Ⓐ 용해와 용액

01 용해와 용액에 대한 설명으로 옳은 것만을 [보기]에서 있는 대로 고른 것은?

[보기]
ㄱ. 용액은 균일 혼합물이다.
ㄴ. 극성 물질은 무극성 용매에 잘 녹는다.
ㄷ. 용해는 용질 입자 간 인력이나 용매 입자 간 인력보다 용질-용매 입자 간 인력이 강할 때 잘 일어난다.

① ㄱ ② ㄴ ③ ㄱ, ㄷ
④ ㄴ, ㄷ ⑤ ㄱ, ㄴ, ㄷ

Ⓑ 용액의 농도

[02~03] 표는 어느 지역의 지하수 100 g에 대한 수질 검사 결과와 먹는 물의 수질 기준이다.

성분	수질 검사 결과 ($\times 10^{-4}$ g)	먹는 물의 수질 기준 (mg/kg)
납	0.3	0.05 이하
플루오린	1.0	1.5 이하
수은	0.0005	0.001 이하
비소	검출되지 않음	0.01 이하

02 이에 대한 설명으로 옳지 않은 것은?

① 납의 수질 검사 결과는 0.03 ppm이다.
② 지하수에 포함된 플루오린의 농도는 0.0001 %이다.
③ 수은은 먹는 물의 기준을 만족한다.
④ 비소는 먹는 물의 수질 기준이 0.01 ppm 이하이다.
⑤ 이 지하수는 먹는 물로 적합하지 않다.

03 서술형 일반적으로 먹는 물의 수질 기준은 ppm 농도로 나타낸다. 그 까닭을 ppm 농도의 정의를 언급하여 서술하시오.

04 중요 그림은 탄산수소 칼륨($KHCO_3$) 수용액을 나타낸 것이다.

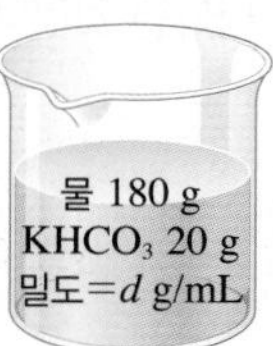

이에 대한 설명으로 옳은 것만을 [보기]에서 있는 대로 고른 것은? (단, $KHCO_3$의 화학식량은 100이다.)

[보기]
ㄱ. 퍼센트 농도는 10 %이다.
ㄴ. 몰랄 농도는 1 m보다 크다.
ㄷ. 몰 농도는 d M이다.

① ㄱ ② ㄷ ③ ㄱ, ㄴ
④ ㄴ, ㄷ ⑤ ㄱ, ㄴ, ㄷ

05 중요 다음은 0.1 M 수산화 나트륨(NaOH) 수용액을 만드는 실험 과정을 나타낸 것이다.

(가) NaOH x g을 정확히 측정하여 증류수에 완전히 녹인다.
(나) (가)의 용액을 1 L A에 넣는다.
(다) 1 L A의 표시선까지 증류수를 채운다.
(라) A의 마개를 닫고 용액이 잘 섞이도록 흔들어 준다.

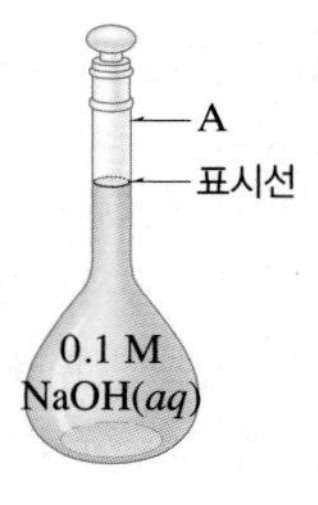

이에 대한 설명으로 옳은 것만을 [보기]에서 있는 대로 고른 것은? (단, NaOH의 화학식량은 40이고, 온도는 일정하다.)

[보기]
ㄱ. x는 0.4이다.
ㄴ. A는 부피 플라스크이다.
ㄷ. (라)에서 만든 수용액의 온도를 높이면 몰 농도가 0.1 M보다 작아진다.

① ㄱ ② ㄷ ③ ㄱ, ㄴ
④ ㄴ, ㄷ ⑤ ㄱ, ㄴ, ㄷ

06 그림은 수산화 나트륨($NaOH$) 수용액 (가)와 (나)를 섞어 (다)를 만드는 과정을 나타낸 것이다.

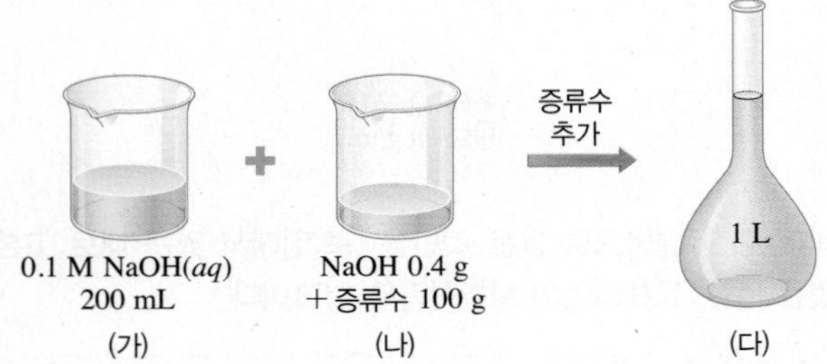

이에 대한 설명으로 옳은 것만을 [보기]에서 있는 대로 고른 것은? (단, $NaOH$의 화학식량은 40이고, 온도는 일정하다.)

[보기]
ㄱ. 녹아 있는 $NaOH$의 질량은 (가)가 (나)의 2배이다.
ㄴ. (다)의 몰 농도는 0.03 M이다.
ㄷ. (다)에 들어 있는 증류수의 부피는 1 L이다.

① ㄴ ② ㄷ ③ ㄱ, ㄴ
④ ㄱ, ㄷ ⑤ ㄱ, ㄴ, ㄷ

07 다음은 A 수용액 (가)~(다)를 만드는 과정이다.

(가) 물 160 g에 A 40 g을 넣어 모두 녹인다.
(나) (가)에서 만든 수용액 10 g에 물을 넣어 수용액 1 L를 만든다.
(다) (가)에서 만든 수용액 50 g과 (나)에서 만든 수용액 500 mL를 혼합한다.

이에 대한 설명으로 옳은 것만을 [보기]에서 있는 대로 고른 것은? (단, A의 화학식량은 100이고, 온도는 일정하다.)

[보기]
ㄱ. (가)에서 만든 수용액의 몰랄 농도는 0.25 m이다.
ㄴ. (나)에서 만든 수용액의 몰 농도는 0.02 M이다.
ㄷ. (다)에서 만든 수용액 속에 녹아 있는 A의 양(mol)은 0.11몰이다.

① ㄱ ② ㄷ ③ ㄱ, ㄴ
④ ㄴ, ㄷ ⑤ ㄱ, ㄴ, ㄷ

중요 **08** 표는 수용액 (가)와 (나)에 대한 자료이다.

수용액	(가)	(나)
수용액의 양	100 mL	110 g
수용액의 밀도	0.96 g/mL	1.1 g/mL
용질의 종류와 질량	에탄올 24 g	요소 20 g
용질의 분자량	46	60

이에 대한 설명으로 옳은 것만을 [보기]에서 있는 대로 고른 것은? (단, 온도는 일정하다.)

[보기]
ㄱ. (가)의 퍼센트 농도는 24 %이다.
ㄴ. (나)의 몰랄 농도는 $\frac{100}{27}$ m이다.
ㄷ. 몰 농도는 (가)가 (나)보다 크다.

① ㄱ ② ㄷ ③ ㄱ, ㄴ
④ ㄴ, ㄷ ⑤ ㄱ, ㄴ, ㄷ

09 그림은 1 m X 수용액 1 kg으로 2가지 수용액을 만드는 과정을 나타낸 것이다.

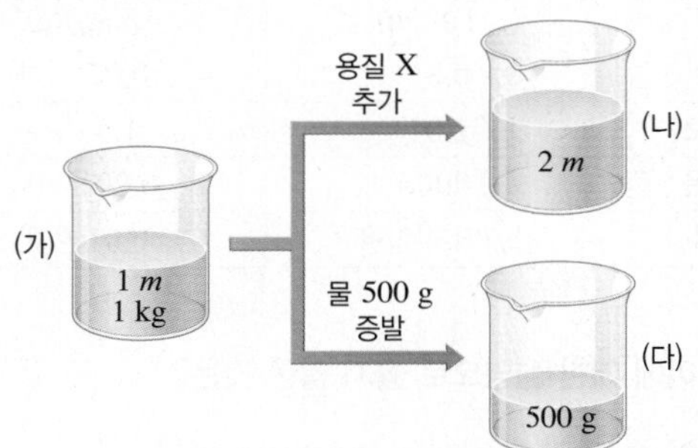

이에 대한 설명으로 옳은 것만을 [보기]에서 있는 대로 고른 것은? (단, X의 분자량은 M이고, X의 증발은 무시한다.)

[보기]
ㄱ. (가) 속에 녹아 있는 용질의 질량은 M g이다.
ㄴ. (나)에 추가로 녹인 X의 질량은 $\frac{1000M}{1000+M}$ g이다.
ㄷ. (다)의 몰랄 농도는 2 m이다.

① ㄱ ② ㄴ ③ ㄱ, ㄷ
④ ㄴ, ㄷ ⑤ ㄱ, ㄴ, ㄷ

중요 **10** 표는 수용액 (가)~(다)에 대한 자료이다.

수용액	용질	용액 1 L당 용질의 질량(g)	몰 농도(M)
(가)	X	40	a
(나)	X	10	b
(다)	Y	10	a

이에 대한 설명으로 옳은 것만을 [보기]에서 있는 대로 고른 것은? (단, 모든 수용액의 밀도는 1 g/mL이다.)

[보기]
ㄱ. $b=4a$이다.
ㄴ. 몰랄 농도는 (가)가 (다)보다 크다.
ㄷ. 퍼센트 농도는 (나)와 (다)가 같다.

① ㄱ ② ㄷ ③ ㄱ, ㄴ
④ ㄴ, ㄷ ⑤ ㄱ, ㄴ, ㄷ

Ⓒ 농도 단위 환산

중요 **11** 다음은 50 % 황산($H_2SO_4(aq)$)의 몰 농도와 몰랄 농도를 구하는 과정이다.

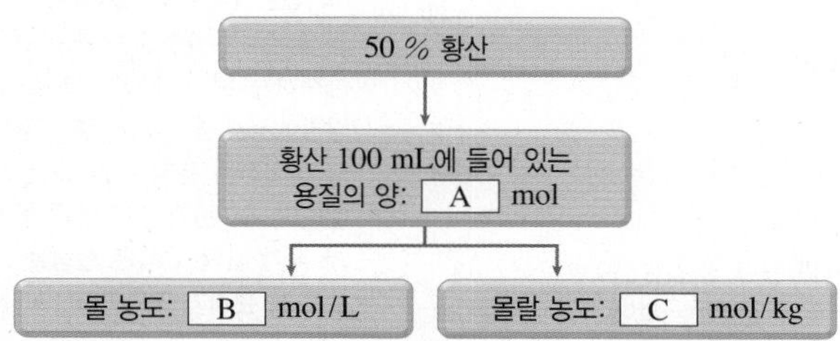

A~C의 값을 M과 d로 각각 나타내시오. (단, H_2SO_4의 화학식량은 M이고, 50 % $H_2SO_4(aq)$의 밀도는 d g/mL이다.)

12 그림은 농도가 다른 탄산수소 칼륨($KHCO_3$) 수용액 (가)와 (나)를 혼합한 후 증류수를 추가하여 수용액 800 g을 만드는 과정을 나타낸 것이다.

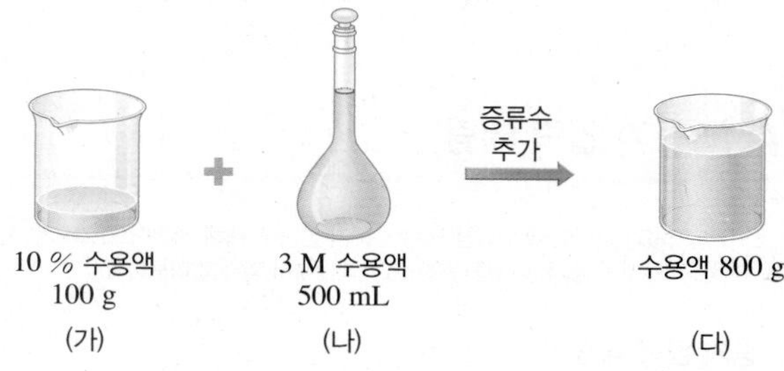

이에 대한 설명으로 옳은 것만을 [보기]에서 있는 대로 고른 것은? (단, $KHCO_3$의 화학식량은 100이다.)

[보기]
ㄱ. (가) 속에 녹아 있는 $KHCO_3$의 질량은 10 g이다.
ㄴ. (나)에 들어 있는 물의 질량은 350 g이다.
ㄷ. (다)의 몰랄 농도는 2.5 m이다.

① ㄱ ② ㄴ ③ ㄱ, ㄷ
④ ㄴ, ㄷ ⑤ ㄱ, ㄴ, ㄷ

중요 **13** 그림은 25 °C에서 A 수용액 (가)와 (나)를 나타낸 것이다.

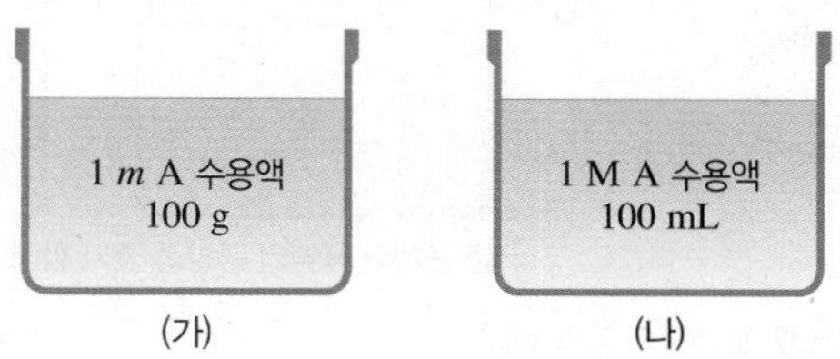

이에 대한 설명으로 옳은 것만을 [보기]에서 있는 대로 고른 것은? (단, A의 화학식량은 100이고, 수용액 (나)의 밀도는 1.05 g/mL이다.)

[보기]
ㄱ. 용액 속 A의 질량은 (가)가 (나)보다 크다.
ㄴ. 몰랄 농도는 (가)가 (나)보다 크다.
ㄷ. 퍼센트 농도는 (나)가 (가)보다 크다.

① ㄱ ② ㄷ ③ ㄱ, ㄴ
④ ㄴ, ㄷ ⑤ ㄱ, ㄴ, ㄷ

02 묽은 용액의 총괄성

핵심 포인트
- Ⓐ 라울 법칙을 이용한 증기 압력 내림 계산 ★★
- Ⓑ 끓는점 오름과 어는점 내림 계산 ★★★
  끓는점 오름과 어는점 내림을 이용한 분자량 계산 ★★
- Ⓒ 삼투압을 이용한 용액의 농도 비교 ★★★
  반트호프 법칙을 이용한 삼투압 계산 ★★
- Ⓓ 묽은 용액의 총괄성 ★

Ⓐ 증기 압력 내림

Ⅰ-2-02. 액체와 고체에서 순수한 액체의 증기 압력에 대해 배웠어요. 그러면 순수한 액체가 아닌 용액의 증기 압력은 어떨까요? 순수한 액체, 즉 용매의 증기 압력과 같을까요? 지금부터 함께 알아보아요.

1. 증기 압력 내림

(1) 증기 압력 내림($\varDelta P$): 일정한 온도에서 비휘발성 용질이 녹아 있는 용액의 증기 압력이 순수한 용매의 증기 압력보다 낮은 현상

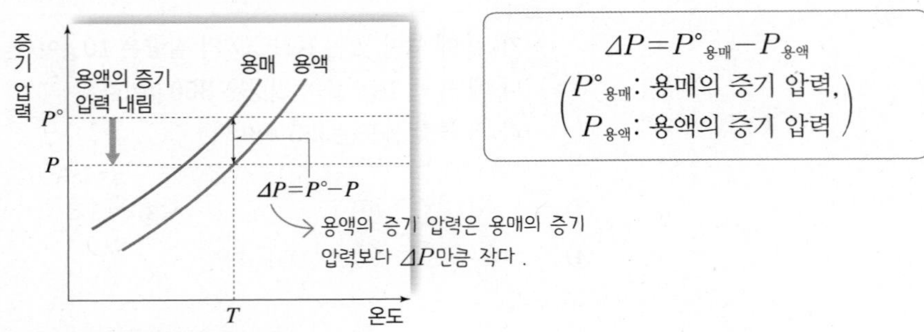

▲ 용매와 용액의 증기 압력 곡선

(2) 증기 압력 내림이 나타나는 까닭

① 용질 입자와 용매 입자 사이에 인력이 작용하여 용매 입자의 증발이 방해를 받는다.

② 용질 입자가 용액 표면의 일부를 차지하므로 증발할 수 있는 용매 입자 수가 감소한다.

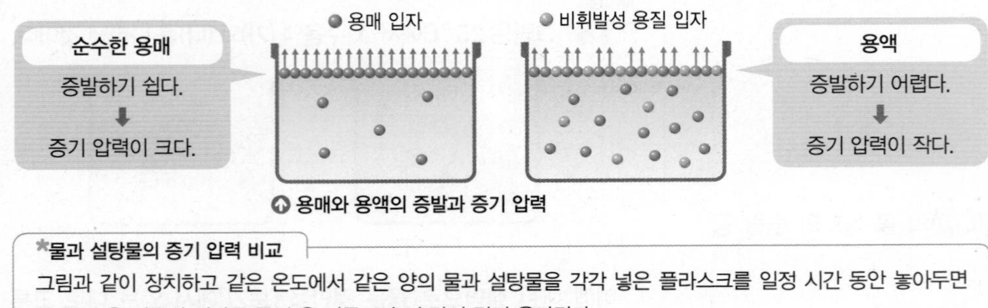

▲ 용매와 용액의 증발과 증기 압력

★물과 설탕물의 증기 압력 비교

그림과 같이 장치하고 같은 온도에서 같은 양의 물과 설탕물을 각각 넣은 플라스크를 일정 시간 동안 놓아두면 물 쪽 수은 기둥이 설탕물 쪽 수은 기둥보다 더 많이 밀려 올라간다.

➡ 물의 증기 압력이 설탕물의 증기 압력보다 크기 때문이다.

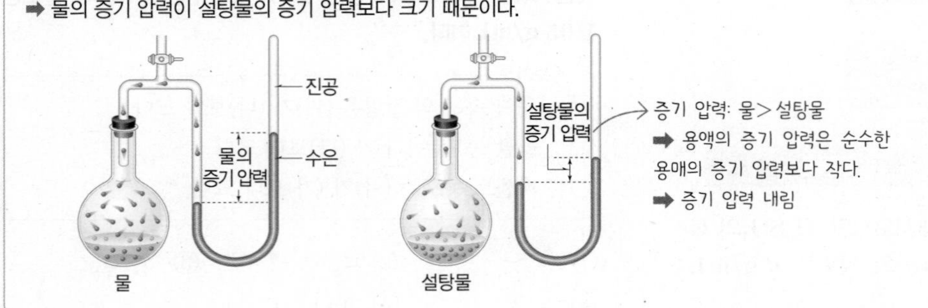

★ **순수한 물과 설탕물을 밀폐 용기에 함께 넣은 경우**
시간이 지나면 물의 양은 줄어들고, 설탕물의 양은 늘어난다. 이는 물에서는 증발하는 분자 수가 응축하는 분자 수보다 크고, 설탕물에서는 증발하는 분자 수보다 응축하는 분자 수가 크기 때문이다. 즉, 증기 압력이 큰 물에서 증기 압력이 작은 설탕물 쪽으로 물 분자가 이동한다.

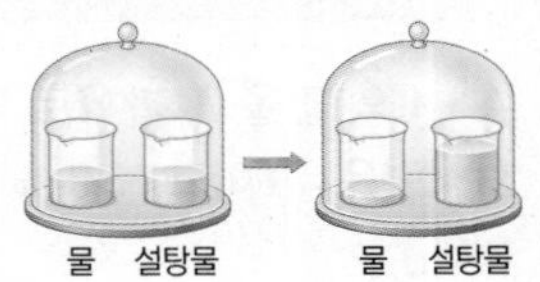

(3) **증기 압력 내림과 용액의 농도**: 용액의 농도가 클수록 증기 압력 내림이 크다.

증기 압력 내림을 이용한 용액의 농도 비교

일정한 온도에서 농도가 다른 같은 양의 설탕물이 각각 담긴 플라스크를 수은이 들어 있는 U자관으로 연결하고 일정 시간 동안 놓아두면, 수은 기둥이 농도가 작은 설탕물 쪽에서 농도가 큰 설탕물 쪽으로 밀려 올라간다.
➡ 설탕물의 농도가 클수록 증기 압력 내림이 크기 때문이다.

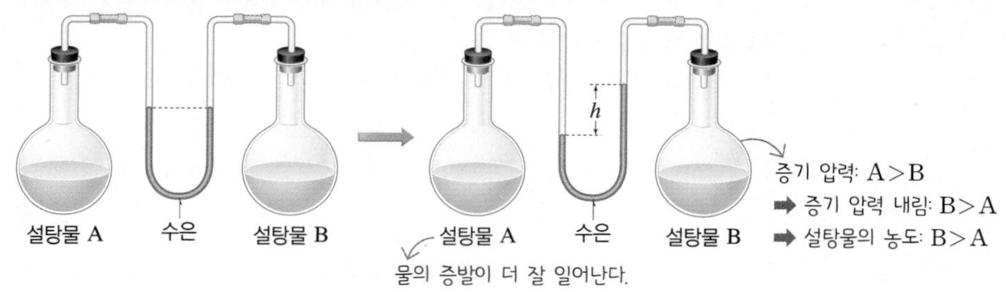

2. 라울 법칙

(1) *__라울 법칙__: 비휘발성, 비전해질 용질이 녹아 있는 묽은 용액의 증기 압력($P_{용액}$)은 순수한 용매의 증기 압력($P°_{용매}$)과 용매의 *몰 분율($X_{용매}$)을 곱한 값과 같다.

$$P_{용액}=P°_{용매}\times X_{용매}$$
($P°_{용매}$: 용매의 증기 압력, $X_{용매}$: 용매의 몰 분율)

[예제 1] 25 °C에서 물의 증기 압력은 23.8 mmHg이다. 같은 온도에서 물 180 g에 포도당 18 g을 녹인 포도당 수용액의 증기 압력을 구하시오. (단, 물과 포도당의 분자량은 각각 18, 180이다.)

풀이 $P°_{용매}=23.8$ mmHg, $n_{용매}=\frac{180\text{ g}}{18\text{ g/mol}}=10$ mol, $n_{용질}=\frac{18\text{ g}}{180\text{ g/mol}}=0.1$ mol

$X_{용매}=\frac{n_{용매}}{n_{용매}+n_{용질}}=\frac{10\text{ mol}}{10\text{ mol}+0.1\text{ mol}}\fallingdotseq0.99$, $P_{용액}=P°_{용매}\times X_{용매}=23.8\text{ mmHg}\times0.99\fallingdotseq23.56\text{ mmHg}$

(2) **라울 법칙과 증기 압력 내림**: 증기 압력 내림은 용매의 종류에 따라 다르고, 용질의 종류에는 관계없이 용질의 몰 분율($X_{용질}$)에 비례한다.

증기 압력 내림($\varDelta P$) 식의 유도

용액의 증기 압력 내림($\varDelta P$)은 순수한 용매의 증기 압력($P°_{용매}$)에서 용액의 증기 압력($P_{용액}$)을 뺀 것과 같다.

$$\varDelta P=P°_{용매}-P_{용액}$$

이 식을 라울 법칙에 적용하고, 용액이 한 종류의 용질만을 포함한다면 $X_{용매}=1-X_{용질}$이므로 증기 압력 내림($\varDelta P$)은 다음과 같은 식으로 나타낼 수 있다.

$$\varDelta P=P°_{용매}-P_{용액}=P°_{용매}-(P°_{용매}\times X_{용매})$$
$$=P°_{용매}(1-X_{용매})=P°_{용매}\times X_{용질}$$

$$\varDelta P=P°_{용매}\times X_{용질}$$
($P°_{용매}$: 용매의 증기 압력, $X_{용질}$: 용질의 몰 분율)

[예제 2] 25 °C에서 물의 증기 압력은 23.8 mmHg이다. 같은 온도에서 물 108 g에 요소 15 g을 녹인 요소 수용액의 증기 압력 내림을 구하시오. (단, 물과 요소의 분자량은 각각 18, 60이다.)

풀이 $P°_{용매}=23.8$ mmHg, $n_{용매}=\frac{108\text{ g}}{18\text{ g/mol}}=6$ mol, $n_{용질}=\frac{15\text{ g}}{60\text{ g/mol}}=0.25$ mol

$X_{용질}=\frac{0.25\text{ mol}}{6\text{ mol}+0.25\text{ mol}}=0.04$, $\varDelta P=P°_{용매}\times X_{용질}=23.8\text{ mmHg}\times0.04=0.952\text{ mmHg}$

궁금해

라울 법칙이 비휘발성, 비전해질 용질이 녹아 있는 용액에만 적용되는 까닭은 무엇일까?

휘발성 용질의 경우 용질도 증발하므로 용액의 증기 압력이 용매의 증기 압력과 용질의 증기 압력의 합과 같다. 또, 전해질 용질은 용매에 녹기 전과 녹은 후에 입자 수가 달라진다. 따라서 라울 법칙은 비휘발성, 비전해질 용질이 녹아 있는 용액에만 적용된다.

* **라울 법칙의 적용**

라울 법칙은 이상 용액(용질과 용매 입자들이 서로 비슷한 분자 사이의 상호 작용을 하는 용액)에만 완벽히 적용된다. 실제 용액은 비이상 용액이므로 묽은 용액에서만 라울 법칙을 만족하고, 용액의 농도가 클수록 라울 법칙에서 벗어난다.

* **몰 분율**

혼합물에서 어떤 성분의 양(mol)을 전체 양(mol)으로 나눈 값

$X_{용매}=\frac{n_{용매}}{n_{용매}+n_{용질}}$

$X_{용질}=\frac{n_{용질}}{n_{용매}+n_{용질}}$

($X_{용매}$: 용매의 몰 분율, $X_{용질}$: 용질의 몰 분율, $n_{용매}$: 용매의 양(mol), $n_{용질}$: 용질의 양(mol))

개념 확인 문제

정답친해 37쪽

- (❶)(ΔP): 일정한 온도에서 비휘발성 용질이 녹아 있는 용액의 증기 압력($P_{용액}$)이 순수한 용매의 증기 압력($P°_{용매}$)보다 낮은 현상 ➡ ΔP=(❷)−(❸)
  예 소금물은 순수한 물보다 증기 압력이 (❹).
- (❺) 법칙: 비휘발성, 비전해질 용질이 녹아 있는 묽은 용액의 증기 압력($P_{용액}$)은 순수한 용매의 증기 압력($P°_{용매}$)과 용매의 몰 분율($X_{용매}$)을 곱한 값과 같다. ➡ $P_{용액}=P°_{용매}\times X_{용매}$
- 라울 법칙과 증기 압력 내림: 증기 압력 내림은 용매의 종류에 따라 다르고, 용질의 (❻)에 비례한다.
  ➡ $\Delta P=P°_{용매}\times X_{용질}$

1 **( ) 안에 알맞은 말을 쓰거나 고르시오.**

(1) 일정한 온도에서 비휘발성 용질이 녹아 있는 용액의 증기 압력은 순수한 용매의 증기 압력보다 (작다, 크다).

(2) 용액의 농도가 클수록 증기 압력이 (작다, 크다).

(3) 증기 압력 내림은 용질의 종류에는 관계없이 용질의 ( )에만 영향을 받는다.

2 **그림은 25 °C에서 진공 상태의 두 플라스크에 농도가 다른 설탕물 A, B를 각각 넣고 수은이 들어 있는 유리관으로 연결한 후 평형에 도달한 상태를 나타낸 것이다.**

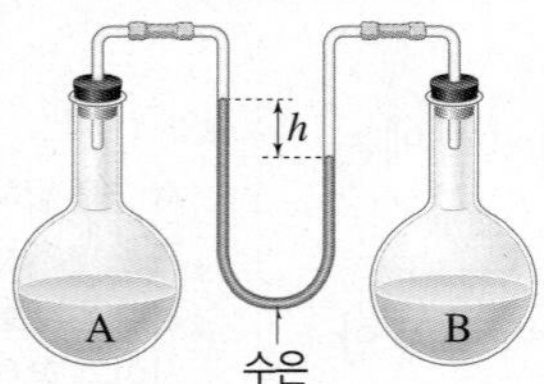

이에 대한 설명으로 옳은 것은 ○, 옳지 않은 것은 ×로 표시하시오. (단, 설탕물 A, B는 라울 법칙을 따른다.)

(1) 농도는 A가 B보다 작다. ( )

(2) 증기 압력은 A가 B보다 크다. ( )

(3) A에 설탕을 조금 첨가하여 녹이면 h가 증가한다. ( )

3 **25 °C에서 물의 증기 압력은 23.8 mmHg이다. 같은 온도에서 물 140.4 g에 요소 12 g을 녹인 수용액의 증기 압력 내림을 구하시오. (단, 물과 요소의 분자량은 각각 18, 60이다.)**

4 **다음 수용액 (가)~(다)의 증기 압력을 비교하여 등호나 부등호로 나타내시오. (단, 포도당과 설탕의 분자량은 각각 180, 342이다.)**

(가) 물 100 g에 설탕 10 g을 녹인 용액
(나) 물 100 g에 포도당 10 g을 녹인 용액
(다) 물 100 g에 설탕 5 g과 포도당 5 g을 녹인 용액

5 **그림은 일정량의 물에 비휘발성, 비전해질인 고체 A를 녹인 수용액에서 A의 몰 분율에 따른 증기 압력을 나타낸 것이다.**

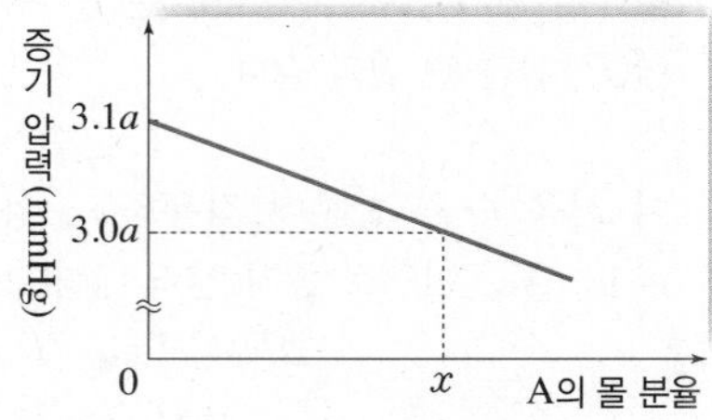

이에 대한 설명으로 옳은 것은 ○, 옳지 않은 것은 ×로 표시하시오. (단, 수용액은 라울 법칙을 따르며, 물과 A의 분자량은 각각 18, 60이다.)

(1) 물의 증기 압력은 $3.1a$이다. ( )

(2) A의 몰 분율이 x일 때, A 수용액의 증기 압력 내림은 $3.0a$이다. ( )

(3) x는 $\frac{30}{31}$이다. ( )

B 끓는점 오름과 어는점 내림

앞에서 용액의 증기 압력이 순수한 용매의 증기 압력에 비해 작은 것을 배웠는데, 용액의 끓는점과 어는점도 순수한 용매의 끓는점과 어는점에 비해 높거나 낮아요. 용액의 끓는점, 어는점이 용매의 끓는점, 어는점과 다른 까닭을 알아보아요.

1. 끓는점 오름(ΔT_b) 비휘발성 용질이 녹아 있는 용액의 끓는점(T_b')이 순수한 용매의 끓는점(T_b)보다 높은 현상

$$\Delta T_b = T_b' - T_b \ (T_b'\text{: 용액의 끓는점, } T_b\text{: 용매의 끓는점})$$

(1) 끓는점 오름이 나타나는 까닭: 같은 온도에서 용액의 증기 압력은 순수한 용매의 증기 압력보다 작아 더 높은 온도로 가열해야 증기 압력이 외부 압력과 같아지기 때문이다.

증기 압력 곡선에서 용액의 끓는점 오름

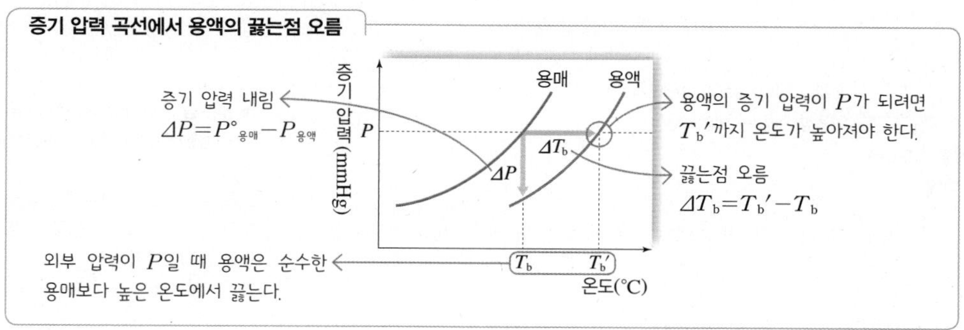

(2) 비휘발성, 비전해질 용질이 녹아 있는 묽은 용액의 끓는점 오름은 용질의 종류에 관계없이 일정량의 용매에 녹아 있는 용질의 양(mol), 즉 몰랄 농도(m)에 비례한다.

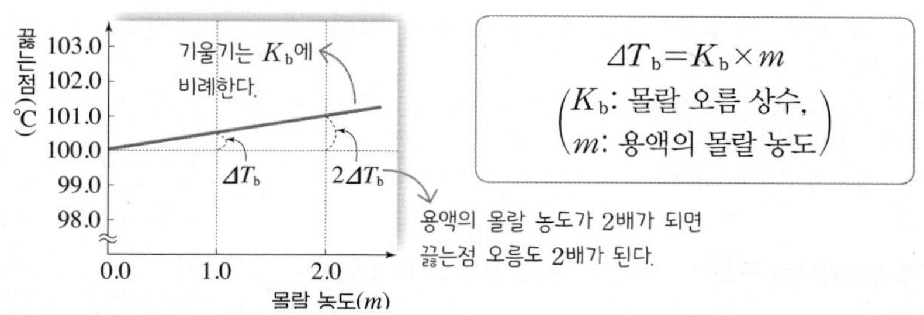

↑ 몰랄 농도와 끓는점 오름의 관계

$$\Delta T_b = K_b \times m$$
$$\left(\begin{array}{l} K_b\text{: 몰랄 오름 상수,} \\ m\text{: 용액의 몰랄 농도} \end{array}\right)$$

(3) 몰랄 오름 상수(K_b): 농도가 1 m인 용액의 끓는점 오름으로, 용질의 종류에 관계없이 용매의 종류에 따라 값이 다르다. → 단위는 °C/m 또는 °C·kg/mol이다.

구분	물	에탄올	아세트산	벤젠
끓는점(°C)	100.0	78.4	118.1	80.1
K_b(°C/m)	0.51	1.22	3.07	2.53

[예제 1] 1기압에서 물 100 g에 포도당 18 g을 녹인 용액의 끓는점(°C)을 구하시오. (단, 포도당의 분자량은 180이고, 물의 K_b는 0.51 °C/m이다.)

풀이 몰랄 농도(m)$= \dfrac{\frac{18\text{ g}}{180\text{ g/mol}}}{0.1\text{ kg}} = 1\ m$이므로 끓는점 오름 $\Delta T_b = K_b \times m = 0.51\ °\text{C}/m \times 1\ m = 0.51\ °\text{C}$이다. 따라서 용액의 끓는점 $T_b' = T_b + \Delta T_b = 100\ °\text{C} + 0.51\ °\text{C} = 100.51\ °\text{C}$이다.

궁금해

끓는점 오름식과 어는점 내림식에서 몰랄 농도를 사용하는 까닭은?

몰랄 농도가 온도의 영향을 받지 않기 때문이다.

교학사 교과서에만 나와요.

전해질 수용액의 끓는점 오름

NaCl과 같은 전해질은 물에 녹아 양이온과 음이온으로 이온화하므로, 용질 1몰을 물에 녹이면 수용액에서 용질 입자의 양(mol)은 1몰보다 크다. 따라서 1 m 전해질 수용액의 끓는점 오름은 1 m 비전해질 수용액의 끓는점 오름보다 더 크다.

2. 어는점 내림(ΔT_f) 비휘발성 용질이 녹아 있는 용액의 어는점(T_f')이 순수한 용매의 어는점(T_f)보다 낮은 현상

$$\Delta T_f = T_f - T_f' \ (T_f\text{: 용매의 어는점, } T_f'\text{: 용액의 어는점})$$

(1) **어는점 내림이 나타나는 까닭**: 용액에서는 용질 입자가 용매 입자 사이의 인력을 방해하므로 순수한 용매만 있을 때보다 얼기 어렵기 때문이다.

(2) 비휘발성, 비전해질 용질이 녹아 있는 묽은 용액의 어는점 내림은 용질의 종류에 관계없이 일정량의 용매에 녹아 있는 용질의 양(mol), 즉 몰랄 농도(m)에 비례한다.

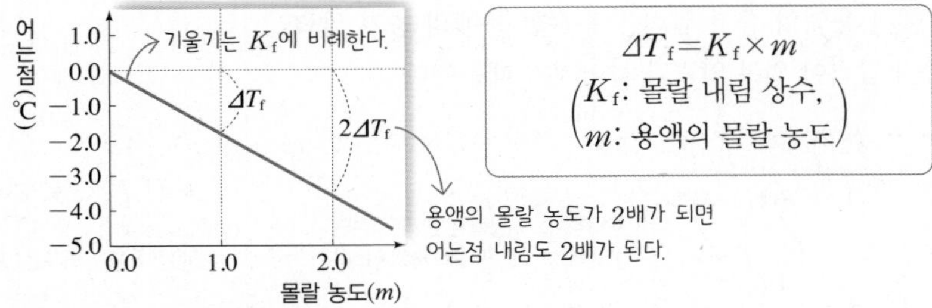

▲ 몰랄 농도와 어는점 내림의 관계

(3) **몰랄 내림 상수(K_f)**: 농도가 1 m인 용액의 어는점 내림으로, 용질의 종류에 관계없이 용매의 종류에 따라 값이 다르다. → 단위는 ℃/m 또는 ℃·kg/mol이다.

구분	물	에탄올	아세트산	벤젠
어는점(℃)	0	−114.7	17	5.5
K_f(℃/m)	1.86	1.9	3.9	4.9

[예제 2] 1기압에서 포도당 수용액의 끓는점이 100.306 ℃이다. 이 수용액의 (가)몰랄 농도와 (나)어는점을 구하시오. (단, 물의 K_b는 0.51 ℃/m이고, K_f는 1.86 ℃/m이다.)

풀이 (가) 용액의 끓는점 오름 $\Delta T_b = T_b' - T_b = 100.306\ ℃ - 100\ ℃ = 0.306\ ℃$이고, $K_b = 0.51$ ℃/m이므로 $\Delta T_b = K_b \times m = 0.51$ ℃/m × 몰랄 농도(m) = 0.306 ℃에서 몰랄 농도(m) = 0.6 m이다.

(나) 용액의 어는점 내림 $\Delta T_f = K_f \times m = 1.86$ ℃/m × 0.6 m = 1.116 ℃이므로 용액의 어는점 $T_f' = T_f - \Delta T_f = 0\ ℃ - 1.116\ ℃ = -1.116\ ℃$이다.

3. *끓는점 오름이나 *어는점 내림으로 용질의 분자량(M) 구하기 용매 W g에 분자량이 M인 비전해질 용질 w g이 녹아 있는 용액에서 용질의 분자량은 다음과 같다.

$$M = \frac{1000 \times w \times K_b}{\Delta T_b \times W} = \frac{1000 \times w \times K_f}{\Delta T_f \times W}$$

4. 일상생활에서 끓는점 오름, 어는점 내림의 이용

(1) **부동액**: 자동차의 냉각수에 에틸렌 글리콜이 들어 있는 부동액을 넣으면 냉각수의 어는점은 낮아지고 끓는점은 높아진다. 따라서 겨울철에는 냉각수가 얼지 않고, 여름철에는 냉각수가 끓어 넘치지 않는다.

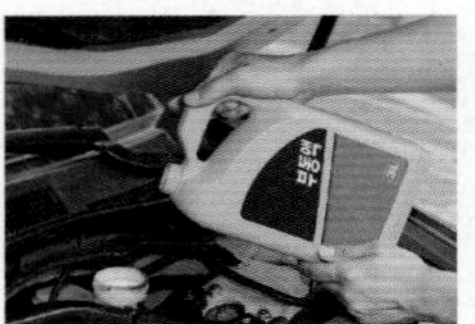

(2) **제설제**: 겨울철 눈이 쌓인 도로에 염화 칼슘을 뿌리면 어는점이 낮아져 영하의 온도에서도 눈이 얼지 않는다.

* **끓는점 오름이나 어는점 내림을 이용한 용질의 분자량 계산식 유도**

ΔT_b를 이용하는 경우 K_b 값을 넣어 주고, ΔT_f을 이용하는 경우 K_f 값을 넣어 준다.

$\Delta T = K \times m$

$= K \times \dfrac{\frac{w}{M}}{\frac{W}{1000}}$ ← 용질의 양(mol) / 용매의 질량(kg)

$= K \times \dfrac{1000 \times w}{M \times W}$

➡ $M = \dfrac{1000 \times w \times K}{\Delta T \times W}$

암기해

용질의 분자량 구하기

$M = \dfrac{1000 \times w \times K_b}{\Delta T_b \times W} = \dfrac{1000 \times w \times K_f}{\Delta T_f \times W}$

* **어는점 내림을 이용한 용질의 분자량 구하기**

물 100 g에 어떤 물질 9 g을 녹여 만든 수용액의 어는점을 측정하였더니 −0.93 ℃이었다. 물의 K_f는 1.86 ℃/m이므로 이 물질의 분자량은 다음과 같다.

$M = \dfrac{1000 \times w \times K_f}{\Delta T_f \times W} = \dfrac{1000 \times 9 \times 1.86}{0.93 \times 100} = 180$

개념 확인 문제

정답친해 37쪽

핵심 체크

- 끓는점 오름(ΔT_b)과 어는점 내림(ΔT_f)

구분	끓는점 오름	어는점 내림
정의	용액의 끓는점이 순수한 용매의 끓는점보다 (❶)은 현상	용액의 어는점이 순수한 용매의 어는점보다 (❷)은 현상
식	$\Delta T_b = T_b' - T_b = K_b \times$ (❸) (T_b': 용액의 끓는점, T_b: 용매의 끓는점, K_b: 몰랄 오름 상수)	$\Delta T_f = T_f - T_f' = K_f \times$ (❹) (T_f: 용매의 어는점, T_f': 용액의 어는점, K_f: 몰랄 내림 상수)

- 끓는점 오름이나 어는점 내림으로 용질의 분자량(M) 구하기

$$M = \frac{1000 \times (❺\qquad)}{\Delta T_b \times W} = \frac{1000 \times (❻\qquad)}{\Delta T_f \times W}$$ (w: 용질의 질량, W: 용매의 질량)

1 ( ) 안에 알맞은 말을 쓰거나 고르시오.

(1) 비휘발성, 비전해질 용질이 녹아 있는 묽은 용액의 끓는점 오름은 용액의 ( )에 비례한다.

(2) 몰랄 오름 상수는 농도가 ( )인 용액의 끓는점 오름이다.

(3) 몰랄 내림 상수는 ( )의 종류에 따라 다른 값을 갖는다.

(4) 포도당 수용액의 어는점 내림은 $0.2\,m$ 수용액이 $0.1\,m$ 수용액보다 (작다, 크다).

2 그림은 용매 A에 포도당을 녹인 용액의 몰랄 농도에 따른 끓는점을 나타낸 것이다.

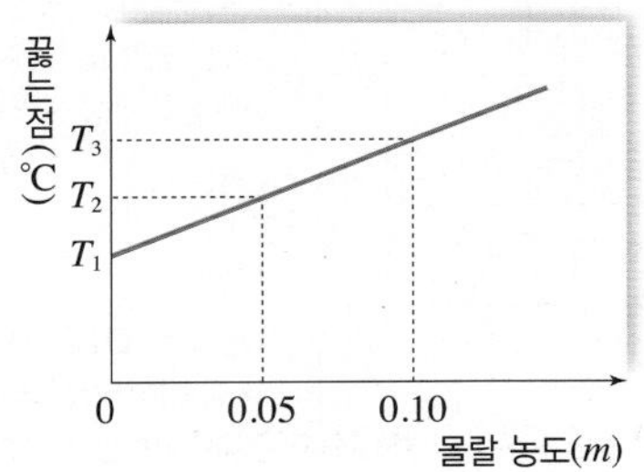

이에 대한 설명으로 옳은 것은 ○, 옳지 않은 것은 ×로 표시하시오. (단, 용액은 라울 법칙을 따르고, 용매 A의 K_b는 x °C/m이다.)

(1) $0.05\,m$ 용액의 끓는점 오름은 $(T_2 - T_1)$이다. ( )

(2) $(T_3 - T_1)$과 $2(T_2 - T_1)$은 같다. ( )

(3) x는 $20(T_3 - T_1)$이다. ( )

3 물 100 g에 비휘발성, 비전해질 용질 X 9.0 g을 녹인 용액의 어는점이 −0.93 °C이다. (단, 물의 K_b는 0.51 °C/m이고, K_f는 1.86 °C/m이다.)

(1) X 수용액의 몰랄 농도를 구하시오.

(2) X 수용액의 끓는점(℃)을 구하시오.

(3) X의 분자량을 구하시오.

4 그림은 1기압에서 용질 A 6 g과 용질 B 9 g을 각각 물 100 g에 녹인 두 수용액 (가)와 (나)를 나타낸 것이고, 표는 수용액 (가)와 (나)의 어는점이다.

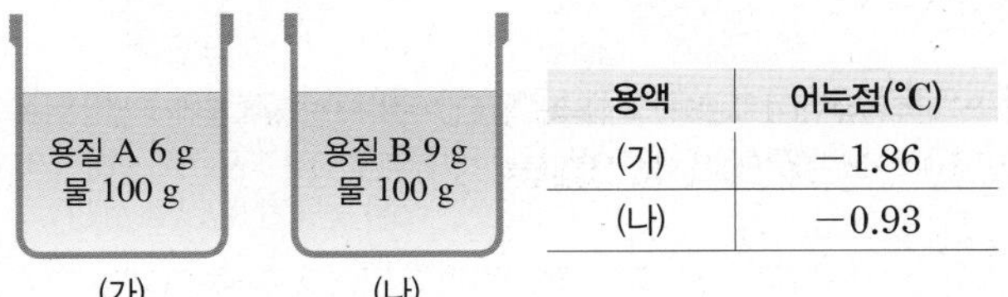

용액	어는점(°C)
(가)	−1.86
(나)	−0.93

이에 대한 설명으로 옳은 것은 ○, 옳지 않은 것은 ×로 표시하시오. (단, A와 B는 비휘발성, 비전해질이고, 물의 K_f는 1.86 °C/m이다.)

(1) 수용액의 몰랄 농도는 (가)가 (나)의 2배이다. ( )

(2) 용질의 분자량은 B > A이다. ( )

(3) 증기 압력은 (가)가 (나)보다 크다. ( )

02 묽은 용액의 총괄성

C 삼투압

김치를 담글 때 소금물에 담가둔 싱싱한 배추가 시간이 지나면 숨이 죽어 부피가 줄어든 모습을 본 적 있죠? 또, 소금물에 담가둔 오이가 쭈글쭈글해진 모습도 본 적이 있을 거예요. 이러한 현상은 배추와 오이에서 수분이 빠져나오기 때문인데, 그 원리를 자세히 알아보아요.

1. 삼투 현상과 삼투압

(1) ***반투막**: 물과 같이 크기가 작은 용매 입자는 자유롭게 통과하지만 크기가 큰 용질 입자는 통과하지 못하는 얇은 막 예 셀로판 종이, 세포막, 달걀 속껍질 등

(2) ***삼투 현상**: 반투막을 사이에 두고 농도가 서로 다른 두 용액이 있을 때 농도가 작은 용액 쪽에서 농도가 큰 용액 쪽으로 용매 입자가 이동하는 현상

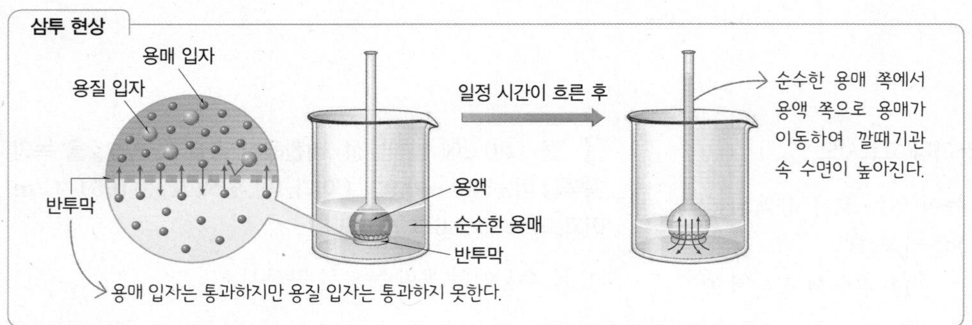

(3) **삼투압(π)**: 삼투 현상이 일어나지 않게 농도가 큰 용액 쪽에 가해야 하는 압력으로, 삼투 현상으로 인해 농도가 작은 용액 쪽에서 농도가 큰 용액 쪽으로 가해지는 압력과 크기가 같다.

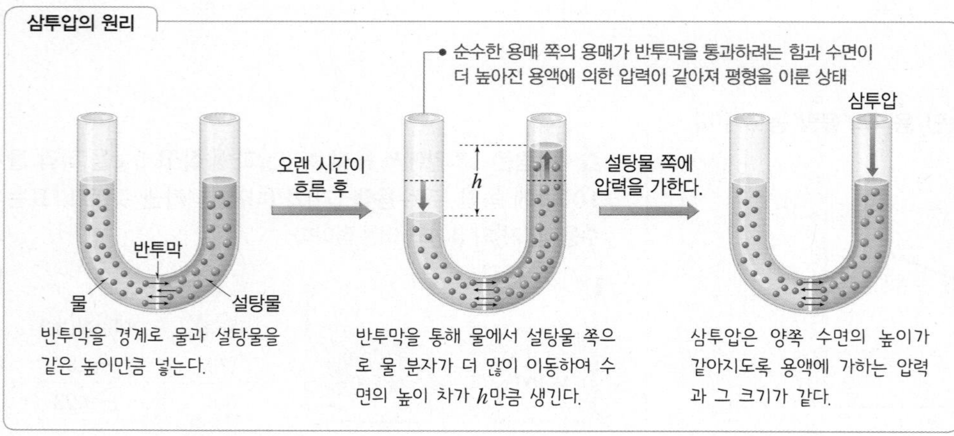

삼투압의 원리
순수한 용매 쪽의 용매가 반투막을 통과하려는 힘과 수면이 더 높아진 용액에 의한 압력이 같아져 평형을 이룬 상태
삼투압
오랜 시간이 흐른 후
설탕물 쪽에 압력을 가한다.
h
반투막
물
설탕물
반투막을 경계로 물과 설탕물을 같은 높이만큼 넣는다.
반투막을 통해 물에서 설탕물 쪽으로 물 분자가 더 많이 이동하여 수면의 높이 차가 h만큼 생긴다.
삼투압은 양쪽 수면의 높이가 같아지도록 용액에 가하는 압력과 그 크기가 같다.

2. 반트호프 법칙

(1) **반트호프 법칙**: 비휘발성, 비전해질 용질이 녹아 있는 묽은 용액의 삼투압(π)은 용매나 용질의 종류에 관계없이 용액의 몰 농도(C)와 절대 온도(T)에 비례한다.

$$\pi = CRT$$
(R: 기체 상수(0.082 atm·L/(mol·K)))

교학사 교과서에만 나와요.

★ 이온이 반투막을 통과하지 못하는 까닭
염화 나트륨이 물에 녹으면 Na^+과 Cl^-으로 이온화하는데, 이때 H_2O 분자가 이온을 감싼다. 이를 수화라고 하며 수화에 의해 크기가 커진 이온은 반투막을 통과하기 어렵다.

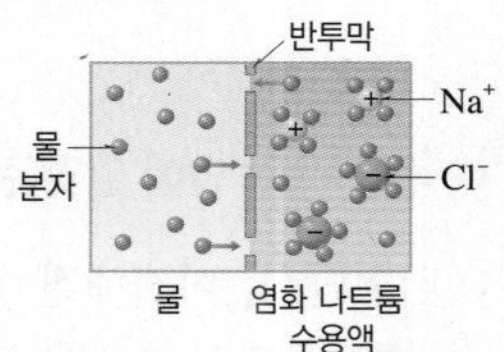

▲ 염화 나트륨(NaCl) 수용액의 삼투 현상

궁금해

삼투 현상은 왜 일어날까?
반투막을 사이에 두고 용매 입자는 자유롭게 이동한다. 그런데 농도가 큰 용액일수록 용질 입자의 방해가 증가하여 반투막에 충돌하는 용매 입자 수가 줄어든다. 따라서 반투막을 통하여 농도가 큰 용액 쪽으로 이동하는 용매 입자 수가 농도가 작은 용액 쪽으로 이동하는 용매 입자 수보다 많기 때문에 삼투 현상이 일어난다.

★ 삼투 현상의 예
- 김치를 담글 때 배추를 소금물에 절이면 배추에서 수분이 빠져나와 숨이 죽는다.
- 매실과 설탕을 함께 넣어두면 매실이 쪼글쪼글해진다.
- 적혈구를 증류수에 넣으면 부풀어 올라 터지고, 진한 설탕물에 넣으면 쭈그러진다.
- 식물에 비료를 너무 많이 주면 식물 세포에서 수분이 빠져나와 식물이 말라 죽는다.

용액의 농도와 삼투 현상

농도가 다른 설탕물을 깔때기관에 각각 같은 부피로 넣고 깔때기관을 물에 담가 수면의 높이를 같게 한 후 충분한 시간 동안 놓아두면 깔때기관 속 수면이 높아지는데, 설탕물의 농도가 클수록 수면이 더 높다. ➡ 설탕물의 농도가 클수록 삼투압이 크기 때문이다.

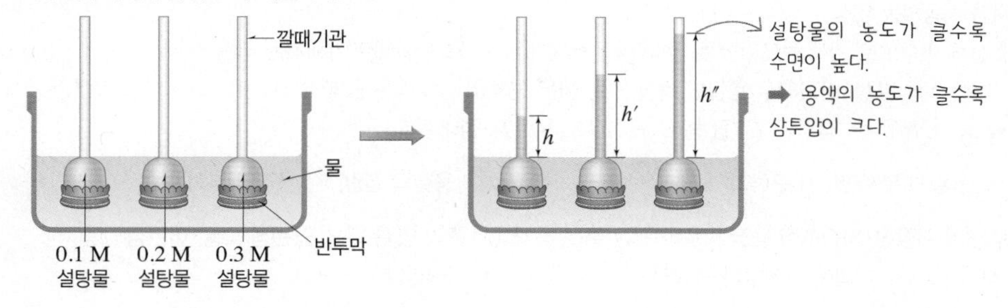

[예제 1] 분자량이 20000인 비휘발성, 비전해질 용질 20 g을 물에 녹여 100 mL의 수용액으로 만들었다. 이 수용액의 온도가 27 °C일 때 삼투압을 구하시오. (단, R은 0.082 atm·L/(mol·K)이다.)

풀이 몰 농도 $C=\dfrac{\dfrac{20\text{ g}}{20000\text{ g/mol}}}{0.1\text{ L}}=0.01\text{ M}$이고, $T=(273+27)\text{ K}=300\text{ K}$이다. 따라서 $\pi=CRT=0.01\text{ M}\times0.082\text{ atm·L/(mol·K)}\times300\text{ K}=0.246\text{ atm}$이다.

(2) ***반트호프 법칙으로 용질의 분자량(M) 구하기:** 절대 온도 T에서 용액 V L 속에 분자량이 M인 비휘발성, 비전해질 용질 w g이 용해되어 있는 경우 몰 농도(C)는 $\dfrac{n}{V}$이고, 용질의 양(n)은 $\dfrac{w}{M}$이므로 반트호프 법칙을 다음과 같이 나타낼 수 있다.

$$\pi=CRT=\frac{n}{V}RT \Rightarrow \pi V=nRT=\frac{w}{M}RT \Rightarrow M=\frac{wRT}{\pi V}$$

[예제 2] 27 °C에서 비휘발성, 비전해질 용질 1 g을 물에 녹여 1 L의 수용액을 만들었다. 이 수용액의 삼투압이 4.92×10^{-4} atm일 경우 용질의 분자량을 구하시오. (단, R은 0.082 atm·L/(mol·K)이다.)

풀이 반트호프 법칙을 이용하여 분자량을 구하면 $M=\dfrac{wRT}{\pi V}=\dfrac{1\times0.082\times(273+27)}{(4.92\times10^{-4})\times1}=50000$이다.

＊ 반트호프 법칙의 이용
분자량이 10000 이상인 고분자 화합물이 녹아 있는 용액은 삼투압을 측정하면 큰 결괏값을 얻을 수 있으므로 용액에 녹아 있는 고분자 화합물의 분자량을 구하는 데 반트호프 법칙을 이용한다.

반트호프 법칙
$\pi V=nRT$는 이상 기체 방정식 $PV=nRT$와 유사하다. 압력인 P를 삼투압인 π로 표시한 것만 다르니 헷갈리지 않도록 주의한다.

D 묽은 용액의 총괄성

비휘발성, 비전해질 용질이 녹아 있는 묽은 용액에서 증기 압력 내림, 끓는점 오름, 어는점 내림, 삼투압은 용질의 종류와 관계없이 용질의 입자 수에만 비례하는데, 이러한 성질을 묽은 용액의 ❶총괄성이라고 한다.

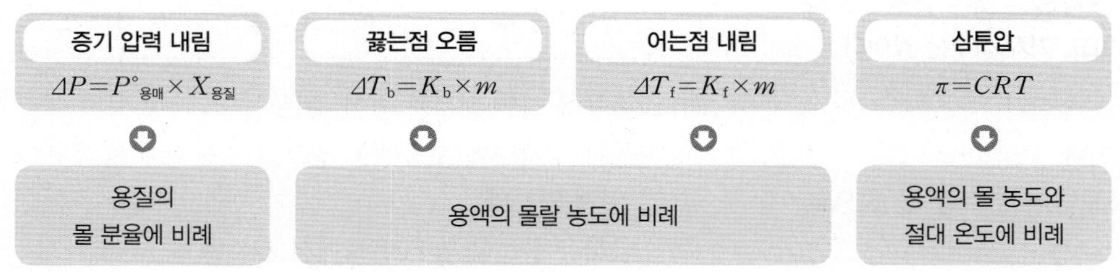

증기 압력 내림
$\Delta P=P^\circ_{용매}\times X_{용질}$
끓는점 오름
$\Delta T_b=K_b\times m$
어는점 내림
$\Delta T_f=K_f\times m$
삼투압
$\pi=CRT$
용질의 몰 분율에 비례
용액의 몰랄 농도에 비례
용액의 몰 농도와 절대 온도에 비례

용어
❶ **총괄성(總 모두, 括 묶다, 性 성질)** 물질의 종류에 상관없이 모든 것을 한꺼번에 설명할 수 있는 성질

개념 확인 문제

정답친해 38쪽

핵심 체크

- (❶   ): 크기가 작은 용매 입자는 통과하지만 크기가 큰 용질 입자는 통과하지 못하는 얇은 막
- (❷   ): 반투막을 사이에 두고 농도가 서로 다른 두 용액이 있을 때 농도가 작은 용액 쪽에서 농도가 큰 용액 쪽으로 용매 입자가 이동하는 현상
- (❸   ): 삼투 현상으로 인해 농도가 작은 용액 쪽에서 농도가 큰 용액 쪽으로 가해지는 압력
- (❹   ) 법칙: 비휘발성, 비전해질 용질이 녹아 있는 묽은 용액의 삼투압은 용액의 (❺   )와 절대 온도에 비례한다. ➡ $\pi = CRT$ (π: 삼투압, C: 몰 농도, R: 기체 상수, T: 절대 온도)
- 반트호프 법칙으로 용질의 분자량(M) 구하기: $M = \frac{(❻ \quad\quad)}{\pi V}$ (w: 용질의 질량, V: 용액의 부피)
- 묽은 용액의 총괄성: 비휘발성, 비전해질 용질이 녹아 있는 묽은 용액에서 증기 압력 내림, 끓는점 오름, 어는점 내림, 삼투압은 용질의 (❼   )와는 관계없이 용질의 (❽   )에 비례한다.

1 삼투 현상 및 삼투압에 대한 설명으로 옳은 것은 ○, 옳지 않은 것은 ×로 표시하시오.

(1) 용매 분자는 반투막을 통과하여 농도가 큰 용액에서 농도가 작은 용액 쪽으로 이동한다. ( )

(2) 비휘발성, 비전해질 용질이 녹아 있는 묽은 용액의 삼투압은 용액의 몰랄 농도와 절대 온도에 비례한다. ( )

(3) 같은 온도에서 0.1 M 포도당 수용액보다 0.2 M 설탕 수용액의 삼투압이 더 크다. ( )

2 그림 (가)는 반투막으로 분리된 수조에 물과 0.5 M 포도당 수용액을 수면의 높이가 같게 각각 넣은 후 충분한 시간이 흐른 후의 모습을, (나)는 (가)의 포도당 수용액에 압력을 가해 양쪽 수면의 높이가 같아진 상태를 나타낸 것이다.

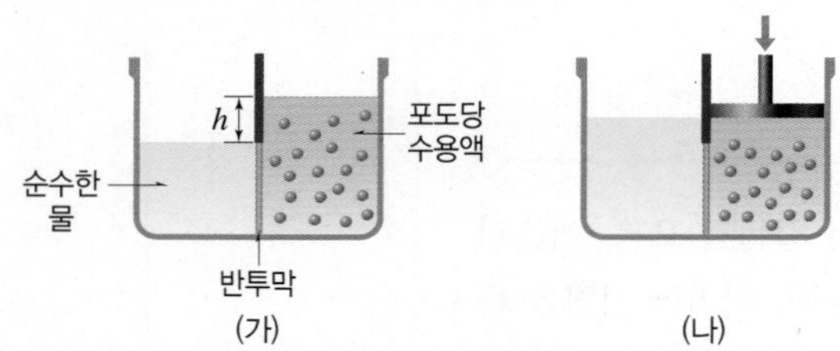

이에 대한 설명으로 옳은 것은 ○, 옳지 않은 것은 ×로 표시하시오. (단, 수용액의 온도는 27 °C이고, 기체 상수는 R이다.)

(1) (가)에서 온도를 높이면 h는 감소한다. ( )

(2) (나)에서 가한 압력은 $150R$이다. ( )

(3) (나)에서 포도당 수용액의 포도당이 순수한 물 쪽으로 이동한다. ( )

3 그림은 27 °C에서 농도가 다른 포도당 수용액을 깔때기관에 각각 같은 부피로 넣은 후 물에 담근 모습을 나타낸 것이다.

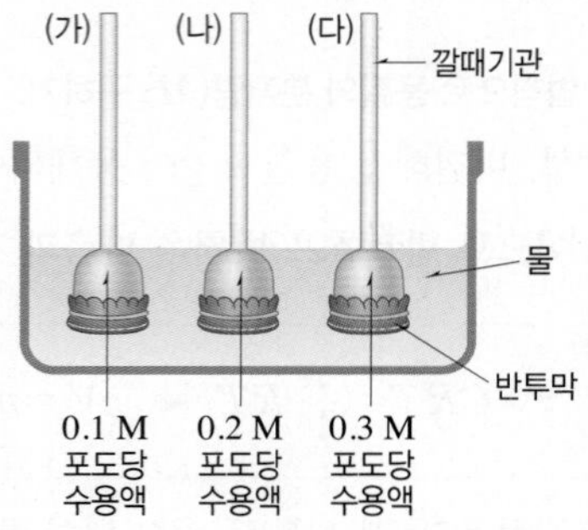

(1) 충분한 시간이 흐른 후 깔때기관 속 수면의 높이를 비교하여 등호나 부등호로 나타내시오.

(2) (가)~(다)의 삼투압을 구하시오. (단, 기체 상수는 R로 표시한다.)

4 다음 현상과 가장 크게 관련된 용액의 성질을 [보기]에서 각각 고르시오.

보기		
ㄱ. 끓는점 오름	ㄴ. 어는점 내림	ㄷ. 삼투압

(1) 소금물에 절인 배추가 숨이 죽는다.

(2) 자동차 냉각수에 부동액을 넣으면 겨울철에 냉각수가 잘 얼지 않는다.

(3) 소금물은 물보다 높은 온도에서 끓는다.

대표 자료 분석

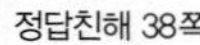

정답친해 38쪽

학교 시험에 자주 출제되는 대표 자료와 그 자료에 대한 문제를 통해 자료를 완벽하게 이해할 수 있다.

자료 1 용액의 증기 압력

기출 Point
- 물과 수용액의 증기 압력 비교
- 증기 압력을 이용한 수용액의 농도, 끓는점 비교

[1~4] 그림 (가)는 t ℃에서 농도가 다른 설탕물 A, B와 물이 수은으로 채워진 U자관으로 연결된 서로 다른 플라스크에 들어 있는 모습을, (나)는 온도에 따른 설탕물 A, B의 증기 압력을 나타낸 것이다. (단, 설탕물은 라울 법칙을 따른다.)

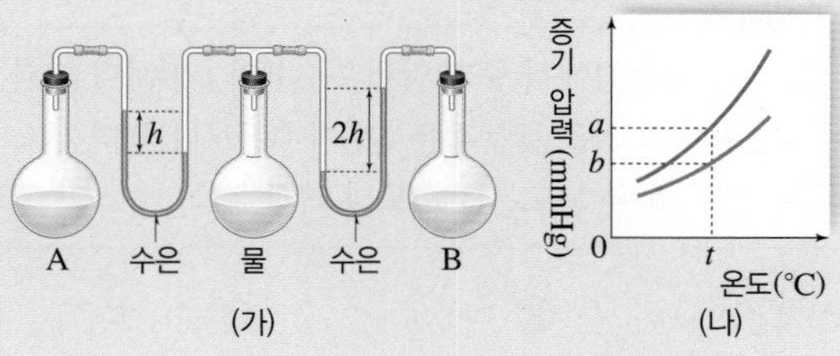

1 t ℃에서 설탕물 A, B와 물의 증기 압력을 비교하여 등호나 부등호로 나타내시오.

2 t ℃에서 설탕물 A, B의 증기 압력을 쓰시오.

3 설탕물 A, B의 기준 끓는점을 비교하여 등호나 부등호로 나타내시오.

4 빈출 선택지로 완벽 정리!

(1) A의 증기 압력 내림은 h이다. ············ (○ / ×)

(2) 설탕물의 농도는 A가 B보다 크다. ············ (○ / ×)

(3) $\dfrac{\text{A에서 설탕의 몰 분율}}{\text{B에서 설탕의 몰 분율}} = \dfrac{b}{a}$이다. ············ (○ / ×)

(4) 설탕물의 어는점은 A가 B보다 높다. ············ (○ / ×)

자료 2 용액의 증기 압력과 끓는점 오름

기출 Point
- 증기 압력을 이용한 용매의 끓는점 비교
- 끓는점 오름을 이용한 용액의 몰랄 농도 비교, 몰랄 오름 상수와 용질의 분자량 계산

[1~4] 표는 1기압에서 100 g의 용매 X와 Y에 용질 A를 각각 녹였을 때, 용매와 용액의 끓는점이다. 기준 끓는점은 Y가 X보다 높고, A의 분자량은 M이다. (단, A는 비휘발성, 비전해질이고, 용액은 라울 법칙을 따른다.)

A의 질량(g)	용매와 용액의 끓는점(K)	
	(가)	(나)
	용매 X 100 g	용매 Y 100 g
0	T_1	
a	T_2	T_2
$2a$	T_3	T_4

1 T_1에서 X와 Y의 증기 압력을 비교하여 등호나 부등호로 나타내시오.

2 T_3과 T_4를 비교하여 등호나 부등호로 나타내시오.

3 용매 X와 Y의 몰랄 오름 상수(K_b)를 비교하여 등호나 부등호로 나타내시오.

4 빈출 선택지로 완벽 정리!

(1) A a g이 녹아 있는 용액 (가)의 끓는점 오름은 T_2이다. ············ (○ / ×)

(2) 같은 질량의 A를 녹일 때 끓는점 오름은 용액 (가)가 용액 (나)보다 항상 크다. ············ (○ / ×)

(3) (T_2-T_1)과 (T_3-T_2)는 같다. ············ (○ / ×)

내신 만점 문제

Ⓐ 증기 압력 내림

01 그림은 1기압에서 물과 물 16.2 g에 요소 x g을 녹인 요소 수용액의 온도에 따른 증기 압력을 나타낸 것이다.

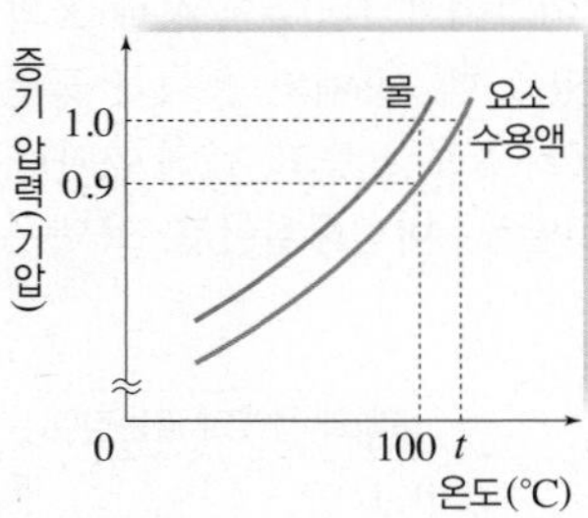

이에 대한 설명으로 옳은 것만을 [보기]에서 있는 대로 고르시오. (단, 물과 요소의 분자량은 각각 18, 60이고, 1기압은 760 mmHg이다.)

[보기]
ㄱ. x는 0.6이다.
ㄴ. 물의 몰 분율은 0.1이다.
ㄷ. 요소 수용액의 기준 끓는점은 t °C이다.

02 그림은 서로 다른 농도의 포도당 수용액을 크기가 동일한 비커에 담아 수증기로 포화된 밀폐 용기에 넣은 모습을 나타낸 것이다.

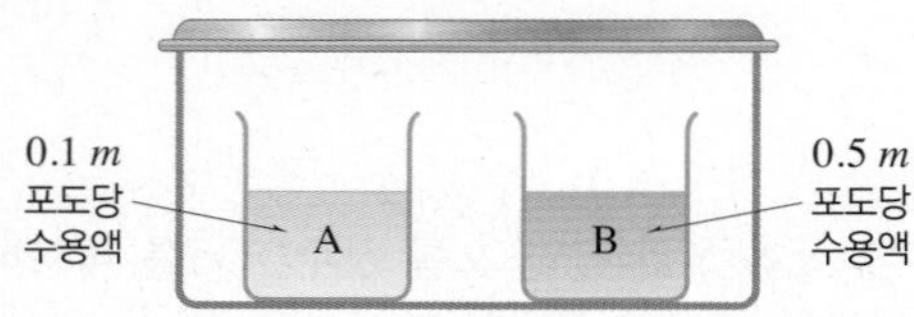

각 비커의 수면 높이가 변하지 않을 때까지 용액의 표면에서 일어나는 알짜 증발량을 시간에 따라 나타낸 것으로 옳은 것은? (단, 온도는 일정하며, '알짜 증발량=증발량−응축량'이다.)

① 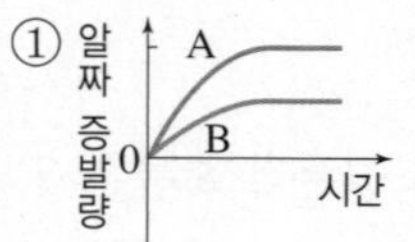

② 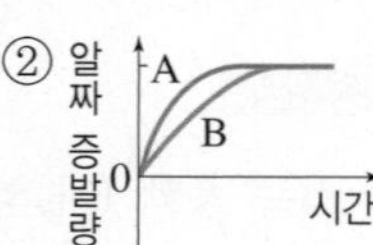

③ 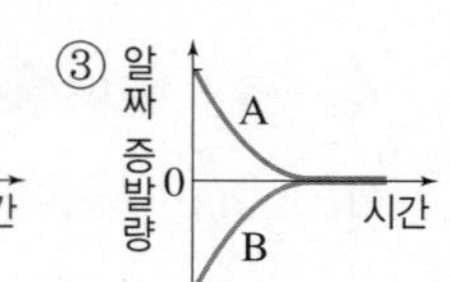

④ 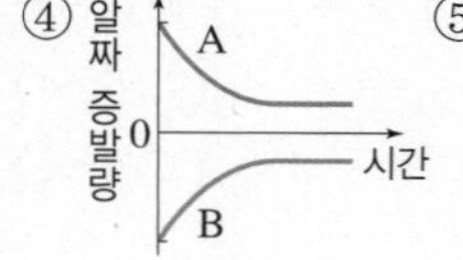

⑤ 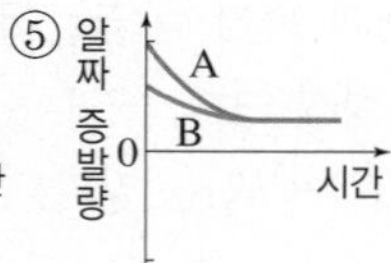

03 그림 (가)와 (나)는 동일한 비커에 같은 부피의 포도당 수용액이 각각 들어 있는 모습을 나타낸 것이다.

(가)

(나)

이에 대한 설명으로 옳은 것만을 [보기]에서 있는 대로 고른 것은? (단, (가) 수용액의 밀도는 1 g/mL이고, 포도당의 분자량은 180이며, 온도는 일정하다.)

[보기]
ㄱ. 기준 끓는점에서 증기 압력은 (나)가 (가)보다 크다.
ㄴ. 수용액의 기준 끓는점은 (가)가 (나)보다 높다.
ㄷ. (가)의 몰랄 농도는 1 m보다 작다.

① ㄱ ② ㄴ ③ ㄱ, ㄷ
④ ㄴ, ㄷ ⑤ ㄱ, ㄴ, ㄷ

☆중요 **04** 그림은 일정한 온도에서 용질의 몰 분율에 따른 두 용액 (가)와 (나)의 증기 압력을 나타낸 것이다.

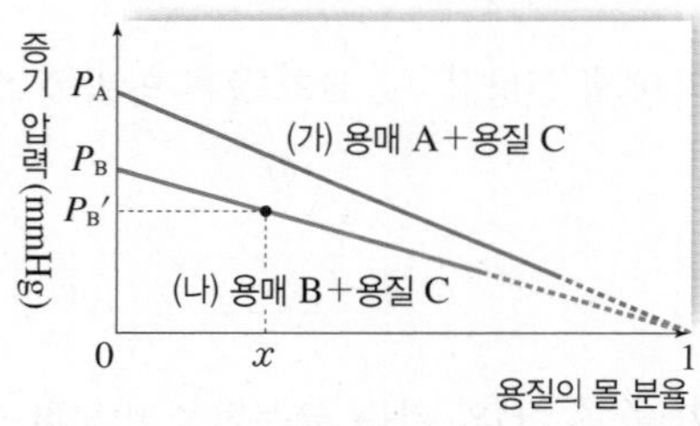

이에 대한 설명으로 옳은 것만을 [보기]에서 있는 대로 고른 것은? (단, C는 비휘발성, 비전해질이고, (가)와 (나)는 라울 법칙을 따른다.)

[보기]
ㄱ. 분자 간 힘은 A가 B보다 크다.
ㄴ. 용질의 몰 분율이 x일 때 (나)의 증기 압력 내림은 $P_B - P_B'$이다.
ㄷ. 용질의 몰 분율이 x일 때 기준 끓는점은 (가)가 (나)보다 높다.

① ㄴ ② ㄷ ③ ㄱ, ㄴ
④ ㄱ, ㄷ ⑤ ㄱ, ㄴ, ㄷ

B 끓는점 오름과 어는점 내림

중요 **05** 표는 60 °C에서 요소 수용액과 포도당 수용액의 조성이고, 그림은 두 수용액이 각각 들어 있는 플라스크를 수은이 들어 있는 U자관으로 연결한 모습을 나타낸 것이다.

수용액	양(mol)	
	물	용질
요소 수용액	9.8	0.2
포도당 수용액	9.9	0.1

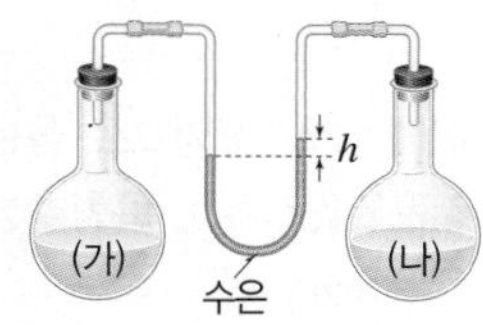

이에 대한 설명으로 옳은 것만을 [보기]에서 있는 대로 고른 것은? (단, 두 수용액은 라울 법칙을 따르고, 60 °C에서 수증기압은 150 mmHg이다.)

보기
ㄱ. (가)는 요소 수용액이다.
ㄴ. h는 1.5 mm이다.
ㄷ. 끓는점 오름(ΔT_b)은 요소 수용액이 포도당 수용액의 2배이다.

① ㄱ　② ㄴ　③ ㄱ, ㄷ　④ ㄴ, ㄷ　⑤ ㄱ, ㄴ, ㄷ

06 그림은 1기압에서 물 100 g이 들어 있는 두 비커에 고체 X와 Y를 각각 10 g씩 녹인 후 수용액을 가열할 때 시간에 따른 온도를 나타낸 것이다.

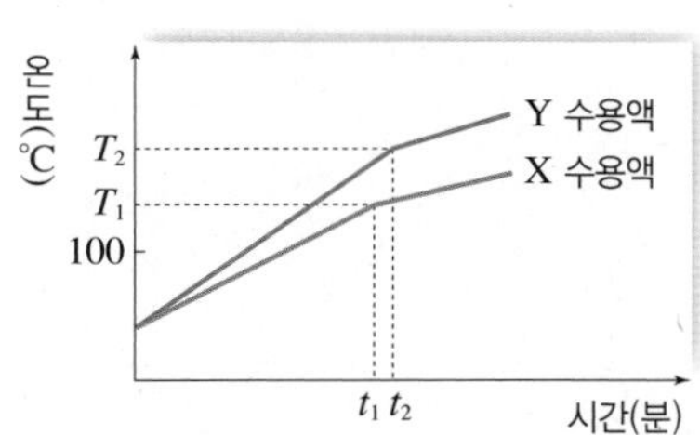

이에 대한 설명으로 옳은 것만을 [보기]에서 있는 대로 고르시오. (단, X와 Y는 비휘발성, 비전해질이고, X의 화학식량은 M_X이다.)

보기
ㄱ. 용액 속에 녹아 있는 용질의 양(mol)은 X가 Y보다 크다.
ㄴ. t_2일 때 증기 압력은 Y 수용액이 X 수용액보다 크다.
ㄷ. Y의 분자량은 $M_X \times \dfrac{T_1-100}{T_2-100}$이다.

중요 **07** 표는 용액 (가)와 (나)에 대한 자료이다.

용액		(가)	(나)
용매	종류	A	B
	질량(g)	100	50
	분자량	$2M$	M
용질 C의 질량(g)		w	w
기준 끓는점(°C)		79.28	82.62
끓는점 오름(°C)		2.53	2.53

이에 대한 설명으로 옳은 것만을 [보기]에서 있는 대로 고른 것은? (단, C는 비휘발성, 비전해질이고, (가)와 (나)는 라울 법칙을 따른다.)

보기
ㄱ. 50 °C에서 증기 압력은 A가 B보다 크다.
ㄴ. 몰랄 오름 상수(K_b)는 A가 B의 2배이다.
ㄷ. 증기 압력 내림은 용액 (가)가 (나)보다 크다.

① ㄱ　② ㄷ　③ ㄱ, ㄴ　④ ㄴ, ㄷ　⑤ ㄱ, ㄴ, ㄷ

08 그림은 물 100 g에 용질 A와 B를 각각 녹였을 때 용질의 질량에 따른 A 수용액의 끓는점과 B 수용액의 어는점을 나타낸 것이다.

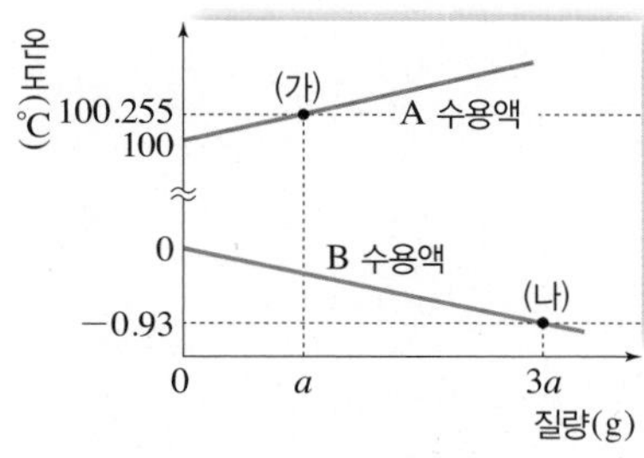

이에 대한 설명으로 옳은 것만을 [보기]에서 있는 대로 고른 것은? (단, A와 B는 비휘발성, 비전해질이고 서로 반응하지 않으며, 물의 K_b는 0.51 °C/m이고, K_f는 1.86 °C/m이다.)

보기
ㄱ. A의 분자량은 $10a$이다.
ㄴ. (나)에서 B 수용액의 끓는점은 100.255 °C이다.
ㄷ. (가)의 A 수용액과 (나)의 B의 수용액을 혼합한 수용액의 어는점은 −0.93 °C이다.

① ㄱ　② ㄷ　③ ㄱ, ㄴ　④ ㄴ, ㄷ　⑤ ㄱ, ㄴ, ㄷ

중요 09 다음은 어는점 내림에 대한 실험이다.

[실험 과정]

(가) 물 100 g에 포도당($C_6H_{12}O_6$) 10 g을 녹인 수용액 20 mL를 시험관에 넣고 온도계를 꽂는다.

(나) 냉각제가 들어 있는 수조에 (가)의 시험관을 넣고 수용액의 온도를 측정하여 어는점을 찾는다.

(다) 포도당 대신 설탕($C_{12}H_{22}O_{11}$) 10 g을 사용하여 과정 (가)~(나)를 반복한다.

[실험 결과]

구분	포도당 수용액	설탕 수용액
어는점(°C)	t_1	t_2

이에 대한 설명으로 옳은 것만을 [보기]에서 있는 대로 고른 것은?

[보기]
ㄱ. t_1이 t_2보다 높다.
ㄴ. (가)에서 포도당 수용액 30 mL를 사용하면 어는점은 t_1보다 더 낮아진다.
ㄷ. (나)에서 수용액이 어는 동안 온도는 점점 낮아진다.

① ㄱ ② ㄷ ③ ㄱ, ㄴ
④ ㄴ, ㄷ ⑤ ㄱ, ㄴ, ㄷ

서술형 10 표는 고체 A와 B를 각각 녹인 수용액에 대한 자료이다.

구분	용질의 질량(g)	물의 질량(g)	어는점(°C)
A 수용액	57	1000	−0.31
B 수용액	15	250	−0.62

$\frac{\text{A 분자량}}{\text{B 분자량}}$을 구하고, 풀이 과정을 서술하시오. (단, A와 B는 비휘발성, 비전해질이다.)

11 표는 25 °C, 1기압에서 용질 X 2 g을 서로 다른 용매 A, B에 각각 녹인 용액의 어는점 내림이다.

용액	용매의 종류	용매의 질량(g)	어는점 내림(°C)
Ⅰ	A	200	t_1
Ⅱ	(가)	100	$2t_1$
Ⅲ	B	400	t_2

이에 대한 설명으로 옳은 것만을 [보기]에서 있는 대로 고른 것은? (단, X는 비휘발성, 비전해질이다.)

[보기]
ㄱ. (가)는 B이다.
ㄴ. 몰랄 농도는 Ⅰ이 Ⅲ의 2배이다.
ㄷ. 용매의 몰랄 내림 상수(K_f)비는 A : B$=t_1 : 2t_2$이다.

① ㄱ ② ㄷ ③ ㄱ, ㄴ
④ ㄴ, ㄷ ⑤ ㄱ, ㄴ, ㄷ

중요 12 그림은 물 100 g에 비휘발성, 비전해질 용질 X와 Y를 각각 녹인 수용액의 어는점을 용질의 질량에 따라 나타낸 것이다.

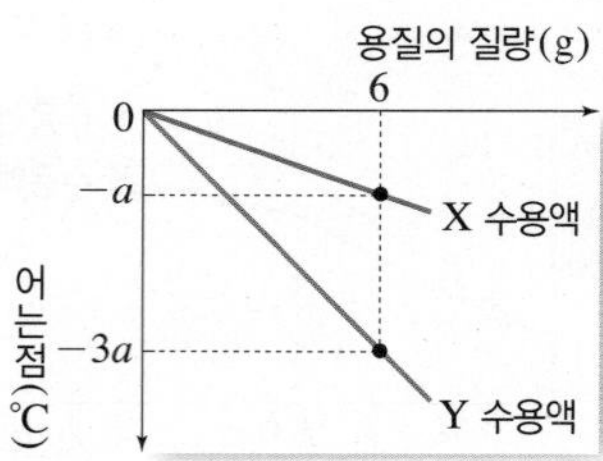

이에 대한 설명으로 옳은 것만을 [보기]에서 있는 대로 고른 것은? (단, X의 분자량은 180이다.)

[보기]
ㄱ. 물의 몰랄 내림 상수 K_f는 a °C/m이다.
ㄴ. 용액의 몰랄 농도는 Y 수용액이 X 수용액의 3배이다.
ㄷ. Y의 분자량은 60이다.

① ㄱ ② ㄷ ③ ㄱ, ㄴ
④ ㄴ, ㄷ ⑤ ㄱ, ㄴ, ㄷ

C 삼투압

13 그림 (가)와 같이 A, B 수용액을 반투막으로 분리된 U자관에 수면의 높이가 같도록 각각 넣어 두었더니, (나)와 같이 B 수용액 쪽의 수면이 높아졌다. (다)는 B 수용액에 P기압의 압력을 가해 주었을 때의 상태를 나타낸 것이다.

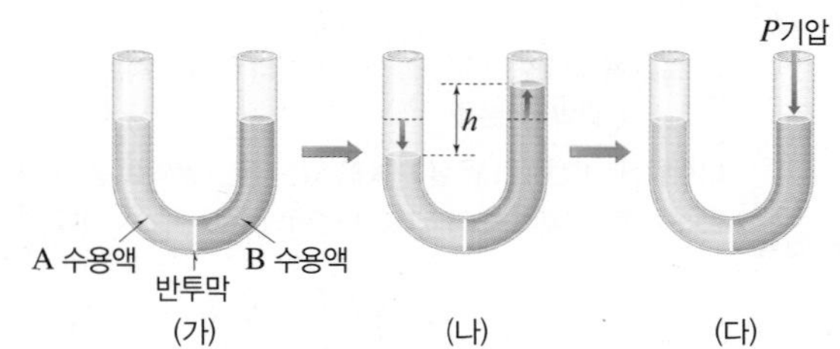

이에 대한 설명으로 옳은 것만을 [보기]에서 있는 대로 고른 것은? (단, A와 B는 비전해질이다.)

[보기]

ㄱ. B 수용액과 A 수용액의 삼투압 차는 P기압이다.
ㄴ. (가)에서 농도는 A 수용액이 B 수용액보다 작다.
ㄷ. (나)에서 A 수용액의 용질이 B 수용액 쪽으로 이동한다.

① ㄱ ② ㄷ ③ ㄱ, ㄴ
④ ㄴ, ㄷ ⑤ ㄱ, ㄴ, ㄷ

14 표는 비휘발성, 비전해질인 물질 X의 수용액 (가)~(다)에 대한 자료이다.

수용액	수용액의 부피(mL)	X의 질량(g)	삼투압 (atm)	온도(K)
(가)	100	0.18	0.24	300
(나)	100	0.36	㉠	300
(다)	200	0.36	0.28	㉡

이에 대한 설명으로 옳은 것만을 [보기]에서 있는 대로 고른 것은? (단, 기체 상수 R은 0.08 atm·L/(mol·K)이다.)

[보기]

ㄱ. X의 분자량은 180이다.
ㄴ. ㉠은 0.12이다.
ㄷ. ㉡은 175이다.

① ㄱ ② ㄷ ③ ㄱ, ㄴ
④ ㄴ, ㄷ ⑤ ㄱ, ㄴ, ㄷ

15 그림은 25 °C, 1기압에서 용질 A 0.01 g을 녹인 수용액 10 mL와 용질 B 0.04 g을 녹인 수용액 10 mL를 깔때기관에 넣어 수면의 높이를 같게 한 후 충분한 시간 동안 놓아두었을 때의 모습을 나타낸 것이다.

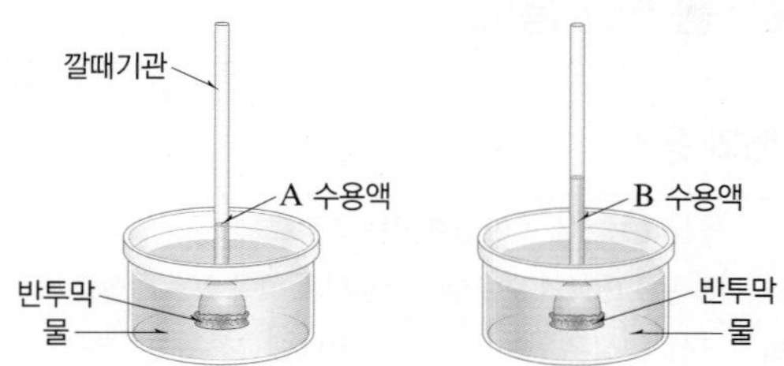

삼투압을 측정하였더니 A 수용액은 0.04기압, B 수용액은 0.08기압이었다.
이에 대한 설명으로 옳은 것만을 [보기]에서 있는 대로 고른 것은? (단, A와 B는 비휘발성, 비전해질이고, 반투막을 통과하지 못한다.)

[보기]

ㄱ. 분자량은 B가 A의 2배이다.
ㄴ. 수용액의 초기 몰 농도는 A 수용액이 B 수용액의 2배이다.
ㄷ. A 수용액과 B 수용액의 몰 농도는 처음보다 감소한다.

① ㄱ ② ㄷ ③ ㄱ, ㄴ
④ ㄱ, ㄷ ⑤ ㄱ, ㄴ, ㄷ

D 묽은 용액의 총괄성

16 비휘발성, 비전해질 용질에 녹아 있는 묽은 용액의 성질에 대한 설명으로 옳지 않은 것은?

① 용액의 농도가 클수록 증기 압력이 작다.
② 순수한 용매에 비해 용액의 어는점은 높다.
③ 삼투압은 용액의 몰 농도와 절대 온도에 비례한다.
④ 용액의 몰랄 농도가 2배가 되면 끓는점 오름도 2배가 된다.
⑤ 묽은 용액에서 용질의 종류에 관계없이 용질의 입자 수에만 비례하는 성질을 묽은 용액의 총괄성이라고 한다.

정답친해 42쪽

01 용액의 농도

1. 용해와 용액

용해	용질이 용매에 녹아 들어가는 과정
용액	두 종류 이상의 순물질이 균일하게 섞여 있는 혼합물
용해의 원리	극성 물질은 (❶) 용매에 잘 녹고, 무극성 물질은 (❷) 용매에 잘 녹는다.

2. 용액의 농도

퍼센트 농도	용액 100 g 속에 녹아 있는 용질의 질량 ➡ $\frac{\text{용질의 질량(g)}}{\text{용액의 질량(g)}} \times 100$(단위: %)	질량 기준 ➡ 온도에 관계없이 일정
ppm 농도	용액 10^6 g 속에 녹아 있는 용질의 질량 ➡ $\frac{\text{용질의 질량(g)}}{\text{용액의 질량(g)}} \times 10^6$(단위: ppm)	
몰랄 농도	용매 1 kg 속에 녹아 있는 용질의 양(mol) ➡ $\frac{\text{용질의 양(mol)}}{(❸\quad)\text{의 질량(kg)}}$(단위: m, mol/kg)	
몰 농도	용액 1 L 속에 녹아 있는 용질의 양(mol) ➡ $\frac{\text{용질의 양(mol)}}{(❹\quad)\text{의 부피(L)}}$(단위: M, mol/L)	부피 기준 ➡ 온도에 따라 변화

3. 농도 단위 환산(d: 용액의 밀도, M_w: 용질의 화학식량)

퍼센트 농도 ⇨ 몰 농도	a % 수용액: 용액 100 g, 용질 a g ➡ 용액의 부피: $\frac{100}{d}$ mL, 용질의 양(mol): $\frac{a}{M_w}$ ➡ 용액의 몰 농도: (❺)
퍼센트 농도 ⇨ 몰랄 농도	a % 수용액: 용액 100 g, 용질 a g ➡ 용매의 질량: $(100-a)$ g, 용질의 양(mol): $\frac{a}{M_w}$ ➡ 용액의 몰랄 농도: (❻)
몰 농도 ⇨ 몰랄 농도	a M 수용액: 용액 1000 mL, 용질 a몰 ➡ 용액의 질량: $1000d$ g, 용매의 질량: $(1000d-aM_w)$ g ➡ 용액의 몰랄 농도: (❼)

02 묽은 용액의 총괄성

1. 증기 압력 내림

증기 압력 내림(ΔP)	일정한 온도에서 비휘발성 용질이 녹아 있는 용액의 증기 압력이 순수한 용매의 증기 압력보다 낮은 현상으로, 용질의 몰 분율에 (❽)한다. $\Delta P = P^\circ_{\text{용매}} - P_{\text{용액}} = P^\circ_{\text{용매}} \times X_{\text{용질}}$ ($P^\circ_{\text{용매}}$: 용매의 증기 압력, $P_{\text{용액}}$: 용액의 증기 압력, $X_{\text{용질}}$: 용질의 몰 분율)
라울 법칙	비휘발성, 비전해질 용질이 녹아 있는 묽은 용액의 증기 압력은 순수한 용매의 증기 압력과 용매의 (❾)을 곱한 값이다. $P_{\text{용액}} = P^\circ_{\text{용매}} \times X_{\text{용매}}$($X_{\text{용매}}$: 용매의 몰 분율)

2. 끓는점 오름과 어는점 내림

끓는점 오름(ΔT_b)	용액의 끓는점이 순수한 용매의 끓는점보다 높은 현상으로, (❿)에 비례한다. $\Delta T_b = K_b \times m$ (K_b: 몰랄 오름 상수, m: 몰랄 농도)	K_b, K_f는 용질의 종류에는 관계없이 용매의 종류에 따라 다르다.
어는점 내림(ΔT_f)	용액의 어는점이 순수한 용매의 어는점보다 낮은 현상으로, (⓫)에 비례한다. $\Delta T_f = K_f \times m$ (K_f: 몰랄 내림 상수, m: 몰랄 농도)	
분자량(M) 구하기	$M = \frac{1000 \times w \times K_b}{\Delta T_b \times W} = \frac{1000 \times w \times K_f}{\Delta T_f \times W}$ (w: 용질의 질량, W: 용매의 질량)	

3. 삼투압

삼투 현상	반투막을 사이에 두고 농도가 서로 다른 두 용액이 있을 때 농도가 작은 용액 쪽에서 농도가 큰 용액 쪽으로 (⓬) 입자가 이동하는 현상
(⓭)	삼투 현상으로 인해 농도가 작은 용액 쪽에서 농도가 큰 용액 쪽으로 가해지는 압력
반트호프 법칙	비휘발성, 비전해질 용질이 녹아 있는 묽은 용액의 삼투압은 용액의 (⓮)와 절대 온도에 비례한다. $\pi = CRT$ (π: 삼투압, C: 몰 농도, R: 기체 상수, T: 절대 온도)
분자량(M) 구하기	$M = \frac{wRT}{\pi V}$ (w: 용질의 질량, V: 용액의 부피)

4. 묽은 용액의 총괄성 비휘발성, 비전해질 용질이 녹아 있는 묽은 용액의 증기 압력 내림, 끓는점 오름, 어는점 내림, 삼투압은 모두 용질의 종류에 관계없이 용질의 (⓯)에만 비례한다.

중단원 마무리 문제

정답친해 42쪽

난이도 ●●●

●○○

01 그림은 학생 A의 혈액 검사 결과지의 일부이다.

목표 질환	검사 항목	단위	결과	정상
빈혈	혈색소	g/L	160	130~165
당뇨병	혈당	mg/L	1530	1000 미만

이에 대한 설명으로 옳은 것만을 [보기]에서 있는 대로 고른 것은? (단, 혈액의 밀도는 1.0 g/mL이다.)

보기
ㄱ. 혈액 속 혈색소의 퍼센트 농도는 16 %이다.
ㄴ. 혈액 속 혈당의 ppm 농도는 1.53 ppm이다.
ㄷ. 혈액 속 혈당 수치는 정상이다.

① ㄱ ② ㄴ ③ ㄱ, ㄷ
④ ㄴ, ㄷ ⑤ ㄱ, ㄴ, ㄷ

●●○

02 그림은 수산화 나트륨(NaOH) 0.04 g이 녹아 있는 수용액 (가)에서 1 mL를 취한 후 증류수를 가하여 새로운 수용액 (나)를 만드는 과정을 나타낸 것이다.

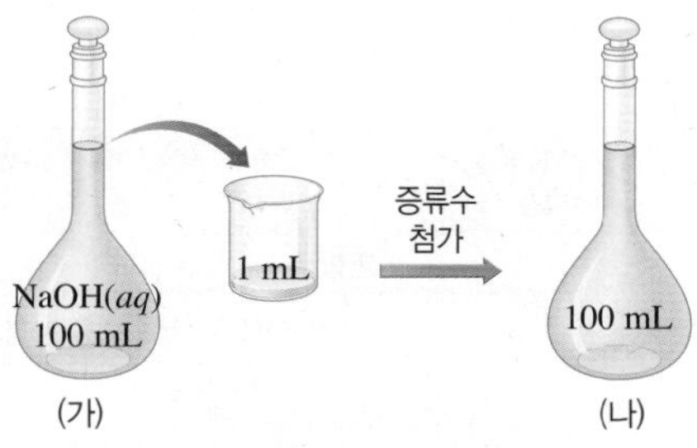

이에 대한 설명으로 옳은 것만을 [보기]에서 있는 대로 고른 것은? (단, (가)와 (나)의 밀도는 1 g/mL이고, NaOH의 화학식량은 40이다.)

보기
ㄱ. (가)의 몰랄 농도는 0.1 m이다.
ㄴ. (나)의 몰 농도는 0.0001 M이다.
ㄷ. ppm 농도는 (가)가 (나)의 100배이다.

① ㄱ ② ㄷ ③ ㄱ, ㄴ
④ ㄴ, ㄷ ⑤ ㄱ, ㄴ, ㄷ

●○○

03 다음은 12 M 염산(HCl(aq))의 몰랄 농도(m)를 구하는 과정이다.

- (가)＝12 M 염산의 밀도(g/mL)×1000 mL
- (나)＝12 M×1 L×염화 수소의 몰 질량(g/mol)
- 몰랄 농도＝$\dfrac{12\ \text{mol}}{(\text{다})}\times\dfrac{1000\ \text{g}}{1\ \text{kg}}$

이에 대한 설명으로 옳은 것만을 [보기]에서 있는 대로 고른 것은?

보기
ㄱ. (가)는 12 M 염산의 질량이다.
ㄴ. (나)는 염화 수소 12 mol의 질량이다.
ㄷ. (다)는 (가)에서 (나)를 뺀 값이다.

① ㄱ ② ㄷ ③ ㄱ, ㄴ
④ ㄴ, ㄷ ⑤ ㄱ, ㄴ, ㄷ

●●○

04 다음은 0.5 M 탄산수소 칼륨($KHCO_3$) 수용액 100 mL를 만드는 실험이다.

(가) $KHCO_3$ x g을 비커에 넣고 증류수로 완전히 녹인다.
(나) 100 mL A에 (가)의 수용액을 넣고 비커에 남은 수용액을 증류수로 씻어서 A에 넣는다.
(다) A의 표시선까지 증류수를 채운 후 수용액이 잘 섞이도록 흔들어 준다.

이에 대한 설명으로 옳은 것만을 [보기]에서 있는 대로 고른 것은? (단, $KHCO_3$의 화학식량은 100이고, 0.5 M $KHCO_3$ 수용액의 밀도는 d g/mL이다.)

보기
ㄱ. x는 5이다.
ㄴ. A는 둥근바닥 플라스크이다.
ㄷ. (다)에서 만든 수용액의 몰랄 농도는 $\dfrac{50}{100d-5}$ m이다.

① ㄱ ② ㄴ ③ ㄱ, ㄷ
④ ㄴ, ㄷ ⑤ ㄱ, ㄴ, ㄷ

●●○

05 표는 같은 질량의 용질 X와 Y가 각각 녹아 있는 수용액 (가)와 (나)에 대한 자료이다.

수용액	(가)	(나)
용질	X	Y
수용액의 양	100 g	1 L
퍼센트 농도(%)	10	㉠
몰 농도(M)		0.2
밀도(g/mL)		1.0
용질의 분자량		㉡

이에 대한 설명으로 옳은 것만을 [보기]에서 있는 대로 고른 것은? (단, 온도는 일정하고, (나)의 밀도는 1.0 g/mL이다.)

[보기]
ㄱ. ㉠은 1이다.
ㄴ. ㉡은 50이다.
ㄷ. (나)의 몰랄 농도는 0.2 m보다 크다.

① ㄱ ② ㄷ ③ ㄱ, ㄴ
④ ㄴ, ㄷ ⑤ ㄱ, ㄴ, ㄷ

●●○

06 그림은 일정한 온도에서 A 수용액 (가)와 (나)를 나타낸 것이다.

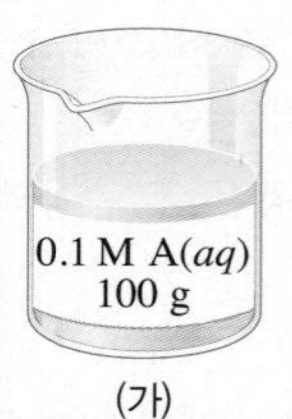

(가)

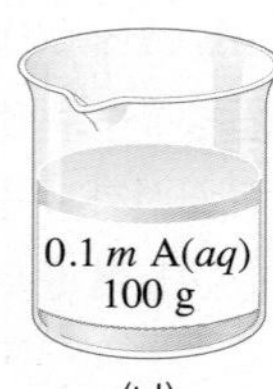

(나)

이에 대한 설명으로 옳은 것만을 [보기]에서 있는 대로 고른 것은? (단, (가)의 밀도는 1 g/mL이며, A의 분자량은 60이다.)

[보기]
ㄱ. (가)와 (나)의 퍼센트 농도는 같다.
ㄴ. 몰랄 농도는 (가)가 (나)보다 크다.
ㄷ. (나)에서 증류수 50 g을 증발시키면 용액의 몰랄 농도는 0.2 m이다.

① ㄱ ② ㄴ ③ ㄱ, ㄷ
④ ㄴ, ㄷ ⑤ ㄱ, ㄴ, ㄷ

●●○

07 표는 같은 질량의 용질이 녹아 있는 수용액 (가)~(다)에 대한 자료이다.

수용액	(가)	(나)	(다)
용질	A	B	A
부피(L)	a	$3a$	$2a$
몰 농도(M)	$2b$	$2b$	b

이에 대한 설명으로 옳은 것만을 [보기]에서 있는 대로 고른 것은? (단, 수용액 (가)~(다)의 밀도는 1 g/mL이다.)

[보기]
ㄱ. 화학식량은 A가 B의 3배이다.
ㄴ. 퍼센트 농도는 (가)가 (나)의 3배이다.
ㄷ. 몰랄 농도는 (가)와 (다)가 같다.

① ㄱ ② ㄷ ③ ㄱ, ㄴ
④ ㄴ, ㄷ ⑤ ㄱ, ㄴ, ㄷ

●●●

08 그림은 수산화 나트륨(NaOH) 수용액 (가)와 (나)를 이용하여 0.2 M NaOH 수용액 1 L를 만드는 과정을 나타낸 것이다.

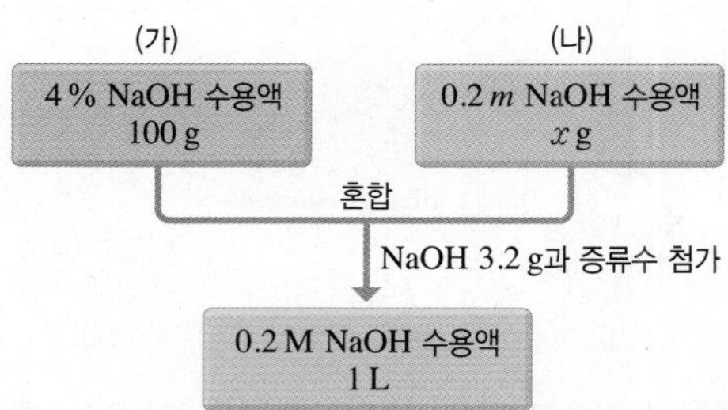

이에 대한 설명으로 옳은 것만을 [보기]에서 있는 대로 고른 것은? (단, NaOH의 화학식량은 40이고, 온도는 일정하다.)

[보기]
ㄱ. (가)의 몰랄 농도는 1 m이다.
ㄴ. NaOH의 질량은 (가)가 (나)의 5배이다.
ㄷ. x는 100이다.

① ㄱ ② ㄴ ③ ㄱ, ㄷ
④ ㄴ, ㄷ ⑤ ㄱ, ㄴ, ㄷ

09 그림은 25 °C, 1기압에서 용질 X를 용매 A에 녹인 용액 (가)와 용매 B에 녹인 용액 (나)의 몰랄 농도에 따른 증기 압력을 나타낸 것이다.

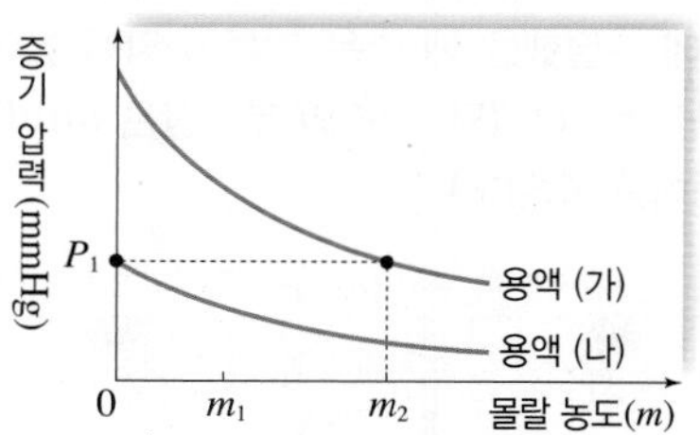

이에 대한 설명으로 옳은 것만을 [보기]에서 있는 대로 고른 것은? (단, X는 비휘발성, 비전해질이고, 용액은 라울 법칙을 따른다.)

[보기]
ㄱ. 용매의 기준 끓는점은 A가 B보다 낮다.
ㄴ. 외부 압력이 1기압인 경우 몰랄 농도가 m_1인 두 용액의 끓는점에서 증기 압력은 (가)와 (나)가 같다.
ㄷ. 외부 압력이 P_1인 경우 용매 B의 끓는점과 몰랄 농도가 m_2인 (가)의 끓는점은 같다.

① ㄱ ② ㄷ ③ ㄱ, ㄴ
④ ㄴ, ㄷ ⑤ ㄱ, ㄴ, ㄷ

10 표는 수용액 (가)~(라)의 끓는점 오름(ΔT_b)이다.

수용액	물 100 g에 용해된 용질의 질량	ΔT_b(°C)
(가)	A 3 g+B 9 g	$2a$
(나)	A 3 g+B 18 g	$3a$
(다)	B 18 g+C 7.5 g	$7a$
(라)	A 3 g+C 7.5 g	㉠

이에 대한 설명으로 옳은 것만을 [보기]에서 있는 대로 고른 것은? (단, A~C는 비휘발성, 비전해질이고, 서로 반응하지 않는다.)

[보기]
ㄱ. 분자량은 B가 A의 3배이다.
ㄴ. 증기 압력은 (가)가 (다)보다 작다.
ㄷ. ㉠은 $5a$이다.

① ㄱ ② ㄷ ③ ㄱ, ㄴ
④ ㄴ, ㄷ ⑤ ㄱ, ㄴ, ㄷ

11 그림은 물 100 g에 A x g을 녹인 수용액 (가)와 물 50 g에 A 3 g이 녹아 있는 수용액에 B x g을 녹인 수용액 (나)를 나타낸 것이고, 그래프는 수용액 (가)와 (나)에 각각 A와 B x g을 녹인 용액의 끓는점을 나타낸 것이다.

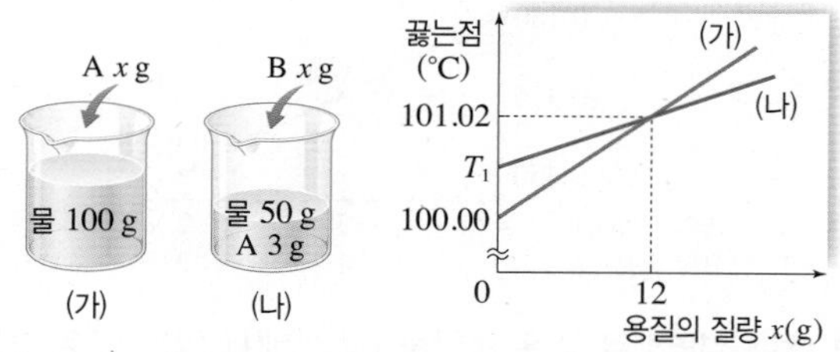

이에 대한 설명으로 옳은 것만을 [보기]에서 있는 대로 고른 것은? (단, A와 B는 비휘발성, 비전해질이고 서로 반응하지 않으며, 물의 K_b는 0.51 °C/m이다.)

[보기]
ㄱ. x가 12일 때, (가)와 (나)의 몰랄 농도는 모두 2 m이다.
ㄴ. 분자량은 B가 A의 4배이다.
ㄷ. T_1은 100.51 °C이다.

① ㄱ ② ㄷ ③ ㄱ, ㄴ
④ ㄴ, ㄷ ⑤ ㄱ, ㄴ, ㄷ

12 다음은 1기압에서 A 수용액에 대한 실험과 자료이다.

[실험]
(가) 500 mL 부피 플라스크에 x M A 수용액 100 mL를 넣은 후 표시선까지 증류수를 채웠다.
(나) (가) 수용액의 어는점을 측정하였더니 −0.93 °C였다.

[자료]

수용액의 밀도	물의 K_f	A의 분자량
1.0 g/mL	1.86 °C/m	200

이에 대한 설명으로 옳은 것만을 [보기]에서 있는 대로 고르시오. (단, A는 비휘발성, 비전해질이다.)

[보기]
ㄱ. 수용액의 몰랄 농도는 0.5 m이다.
ㄴ. 수용액에서 A의 질량은 $\frac{500}{11}$ g이다.
ㄷ. x는 $\frac{25}{11}$이다.

●●●

13 그림은 1기압에서 물 100 g에 용질 A와 B의 질량을 달리하여 녹였을 때 수용액의 어는점을 나타낸 것이다.

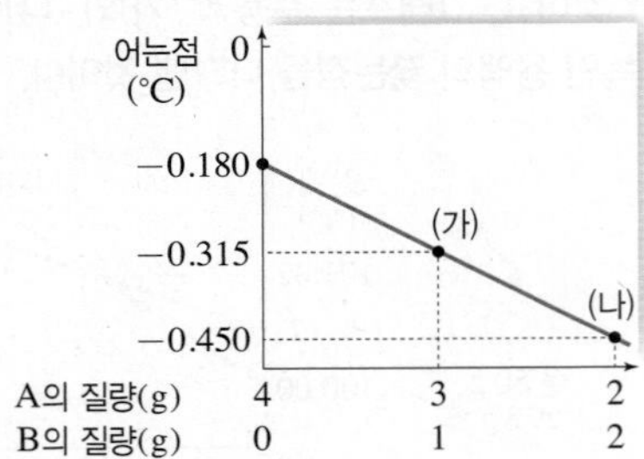

이에 대한 설명으로 옳은 것만을 [보기]에서 있는 대로 고른 것은? (단, A와 B는 비휘발성, 비전해질이며, 서로 반응하지 않는다.)

[보기]
ㄱ. 분자량은 A가 B의 4배이다.
ㄴ. (가)와 (나)에서 용질의 몰비는 7 : 10이다.
ㄷ. 끓는점은 (가)가 (나)보다 높다.

① ㄱ ② ㄷ ③ ㄱ, ㄴ
④ ㄴ, ㄷ ⑤ ㄱ, ㄴ, ㄷ

●○○

14 그림은 온도 T에서 반투막을 사이에 두고 용기의 양쪽에 같은 부피의 물과 설탕물을 각각 넣은 후, 충분한 시간이 흘렀을 때 수면의 높이 차(h)를 나타낸 것이다.

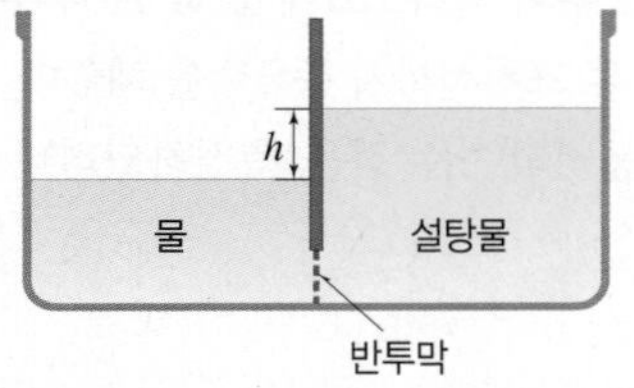

이에 대한 설명으로 옳은 것만을 [보기]에서 있는 대로 고른 것은? (단, 물의 증발은 무시한다.)

[보기]
ㄱ. 설탕물에 설탕을 추가하면 h는 증가한다.
ㄴ. 물과 설탕물의 온도가 높아지면 h는 감소한다.
ㄷ. 삼투 현상이 일어나는 동안 설탕물의 농도는 커진다.

① ㄱ ② ㄷ ③ ㄱ, ㄴ
④ ㄴ, ㄷ ⑤ ㄱ, ㄴ, ㄷ

서술형 문제

●●○

15 그림은 일정한 온도에서 요소 수용액과 포도당 수용액을 두 플라스크에 각각 넣고 수은이 들어 있는 U자관으로 연결하여 평형에 도달했을 때 수은 기둥의 양쪽 높이가 같아진 상태를 나타낸 것이다. (단, 요소의 분자량은 60이고, 두 수용액은 라울 법칙을 따른다.)

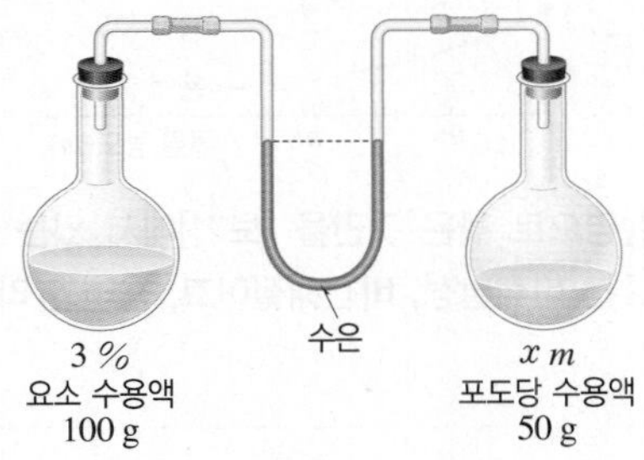

(1) x를 구하고, 풀이 과정을 서술하시오. (단, 소수점 아래 셋째 자리에서 반올림한다.)

(2) 두 수용액에 각각 50 g의 물을 더 넣으면 수은 기둥의 높이가 어떻게 변하는지 그 까닭과 함께 서술하시오.

●●○

16 표는 1기압에서 용매 X 100 g에 용질 A와 B의 질량을 달리하여 녹인 용액 (가)~(다)에 대한 자료이다.

용액		(가)	(나)	(다)
용해된 용질의 질량(g)	A	a	$2a$	$3a$
	B	b	b	$2b$
용액의 어는점(°C)		t	$t-2k$	$t-5k$

용매 X의 어는점을 구하고, 용해된 용질의 양(mol)을 언급하여 풀이 과정을 서술하시오. (단, A와 B는 비전해질이다.)

수능 실전 문제

정답친해 45쪽

01 표는 A 수용액 (가)와 (나)에 대한 자료이다.

수용액	물의 질량 (g)	A의 질량 (g)	밀도 (g/mL)	몰랄 농도 (m)	몰 농도 (M)
(가)	400	100			
(나)	1000	100	1.05	a	b

이에 대한 설명으로 옳은 것만을 [보기]에서 있는 대로 고른 것은?

[보기]
ㄱ. 퍼센트 농도는 (가)가 (나)의 2배이다.
ㄴ. $b=\dfrac{1.05}{1.1}a$이다.
ㄷ. (나)에서 온도가 높아지면 a와 b는 감소한다.

① ㄱ ② ㄴ ③ ㄱ, ㄷ ④ ㄴ, ㄷ ⑤ ㄱ, ㄴ, ㄷ

02 그림은 A 수용액 (가)에 용질 A와 물을 순서대로 첨가하여 (나)와 (다)를 만드는 과정을 나타낸 것이다.

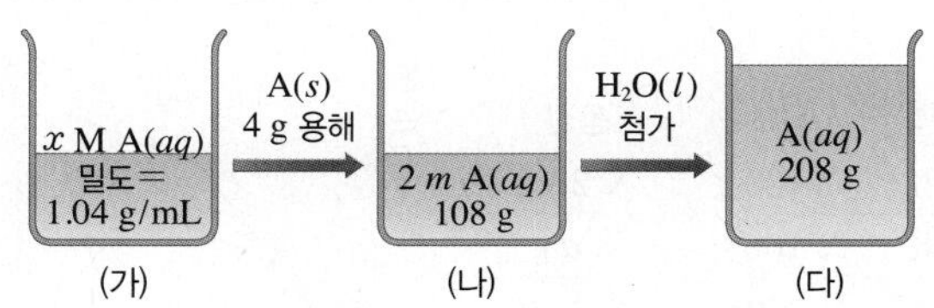

이에 대한 설명으로 옳은 것만을 [보기]에서 있는 대로 고른 것은? (단, A는 비휘발성이고 화학식량은 40이며, 온도는 일정하고 물의 증발은 무시한다.)

[보기]
ㄱ. x=1이다.
ㄴ. A의 양(mol)은 (나)가 (가)의 2배이다.
ㄷ. (다)의 몰랄 농도는 1 m이다.

① ㄱ ② ㄴ ③ ㄱ, ㄷ ④ ㄴ, ㄷ ⑤ ㄱ, ㄴ, ㄷ

03 표는 온도 T에서 용질 X를 물에 녹여 만든 수용액 (가)에 대한 자료이다.

수용액의 부피(mL)	X		몰 농도(M)	밀도 (g/mL)
	질량(g)	화학식량		
500	15	60	a	1.01

온도 T에서 (가) 200 mL에 물 b g을 추가하여 만든 수용액 (나)의 퍼센트 농도가 2 %일 때, 이에 대한 설명으로 옳은 것만을 [보기]에서 있는 대로 고른 것은?

[보기]
ㄱ. (가)의 a는 0.5이다.
ㄴ. (나)의 b는 100이다.
ㄷ. (가)의 몰랄 농도는 0.5 m보다 작다.

① ㄱ ② ㄷ ③ ㄱ, ㄴ ④ ㄴ, ㄷ ⑤ ㄱ, ㄴ, ㄷ

04 다음은 서로 다른 농도의 수산화 나트륨(NaOH) 수용액을 혼합하여 0.5 M NaOH 수용액을 만드는 실험이다.

(가) 표와 같이 NaOH 수용액 A~C를 각각 2개씩 준비한다.

수용액	A	B	C
농도	2.5 %	2.5 m	2.5 M
질량 또는 부피	400 g	110 g	50 mL

(나) 표와 같이 각각 두 수용액을 혼합한 후 증류수를 가하여 3개의 0.5 M NaOH 수용액을 만든다.

혼합한 수용액	A, B	A, C	B, C
0.5 M NaOH 수용액의 부피(mL)	V_1	V_2	V_3

이에 대한 설명으로 옳은 것만을 [보기]에서 있는 대로 고른 것은? (단, NaOH의 화학식량은 40이고, 온도는 일정하다.)

[보기]
ㄱ. NaOH의 양(mol)은 A와 B가 같다.
ㄴ. V_2는 750이다.
ㄷ. V_1은 V_3의 2배이다.

① ㄱ ② ㄷ ③ ㄱ, ㄴ ④ ㄴ, ㄷ ⑤ ㄱ, ㄴ, ㄷ

05 표는 25 °C에서 어떤 용매에 용질 X를 녹인 용액 (가), (나)에 대한 자료이다. 25 °C에서 용매의 증기 압력은 P이고, 분자량은 X가 용매의 3배이다.

용액	X의 질량(g)	용액의 질량(g)	증기 압력
(가)	w	100	$\frac{7}{8}P$
(나)	w	200	x

이에 대한 설명으로 옳은 것만을 [보기]에서 있는 대로 고른 것은? (단, X는 비휘발성, 비전해질이고, 용액은 라울 법칙을 따른다.)

[보기]
ㄱ. (가)에서 용질의 몰 분율은 $\frac{7}{8}$이다.
ㄴ. $w=30$이다.
ㄷ. $x=\frac{1}{18}P$이다.

① ㄱ ② ㄴ ③ ㄱ, ㄷ
④ ㄴ, ㄷ ⑤ ㄱ, ㄴ, ㄷ

06 표는 물과 포도당 수용액의 온도와 증기 압력에 대한 자료이다.

온도(°C)		t_1	t_2
증기 압력 (mmHg)	물	P_1	P_2
	a m 포도당 수용액	P_2	P_3

이에 대한 설명으로 옳은 것만을 [보기]에서 있는 대로 고른 것은? (단, 포도당 수용액은 라울 법칙을 따른다.)

[보기]
ㄱ. t_1은 t_2보다 높다.
ㄴ. $\frac{P_2}{P_1}$는 $\frac{P_3}{P_2}$보다 크다.
ㄷ. P_2에서 a m 포도당 수용액의 끓는점 오름은 (t_1-t_2)이다.

① ㄱ ② ㄴ ③ ㄱ, ㄷ
④ ㄴ, ㄷ ⑤ ㄱ, ㄴ, ㄷ

07 그림은 일정량의 물에 고체 A를 녹인 수용액의 증기 압력을 A의 질량에 따라 나타낸 것이다.

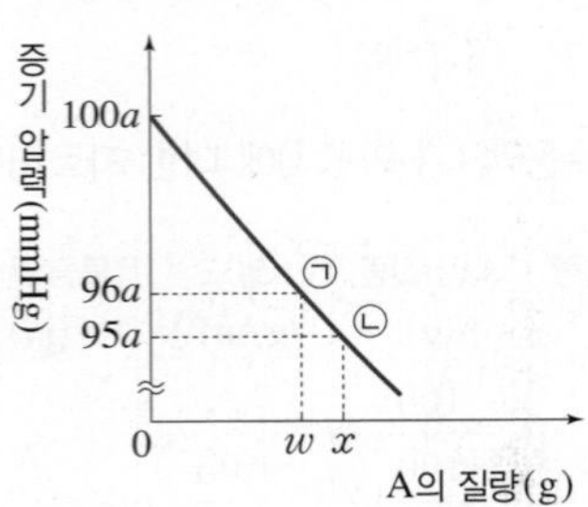

이에 대한 설명으로 옳은 것만을 [보기]에서 있는 대로 고른 것은? (단, A는 비휘발성, 비전해질이고, 수용액은 라울 법칙을 따르며 온도는 일정하다.)

[보기]
ㄱ. 용액의 기준 끓는점은 ㉠이 ㉡보다 높다.
ㄴ. ㉠에서 증기 압력 내림(ΔP)은 $96a$이다.
ㄷ. $x=\frac{24}{19}w$이다.

① ㄱ ② ㄷ ③ ㄱ, ㄴ
④ ㄴ, ㄷ ⑤ ㄱ, ㄴ, ㄷ

08 표는 용액 (가)~(라)에 대한 자료이고, 그림은 1기압에서 (가)~(다)를 각각 가열할 때 시간에 따른 용액의 온도를 나타낸 것이다. 용매로 사용한 A와 B의 기준 끓는점은 각각 78 °C, 80 °C이다.

용액	용매	용질
(가)	A 100 g	X $2a$ g
(나)	A 100 g	Y a g
(다)	B 300 g	Y $2a$ g
(라)	B 200 g	X $3a$ g

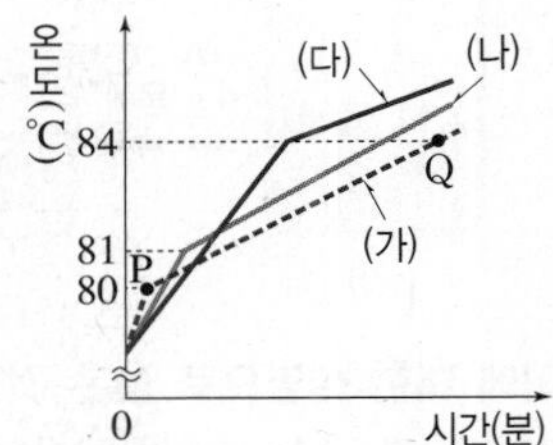

이에 대한 설명으로 옳은 것만을 [보기]에서 있는 대로 고른 것은?

[보기]
ㄱ. 분자량은 Y가 X의 3배이다.
ㄴ. 몰랄 농도는 Q가 P의 3배이다.
ㄷ. (라)의 끓는점 오름(ΔT_b)은 3 °C이다.

① ㄱ ② ㄴ ③ ㄱ, ㄷ
④ ㄴ, ㄷ ⑤ ㄱ, ㄴ, ㄷ

09 표는 1기압에서 용매 A에 비휘발성, 비전해질인 용질 X를 녹인 2가지 용액의 조성과 끓는점이다.

용액	용매 A의 질량(g)	용질 X의 질량(g)	용액의 끓는점(°C)
(가)	200	6.4	80.83
(나)	100	㉠	81.46

이에 대한 설명으로 옳은 것만을 [보기]에서 있는 대로 고른 것은? (단, A의 K_b는 2.52 °C/m이고, X의 분자량은 128이며, A와 X는 서로 반응하지 않는다.)

보기
ㄱ. (가)에서 끓는점 오름은 0.63 °C이다.
ㄴ. ㉠은 6.4이다.
ㄷ. 퍼센트 농도(%)는 (가)가 (나)의 $\frac{1}{2}$배이다.

① ㄱ ② ㄷ ③ ㄱ, ㄴ
④ ㄴ, ㄷ ⑤ ㄱ, ㄴ, ㄷ

10 다음은 수용액의 어는점을 측정하는 실험이다.

[실험 과정]
1기압에서 물 1 kg이 각각 들어 있는 6개의 비커에 A(s) 3 g, 6 g, 9 g과 B(s) 9 g, 18 g, 27 g을 각각 넣어 녹인 후, 수용액의 어는점을 측정하였다.
[실험 결과]

($t>0$)

용질의 종류	A			B		
용질의 분자량	60			x		
용질의 질량(g)	3	6	9	9	18	27
수용액의 어는점(°C)	$-t$	$-2t$	$-3t$	$-t$	$-2t$	$-3t$

이에 대한 설명으로 옳은 것만을 [보기]에서 있는 대로 고른 것은? (단, 물의 기준 어는점은 0 °C이고, A와 B는 비휘발성, 비전해질이며 서로 반응하지 않고, 수용액은 라울 법칙을 따른다.)

보기
ㄱ. x는 180이다.
ㄴ. 물의 몰랄 내림 상수는 $20t$이다.
ㄷ. A 3 g과 B 9 g이 포함된 두 수용액을 혼합한 수용액의 어는점은 $-2t$이다.

① ㄴ ② ㄷ ③ ㄱ, ㄴ
④ ㄱ, ㄷ ⑤ ㄱ, ㄴ, ㄷ

11 표는 용매 A의 질량이 100 g인 용액 (가)~(다)의 어는점 내림(ΔT_f)이다.

용액		(가)	(나)	(다)
용질의 질량(g)	X	9	5	3
	Y	1	5	7
ΔT_f(°C)		a	x	$2a$

이에 대한 설명으로 옳은 것만을 [보기]에서 있는 대로 고른 것은? (단, X와 Y는 비휘발성, 비전해질이고, 서로 반응하지 않는다.)

보기
ㄱ. 화학식량은 X가 Y의 3배이다.
ㄴ. 용매 A의 몰 분율은 (가)가 (다)보다 작다.
ㄷ. x는 $\frac{5}{3}a$이다.

① ㄱ ② ㄴ ③ ㄱ, ㄷ
④ ㄴ, ㄷ ⑤ ㄱ, ㄴ, ㄷ

12 그림은 25 °C, 1기압에서 반투막으로 분리된 용기에 설탕물 A, B와 물을 같은 높이로 넣어두고 시간이 흘렀을 때의 모습을 나타낸 것이다. h_1과 h_2는 각각 물과 설탕물 A, B의 수면의 높이 차이고, h_2는 h_1보다 크다.

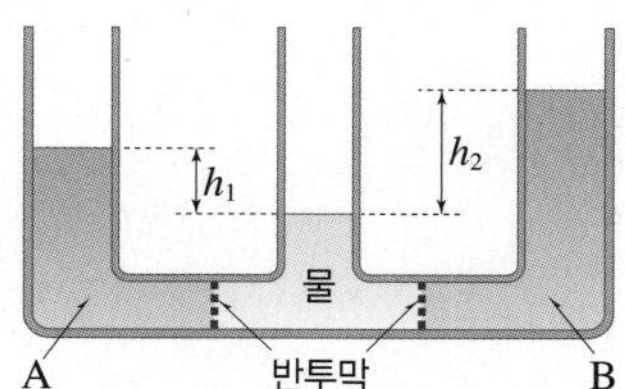

이에 대한 설명으로 옳은 것만을 [보기]에서 있는 대로 고른 것은? (단, 설탕물의 농도에 따른 밀도 변화는 무시한다.)

보기
ㄱ. 설탕물을 용기에 넣은 초기 상태일 때 설탕물의 어는점은 A가 B보다 높다.
ㄴ. h_1과 h_2가 각각 0이 되기 위해 가해 주어야 하는 압력은 B가 A보다 크다.
ㄷ. 온도를 10 °C로 낮추면 물과 A의 수면의 높이 차는 h_1보다 작아진다.

① ㄱ ② ㄴ ③ ㄱ, ㄷ
④ ㄴ, ㄷ ⑤ ㄱ, ㄴ, ㄷ

반응엔탈피와 화학 평형

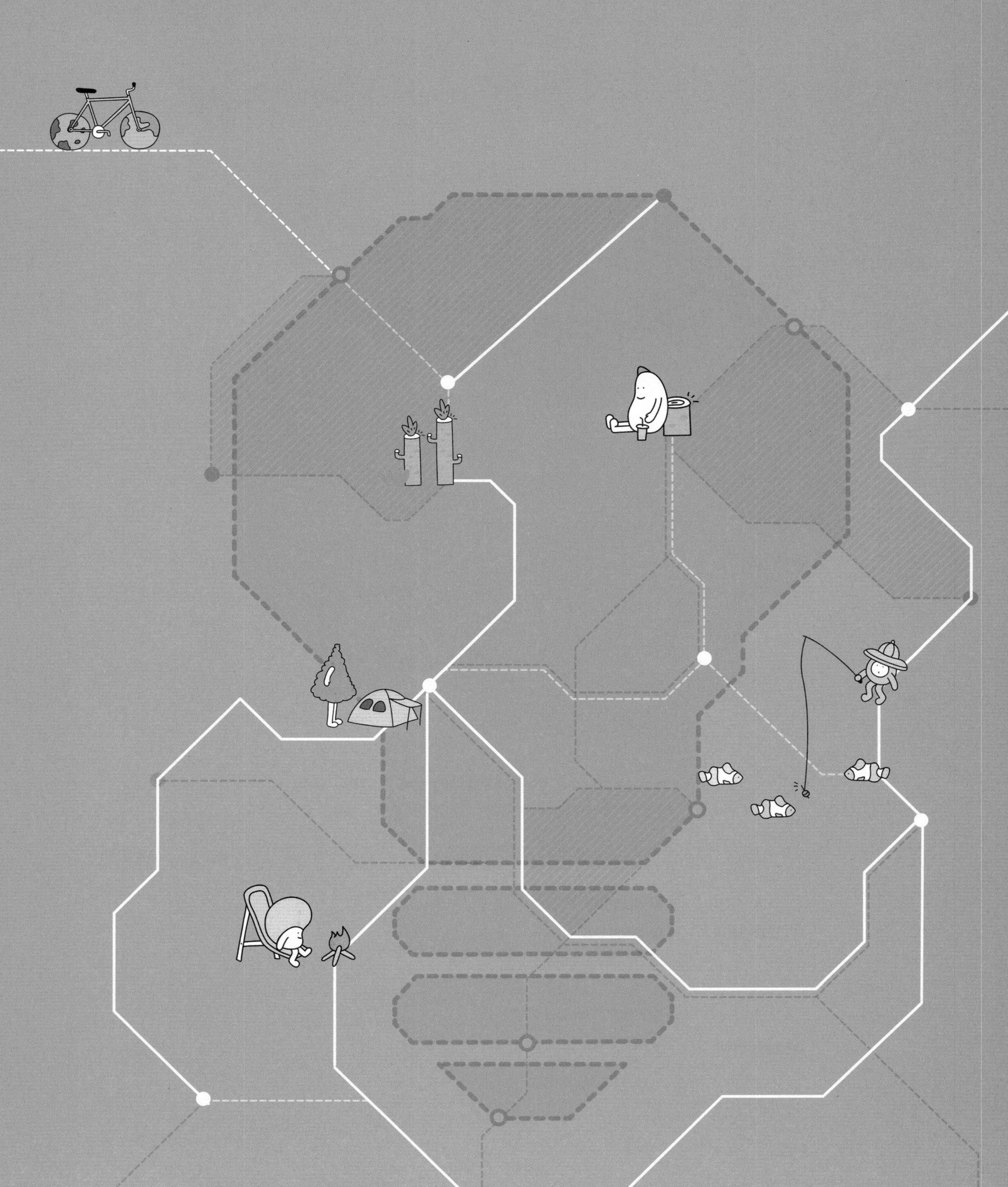

1 반응엔탈피

- 01. 반응엔탈피
- 02. 헤스 법칙

이 단원을 공부하기 전에 학습 계획을 세우고, 학습 진도를 스스로 체크해 보자.
학습이 미흡했던 부분은 다시 보기에 체크해 두고, 시험 전까지 꼭 완벽히 학습하자!

소단원	학습 내용	학습 일자	다시 보기
01. 반응엔탈피	Ⓐ 반응엔탈피	/	
	Ⓑ 열화학 반응식	/	
	Ⓒ 반응엔탈피의 종류	/	
02. 헤스 법칙	Ⓐ 반응엔탈피와 결합 에너지	/	
	Ⓑ 헤스 법칙 탐구 헤스 법칙 확인 특강 헤스 법칙 이용하기	/	

이전에 학습한 내용 중 이 단원과 연계된 내용을 다시 한번 떠올려 봅시다.

화학 반응식

① 화학 반응식: 화학식을 이용하여 화학 반응을 나타낸 식

② 화학 반응식을 나타내는 방법: 화학 반응이 일어날 때 원자는 새로 생기거나 없어지지 않고, 원자 사이의 배열만 달라지므로 반응 전후에 원자의 종류와 수는 변하지 않는다. 따라서 각 물질의 화학식 앞에 ❶ ______ 를 붙여서 화학 반응 전후 원자의 종류와 수를 같게 맞춘다.

③ 화학 반응식의 양적 관계: 계수비＝❷ ______ ＝부피비(기체일 때)≒질량비

화학 반응과 열의 출입

화학 반응이 일어날 때 열을 방출하거나 흡수한다.

구분	❸ ______ 반응	❹ ______ 반응
정의	화학 반응이 일어날 때 열을 방출하는 반응	화학 반응이 일어날 때 열을 흡수하는 반응
주위의 온도	❺ ______ 진다.	❻ ______ 진다.
예	연소 반응, 중화 반응, 금속과 산의 반응, 철이 녹스는 반응 등	열분해, 질산 암모늄의 용해, 수산화 바륨 팔수화물과 질산 암모늄의 반응 등
열의 출입 이용	손난로, 발열 도시락 등	냉찜질 주머니 등

화학 반응에서 출입하는 열의 측정

① 열량계: 화학 반응에서 출입하는 열량을 측정하는 장치로, 기본적으로 단열 반응 용기, 온도계, 젓개로 구성된다.

② 간이 열량계와 통열량계

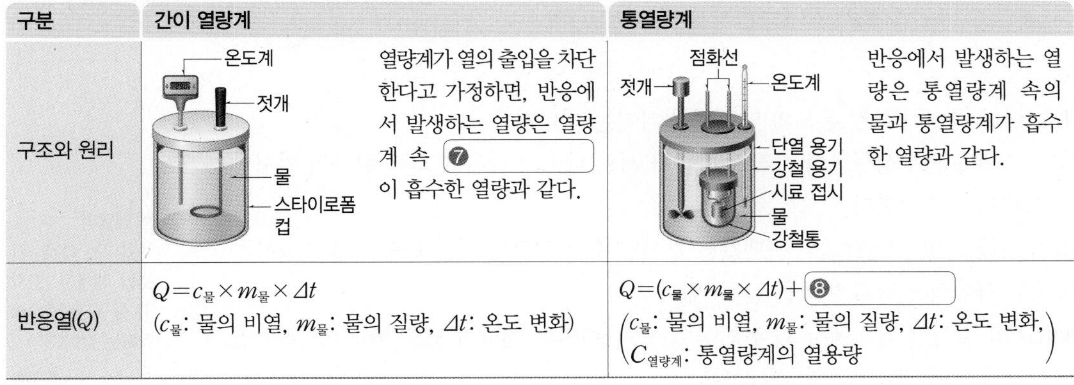

구분	간이 열량계	통열량계
구조와 원리	열량계가 열의 출입을 차단한다고 가정하면, 반응에서 발생하는 열량은 열량계 속 ❼ ______ 이 흡수한 열량과 같다.	반응에서 발생하는 열량은 통열량계 속의 물과 통열량계가 흡수한 열량과 같다.
반응열(Q)	$Q=c_{물}\times m_{물}\times \Delta t$ ($c_{물}$: 물의 비열, $m_{물}$: 물의 질량, Δt: 온도 변화)	$Q=(c_{물}\times m_{물}\times \Delta t)+$❽ ______ ($c_{물}$: 물의 비열, $m_{물}$: 물의 질량, Δt: 온도 변화, $C_{열량계}$: 통열량계의 열용량)

정답 ❶ 계수 ❷ 몰비 ❸ 발열 ❹ 흡열 ❺ 높아 ❻ 낮아 ❼ 물 ❽ $C_{열량계}\times \Delta t$

01 반응엔탈피

핵심 포인트	
Ⓐ 반응열과 반응열의 측정 ★★ 반응엔탈피 ★★★ Ⓑ 열화학 반응식 ★★★	Ⓒ 반응엔탈피의 종류 ★★ 생성 엔탈피 ★★★

Ⓐ 반응엔탈피

우리는 일상생활에서 손난로, 냉찜질 주머니와 같이 화학 반응에서 출입하는 열을 이용한 제품을 많이 사용해요. 그런데 화학 반응이 일어날 때 왜 열이 출입할까요? 그 까닭은 각 물질이 가지고 있는 에너지가 다르기 때문이지요. 지금부터 물질이 가지는 고유한 에너지와 화학 반응에서의 열의 출입을 알아보아요.

1. 반응열(Q) 화학 반응에서 반응물과 생성물 사이에 출입하는 열

(1) ***발열 반응과 흡열 반응**

① 발열 반응: 화학 반응이 일어날 때 열을 방출하는 반응

② 흡열 반응: 화학 반응이 일어날 때 열을 흡수하는 반응

화학 반응에서의 열의 출입 미래엔 교과서에만 나와요.

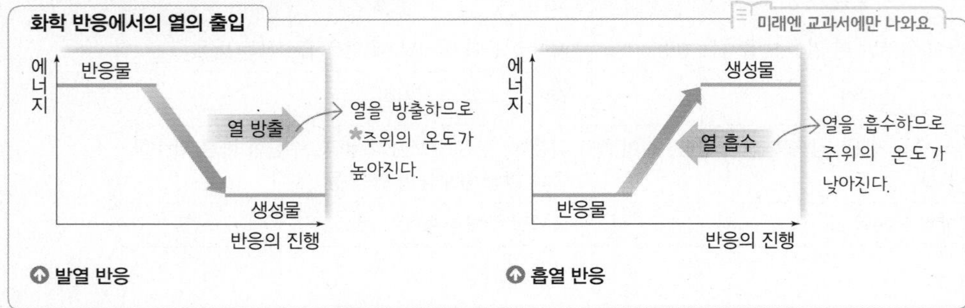

▲ 발열 반응　　▲ 흡열 반응

(2) **반응열의 측정**: 화학 반응에서 출입하는 열은 열량계를 이용하여 측정한다. ➡ 열량계와 외부 사이의 열 출입이 없다면 반응 과정에서 발생한 열량은 용액이 얻은 열량(Q)과 같다.

$$\text{열량}(Q) = c \times m \times \Delta t$$

(c: 용액의 비열, m: 용액의 질량, Δt: 용액의 온도 변화)

└● 비열: 어떤 물질 1 g의 온도를 1 ℃ 높이는 데 필요한 열량

▲ *간이 열량계의 구조

2. 반응엔탈피

(1) ***엔탈피(H)**: 어떤 물질이 특정 온도와 압력에서 가지는 에너지

① 화학 반응에서 반응물과 생성물이 가진 엔탈피가 서로 다르기 때문에 화학 반응이 일어날 때 열을 방출하거나 흡수한다.

② 어떤 물질이 가지고 있는 엔탈피의 절댓값을 알아낼 수는 없으며 화학 반응에서 출입하는 열량으로 물질 사이의 엔탈피 변화를 알 수 있다.

(2) **반응엔탈피(ΔH)**: 일정한 압력에서 화학 반응이 일어날 때의 엔탈피 변화 ➡ 생성물의 엔탈피 합에서 반응물의 엔탈피 합을 뺀 값이다.

$$\text{반응엔탈피} = \text{생성물의 엔탈피 합} - \text{반응물의 엔탈피 합}$$
$$\Delta H = H_{\text{생성물}} - H_{\text{반응물}}$$

★ **반응열의 이용 예**
- 발열 반응: 손난로는 철 가루와 산소가 반응할 때 방출하는 열을 이용한다.
- 흡열 반응: 냉찜질 주머니는 질산 암모늄이 물에 용해할 때 열을 흡수하는 것을 이용한다.

미래엔 교과서에만 나와요.
★ **반응계와 주위**
화학 반응에서 반응물과 생성물 전체를 반응계라고 하고, 이를 둘러싼 나머지를 주위라고 한다.

★ **간이 열량계**
간이 열량계는 간단하고 사용하기 쉽지만 열 손실이 커서 열량을 정확하게 측정하기 어렵다. 따라서 정확한 열량을 측정할 때에는 통열량계를 사용한다.

★ **엔탈피**
엔탈피는 핵에너지, 원자 사이의 결합 에너지, 분자의 운동 에너지 등 모든 종류의 에너지를 포함하는 값이다.

(3) **발열 반응과 흡열 반응에서의 반응엔탈피(ΔH)**

구분	발열 반응	흡열 반응
엔탈피 변화	반응물이 생성물보다 엔탈피가 더 크다. $H_{생성물} < H_{반응물}$ (그래프: 엔탈피 / 반응물 / ΔH / 엔탈피 감소 / 열 방출 / 생성물 / 반응의 진행)	생성물이 반응물보다 엔탈피가 더 크다. $H_{생성물} > H_{반응물}$ (그래프: 엔탈피 / 생성물 / 엔탈피 증가 / 열 흡수 / ΔH / 반응물 / 반응의 진행)
열의 출입	반응물과 생성물의 엔탈피 차이만큼 열을 방출한다.	반응물과 생성물의 엔탈피 차이만큼 열을 흡수한다.
반응엔탈피 (ΔH)	엔탈피가 감소하므로 반응엔탈피가 음(−)의 값이 된다. $\Delta H < 0$	엔탈피가 증가하므로 반응엔탈피가 양(+)의 값이 된다. $\Delta H > 0$

암기해
발열 반응과 흡열 반응에서의 반응엔탈피
- 발열 반응: $\Delta H < 0$
- 흡열 반응: $\Delta H > 0$

B 열화학 반응식

화학 반응식에 반응물과 생성물뿐만 아니라 반응엔탈피(ΔH)를 함께 나타내면 반응물과 생성물의 에너지 관계를 쉽게 알 수 있어요. 반응엔탈피(ΔH)를 화학 반응식에 어떻게 나타내는지, ΔH를 표시할 때의 유의점은 무엇인지 알아볼까요?

1. 열화학 반응식 화학 반응식에 반응엔탈피(ΔH)를 함께 나타낸 것으로, 반응엔탈피(ΔH)는 생성물 쪽에 표시한다.

(1) **발열 반응의 반응엔탈피(ΔH) 표현:** $\Delta H < 0$이므로, ΔH를 음(−)의 값으로 표시한다.

예 $CH_4(g) + 2O_2(g) \longrightarrow CO_2(g) + 2H_2O(l)$, $\Delta H = -890.8$ kJ

(2) **흡열 반응의 반응엔탈피(ΔH) 표현:** $\Delta H > 0$이므로, ΔH를 양(+)의 값으로 표시한다.

예 $CaCO_3(s) \longrightarrow CaO(s) + CO_2(g)$, $\Delta H = 178.3$ kJ

열화학 반응식에 반응열 나타내기 (미래엔 교과서에만 나와요.)
- 반응열(Q)의 부호는 발열 반응은 '+'로, 흡열 반응은 '−'로 표시한다. → 반응열(Q)과 반응엔탈피(ΔH)는 크기는 같고 부호는 반대이다.
- 반응열(Q)을 생성물처럼 취급하여 생성물 쪽에 표시한다.

예 발열 반응: $CH_4(g) + 2O_2(g) \longrightarrow CO_2(g) + 2H_2O(l) + 890.8$ kJ
흡열 반응: $CaCO_3(s) \longrightarrow CaO(s) + CO_2(g) - 178.3$ kJ

열화학 반응식을 해석하여 반응물과 생성물의 에너지 관계를 파악해 볼까요?

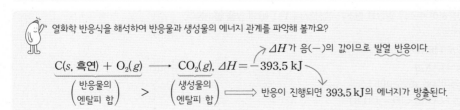

$C(s, 흑연) + O_2(g) \longrightarrow CO_2(g)$, $\Delta H = -393.5$ kJ

- ΔH가 음(−)의 값이므로 발열 반응이다.
- (반응물의 엔탈피 합) > (생성물의 엔탈피 합) ⟹ 반응이 진행되면 393.5 kJ의 에너지가 방출된다.

2. 열화학 반응식을 나타낼 때의 유의점 반응엔탈피(ΔH)는 물질의 상태, 온도, 압력, 양에 따라 달라지므로, 열화학 반응식을 나타날 때에는 다음 사항에 유의해야 한다.

물질의 상태

물질의 상태에 따라 반응엔탈피가 달라지므로 열화학 반응식에 물질의 상태를 함께 표시한다. ➡ 고체(s), 액체(l), 기체(g), 수용액(aq) → solid, liquid, gas, aqueous

예 상태에 따른 물의 생성 반응

$$H_2(g)+\frac{1}{2}O_2(g) \longrightarrow H_2O(s),\ \Delta H=-291.6\text{ kJ}$$

$$H_2(g)+\frac{1}{2}O_2(g) \longrightarrow H_2O(l),\ \Delta H=-285.8\text{ kJ}$$

$$H_2(g)+\frac{1}{2}O_2(g) \longrightarrow H_2O(g),\ \Delta H=-241.8\text{ kJ}$$

→ 생성되는 H_2O의 상태에 따라 반응엔탈피가 다르다.

온도와 압력

엔탈피는 온도와 압력에 따라 달라지므로 열화학 반응식에 반응 조건을 표시한다. 온도와 압력 조건이 주어지지 않으면, 일반적으로 반응 조건은 *25 °C, 1기압이다.

반응물의 양

반응엔탈피(ΔH)는 반응에 참여한 반응물의 양에 비례하므로 열화학 반응식의 계수가 달라지면 반응엔탈피의 크기도 비례하여 달라진다.

예 $H_2O(l)$ 1몰이 생성될 때 반응엔탈피 × 2 = $H_2O(l)$ 2몰이 생성될 때 반응엔탈피

$$H_2(g)+\frac{1}{2}O_2(g) \longrightarrow H_2O(l),\ \Delta H=-285.8\text{ kJ}$$

$$2H_2(g)+O_2(g) \longrightarrow 2H_2O(l),\ \Delta H=-571.6\text{ kJ}$$

× 2 ➡ 반응엔탈피는 2배가 된다.

역반응의 반응엔탈피

천재 교과서에만 나와요.

역반응의 반응엔탈피(ΔH)는 정반응의 반응엔탈피(ΔH)와 절댓값은 같고 부호는 반대이다.

예 $H_2O(l)$의 생성 반응과 분해 반응

$$H_2(g)+\frac{1}{2}O_2(g) \longrightarrow H_2O(l),\ \Delta H=-285.8\text{ kJ}$$

$$H_2O(l) \longrightarrow H_2(g)+\frac{1}{2}O_2(g),\ \Delta H=285.8\text{ kJ}$$

→ 정반응이 발열 반응이므로 정반응의 $\Delta H<0$이고, 그 역반응은 흡열 반응이므로 $\Delta H>0$이다.

천재 교과서에만 나와요.

★ 표준 상태
엔탈피는 온도와 압력에 따라 달라지므로 기준이 되는 온도와 압력을 표시해 준다. 엔탈피 등을 나타낼 때 표준 상태는 일반적으로 25 °C, 1기압이다.

역반응의 반응엔탈피(ΔH)는 천재 교과서에만 정리되어 있지만, 헤스 법칙을 이용한 반응엔탈피(ΔH) 계산에서 이용되므로 알아두어요.

열화학 반응식 완성해 보기

예제 1 산화 칼슘(CaO)과 이산화 탄소(CO_2)가 반응하여 1몰의 탄산 칼슘($CaCO_3$)이 생성될 때 178.3 kJ의 열을 방출한다. 이 반응을 열화학 반응식으로 나타내 보자.

1단계 물질의 상태를 표시한 화학 반응식으로 나타내기

➡ $CaO(s)+CO_2(g) \longrightarrow CaCO_3(s)$ → 반응 전후 원자의 종류와 수가 같도록 화학식의 계수를 맞춘다.

2단계 반응엔탈피(ΔH) 나타내기: 화학 반응식의 계수와 반응엔탈피의 부호에 유의하여 반응엔탈피를 표시한다. $CaCO_3$ 1몰이 생성되는 화학 반응식이고 열을 방출하는 발열 반응이므로, 반응엔탈피(ΔH)는 −178.3 kJ이다.

➡ $CaO(s)+CO_2(g) \longrightarrow CaCO_3(s),\ \Delta H=-178.3\text{ kJ}$

예제 2 흑연(C)과 수증기(H_2O)가 1몰씩 반응하여 수소와 일산화 탄소가 생성될 때 131 kJ의 열을 흡수한다. 이 반응을 열화학 반응식으로 나타내 보자.

1단계 물질의 상태를 표시한 화학 반응식으로 나타내기

➡ $C(s,\ \text{흑연})+H_2O(g) \longrightarrow H_2(g)+CO(g)$

2단계 반응엔탈피(ΔH) 나타내기: 흡열 반응이므로 $\Delta H>0$이다.

➡ $C(s,\ \text{흑연})+H_2O(g) \longrightarrow H_2(g)+CO(g),\ \Delta H=131\text{ kJ}$

개념 확인 문제

정답친해 50쪽

- (❶): 화학 반응에서 반응물과 생성물 사이에 출입하는 열
- (❷): 어떤 물질이 특정 온도와 압력에서 가지는 에너지
- 반응엔탈피(ΔH): (❸)의 엔탈피 합－(❹)의 엔탈피 합
- 발열 반응과 흡열 반응에서의 반응열(Q)과 반응엔탈피(ΔH)

구분	반응열(Q)	반응엔탈피(ΔH)
발열 반응	열을 (❺)	$H_{생성물}$ (❻) $H_{반응물}$ ➡ ΔH (❼) 0
흡열 반응	열을 (❽)	$H_{생성물}$ (❾) $H_{반응물}$ ➡ ΔH (❿) 0

- (⓫): 화학 반응에서 출입하는 열을 표현하기 위해 화학 반응식에 반응엔탈피(ΔH)를 함께 나타낸 것으로, 물질의 (⓬)와 반응 조건(온도와 압력)을 함께 표시해야 한다.

1 반응열과 엔탈피에 대한 설명으로 옳은 것은 ○, 옳지 않은 것은 ×로 표시하시오.

(1) 화학 반응이 일어날 때 반드시 열이 출입한다. ( )

(2) 흡열 반응이 일어나면 주위의 온도가 높아진다. ( )

(3) 열량계를 이용해 어떤 물질이 가지고 있는 엔탈피의 절댓값을 측정할 수 있다. ( )

(4) 화학 반응에서 열이 출입하는 것은 물질이 가진 엔탈피가 변하기 때문이다. ( )

(5) 반응엔탈피는 일정한 압력에서 화학 반응이 일어날 때 생성물의 엔탈피 합에서 반응물의 엔탈피 합을 뺀 값이다. ( )

2 그림은 어떤 반응의 엔탈피 변화를 나타낸 것이다. 이를 통해 알 수 있는 반응에 대한 설명으로 옳은 것만을 [보기]에서 있는 대로 고르시오.

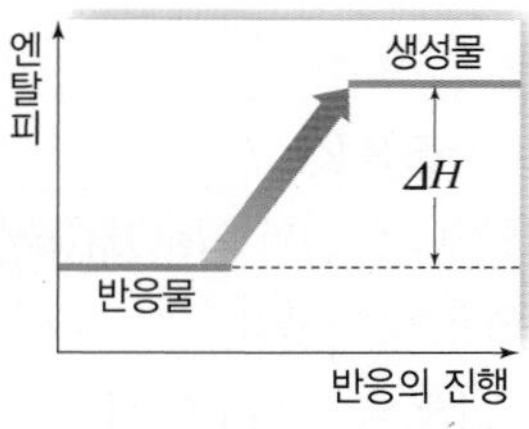

[보기]
ㄱ. 흡열 반응 ㄴ. 발열 반응
ㄷ. $\Delta H > 0$ ㄹ. $\Delta H < 0$

3 열화학 반응식으로 알 수 있는 것만을 [보기]에서 있는 대로 고르시오.

[보기]
ㄱ. 반응물의 종류 ㄴ. 생성물의 상태
ㄷ. 반응엔탈피(ΔH) ㄹ. 생성물의 엔탈피

4 다음은 메테인(CH_4) 연소 반응의 열화학 반응식이다.

$$CH_4(g) + 2O_2(g) \longrightarrow CO_2(g) + 2H_2O(l), \quad \Delta H = -890.8\text{ kJ}$$

이에 대한 설명으로 옳은 것은 ○, 옳지 않은 것은 ×로 표시하시오.

(1) $CH_4(g)$ 1몰은 $CO_2(g)$ 1몰보다 엔탈피가 890.8 kJ만큼 크다. ( )

(2) $CH_4(g)$ 2몰이 연소할 때 1781.6 kJ의 열을 방출한다. ( )

(3) 25 °C, 1기압에서 $CH_4(g)$이 연소하여 $H_2O(g)$ 2몰이 생성될 때의 반응엔탈피는 −890.8 kJ이다. ( )

5 C(s, 흑연) 1몰이 완전 연소할 때 393.5 kJ의 열을 방출한다. 이 반응의 열화학 반응식을 쓰시오.

01 반응엔탈피

C 반응엔탈피의 종류

화학 반응에서 수반되는 반응엔탈피는 반응의 종류에 따라 연소 엔탈피, 중화 엔탈피, 생성 엔탈피 등으로 구분할 수 있어요. 지금부터 여러 가지 반응엔탈피를 살펴보아요.

1. 연소 엔탈피 어떤 물질 1몰이 완전 연소할 때의 반응엔탈피

(1) 물질 1몰이 연소하여 반응 조건에서 가장 안정한 상태의 생성물로 될 때의 반응엔탈피이다.

예 메테인($CH_4(g)$) 연소 반응: $CH_4(g)$ 1몰이 완전 연소할 때 890.8 kJ의 열을 방출한다.

$CH_4(g)+2O_2(g) \longrightarrow CO_2(g)+2H_2O(l)$, $\Delta H=-890.8$ kJ

25 °C, 1기압에서 안정한 상태인 물이 생성될 때의 반응엔탈피이다.

➡ $CH_4(g)$의 연소 엔탈피(ΔH)는 -890.8 kJ/mol이다.

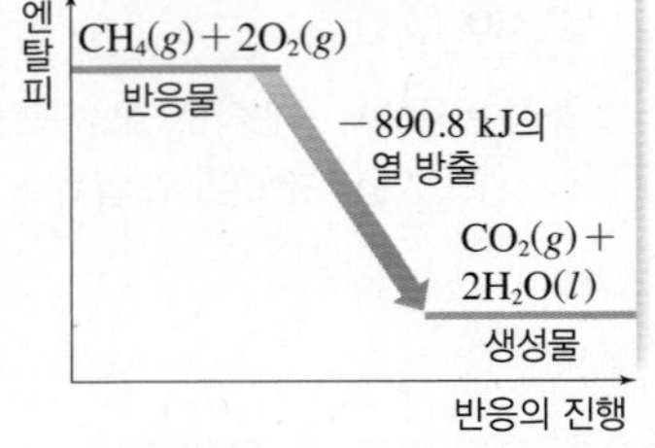

(2) 연소 반응은 발열 반응이므로 연소 엔탈피는 항상 음(−)의 값을 가진다.

물질	흑연($C(s)$)	에탄올($C_2H_5OH(l)$)	프로페인($C_3H_8(g)$)	포도당($C_6H_{12}O_6(s)$)
ΔH(kJ/mol)	−393.5	−1366.8	−2219.2	−2820.0

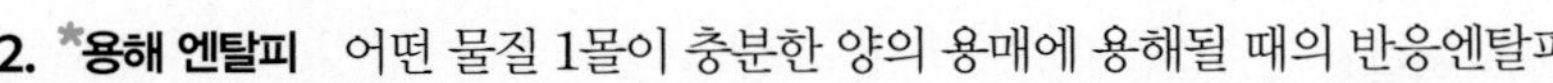

몇 가지 물질의 연소 엔탈피(25 °C, 1기압)

엔탈피는 물질이 가진 에너지를 나타내는 방법 중 하나예요. 엔탈피 변화는 일정 압력에서 화학 반응이 일어날 때 출입하는 열량을 열량계로 측정하여 구하는데, 측정 방법에 따라 그 값이 조금씩 다르게 나오기도 하지요.

2. *용해 엔탈피 어떤 물질 1몰이 충분한 양의 용매에 용해될 때의 반응엔탈피

예 • 황산($H_2SO_4(l)$)의 용해: $H_2SO_4(l)$ 1몰이 물에 용해될 때 79.8 kJ의 열을 방출한다.

$H_2SO_4(l) \longrightarrow H_2SO_4(aq)$, $\Delta H=-79.8$ kJ — $H_2SO_4(l)$이 용해되면서 용액의 온도가 높아진다.

➡ $H_2SO_4(l)$의 용해 엔탈피(ΔH)는 -79.8 kJ/mol이다.

• 염화 나트륨($NaCl(s)$)의 용해: $NaCl(s)$ 1몰이 물에 용해될 때 3.9 kJ의 열을 흡수한다.

$NaCl(s) \longrightarrow NaCl(aq)$, $\Delta H=3.9$ kJ — $NaCl(s)$이 용해되면서 용액의 온도가 낮아진다.

➡ $NaCl(s)$의 용해 엔탈피(ΔH)는 3.9 kJ/mol이다.

* 몇 가지 물질의 용해 엔탈피 (25 °C, 1기압)

물질	ΔH(kJ/mol)
수산화 나트륨 ($NaOH(s)$)	−44.5
염화 칼슘 ($CaCl_2(s)$)	−81.7
염화 칼륨 ($KCl(s)$)	17.2
질산 암모늄 ($NH_4NO_3(s)$)	25.7
염화 수소 ($HCl(g)$)	−74.8

3. 중화 엔탈피 산과 염기가 중화 반응하여 물 1몰이 생성될 때의 반응엔탈피

> 알짜 이온 반응식: $H^+(aq)+OH^-(aq) \longrightarrow H_2O(l)$, $\Delta H=-55.8$ kJ

➡ 산과 염기의 종류에 관계없이 중화 반응의 알짜 이온 반응식은 동일하므로, 중화 엔탈피는 -55.8 kJ/mol로 동일하다.

예 • 염산($HCl(aq)$)과 수산화 나트륨($NaOH(aq)$)의 반응

$HCl(aq)+NaOH(aq) \longrightarrow NaCl(aq)+H_2O(l)$, $\Delta H=-55.8$ kJ

• 황산($H_2SO_4(aq)$)과 수산화 나트륨($NaOH(aq)$)의 반응: $H_2SO_4(aq)$과 $NaOH(aq)$이 중화 반응하여 $H_2O(l)$ 2몰이 생성될 때 -111.6 kJ의 열을 방출한다.

$H_2SO_4(aq)+2NaOH(aq) \longrightarrow Na_2SO_4(aq)+2H_2O(l)$, $\Delta H=-111.6$ kJ

➡ $H_2SO_4(aq)$과 $NaOH(aq)$의 중화 엔탈피(ΔH)는 $-55.8(=-\frac{111.6}{2})$ kJ/mol이다.

4. 생성 엔탈피($\varDelta H_f$) 가장 안정한 성분 원소로부터 어떤 물질 1몰이 생성될 때의 반응엔탈피

(1) 표준 생성 엔탈피(*$\varDelta H_f°$): 표준 상태(25 °C, 1기압)에서 가장 안정한 성분 원소로부터 어떤 물질 1몰이 생성될 때의 반응엔탈피

예 • 물($H_2O(l)$) 생성 반응: 표준 상태에서 H_2O을 구성하는 가장 안정한 원소인 수소($H_2(g)$)와 산소($O_2(g)$)로부터 $H_2O(l)$ 1몰이 생성될 때 285.8 kJ의 열을 방출한다.

$$H_2(g)+\frac{1}{2}O_2(g) \longrightarrow H_2O(l),\ \varDelta H=-285.8\ \text{kJ}$$

➡ $H_2O(l)$의 표준 생성 엔탈피($\varDelta H_f°$)는 −285.8 kJ/mol이다.

• 암모니아($NH_3(g)$) 생성 반응: 표준 상태에서 NH_3를 구성하는 가장 안정한 원소인 질소($N_2(g)$)와 수소($H_2(g)$)로부터 $NH_3(g)$ 2몰이 생성될 때 92.2 kJ의 열을 방출한다.

$$N_2(g)+3H_2(g) \longrightarrow 2NH_3(g),\ \varDelta H=-92.2\ \text{kJ}$$

➡ $NH_3(g)$의 표준 생성 엔탈피($\varDelta H_f°$)는 $-46.1(=-\frac{92.2}{2})$ kJ이다.

* **표준 생성 엔탈피 표시**
위 첨자 '°'는 표준 상태를, 아래 첨자 'f'는 생성(formation)을 의미한다.

(2) 표준 생성 엔탈피와 물질의 안정성 교학사, 지학사 교과서에만 나와요.

① 원소의 표준 생성 엔탈피: 가장 안정한 성분 원소의 표준 생성 엔탈피는 0이다.

예 산소와 탄소의 표준 생성 엔탈피

물질	산소			탄소		
	$O(g)$	$O_2(g)$	$O_3(g)$	$C(g)$	$C(s$, 흑연$)$	$C(s$, 다이아몬드$)$
$\varDelta H_f°$(kJ/mol)	249.2	0	142.7	716.7	0	1.9

표준 상태에서 가장 안정한 $O_2(g)$의 $\varDelta H_f°$가 0이다.

표준 상태에서 가장 안정한 $C(s$, 흑연$)$의 $\varDelta H_f°$가 0이다.

궁금해
흑연($C(s)$)과 다이아몬드($C(s)$)는 왜 표준 생성 엔탈피가 다를까?
흑연과 다이아몬드는 같은 원소로 이루어져 있으나 구조가 다른 물질이다.

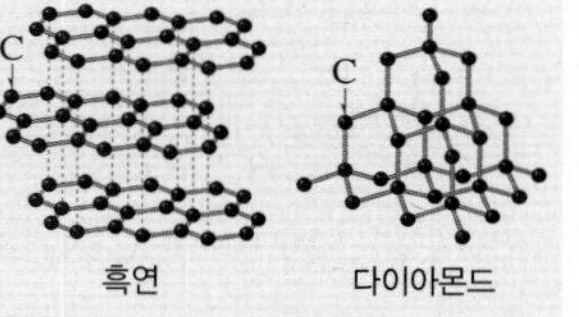

따라서 표준 생성 엔탈피가 서로 다르다.

② 물질의 상대적 안정성: 같은 원소로부터 생성되는 여러 가지 화합물 중에서 표준 생성 엔탈피가 작을수록 상대적으로 안정하다.

예 수소와 산소, 탄소와 수소, 탄소와 산소로 생성된 물질의 안정성 비교

물질	$\varDelta H_f°$(kJ/mol)	물질	$\varDelta H_f°$(kJ/mol)	물질	$\varDelta H_f°$(kJ/mol)
*수증기($H_2O(g)$)	−241.8	메테인($CH_4(g)$)	−74.3	일산화 탄소($CO(g)$)	−110.5
*물($H_2O(l)$)	−285.8	에테인($C_2H_6(g)$)	−84	이산화 탄소($CO_2(g)$)	−393.5

$\varDelta H_f°$가 작은 $C_2H_6(g)$이 $CH_4(g)$보다 더 안정하다.

$\varDelta H_f°$가 작은 $CO_2(g)$가 $CO(g)$보다 더 안정하다.

* **물과 수증기의 안정성 비교**
물($H_2O(l)$)과 수증기($H_2O(g)$) 중, 표준 생성 엔탈피가 작은 $H_2O(l)$이 $H_2O(g)$보다 더 안정하다.

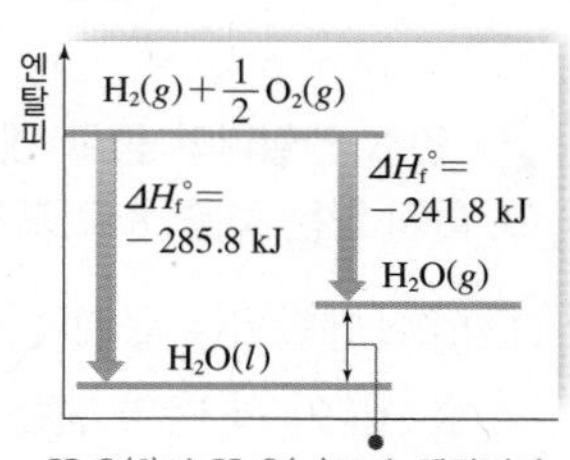

$H_2O(l)$이 $H_2O(g)$보다 엔탈피가 작다.

5. 분해 엔탈피 어떤 물질 1몰이 가장 안정한 성분 원소로 분해될 때의 반응엔탈피

➡ 분해 반응은 생성 반응의 반대 과정이므로, 분해 엔탈피는 생성 엔탈피와 크기는 같고 부호는 반대이다.

예 일산화 질소($NO(g)$) 분해 반응: $NO(g)$ 1몰이 가장 안정한 성분 원소인 질소($N_2(g)$)와 산소($O_2(g)$)로 분해될 때 90.4 kJ의 열을 방출한다.

$$NO(g) \longrightarrow \frac{1}{2}N_2(g)+\frac{1}{2}O_2(g),\ \varDelta H=-90.4\ \text{kJ}$$

➡ $NO(g)$의 분해 엔탈피($\varDelta H$)는 −90.4 kJ/mol이다. — $NO(g)$의 생성 엔탈피는 90.4 kJ/mol이다.

개념 확인 문제

정답친해 50쪽

핵심 체크

- (❶): 어떤 물질 1몰이 완전 연소할 때의 반응엔탈피
- (❷): 어떤 물질 1몰이 충분한 양의 용매에 용해될 때의 반응엔탈피
- (❸): 산과 염기가 중화 반응하여 물 1몰이 생성될 때의 반응엔탈피
- (❹): 가장 안정한 성분 원소로부터 어떤 물질 1몰이 생성될 때의 반응엔탈피
  - (❺)($\Delta H_f°$): 표준 상태에서 가장 안정한 성분 원소로부터 어떤 물질 1몰이 생성될 때의 반응엔탈피
  - 같은 원소로부터 생성된 화합물 중에서 $\Delta H_f°$가 (❻)수록 상대적으로 안정하다.
- (❼): 어떤 물질 1몰이 가장 안정한 성분 원소로 분해될 때의 반응엔탈피 ➡ (❽) 엔탈피와 크기가 같고 부호가 반대이다.

1 다음 반응에서 출입하는 반응엔탈피의 종류를 [보기]에서 각각 고르시오.

보기
ㄱ. 연소 엔탈피 ㄴ. 생성 엔탈피 ㄷ. 분해 엔탈피
ㄹ. 용해 엔탈피 ㅁ. 중화 엔탈피

(1) $NH_4NO_3(s) \longrightarrow NH_4NO_3(aq)$, $\Delta H = 25.7$ kJ

(2) $\frac{1}{2}H_2(g) + \frac{1}{2}Cl_2(g) \longrightarrow HCl(g)$, $\Delta H = -91.5$ kJ

(3) $CH_4(g) \longrightarrow C(s,$ 흑연$) + 2H_2(g)$, $\Delta H = 74.3$ kJ

(4) $CH_4(g) + 2O_2(g) \longrightarrow CO_2(g) + 2H_2O(l)$, $\Delta H = -890.8$ kJ

(5) $HCl(aq) + NaOH(aq) \longrightarrow H_2O(l) + NaCl(aq)$, $\Delta H = -55.8$ kJ

2 연소 엔탈피와 중화 엔탈피에 대한 설명으로 옳은 것은 ○, 옳지 않은 것은 ×로 표시하시오.

(1) 연소 엔탈피는 물질 1몰이 완전 연소하여 가장 안정한 생성물이 될 때의 엔탈피 변화이다. ( )
(2) 연소 엔탈피는 항상 0보다 크다. ( )
(3) 중화 엔탈피는 산이나 염기 1몰이 완전히 중화될 때의 반응엔탈피이다. ( )
(4) 중화 엔탈피는 산이나 염기의 종류에 관계없이 항상 동일하다. ( )
(5) 중화 엔탈피는 항상 0보다 작다. ( )

3 생성 엔탈피와 분해 엔탈피에 대한 설명으로 옳은 것은 ○, 옳지 않은 것은 ×로 표시하시오.

(1) C(s, 흑연)과 C(s, 다이아몬드)는 모두 원소이므로 표준 생성 엔탈피가 0으로 같다. ( )
(2) 물(H_2O)과 염화 수소(HCl)의 표준 생성 엔탈피를 비교하면 상대적 안정성을 비교할 수 있다. ( )
(3) 어떤 물질의 분해 엔탈피는 생성 엔탈피와 크기가 같다. ( )

4 암모니아($NH_3(g)$)의 표준 생성 엔탈피는 -46.1 kJ/mol이다. 25 °C, 1기압에서 질소($N_2(g)$) 1몰이 수소($H_2(g)$)와 완전히 반응하여 $NH_3(g)$가 생성되는 반응의 열화학 반응식을 쓰시오.

5 다음은 탄소(C)와 산소(O_2)가 반응하여 이산화 탄소(CO_2)가 생성되는 반응의 열화학 반응식이다.

$$C(s, \text{흑연}) + O_2(g) \longrightarrow CO_2(g), \ \Delta H = -393.5 \text{ kJ}$$

(1) C(s, 흑연)의 연소 엔탈피를 쓰시오.

(2) $CO_2(g)$의 생성 엔탈피를 쓰시오.

(3) $CO_2(g)$의 분해 엔탈피를 쓰시오.

대표 자료 분석

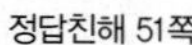

정답친해 51쪽

학교 시험에 자주 출제되는 대표 자료와 그 자료에 대한 문제를 통해 자료를 완벽하게 이해할 수 있다.

자료 1 엔탈피 변화 그래프와 열화학 반응식

기출 Point
- 엔탈피 변화 그래프 해석
- 화학 반응에서 반응엔탈피와 열의 출입

[1~4] 그림은 수소(H_2)와 산소(O_2)가 반응하여 물(H_2O)이 생성되는 반응의 엔탈피 변화를 나타낸 것이다.

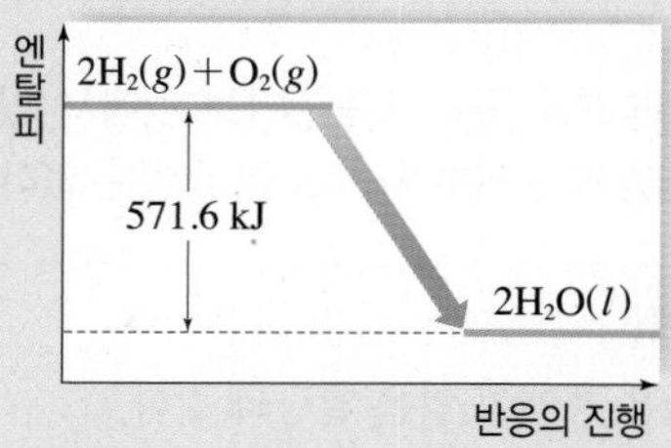

1 이 반응이 일어날 때 주위의 온도 변화를 쓰시오.

2 이 반응의 열화학 반응식을 쓰시오.

3 $H_2O(l)$ 1몰이 $H_2(g)$와 $O_2(g)$로 분해될 때의 반응엔탈피(ΔH)를 쓰시오.

4 빈출 선택지로 완벽 정리!

(1) $H_2O(l)$의 생성 반응은 발열 반응이다. ········ (○ / ×)

(2) 반응물의 엔탈피 합은 생성물의 엔탈피 합보다 크다. ········ (○ / ×)

(3) $H_2(g)$의 엔탈피는 $H_2O(l)$의 엔탈피의 2배이다. ········ (○ / ×)

(4) $H_2O(l)$ 2몰의 엔탈피는 -571.6 kJ이다. (○ / ×)

(5) $H_2(g)$ 1몰이 완전 연소할 때 571.6 kJ의 열을 방출한다. ········ (○ / ×)

(6) $H_2(g)$ 4몰과 $O_2(g)$ 2몰이 반응하여 $H_2O(l)$ 4몰이 생성될 때 571.6 kJ의 열을 방출한다. ········ (○ / ×)

자료 2 반응엔탈피의 종류

기출 Point
- 열화학 반응식 해석
- 반응엔탈피의 종류

[1~4] 다음은 25 °C, 1기압에서 몇 가지 반응의 열화학 반응식이다.

(가) $2C(s, \text{흑연}) + H_2(g) \longrightarrow C_2H_2(g)$, ΔH_1
(나) $6C(s, \text{흑연}) + 3H_2(g) \longrightarrow C_6H_6(l)$, ΔH_2
(다) $2C_6H_6(l) + 15O_2(g) \longrightarrow 12CO_2(g) + 6H_2O(l)$, ΔH_3

1 $C_2H_2(g)$의 분해 엔탈피를 쓰시오.

2 ΔH_2의 반응엔탈피의 종류를 쓰시오.

3 $C_6H_6(l)$의 연소 엔탈피를 쓰시오.

4 빈출 선택지로 완벽 정리!

(1) $C_2H_2(g)$의 생성 엔탈피는 ΔH_1이다. ········ (○ / ×)

(2) $C_6H_6(l)$의 분해 엔탈피는 $-\frac{1}{6}\Delta H_2$이다. (○ / ×)

(3) ΔH_1과 ΔH_2를 비교하면 $C_2H_2(g)$과 $C_6H_6(l)$의 상대적 안정성을 비교할 수 있다. ········ (○ / ×)

(4) (다) 반응이 일어날 때 주위의 온도가 높아진다. ········ (○ / ×)

(5) (다)에서 $CO_2(g)$ 6몰이 생성될 때의 반응엔탈피는 $\frac{1}{2}\Delta H_3$이다. ········ (○ / ×)

내신 만점 문제

Ⓐ 반응엔탈피

01 그림은 두 가지 반응이 일어날 때의 에너지 변화를 나타낸 것이다.

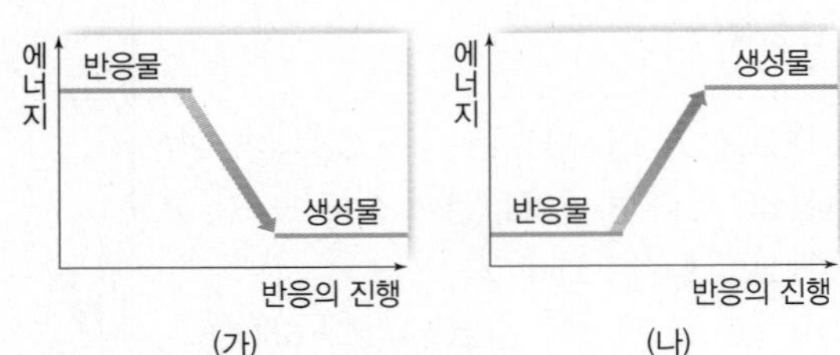

이에 대한 설명으로 옳은 것만을 [보기]에서 있는 대로 고른 것은?

[보기]
ㄱ. (가)의 반응이 일어날 때 열을 흡수한다.
ㄴ. (나)에서 생성물이 반응물보다 에너지가 크다.
ㄷ. (나)의 반응이 일어날 때 주위의 온도가 낮아진다.

① ㄱ ② ㄴ ③ ㄱ, ㄷ
④ ㄴ, ㄷ ⑤ ㄱ, ㄴ, ㄷ

02 그림은 실생활에서 열의 출입을 이용하는 3가지 화학 반응을 나타낸 것이다.

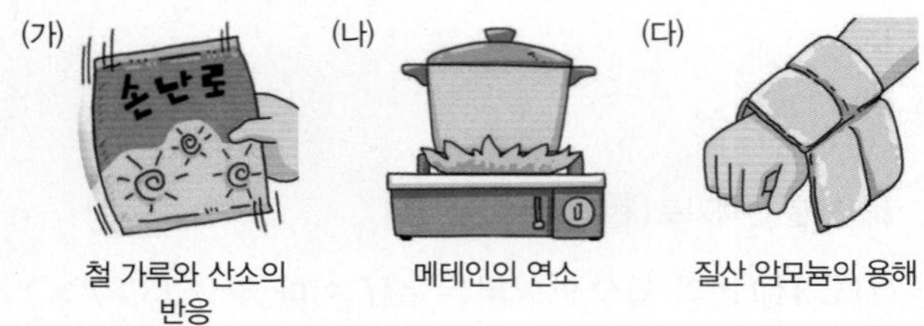

철 가루와 산소의 반응 / 메테인의 연소 / 질산 암모늄의 용해

이에 대한 설명으로 옳은 것만을 [보기]에서 있는 대로 고른 것은?

[보기]
ㄱ. (가)는 흡열 반응이다.
ㄴ. (나)가 일어날 때 열이 방출된다.
ㄷ. (다)에서 생성물의 엔탈피는 반응물의 엔탈피보다 작다.

① ㄱ ② ㄴ ③ ㄱ, ㄷ
④ ㄴ, ㄷ ⑤ ㄱ, ㄴ, ㄷ

03 다음은 간이 열량계를 이용하여 수산화 나트륨($NaOH(s)$)을 물에 용해시킬 때 출입하는 열량을 측정하는 실험 장치와 실험 결과이다.

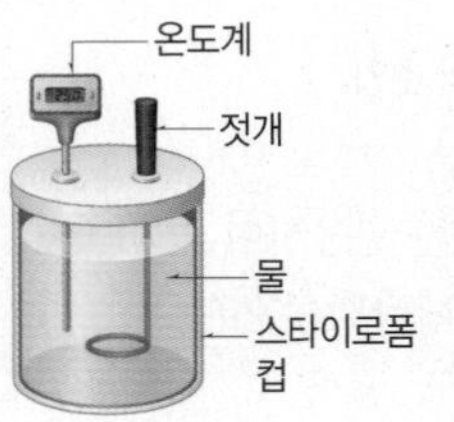

$NaOH(s)$의 질량(g)	4
물의 질량(g)	96
물의 처음 온도(°C)	25
용액의 나중 온도(°C)	34
용액의 비열(J/(g·°C))	4.2

이에 대한 설명으로 옳은 것만을 [보기]에서 있는 대로 고른 것은? (단, 열량계와 외부 사이의 열 출입은 없다.)

[보기]
ㄱ. $NaOH(s)$의 용해는 발열 반응이다.
ㄴ. 반응열은 용액이 얻은 열량과 같다.
ㄷ. 출입한 열량은 3.78 kJ이다.

① ㄱ ② ㄷ ③ ㄱ, ㄴ
④ ㄴ, ㄷ ⑤ ㄱ, ㄴ, ㄷ

중요 **04** 그림은 오존(O_3)이 산소(O_2)로 분해되는 반응의 엔탈피 변화를 나타낸 것이다.

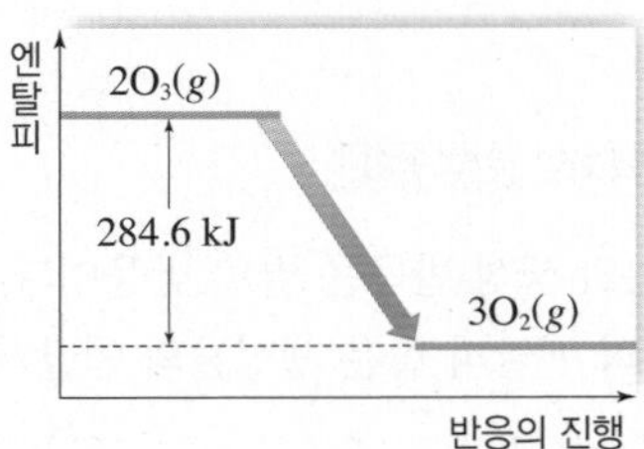

이에 대한 설명으로 옳은 것만을 [보기]에서 있는 대로 고른 것은?

[보기]
ㄱ. $O_3(g)$의 분해 반응은 발열 반응이다.
ㄴ. $O_3(g)$과 $O_2(g)$의 엔탈피 차이는 284.6 kJ이다.
ㄷ. 반응엔탈피(ΔH)는 0보다 크다.

① ㄱ ② ㄷ ③ ㄱ, ㄴ
④ ㄴ, ㄷ ⑤ ㄱ, ㄴ, ㄷ

정답친해 52쪽

중요 **05** 그림은 질소(N_2)와 산소(O_2)가 반응하여 이산화 질소(NO_2)가 생성되는 반응의 엔탈피 변화를 나타낸 것이다.

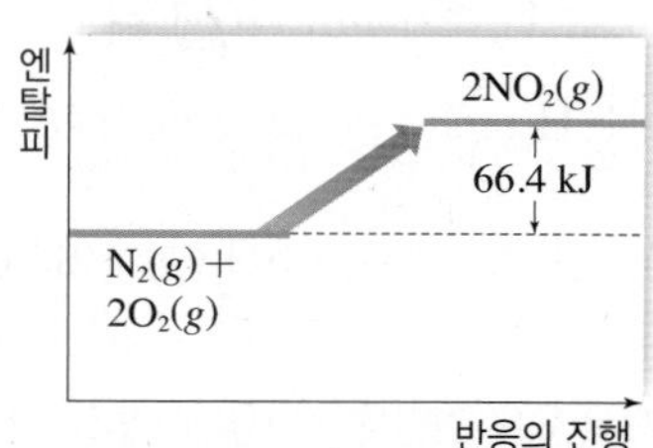

이에 대한 설명으로 옳은 것은?

① $NO_2(g)$가 생성될 때 열을 방출한다.
② 생성물의 엔탈피 합은 반응물의 엔탈피 합보다 작다.
③ $[N_2(g)+O_2(g)]$의 엔탈피에서 $NO_2(g)$의 엔탈피를 뺀 값이 반응엔탈피이다.
④ $\varDelta H=-66.4$ kJ이다.
⑤ $NO_2(g)$가 생성될 때 주위의 온도가 낮아진다.

B 열화학 반응식

06 다음은 3가지 반응의 열화학 반응식이다.

(가) $N_2(g)+3H_2(g) \longrightarrow 2NH_3(g),\ \varDelta H<0$
(나) $2NCl_3(g) \longrightarrow N_2(g)+3Cl_2(g),\ \varDelta H<0$
(다) $2NO_2(g) \longrightarrow N_2O_4(g),\ \varDelta H<0$

(가)~(다)의 공통점으로 옳은 것만을 [보기]에서 있는 대로 고른 것은?

[보기]
ㄱ. 열을 방출한다.
ㄴ. 반응이 일어날 때 주위의 온도가 높아진다.
ㄷ. 엔탈피 합은 반응물이 생성물보다 작다.

① ㄱ ② ㄴ ③ ㄱ, ㄴ
④ ㄴ, ㄷ ⑤ ㄱ, ㄴ, ㄷ

[07~08] 다음은 25 °C, 1기압에서 암모니아(NH_3) 생성 반응의 열화학 반응식이다.

$N_2(g)+3H_2(g) \longrightarrow 2NH_3(g),\ \varDelta H=-92$ kJ

07 이 열화학 반응식으로 알 수 있는 것만을 [보기]에서 있는 대로 고른 것은?

[보기]
ㄱ. 반응물의 종류 ㄴ. 생성물의 상태
ㄷ. 반응물의 엔탈피 ㄹ. 반응엔탈피의 크기

① ㄱ, ㄴ ② ㄱ, ㄷ ③ ㄱ, ㄴ, ㄹ
④ ㄴ, ㄷ, ㄹ ⑤ ㄱ, ㄴ, ㄷ, ㄹ

서술형
08 25 °C, 1기압에서 $N_2(g)$ 42 g이 충분한 양의 $H_2(g)$와 반응하여 $NH_3(g)$를 생성할 때 반응엔탈피($\varDelta H$)를 구하고, 풀이 과정을 서술하시오. (단, N의 원자량은 14이다.)

중요 **09** 다음은 염화 수소(HCl)가 생성되는 반응의 열화학 반응식이다.

$H_2(g)+Cl_2(g) \longrightarrow 2HCl(g),\ \varDelta H=-185$ kJ

이에 대한 설명으로 옳은 것만을 [보기]에서 있는 대로 고른 것은?

[보기]
ㄱ. 반응이 일어날 때 주위의 온도가 높아진다.
ㄴ. $HCl(g)$의 엔탈피는 $H_2(g)$의 엔탈피보다 크다.
ㄷ. $HCl(g)$ 1몰이 생성될 때 방출하는 에너지는 185 kJ이다.

① ㄱ ② ㄷ ③ ㄱ, ㄴ
④ ㄴ, ㄷ ⑤ ㄱ, ㄴ, ㄷ

중요 **10** 다음은 2가지 반응의 열화학 반응식이다.

(가) $C(s, \text{흑연})+O_2(g) \longrightarrow CO_2(g)$, $\Delta H=-393.5$ kJ
(나) $CaCO_3(s) \longrightarrow CaO(s)+CO_2(g)$, $\Delta H=178.3$ kJ

이에 대한 설명으로 옳은 것은?

① (가)는 $C(s, \text{흑연})+O_2(g) \longrightarrow CO_2(g)-393.5$ kJ로 나타낼 수 있다.
② (가)에서 생성물의 엔탈피 합은 반응물의 엔탈피 합보다 크다.
③ (나)에서 $CO_2(g)$ 2몰이 생성될 때 178.3 kJ의 열을 흡수한다.
④ $CaO(s)+CO_2(g) \longrightarrow CaCO_3(s)$ 반응에서 $\Delta H<0$이다.
⑤ (가), (나)에서 생성물이 $CO_2(s)$로 바뀌어도 반응엔탈피의 절댓값은 일정하다.

C 반응엔탈피의 종류

11 반응엔탈피에 대한 설명으로 옳지 않은 것은?

① 모든 원소의 표준 생성 엔탈피($\Delta H_f°$)는 0이다.
② 분해 엔탈피는 생성 엔탈피와 크기는 같고 부호는 반대이다.
③ 어떤 물질 1몰이 완전 연소할 때의 반응엔탈피는 항상 0보다 작다.
④ 산과 염기가 반응하여 물 1몰이 생성될 때의 반응엔탈피는 중화 엔탈피이다.
⑤ 생성 엔탈피는 가장 안정한 성분 원소로부터 어떤 물질 1몰이 생성될 때의 반응엔탈피이다.

중요 **12** 다음은 3가지 반응의 열화학 반응식이다.

• $H_2SO_4(l) \longrightarrow H_2SO_4(aq)$, ΔH_1
• $\frac{1}{2}N_2(g)+\frac{3}{2}H_2(g) \longrightarrow NH_3(g)$, ΔH_2
• $CH_3OH(l)+\frac{3}{2}O_2(g) \longrightarrow CO_2(g)+2H_2O(l)$, ΔH_3

이에 대한 설명으로 옳은 것만을 [보기]에서 있는 대로 고른 것은?

[보기]
ㄱ. ΔH_1은 $H_2SO_4(l)$의 용해 엔탈피이다.
ㄴ. $NH_3(g)$의 분해 엔탈피는 $-\Delta H_2$이다.
ㄷ. $NH_3(g)$의 생성 엔탈피는 $2\Delta H_2$이다.
ㄹ. ΔH_3은 0보다 작다.

① ㄱ, ㄴ ② ㄱ, ㄹ ③ ㄴ, ㄷ
④ ㄱ, ㄴ, ㄹ ⑤ ㄴ, ㄷ, ㄹ

13 다음은 일산화 질소(NO)와 산소(O_2)가 반응하여 이산화 질소(NO_2)가 생성되는 반응의 열화학 반응식이다.

$2NO(g)+O_2(g) \longrightarrow 2NO_2(g)$, $\Delta H=-114.2$ kJ

이에 대한 설명으로 옳지 않은 것은? (단, N, O의 원자량은 각각 14, 16이다.)

① 발열 반응이다.
② 반응물의 엔탈피 합은 생성물의 엔탈피 합보다 크다.
③ $NO(g)$의 연소 엔탈피는 -57.1 kJ/mol이다.
④ $NO_2(g)$의 분해 엔탈피는 57.1 kJ/mol이다.
⑤ $NO(g)$ 60 g이 완전 연소하면 114.2 kJ의 열을 방출한다.

중요 **14** 그림은 흑연과 다이아몬드의 연소 반응에서 엔탈피 변화를 나타낸 것이다.

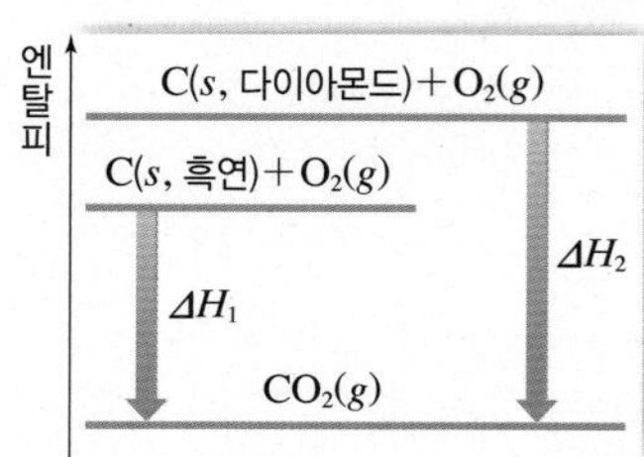

이에 대한 설명으로 옳은 것만을 [보기]에서 있는 대로 고른 것은?

[보기]
ㄱ. ΔH_1과 ΔH_2는 모두 양(+)의 값이다.
ㄴ. C(s, 다이아몬드)의 생성 엔탈피는 0이다.
ㄷ. 연소 엔탈피의 절댓값은 C(s, 다이아몬드)가 C(s, 흑연)보다 크다.

① ㄱ ② ㄷ ③ ㄱ, ㄴ
④ ㄱ, ㄷ ⑤ ㄴ, ㄷ

15 표는 3가지 물질의 용해 엔탈피(ΔH)이다.

물질	$HCl(g)$	$KCl(s)$	$NH_4NO_3(s)$
ΔH(kJ/mol)	−74.8	17.2	25.7

이에 대한 설명으로 옳은 것만을 [보기]에서 있는 대로 고른 것은? (단, 화학식량은 HCl가 36.5, KCl이 75.5, NH_4NO_3이 80이며, 3가지 물질이 물에 녹은 용액의 비열은 모두 같다고 가정한다.)

[보기]
ㄱ. $HCl(g)$의 용해는 흡열 반응이다.
ㄴ. $KCl(s)$을 물에 녹이면 용액의 온도가 낮아진다.
ㄷ. 각 물질 1 g을 같은 질량의 충분한 물에 녹일 때 용액의 온도 변화는 $NH_4NO_3(s)$이 가장 크다.

① ㄱ ② ㄴ ③ ㄱ, ㄷ
④ ㄴ, ㄷ ⑤ ㄱ, ㄴ, ㄷ

16 다음은 황산(H_2SO_4)과 수산화 나트륨(NaOH) 수용액의 중화 반응의 열화학 반응식이다.

$$H_2SO_4(aq) + 2NaOH(aq) \longrightarrow 2H_2O(l) + Na_2SO_4(aq),\quad \Delta H = -111.6\ \text{kJ}$$

이에 대한 설명으로 옳은 것만을 [보기]에서 있는 대로 고른 것은?

[보기]
ㄱ. 중화 엔탈피는 −55.8 kJ/mol이다.
ㄴ. $H_2SO_4(aq)$ 대신 $HCl(aq)$을 사용하면 중화 엔탈피가 작아진다.
ㄷ. 중화 반응이 일어나면 용액의 온도가 높아진다.

① ㄱ ② ㄴ ③ ㄱ, ㄷ
④ ㄴ, ㄷ ⑤ ㄱ, ㄴ, ㄷ

중요 **17** 그림은 25 °C, 1기압에서 수소(H_2)와 산소(O_2)가 반응하여 물($H_2O(l)$)과 수증기($H_2O(g)$)가 생성될 때의 엔탈피 변화를 나타낸 것이다.

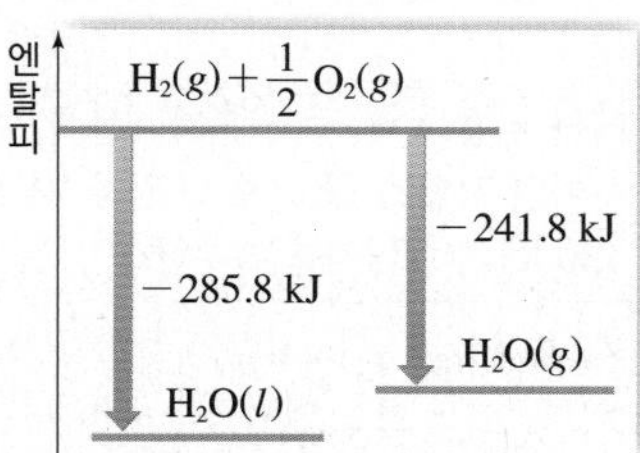

이에 대한 설명으로 옳은 것만을 [보기]에서 있는 대로 고른 것은?

[보기]
ㄱ. $H_2(g)$의 연소 엔탈피는 −241.8 kJ/mol이다.
ㄴ. $H_2O(l)$이 $H_2O(g)$보다 상대적으로 안정하다.
ㄷ. $H_2O(l)$의 생성 엔탈피는 −285.8 kJ/mol이다.

① ㄱ ② ㄷ ③ ㄱ, ㄷ
④ ㄴ, ㄷ ⑤ ㄱ, ㄴ, ㄷ

02 헤스 법칙

Ⓐ 결합 에너지 ★★
결합 에너지와 반응엔탈피 ★★★

Ⓑ 헤스 법칙 ★★★
표준 생성 엔탈피와 반응엔탈피 ★★

결합 에너지와 반응엔탈피

반응엔탈피는 반응물과 생성물을 이루는 원자 사이의 결합과 밀접한 관계가 있어요. 화학 반응이 일어날 때 결합이 끊어지고 새로운 결합이 생성되는데, 이때 에너지가 출입하기 때문이지요. 반응엔탈피와 원자들의 결합에 어떤 관계가 있는지 자세히 알아볼까요?

1. 결합 에너지

(1) 화학 결합과 에너지 출입: 화학 반응이 일어날 때 반응엔탈피는 원자 사이의 결합을 끊거나 형성할 때 출입하는 에너지와 밀접한 관련이 있다.

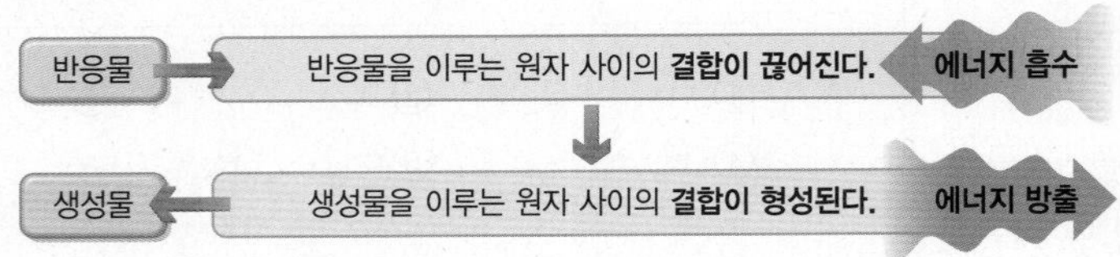

반응물
반응물을 이루는 원자 사이의 결합이 끊어진다.
에너지 흡수
생성물
생성물을 이루는 원자 사이의 결합이 형성된다.
에너지 방출

(2) 결합 에너지: 기체 상태의 분자에서 *공유 결합을 이루고 있는 두 원자 사이의 결합 1몰을 끊는 데 필요한 에너지 → 결합 해리 에너지(bond dissociation energy)라고도 한다.

예 수소의 결합 에너지

구분	H−H 결합이 끊어질 때	H−H 결합이 형성될 때
엔탈피 변화	엔탈피 / 반응의 진행 $2H(g)$ 결합이 끊어진다. $\Delta H=436$ kJ $H_2(g)$	엔탈피 / 반응의 진행 $2H(g)$ 결합이 형성된다. $\Delta H=-436$ kJ $H_2(g)$
에너지 출입	에너지 흡수 ➡ 수소 분자 1몰이 수소 원자 사이의 결합을 끊고 수소 원자 2몰로 될 때 436 kJ의 에너지를 흡수한다.	에너지 방출 ➡ 수소 원자 2몰이 결합하여 수소 분자 1몰로 될 때 436 kJ의 에너지를 방출한다.
결합 에너지	$H_2(g)$ 1몰의 공유 결합이 끊어질 때 436 kJ의 에너지를 흡수한다. ➡ $H_2(g)$의 결합 에너지는 436 kJ/mol이다. (결합 에너지는 항상 양(+)의 값을 가진다.) $H_2(g) \longrightarrow H(g)+H(g)$, *$\Delta H=436$ kJ 436 kJ	

(3) 결합 에너지와 결합의 세기: 결합 에너지는 결합의 세기를 나타낸다.

① 결합 에너지가 클수록 결합이 강하다. ➡ 결합 에너지가 클수록 결합을 끊기 어렵다.

예 • $H_2(g) \longrightarrow H(g)+H(g)$, $\Delta H=436$ kJ
• $Cl_2(g) \longrightarrow Cl(g)+Cl(g)$, $\Delta H=243$ kJ
(H−H의 결합 에너지가 Cl−Cl의 결합 에너지보다 크므로 H−H의 결합은 Cl−Cl 결합보다 강하다.)

② 결합 에너지는 두 원자 사이의 결합 수가 늘어날수록 커진다. 예 C−C<C=C<C≡C

③ 결합 에너지는 결합의 극성이 클수록 커진다. 예 H−Cl<H−F

*** 공유 결합**
2개 이상의 비금속 원소의 원자가 전자쌍을 공유하여 형성되는 결합이다.

*** 결합 에너지의 표시**
결합 에너지는 반응엔탈피와 마찬가지로 ΔH로 나타낸다. 이는 $A_2(g) \longrightarrow 2A(g)$ 반응에서 반응엔탈피는 A−A 결합을 끊는 데 필요한 에너지이기 때문이다.

결합	결합 에너지 (kJ/mol)	결합	결합 에너지 (kJ/mol)	결합	결합 에너지 (kJ/mol)
H−H	436	C−C	348	C−F	514
H−F	570	C=C	605	C−Cl	395
H−Cl	432	C≡C	837	C−Br	318
H−N	391	O−O	139	F−F	159
H−O	463	O=O	498	N≡N	945

▲ 표준 상태에서 몇 가지 원자 사이의 *평균 결합 에너지

2. *결합 에너지와 반응엔탈피 화학 반응에서 반응엔탈피(ΔH)는 반응물의 결합 에너지 합에서 생성물의 결합 에너지 합을 뺀 값이다.

ΔH=반응물의 결합 에너지 합−생성물의 결합 에너지 합

예 결합 에너지를 이용하여 플루오린화 수소(HF) 생성 반응의 반응엔탈피(ΔH) 구하기

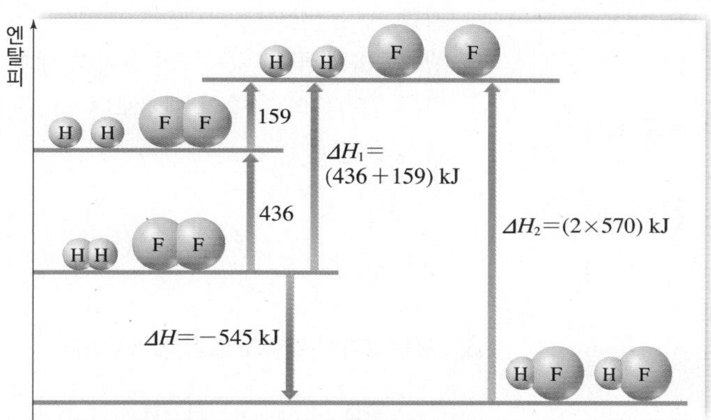

▲ HF 생성 반응에서 반응엔탈피와 결합 에너지의 관계

반응물의 결합 에너지 (ΔH)

ΔH_1: 반응물 수소(H_2)와 플루오린(F_2)의 모든 결합이 끊어지는 반응이므로, 이때의 반응엔탈피는 반응물의 결합 에너지 합과 같다.

$H_2(g) \longrightarrow H(g)+H(g)$, $\Delta H=436$ kJ
$F_2(g) \longrightarrow F(g)+F(g)$, $\Delta H=159$ kJ
→ $\Delta H_1=(436+159)$ kJ$=595$ kJ

생성물의 결합 에너지 (ΔH)

ΔH_2: 생성물 플루오린화 수소(HF)의 모든 결합이 끊어지는 반응이다. 이때 HF 2몰의 결합이 끊어지므로 반응엔탈피는 (2×H−F의 결합 에너지)와 같다.

$HF(g) \longrightarrow H(g)+F(g)$, $\Delta H=570$ kJ → HF의 결합 에너지
$2HF(g) \longrightarrow 2H(g)+2F(g)$, $\Delta H_2=1140$ kJ → HF 2몰의 결합 에너지

전체 반응 (ΔH)

ΔH: 반응물의 결합 에너지 합에서 생성물의 결합 에너지를 뺀 값이다.

$H_2(g)+F_2(g) \longrightarrow 2HF(g)$, *$\Delta H=\Delta H_1-\Delta H_2=(595-1140)$ kJ$=-545$ kJ

$H_2(g)+F_2(g) \longrightarrow 2HF(g)$, $\Delta H=?$
ΔH=(H−H의 결합 에너지+F−F의 결합 에너지)−(2×H−F의 결합 에너지)
=(436 kJ+159 kJ)−(2×570 kJ)=−545 kJ

★ 평균 결합 에너지
한 종류의 결합이 다양한 분자에 존재하는 경우, 같은 종류의 결합이라도 각 분자에서의 결합 에너지가 다르다. 예를 들어, O−H의 결합 에너지는 물(H_2O)과 메탄올(CH_3OH)에서 다르고, C−C의 결합 에너지는 에테인(C_2H_6)과 프로페인(C_3H_8)에서 다르다. 따라서 결합 에너지는 평균값으로 나타낸다.

반응물과 생성물이 모두 공유 결합으로 이루어진 분자이고 기체 상태여야 결합 에너지를 이용하여 반응엔탈피를 구할 수 있어요.

지학사, 천재 교과서에만 나와요.

★ 결합 에너지를 이용한 반응엔탈피 계산
다원자 분자에 들어 있는 결합의 결합 에너지는 평균 결합 에너지이므로, 결합 에너지를 이용하여 구한 반응엔탈피는 근삿값(≈)이다.
ΔH≈반응물의 결합 에너지 합
−생성물의 결합 에너지 합

개념 확인 문제

정답친해 54쪽

핵심 체크

- 화학 결합과 에너지 출입: 반응물을 이루는 원자 사이의 결합이 끊어질 때에는 에너지를 (❶)하고, 생성물을 이루는 원자 사이의 결합이 형성될 때에는 에너지를 (❷)한다.
- (❸): 기체 상태의 분자에서 두 원자 사이의 공유 결합 1몰을 끊는 데 필요한 에너지
- 결합 에너지와 결합의 세기: 결합 에너지가 (❹)수록 결합이 강하다. ➡ 결합 에너지는 두 원자 사이의 결합 수가 늘어날수록, 결합의 극성이 커질수록 (❺)진다.
- 반응엔탈피(ΔH)=(❻)의 결합 에너지 합−(❼)의 결합 에너지 합

1 그림은 염화 수소(HCl(aq))가 생성되는 반응의 엔탈피 변화를 나타낸 것이다.

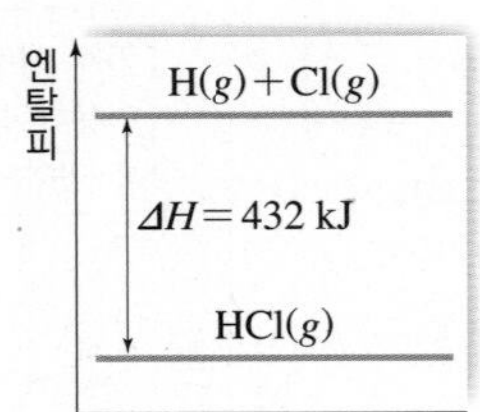

이에 대한 설명으로 옳은 것은 ○, 옳지 않은 것은 ×로 표시하시오.

(1) 기체 상태의 H−Cl 결합을 끊을 때 에너지를 흡수한다. ( )

(2) HCl(g)의 결합 에너지는 432 kJ/mol이다. ( )

(3) H(g)와 Cl(g)로부터 HCl(g)가 생성되는 반응은 흡열 반응이다. ( )

2 결합 에너지에 대한 설명으로 옳은 것은 ○, 옳지 않은 것은 ×로 표시하시오.

(1) 결합 에너지는 항상 0보다 크다. ( )

(2) 결합 에너지가 클수록 결합이 끊어지기 쉽다. ( )

(3) 결합 에너지는 N≡N이 N−N보다 크다. ( )

(4) 두 원자 사이의 결합을 끊을 때 필요한 에너지는 C−C가 C=C보다 크다. ( )

(5) 결합 에너지는 H−Cl가 H−F보다 크다. ( )

3 결합 에너지와 반응엔탈피에 대한 설명으로 옳은 것은 ○, 옳지 않은 것은 ×로 표시하시오.

(1) 결합을 끊을 때와 새로운 결합이 형성될 때 출입하는 에너지의 차이가 반응엔탈피로 나타난다. ( )

(2) 발열 반응에서 반응물의 결합 에너지 합은 생성물의 결합 에너지합보다 크다. ( )

(3) 생성물을 이루는 원자들의 결합의 세기가 반응물을 이루는 원자들의 결합의 세기보다 더 큰 반응에서는 열을 방출한다. ( )

4 표는 3가지 결합의 결합 에너지이다.

결합	H−H	H−Cl	Cl−Cl
결합 에너지(kJ/mol)	436	432	243

다음 반응의 반응엔탈피(ΔH)를 구하시오.

$$H_2(g)+Cl_2(g) \longrightarrow 2HCl(g),\ \Delta H=?$$

5 다음 반응에서 반응엔탈피(ΔH)를 구하기 위해 필요한 결합 에너지만을 [보기]에서 있는 대로 고르시오.

$$CH_4(g)+Cl_2(g) \longrightarrow CH_3Cl(g)+HCl(g),\ \Delta H=?$$

[보기]

ㄱ. Cl−Cl 결합 에너지　ㄴ. H−Cl 결합 에너지
ㄷ. C−Cl 결합 에너지　ㄹ. C−H 결합 에너지

B 헤스 법칙

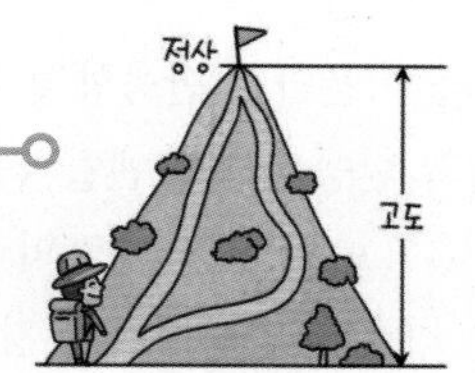

등산을 할 때 정상에 오르는 경로는 다양하지만 어떤 경로를 선택해도 정상까지의 높이는 바뀌지 않죠. 화학 반응도 다양한 경로로 일어날 수 있는데, 화학 반응에서도 반응 경로가 달라져도 반응엔탈피는 변화가 없을까요? 지금부터 함께 알아보아요.

1. *헤스 법칙(총열량 불변 법칙) 화학 반응에서 반응물의 종류와 상태, 생성물의 종류와 상태가 같으면 반응 경로에 관계없이 반응엔탈피는 일정하다.

예 산화 칼슘(CaO), 물(H_2O), 염산(HCl(aq))이 반응하여 염화 칼슘($CaCl_2$) 수용액이 생성되는 반응은 다음과 같은 2가지 경로로 일어날 수 있다.

경로 1

❶ **CaO(s)이 물에 녹아 $Ca(OH)_2$ 수용액이 되는 반응 ➡ ΔH_1**

$CaO(s)+H_2O(l) \longrightarrow Ca(OH)_2(aq)$, $\Delta H_1=-81.9$ kJ

❷ **$Ca(OH)_2$ 수용액이 HCl(aq)과 반응 ➡ ΔH_2**

$Ca(OH)_2(aq)+2HCl(aq) \longrightarrow CaCl_2(aq)+2H_2O(l)$, $\Delta H_2=-111.6$ kJ

경로 2

CaO(s)이 HCl(aq)과 반응 ➡ ΔH_3

$CaO(s)+2HCl(aq) \longrightarrow CaCl_2(aq)+H_2O(l)$, $\Delta H_3=-193.5$ kJ

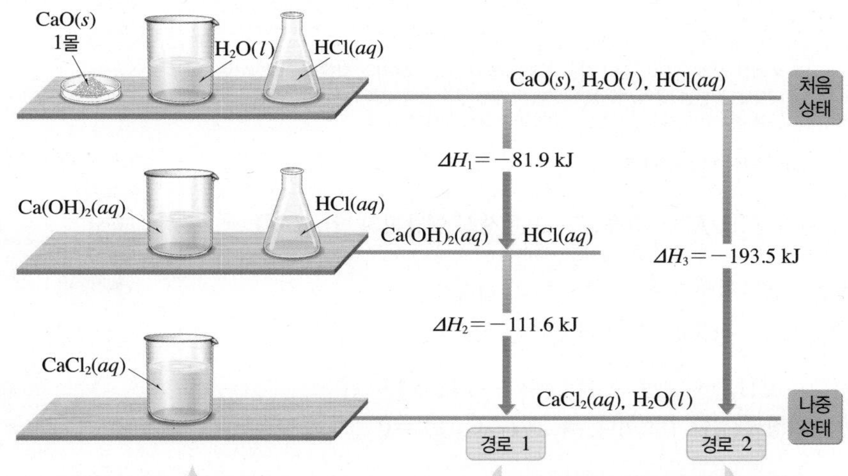

두 경로의 화학 반응식 관계

경로 1 의 두 화학 반응식 ❶, ❷를 합하면 경로 2 의 화학 반응식과 같다.

두 경로의 엔탈피 변화 관계

경로 1 의 두 반응의 반응엔탈피 합($\Delta H_1+\Delta H_2$)은 경로 2 의 반응엔탈피(ΔH_3)와 같다.

$$
\begin{array}{lll}
 & CaO(s)+H_2O(l) \longrightarrow Ca(OH)_2(aq), & \Delta H_1=-81.9\text{ kJ} \\
+) & Ca(OH)_2(aq)+2HCl(aq) \longrightarrow CaCl_2(aq)+2H_2O(l), & \Delta H_2=-111.6\text{ kJ} \\
\hline
 & CaO(s)+2HCl(aq) \longrightarrow CaCl_2(aq)+H_2O(l), & \Delta H_3=-193.5\text{ kJ}
\end{array}
$$

$\Delta H_1+\Delta H_2=\Delta H_3$

반응물의 종류와 상태, 생성물의 종류와 상태가 같으면 반응 경로에 관계없이 반응엔탈피는 같다.

* **헤스 법칙이 성립하는 까닭**
엔탈피는 어떤 압력과 온도에서 물질이 가지는 에너지이므로, 반응 경로가 다르더라도 반응 전후 물질의 종류가 같으면 일정 온도와 압력에서 엔탈피 변화는 같다.

헤스 법칙 성립 조건
반드시 반응물과 생성물의 종류와 상태가 같아야 한다.

2. 헤스 법칙의 이용 헤스 법칙을 이용하면 반응엔탈피를 알고 있는 반응을 이용하여 실험으로 직접 측정하기 어려운 화학 반응의 반응엔탈피를 구할 수 있다. 완자쌤 비법특강 136쪽

예 *헤스 법칙을 이용하여 $CO(g)$의 생성 엔탈피 구하기: 탄소(C)가 연소하여 이산화 탄소(CO_2)가 생성되는 반응은 다음과 같은 2가지 경로로 일어날 수 있다.

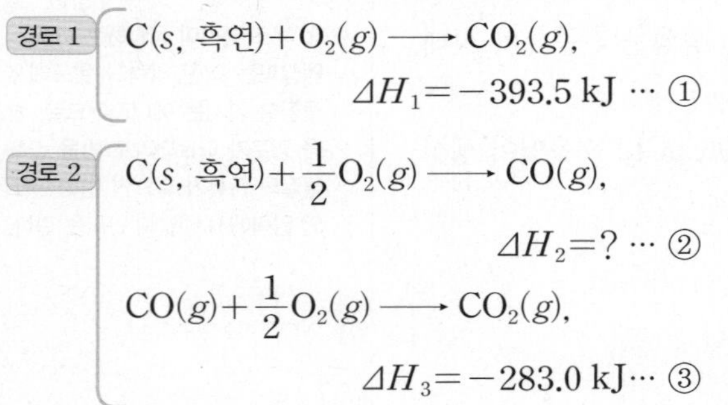

경로 1: $C(s, \text{흑연}) + O_2(g) \longrightarrow CO_2(g), \quad \Delta H_1 = -393.5\ \text{kJ} \cdots ①$

경로 2: $C(s, \text{흑연}) + \frac{1}{2}O_2(g) \longrightarrow CO(g), \quad \Delta H_2 = ? \cdots ②$

$CO(g) + \frac{1}{2}O_2(g) \longrightarrow CO_2(g), \quad \Delta H_3 = -283.0\ \text{kJ} \cdots ③$

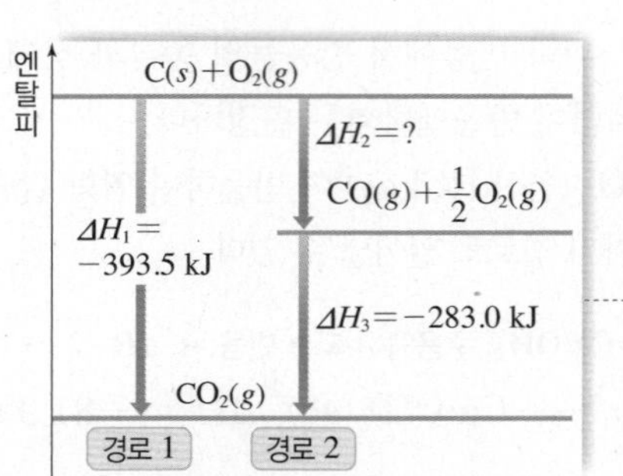

헤스 법칙 이용: 반응 ①=반응 ②+반응 ③ → 반응 ②=반응 ①−반응 ③

$$C(s, \text{흑연}) + O_2(g) \longrightarrow CO_2(g), \ \Delta H_1 = -393.5\ \text{kJ} \cdots ①$$
$$-)\ CO(g) + \frac{1}{2}O_2(g) \longrightarrow CO_2(g), \ \Delta H_3 = -283.0\ \text{kJ} \cdots ③$$
$$C(s, \text{흑연}) + \frac{1}{2}O_2(g) \longrightarrow CO(g), \ \Delta H_2 = -110.5\ \text{kJ} \cdots ②$$

→ *$\Delta H_2 = \Delta H_1 - \Delta H_3$

• 계산 결과 물질이 음의 값을 가지면 양의 값으로 바꾸어 화살표 건너편으로 보낸다. 반응 ③의 반응물 $CO(g)$는 계산 결과 음의 값을 가지므로, 양의 값으로 바꾸어 화살표 건너편, 즉 생성물 쪽으로 보낸다.

3. 표준 생성 엔탈피와 반응엔탈피 지학사, 천재 교과서에만 나와요.

ΔH = 생성물의 표준 생성 엔탈피의 합($\Delta H_f°$) − 반응물의 표준 생성 엔탈피의 합($\Delta H_f°$)

예 메테인(CH_4) 연소 반응의 반응엔탈피와 표준 생성 엔탈피 관계

$$CH_4(g) + 2O_2(g) \longrightarrow CO_2(g) + 2H_2O(l), \ \Delta H = ?$$

반응물의 $\Delta H_f°$
- $C(s, \text{흑연}) + 2H_2(g) \longrightarrow CH_4(g), \ \Delta H_f°(CH_4(g)) = -74.3\ \text{kJ} \cdots ①$
- 표준 상태에서 $O_2(g)$는 가장 안정한 원소이다. ➡ $\Delta H_f°(O_2(g)) = 0$

생성물의 $\Delta H_f°$
- $C(s, \text{흑연}) + O_2(g) \longrightarrow CO_2(g), \ \Delta H_f°(CO_2(g)) = -393.5\ \text{kJ} \cdots ②$
- $H_2(g) + \frac{1}{2}O_2(g) \longrightarrow H_2O(l), \ \Delta H_f°(H_2O(l)) = -285.8\ \text{kJ}$

➡ $2H_2(g) + O_2(g) \longrightarrow 2H_2O(l), \ 2 \times \Delta H_f°(H_2O(l)) = -571.6\ \text{kJ} \cdots ③$

전체 반응의 ΔH

생성물의 표준 생성 엔탈피 합

$$C(s, \text{흑연}) + O_2(g) \longrightarrow CO_2(g), \ \Delta H_f°(CO_2(g)) = -393.5\ \text{kJ} \cdots ②$$
$$+)\ 2H_2(g) + O_2(g) \longrightarrow 2H_2O(l), \ 2 \times \Delta H_f°(H_2O(l)) = -571.6\ \text{kJ} \cdots ③$$
$$-)\ C(s, \text{흑연}) + 2H_2(g) \longrightarrow CH_4(g), \ \Delta H_f°(CH_4(g)) = -74.3\ \text{kJ} \cdots ①$$
$$CH_4(g) + 2O_2(g) \longrightarrow CO_2(g) + 2H_2O(l), \ \Delta H = -890.8\ \text{kJ} ➡ ② + ③ - ①$$

반응물의 표준 생성 엔탈피 합

$$\Delta H = \{\Delta H_f°(CO_2(g)) + 2 \times \Delta H_f°(H_2O(l))\} - \{\Delta H_f°(CH_4(g)) + \Delta H_f°(O_2(g))\}$$
$$= -393.5\ \text{kJ} + (-571.6\ \text{kJ}) - (-74.3\ \text{kJ} + 0\ \text{kJ}) = -890.8\ \text{kJ}$$

★ 헤스 법칙을 이용해 반응엔탈피를 구하는 과정

- [조건] 반응엔탈피를 알고 있는 열화학 반응식이 주어진다. ➡ 반응 ①과 ③의 열화학 반응식
- [1단계] 반응엔탈피를 구하고자 하는 반응의 열화학 반응식을 쓴다. ➡ 반응 ②의 열화학 반응식
- [2단계] 주어진 열화학 반응식을 더하거나 빼서 구하고자 하는 반응의 열화학 반응식을 만든다.
- [3단계] 반응엔탈피를 계산하여 구한다.

★ C(s, 흑연)의 연소 반응과 헤스 법칙

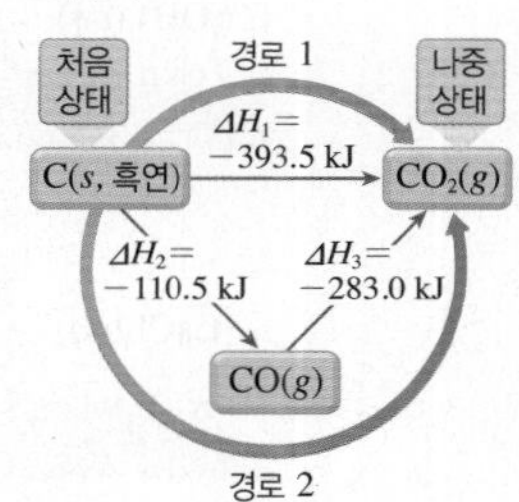

➡ $\Delta H_1 = \Delta H_2 + \Delta H_3$

천재 교과서에만 나와요.

★ 표준 반응엔탈피($\Delta H°$)

25 °C, 1기압(표준 상태)에서의 반응엔탈피를 표준 반응엔탈피라고 한다.

$\Delta H° = \Delta H_f°(\text{생성물}) - \Delta H_f°(\text{반응물})$

탐구 자료창 헤스 법칙 확인

목표 화학 반응의 반응엔탈피는 반응 경로에 관계없이 일정함을 확인할 수 있다.

과정

실험 (가)

❶ 간이 열량계에 증류수 200.0 g을 넣은 뒤 온도(t_1)를 측정하고, 수산화 나트륨(NaOH) 8.0 g을 넣고 젓개로 저어 모두 녹인 뒤 용액의 최고 온도(t_2)를 측정한다.

❷ 과정 ❶의 용액을 실온으로 식혀 온도(t_3)를 측정하고, 이 용액에 1.0 M 염산(HCl(aq)) 200.0 mL를 넣고 젓개로 저어 섞은 뒤 최고 온도(t_4)를 측정한다.

실험 (나)

❶ 간이 열량계에 증류수 200.0 g과 1.0 M HCl(aq) 200.0 mL를 넣고 젓개로 저어 섞은 뒤 최고 온도(t_5)를 측정한다.

❷ 과정 ❶의 용액에 NaOH(s) 8.0 g을 넣고 젓개로 저어 모두 녹인 뒤 용액의 최고 온도(t_6)를 측정한다.

결과

실험	실험에서 일어난 화학 반응	온도(°C)	
		처음 온도	나중 온도
(가)	❶ NaOH(s) ⟶ NaOH(aq)	25(t_1)	34.5(t_2)
	❷ NaOH(aq)+HCl(aq) ⟶ NaCl(aq)+H_2O(l)	25(t_3)	31.1(t_4)
(나)	NaOH(s)+HCl(aq) ⟶ NaCl(aq)+H_2O(l)	25(t_5)	36(t_6)

해석

1. 실험 (가) 의 과정 ❶, ❷와 실험 (나) 에서 방출한 열량(kJ)

(단, HCl(aq)의 밀도는 1.0 g/mL이고, 모든 용액의 *비열은 4.2 J/(g·°C)라고 가정한다.)

실험	질량(g)	온도 변화(°C)	방출한 열량(kJ) → $Q=cm\Delta t$
(가)	❶ 208	34.5−25=9.5	4.2 J/(g·°C)×208 g×9.5 °C≒8.30 kJ
	❷ 408	31.1−25=6.1	4.2 J/(g·°C)×408 g×6.1 °C≒10.45 kJ
(나)	408	36−25=11.0	4.2 J/(g·°C)×408 g×11.0 °C≒18.85 kJ

2. 실험 (가) 의 과정 ❶, ❷와 실험 (나) 에서의 반응엔탈피(ΔH)

실험 (가)

❶ NaOH 0.2몰(=$\frac{8.0\ g}{40\ g/mol}$)이 물에 용해될 때 8.30 kJ의 열 발생 (40 g/mol: NaOH의 화학식량)

➡ 반응엔탈피(ΔH_1)=$\frac{-8.30\ kJ}{0.2\ mol}$=−41.50 kJ/mol → 용해 엔탈피

❷ NaOH 0.2몰과 HCl 0.2몰(=1.0 M×0.2 L)이 반응할 때 10.45 kJ의 열 발생

➡ 반응엔탈피(ΔH_2)=$\frac{-10.45\ kJ}{0.2\ mol}$=−52.25 kJ/mol → 중화 엔탈피

(합: −93.75 kJ/mol)

실험 (나)

NaOH 0.2몰과 HCl 0.2몰이 반응할 때 18.85 kJ의 열 발생

➡ 반응엔탈피(ΔH_3)=$\frac{-18.85\ kJ}{0.2\ mol}$=−94.25 kJ/mol

➡ 실험 (가) 의 과정 ❶, ❷의 반응엔탈피의 합은 실험 (나) 의 반응엔탈피와 *비슷하다.

➡ $\Delta H_1+\Delta H_2≒\Delta H_3$

결론 반응물의 종류와 상태, 생성물의 종류와 상태가 같으면 반응 경로에 관계없이 반응엔탈피는 일정하다. ➡ 헤스 법칙 성립

＊ 실험에서 오차가 발생하는 원인

- 물질의 양을 측정하는 용기나 도구로부터 기계적 오차가 발생한다.
- 온도가 높아질 때 열이 외부로 유출된다.
- 물의 증발열 때문에 오차가 발생한다.

확인 문제

그림은 수산화 나트륨, 물, 염산의 반응에서 엔탈피 변화를 나타낸 것이다.

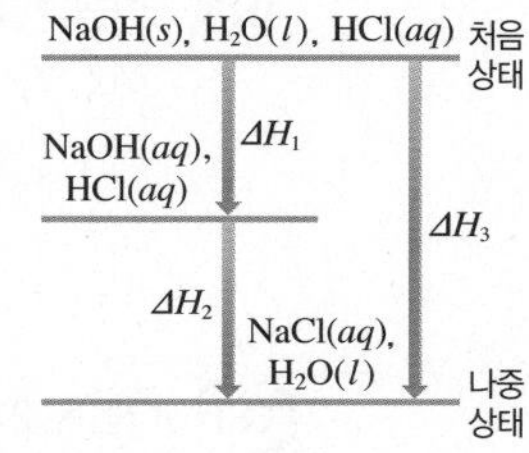

1 ΔH_1과 ΔH_2의 반응엔탈피 종류를 각각 쓰시오.

2 ΔH_1=−44.5 kJ이고 ΔH_3=−100.9 kJ일 때 ΔH_2를 구하시오.

확인 문제 답

1 ΔH_1=용해 엔탈피, ΔH_2=중화 엔탈피

2 $\Delta H_2=\Delta H_3-\Delta H_1$=−56.4 kJ

헤스 법칙 이용하기

정답친해 55쪽

헤스 법칙을 이용하여 실험으로 직접 측정하기 어려운 화학 반응의 반응엔탈피를 구하는 방법을 배웠어요. 복잡해 보이고, 어렵게 느껴지기도 하지만 헤스 법칙은 출제 빈도가 높으므로 포기하면 안돼요. 그럼 완자쌤을 통해 헤스 법칙을 이용하여 반응엔탈피를 구하는 방법을 연습해 보아요.

1 열화학 반응식을 이용하여 반응엔탈피 구하기

다음은 2가지 반응의 열화학 반응식이다.

$$A(g) \longrightarrow C(g),\ \Delta H_1 = x\ \text{kJ} \cdots ①$$
$$D(g) \longrightarrow B(g),\ \Delta H_2 = y\ \text{kJ} \cdots ②$$

이를 이용하여 다음 반응의 반응엔탈피(ΔH)를 구하시오.

$$A(g) + 2B(g) \longrightarrow C(g) + 2D(g),\ \Delta H = ? \cdots (가)$$

1단계 반응엔탈피를 구하고자 하는 반응의 열화학 반응식을 확인한다. } $A(g) + 2B(g) \longrightarrow C(g) + 2D(g),\ \Delta H = ?$

ΔH를 구해야 하는 반응의 열화학 반응식을 제시해 주지 않는 경우도 있어요. 연소 엔탈피나 생성 엔탈피 등을 구하는 경우에는 연소 반응, 생성 반응 등에 대한 열화학 반응식을 스스로 쓸 수 있어야 해요.

2단계 구하고자 하는 반응의 열화학 반응식이 나올 수 있도록 주어진 열화학 반응식 ①, ②의 계수를 변형한다.
- ①식: A, C의 계수가 (가)식과 같으므로 그대로 둔다.
- ②식: D, B의 계수가 2배가 되어야 (가)식과 같아지므로, ②식의 계수를 2배로 변형하고, 이에 따라 ΔH의 크기를 바꾼다.

$A(g) \longrightarrow C(g),\ \Delta H_1 = x\ \text{kJ}$ ··· ①
$D(g) \longrightarrow B(g),\ \Delta H_2 = y\ \text{kJ}$ ··· ②
➡ $2D(g) \longrightarrow 2B(g),\ 2\Delta H_2 = 2y\ \text{kJ}$ ··· $2\times$②

3단계 **2단계**의 열화학 반응식을 더하거나 빼서 구하고자 하는 반응의 열화학 반응식을 만든다.

$A(g) \longrightarrow C(g),\ \Delta H_1 = x\ \text{kJ}$ ··· ①
$-)\ 2D(g) \longrightarrow 2B(g),\ 2\Delta H_2 = 2y\ \text{kJ}$ ··· $2\times$②
$A(g) + 2B(g) \longrightarrow C(g) + 2D(g),$
$\Delta H = \Delta H_1 - 2\Delta H_2$ ··· (가)

4단계 반응엔탈피를 계산하여 구한다. (가)식=①식$-2\times$②식이므로 헤스 법칙에 의해 $\Delta H = \Delta H_1 - 2\Delta H_2$의 관계가 성립한다. } $\Delta H = \Delta H_1 - 2\Delta H_2 = (x - 2y)\ \text{kJ}$

Q1 다음은 2가지 반응의 열화학 반응식이다.

- $S(s) + O_2(g) \longrightarrow SO_2(g),\ \Delta H_1 = -297\ \text{kJ}$
- $2S(s) + 3O_2(g) \longrightarrow 2SO_3(g),\ \Delta H_2 = -791\ \text{kJ}$

이를 이용하여 다음 반응의 반응엔탈피(ΔH)를 구하시오.

$$2SO_2(g) + O_2(g) \longrightarrow 2SO_3(g),\ \Delta H = ?$$

Q2 다음은 3가지 반응의 열화학 반응식이다.

- $C(s, \text{흑연}) + O_2(g) \longrightarrow CO_2(g),\ \Delta H_1 = -393.5\ \text{kJ}$
- $H_2(g) + \frac{1}{2}O_2(g) \longrightarrow H_2O(l),\ \Delta H_2 = -285.8\ \text{kJ}$
- $CH_4(g) + 2O_2(g) \longrightarrow CO_2(g) + 2H_2O(l),\ \Delta H_3 = -890.8\ \text{kJ}$

이를 이용하여 $CH_4(g)$의 생성 엔탈피를 구하시오.

2 그래프를 해석하여 반응엔탈피 구하기

그림은 25 °C, 1기압에서 탄소(C)와 관련된 2가지 반응의 엔탈피 변화를 나타낸 것이다.

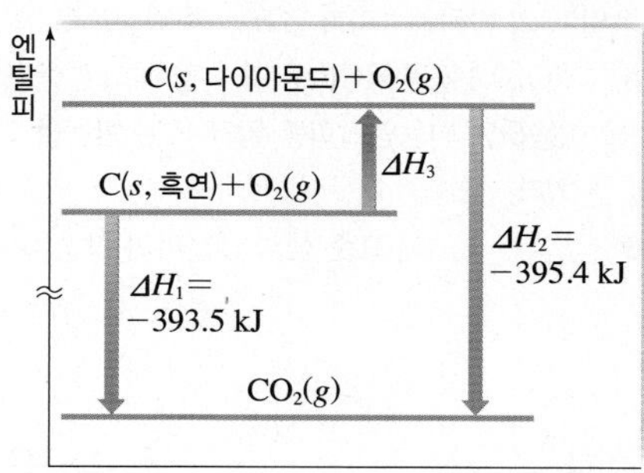

$C(s$, 흑연$) \longrightarrow C(s$, 다이아몬드$)$ 반응의 반응엔탈피(ΔH_3)를 구하시오.

[풀이 1]

1단계 그래프에서 반응엔탈피 사이의 관계를 확인한다.

➡ $|\Delta H_1|+|\Delta H_3|=|\Delta H_2|$

2단계 헤스 법칙은 반응물과 생성물이 같은 반응 경로에 적용되므로, 엔탈피 변화를 나타내는 화살표의 방향이 모두 같아 반응물과 최종 생성물이 같은 반응 경로가 되도록 각 반응엔탈피의 부호를 결정한다.

➡ 헤스 법칙이 성립되도록 ΔH_3에 (−) 부호를 붙여 반응물과 생성물이 같은 반응 경로로 만든다.

$|\Delta H_1|+|\Delta H_3|=|\Delta H_2|$

⇨ $\Delta H_1-\Delta H_3=\Delta H_2$

⇨ $\Delta H_3=\Delta H_1-\Delta H_2$

$=-393.5\ kJ-(-395.4\ kJ)=1.9\ kJ$

그래프에서 엔탈피의 높이 차를 해석하면 열화학 반응식을 연립하지 않아도 **[풀이 1]**과 같이 반응엔탈피를 쉽게 구할 수 있어요.

[풀이 2]

1단계 그래프에서 알 수 있는 열화학 반응식을 쓴다.

➡ $C(s$, 흑연$)+O_2(g) \longrightarrow CO_2(g)$, ΔH_1 ············ ①

$C(s$, 다이아몬드$)+O_2(g) \longrightarrow CO_2(g)$, ΔH_2 ······ ②

2단계 반응엔탈피를 구하고자 하는 반응의 열화학 반응식을 확인한다.

➡ $C(s$, 흑연$) \longrightarrow C(s$, 다이아몬드$)$, $\Delta H_3=?$ ········ ③

3단계 주어진 열화학 반응식을 더하거나 빼서 구하고자 하는 반응의 열화학 반응식을 만든다.

➡ $C(s$, 흑연$)+O_2(g) \longrightarrow CO_2(g)$, ΔH_1 ·········· ①

−) $C(s$, 다이아몬드$)+O_2(g) \longrightarrow CO_2(g)$, ΔH_2 ·· ②

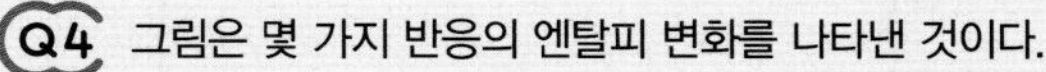

$C(s$, 흑연$) \longrightarrow C(s$, 다이아몬드$)$,

$\Delta H_3=\Delta H_1-\Delta H_2$ ··· ③

4단계 반응엔탈피(ΔH)를 계산하여 구한다.

➡ ③식=①식−②식

➡ 헤스 법칙에 의해 $\Delta H_3=\Delta H_1-\Delta H_2$

$=-393.5\ kJ-(-395.4\ kJ)=1.9\ kJ$

Q3 그림은 황(S)과 관련된 반응의 엔탈피 변화를 나타낸 것이다.

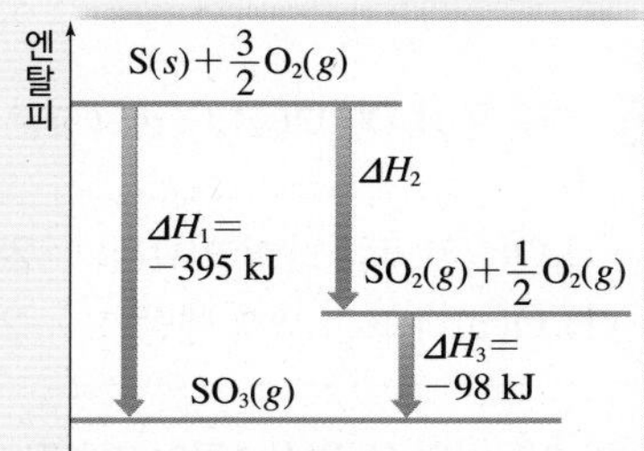

ΔH_2를 구하시오.

Q4 그림은 몇 가지 반응의 엔탈피 변화를 나타낸 것이다.

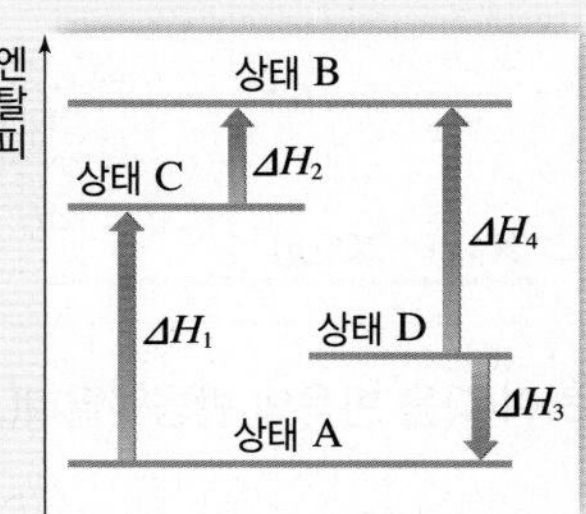

ΔH_3을 ΔH_1, ΔH_2, ΔH_4를 이용하여 나타내시오.

개념 확인 문제

정답친해 55쪽

핵심 체크

- (❶) 법칙: 화학 반응에서 반응물의 종류와 상태, 생성물의 종류와 상태가 같으면 반응 경로에 관계없이 반응엔탈피는 일정하다.
- $CaO(s)$ 1몰을 물에 녹일 때의 반응엔탈피가 ΔH_1, 이 과정으로 생성된 $Ca(OH)_2(aq)$이 $HCl(aq)$과 반응할 때의 반응 엔탈피가 ΔH_2이다. ➡ $CaO(s)$ 1몰을 $HCl(aq)$에 녹일 때의 반응엔탈피는 (❷)이다.
- (❸) 법칙을 이용하면 반응엔탈피를 알고 있는 반응을 이용하여 실험으로 직접 측정하기 어려운 화학 반응의 반응엔탈피를 구할 수 있다.
- 반응엔탈피(ΔH)=(❹)의 표준 생성 엔탈피의 합−(❺)의 표준 생성 엔탈피의 합

1 다음은 2가지 반응의 열화학 반응식이다.

- $H_2(g)+O_2(g) \longrightarrow H_2O_2(l)$, $\Delta H_1=-187.8$ kJ
- $H_2(g)+\frac{1}{2}O_2(g) \longrightarrow H_2O(l)$, $\Delta H_2=-285.8$ kJ

이를 이용하여 다음 반응의 반응엔탈피(ΔH)를 구하시오.

$$H_2O_2(l) \longrightarrow H_2O(l)+\frac{1}{2}O_2(g),\ \Delta H=?$$

2 그림은 질소(N_2)와 산소(O_2)가 반응하여 이산화 질소(NO_2)가 생성되는 반응의 엔탈피 변화를 나타낸 것이다.

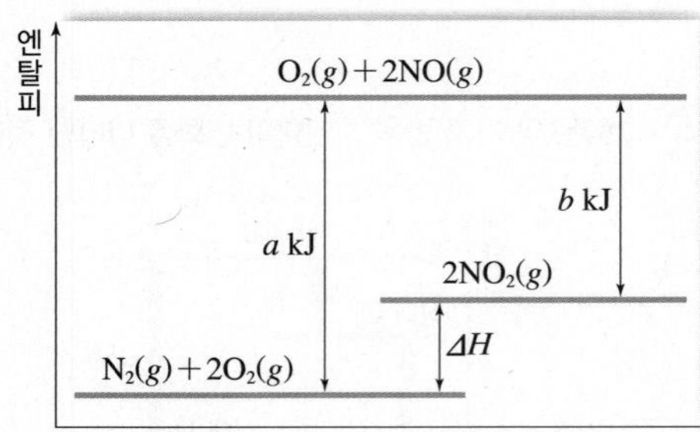

이를 이용하여 다음 반응의 반응엔탈피(ΔH)를 a와 b로 나타내시오.

$$2NO_2(g) \longrightarrow N_2(g)+2O_2(g),\ \Delta H=?$$

3 다음은 2가지 반응의 열화학 반응식이다.

- $A(g)+B(g) \longrightarrow C(g)+D(g)$, ΔH_1
- $2C(g)+2D(g) \longrightarrow 3E(g)$, ΔH_2

이를 이용하여 다음 반응의 반응엔탈피(ΔH)를 ΔH_1과 ΔH_2로 나타내시오.

$$2A(g)+2B(g) \longrightarrow 3E(g),\ \Delta H=?$$

4 그림은 탄소(C)가 연소하여 이산화 탄소(CO_2)로 되는 반응의 2가지 경로를 나타낸 것이다.

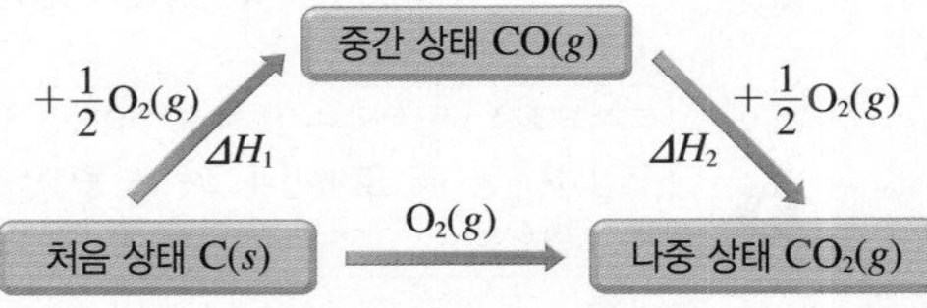

C 6 g이 완전 연소할 때의 반응엔탈피를 ΔH_1과 ΔH_2로 나타내시오. (단, C의 원자량은 12이다.)

5 다음은 $H_2O(l)$과 $H_2O(g)$의 표준 생성 엔탈피이다.

- $H_2O(l)$의 표준 생성 엔탈피: -285.8 kJ/mol
- $H_2O(g)$의 표준 생성 엔탈피: -241.8 kJ/mol

이를 이용하여 $H_2O(l)$ 1몰이 기화될 때의 반응엔탈피(ΔH)를 구하시오.

대표 자료 분석

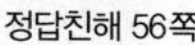

정답친해 56쪽

학교 시험에 자주 출제되는 대표 자료와 그 자료에 대한 문제를 통해 자료를 완벽하게 이해할 수 있다.

자료 1 결합 에너지와 반응엔탈피

기출 Point
- 결합 에너지의 정의
- 결합 에너지를 이용한 반응엔탈피 계산

[1~4] 다음은 25 °C, 1기압에서 2가지 반응의 열화학 반응식이고, 표는 몇 가지 결합의 결합 에너지이다.

(가) $H_2(g)+I_2(g) \longrightarrow 2HI(g)$, $\Delta H=-8$ kJ

(나) $CH_4(g)+2O_2(g) \longrightarrow CO_2(g)+2H_2O(g)$, $\Delta H=?$

결합	결합 에너지 (kJ/mol)	결합	결합 에너지 (kJ/mol)
C−H	410	H−H	436
O=O	498	H−O	463
C=O	732	I−I	152

1 표의 결합 중, 결합 1몰을 끊는 데 가장 큰 에너지가 필요한 것을 쓰시오.

2 (가) 반응에서 H−I의 결합 에너지를 구하시오.

3 (나) 반응의 반응엔탈피(ΔH)를 구하시오.

4 빈출 선택지로 완벽 정리!

(1) 결합은 C−H가 H−O보다 강하다. ············ (○ / ×)

(2) (가) 반응에서 반응물의 결합 에너지 합은 생성물의 결합 에너지 합보다 크다. ············ (○ / ×)

(3) $CH_4(g)$의 결합 에너지는 $CO_2(g)$의 결합 에너지보다 크다. ············ (○ / ×)

(4) 표의 자료로 $H_2O(g)$의 생성 엔탈피를 구할 수 있다. ············ (○ / ×)

자료 2 헤스 법칙

기출 Point
- 엔탈피 변화 그래프 해석
- 헤스 법칙을 이용한 반응엔탈피 계산

[1~4] 그림은 몇 가지 반응의 엔탈피 변화를 나타낸 것이다. (단, C_2H_2의 분자량은 26이다.)

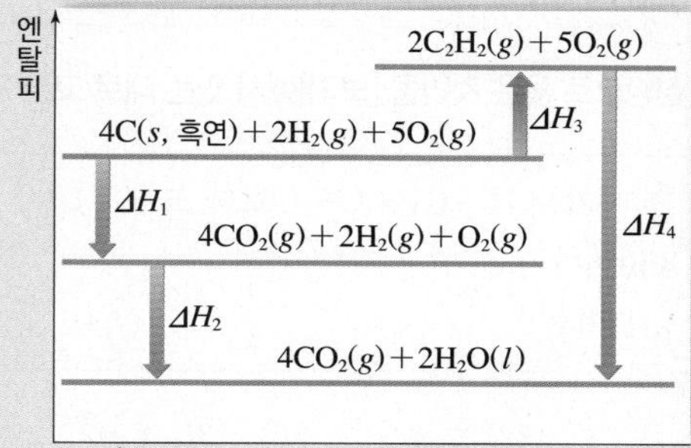

1 ΔH_3을 ΔH_1, ΔH_2, ΔH_4를 이용하여 나타내시오.

2 $H_2O(l)$의 생성 엔탈피를 쓰시오.

3 $C_2H_2(g)$의 연소 엔탈피를 쓰시오.

4 빈출 선택지로 완벽 정리!

(1) $CO_2(g)$의 생성 엔탈피는 ΔH_1이다. ············ (○ / ×)

(2) $C_2H_2(g)$의 생성 엔탈피는 $\frac{1}{2}\Delta H_3$이다. ············ (○ / ×)

(3) C(s, 흑연)의 연소 엔탈피는 ΔH_1이다. ············ (○ / ×)

(4) $C_2H_2(g)$ 13 g이 완전 연소할 때 $\frac{1}{4}|\Delta H_4|$의 열을 방출한다. ············ (○ / ×)

(5) 자료를 이용해 $C_2H_2(g)$의 결합 에너지와 $H_2(g)$의 결합 에너지를 비교할 수 있다. ············ (○ / ×)

내신 만점 문제

Ⓐ 결합 에너지와 반응엔탈피

01 표는 몇 가지 결합의 결합 에너지이다.

결합	C−C	C=C	H−Cl	H−Br
결합 에너지 (kJ/mol)	350	x	431	y

이에 대한 설명으로 옳은 것만을 [보기]에서 있는 대로 고른 것은?

〔보기〕
ㄱ. 결합의 세기는 H−Cl이 C−C보다 크다.
ㄴ. $x>350$이다.
ㄷ. $y>431$이다.

① ㄱ ② ㄷ ③ ㄱ, ㄴ
④ ㄴ, ㄷ ⑤ ㄱ, ㄴ, ㄷ

02 그림은 질소($N_2(g)$)와 수소($H_2(g)$)가 반응하여 암모니아($NH_3(g)$)가 생성되는 반응의 엔탈피 변화를 나타낸 것이다.

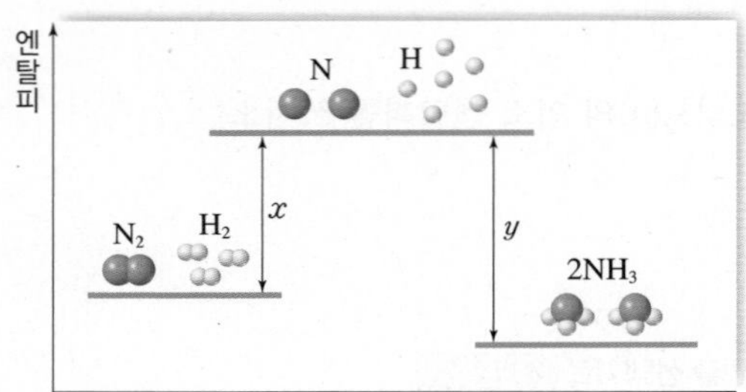

이에 대한 설명으로 옳은 것만을 [보기]에서 있는 대로 고른 것은?

〔보기〕
ㄱ. N≡N 결합 에너지는 x kJ/mol이다.
ㄴ. N−H 결합 에너지는 $\frac{1}{2}y$ kJ/mol이다.
ㄷ. 결합 에너지의 합은 $2NH_3(g)$가 $[N_2(g)+3H_2(g)]$보다 크다.

① ㄱ ② ㄷ ③ ㄱ, ㄴ
④ ㄴ, ㄷ ⑤ ㄱ, ㄴ, ㄷ

03 다음은 $AB(g)$가 생성되는 반응의 열화학 반응식이다.

$$A_2(g)+B_2(g) \longrightarrow 2AB(g),\ \Delta H$$

그림은 $A_2(g)$, $B_2(g)$, $AB(g)$ 1몰의 결합이 끊어질 때의 엔탈피 변화를 각각 나타낸 것이다.

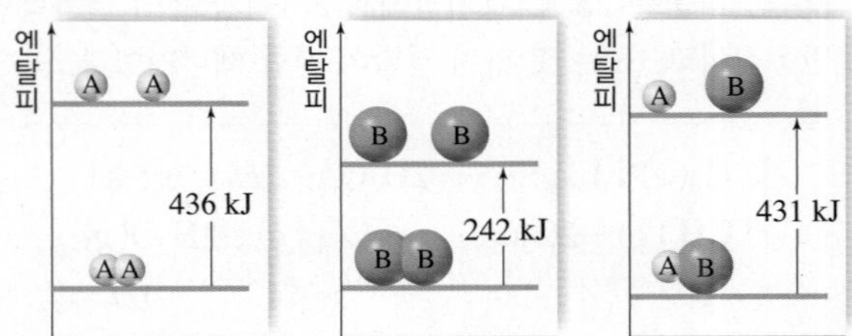

이에 대한 설명으로 옳은 것만을 [보기]에서 있는 대로 고른 것은?

〔보기〕
ㄱ. $A_2(g)$가 $B_2(g)$보다 결합을 끊기 어렵다.
ㄴ. 반응엔탈피(ΔH)는 −184 kJ이다.
ㄷ. 반응물의 결합 에너지의 합은 생성물의 결합 에너지의 합보다 크다.

① ㄱ ② ㄷ ③ ㄱ, ㄴ
④ ㄴ, ㄷ ⑤ ㄱ, ㄴ, ㄷ

중요 **04** 그림은 $H_2O(g)$가 생성되는 반응의 엔탈피 변화를 나타낸 것이다.

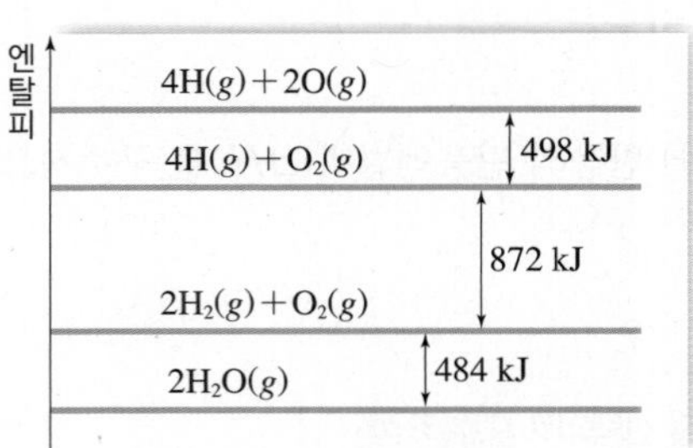

이에 대한 설명으로 옳은 것만을 [보기]에서 있는 대로 고른 것은?

〔보기〕
ㄱ. H−H 결합 에너지는 872 kJ/mol이다.
ㄴ. O=O 결합 에너지는 498 kJ/mol이다.
ㄷ. 주어진 자료로 O−H의 결합 에너지를 구할 수 있다.

① ㄱ ② ㄴ ③ ㄱ, ㄷ
④ ㄴ, ㄷ ⑤ ㄱ, ㄴ, ㄷ

05 그림은 몇 가지 반응의 엔탈피 변화를 나타낸 것이고, 표는 이 반응들과 관련된 결합의 결합 에너지이다.

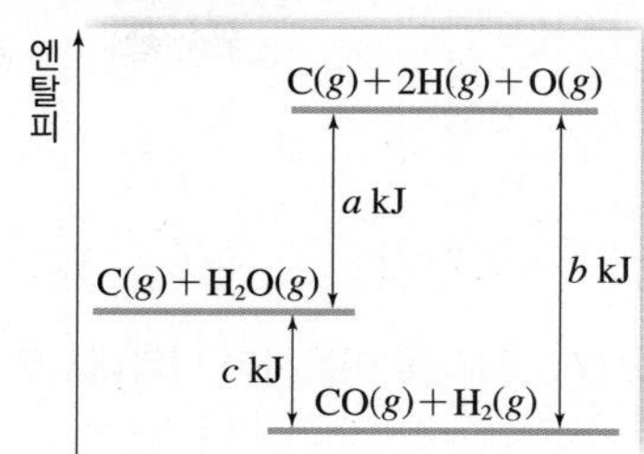

결합	H−H	O−H	C≡O
결합 에너지(kJ/mol)	436	463	1072

a~c로 옳은 것은?

	a	b	c		a	b	c
①	463	1072	582	②	463	1072	609
③	926	1072	582	④	926	1508	609
⑤	926	1508	582				

B 헤스 법칙

06 다음은 3가지 반응의 열화학 반응식이다.

- $H_2(g)+\frac{1}{2}O_2(g) \longrightarrow H_2O(l),\ \Delta H_1$
- $C(s)+O_2(g) \longrightarrow CO_2(g),\ \Delta H_2$
- $2C(s)+3H_2(g)+\frac{1}{2}O_2(g) \longrightarrow C_2H_5OH(l),\ \Delta H_3$

다음 반응의 반응엔탈피(ΔH)로 옳은 것은?

$C_2H_5OH(l)+3O_2(g) \longrightarrow 2CO_2(g)+3H_2O(l),\ \Delta H$

① $\Delta H_1+\Delta H_2+\Delta H_3$
② $3\Delta H_1+\Delta H_2-\Delta H_3$
③ $3\Delta H_1+2\Delta H_2+\Delta H_3$
④ $3\Delta H_1+2\Delta H_2-\Delta H_3$
⑤ $3\Delta H_1+2\Delta H_2-2\Delta H_3$

07 그림은 25 °C, 1기압에서 질소($NO_2(g)$)와 관련된 반응의 반응엔탈피를 나타낸 것이다.

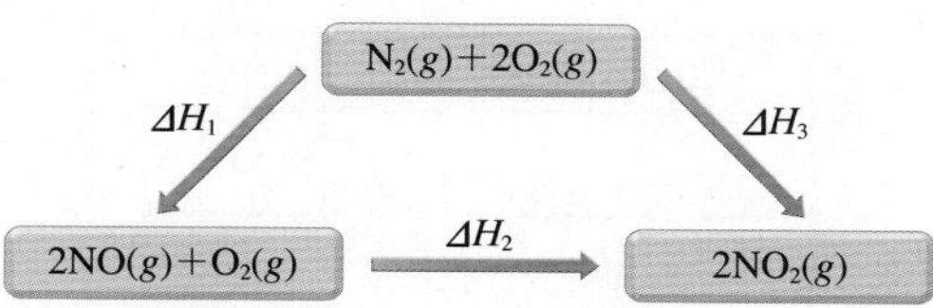

이에 대한 설명으로 옳은 것만을 [보기]에서 있는 대로 고른 것은?

[보기]
ㄱ. $\Delta H_1=\Delta H_3-\Delta H_2$이다.
ㄴ. $NO_2(g)$의 생성 엔탈피는 $\Delta H_1+\Delta H_2$이다.
ㄷ. $NO(g)$의 연소 엔탈피는 $\frac{1}{2}(\Delta H_3-\Delta H_1)$이다.

① ㄱ ② ㄴ ③ ㄱ, ㄷ
④ ㄴ, ㄷ ⑤ ㄱ, ㄴ, ㄷ

중요 **08** 그림은 25 °C, 1기압에서 몇 가지 반응의 엔탈피 변화를 나타낸 것이다.

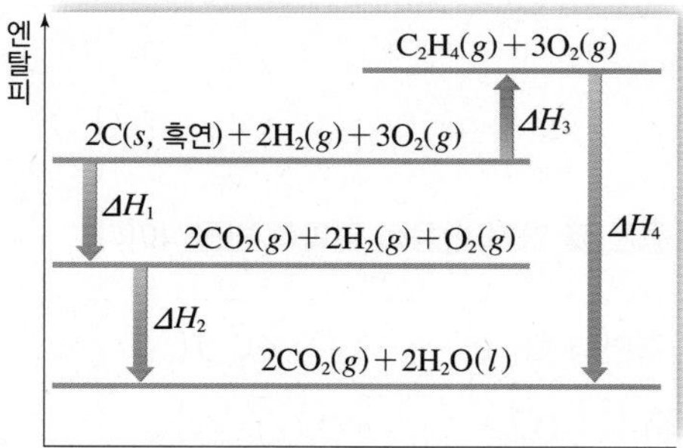

이에 대한 설명으로 옳은 것만을 [보기]에서 있는 대로 고른 것은? (단, C_2H_4의 분자량은 28이다.)

[보기]
ㄱ. $C_2H_4(g)$의 분해 엔탈피는 ΔH_3이다.
ㄴ. $C(s,$ 흑연$)$의 연소 엔탈피는 $\Delta H_3+\Delta H_4-\Delta H_2$이다.
ㄷ. 25 °C, 1기압에서 $C_2H_4(g)$ 14 g이 완전 연소할 때 반응엔탈피는 $\frac{1}{2}\Delta H_4$이다.

① ㄱ ② ㄷ ③ ㄱ, ㄴ
④ ㄴ, ㄷ ⑤ ㄱ, ㄴ, ㄷ

09 그림은 25 °C, 1기압에서 몇 가지 반응의 엔탈피 변화를 나타낸 것이다.

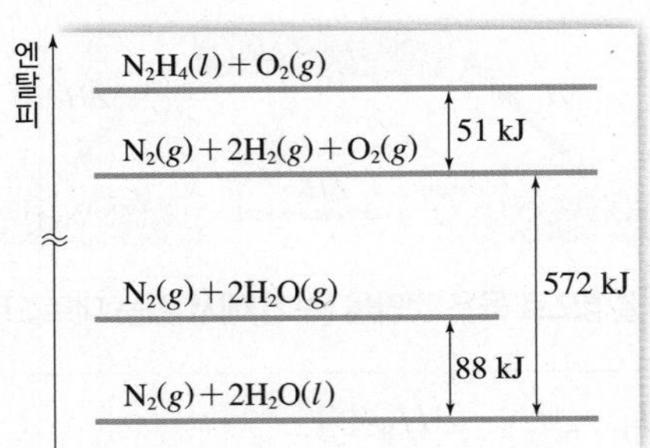

이에 대한 설명으로 옳은 것만을 [보기]에서 있는 대로 고른 것은?

보기

ㄱ. $N_2H_4(l)$의 생성 엔탈피는 51 kJ/mol이다.
ㄴ. $[2H_2(g)+O_2(g)]$의 결합 에너지 합은 $2H_2O(g)$의 결합 에너지 합보다 작다.
ㄷ. $N_2H_4(l)+O_2(g) \longrightarrow N_2(g)+2H_2O(g)$ 반응의 반응엔탈피(ΔH)는 −535 kJ이다.

① ㄱ ② ㄷ ③ ㄱ, ㄴ
④ ㄴ, ㄷ ⑤ ㄱ, ㄴ, ㄷ

중요 10 다음은 몇 가지 반응의 열화학 반응식이다.

- $C(s, \text{흑연})+O_2(g) \longrightarrow CO_2(g)$, ΔH_1
- $CO(g)+\frac{1}{2}O_2(g) \longrightarrow CO_2(g)$, ΔH_2
- $H_2(g)+\frac{1}{2}O_2(g) \longrightarrow H_2O(g)$, ΔH_3
- $C(s, \text{흑연})+H_2O(g) \longrightarrow CO(g)+H_2(g)$, ΔH_4

이에 대한 설명으로 옳은 것만을 [보기]에서 있는 대로 고른 것은?

보기

ㄱ. $C(s, \text{흑연})$의 연소 엔탈피는 ΔH_1이다.
ㄴ. $CO(g)$의 분해 엔탈피는 $\Delta H_2-\Delta H_1$이다.
ㄷ. $\Delta H_4=\Delta H_1-\Delta H_2-\Delta H_3$이다.

① ㄱ ② ㄷ ③ ㄱ, ㄴ
④ ㄴ, ㄷ ⑤ ㄱ, ㄴ, ㄷ

중요 11 표는 25 °C, 1기압에서 몇 가지 물질에 대한 자료이다.

물질	화학식	연소 엔탈피 (kJ/mol)	생성 엔탈피 (kJ/mol)
흑연	$C(s)$	ΔH_1	
수소	$H_2(g)$	ΔH_2	
에탄올	$C_2H_5OH(l)$	ΔH_3	(가)

(가)를 ΔH_1, ΔH_2, ΔH_3을 이용하여 나타내시오.

중요 12 다음은 25 °C에서 중화 엔탈피와 수산화 나트륨(NaOH(s))의 용해 엔탈피이다.

- 중화 엔탈피: −56 kJ/mol
- NaOH(s)의 용해 엔탈피: −45 kJ/mol

25 °C에서 0.4 M 염산(HCl(aq)) 500 mL에 NaOH(s) 8 g을 넣어 반응시켰을 때 방출하는 열량은? (단, NaOH의 화학식량은 40이다.)

① 10.1 kJ ② 11.2 kJ ③ 15.7 kJ
④ 20.2 kJ ⑤ 25.8 kJ

13 표는 3가지 물질의 표준 생성 엔탈피($\Delta H_f°$)이다.

물질	$C_2H_4(g)$	$H_2O(l)$	$CO_2(g)$
$\Delta H_f°$(kJ/mol)	52	−286	−394

25 °C, 1기압에서 $C_2H_4(g)$의 연소 엔탈피를 나타내는 열화학 반응식을 쓰시오.

중단원 핵심 정리

정답친해 60쪽

01 반응엔탈피

1. 반응열과 반응엔탈피

(1) 반응열(Q)

① 화학 반응이 일어날 때 출입하는 열

② 반응열 측정: $Q=cm\Delta t$(c: 비열, m: 질량, Δt: 온도 변화)

(2) 엔탈피(H): 어떤 물질이 특정 온도와 압력에서 가지는 에너지 ➡ 어떤 물질이 가지고 있는 엔탈피의 절댓값은 알 수 없다.

① (❶): 일정한 압력에서 화학 반응이 일어날 때의 엔탈피 변화

> ΔH=(❷)의 엔탈피 합−(❸)의 엔탈피 합

② 발열 반응과 흡열 반응에서의 반응엔탈피(ΔH)

발열 반응	흡열 반응
화학 반응이 일어날 때 열을 방출하는 반응 ➡ 주위의 온도가 높아진다.	화학 반응이 일어날 때 열을 흡수하는 반응 ➡ 주위의 온도가 낮아진다.
엔탈피 / 반응물 / 열 방출 / ΔH / 엔탈피 감소 / 생성물 / 반응의 진행	엔탈피 / 생성물 / 열 흡수 / 엔탈피 증가 / ΔH / 반응물 / 반응의 진행
$H_{생성물}<H_{반응물}$ ➡ ΔH(❹)0	$H_{생성물}>H_{반응물}$ ➡ ΔH(❺)0

2. 열화학 반응식

화학 반응식에 반응엔탈피(ΔH)를 함께 나타낸 것 ➡ 발열 반응의 ΔH는 (❻)의 값으로, 흡열 반응의 ΔH는 (❼)의 값으로 표시한다.

① 열화학 반응식에는 반드시 물질의 상태(s, l, g, aq)를 나타낸다.

② 열화학 반응식에 반응 조건(온도, 압력)을 표시한다. 반응 조건이 주어지지 않으면 25 °C, 1기압이다.

③ 열화학 반응식의 (❽)가 변하면 반응엔탈피(ΔH)의 크기도 비례하여 변한다.

④ 역반응의 반응엔탈피(ΔH)는 정반응의 반응엔탈피(ΔH)와 절댓값은 같고 부호는 반대이다.

3. 반응엔탈피의 종류

연소 엔탈피	어떤 물질 1몰이 완전 연소할 때의 반응엔탈피 ➡ 연소 반응은 발열 반응이므로 항상 $\Delta H<0$
용해 엔탈피	어떤 물질 1몰이 충분한 양의 용매에 용해될 때의 반응엔탈피
중화 엔탈피	산과 염기가 중화 반응하여 물 1몰이 생성될 때의 반응엔탈피 ➡ 산과 염기의 종류에 관계없이 −55.8 kJ/mol로 일정
(❾)	가장 안정한 성분 원소로부터 어떤 물질 1몰이 생성될 때의 반응엔탈피
(❿)	어떤 물질 1몰이 가장 안정한 성분 원소로 분해될 때의 반응엔탈피 ➡ 생성 엔탈피와 크기는 같고 부호는 반대

02 헤스 법칙

1. 결합 에너지와 반응엔탈피

(1) (⓫): 기체 상태의 분자에서 두 원자 사이의 공유 결합 1몰을 끊는 데 필요한 에너지

(2) 결합 에너지와 반응엔탈피(ΔH)

> ΔH=(⓬)의 결합 에너지 합−(⓭)의 결합 에너지 합

2. 헤스 법칙

(1) 헤스(총열량 불변) 법칙: 화학 반응에서 반응물의 종류와 상태, 생성물의 종류와 상태가 같으면 반응 경로에 관계없이 (⓮)는 일정하다.

(2) 헤스 법칙을 이용하여 반응엔탈피 계산하기

예 실험으로 측정하기 어려운 C가 불완전 연소하여 CO가 생성되는 반응의 반응엔탈피 구하기

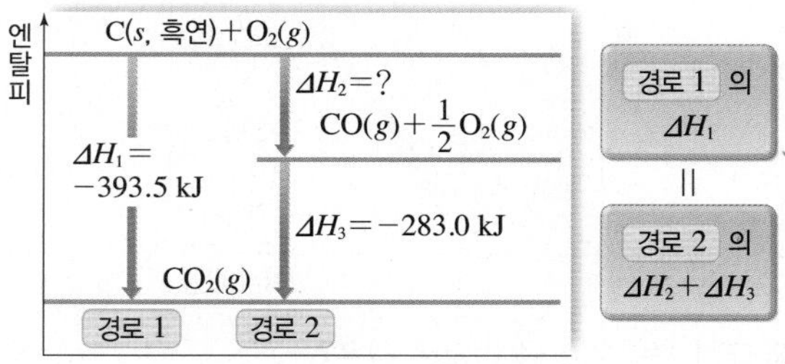

$\Delta H_1=\Delta H_2+\Delta H_3$ ➡ ΔH_2=(⓯)

$=-393.5\text{ kJ}-(-283.0\text{ kJ})=-110.5\text{ kJ}$

➡ $C(s, 흑연)+\frac{1}{2}O_2(g) \longrightarrow CO(g)$, $\Delta H_2=-110.5\text{ kJ}$

(3) 표준 생성 엔탈피($\Delta H_f°$)와 반응엔탈피(ΔH)

> ΔH=(⓰)의 $\Delta H_f°$의 합−(⓱)의 $\Delta H_f°$의 합

난이도 ●●●

●○○

01 **그림은 기체 A와 B가 반응하여 기체 C가 생성되는 반응에서 엔탈피 변화를 나타낸 것이다.**

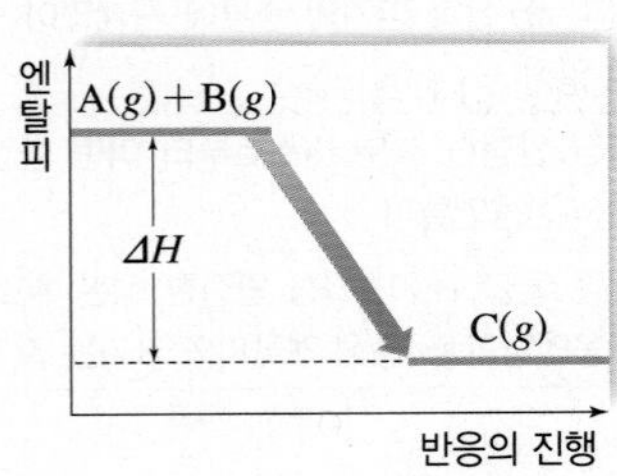

이에 대한 설명으로 옳은 것만을 [보기]에서 있는 대로 고른 것은?

[보기]
ㄱ. $\Delta H < 0$이다.
ㄴ. 반응물의 엔탈피 합은 생성물의 엔탈피 합보다 작다.
ㄷ. 반응이 일어날 때 주위의 온도가 높아진다.

① ㄱ ② ㄴ ③ ㄷ
④ ㄱ, ㄷ ⑤ ㄴ, ㄷ

●○○

02 **그림은 암모니아(NH_3)가 질소(N_2)와 수소(H_2)로 분해되는 반응의 엔탈피 변화를 나타낸 것이다.**

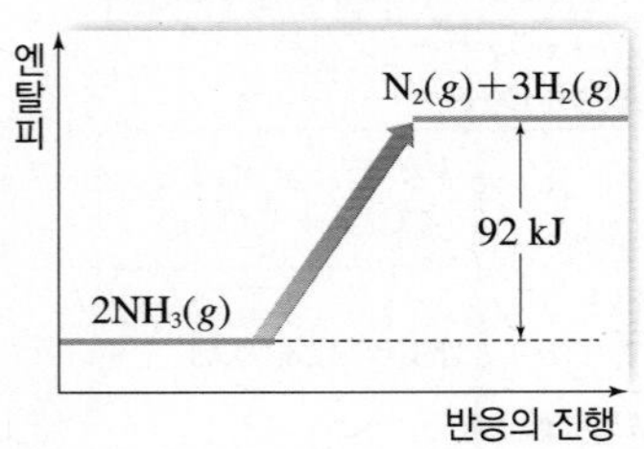

이에 대한 설명으로 옳지 않은 것은?

① $NH_3(g)$ 분해 반응은 흡열 반응이다.
② 반응물의 엔탈피 합은 생성물의 엔탈피 합보다 작다.
③ $NH_3(g)$ 1몰이 분해될 때 46 kJ의 열이 출입한다.
④ 열화학 반응식은 $2NH_3(g) \longrightarrow N_2(g)+3H_2(g)$, $\Delta H = 92$ kJ이다.
⑤ $NH_3(g)$의 생성 엔탈피는 -92 kJ/mol이다.

[03~04] 다음은 질산 암모늄($NH_4NO_3(s)$)의 용해 과정에서 출입하는 열을 알아보기 위한 실험이다.

[실험 과정]
(가) 간이 열량계에 물 99 g을 넣고 물의 온도(t_1)를 측정한다.
(나) (가)의 열량계에 질산 암모늄($NH_4NO_3(s)$) 1 g을 넣고 모두 녹인 후 용액의 온도(t_2)를 측정한다.

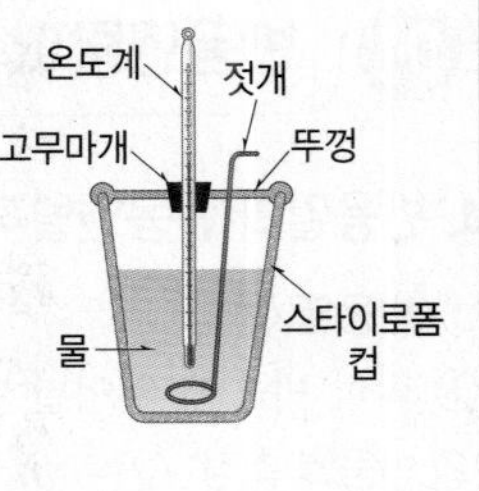

[실험 결과] $t_1 > t_2$

●●○

03 **이에 대한 설명으로 옳은 것만을 [보기]에서 있는 대로 고른 것은?**

[보기]
ㄱ. $NH_4NO_3(s)$이 물에 녹는 반응은 흡열 반응이다.
ㄴ. $NH_4NO_3(s)$이 용해될 때 반응엔탈피(ΔH)는 0보다 작다.
ㄷ. (나)에서 $NH_4NO_3(s)$이 모두 용해되지 않으면 t_1과 t_2의 온도 차가 작아진다.

① ㄱ ② ㄷ ③ ㄱ, ㄷ
④ ㄴ, ㄷ ⑤ ㄱ, ㄴ, ㄷ

●○○

04 **위 실험 결과로 $NH_4NO_3(s)$의 용해 엔탈피를 구할 때 추가로 필요한 자료로 옳은 것만을 [보기]에서 있는 대로 고른 것은? (단, 간이 열량계와 외부 사이의 열 출입은 없다.)**

[보기]
ㄱ. 용액의 비열
ㄴ. 스타이로폼의 비열
ㄷ. 스타이로폼 컵의 질량
ㄹ. NH_4NO_3의 화학식량

① ㄱ, ㄴ ② ㄱ, ㄹ ③ ㄴ, ㄹ
④ ㄱ, ㄷ, ㄹ ⑤ ㄴ, ㄷ, ㄹ

정답친해 60쪽

●○○

05 이산화 질소($NO_2(g)$) 1몰이 모두 반응하여 사산화 이질소($N_2O_4(g)$)를 생성할 때 57.2 kJ의 열이 방출된다. $N_2O_4(g)$ 1몰이 생성되는 반응의 열화학 반응식을 쓰시오.

●●○

06 다음은 25 °C, 1기압에서 3가지 반응의 열화학 반응식이다.

(가) $2CO(g)+O_2(g) \longrightarrow 2CO_2(g)$, ΔH_1
(나) $CH_4(g)+2O_2(g) \longrightarrow CO_2(g)+2H_2O(l)$, ΔH_2
(다) $C_2H_4(g)+3O_2(g) \longrightarrow 2CO_2(g)+2H_2O(l)$, ΔH_3

이에 대한 설명으로 옳은 것만을 [보기]에서 있는 대로 고른 것은?

보기
ㄱ. ΔH_1, ΔH_2, ΔH_3은 모두 0보다 작다.
ㄴ. (가), (나), (다)에서 $CO_2(g)$ 1몰의 엔탈피는 같다.
ㄷ. $CO_2(g)$의 분해 엔탈피는 $-\frac{1}{2}\Delta H_1$이다.

① ㄱ ② ㄷ ③ ㄱ, ㄴ
④ ㄴ, ㄷ ⑤ ㄱ, ㄴ, ㄷ

●○○

07 다음은 수소(H_2)와 산소(O_2)가 생성되는 2가지 반응의 열화학 반응식이다.

(가) $2H_2O(g) \longrightarrow 2H_2(g)+O_2(g)$, $\Delta H=484$ kJ
(나) $H_2O_2(g) \longrightarrow H_2(g)+O_2(g)$, $\Delta H=136$ kJ

이에 대한 설명으로 옳은 것만을 [보기]에서 있는 대로 고른 것은?

보기
ㄱ. $H_2O(g)$의 생성 반응은 발열 반응이다.
ㄴ. $H_2O_2(g)$의 엔탈피는 $[H_2(g)+O_2(g)]$의 엔탈피보다 크다.
ㄷ. 분해 엔탈피는 $H_2O(g)$이 $H_2O_2(g)$보다 크다.

① ㄱ ② ㄴ ③ ㄱ, ㄷ
④ ㄴ, ㄷ ⑤ ㄱ, ㄴ, ㄷ

●○○

08 그림은 25 °C, 1기압에서 S(s, 사방황)으로부터 $SO_2(g)$과 $SO_3(g)$이 생성되는 반응의 엔탈피 변화를 나타낸 것이다.

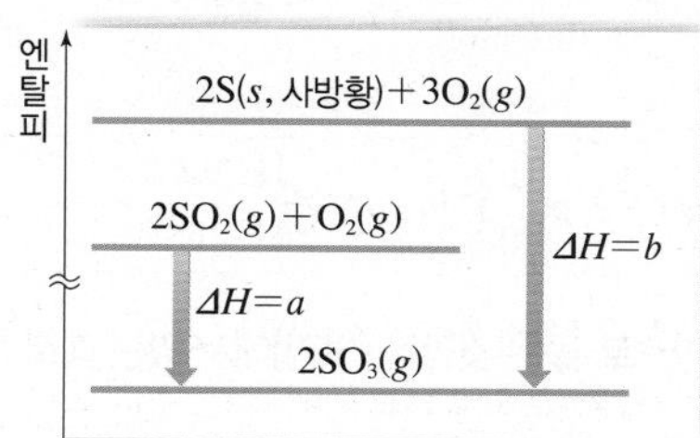

이에 대한 설명으로 옳은 것만을 [보기]에서 있는 대로 고른 것은? (단, 25 °C, 1기압에서 S의 가장 안정한 원소는 S(s, 사방황)이다.)

보기
ㄱ. $SO_2(g)$의 연소 엔탈피는 a kJ/mol이다.
ㄴ. $SO_3(g)$의 생성 엔탈피는 b kJ/mol이다.
ㄷ. $SO_2(g)$의 생성 엔탈피는 $\frac{1}{2}(b-a)$ kJ/mol이다.

① ㄱ ② ㄷ ③ ㄱ, ㄴ
④ ㄴ, ㄷ ⑤ ㄱ, ㄴ, ㄷ

●○○

09 다음은 플루오린화 수소(HF)와 관련된 반응의 열화학 반응식이고, 표는 몇 가지 결합의 결합 에너지이다.

- 반응 Ⅰ: $H_2(g)+F_2(g) \longrightarrow 2H(g)+2F(g)$, $\Delta H=a$
- 반응 Ⅱ: $2H(g)+2F(g) \longrightarrow 2HF(g)$, $\Delta H=b$
- 전체 반응: $H_2(g)+F_2(g) \longrightarrow 2HF(g)$, $\Delta H=c$

결합	H−H	F−F	H−F
결합 에너지(kJ/mol)	436	159	570

이에 대한 설명으로 옳은 것만을 [보기]에서 있는 대로 고른 것은?

보기
ㄱ. $a>0$이다.
ㄴ. b는 1140 kJ이다.
ㄷ. c는 −545 kJ이다.

① ㄱ ② ㄴ ③ ㄱ, ㄷ
④ ㄴ, ㄷ ⑤ ㄱ, ㄴ, ㄷ

●○○

10 표는 몇 가지 결합의 결합 에너지이다.

결합	결합 에너지 (kJ/mol)	결합	결합 에너지 (kJ/mol)
H−H	436	O−F	180
F−F	159	H−O	463
O=O	498	H−F	570

이에 대한 설명으로 옳은 것만을 [보기]에서 있는 대로 고른 것은?

[보기]
ㄱ. 결합의 세기는 $O_2(g)$가 $F_2(g)$보다 크다.
ㄴ. $H_2O(g)$의 생성 엔탈피는 −241 kJ/mol이다.
ㄷ. $OF_2(g)$의 생성 엔탈피는 48 kJ/mol이다.

① ㄱ ② ㄷ ③ ㄱ, ㄴ
④ ㄴ, ㄷ ⑤ ㄱ, ㄴ, ㄷ

●●●

11 그림은 25 °C, 1기압에서 $H_2(g)$와 $I_2(s)$으로부터 $HI(g)$가 생성되는 반응의 엔탈피 변화를 나타낸 것이다.

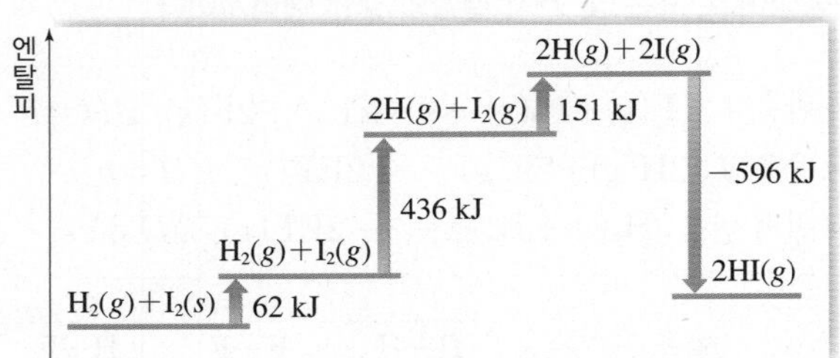

이에 대한 설명으로 옳은 것만을 [보기]에서 있는 대로 고른 것은?

[보기]
ㄱ. $I_2(s)$ 1몰이 승화할 때 62 kJ의 열을 흡수한다.
ㄴ. H−H 결합 에너지에서 I−I 결합 에너지를 뺀 값은 −285 kJ이다.
ㄷ. $HI(g)$의 생성 엔탈피는 −4.5 kJ/mol이다.

① ㄱ ② ㄷ ③ ㄱ, ㄴ
④ ㄴ, ㄷ ⑤ ㄱ, ㄴ, ㄷ

●●○

12 그림은 25 °C, 1기압에서 물이 생성되는 반응의 엔탈피 변화를 나타낸 것이다.

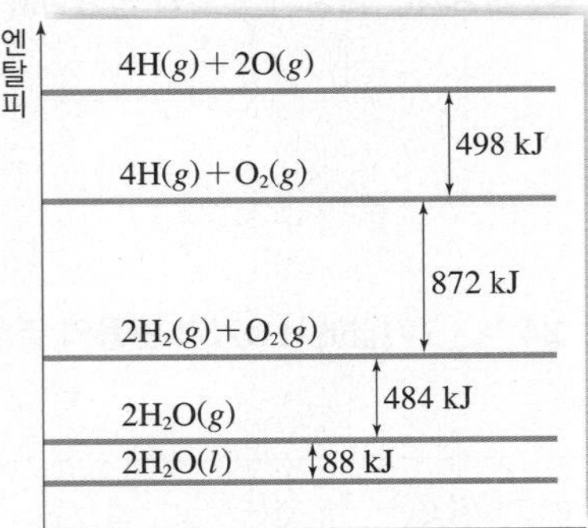

이에 대한 설명으로 옳은 것만을 [보기]에서 있는 대로 고른 것은?

[보기]
ㄱ. 결합의 세기는 O−H가 H−H보다 크다.
ㄴ. O=O의 결합 에너지는 249 kJ/mol이다.
ㄷ. $H_2O(l)$의 표준 생성 엔탈피는 −286 kJ/mol이다.

① ㄱ ② ㄷ ③ ㄱ, ㄴ
④ ㄱ, ㄷ ⑤ ㄱ, ㄴ, ㄷ

●●○

13 그림은 25 °C, 1기압에서 물과 관련된 반응의 엔탈피 변화를 나타낸 것이다.

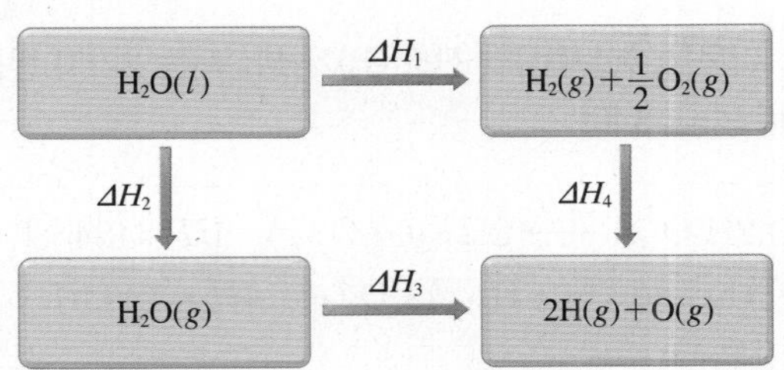

이에 대한 설명으로 옳은 것만을 [보기]에서 있는 대로 고른 것은?

[보기]
ㄱ. $\Delta H_1+\Delta H_4=\Delta H_2+\Delta H_3$이다.
ㄴ. $H_2(g)$의 연소 엔탈피는 $\Delta H_4-\Delta H_2-\Delta H_3$이다.
ㄷ. O−H의 결합 에너지는 $\frac{1}{2}\Delta H_3$이다.

① ㄱ ② ㄷ ③ ㄱ, ㄴ
④ ㄴ, ㄷ ⑤ ㄱ, ㄴ, ㄷ

14 다음은 2가지 반응의 열화학 반응식이다.

- $N_2(g)+O_2(g) \longrightarrow 2NO(g)$, $\Delta H=180.8$ kJ
- $2NO(g)+O_2(g) \longrightarrow 2NO_2(g)$, $\Delta H=-114.2$ kJ

㉠$NO(g)$의 분해 엔탈피와 ㉡$NO_2(g)$의 생성 엔탈피를 옳게 짝 지은 것은?

	㉠ (kJ/mol)	㉡ (kJ/mol)
①	−90.4	−57.1
②	90.4	−66.6
③	−90.4	33.3
④	−180.8	−33.3
⑤	180.8	66.6

15 다음은 3가지 반응의 열화학 반응식이다.

- $2O_3(g) \longrightarrow 3O_2(g)$, ΔH_1
- $O_2(g) \longrightarrow 2O(g)$, ΔH_2
- $NO(g)+O_3(g) \longrightarrow NO_2(g)+O_2(g)$, ΔH_3

이에 대한 설명으로 옳은 것만을 [보기]에서 있는 대로 고른 것은?

[보기]

ㄱ. O=O의 결합 에너지는 $-\Delta H_2$이다.

ㄴ. $O_3(g)$ 1몰의 결합을 모두 끊는 데 필요한 에너지는 $\frac{1}{2}(\Delta H_1+3\Delta H_2)$이다.

ㄷ. $NO(g)+2O_2(g) \longrightarrow NO_2(g)+O_3(g)$ 반응의 반응엔탈피는 $\Delta H_3-2\Delta H_1$이다.

① ㄱ　② ㄴ　③ ㄱ, ㄷ　④ ㄴ, ㄷ　⑤ ㄱ, ㄴ, ㄷ

16 다음은 25 °C, 1기압에서 3가지 물질에 대한 자료이다.

- 수소($H_2(g)$)의 연소 엔탈피: −285.8 kJ/mol
- 일산화 탄소($CO(g)$)의 생성 엔탈피: −110.5 kJ/mol
- 이산화 탄소($CO_2(g)$)의 생성 엔탈피: −393.5 kJ/mol

이에 대한 설명으로 옳은 것만을 [보기]에서 있는 대로 고른 것은?

[보기]

ㄱ. 물($H_2O(l)$)의 생성 엔탈피는 −285.8 kJ/mol이다.

ㄴ. 흑연($C(s)$)의 연소 엔탈피는 −110.5 kJ/mol이다.

ㄷ. 일산화 탄소($CO(g)$)의 연소 엔탈피는 −393.5 kJ/mol 이다.

① ㄱ　② ㄴ　③ ㄱ, ㄷ　④ ㄴ, ㄷ　⑤ ㄱ, ㄴ, ㄷ

17 다음은 4가지 반응의 열화학 반응식이다.

- $N_2H_4(l) \longrightarrow N_2(g)+2H_2(g)$, ΔH_1
- $N_2(g)+O_2(g) \longrightarrow 2NO(g)$, ΔH_2
- $NO_2(g) \longrightarrow NO(g)+\frac{1}{2}O_2(g)$, ΔH_3
- $H_2O(l) \longrightarrow H_2(g)+\frac{1}{2}O_2(g)$, ΔH_4

이를 이용하여 다음 반응의 반응엔탈피(ΔH)를 구한 것으로 옳은 것은?

$N_2H_4(l)+3O_2(g) \longrightarrow 2NO_2(g)+2H_2O(l)$, $\Delta H=?$

① $\Delta H_1+\Delta H_2+\Delta H_3+\Delta H_4$
② $\Delta H_1+\Delta H_2-\Delta H_3-\Delta H_4$
③ $\Delta H_1+\Delta H_2+2\Delta H_3-\Delta H_4$
④ $\Delta H_1+\Delta H_2-2\Delta H_3-2\Delta H_4$
⑤ $\Delta H_1+2\Delta H_2-2\Delta H_3-2\Delta H_4$

18 그림은 몇 가지 물질의 표준 생성 엔탈피($\Delta H_f°$)를 나타낸 것이다.

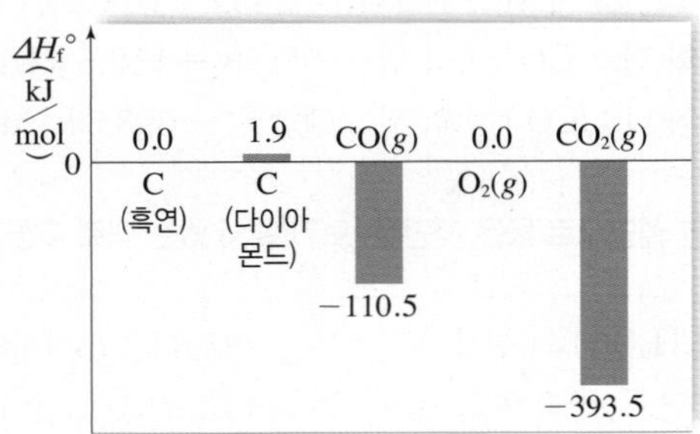

25 °C, 1기압에서 이에 대한 설명으로 옳은 것만을 [보기]에서 있는 대로 고른 것은?

[보기]
ㄱ. C(*s*, 흑연) ⟶ C(*s*, 다이아몬드) 반응은 발열 반응이다.
ㄴ. C(*s*, 다이아몬드) 1몰이 완전 연소할 때 395.4 kJ의 열을 방출한다.
ㄷ. CO(*g*)의 연소 엔탈피는 −283 kJ/mol이다.

① ㄱ ② ㄷ ③ ㄱ, ㄴ
④ ㄴ, ㄷ ⑤ ㄱ, ㄴ, ㄷ

19 다음은 25 °C, 1기압에서 나프탈렌($C_{10}H_8$) 연소 반응의 열화학 반응식이고, 표는 이 반응 생성물의 표준 생성 엔탈피($\Delta H_f°$)이다.

$$C_{10}H_8(s) + 12O_2(g) \longrightarrow 10CO_2(g) + 4H_2O(l), \quad \Delta H = -5157\text{ kJ}$$

화합물	$CO_2(g)$	$H_2O(l)$
$\Delta H_f°$(kJ/mol)	−394	−286

$C_{10}H_8(s)$의 표준 생성 엔탈피($\Delta H_f°$)로 옳은 것은?

① −667 kJ/mol ② −3940 kJ/mol
③ −5157 kJ/mol ④ 73 kJ/mol
⑤ 146 kJ/mol

서술형 문제

20 그림은 25 °C, 1기압에서 과산화 수소(H_2O_2)와 관련된 몇 가지 반응의 반응엔탈피(ΔH)를 나타낸 것이다.

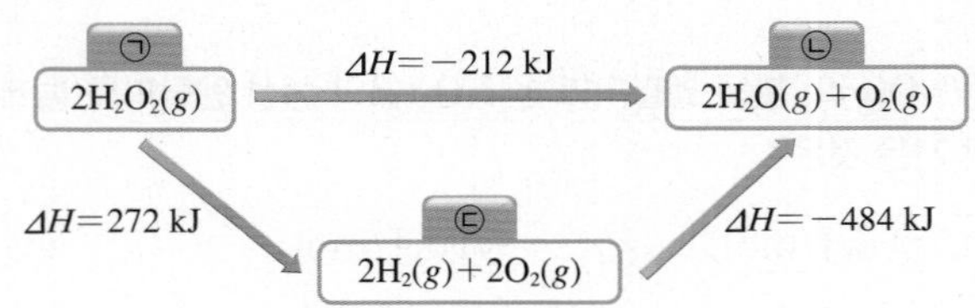

25 °C, 1기압에서 이 반응의 각 단계별 물질 ㉠, ㉡, ㉢의 엔탈피(H)와 반응엔탈피(ΔH) 관계를 오른쪽 그래프에 나타내시오.

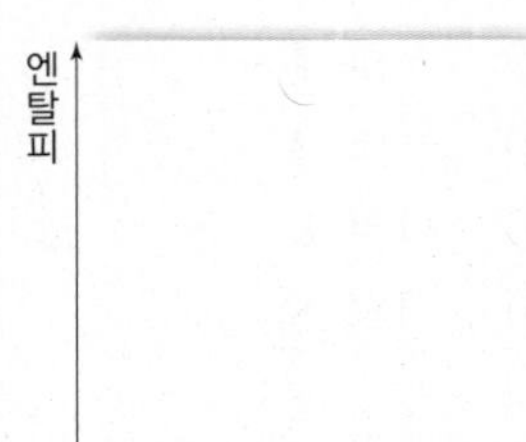

21 다음은 암모니아(NH_3)가 생성되는 2가지 반응의 열화학 반응식이다.

(가) $N_2(g) + 3H_2(g) \longrightarrow 2NH_3(g), \ \Delta H_1 = -92.2\text{ kJ}$
(나) $N_2H_4(g) + H_2(g) \longrightarrow 2NH_3(g), \ \Delta H_2 = -187.6\text{ kJ}$

이를 이용하여 하이드라진($N_2H_4(g)$)의 생성 엔탈피를 구하고, 풀이 과정을 서술하시오.

22 그림은 이산화 황(SO_2)의 분자 모형이고, 표는 25 °C, 1기압에서 몇 가지 물질에 대한 자료이다.

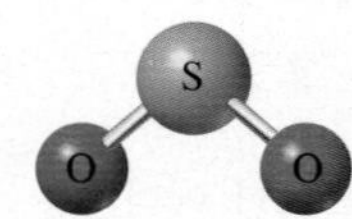

S(*s*, 사방황)의 승화 엔탈피	ΔH_1
$O_2(g)$의 결합 에너지	ΔH_2
$SO_2(g)$의 생성 엔탈피	ΔH_3

25 °C, 1기압에서 $SO_2(g)$ 1몰에 포함된 결합을 모두 끊는 데 필요한 에너지를 ΔH_1, ΔH_2, ΔH_3을 이용하여 나타내고, 풀이 과정을 서술하시오. (단, 25 °C, 1기압에서 S의 가장 안정한 원소는 S(*s*, 사방황)이다.)

수능 실전 문제

정답친해 64쪽

01 다음은 흑연과 다이아몬드의 연소 반응에 대한 열화학 반응식이고, 그림 (가)와 (나)는 흑연과 다이아몬드의 결정 구조 모형을 순서 없이 나타낸 것이다.

- C(s, 흑연)$+O_2(g) \longrightarrow CO_2(g)$, $\Delta H=-393.5$ kJ/mol
- C(s, 다이아몬드)$+O_2(g) \longrightarrow CO_2(g)$, $\Delta H=-395.4$ kJ/mol

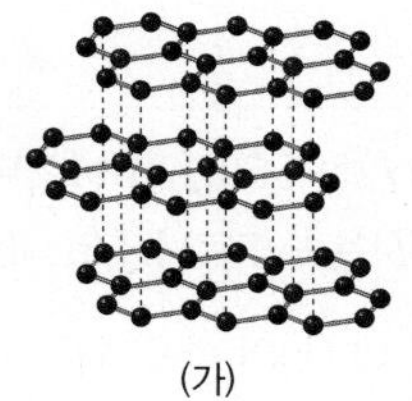
(가)

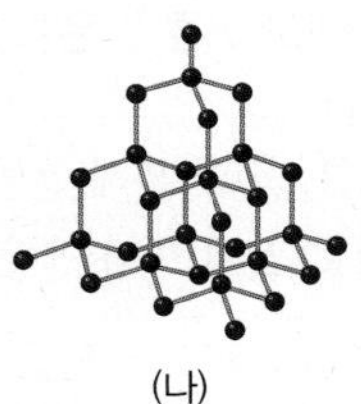
(나)

이에 대한 설명으로 옳은 것만을 [보기]에서 있는 대로 고른 것은?

[보기]
ㄱ. (가)는 공유 결정이고, (나)는 분자 결정이다.
ㄴ. 표준 생성 엔탈피는 C(s, 흑연)이 C(s, 다이아몬드)보다 크다.
ㄷ. C(s) ⟶ C(g) 반응의 반응엔탈피는 C(s, 흑연)이 C(s, 다이아몬드)보다 크다.

① ㄱ ② ㄷ ③ ㄱ, ㄴ
④ ㄴ, ㄷ ⑤ ㄱ, ㄴ, ㄷ

02 다음은 25 °C, 1기압에서 $H_2O(l)$ 생성 반응의 열화학 반응식이고, 표는 3가지 결합의 결합 에너지이다.

$$2H_2(g)+O_2(g) \longrightarrow 2H_2O(l),\ \Delta H=-572 \text{ kJ}$$

결합	H−H	O=O	O−H
결합 에너지(kJ/mol)	436	498	463

$H_2O(l)$의 기화 엔탈피(kJ/mol)는?

① 22.5 ② 45 ③ 67.5
④ 90 ⑤ 112.5

03 그림은 25 °C, 1기압에서 3가지 반응의 반응엔탈피(ΔH)를 나타낸 것이다.

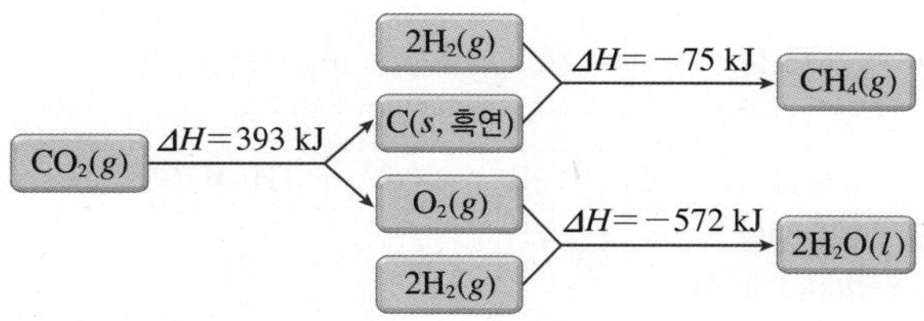

이에 대한 설명으로 옳은 것만을 [보기]에서 있는 대로 고른 것은?

[보기]
ㄱ. C(s, 흑연)의 연소 엔탈피는 393 kJ/mol이다.
ㄴ. 생성 엔탈피는 $H_2O(l)$이 $CH_4(g)$보다 크다.
ㄷ. $CH_4(g)$의 연소 엔탈피는 −890 kJ/mol이다.

① ㄱ ② ㄷ ③ ㄱ, ㄴ
④ ㄴ, ㄷ ⑤ ㄱ, ㄴ, ㄷ

04 다음은 25 °C에서 염산(HCl(aq))과 수산화 나트륨(NaOH)이 반응할 때 반응엔탈피를 구하는 2가지 실험이다.

(가) 1 M HCl(aq) 100 mL가 들어 있는 간이 열량계에 1 M NaOH(aq) 100 mL를 넣은 뒤 용액의 최고 온도를 측정하여 반응엔탈피(ΔH_1)를 구한다.
(나) 0.5 M HCl(aq) 200 mL가 들어 있는 간이 열량계에 NaOH(s) 4 g을 넣은 뒤 용액의 최고 온도를 측정하여 반응엔탈피(ΔH_2)를 구한다.

이에 대한 설명으로 옳은 것만을 [보기]에서 있는 대로 고른 것은? (단, NaOH의 화학식량은 40이고, 반응에서 방출한 열량을 용액이 모두 흡수한다.)

[보기]
ㄱ. $\Delta H_1=\Delta H_2$이다.
ㄴ. 중화 엔탈피는 $10\Delta H_1$ kJ/mol이다.
ㄷ. 중화 반응으로 생성된 물의 양은 (가)와 (나)에서 같다.

① ㄱ ② ㄷ ③ ㄱ, ㄴ
④ ㄴ, ㄷ ⑤ ㄱ, ㄴ, ㄷ

05 다음은 25 °C, 1기압에서 $C_2H_2(g)$이 분해되는 반응의 열화학 반응식이고, 표는 4가지 물질의 표준 생성 엔탈피이다.

$$C_2H_2(g) \longrightarrow 2C(g)+2H(g),\ \Delta H=a\ \text{kJ}$$

물질	C(s, 흑연)	C(g)	H(g)	$C_2H_2(g)$
표준 생성 엔탈피(kJ/mol)	0	x	218	226

25 °C, 1기압에서 이에 대한 설명으로 옳은 것만을 [보기]에서 있는 대로 고른 것은?

[보기]
ㄱ. C(s, 흑연)의 승화 엔탈피는 x kJ/mol이다.
ㄴ. $H_2(g)$의 결합 에너지는 436 kJ/mol이다.
ㄷ. $a=2x+210$이다.

① ㄱ ② ㄷ ③ ㄱ, ㄴ
④ ㄴ, ㄷ ⑤ ㄱ, ㄴ, ㄷ

06 다음은 25 °C, 1기압에서 어떤 반응의 열화학 반응식과 이와 관련된 자료이다.

$$CCl_4(g)+2F_2(g) \longrightarrow CF_4(g)+2Cl_2(g),\ \Delta H$$

[표준 생성 엔탈피]

물질	$CCl_4(g)$	$F_2(g)$	$CF_4(g)$	$Cl_2(g)$
표준 생성 엔탈피(kJ/mol)	−100	a	−930	b

[결합 에너지]

결합	C−Cl	F−F	C−F	Cl−Cl
결합 에너지 (kJ/mol)	410	x	510	y

이에 대한 설명으로 옳은 것만을 [보기]에서 있는 대로 고른 것은?

[보기]
ㄱ. $a>b$이다.
ㄴ. ΔH는 −830 kJ이다.
ㄷ. $x-y=-215$이다.

① ㄱ ② ㄷ ③ ㄱ, ㄴ
④ ㄴ, ㄷ ⑤ ㄱ, ㄴ, ㄷ

07 그림은 25 °C, 1기압에서 몇 가지 반응의 엔탈피(H) 변화를 나타낸 것이다.

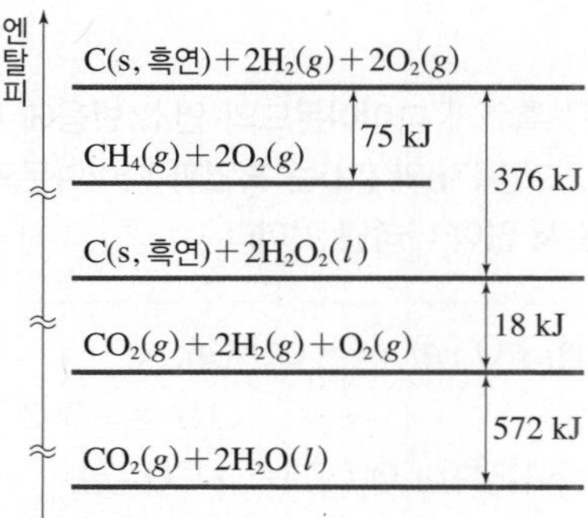

25 °C, 1기압에서 이에 대한 설명으로 옳은 것만을 [보기]에서 있는 대로 고른 것은?

[보기]
ㄱ. $CH_4(g)$의 분해 엔탈피(ΔH)는 75 kJ/mol이다.
ㄴ. $H_2O(l)$의 생성 엔탈피(ΔH)는 −572 kJ/mol이다.
ㄷ. $H_2O_2(l) \longrightarrow H_2O(l)+\frac{1}{2}O_2(g)$의 반응엔탈피($\Delta H$)는 −98 kJ이다.

① ㄱ ② ㄴ ③ ㄱ, ㄷ
④ ㄴ, ㄷ ⑤ ㄱ, ㄴ, ㄷ

08 그림은 25 °C, 1기압에서 C(s, 흑연)의 연소와 관련된 반응의 엔탈피 변화를 나타낸 것이고, 표는 2가지 결합의 결합 에너지이다.

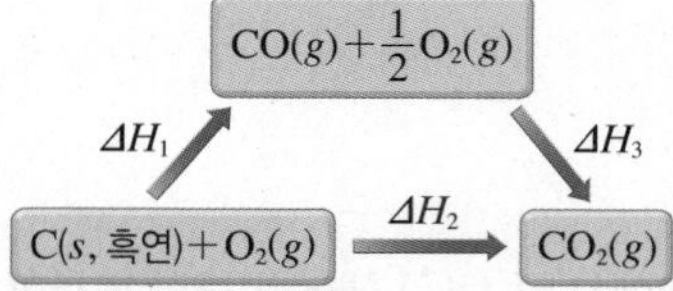

결합	결합 에너지 (kJ/mol)
C=O	a
O=O	b

이에 대한 설명으로 옳은 것만을 [보기]에서 있는 대로 고른 것은?

[보기]
ㄱ. CO(g)의 연소 엔탈피는 $\Delta H_2-\Delta H_1$이다.
ㄴ. $|\Delta H_1|>|\Delta H_2|$이다.
ㄷ. CO(g)의 결합 에너지는 $(\Delta H_3+2a-\frac{b}{2})$ kJ/mol이다.

① ㄱ ② ㄷ ③ ㄱ, ㄴ
④ ㄱ, ㄷ ⑤ ㄴ, ㄷ

09 표는 3가지 물질에 대한 자료이다.

물질	연소 엔탈피	생성 엔탈피	분해 엔탈피
C(*s*, 흑연)	ΔH_1		
CO(*g*)	ΔH_2	ΔH_3	ΔH_4
$CO_2(g)$		ΔH_5	

이에 대한 설명으로 옳은 것만을 [보기]에서 있는 대로 고른 것은?

[보기]

ㄱ. $\Delta H_1=\Delta H_5$

ㄴ. $\Delta H_2=\Delta H_3$

ㄷ. $\Delta H_5=\Delta H_2-\Delta H_4$

① ㄱ ② ㄴ ③ ㄱ, ㄷ ④ ㄴ, ㄷ ⑤ ㄱ, ㄴ, ㄷ

10 표는 t °C, P기압에서 3가지 물질의 생성 엔탈피이다.

물질	$H_2O(g)$	$CO_2(g)$	$CH_3OH(g)$
생성 엔탈피(kJ/mol)	ΔH_1	ΔH_2	ΔH_3

이에 대한 설명으로 옳은 것만을 [보기]에서 있는 대로 고른 것은? (단, t °C, P기압에서 물질은 모두 기체 상태이다.)

[보기]

ㄱ. t °C, P기압에서 $H_2(g)$의 연소 엔탈피는 ΔH_1이다.

ㄴ. $CH_3OH(g)$의 연소 엔탈피는 $2\Delta H_1+\Delta H_2-\Delta H_3$이다.

ㄷ. [$CH_3OH(g)+\frac{3}{2}O_2(g)$]의 결합 에너지 합은 [$CO_2(g)+2H_2O(g)$]의 결합 에너지 합보다 크다.

① ㄱ ② ㄷ ③ ㄱ, ㄴ ④ ㄴ, ㄷ ⑤ ㄱ, ㄴ, ㄷ

11 다음은 25 °C, 1기압에서 3가지 반응의 열화학 반응식과 3가지 물질의 표준 생성 엔탈피이다.

[열화학 반응식]

• $C_2H_2(g) \longrightarrow 2C(s, \text{흑연})+H_2(g)$, ΔH_1

• $C_2H_4(g) \longrightarrow C_2H_2(g)+H_2(g)$, ΔH_2

• $C_2H_6(g) \longrightarrow C_2H_4(g)+H_2(g)$, ΔH_3

[표준 생성 엔탈피]

물질	$C_2H_2(g)$	$C_2H_4(g)$	$C_2H_6(g)$
표준 생성 엔탈피(kJ/mol)	226	53	−84

25 °C, 1기압에서 이에 대한 설명으로 옳은 것만을 [보기]에서 있는 대로 고른 것은?

[보기]

ㄱ. $\Delta H_1<0$이다.

ㄴ. $\Delta H_2<\Delta H_3$이다.

ㄷ. $\Delta H_1+\Delta H_2+\Delta H_3=84$ kJ이다.

① ㄱ ② ㄴ ③ ㄱ, ㄷ ④ ㄴ, ㄷ ⑤ ㄱ, ㄴ, ㄷ

12 그림은 25 °C, 1기압에서 2가지 반응의 엔탈피 변화이고, 표는 이 반응에 관련된 3가지 물질의 생성 엔탈피(ΔH_f)이다.

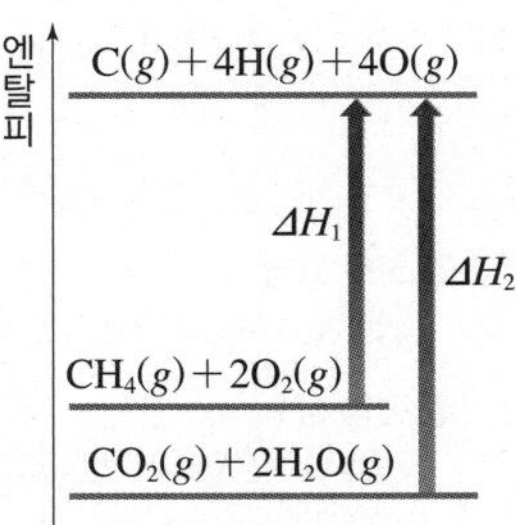

물질	생성 엔탈피(ΔH_f)
$CH_4(g)$	a
$CO_2(g)$	b
$H_2O(g)$	c

이에 대한 설명으로 옳은 것만을 [보기]에서 있는 대로 고른 것은?

[보기]

ㄱ. C−H의 결합 에너지는 $\frac{1}{4}\Delta H_1$보다 크다.

ㄴ. $\Delta H_2=-(b+2c)$이다.

ㄷ. $\Delta H_1-\Delta H_2=b+2c-a$이다.

① ㄱ ② ㄷ ③ ㄱ, ㄴ ④ ㄴ, ㄷ ⑤ ㄱ, ㄴ, ㄷ

2 화학 평형과 상평형

이 단원을 공부하기 전에 학습 계획을 세우고, 학습 진도를 스스로 체크해 보자.
학습이 미흡했던 부분은 다시 보기에 체크해 두고, 시험 전까지 꼭 완벽히 학습하자!

소단원	학습 내용	학습 일자	다시 보기
01. 화학 평형	**A 화학 평형** 탐구 화학 반응에서 동적 평형 상태	/	
	B 평형 상수 탐구 화학 평형에서 반응물과 생성물의 농도 관계 특강 평형 상수와 평형 농도 구하기	/	
02. 화학 평형 이동	**A 농도 변화에 따른 평형 이동** 탐구 농도 변화에 따른 평형 이동 특강 농도 변화에 따른 평형 이동의 예	/	
	B 압력 변화에 따른 평형 이동 탐구 압력 변화에 따른 평형 이동	/	
	C 온도 변화에 따른 평형 이동 탐구 온도 변화에 따른 평형 이동	/	
	D 평형 이동의 이용	/	
03. 상평형	**A 상평형 그림**	/	

가역 반응과 동적 평형

① 가역 반응과 비가역 반응

가역 반응	반응 조건에 따라 ❶ ____ 과 ❷ ____ 이 모두 일어날 수 있는 반응으로, 대부분의 화학 반응은 가역 반응이다. 예 • 염화 코발트 육수화물의 생성 반응과 분해 반응($CoCl_2 + 6H_2O \rightleftarrows CoCl_2 \cdot 6H_2O$) • 염화 수소와 암모니아의 반응($HCl(g) + NH_3(g) \rightleftarrows NH_4Cl(s)$)
비가역 반응	한 방향으로만 일어나는 반응이다. 예 연소 반응, 앙금 생성 반응, 산과 금속이 반응하여 기체를 생성하는 반응, 강산과 강염기의 중화 반응 등

② 동적 평형: ❸ ____ 반응에서 정반응의 속도와 역반응의 속도가 같아서 겉보기에 반응이 일어나지 않는 것처럼 보이는 상태

- 반응 용기에 반응물과 생성물이 함께 존재한다.
- 반응물과 생성물의 농도가 ❹ ____ 하게 유지된다.

예 $2NO_2(g) \rightleftarrows N_2O_4(g)$

(가) NO_2 → (나) → (다)

- (가) → (나): 적갈색이 옅어진다.
  ➡ 정반응 속도 > 역반응 속도
- (나) → (다): 적갈색이 일정하게 유지된다.
  ➡ 정반응 속도 = 역반응 속도
  ➡ ❺ ____ 상태

상평형

상평형 서로 다른 두 가지 이상의 ❻ ____ 이 공존하는 상태

예 물의 증발과 응축: 물을 밀폐된 용기에 넣으면 처음에는 증발하는 물 분자 수가 더 많지만, 일정한 시간이 지나면 증발하는 물 분자 수와 응축하는 물 분자 수가 같아진다.

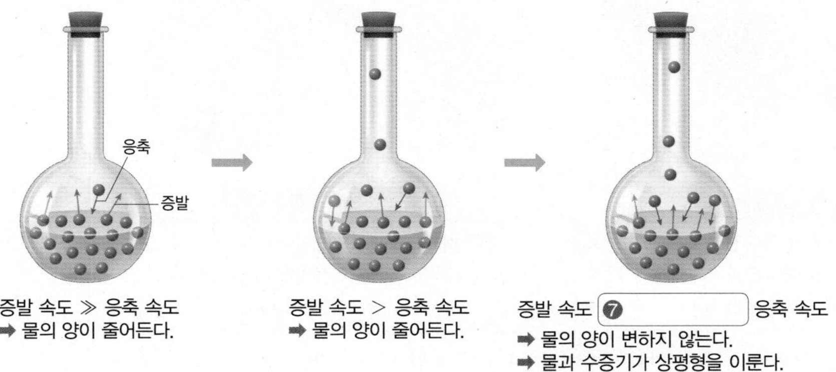

증발 속도 ≫ 응축 속도
➡ 물의 양이 줄어든다.

증발 속도 > 응축 속도
➡ 물의 양이 줄어든다.

증발 속도 ❼ ____ 응축 속도
➡ 물의 양이 변하지 않는다.
➡ 물과 수증기가 상평형을 이룬다.

정답 ❶ 정반응(역반응) ❷ 역반응(정반응) ❸ 가역 ❹ 일정 ❺ 동적 평형 ❻ 상(상태) ❼ =

01 화학 평형

핵심 포인트

Ⓐ 화학 평형의 정의 ★★★
화학 평형의 특징 ★★

Ⓑ 평형 상수 ★★★
반응 지수와 반응의 진행 방향 예측 ★★★

Ⓐ 화학 평형

설탕을 일정량의 물에 계속 넣으면 어느 순간부터는 더 이상 녹지 않고 가라앉아요. 이때 물에 녹은 설탕은 계속 녹아 있고 가라앉은 설탕은 계속 고체로 있는 것처럼 보이지만, 실제로는 녹아 있던 설탕이 결정으로 석출되기도 하고 가라앉은 설탕이 용해되기도 하지요. 이 상태가 바로 설탕의 용해 속도와 석출 속도가 같아서 겉으로 아무런 변화가 일어나지 않는 것처럼 보이는 동적 평형이에요. 지금부터 화학 반응에서의 동적 평형을 자세히 알아보아요.

1. 화학 반응에서 동적 평형

(1) 가역 반응: 반응 조건에 따라 *정반응과 역반응이 모두 일어날 수 있는 반응

예 $HCl(g)+NH_3(g) \rightleftharpoons NH_4Cl(s)$

- 정반응: 염화 수소와 암모니아가 반응하면 염화 암모늄의 흰색 고체가 생성된다.
- 역반응: 염화 암모늄을 가열하면 염화 수소와 암모니아로 분해된다.

(2) 화학 반응에서 동적 평형: 가역적으로 일어나는 화학 반응이 동적 평형을 이루면 반응물과 생성물의 농도가 일정하게 유지된다.

* **정반응과 역반응**
$A \rightleftharpoons B$ 반응에서 오른쪽으로 진행되는 반응($A \longrightarrow B$)은 정반응이고, 왼쪽으로 진행되는 반응($B \longrightarrow A$)은 역반응이다.

탐구 자료창 화학 반응에서 동적 평형 상태

적갈색의 이산화 질소(NO_2)와 무색의 사산화 이질소(N_2O_4)의 혼합 기체가 들어 있는 플라스크를 더운물과 얼음물에 넣고 색 변화를 관찰한다.

$2NO_2(g) \rightleftharpoons N_2O_4(g)$
적갈색 무색

- 온도에 따라 혼합 기체의 색이 달라진다.
- 온도가 일정할 때 충분한 시간이 지나면 혼합 기체의 색이 일정하게 유지된다.

1. 온도에 따라 혼합 기체의 색이 달라지는 까닭

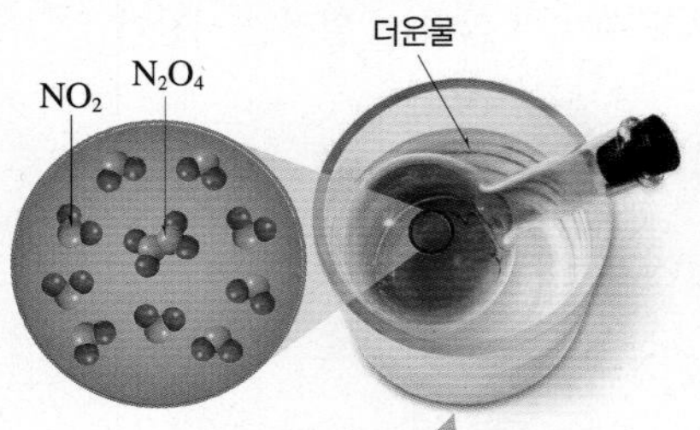

더운물에서 혼합 기체

혼합 기체의 적갈색이 진해졌다.
➡ 온도가 높아지면 역반응이 일어난다.
$N_2O_4(g) \longrightarrow 2NO_2(g)$

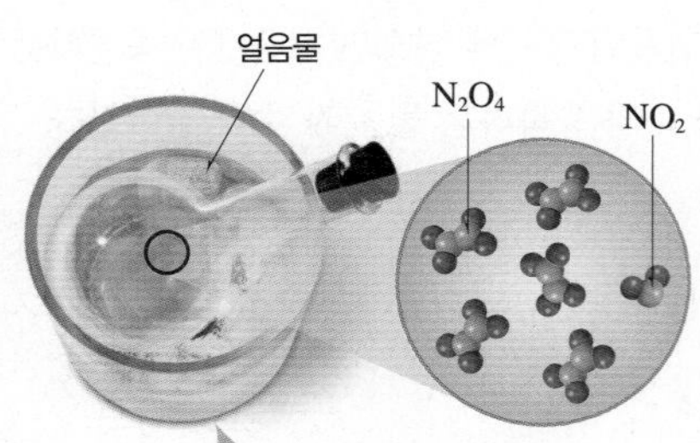

얼음물에서 혼합 기체

혼합 기체의 적갈색이 옅어졌다.
➡ 온도가 낮아지면 정반응이 일어난다.
$2NO_2(g) \longrightarrow N_2O_4(g)$

2. $NO_2(g)$와 $N_2O_4(g)$ 사이의 반응은 가역 반응이다. ➡ 반응 조건에 따라 정반응과 역반응이 모두 일어나기 때문이다.

3. **충분한 시간이 지난 후 혼합 기체의 색이 일정하게 유지되는 까닭**: 정반응 속도와 역반응 속도가 같은 동적 평형에 도달하여 $NO_2(g)$와 $N_2O_4(g)$의 농도가 일정하게 유지되기 때문이다.

2. 화학 평형

(1) 화학 평형: 가역 반응에서 반응물과 생성물의 농도가 변하지 않고 일정하게 유지되는 상태

화학 평형과 시간에 따른 농도 그래프

$2NO_2(g) \rightleftharpoons N_2O_4(g)$ 반응에서 25 °C의 밀폐된 용기에 이산화 질소(NO_2)만 넣었을 때와 사산화 이질소(N_2O_4)만 넣었을 때 시간에 따른 농도는 다음과 같다.

NO_2만 넣었을 때

색이 점점 옅어지다가 어느 정도 시간이 지나면 색이 일정하게 유지된다. ➡ 시간이 지남에 따라 NO_2의 농도는 감소하고 N_2O_4의 농도는 증가하다가, 충분한 시간이 지나면(시간 t 이후) 두 물질의 농도가 일정하게 유지되는 화학 평형에 도달한다.

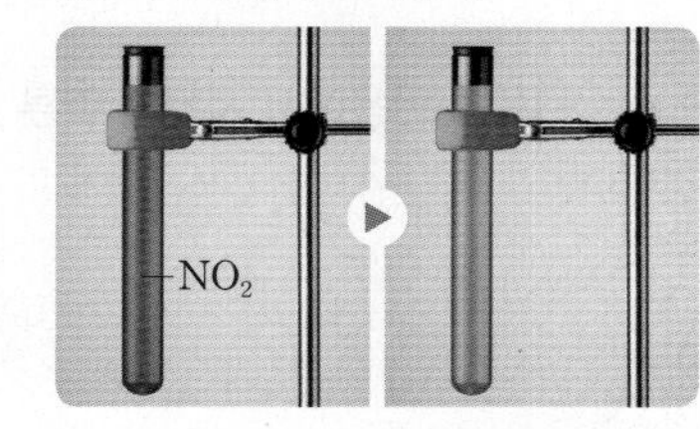

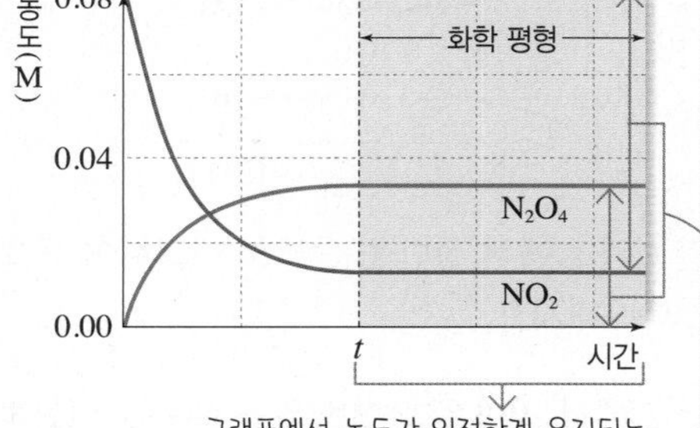

그래프에서 농도가 일정하게 유지되는 수평 구간의 농도는 *평형 농도이다.

N_2O_4만 넣었을 때

색이 점점 진해지다가 어느 정도 시간이 지나면 색이 일정하게 유지된다. ➡ 시간이 지남에 따라 N_2O_4의 농도는 감소하고 NO_2의 농도는 증가하다가, 충분한 시간이 지나면(시간 t 이후) 두 물질의 농도가 일정하게 유지되는 화학 평형에 도달한다.

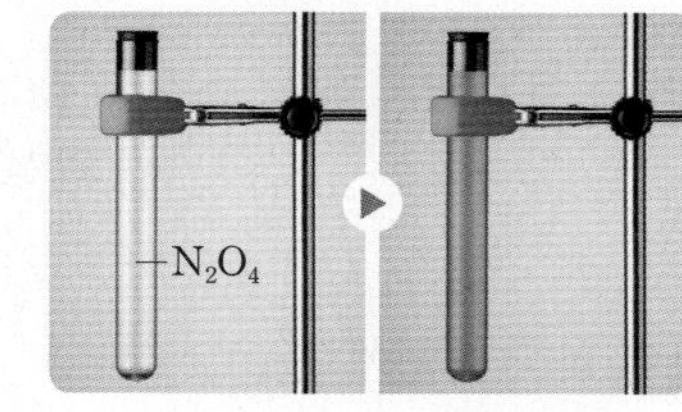

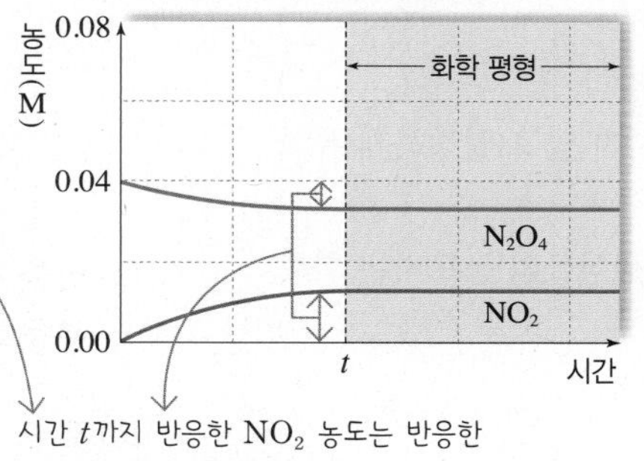

시간 t까지 반응한 NO_2 농도는 반응한 N_2O_4 농도의 2배이다.

(2) 화학 평형의 특징

① 정반응과 역반응이 같은 속도로 계속 일어나고 있는 동적 평형이다.

$2NO_2(g) \rightleftharpoons N_2O_4(g)$ 반응에서 시간에 따른 반응 속도 그래프 지학사, 천재 교과서에만 나와요.

- **정반응 속도**: 처음에는 반응 속도가 빠르지만 시간이 지나면 NO_2의 농도가 감소하므로 반응 속도가 점점 느려진다.
- **역반응 속도**: 처음에는 거의 0이지만, 시간이 지나면 N_2O_4의 농도가 증가하므로 점점 빨라진다.

➡ 충분한 시간이 지나면 정반응 속도와 역반응 속도가 같은 화학 평형에 도달한다.

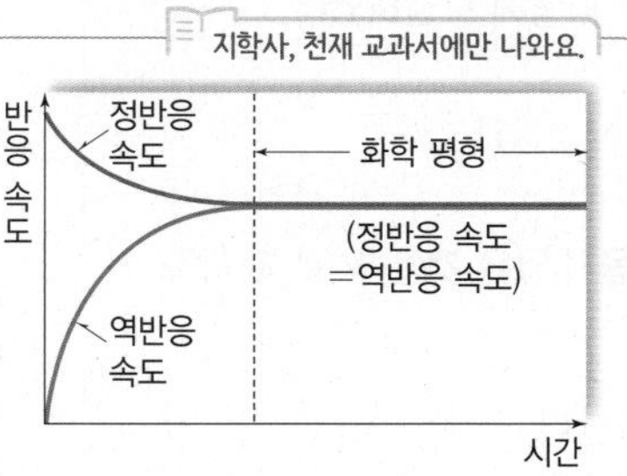

② 반응물과 생성물이 함께 존재하며, 반응물과 생성물의 농도가 일정하게 유지된다.

③ 가역 반응이므로 반응 조건이 같은 경우 반응물에서 시작하거나 생성물에서 시작하거나 동일한 화학 평형에 도달한다.

④ *화학 반응식의 계수비는 평형에 도달할 때까지 반응한 물질의 몰비(=농도비)이다. ➡ 화학 반응식의 계수비는 화학 평형에서 존재하는 반응물과 생성물의 농도비와는 관계가 없다.

*** 평형 농도**
물질이 평형 상태에 있을 때의 농도를 평형 농도라고 한다.

*** 화학 반응식과 화학 평형**
예 $H_2+I_2 \rightleftharpoons 2HI$ 반응에서 계수비인 1 : 1 : 2는 화학 평형에서 H_2, I_2, HI의 농도비가 1 : 1 : 2라는 것이 아니라, 평형에 도달할 때까지 반응하거나 생성되는 물질의 농도비가 1 : 1 : 2라는 의미이다.

개념 확인 문제

정답친해 69쪽

핵심 체크

- (❶   ) 반응: 반응 조건에 따라 정반응과 역반응이 모두 일어날 수 있는 반응으로, 화학 반응식에 나타낼 때 반응의 진행을 나타내는 화살표를 (❷   )로 표시한다.
- (❸   ): 가역 반응에서 반응물과 생성물의 농도가 달라지지 않고 일정하게 유지되는 상태
- 화학 평형의 특징
  - 겉으로 보기에는 변화가 없어 반응이 정지된 것처럼 보이지만 실제로는 (❹   )과 (❺   )이 같은 속도로 계속 일어나고 있는 (❻   ) 평형이다.
  - 일정 온도에서 밀폐 용기에 반응물만 넣거나 생성물만 넣어도 (❼   ) 화학 평형에 도달한다.
  - 화학 반응식의 계수비는 (❽   )에 도달할 때까지 반응하거나 생성된 물질의 몰비이다.

1 화학 평형에 대한 설명으로 옳은 것은 ○, 옳지 않은 것은 ×로 표시하시오.

(1) 반응이 정지된 상태이다. (   )

(2) 비가역 반응도 충분한 시간이 지나면 화학 평형에 도달한다. (   )

(3) 정반응 속도와 역반응 속도가 같다. (   )

(4) 반응물과 생성물의 농도가 변하지 않고 일정하게 유지된다. (   )

(5) 화학 평형 상태에서 반응물과 생성물의 농도비는 화학 반응식의 계수비와 같다. (   )

2 밀폐 용기에 질소(N_2) 기체와 수소(H_2) 기체를 넣어 반응시켰더니, 다음 반응이 일어나 화학 평형에 도달하였다.

$$N_2(g)+3H_2(g) \rightleftharpoons 2NH_3(g)$$

이에 대한 설명으로 옳은 것은 ○, 옳지 않은 것은 ×로 표시하시오.

(1) 반응 초기에는 정반응만 일어난다. (   )

(2) 용기에 $H_2(g)$만 넣어도 동일한 화학 평형에 도달한다. (   )

(3) 용기에 $NH_3(g)$만 넣어도 동일한 화학 평형에 도달한다. (   )

(4) 평형에 도달했을 때 용기에는 $N_2(g)$, $H_2(g)$, $NH_3(g)$가 모두 들어 있다. (   )

3 그림은 $2A(g) \rightleftharpoons B(g)$ 반응에서 시간에 따른 A와 B의 농도를 나타낸 것이다.

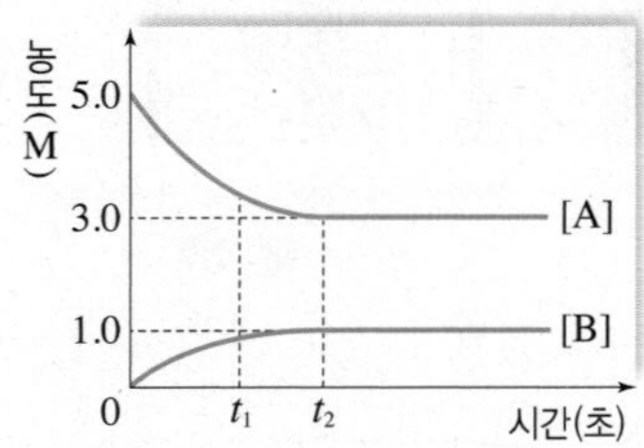

(1) 반응 시간 t_1과 t_2에서 정반응 속도를 비교하여 등호나 부등호로 나타내시오.

(2) 반응 시간 t_2에서 정반응과 역반응의 속도를 비교하여 등호나 부등호로 나타내시오.

(3) 화학 평형 상태에서 A와 B의 농도비([A] : [B])를 구하시오.

4 그림은 $A(g) \rightleftharpoons 2B(g)$ 반응에서 밀폐 용기에 $A(g)$를 넣고 반응시킬 때 시간에 따른 반응 속도를 나타낸 것이다. 이에 대한 설명으로 옳은 것은 ○, 옳지 않은 것은 ×로 표시하시오.

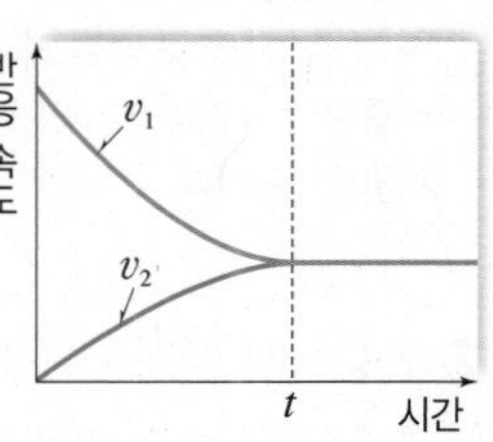

(1) v_1은 역반응 속도이다. (   )

(2) 시간 t 이후 정반응과 역반응의 속도는 0이다. (   )

(3) 시간 t 이후에는 [A]가 일정하게 유지된다. (   )

B 평형 상수

화학 평형에서는 반응물과 생성물의 농도가 일정하게 유지돼요. 그렇다면 화학 평형 상태에서 반응물과 생성물의 농도 사이에 어떤 특별한 관계가 있지 않을까요?

1. 평형 상수

(1) *__화학 평형에서 반응물과 생성물의 농도비__: 일정한 온도에서 어떤 반응이 화학 평형 상태에 있을 때 반응물의 농도 곱에 대한 생성물의 농도 곱의 비는 항상 일정하다.

탐구 자료창 **화학 평형에서 반응물과 생성물의 농도 관계**

표는 일정한 온도에서 이산화 질소(NO_2)와 사산화 이질소(N_2O_4)의 초기 농도를 달리하여 밀폐된 용기에 넣고 평형에 도달하였을 때, 각 물질의 농도를 나타낸 것이다.

$$2NO_2(g) \rightleftharpoons N_2O_4(g)$$

실험	초기 농도(M)		평형 농도(M)		평형에서 농도 관계		
	$[NO_2]$	$[N_2O_4]$	$[NO_2]$	$[N_2O_4]$	$\frac{[N_2O_4]}{[NO_2]}$	$\frac{[N_2O_4]}{[NO_2]^2}$	$\frac{[N_2O_4]}{2[NO_2]}$
1	0.1000	0.0000	0.0500	0.0250	0.5000	10.0000	0.2500
2	0.0000	0.1000	0.0781	0.0610	0.7810	10.0006	0.3905
3	0.0400	0.0600	0.0678	0.0461	0.6799	10.0286	0.3340

1. $\frac{[N_2O_4]}{[NO_2]}$와 $\frac{[N_2O_4]}{2[NO_2]}$의 값은 평형 농도에 따라 달라지지만 $\frac{[N_2O_4]}{[NO_2]^2}$의 값은 거의 일정하다.
2. **평형 상태에서 반응물과 생성물의 농도 관계**: 반응물과 생성물의 초기 농도에 따라 평형 농도는 다르지만, 평형 상태에서 반응물의 농도 곱에 대한 생성물의 농도 곱의 비$\left(\frac{[N_2O_4]}{[NO_2]^2}\right)$는 일정하다.

(2) **평형 상수(K)**: 화학 평형에서 반응물의 농도 곱에 대한 생성물의 농도 곱의 비

A와 B가 반응하여 C와 D가 생성되는 반응의 평형 상수(K)는 다음과 같다.

$$aA+bB \rightleftharpoons cC+dD \quad K=\frac{[C]^c[D]^d}{[A]^a[B]^b}$$

([A], [B], [C], [D]: 평형 상태에서 각 물질의 농도)

① 평형 상수는 몰 농도를 이용하여 나타내지만 일반적으로 단위를 표시하지 않는다.

② 평형 상수는 온도가 일정하면 농도에 관계없이 일정한 값을 갖는다. → 평형 상수는 온도에 의해서만 달라진다.

③ 고체나 용매의 농도는 평형 상수식에 나타내지 않는다.

예 • $NaOH(s) \rightleftharpoons Na^+(aq)+OH^-(aq) \quad K=[Na^+][OH^-]$

• $HNO_2(aq)+H_2O(l) \rightleftharpoons NO_2^-(aq)+H_3O^+(aq) \quad K=\frac{[NO_2^-][H_3O^+]}{[HNO_2]}$

④ 기체 사이의 반응인 경우 평형 상태에서의 부분 압력을 이용하여 평형 상수를 나타낼 수 있다.

예 $H_2(g)+I_2(g) \rightleftharpoons 2HI(g) \quad K=\frac{P_{HI}^2}{P_{H_2}P_{I_2}}$ (P_{H_2}, P_{I_2}, P_{HI}: 각 기체의 부분 압력)

지학사, 천재 교과서에만 나와요.

★ **화학 평형 법칙**

일정한 온도에서 화학 반응이 평형 상태에 있을 때 반응물의 농도 곱과 생성물의 농도 곱의 비가 항상 일정한 것을 화학 평형 법칙, 또는 질량 작용 법칙이라고 한다.

상상 교과서에만 나와요.

★ **역반응의 평형 상수**

역반응의 평형 상수(K')는 정반응의 평형 상수(K)의 역수이다.

예 $H_2(g)+I_2(g) \rightleftharpoons 2HI(g)$

• 정반응의 평형 상수(K) $=\frac{[HI]^2}{[H_2][I_2]}$

• 역반응의 평형 상수(K') $=\frac{[H_2][I_2]}{[HI]^2}=\frac{1}{K}$

(3) **평형 상수의 의미**: 평형 상수가 클수록 생성물이 생성되는 쪽에서 평형이 이루어진다.

예 $A \rightleftharpoons B$, $K=\frac{[B]}{[A]}$

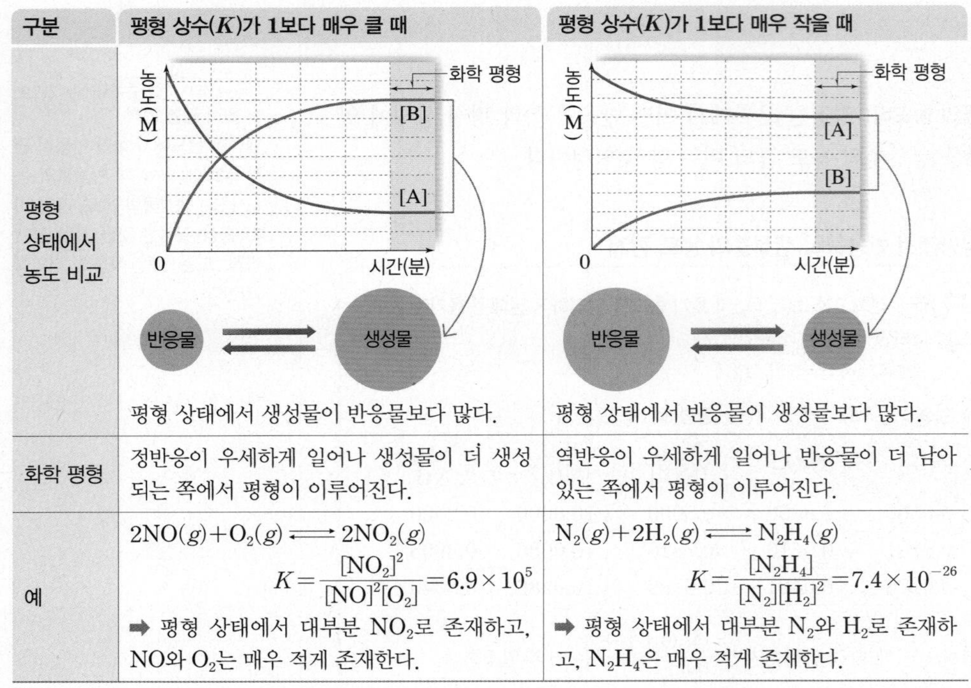

구분	평형 상수(K)가 1보다 매우 클 때	평형 상수(K)가 1보다 매우 작을 때
평형 상태에서 농도 비교	평형 상태에서 생성물이 반응물보다 많다.	평형 상태에서 반응물이 생성물보다 많다.
화학 평형	정반응이 우세하게 일어나 생성물이 더 생성되는 쪽에서 평형이 이루어진다.	역반응이 우세하게 일어나 반응물이 더 남아 있는 쪽에서 평형이 이루어진다.
예	$2NO(g)+O_2(g) \rightleftharpoons 2NO_2(g)$ $K=\frac{[NO_2]^2}{[NO]^2[O_2]}=6.9\times10^5$ ➡ 평형 상태에서 대부분 NO_2로 존재하고, NO와 O_2는 매우 적게 존재한다.	$N_2(g)+2H_2(g) \rightleftharpoons N_2H_4(g)$ $K=\frac{[N_2H_4]}{[N_2][H_2]^2}=7.4\times10^{-26}$ ➡ 평형 상태에서 대부분 N_2와 H_2로 존재하고, N_2H_4은 매우 적게 존재한다.

> **주의해**
> **평형 상수와 반응 속도**
> 평형 상수는 화학 평형에서 반응물과 생성물의 농도와 관련된 것이므로 평형에 도달하는 속도에 대한 정보는 알 수 없다. 즉, 평형 상수가 크다고 평형에 도달하는 반응 속도가 빨라지는 것은 아니다.

2. 평형 상수 구하기

평형 상수는 화학 평형에서 반응물과 생성물의 농도로 구한다. 완자쌤 비법특강 160쪽

예제 어떤 온도에서 부피가 1.0 L인 강철 용기에 이산화 황(SO_2) 0.6몰과 산소(O_2) 0.2몰을 넣고 반응시켰더니, 평형에 도달하였을 때 삼산화 황(SO_3) 0.2몰이 생성되었다.

$$2SO_2(g)+O_2(g) \rightleftharpoons 2SO_3(g)$$

이 온도에서의 평형 상수(K)를 구해 보자.

1단계 주어진 조건에서 각 물질의 몰 농도 구하기

$$[SO_2]=\frac{0.6\ \text{mol}}{1\ \text{L}}=0.6\ \text{M},\ [O_2]=[SO_3]=\frac{0.2\ \text{mol}}{1\ \text{L}}=0.2\ \text{M}$$

2단계 화학 반응식의 양적 관계를 이용하여 평형 상태의 몰 농도 구하기

반응 몰비(화학 반응식의 계수비)가 $SO_2 : O_2 : SO_3=2:1:2$이므로, SO_3 0.2 M이 생성되려면 SO_2 0.2 M과 O_2 0.1 M이 반응해야 한다.

	$2SO_2(g)$	$+\ O_2(g)$	$\rightleftharpoons 2SO_3(g)$
처음 농도(M)	0.6	0.2	0
반응 농도(M)	−0.2	−0.1	+0.2
평형 농도(M)	0.4	0.1	0.2

3단계 평형 상수식에 각 물질의 평형 농도 대입하기

$$K=\frac{[SO_3]^2}{[SO_2]^2[O_2]}=\frac{0.2^2}{0.4^2\times0.1}=2.5$$

3. 반응의 진행 방향 예측

(1) **반응 지수(Q)**: 일정한 온도에서 평형 상수를 구하는 식에 반응물과 생성물의 현재 농도를 대입하여 계산한 값

> A와 B가 반응하여 C와 D가 생성되는 반응에서 반응 지수(Q)는 다음과 같다.
>
> $$aA + bB \rightleftharpoons cC + dD \Rightarrow Q = \frac{[C]^c[D]^d}{[A]^a[B]^b}$$
>
> ([A], [B], [C], [D]: 각 물질의 현재 농도) ● 평형 상태에서의 농도가 아니다.

(2) *****반응의 진행 방향 예측**: 일정한 온도에서 평형 상수는 항상 일정하므로 반응 지수(Q)를 구하여 평형 상수(K)와 비교하면 반응의 진행 방향을 예측할 수 있다.

① $Q<K$인 경우: 평형 상태와 비교할 때 반응물의 농도가 생성물의 농도보다 상대적으로 커 평형 상태에 도달하려면 반응물이 소모되어야 한다. ➡ 반응이 정반응 쪽으로 진행된다.

② $Q=K$인 경우: 평형 상태이다.

③ $Q>K$인 경우: 평형 상태와 비교할 때 생성물의 농도가 반응물의 농도보다 상대적으로 커 평형 상태에 도달하려면 생성물이 소모되어야 한다. ➡ 반응이 역반응 쪽으로 진행된다.

반응 지수와 반응의 진행 방향 예측

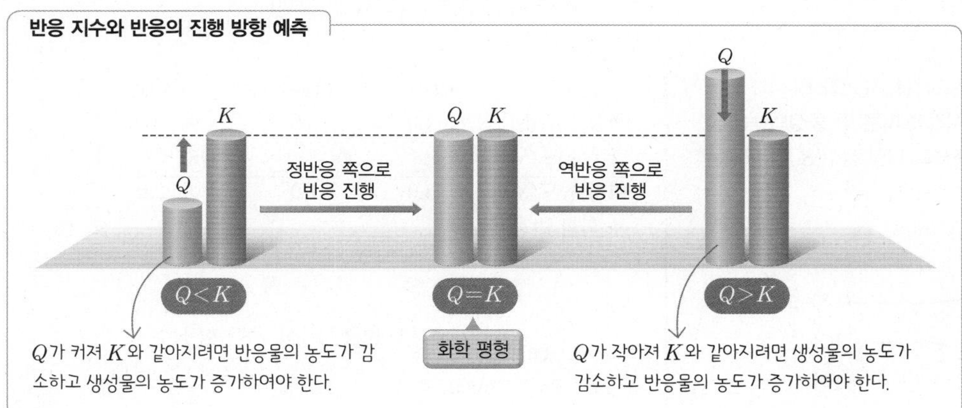

Q가 커져 K와 같아지려면 반응물의 농도가 감소하고 생성물의 농도가 증가하여야 한다.

Q가 작아져 K와 같아지려면 생성물의 농도가 감소하고 반응물의 농도가 증가하여야 한다.

예제 다음은 어떤 온도에서 수소(H_2)와 아이오딘(I_2)이 반응하여 아이오딘화 수소(HI)가 생성되는 반응의 화학 반응식과 평형 상수(K)이다.

$$H_2(g) + I_2(g) \rightleftharpoons 2HI(g) \quad K = 25.0$$

같은 온도에서 부피가 2.0 L인 강철 용기에 H_2, I_2, HI를 각각 0.2몰씩 넣었을 때 반응의 진행 방향을 예측해 보자.

1단계 각 물질의 현재 몰 농도 구하기

$$[H_2] = [I_2] = [HI] = \frac{0.2\ \text{mol}}{2\ \text{L}} = 0.1\ \text{M}$$

2단계 평형 상수식에 각 물질의 현재 농도를 대입하여 반응 지수(Q) 구하기

$$Q = \frac{[HI]^2}{[H_2][I_2]} = \frac{0.1^2}{0.1 \times 0.1} = 1.0$$

3단계 반응 지수(Q)와 평형 상수(K)를 비교하여 반응의 진행 방향 예측하기

$Q<K$이므로, 반응이 정반응 쪽으로 진행된다.

지학사 교과서에만 나와요.

★ **평형 상수와 반응 지수의 관계**
가역 반응은 평형을 이루는 방향으로 진행되므로 반응이 진행됨에 따라 반응 지수(Q)가 평형 상수(K)에 가까워진다.

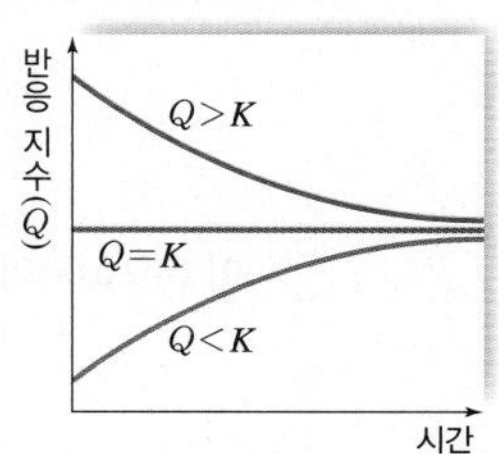

암기해
반응의 진행 방향
- $Q<K$: 정반응 우세
- $Q=K$: 평형 유지
- $Q>K$: 역반응 우세

완자쌤 비법 특강

평형 상수와 평형 농도 구하기

정답친해 69쪽

화학 반응식이 주어졌을 때 평형 상수식을 세우고 평형 농도를 대입하면 평형 상수를 구할 수 있어요. 하지만 문제에서 시간에 따른 농도 그래프만 제시된 경우 평형 상수를 구하거나, 초기 농도와 평형 상수만 제시된 경우 평형 농도를 구하려면 어떻게 해야 할까요? 지금부터 이와 관련된 문제들을 파헤쳐 보아요!

1 시간에 따른 농도 그래프로 평형 상수 구하기

그림은 일정한 온도에서 부피가 1 L인 강철 용기에 기체 A와 B를 넣고 반응시켜 기체 C가 생성될 때, 시간에 따른 각 물질의 농도를 나타낸 것이다.

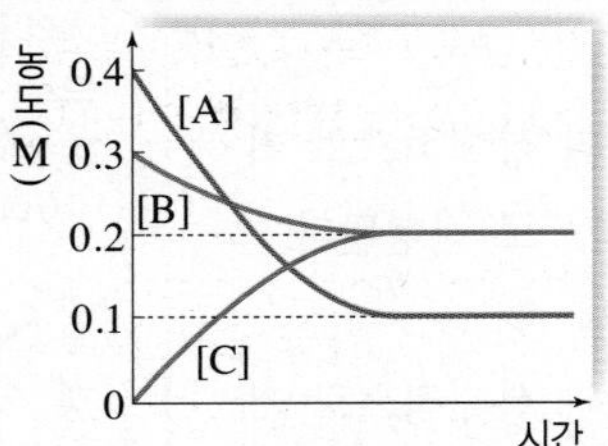

이 온도에서의 평형 상수(K)를 구하시오.

1단계 반응 농도를 구하여 화학 반응식의 계수비를 구한다.

	$a\text{A}(g)$ +	$b\text{B}(g)$ ⇌	$c\text{C}(g)$
처음 농도(M)	0.4	0.3	0
반응 농도(M)	-0.3	-0.1	$+0.2$
평형 농도(M)	0.1	0.2	0.2

→ 화학 반응식의 계수비는 $a : b : c = 3 : 1 : 2$이다.

2단계 계수를 맞추어 화학 반응식을 완성하고 평형 상수식을 구한다.

$$3\text{A}(g) + \text{B}(g) \rightleftharpoons 2\text{C}(g) \quad K = \frac{[\text{C}]^2}{[\text{A}]^3[\text{B}]}$$

3단계 평형 상수식에 평형 농도를 대입하여 평형 상수(K)를 구한다.

$$K = \frac{[\text{C}]^2}{[\text{A}]^3[\text{B}]} = \frac{0.2^2}{0.1^3 \times 0.2} = 200$$

Q1 그림은 일정한 온도에서 $\text{A}(g)$와 $\text{B}(g)$가 반응하여 $\text{C}(g)$가 생성될 때 시간에 따른 각 물질의 농도를 나타낸 것이다. 이 온도에서의 평형 상수(K)를 구하는 과정의 빈 칸을 알맞게 채우시오.

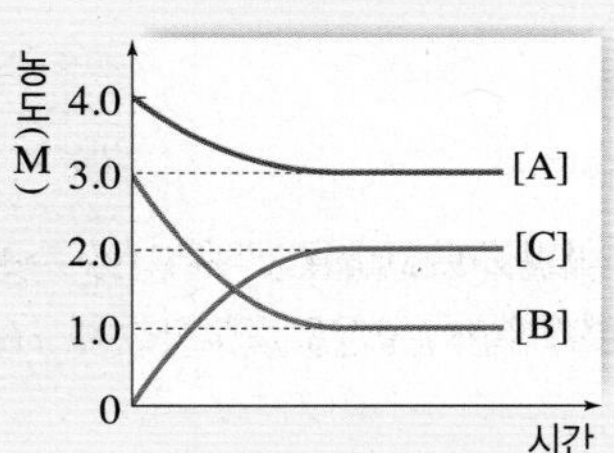

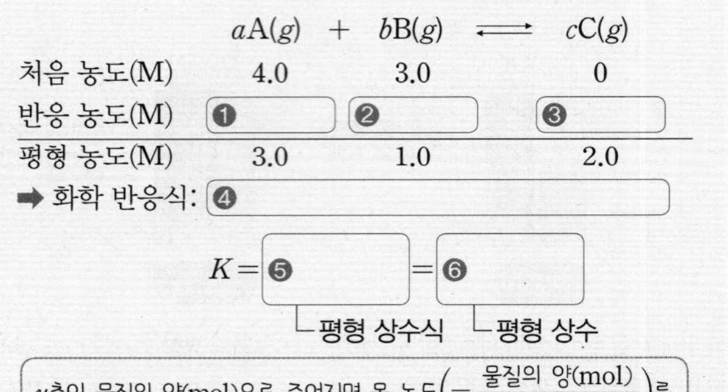

	$a\text{A}(g)$ +	$b\text{B}(g)$ ⇌	$c\text{C}(g)$
처음 농도(M)	4.0	3.0	0
반응 농도(M)	❶	❷	❸
평형 농도(M)	3.0	1.0	2.0

➡ 화학 반응식: ❹

$K =$ ❺ $=$ ❻

(❺ 평형 상수식, ❻ 평형 상수)

y축이 물질의 양(mol)으로 주어지면 몰 농도$\left(= \dfrac{\text{물질의 양(mol)}}{\text{부피}}\right)$를 구해야 해요.

2 평형 상태에서 반응물과 생성물의 농도 구하기

다음은 어떤 온도에서 플루오린화 수소(HF)가 분해되는 반응의 화학 반응식과 평형 상수(K)이다.

$$2\text{HF}(g) \rightleftharpoons \text{H}_2(g) + \text{F}_2(g)$$
$$K = 1.0 \times 10^{-2}$$

같은 온도에서 1 L 강철 용기에 플루오린화 수소(HF) 2몰, 수소(H_2) 0.1몰, 플루오린(F_2) 0.1몰을 넣고 반응시켰더니 평형에 도달하였다. 평형 상태에서 HF, H_2, F_2의 농도(M)를 각각 구하시오.

1단계 평형 상수와 반응 지수를 비교하여 반응의 진행 방향을 예측한다.

$$Q = \frac{[\text{H}_2][\text{F}_2]}{[\text{HF}]^2} = \frac{0.1 \times 0.1}{2^2} = 2.5 \times 10^{-3} < K$$ ➡ 정반응 진행

2단계 평형 상태에서 각 물질의 농도 사이의 관계식을 구한다.

	$2\text{HF}(g)$ ⇌	$\text{H}_2(g)$ +	$\text{F}_2(g)$
처음 농도(M)	2	0.1	0.1
반응 농도(M)	$-2x$	$+x$	$+x$ ➡ 정반응
평형 농도(M)	$2-2x$	$0.1+x$	$0.1+x$

3단계 x를 구하여 평형 상태에서 각 물질의 농도를 구한다.

$$K = \frac{[\text{H}_2][\text{F}_2]}{[\text{HF}]^2} = \frac{(0.1+x) \times (0.1+x)}{(2-2x)^2} = 1 \times 10^{-2},\ x \fallingdotseq 0.083$$

$\therefore$ [HF]$=1.834$ M, $[\text{H}_2]=[\text{F}_2]=0.183$ M

개념 확인 문제

정답친해 69쪽

핵심 체크

- (❶): 화학 평형에서 반응물의 농도 곱에 대한 생성물의 농도 곱의 비
  - 일반적으로 단위를 표시하지 않는다.
  - (❷)에 의해서만 달라지며 농도에 관계없이 일정한 값을 갖는다.
  - 고체나 용매는 평형 상수식에 나타내지 않는다.
  - 기체 사이의 반응인 경우 평형 상태에서의 (❸)을 이용하여 평형 상수를 나타내기도 한다.
- 평형 상수(K)가 1보다 매우 크면 (❹)이 우세하게 일어나 (❺)이 더 많은 쪽에서 평형이 이루어진다.
- (❻): 일정한 온도에서 평형 상수를 구하는 식에 반응물과 생성물의 현재 농도를 대입하여 계산한 값
- 반응의 진행 방향 예측
  - 반응 지수(Q) < 평형 상수(K): (❼)이 우세하게 진행된다.
  - 반응 지수(Q) > 평형 상수(K): (❽)이 우세하게 진행된다.

1 **평형 상수에 대한 설명으로 옳은 것은 ○, 옳지 않은 것은 ×로 표시하시오.**

(1) 평형 상수의 단위는 M/초이다. ( )

(2) 일정한 온도에서 어떤 화학 반응의 평형 상수는 반응물의 초기 농도가 클수록 크다. ( )

(3) 일정한 온도에서 어떤 화학 반응의 평형 상수는 정반응과 역반응에서 같다. ( )

(4) 평형 상수가 1보다 매우 작은 반응은 평형에서 반응물의 양이 생성물의 양보다 더 크다. ( )

2 **다음 반응이 평형 상태에 있을 때 평형 상수식을 쓰시오.**

(1) $N_2(g)+O_2(g) \rightleftharpoons 2NO(g)$

(2) $NH_4Cl(s) \rightleftharpoons NH_3(g)+HCl(g)$

(3) $CH_3COOH(aq)+H_2O(l) \rightleftharpoons CH_3COO^-(aq)+H_3O^+(aq)$

3 **다음은 기체 A와 B가 반응하여 기체 C를 생성하는 반응의 화학 반응식이다.**

$$A(g)+2B(g) \rightleftharpoons 2C(g)$$

25 °C에서 1 L 강철 용기에 A 1.0몰과 B 2.0몰을 넣고 반응시켜 화학 평형에 도달했을 때 생성된 C의 양이 1.0몰이었다. 이 온도에서의 평형 상수(K)를 구하시오.

4 **반응 지수(Q)와 평형 상수(K)에 대한 설명으로 옳은 것은 ○, 옳지 않은 것은 ×로 표시하시오.**

(1) Q는 화학 반응식과 현재 농도를 알면 구할 수 있다. ( )

(2) 어떤 화학 반응의 Q는 온도가 일정하면 농도에 관계없이 일정한 값을 갖는다. ( )

(3) 일정한 온도에서 어떤 화학 반응의 Q가 K와 같으면 정반응 속도가 역반응 속도보다 빠르다. ( )

(4) 일정한 온도에서 어떤 화학 반응의 Q가 K보다 작으면 평형에 도달할 때까지 반응물의 농도가 감소한다. ( )

5 **다음은 어떤 온도에서 암모니아(NH_3) 생성 반응의 화학 반응식과 평형 상수(K)이다.**

$$N_2(g)+3H_2(g) \rightleftharpoons 2NH_3(g) \quad K=1.2$$

같은 온도에서 10 L 강철 용기에 질소(N_2) 1몰, 수소(H_2) 4몰, 암모니아(NH_3) 4몰을 넣었다.

(1) 반응 지수(Q)를 구하시오.

(2) 반응이 어느 쪽으로 진행되는지 쓰시오.

대표 자료 분석

정답친해 70쪽

학교 시험에 자주 출제되는 대표 자료와 그 자료에 대한 문제를 통해 자료를 완벽하게 이해할 수 있다.

자료 1 화학 평형과 평형 상수

기출 Point
- 시간에 따른 농도 변화 그래프 해석
- 화학 반응식의 완성, 평형 상수 계산

[1~4] 다음은 기체 A가 기체 B와 C로 분해되는 반응의 화학 반응식이다.

$$a\mathrm{A}(g) \rightleftharpoons b\mathrm{B}(g)+c\mathrm{C}(g)$$ (a, b, c: 반응 계수)

그림은 25 °C에서 1 L 강철 용기에 A(g)를 넣어 반응시킬 때 시간에 따른 각 물질의 농도를 나타낸 것이다.

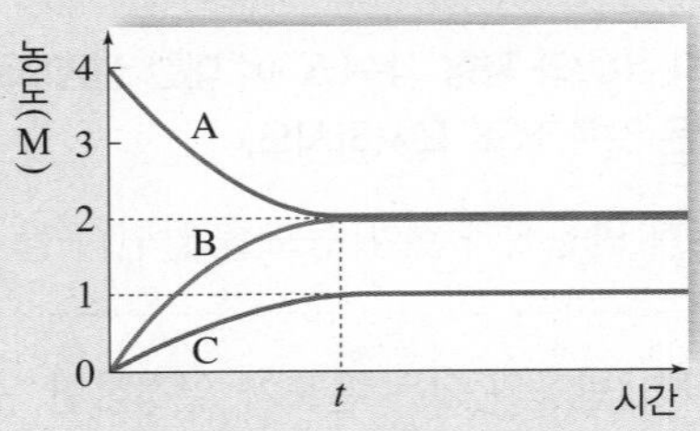

1 이 반응의 화학 반응식을 쓰시오.

2 이 반응의 평형 상수식을 쓰시오.

3 25 °C에서 이 반응의 평형 상수(K)를 구하시오.

4 빈출 선택지로 완벽 정리!

(1) 시간 t에 도달할 때까지 정반응 속도는 감소한다. (○ / ×)

(2) 시간 t 이후에 반응은 일어나지 않는다. (○ / ×)

(3) 같은 조건에서 A 2몰, B 1몰, C 2몰을 넣어 반응시키면 역반응이 우세하게 일어난다. (○ / ×)

(4) 같은 온도에서 부피가 2 L인 강철 용기에 A 1몰, B 2몰, C 1몰을 넣어 반응시키면 생성물이 소모되는 쪽으로 반응이 진행된다. (○ / ×)

자료 2 화학 평형과 반응의 진행 방향

기출 Point
- 평형 상수 계산
- 반응의 진행 방향 예측

[1~4] 다음은 기체 A와 B가 반응하여 기체 C를 생성하는 반응의 화학 반응식이다.

$$\mathrm{A}(g)+\mathrm{B}(g) \rightleftharpoons 2\mathrm{C}(g)$$

그림은 용기 (가)와 (나)에서 기체 A, B, C가 평형을 이루고 있는 상태를 나타낸 것이다. (단, 온도는 25 °C로 일정하고, 연결관의 부피는 무시한다.)

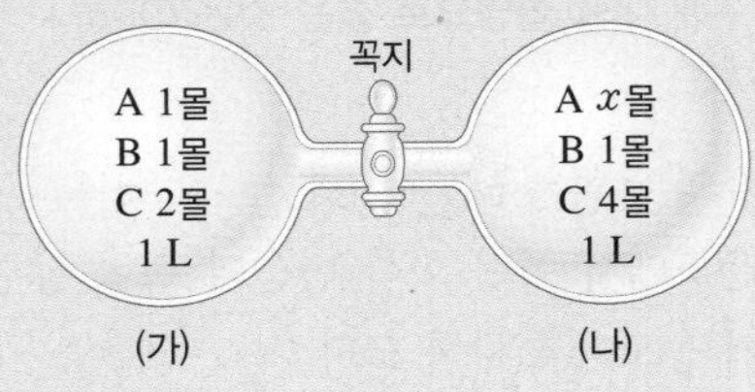

1 25 °C에서 이 반응의 평형 상수(K)를 구하시오.

2 (나)에서 x를 구하시오.

3 꼭지를 열었을 때의 반응 지수(Q)를 평형 상수(K)와 비교하여 등호나 부등호로 나타내시오.

4 빈출 선택지로 완벽 정리!

(1) 꼭지를 열어 새로운 평형에 도달했을 때 평형 상수는 4보다 작다. (○ / ×)

(2) 꼭지를 열면 정반응이 우세하게 진행된다. (○ / ×)

(3) 꼭지를 열어 새로운 평형에 도달했을 때 C의 양(mol)은 $\frac{25}{13}$몰이다. (○ / ×)

내신 만점 문제

정답친해 71쪽

A 화학 평형

01 화학 평형에 대한 설명으로 옳은 것은?

① 화학 평형에 도달하면 반응이 완결되어 정지된다.
② 반응물과 생성물이 함께 존재한다.
③ 정반응과 역반응의 속도는 0이다.
④ 반응물의 전체 농도와 생성물의 전체 농도는 항상 같다.
⑤ 모든 화학 반응은 충분한 시간이 지나면 화학 평형에 도달한다.

중요 **02** 다음은 이산화 질소(NO_2)가 반응하여 사산화 이질소(N_2O_4)가 생성되는 반응의 화학 반응식이다.

$$2NO_2(g) \rightleftharpoons N_2O_4(g)$$

그림은 일정한 온도에서 강철 용기에 $NO_2(g)$를 넣고 반응시킬 때 시간에 따른 각 물질의 농도를 나타낸 것이다.

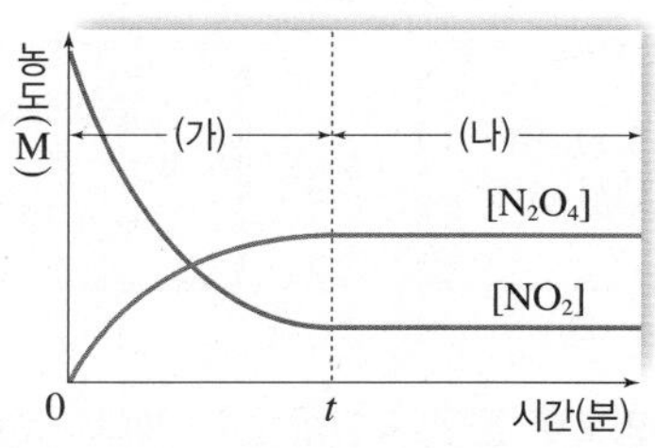

이에 대한 설명으로 옳은 것만을 [보기]에서 있는 대로 고른 것은?

[보기]
ㄱ. (가)에서는 정반응만 일어난다.
ㄴ. (나)에서는 정반응 속도와 역반응 속도가 같다.
ㄷ. 용기 속 기체의 전체 압력은 (나)에서가 (가)에서보다 크다.

① ㄱ ② ㄴ ③ ㄱ, ㄷ
④ ㄴ, ㄷ ⑤ ㄱ, ㄴ, ㄷ

03 강철 용기에 일산화 탄소(CO) 기체와 수소(H_2) 기체를 1몰씩 넣었더니 다음과 같이 반응하여 평형에 도달하였다.

$$CO(g)+2H_2(g) \rightleftharpoons CH_3OH(g)$$

이 평형 상태에 대한 설명으로 옳은 것만을 [보기]에서 있는 대로 고른 것은? (단, 온도는 일정하다.)

[보기]
ㄱ. 반응물과 생성물이 함께 존재한다.
ㄴ. CO와 H_2의 양(mol)은 같다.
ㄷ. $CH_3OH(g)$의 생성 반응은 일어나지 않는다.

① ㄱ ② ㄷ ③ ㄱ, ㄴ
④ ㄴ, ㄷ ⑤ ㄱ, ㄴ, ㄷ

B 평형 상수

04 화학 반응식에 대한 평형 상수식이 옳은 것만을 [보기]에서 있는 대로 고르시오.

[보기]
ㄱ. $2CO(g)+O_2(g) \rightleftharpoons 2CO_2(g)$ $K=\frac{[CO_2]^2}{[CO]^2[O_2]}$
ㄴ. $CaCO_3(s) \rightleftharpoons CaO(s)+CO_2(g)$ $K=[CO_2]$
ㄷ. $H_2O(g)+CH_4(g) \rightleftharpoons CO(g)+3H_2(g)$ $K=\frac{[CO][H_2]^3}{[CH_4]}$

05 그림은 25 °C의 1 L 강철 용기에 A(g) 2몰을 넣었을 때 시간에 따른 각 물질의 농도를 나타낸 것이다. 25 °C에서 같은 용기에 A(g) 4몰을 넣어 평형 상태에 도달했을 때 (가)에서와 같은 값을 갖는 것만을 보기에서 있는 대로 고르시오.

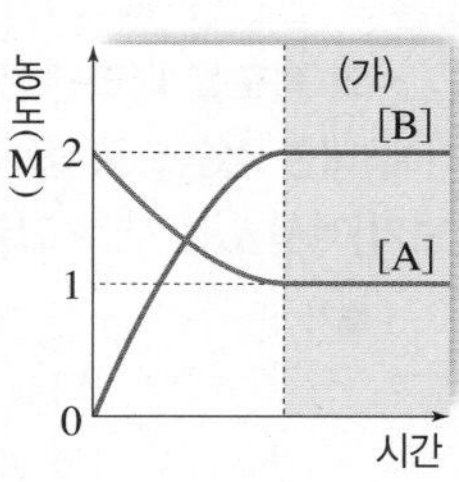

[보기]
ㄱ. [B] ㄴ. $\frac{[B]}{[A]}$ ㄷ. $\frac{[A]}{[B]^2}$ ㄹ. $\frac{2[B]}{[A]}$

06 다음은 수소(H_2)와 염소(Cl_2)가 반응하여 염화 수소(HCl)가 생성되는 반응의 화학 반응식이다.

$$H_2(g)+Cl_2(g) \rightleftarrows 2HCl(g)$$

어떤 온도에서 1 L 강철 용기에 $H_2(g)$ 1몰과 $Cl_2(g)$ 1몰을 넣고 반응시켰더니 평형 상태에 도달했을 때 $HCl(g)$ 1.8몰이 생성되었다.
이에 대한 설명으로 옳은 것만을 [보기]에서 있는 대로 고른 것은?

〔보기〕
ㄱ. 평형 상태에서 $Cl_2(g)$의 양(mol)은 1몰이다.
ㄴ. 평형 상수(K)는 324이다.
ㄷ. 기체의 전체 압력은 반응 전과 평형 상태에서 같다.

① ㄱ ② ㄷ ③ ㄱ, ㄴ
④ ㄴ, ㄷ ⑤ ㄱ, ㄴ, ㄷ

중요 **07** 다음은 기체 A와 B가 반응하여 기체 C가 생성되는 반응의 화학 반응식이다.

$$A(g)+3B(g) \rightleftarrows 2C(g)$$

그림은 일정한 온도에서 1 L 강철 용기에 $A(g)$와 $B(g)$를 각각 1몰씩 넣었을 때 시간에 따른 $C(g)$의 농도를 나타낸 것이다.
이에 대한 설명으로 옳은 것만을 [보기]에서 있는 대로 고른 것은?

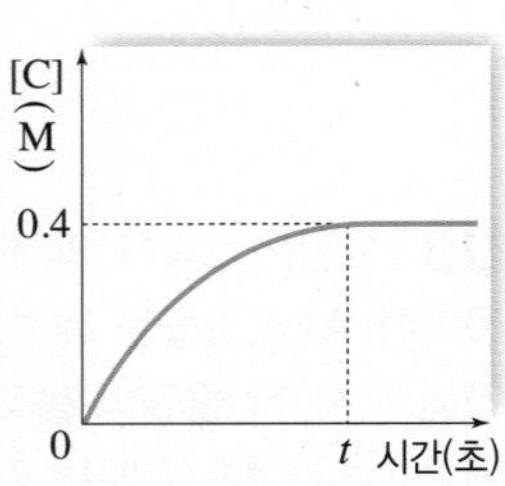

〔보기〕
ㄱ. 시간 t에서 [A]는 0.8 M이다.
ㄴ. 시간 t에서 B의 몰 분율은 C의 몰 분율의 1.5배이다.
ㄷ. 평형 상수는 $\frac{25}{8}$이다.

① ㄱ ② ㄴ ③ ㄱ, ㄷ
④ ㄴ, ㄷ ⑤ ㄱ, ㄴ, ㄷ

08 표는 400 °C의 1 L 강철 용기에서 다음 반응이 평형에 도달했을 때 각 물질의 농도이다.

$$H_2(g)+I_2(g) \rightleftarrows 2HI(g)$$

실험	평형 농도(M)		
	$[H_2]$	$[I_2]$	[HI]
(가)	x	4.0	8.0
(나)	4.0	2.0	8.0
(다)	2.0	1.0	y

x와 y 값을 옳게 짝 지은 것은?

	x	y		x	y
①	1.0	2.0	②	2.0	1.0
③	2.0	3.0	④	2.0	4.0
⑤	4.0	1.0			

중요 **09** 다음은 기체 A와 B가 반응하여 기체 C가 생성되는 반응의 화학 반응식이다.

$$A(g)+B(g) \rightleftarrows 2C(g)$$

그림 (가)는 1 L 강철 용기에 $A(g)$와 $C(g)$를 넣은 초기 상태를, (나)는 반응이 일어나 평형에 도달한 상태를 나타낸 것이다.

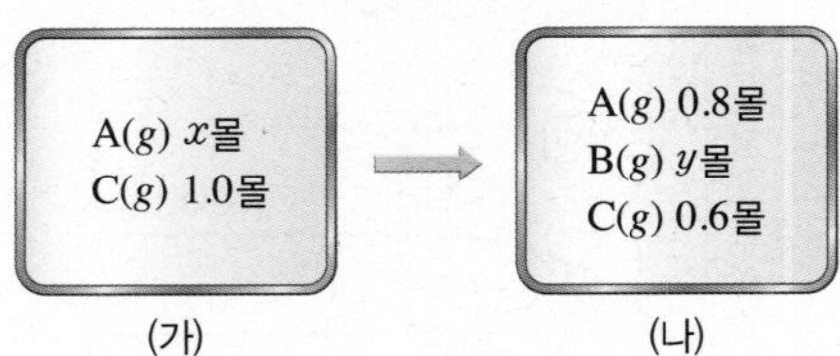

이에 대한 설명으로 옳은 것만을 [보기]에서 있는 대로 고른 것은? (단, 온도는 일정하다.)

〔보기〕
ㄱ. x는 0.6이다.
ㄴ. (나)에서 B의 몰 분율은 $\frac{1}{4}$이다.
ㄷ. 평형 상수는 $\frac{9}{4}$이다.

① ㄱ ② ㄴ ③ ㄱ, ㄷ
④ ㄴ, ㄷ ⑤ ㄱ, ㄴ, ㄷ

10 서술형 다음은 어떤 온도에서 수소(H_2)와 플루오린(F_2)이 반응하여 플루오린화 수소(HF)가 생성되는 반응의 화학 반응식과 평형 상수이다.

$$H_2(g)+F_2(g) \rightleftharpoons 2HF(g) \quad K=16$$

같은 온도에서 1 L 강철 용기에 $H_2(g)$와 $F_2(g)$을 각각 1.2몰씩 넣어 평형 상태에 도달했을 때 $H_2(g)$, $F_2(g)$, $HF(g)$의 농도(M)를 각각 구하고, 풀이 과정을 서술하시오.

11 다음은 기체 A와 B가 반응하여 기체 C가 생성되는 반응의 화학 반응식이다.

$$A(g)+bB(g) \rightleftharpoons cC(g) \ (b,\ c\text{: 반응 계수})$$

그림은 일정한 온도의 1 L 강철 용기에서 반응이 일어날 때 시간에 따른 반응물과 생성물의 농도를 나타낸 것이다.

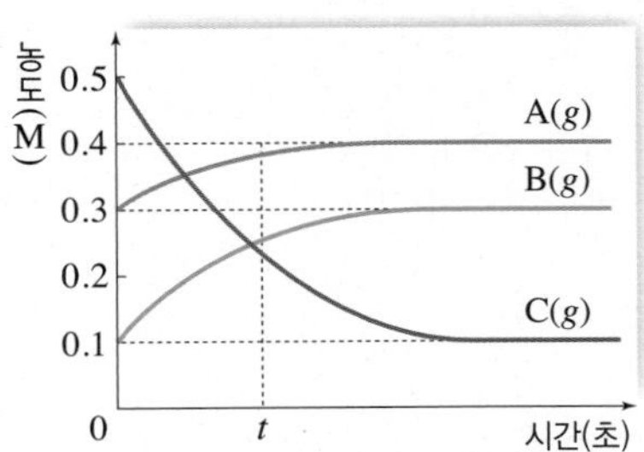

이에 대한 설명으로 옳은 것만을 [보기]에서 있는 대로 고른 것은?

[보기]

ㄱ. $\frac{c}{b}=2$이다.

ㄴ. 평형 상수는 $\frac{1}{36}$이다.

ㄷ. 시간 t에서 반응 지수(Q)는 평형 상수(K)보다 작다.

① ㄱ ② ㄴ ③ ㄱ, ㄷ ④ ㄴ, ㄷ ⑤ ㄱ, ㄴ, ㄷ

12 다음은 기체 A와 B가 반응하여 기체 C가 생성되는 반응의 화학 반응식이다.

$$aA(g)+bB(g) \rightleftharpoons cC(g) \ (a,\ b,\ c\text{: 반응 계수})$$

표는 t °C에서 1 L 강철 용기에 A와 B를 넣고 반응시킬 때 처음 농도와 평형 농도이다.

물질	A	B	C
처음 농도(M)	0.4	0.4	0
평형 농도(M)	0.3	0.3	0.2

t °C에서 이 반응의 (가) 평형 상수와, 같은 용기에 A, B, C를 각각 1몰씩 넣고 반응시킬 때 (나) 반응의 진행 방향을 옳게 짝 지은 것은?

	(가)	(나)
①	$\frac{1}{9}$	정반응
②	$\frac{2}{9}$	정반응
③	$\frac{4}{9}$	평형 상태
④	$\frac{4}{9}$	정반응
⑤	$\frac{4}{9}$	역반응

13 중요 다음은 A가 반응하여 B가 생성되는 반응의 화학 반응식이고, 그림은 일정한 온도의 밀폐된 용기 (가)와 (나)에서 A와 B가 평형을 이룬 상태를 나타낸 것이다.

$$A(g) \rightleftharpoons 2B(g)$$

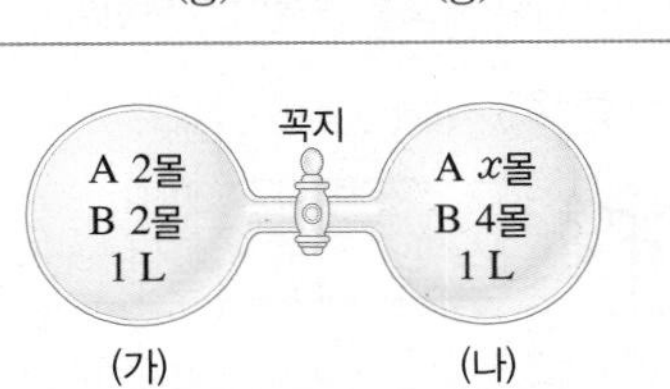

이에 대한 설명으로 옳은 것만을 [보기]에서 있는 대로 고른 것은? (단, 연결관의 부피는 무시한다.)

[보기]

ㄱ. 평형 상수는 2이다.

ㄴ. (나)에서 x는 4이다.

ㄷ. 꼭지를 열면 역반응이 우세하게 일어난다.

① ㄱ ② ㄷ ③ ㄱ, ㄴ ④ ㄴ, ㄷ ⑤ ㄱ, ㄴ, ㄷ

02 화학 평형 이동

핵심 포인트			
	Ⓐ 농도 변화에 따른 평형 이동 ★★★ Ⓑ 압력 변화에 따른 평형 이동 ★★★	Ⓒ 온도 변화에 따른 평형 이동 ★★★ 르샤틀리에 원리 ★★	Ⓓ 평형 이동과 수득률 ★★

Ⓐ 농도 변화에 따른 평형 이동

화학 반응이 평형 상태일 때 농도, 압력, 온도가 일정하면 평형 상태가 유지돼요. 이러한 조건에 변화가 생기면 평형 상태가 깨지지만, 화학 반응은 다시 새로운 평형에 도달하게 된답니다. 조건 변화에 따라 평형 이동이 어떻게 일어나는지 알아보아요.

1. *평형 이동 화학 평형에서 농도, 압력, 온도가 달라지면 평형이 깨지고 정반응 또는 역반응이 우세하게 진행된 뒤 새로운 평형 상태에 도달하는데, 이를 평형 이동이라고 한다.

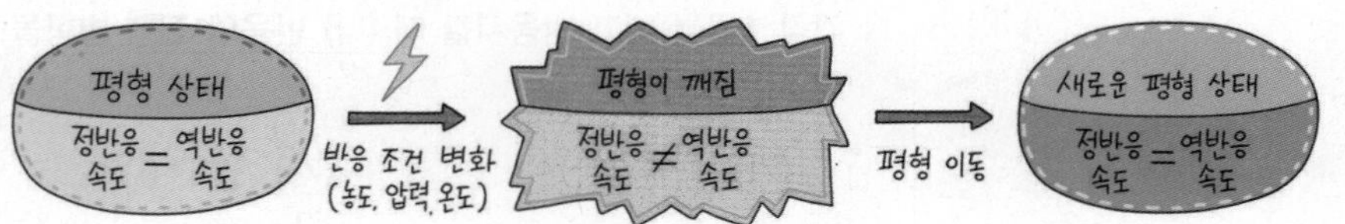

상상, 천재 교과서에만 나와요.

★ 평형 이동의 비유

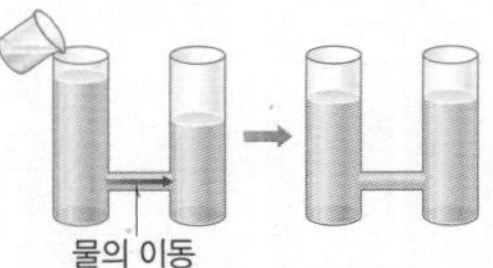

관으로 연결된 용기에 같은 부피의 물이 들어 있을 때 한쪽 관에만 물을 넣으면 순간적으로 한쪽 용기의 수면이 높아지지만, 관을 따라 다른 쪽 용기로 물이 이동하므로 두 용기 속 수면의 높이는 다시 같아진다.

2. 농도 변화에 따른 평형 이동 화학 반응이 평형 상태에 있을 때 반응물이나 생성물의 농도를 변화시키면 그 농도 변화를 줄이는 방향으로 평형이 이동한다. 완자쌤 비법특강 168쪽

(1) 반응물이나 생성물의 농도 증가: 증가한 물질의 농도가 감소하는 방향으로 평형 이동

① 반응물의 농도 증가 ➡ 반응물의 농도가 감소하는 정반응 쪽으로 평형 이동

② 생성물의 농도 증가 ➡ 생성물의 농도가 감소하는 역반응 쪽으로 평형 이동

예 $N_2(g)+3H_2(g) \rightleftharpoons 2NH_3(g) \quad K=\frac{[NH_3]^2}{[N_2][H_2]^3}$

반응물인 H_2 첨가	생성물인 NH_3 첨가
H_2의 농도가 증가하면 H_2의 농도가 감소하는 정반응이 우세하게 진행되어 새로운 평형에 도달한다.	NH_3의 농도가 증가하면 NH_3의 농도가 감소하는 역반응이 우세하게 진행되어 새로운 평형에 도달한다.
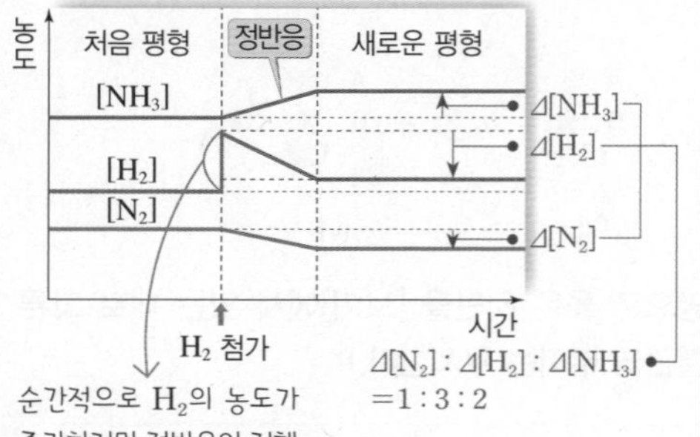 순간적으로 H_2의 농도가 증가하지만 정반응이 진행되어 농도가 감소한다.	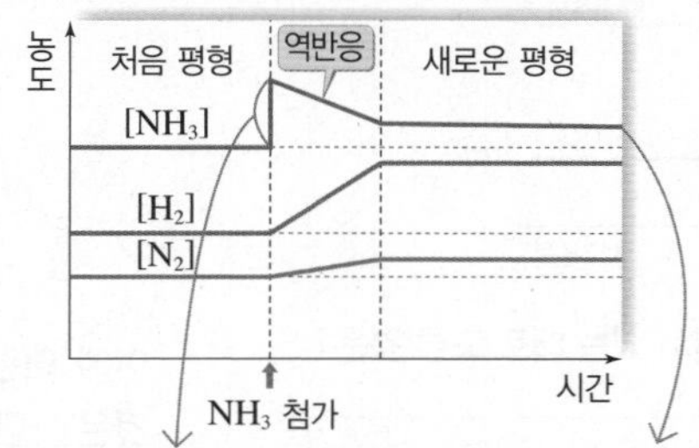 순간적으로 NH_3의 농도가 증가하지만 역반응이 진행되어 농도가 감소한다. / NH_3의 새로운 평형 농도는 처음 평형 농도보다 크다.
$[H_2]$가 커지면 평형 상수식에서 분모의 값이 커지므로 반응 지수(Q)가 평형 상수(K)보다 작아진다. ➡ Q가 K와 같아지려면 분모의 값이 작아지고 분자의 값이 커져야 하므로 정반응 쪽으로 평형이 이동한다.	$[NH_3]$가 커지면 평형 상수식에서 분자의 값이 커지므로 반응 지수(Q)가 평형 상수(K)보다 커진다. ➡ Q가 K와 같아지려면 분자의 값이 작아지고 분모의 값이 커져야 하므로 역반응 쪽으로 평형이 이동한다.

(2) **반응물이나 생성물의 농도 감소:** 감소한 물질의 농도가 증가하는 방향으로 평형 이동

① 반응물의 농도 감소 ➡ 반응물의 농도가 증가하는 역반응 쪽으로 평형 이동

② 생성물의 농도 감소 ➡ 생성물의 농도가 증가하는 정반응 쪽으로 평형 이동

예 $H_2(g)+I_2(g) \rightleftharpoons 2HI(g) \quad K=\frac{[HI]^2}{[H_2][I_2]}$

반응물인 H_2 제거	생성물인 HI 제거
H_2의 농도가 감소하면 H_2의 농도가 증가하는 역반응 쪽으로 평형이 이동한다.	HI의 농도가 감소하면 HI의 농도가 증가하는 정반응 쪽으로 평형이 이동한다.
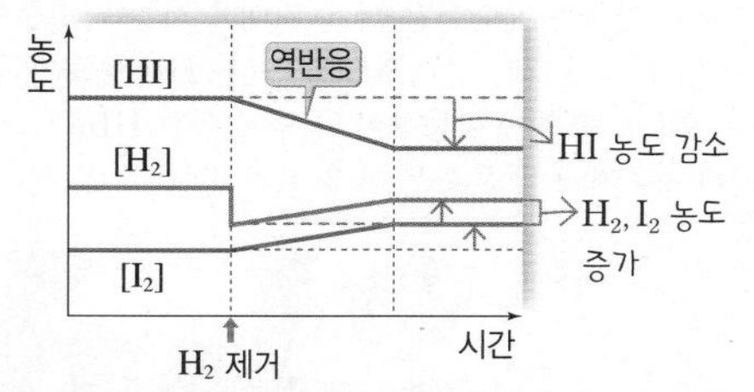	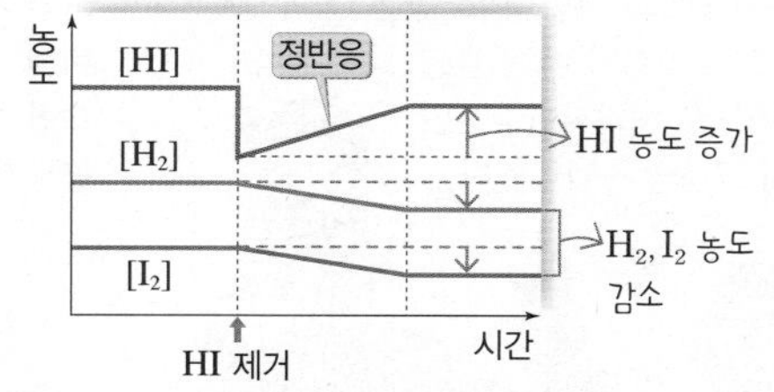
반응 지수(Q)가 평형 상수(K)보다 커진다. ➡ Q가 K와 같아지기 위해 역반응 쪽으로 평형이 이동한다.	반응 지수(Q)가 평형 상수(K)보다 작아진다. ➡ Q가 K와 같아지기 위해 정반응 쪽으로 평형이 이동한다.

탐구 자료창 농도 변화에 따른 평형 이동

과정

❶ 홈 판의 한 홈에 0.5 M 다이크로뮴산 칼륨($K_2Cr_2O_7$) 수용액을, 다른 홈에 크로뮴산 칼륨(K_2CrO_4) 수용액을 각각 4 mL씩 넣는다.

❷ 과정 ❶의 수용액에 0.1 M 수산화 나트륨(NaOH) 수용액을 각각 한 방울씩 떨어뜨리면서 색 변화를 관찰한다.

❸ 다른 홈 판에 과정 ❶과 같이 준비한 후, 0.1 M 염산($HCl(aq)$)을 각각 한 방울씩 떨어뜨리면서 색 변화를 관찰한다.

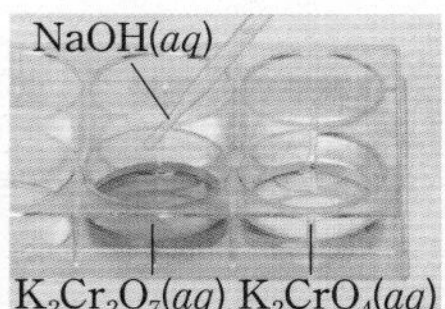

결과

처음 수용액의 색	$K_2Cr_2O_7(aq)$ ➡ 주황색		$K_2CrO_4(aq)$ ➡ 노란색	
산, 염기 수용액을 첨가한 후의 색	$+NaOH(aq)$	$+HCl(aq)$	$+NaOH(aq)$	$+HCl(aq)$
	노란색	주황색	노란색	주황색

해석

$$\underset{\text{주황색}}{Cr_2O_7^{2-}(aq)}+H_2O(l) \rightleftharpoons \underset{\text{노란색}}{2CrO_4^{2-}(aq)}+2H^+(aq) \quad K=\frac{[CrO_4^{2-}]^2[H^+]^2}{[Cr_2O_7^{2-}]}$$

1. **$NaOH(aq)$을 넣었을 때:** $NaOH(aq)$의 OH^-이 H^+과 반응하여 수용액 속 H^+의 농도가 감소하므로, H^+의 농도가 증가하는 정반응 쪽으로 평형이 이동하여 노란색으로 변한다.
   ➡ 반응 지수(Q) < 평형 상수(K)이므로 Q가 K와 같아질 때까지 정반응 진행
2. **$HCl(aq)$을 넣었을 때:** $HCl(aq)$의 H^+이 첨가되어 H^+의 농도가 증가하므로, H^+의 농도가 감소하는 역반응 쪽으로 평형이 이동하여 주황색으로 변한다.
   ➡ 반응 지수(Q) > 평형 상수(K)이므로 Q가 K와 같아질 때까지 역반응 진행

결론 화학 평형에서 반응물이나 생성물의 농도를 증가시키면 그 물질의 농도가 감소하는 방향으로, 반응물이나 생성물의 농도를 감소시키면 그 물질의 농도가 증가하는 방향으로 평형이 이동한다.

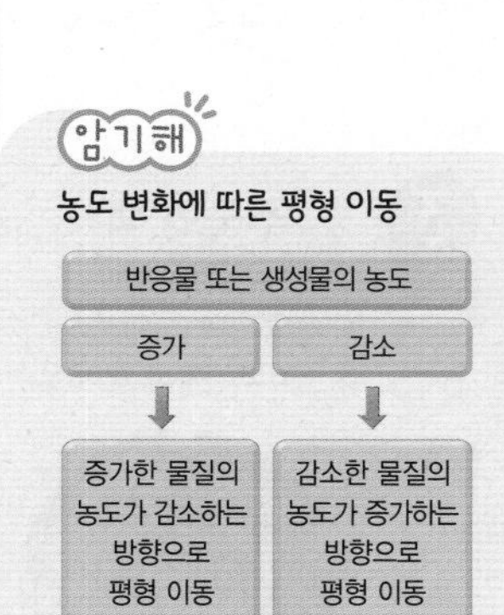

완자쌤 비법 특강

농도 변화에 따른 평형 이동의 예

정답친해 74쪽

화학 반응이 평형 상태에 있을 때 반응물이나 생성물의 농도가 변하면 그 농도 변화를 줄이는 방향으로 평형이 이동한다는 것을 배웠어요. 이러한 농도 변화에 따른 평형 이동은 우리 생활 속에서도 찾아볼 수 있는데요, 몇 가지 예를 함께 알아보아요.

1 고산병

호흡 과정에서 우리 몸속에 들어온 산소(O_2)는 헤모글로빈(Hb)과 결합하여 산소 헤모글로빈($Hb(O_2)_4$)을 생성한 뒤 혈액을 따라 이동하여 세포에 산소를 공급한다.

$$Hb(aq)+4O_2(aq) \rightleftharpoons Hb(O_2)_4(aq)$$

높은 산에는 공기가 희박하여 Hb과 결합할 수 있는 O_2의 농도가 감소하므로 역반응 쪽으로 평형이 이동한다. 따라서 $Hb(O_2)_4$이 O_2와 Hb으로 해리되어 우리 몸은 산소 결핍 상태가 되어 고산병이 나타난다.

고산 지대에서 생활하는 사람들은 낮은 지대에 사는 사람들에 비해 혈액 속의 Hb 농도가 상대적으로 높다. Hb 농도가 높으면 정반응 쪽으로 평형이 이동하여 O_2와 결합한 $Hb(O_2)_4$의 농도가 증가하므로 세포에 산소를 더 많이 운반할 수 있다.

Q1 높은 산에 올라갔을 때 고산병이 나타나는 까닭은 반응 조건이 어떻게 변했기 때문인지 쓰시오.

2 달걀 껍데기의 두께

천재 교과서에만 나와요.

달걀 껍데기의 성분은 탄산 칼슘($CaCO_3$)으로, 달걀 껍데기가 만들어지는 과정은 다음 반응과 관련이 있다.
혈액에 CO_2가 녹으면 탄산(H_2CO_3)이 된다. H_2CO_3은 H^+과 HCO_3^-으로 이온화되고, $CaCO_3$과 반응하여 HCO_3^-을 생성한다.

① $CO_2(g)+H_2O(l) \rightleftharpoons H_2CO_3(aq)$
② $H_2CO_3(aq) \rightleftharpoons H^+(aq)+HCO_3^-(aq)$
③ $CaCO_3(s)+H_2CO_3(aq) \rightleftharpoons Ca^{2+}(aq)+2HCO_3^-(aq)$

땀샘이 없는 닭은 호흡으로 열을 방출한다. 따라서 더운 여름에 호흡을 많이 하면 혈액에서 CO_2가 많이 방출되어 혈액 속 CO_2 농도가 감소하므로 반응 ①의 평형이 역반응 쪽으로 이동한다. 이에 따라 H_2CO_3의 농도가 감소하므로 반응 ②도 역반응이 우세하게 일어나 HCO_3^-의 농도가 감소한다. 따라서 반응 ③은 감소한 HCO_3^-의 농도를 증가시키기 위해 정반응 쪽으로 평형이 이동하므로 $CaCO_3$이 감소하여 달걀 껍데기가 얇아진다.

Q2 혈액 속 CO_2의 농도가 증가하면 달걀 껍데기의 두께는 어떻게 되는지 쓰시오.

3 수국의 색

교학사 교과서에만 나와요.

토양에 들어 있는 수산화 알루미늄($Al(OH)_3$)은 H^+과 반응하여 Al^{3+}을 생성하며, 수국 꽃에 있는 분홍색 색소가 Al^{3+}과 결합하면 파란색을 나타낸다.

$$Al(OH)_3(s)+3H^+(aq) \rightleftharpoons Al^{3+}(aq)+3H_2O(l)$$

토양에 H^+의 농도가 증가하면 정반응이 일어나 토양 속 Al^{3+}의 농도가 커지므로 수국 꽃은 파란색을 나타낸다.

토양에 H^+의 농도가 감소하면 역반응이 일어나 토양 속 Al^{3+}의 농도가 작아지므로 수국 꽃은 분홍색을 나타낸다.

개념 확인 문제

정답친해 74쪽

핵심 체크

- (❶): 화학 평형 상태에서 농도, 압력, 온도가 달라지면 평형이 깨지고 역반응이나 정반응이 우세하게 진행되어 새로운 평형에 도달하는 현상
- 반응물이나 생성물의 농도가 증가하면 그 물질의 농도가 (❷)하는 방향으로 평형이 이동한다.
  ➡ 반응물의 농도가 증가하면 반응 지수(Q)가 평형 상수(K)보다 (❸)지므로, 반응이 (❹) 쪽으로 진행되다가 새로운 평형에 도달한다.
- 반응물이나 생성물의 농도가 감소하면 그 물질의 농도가 (❺)하는 방향으로 평형이 이동한다.
  ➡ 반응물의 농도가 감소하면 반응 지수(Q)가 평형 상수(K)보다 (❻)지므로, 반응이 (❼) 쪽으로 진행되다가 새로운 평형에 도달한다.

1 평형 이동에 대한 설명으로 옳은 것은 ○, 옳지 않은 것은 ×로 표시하시오.

(1) 어떤 반응이 평형 상태에 있을 때 농도, 압력, 온도가 변하지 않으면 계속 평형 상태를 유지한다. ( )

(2) 어떤 반응이 평형 상태에 있을 때 반응물을 첨가하면 평형은 정반응 쪽으로 이동한다. ( )

(3) 어떤 반응이 평형 상태에 있을 때 생성물을 제거하면 평형은 역반응 쪽으로 이동한다. ( )

2 다음은 암모니아(NH_3) 생성 반응의 화학 반응식이다.

$$N_2(g)+3H_2(g) \rightleftharpoons 2NH_3(g)$$

이 반응이 평형 (가)에 있을 때, 시간 t에서 조건을 변화시켰더니 그림과 같이 평형이 이동하였다.

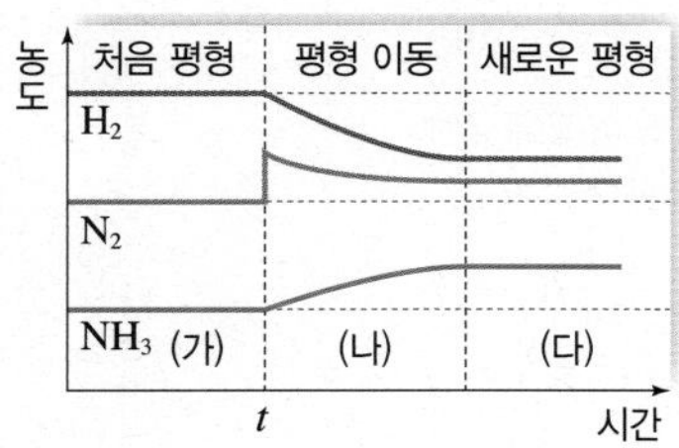

이에 대한 설명으로 옳은 것은 ○, 옳지 않은 것은 ×로 표시하시오. (단, 온도는 일정하다.)

(1) 시간 t에서 반응 지수(Q)는 평형 상수(K)보다 작다. ( )

(2) (나)에서 역반응이 우세하게 일어난다. ( )

(3) (가)와 (다)에서의 평형 상수는 같다. ( )

3 다이크로뮴산 이온($Cr_2O_7^{2-}$)과 크로뮴산 이온(CrO_4^{2-})은 다음과 같이 평형을 이룬다.

$$\underset{\text{주황색}}{Cr_2O_7^{2-}(aq)}+H_2O(l) \rightleftharpoons \underset{\text{노란색}}{2CrO_4^{2-}(aq)}+2H^+(aq)$$

이에 대한 설명으로 옳은 것은 ○, 옳지 않은 것은 ×로 표시하시오.

(1) 황산($H_2SO_4(aq)$)을 소량 첨가하면 노란색이 진해진다. ( )

(2) 염산($HCl(aq)$)을 소량 첨가하면 반응 지수(Q)가 평형 상수(K)보다 커진다. ( )

(3) 수산화 나트륨($NaOH$) 수용액을 소량 첨가하면 정반응 쪽으로 평형이 이동한다. ( )

(4) 크로뮴산 칼륨(K_2CrO_4)을 소량 첨가하면 정반응 쪽으로 평형이 이동한다. ( )

4 다음 반응이 평형 상태에 있을 때, 평형을 정반응 쪽으로 이동시킬 수 있는 조건으로 옳은 것만을 [보기]에서 있는 대로 고르시오.

$$PCl_5(g) \rightleftharpoons PCl_3(g)+Cl_2(g)$$

보기

ㄱ. PCl_5 제거 ㄴ. PCl_3 첨가 ㄷ. Cl_2 제거

02 화학 평형 이동

B 압력 변화에 따른 평형 이동

기체는 고체나 액체와는 달리 압력에 따라 부피가 크게 변해 농도가 달라져요. 따라서 기체 반응에서는 압력 변화로 평형을 이동시킬 수 있지요. 평형 상태에 있는 기체의 반응에서 압력을 높이거나 낮출 때 평형이 어떻게 이동하는지 알아보아요.

1. 압력 변화에 따른 평형 이동 화학 반응이 평형 상태에 있을 때 압력을 변화시키면 그 압력 변화를 줄이는 방향으로 평형이 이동한다.

(1) **압력 증가(부피 감소)**: 압력이 감소하는 방향, 즉 기체의 양(mol)이 감소하는 방향으로 평형 이동
└• 기체의 분자 수

(2) **압력 감소(부피 증가)**: 압력이 증가하는 방향, 즉 기체의 양(mol)이 증가하는 방향으로 평형 이동

예 $\underbrace{N_2(g)+3H_2(g)}_{4몰} \rightleftharpoons \underbrace{2NH_3(g)}_{2몰}$ $\quad K=\dfrac{[NH_3]^2}{[N_2][H_2]^3}$

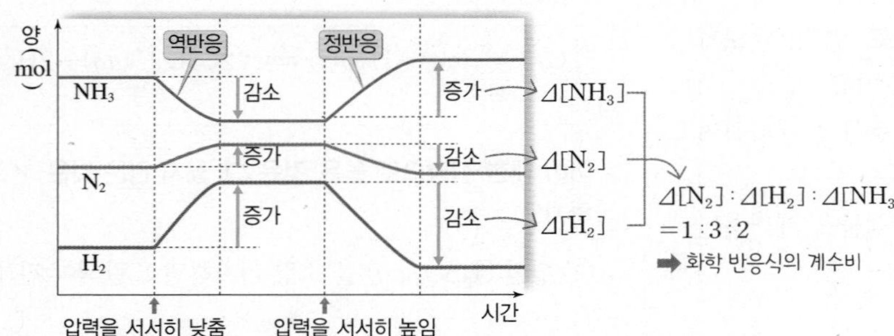

압력 감소	압력 증가
기체의 양(mol)이 증가하는 역반응이 우세하게 진행되어 새로운 평형에 도달한다. ➡ N_2와 H_2의 양(mol)은 증가하고 NH_3의 양(mol)은 감소한다. 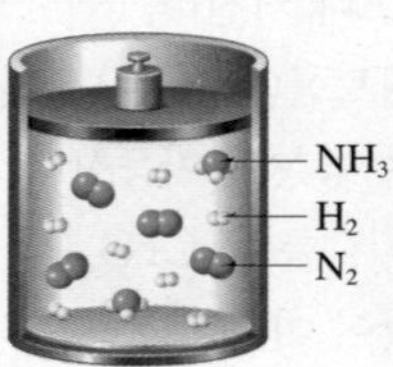	 기체의 양(mol)이 감소하는 정반응이 우세하게 진행되어 새로운 평형에 도달한다. ➡ N_2와 H_2의 양(mol)은 감소하고 NH_3의 양(mol)은 증가한다.
평형 상태에서 압력을 낮추어 부피를 2배로 늘리면 N_2, H_2, NH_3의 농도는 각각 처음 평형 농도의 $\frac{1}{2}$배가 된다. 이때 반응 지수(Q)는 다음과 같다. $Q=\dfrac{\left(\frac{1}{2}[NH_3]\right)^2}{\left(\frac{1}{2}[N_2]\right)\left(\frac{1}{2}[H_2]\right)^3}=4\dfrac{[NH_3]^2}{[N_2][H_2]^3}=4K$ ➡ $Q>K$이므로 역반응 쪽으로 평형이 이동한다.	평형 상태에서 압력을 가해 부피를 $\frac{1}{2}$배로 줄이면 N_2, H_2, NH_3의 농도는 각각 처음 평형 농도의 2배가 된다. 이때 반응 지수(Q)는 다음과 같다. $Q=\dfrac{(2[NH_3])^2}{(2[N_2])(2[H_2])^3}=\dfrac{1}{4}\dfrac{[NH_3]^2}{[N_2][H_2]^3}=\dfrac{1}{4}K$ ➡ $Q<K$이므로 정반응 쪽으로 평형이 이동한다.

2. 압력 변화에 따른 평형 이동에서 주의할 점

(1) 고체나 액체가 포함된 반응에서는 기체의 양(mol)만 비교한다. →• 고체, 액체의 농도는 압력에 영향을 받지 않고 일정하기 때문이다.

예 $C(s)+\underbrace{H_2O(g)}_{1몰} \rightleftharpoons \underbrace{CO(g)+H_2(g)}_{2몰}$

➡ 압력을 높이면 기체의 양(mol)이 감소하는 역반응 쪽으로 평형이 이동한다.

암기해

압력 변화에 따른 평형 이동

압력 증가(부피 감소)	압력 감소(부피 증가)
⬇	⬇
기체의 양(mol)이 감소하는 방향으로 평형 이동	기체의 양(mol)이 증가하는 방향으로 평형 이동

(2) 반응 전후 기체의 양(mol)이 같은 반응은 압력에 의해 평형이 이동하지 않는다.

예 *$\underbrace{H_2(g)+I_2(g)}_{2몰} \rightleftharpoons \underbrace{2HI(g)}_{2몰}$ ➡ 압력이 변해도 평형은 이동하지 않는다.

압력 변화에 따른 평형 이동과 화학 반응식의 계수 관계

aA(g)+bB(g) $\rightleftharpoons$ cC(g)+dD(g) 반응이 평형 상태에 있을 때

압력을 높였을 때 정반응 쪽으로 평형이 이동한 경우	기체의 양(mol)이 감소하는 방향이 정반응 쪽이므로 생성물의 계수 합이 반응물의 계수 합보다 작다. ➡ $a+b>c+d$
압력을 높였을 때 역반응 쪽으로 평형이 이동한 경우	기체의 양(mol)이 감소하는 방향이 역반응 쪽이므로 생성물의 계수 합이 반응물의 계수 합보다 크다. ➡ $a+b<c+d$
압력을 높이거나 낮추어도 평형 이동이 없는 경우	압력 변화로 평형이 이동하지 않으므로 생성물의 계수 합과 반응물의 계수 합이 같다. ➡ $a+b=c+d$

(3) 부피가 일정한 용기에서 *비활성 기체 등 반응에 영향을 주지 않는 기체를 넣어 압력을 증가시킨 경우에는 평형이 이동하지 않는다.

• 부피가 일정한 경우 비활성 기체를 넣어도 반응물과 생성물의 농도가 변하지 않기 때문이다.

예 강철 용기에 들어 있는 $NO_2(g)$와 $N_2O_4(g)$가 평형을 이루고 있을 때, 강철 용기에 헬륨(He)을 넣어도 평형은 이동하지 않는다.

탐구 자료창 압력 변화에 따른 평형 이동

이산화 질소(NO_2)와 사산화 이질소(N_2O_4)의 혼합 기체를 주사기 안에 넣고 압력을 가하면 처음에는 색이 진해지지만, 시간이 지나 새로운 평형에 도달하면 색이 연해진다.

$$2NO_2(g) \rightleftharpoons N_2O_4(g)$$
적갈색 무색

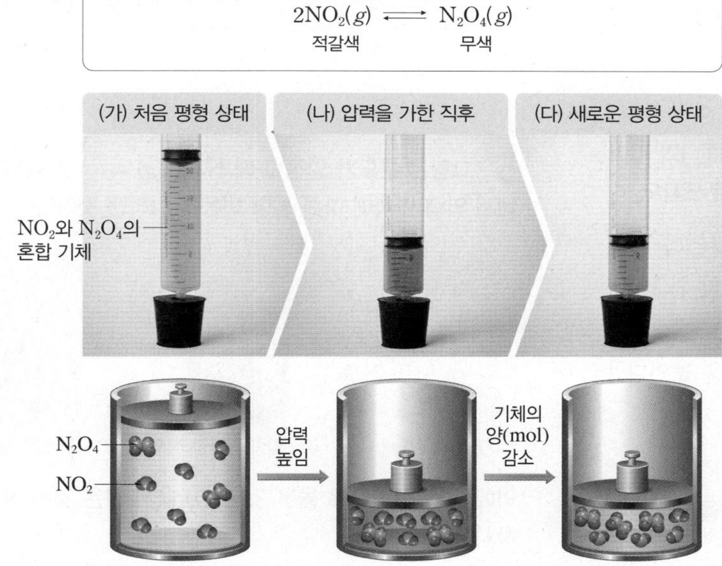

1. **(가)에 비해 (나)에서 기체의 색이 진해진 까닭:** 압력을 가한 직후에는 부피가 줄어들어 기체의 농도가 증가한다. 즉, 적갈색의 NO_2 분자 수는 변화가 없으나 단위 부피당 NO_2 분자 수가 많아지기 때문에 색이 진해진다.
2. **(나)에 비해 (다)에서 기체의 색이 연해진 까닭:** 적갈색의 NO_2 분자가 무색의 N_2O_4 분자로 되는 반응이 일어나 NO_2 분자 수가 감소하기 때문에 색이 연해진다. ➡ 압력이 높아지면 기체의 양(mol)이 감소하는 정반응 쪽으로 평형이 이동한다.

• 처음 평형 상태 (가)에서보다는 연해지지 않는다.

★ 압력이 변해도 평형이 이동하지 않는 까닭

$H_2(g)+I_2(g) \rightleftharpoons 2HI(g)$ 반응이 평형 상태에 있을 때 압력을 2배로 높여 각 물질의 농도가 처음 평형 농도의 2배가 되더라도 $Q=K$이므로 평형은 이동하지 않는다.

$$Q=\frac{(2[HI])^2}{(2[H_2])(2[I_2])}=\frac{[HI]^2}{[H_2][I_2]}=K$$

★ 비활성 기체

반응성이 거의 없어 다른 물질과 화학 반응을 일으키지 않는 기체이다. 예 헬륨(He), 네온(Ne), 아르곤(Ar) 등

주의해

반응에 영향을 주지 않는 기체를 넣었을 때 부피가 변하는 경우

실린더와 같이 반응 용기의 부피가 변하는 경우, 반응에 영향을 미치지 않는 기체를 넣으면 실린더 속 기체의 부피가 증가하면서 반응에 관여하는 기체의 압력이 감소한다. 따라서 기체의 양(mol)이 증가하는 방향으로 평형이 이동한다.

개념 확인 문제

정답친해 74쪽

핵심 체크

- 압력이 증가(부피 감소)하면 기체의 양(mol)이 (❶)하는 방향으로 평형이 이동한다.
- 압력이 감소(부피 증가)하면 기체 분자 수가 (❷)하는 방향으로 평형이 이동한다.
- $N_2(g)+3H_2(g) \rightleftharpoons 2NH_3(g)$ 반응이 평형 상태에 있을 때 압력을 가해 부피를 $\frac{1}{2}$배로 줄이면 반응 지수(Q)가 평형 상수(K)보다 (❸)지므로, 반응이 (❹) 쪽으로 진행되어 새로운 평형에 도달한다.
- 압력 변화에 따른 평형 이동에서 주의할 점
  - 고체나 액체가 포함된 반응에서는 (❺)의 양(mol)만 비교한다.
  - 반응 전후 기체의 양(mol)이 같은 반응은 (❻)에 의해 평형이 이동하지 않는다.
  - (❼)가 일정한 용기에서 비활성 기체 등 반응에 영향을 주지 않는 기체를 넣어도 평형이 이동하지 않는다.

1 압력 변화에 따른 평형 이동에 대한 설명으로 옳은 것은 ○, 옳지 않은 것은 ×로 표시하시오.

(1) 어떤 반응이 평형 상태에 있을 때 압력을 높이면 압력을 증가시키는 방향으로 평형이 이동한다. ( )

(2) 어떤 반응이 평형 상태에 있을 때 일정한 온도에서 압력을 감소시키면 평형 상수가 커진다. ( )

(3) $C(s)+H_2O(g) \rightleftharpoons CO(g)+H_2(g)$ 반응이 평형 상태에 있을 때 압력을 높이면 역반응 쪽으로 평형이 이동한다. ( )

2 다음 반응이 평형 상태에 있을 때 반응 용기에 [ ]와 같이 조건을 변화시키면 평형이 어느 쪽으로 이동하는지 쓰시오.

(1) $2SO_2(g)+O_2(g) \rightleftharpoons 2SO_3(g)$ [압력을 낮춘다.]

(2) $H_2(g)+F_2(g) \rightleftharpoons 2HF(g)$ [압력을 낮춘다.]

(3) $CS_2(g)+4H_2(g) \rightleftharpoons CH_4(g)+2H_2S(g)$ [압력을 높인다.]

3 일정한 온도에서 다음 반응이 평형 상태에 있을 때, 용기의 부피를 2배로 늘였다.

$$N_2(g)+3H_2(g) \rightleftharpoons 2NH_3(g)$$

(1) 이때의 반응 지수(Q)와 평형 상수(K) 사이의 관계식을 쓰시오.

(2) 평형이 어느 쪽으로 이동하는지 쓰시오.

4 다음 반응이 평형 상태에 있을 때, 평형을 정반응 쪽으로 이동시킬 수 있는 조건으로 옳은 것만을 [보기]에서 있는 대로 고르시오.

$$CO(g)+2H_2(g) \rightleftharpoons CH_3OH(g)$$

[보기]
ㄱ. 압력을 높인다.
ㄴ. 부피를 증가시킨다.
ㄷ. 부피를 일정하게 유지하고 아르곤(Ar) 기체를 넣는다.

5 그림은 온도가 일정할 때 $N_2O_4(g) \rightleftharpoons 2NO_2(g)$ 반응에서 압력 변화에 따른 평형 이동을 나타낸 것이다.

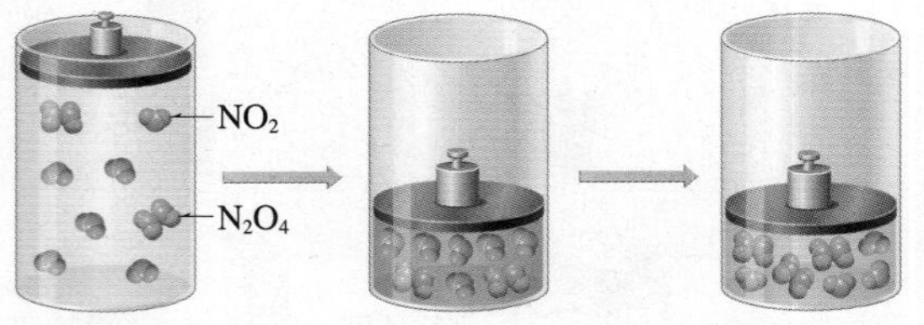

(가) 평형 상태 (나) 압력을 가한 직후 (다) 새로운 평형 상태

이에 대한 설명으로 옳은 것은 ○, 옳지 않은 것은 ×로 표시하시오.

(1) (나)에서는 정반응이 우세하게 일어나 혼합 기체의 색이 변한다. ( )

(2) (나)에서 (다)로 진행될 때 역반응이 우세하게 일어난다. ( )

(3) (나)와 (다)에서 $NO_2(g)$와 $N_2O_4(g)$의 양(mol)은 같다. ( )

C 온도 변화에 따른 평형 이동

1. *온도 변화에 따른 평형 이동 화학 반응이 평형 상태에 있을 때 온도를 변화시키면 그 온도 변화를 줄이는 방향으로 평형이 이동한다.

(1) **온도 높임**: 온도가 낮아지는 방향, 즉 열을 흡수하는 흡열 반응 쪽으로 평형 이동

(2) **온도 낮춤**: 온도가 높아지는 방향, 즉 열을 방출하는 발열 반응 쪽으로 평형 이동

예 $2NO_2(g) \rightleftharpoons N_2O_4(g)$, $\Delta H = -58$ kJ → $\Delta H < 0$이므로 발열 반응이다.
적갈색 무색

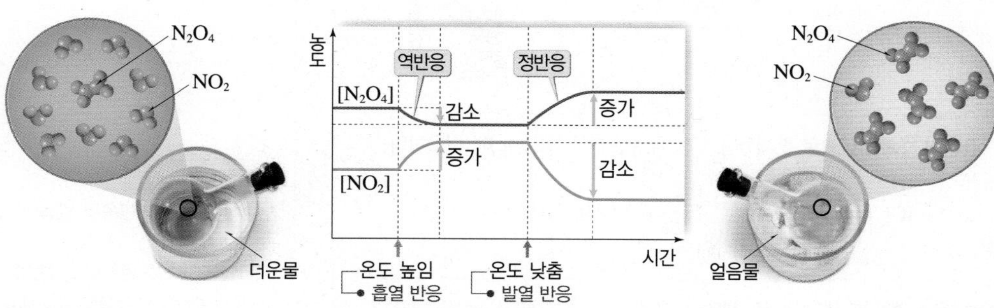

온도 높임	온도 낮춤
흡열 반응인 역반응이 우세하게 진행되어 새로운 평형에 도달한다. ➡ 역반응 쪽으로 평형이 이동하면 반응물인 $[NO_2]$는 증가하고, 생성물인 $[N_2O_4]$는 감소한다.	발열 반응인 정반응이 우세하게 진행되어 새로운 평형에 도달한다. ➡ 정반응 쪽으로 평형이 이동하면 반응물인 $[NO_2]$는 감소하고, 생성물인 $[N_2O_4]$는 증가한다.

2. 온도에 따른 평형 이동과 평형 상수 온도가 달라지면 평형 상수도 변한다.

구분	온도 높임	온도 낮춤	평형 상수	
발열 반응 ($\Delta H<0$)	역반응 쪽으로 평형 이동 ➡ 처음보다 생성물 농도 감소	정반응 쪽으로 평형 이동 ➡ 처음보다 생성물 농도 증가	온도가 높을수록 평형 상수가 작아진다.	평형 상수 / 흡열 반응 / 발열 반응 / 온도
흡열 반응 ($\Delta H>0$)	정반응 쪽으로 평형 이동 ➡ 처음보다 생성물 농도 증가	역반응 쪽으로 평형 이동 ➡ 처음보다 생성물 농도 감소	온도가 높을수록 평형 상수가 커진다.	

3. 일상생활에서 온도 변화에 따른 평형 이동의 예 비상, 교학사 교과서에만 나와요.

① 일산화 질소(NO) 생성 반응: $N_2(g)+O_2(g) \rightleftharpoons 2NO(g)$, $\Delta H>0$
실온에서는 NO가 거의 생성되지 않지만 자동차 엔진 내부와 같이 온도가 매우 높은 조건에서는 흡열 반응인 정반응 쪽으로 평형이 이동하므로 NO가 많이 생성된다.

② 설탕($C_{12}H_{22}O_{11}$)의 용해 반응: $C_{12}H_{22}O_{11}(s) \rightleftharpoons C_{12}H_{22}O_{11}(aq)$, $\Delta H>0$
온도를 높여 주면 정반응 쪽으로 평형이 이동하여 설탕이 물에 잘 녹는다.

③ 이산화 탄소(CO_2)의 용해 반응: $CO_2(g) \rightleftharpoons CO_2(aq)$, $\Delta H<0$
탄산음료의 온도가 높아지면 역반응 쪽으로 평형이 이동하여 용액에 녹아 있던 $CO_2(g)$가 빠져나와 톡 쏘는 맛이 적어진다.

암기해

온도 변화에 따른 평형 이동

온도 높임 → 흡열 반응 쪽으로 평형 이동

온도 낮춤 → 발열 반응 쪽으로 평형 이동

주의해

온도에 의해 평형이 이동하는 원리
농도나 압력을 변화시키면 반응 지수(Q)가 평형 상수(K)와 달라져 $Q=K$가 되기 위해 평형이 이동하지만, 온도를 변화시키면 평형 상수 값 자체가 달라져 평형이 이동한다.

02 화학 평형 이동

탐구 자료창 온도 변화에 따른 평형 이동

과정
❶ 시험관에 0.1 M 염화 코발트(Ⅱ)($CoCl_2$) 수용액 5 mL를 넣고, 붉은색의 $CoCl_2$ 수용액의 색이 변할 때까지 시험관에 진한 염산($HCl(aq)$)을 넣는다.
❷ 과정 ❶의 시험관을 얼음물에 넣고 수용액의 색 변화를 관찰한다.
❸ 과정 ❷의 시험관을 더운물에 넣고 수용액의 색 변화를 관찰한다.

결과

과정 ❶의 시험관을 얼음물에 넣었을 때	과정 ❷의 시험관을 더운물에 넣었을 때
수용액이 붉은색으로 변한다.	수용액이 파란색으로 변한다.

해석

$CoCl_2$는 물에 녹아 $Co(H_2O)_6^{2+}$과 Cl^-으로 존재하며, $CoCl_2$ 수용액은 $HCl(aq)$과 반응하여 다음과 같이 평형을 이룬다.

$$Co(H_2O)_6^{2+}(aq)+4Cl^-(aq) \rightleftharpoons CoCl_4^{2-}(aq)+6H_2O(l),\ ^{*}\Delta H>0$$

붉은색 파란색

1. **$CoCl_2$ 수용액에 $HCl(aq)$을 넣었을 때 색이 변하는 까닭:** $CoCl_2$ 수용액에 $HCl(aq)$을 넣으면 용액 속 Cl^-의 농도가 증가하므로, Cl^-이 감소하는 정반응이 일어나 수용액이 붉은색에서 파란색 계열로 변한다.
2. **과정 ❶의 시험관을 얼음물에 넣었을 때 수용액이 붉은색으로 변하는 까닭:** 평형 상태에서 온도를 낮추면 열을 방출하는 방향, 즉 발열 반응인 역반응 쪽으로 평형이 이동하므로 반응물인 $Co(H_2O)_6^{2+}$의 농도가 증가한다.
3. **과정 ❷의 시험관을 더운물에 넣었을 때 수용액이 파란색으로 변하는 까닭:** 평형 상태에서 온도를 높이면 열을 흡수하는 방향, 즉 흡열 반응인 정반응 쪽으로 평형이 이동하므로 생성물인 $CoCl_4^{2-}$의 농도가 증가한다.

결론 화학 반응이 평형 상태에 있을 때 온도를 높이면 흡열 반응 쪽으로 평형이 이동하고, 온도를 낮추면 발열 반응 쪽으로 평형이 이동한다.

확인 문제 1 이 반응이 화학 평형 상태에 있을 때 온도를 높이면 평형 상수는 (　　　)진다.
2 화학 평형 상태에서 반응 온도를 변화시키면 그 온도 변화를 (　　　) 방향으로 반응이 진행된다.

★ **정반응과 역반응의 반응엔탈피(ΔH) 관계**
역반응의 반응엔탈피는 정반응의 반응엔탈피와 절댓값은 같고 부호는 반대이다. 따라서 정반응이 발열 반응이면 역반응은 흡열 반응이고, 이때 출입하는 반응엔탈피의 절댓값($|\Delta H|$)은 같다.

확인 문제 답
1 커
2 줄이는(감소시키는)

4. 르샤틀리에 원리 화학 반응이 평형 상태에 있을 때 농도, 압력, 온도 등의 변화가 일어나면 그 변화를 줄이는 방향으로 평형이 이동하여 새로운 평형 상태에 도달한다.

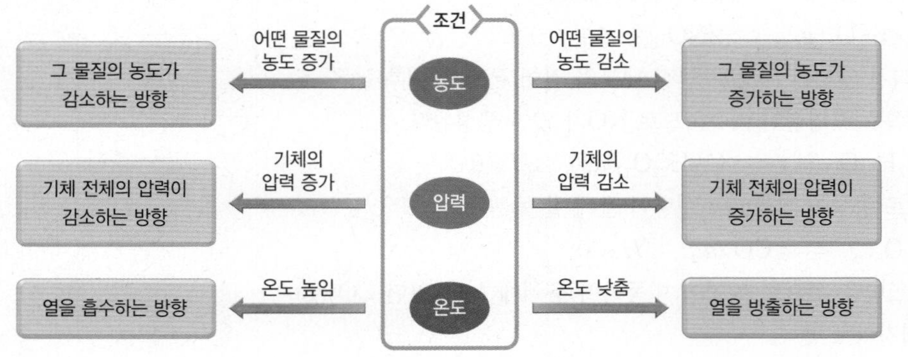

주의해
평형 상수의 변화
평형 상수는 평형 이동에 영향을 미치는 요인인 농도, 압력, 온도 중 온도에 의해서만 변한다.

평형 이동의 이용

평형 이동을 이용하면 정반응 쪽으로 평형을 이동시켜 생성물을 더 많이 얻을 수 있어요. 인류의 식량 부족 문제 해결에 기여한 암모니아 합성 반응에도 평형 이동을 이용했지요. 평형 이동이 산업 현장에서 어떻게 활용되는지 알아보아요.

1. 평형 이동과 [1]수득률 르샤틀리에 원리는 산업 현장에서 생성물의 수득률을 높이는 데 이용된다. ➡ 가역적으로 일어나는 화학 반응에서 평형을 정반응 쪽으로 이동시키면 수득률을 높일 수 있다.

수득률을 높이는 방법

$aA(g)+bB(g) \rightleftharpoons cC(g)+dD(g)$, $\Delta H=?$ (a, b, c, d: 반응 계수)

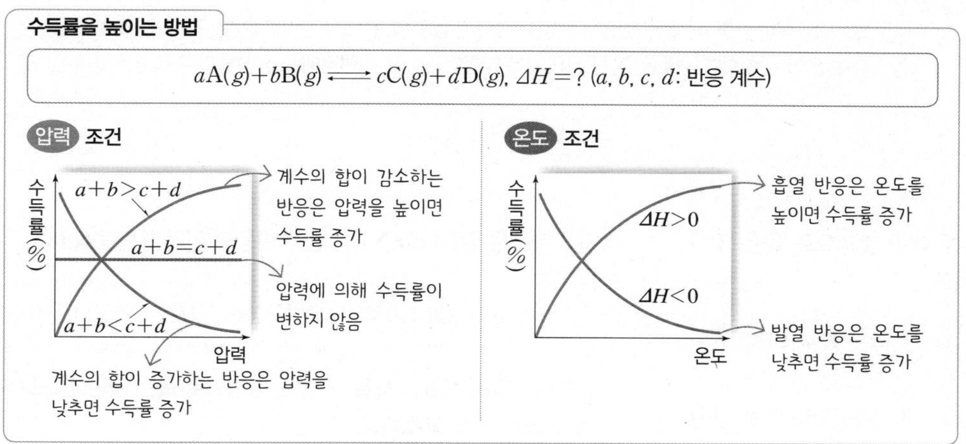

2. 암모니아의 수득률

(1) 암모니아의 수득률을 높이는 방법과 이에 따른 문제점

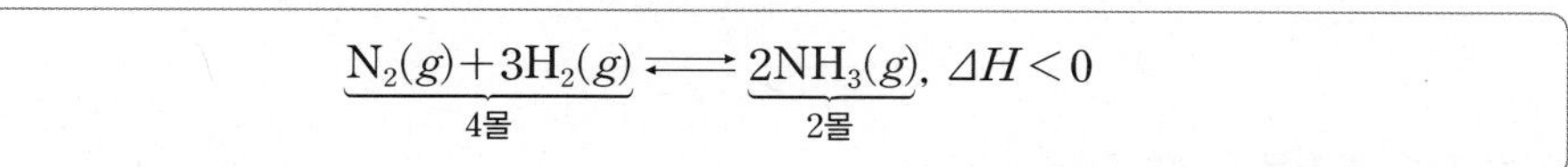

$$\underbrace{N_2(g)+3H_2(g)}_{4몰} \rightleftharpoons \underbrace{2NH_3(g)}_{2몰},\ \Delta H<0$$

압력을 높인다.	온도를 낮춘다.
기체의 양(mol)이 감소하는 정반응 쪽으로 평형이 이동한다.	발열 반응인 정반응 쪽으로 평형이 이동한다.
문제점	문제점
큰 압력을 견딜 수 있는 반응 용기를 설치하는 데 비용이 많이 든다.	온도가 너무 낮으면 반응이 느려져 암모니아를 얻는 데 시간이 오래 걸린다.

(2) 암모니아 합성의 최적 조건: 압력과 온도 조건을 고려하여 산업 현장에서는 400 °C~600 °C, 200기압~400기압에서 촉매를 사용하여 합성한다.

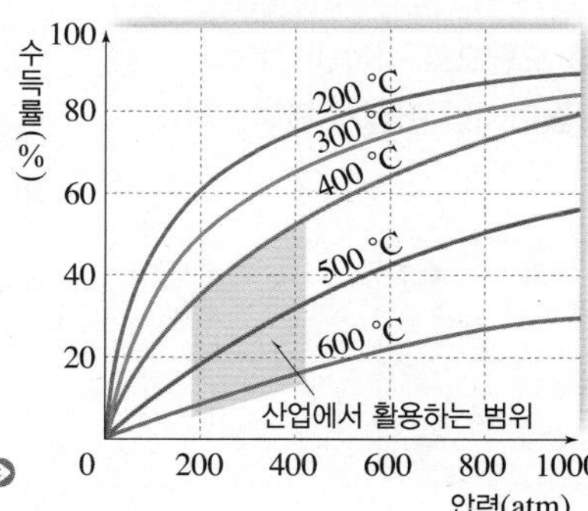

암모니아의 수득률 변화와 산업에서 활용하는 온도와 압력 범위

주의해

촉매와 수득률

촉매는 화학 반응에 참여하지 않지만 반응 속도를 변화시키는 물질로, 촉매를 사용해도 수득률은 변하지 않는다.

촉매는 Ⅲ-1-02. 반응 속도와 농도, 온도, 촉매에서 더 자세히 배워요.

용어

[1] **수득률(收 거두다, 得 얻다, 率 비율)** 화학 반응에서 이론적으로 얻을 수 있는 생성물의 양과 실제로 얻은 생성물의 양의 비

개념 확인 문제

정답친해 75쪽

핵심 체크

- 온도를 높이면 (❶   ) 반응 쪽으로 평형이 이동한다.
- 온도를 낮추면 (❷   ) 반응 쪽으로 평형이 이동한다.
- 온도 변화에 따른 평형 이동과 평형 상수

구분	발열 반응($\Delta H < 0$)		흡열 반응($\Delta H > 0$)	
온도 변화	온도 높임	온도 낮춤	온도 높임	온도 낮춤
평형 이동 방향	(❸)	정반응	(❹)	역반응
평형 상수(K)	온도가 (❺)수록 커짐		온도가 (❻)수록 커짐	

- (❼   ) 원리: 화학 반응이 평형 상태에 있을 때 농도, 온도, 압력의 조건을 변화시키면 각 조건의 변화를 (❽   ) 방향으로 반응이 진행되어 새로운 평형 상태에 도달한다. ➡ 산업 현장에서 생성물의 수득률을 높이는 데 이용된다.

1 온도 변화에 따른 평형 이동에 대한 설명으로 옳은 것은 ○, 옳지 않은 것은 ×로 표시하시오.

(1) 어떤 반응이 평형 상태에 있을 때 온도를 높이면 흡열 반응 쪽으로 평형이 이동한다. (   )

(2) 어떤 반응이 평형 상태에 있을 때 온도를 낮추면 발열 반응 쪽으로 평형이 이동한다. (   )

(3) 온도 변화에 의해 평형이 이동하더라도 평형 상수는 변하지 않는다. (   )

2 다음 반응이 평형 상태에 있을 때 온도 조건을 [ ]와 같이 변화시키면 평형이 어느 쪽으로 이동하는지 쓰시오.

(1) $2SO_2(g)+O_2(g) \rightleftharpoons 2SO_3(g)$, $\Delta H<0$ [온도를 높인다.]

(2) $N_2O_4(g) \rightleftharpoons 2NO_2(g)$, $\Delta H>0$ [온도를 낮춘다.]

3 그림은 서로 다른 온도에서 $A_2(g)+B_2(g) \rightleftharpoons 2AB(g)$ 반응이 평형 상태에 있을 때 입자를 모형으로 나타낸 것이다. 이 반응의 평형 상수(K)는 온도가 높아지면 어떻게 변하는지 쓰시오.

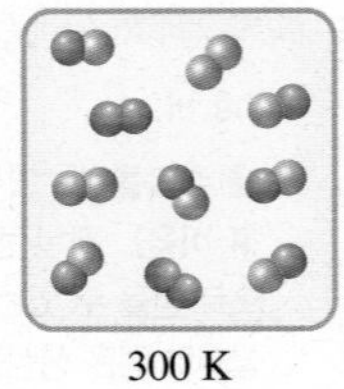
300 K

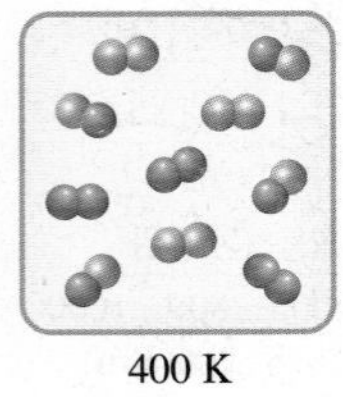
400 K

4 다음은 암모니아(NH_3) 생성 반응의 열화학 반응식이다.

$$N_2(g)+3H_2(g) \rightleftharpoons 2NH_3(g),\ \Delta H=-92\text{ kJ}$$

암모니아의 수득률을 높일 수 있는 방법으로 옳은 것만을 [보기]에서 있는 대로 고르시오.

[보기]
ㄱ. 온도를 높인다.
ㄴ. 압력을 높인다.
ㄷ. 촉매를 사용한다.

5 다음은 기체 A와 B가 반응하여 기체 C가 생성되는 반응의 열화학 반응식이다.

$$aA(g)+bB(g) \rightleftharpoons cC(g),\quad \Delta H=?\ (a, b, c\text{: 반응 계수})$$

그림은 압력과 온도 조건에 따른 C의 수득률을 나타낸 것이다.

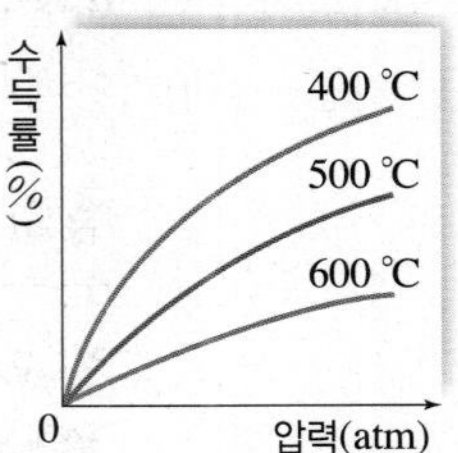

(1) $(a+b)$와 c의 크기를 비교하여 등호나 부등호로 나타내시오.

(2) ΔH가 양(+)의 값인지 음(−)의 값인지 쓰시오.

대표 자료 분석

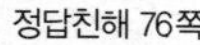
정답친해 76쪽

학교 시험에 자주 출제되는 대표 자료와 그 자료에 대한 문제를 통해 자료를 완벽하게 이해할 수 있다.

자료 1 압력 변화에 따른 평형 이동

기출 Point
- 압력 변화에 따른 평형 이동
- 압력 변화에 따른 평형 이동과 평형 상수

[1~4] 다음은 이산화 질소(NO_2)가 반응하여 사산화 이질소(N_2O_4)가 생성되는 반응의 화학 반응식이다.

$$2NO_2(g) \rightleftharpoons N_2O_4(g)$$

그림 (가)는 25 °C, 1기압에서 NO_2와 N_2O_4가 평형을 이루고 있는 것을, (나)는 (가)에 압력을 가해 2기압이 되도록 한 후 새로운 평형에 도달한 것을 나타낸 것이다.

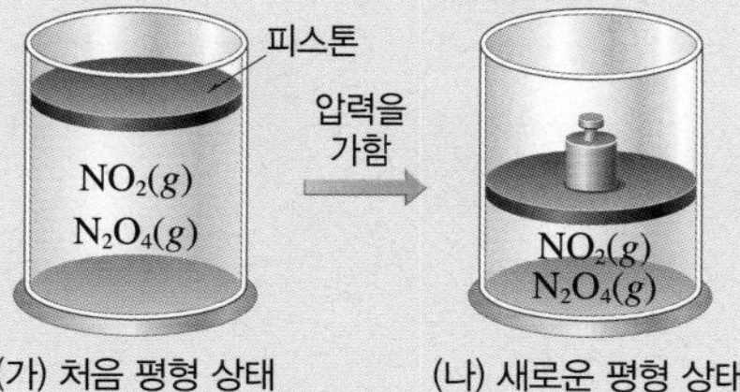

(가) 처음 평형 상태 (나) 새로운 평형 상태

1 (가)에서 (나)로 변할 때 평형이 어느 쪽으로 이동하는지 쓰시오.

2 (가)와 (나)에서 NO_2의 몰 분율을 비교하여 등호나 부등호로 나타내시오.

3 (가)와 (나)의 평형 상수(K)를 비교하여 등호나 부등호로 나타내시오.

4 빈출 선택지로 완벽 정리!

(1) 기체의 전체 분자 수는 (가)>(나)이다. (○ / ×)

(2) (가)에서 압력을 가한 직후의 반응 지수(Q)는 평형 상수(K)보다 크다. (○ / ×)

(3) 혼합 기체의 부피는 (가)에서가 (나)의 2배이다. (○ / ×)

(4) (나)에서 피스톤을 고정하고 헬륨을 넣어도 평형이 이동하지 않는다. (○ / ×)

자료 2 조건 변화에 따른 평형 이동 그래프

기출 Point
- 평형 이동 그래프 해석
- 화학 반응식의 계수 및 ΔH 부호 판단

[1~4] 다음은 기체 A로부터 기체 B가 생성되는 반응의 열화학 반응식이다.

$$aA(g) \rightleftharpoons bB(g),\ \Delta H = ?\ (a,\ b\text{: 반응 계수})$$

그림은 평형 상태의 A와 B 혼합 기체가 들어 있는 밀폐 용기에 조건을 변화시켰을 때 시간에 따른 전체 압력을 나타낸 것이다. (단, t_3 이전까지의 온도는 같다.)

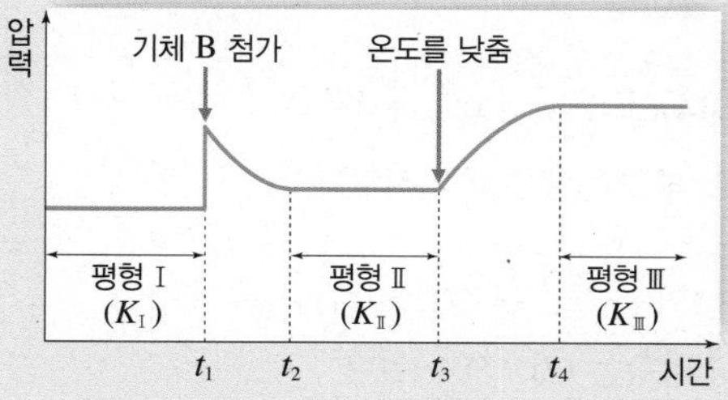

1 a와 b의 크기를 비교하여 등호나 부등호로 나타내시오.

2 ΔH가 양(+)의 값인지 음(−)의 값인지 쓰시오.

3 각 평형 상태의 평형 상수 K_{I}, K_{II}, K_{III}의 크기를 비교하여 등호나 부등호로 나타내시오.

4 빈출 선택지로 완벽 정리!

(1) t_1~t_2에서 반응 지수(Q)는 K_{I}보다 크다. (○ / ×)

(2) t_3~t_4에서 정반응 속도가 역반응 속도보다 빠르다. (○ / ×)

(3) t_4 이후 기체 A를 첨가하면 평형은 정반응 쪽으로 이동한다. (○ / ×)

(4) 생성물의 엔탈피 합은 반응물의 엔탈피 합보다 크다. (○ / ×)

내신 만점 문제

Ⓐ 농도 변화에 따른 평형 이동

중요 **01** 다음은 기체 A로부터 기체 B가 생성되는 반응의 화학 반응식이다.

$$2A(g) \rightleftharpoons B(g)$$

그림은 이 반응이 평형을 이루고 있는 상태 (가)에 B(*g*)를 첨가하여 새로운 평형 상태 (나)에 도달할 때까지 시간에 따른 B의 농도를 나타낸 것이다.

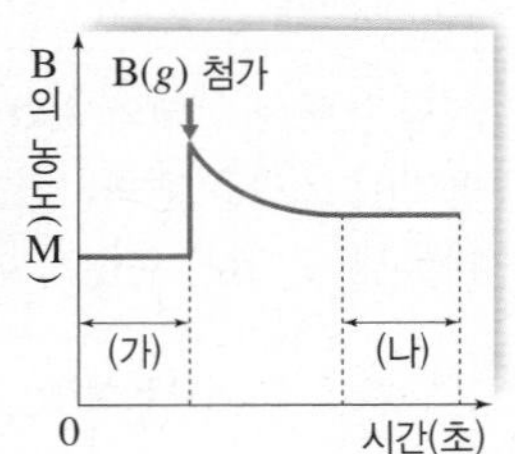

이에 대한 설명으로 옳은 것만을 [보기]에서 있는 대로 고른 것은? (단, 용기의 부피와 온도는 일정하다.)

[보기]
ㄱ. A(*g*)의 몰 농도는 (가) > (나)이다.
ㄴ. 평형 상수는 (가) < (나)이다.
ㄷ. 용기 속 기체의 전체 압력은 (가) < (나)이다.

① ㄱ ② ㄷ ③ ㄱ, ㄴ
④ ㄴ, ㄷ ⑤ ㄱ, ㄴ, ㄷ

02 다이크로뮴산 이온($Cr_2O_7^{2-}$)과 크로뮴산 이온(CrO_4^{2-})은 다음과 같이 평형을 이룬다.

$$Cr_2O_7^{2-}(aq) + H_2O(l) \rightleftharpoons 2CrO_4^{2-}(aq) + 2H^+(aq)$$
주황색 노란색

평형을 이루고 있는 혼합 용액에 수산화 나트륨(NaOH) 수용액을 소량 넣을 때에 대한 설명으로 옳은 것만을 [보기]에서 있는 대로 고른 것은?

[보기]
ㄱ. 수용액이 노란색으로 변한다.
ㄴ. 반응 지수(Q)가 평형 상수(K)보다 커진다.
ㄷ. CrO_4^{2-}의 양(mol)이 증가한다.

① ㄱ ② ㄴ ③ ㄱ, ㄷ
④ ㄴ, ㄷ ⑤ ㄱ, ㄴ, ㄷ

03 다음은 닭이 달걀 껍데기의 주성분인 탄산 칼슘($CaCO_3$)을 생성하는 과정과 관련된 반응의 화학 반응식이다.

- $CO_2(g) + H_2O(l) \rightleftharpoons H_2CO_3(aq)$
- $H_2CO_3(aq) \rightleftharpoons H^+(aq) + HCO_3^-(aq)$
- $CaCO_3(s) + H_2CO_3(aq) \rightleftharpoons Ca^{2+}(aq) + 2HCO_3^-(aq)$

달걀 껍데기가 얇아지는 경우만을 [보기]에서 있는 대로 고른 것은?

[보기]
ㄱ. 혈액에 CO_2가 많이 녹는다.
ㄴ. 혈액 속 H^+의 농도가 증가한다.
ㄷ. 여름철 닭의 호흡량이 많아진다.

① ㄱ ② ㄷ ③ ㄱ, ㄴ
④ ㄴ, ㄷ ⑤ ㄱ, ㄴ, ㄷ

Ⓑ 압력 변화에 따른 평형 이동

중요 **04** 다음은 이산화 질소(NO_2)가 반응하여 사산화 이질소(N_2O_4)가 생성되는 반응의 화학 반응식이다.

$$2NO_2(g) \rightleftharpoons N_2O_4(g)$$

그림 (가)는 NO_2와 N_2O_4가 평형을 이루고 있는 것을, (나)는 (가)에 압력을 가한 직후, (다)는 충분한 시간이 흐른 후 새로운 평형에 도달한 것을 나타낸 것이다.

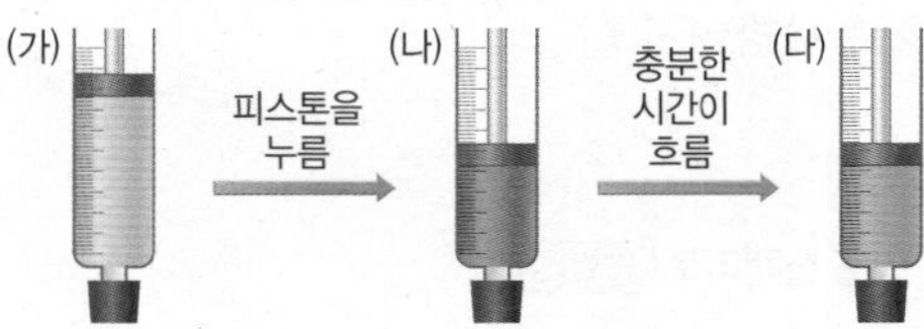

이에 대한 설명으로 옳지 않은 것은?

① 평형 상수는 (가)와 (다)에서 같다.
② 적갈색을 띠는 기체는 NO_2이다.
③ (나)에서 반응 지수(Q)는 평형 상수(K)보다 작다.
④ (나)에서 역반응이 일어나 혼합 기체의 색이 진해진다.
⑤ 혼합 기체의 전체 양(mol)은 (다)에서가 (가)에서보다 작다.

정답친해 76쪽

중요 05 다음은 기체 A로부터 기체 B가 생성되는 반응의 화학 반응식이다.

$$A(g) \rightleftharpoons 2B(g)$$

그림 (가)는 실린더에서 $A(g)$와 $B(g)$가 평형을 이루고 있는 상태를, (나)는 (가) 압력의 2배가 되도록 피스톤을 고정시킨 후 새로운 평형에 도달한 상태를 나타낸 것이다.

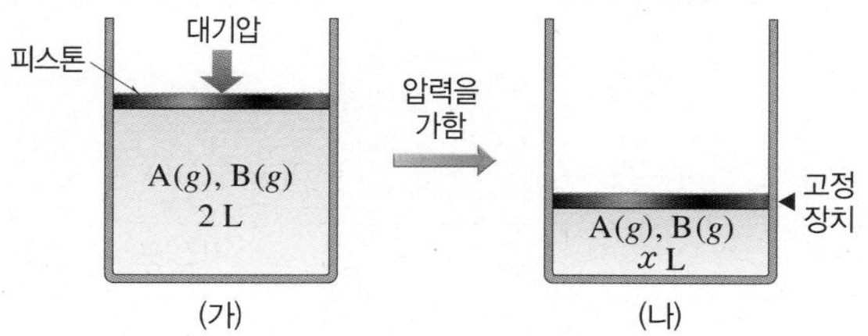

이에 대한 설명으로 옳은 것만을 [보기]에서 있는 대로 고른 것은? (단, 온도는 일정하고, 피스톤의 질량과 마찰은 무시한다.)

[보기]
ㄱ. $x<1$이다.
ㄴ. A의 부분 압력은 (나)에서가 (가)에서의 2배이다.
ㄷ. B의 몰 분율은 (가)에서가 (나)에서보다 크다.
ㄹ. (나)에 아르곤(Ar) 기체를 첨가하면 평형은 정반응 쪽으로 이동한다.

① ㄱ, ㄴ ② ㄱ, ㄷ ③ ㄴ, ㄹ
④ ㄱ, ㄴ, ㄷ ⑤ ㄴ, ㄷ, ㄹ

서술형
06 그림은 기체 A로부터 기체 B가 생성되는 반응에서 시간에 따른 각 물질의 농도를 나타낸 것이다. (단, 온도는 일정하다.)

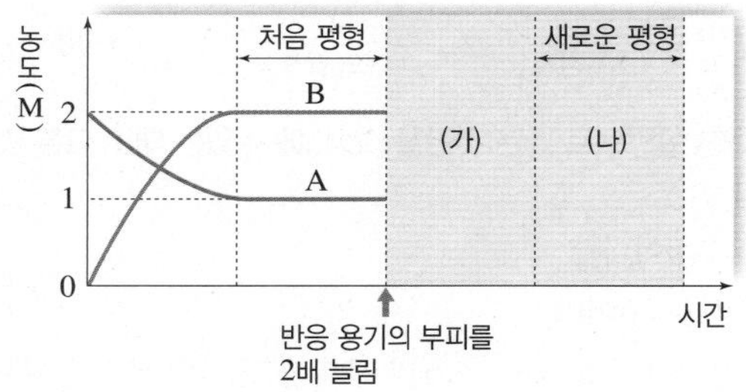

(1) (가)에서 정반응 속도와 역반응 속도를 비교하고, 그 까닭을 서술하시오.

(2) (나)에서 평형 상수(K)를 구하시오.

07 25 °C의 밀폐 용기에서 $H_2(g)+I_2(g) \rightleftharpoons 2HI(g)$ 반응이 평형을 이루고 있다. 시간 t에서 용기에 압력을 2배로 가한 후 다시 평형에 도달했을 때, 시간에 따른 용기 속 전체 압력을 옳게 나타낸 것은? (단, 온도는 일정하다.)

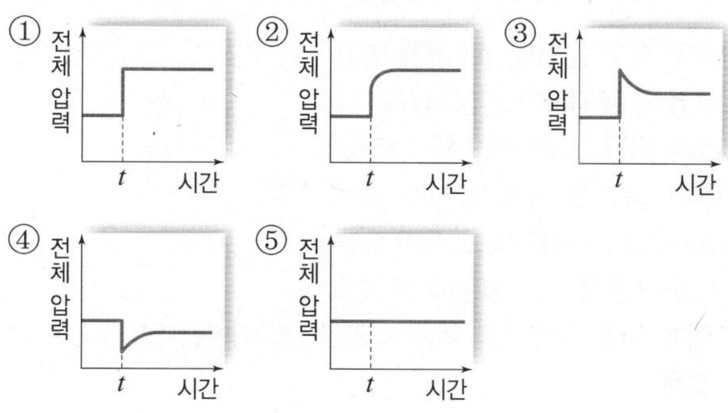

C 온도 변화에 따른 평형 이동

08 다음은 이산화 질소(NO_2)가 반응하여 사산화 이질소(N_2O_4)가 생성되는 반응의 열화학 반응식이다.

$$2NO_2(g) \rightleftharpoons N_2O_4(g),\ \Delta H<0$$

그림은 NO_2와 N_2O_4의 혼합 기체가 들어 있는 시험관을 각각 온도가 다른 물에 충분한 시간 동안 넣은 뒤 평형에 도달했을 때의 모습을 나타낸 것이다.

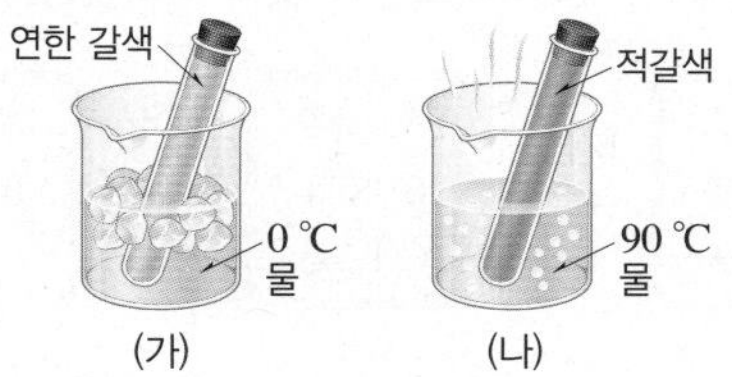

이에 대한 설명으로 옳은 것만을 [보기]에서 있는 대로 고른 것은?

[보기]
ㄱ. NO_2의 농도는 (나)에서가 (가)에서보다 크다.
ㄴ. N_2O_4의 몰 분율은 (가)에서가 (나)에서보다 크다.
ㄷ. 전체 기체 분자 수는 (나)에서가 (가)에서보다 많다.

① ㄱ ② ㄴ ③ ㄱ, ㄷ
④ ㄴ, ㄷ ⑤ ㄱ, ㄴ, ㄷ

09 다음은 기체 A로부터 기체 B가 생성되는 반응의 열화학 반응식이다.

$$2A(g) \rightleftharpoons B(g),\ \Delta H < 0$$

그림은 강철 용기에 $A(g)$만 넣고 300 K를 유지하며 반응시켰을 때 시간에 따른 A의 농도를 나타낸 것이다. 동일한 강철 용기에 같은 양(mol)의 $A(g)$를 넣고 400 K를 유지하며 반응시켜 평형에 도달했을 때에 대한 설명으로 옳은 것만을 [보기]에서 있는 대로 고른 것은?

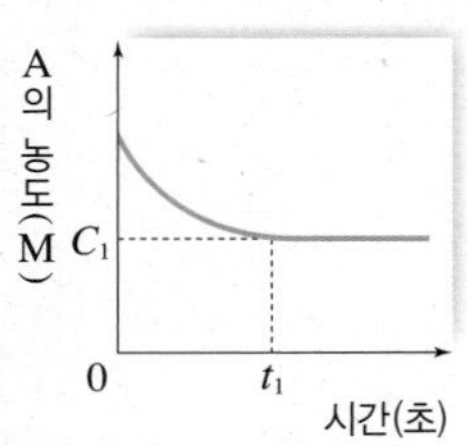

[보기]
ㄱ. A의 평형 농도는 C_1보다 크다.
ㄴ. 평형에 도달하는 시간은 t_1보다 작다.
ㄷ. $\frac{[B]}{[A]^2}$는 300 K일 때보다 크다.

① ㄱ ② ㄷ ③ ㄱ, ㄴ ④ ㄴ, ㄷ ⑤ ㄱ, ㄴ, ㄷ

중요 **10** 다음은 기체 A와 B가 반응하여 기체 C가 생성되는 반응의 열화학 반응식이다.

$$A(g)+B(g) \rightleftharpoons C(g),\ \Delta H < 0$$

그림 (가)는 1 L 강철 용기에서 평형을 이루고 있는 혼합 기체의 양(mol)을 나타낸 것이고, (나)와 (다)는 조건을 달리했을 때 각각 새로운 평형에 도달한 것을 나타낸 것이다.

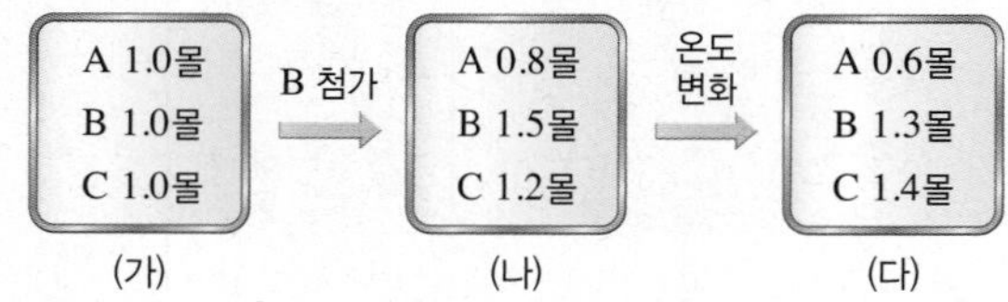

이에 대한 설명으로 옳은 것만을 [보기]에서 있는 대로 고른 것은?

[보기]
ㄱ. (가)에 첨가한 B의 양(mol)은 0.7몰이다.
ㄴ. 온도는 (나)가 (다)보다 높다.
ㄷ. 평형 상수는 (다)가 (가)보다 크다.

① ㄱ ② ㄷ ③ ㄱ, ㄴ
④ ㄴ, ㄷ ⑤ ㄱ, ㄴ, ㄷ

11 다음은 암모니아(NH_3) 생성 반응의 열화학 반응식이다.

$$N_2(g)+3H_2(g) \rightleftharpoons 2NH_3(g),\ \Delta H=-92\ kJ$$

그림은 1 L 강철 용기에서 이 반응이 평형 상태에 있을 때, 조건 변화에 따른 평형 이동을 나타낸 것이다.

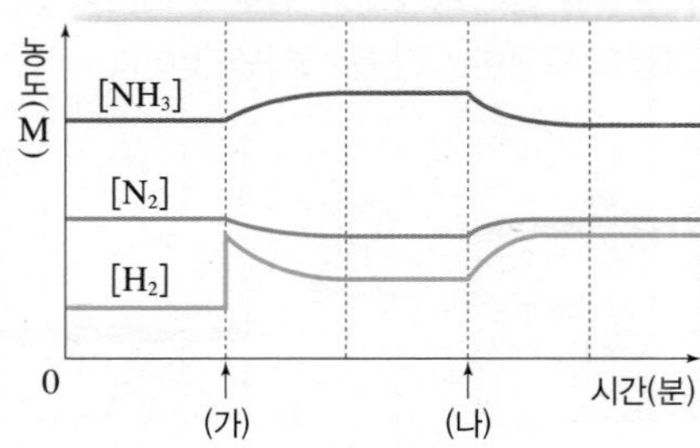

(가)와 (나)에서 변화시킨 조건을 각각 쓰시오.

중요 **12** 다음은 기체 A로부터 기체 B가 생성되는 반응의 열화학 반응식이다.

$$aA(g) \rightleftharpoons bB(g),\ \Delta H=?\ (a,\ b\text{: 반응 계수})$$

그림은 이 반응이 평형 상태에 있을 때, 조건 변화에 따른 A와 B 혼합 기체의 총 양(mol)을 시간에 따라 나타낸 것이다.

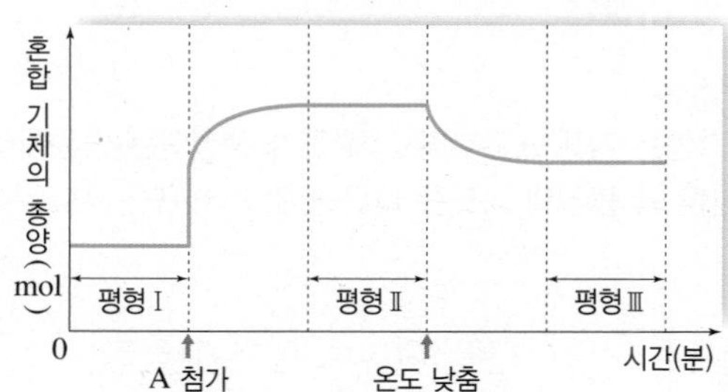

이에 대한 설명으로 옳은 것만을 [보기]에서 있는 대로 고른 것은?

[보기]
ㄱ. $a>b$이다.
ㄴ. $\Delta H>0$이다.
ㄷ. 일정한 온도에서 용기의 부피를 줄이면 B의 몰 분율이 감소한다.

① ㄱ ② ㄴ ③ ㄱ, ㄷ
④ ㄴ, ㄷ ⑤ ㄱ, ㄴ, ㄷ

13 다음은 기체 A가 반응하여 기체 B가 생성되는 반응의 열화학 반응식이다.

$$aA(g) \rightleftharpoons bB(g),\ \Delta H=?\ (a,\ b: \text{반응 계수})$$

표는 이 반응에서 온도와 압력에 따른 평형 상수이다.

실험	온도(°C)	압력(기압)	평형 상수
Ⅰ	15	100	1.5×10^{-2}
Ⅱ	28	100	2.1×10^{-1}
Ⅲ	28	200	2.1×10^{-1}

이에 대한 설명으로 옳은 것만을 [보기]에서 있는 대로 고른 것은?

[보기]
ㄱ. $\Delta H>0$이다.
ㄴ. 온도가 낮아지면 평형은 역반응 쪽으로 이동한다.
ㄷ. 압력이 높아져도 평형 상수가 변하지 않으므로 $a=b$이다.

① ㄱ ② ㄷ ③ ㄱ, ㄴ
④ ㄴ, ㄷ ⑤ ㄱ, ㄴ, ㄷ

중요 **14** 다음은 기체 A와 B가 반응하여 기체 C가 생성되는 반응의 열화학 반응식이다.

$$aA(g)+bB(g) \rightleftharpoons 2C(g),\ \Delta H<0\ (a,\ b: \text{반응 계수})$$

표는 이 반응이 서로 다른 조건에서 도달한 평형 Ⅰ과 Ⅱ에서 A~C의 평형 농도와 평형 상수(K)이다.

평형	평형 농도(M)			평형 상수
	[A]	[B]	[C]	(K)
Ⅰ	2	1	2	2
Ⅱ	1	2	2	1

이에 대한 설명으로 옳은 것만을 [보기]에서 있는 대로 고른 것은?

[보기]
ㄱ. $\frac{b}{a}=1$이다.
ㄴ. 온도는 Ⅰ에서가 Ⅱ에서보다 높다.
ㄷ. 평형 Ⅰ에서 압력을 높이면 C의 양(mol)이 증가한다.

① ㄱ ② ㄷ ③ ㄱ, ㄴ ④ ㄴ, ㄷ ⑤ ㄱ, ㄴ, ㄷ

D 평형 이동의 이용

중요 **15** 다음은 일산화 탄소(CO)와 수증기(H_2O)가 반응하여 이산화 탄소(CO_2)와 수소(H_2)가 생성되는 반응의 열화학 반응식이다.

$$CO(g)+H_2O(g) \rightleftharpoons CO_2(g)+H_2(g),\ \Delta H=-41\ \text{kJ}$$

이 반응이 평형 상태에 있을 때 평형을 정반응 쪽으로 이동시킬 수 있는 조건만을 [보기]에서 있는 대로 고르시오.

[보기]
ㄱ. 반응 용기의 온도를 낮춘다.
ㄴ. 반응 용기의 부피를 크게 한다.
ㄷ. 반응 용기에 수증기를 넣는다.

16 다음은 기체 A와 B가 반응하여 기체 C를 생성하는 반응의 열화학 반응식이다.

$$aA(g)+bB(g) \rightleftharpoons cC(g),\ \Delta H=?$$
$$(a,\ b,\ c: \text{반응 계수})$$

그림 (가)는 25 °C의 강철 용기에서 반응이 일어날 때 반응 시간에 따른 반응물과 생성물의 농도를, (나)는 일정한 압력에서 온도에 따른 생성물 C의 수득률을 나타낸 것이다.

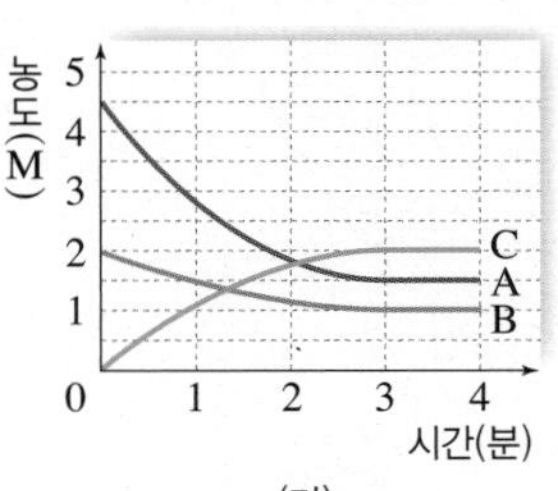

(가)

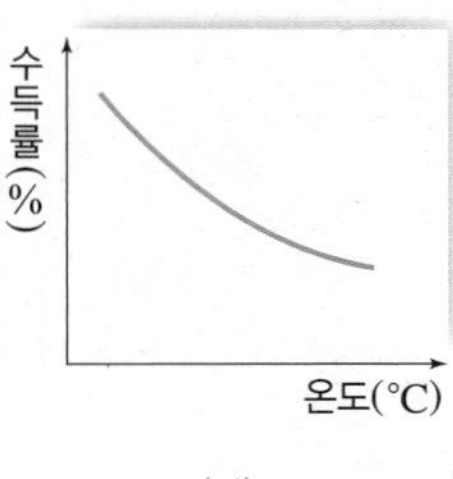

(나)

이에 대한 설명으로 옳은 것만을 [보기]에서 있는 대로 고른 것은?

[보기]
ㄱ. $a+b+c=6$이다.
ㄴ. $\Delta H>0$이다.
ㄷ. 반응 압력을 낮추면 C의 수득률이 증가한다.

① ㄱ ② ㄴ ③ ㄱ, ㄷ
④ ㄴ, ㄷ ⑤ ㄱ, ㄴ, ㄷ

03 상평형

핵심 포인트
- Ⓐ 상평형 그림 ★★★
- 상평형 그림과 물질의 상태 변화 ★★

Ⓐ 상평형 그림

실온에서 얼음은 물로 상태가 변하는데, 드라이아이스는 액체 상태를 거치지 않고 바로 기체 상태로 변해요. 물질의 상평형 그림을 배우면 그 까닭을 설명할 수 있지요.

1. 상평형 두 가지 이상의 ❶상이 함께 존재하면서 상태 변화가 같은 속도로 일어나고 있는 동적 평형이 이루어진 상태

증발하는 분자 수와 응축하는 분자 수가 같은 평형 상태에서는 기체의 색이 일정하게 유지된다.

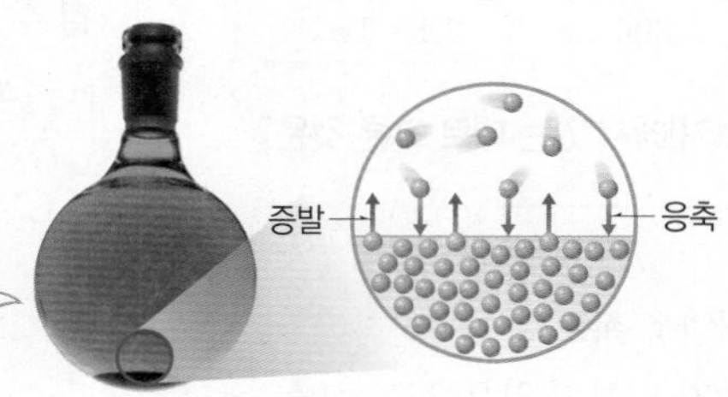

Ⓞ $Br_2(l)$과 $Br_2(g)$의 상평형

2. 상평형 그림 물질의 안정한 상태를 온도와 압력에 따라 나타낸 그림 → 고체, 액체, 기체 상태는 온도와 압력에 따라 결정된다.

(1) **융해 곡선**: 고체와 액체가 평형을 이루는 온도와 압력을 나타낸 곡선

➡ 융해 곡선 상의 온도: 녹는점(어는점) → 1기압에서 융해가 일어나는 온도를 기준 녹는점이라고 한다.

(2) **증기 압력 곡선**: 액체와 기체가 평형을 이루는 온도와 압력을 나타낸 곡선

➡ 증기 압력 곡선 상의 온도: 끓는점 → 1기압에서 기화가 일어나는 온도를 기준 끓는점이라고 한다.

(3) **승화 곡선**: 고체와 기체가 평형을 이루는 온도와 압력을 나타낸 곡선

(4) **3중점**: 고체, 액체, 기체의 세 가지 상이 평형을 이루어 함께 존재하는 온도와 압력

물의 상평형 그림 해석

압력(atm), 온도(°C), 얼음 고체, 물 액체, 수증기 기체, P, O, T, Q, A, B, 1.0, 0.006, 0, 0.01, 100

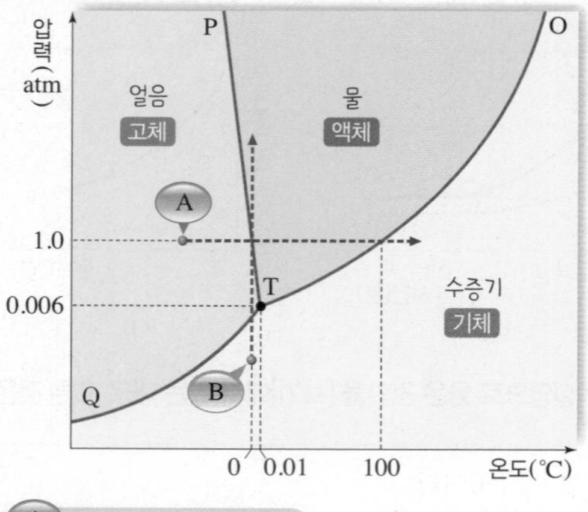

- PT: 융해 곡선
  - 얼음과 물이 평형을 이루는 온도와 압력
  - 얼음의 기준 녹는점: 0 °C
- OT: 증기 압력 곡선
  - 물과 수증기가 평형을 이루는 온도와 압력
  - 물의 기준 끓는점: 100 °C
- QT: 승화 곡선
  - 얼음과 수증기가 평형을 이루는 온도와 압력
- T(0.006기압, 0.01 °C): 3중점
  - 얼음, 물, 수증기가 평형을 이루는 온도와 압력

Ⓐ 압력을 일정하게 하고 온도를 높일 때: 고체 ➡ 고체 + 액체 (융해 곡선 상) ➡ 액체 ➡ 액체 + 기체 (증기 압력 곡선 상) ➡ 기체

Ⓑ 온도를 일정하게 하고 압력을 높일 때: 기체 ➡ 기체 + 고체 (승화 곡선 상) ➡ 고체 ➡ 고체 + 액체 (융해 곡선 상) ➡ 액체

증기 압력 곡선과 끓는점은 I-3-02. 묽은 용액의 총괄성에서 자세히 배웠어요.

지학사 교과서에만 나와요.

★ **임계점**
액체와 기체의 두 상태를 서로 구별할 수 없게 되는 온도와 증기 압력으로, 증기 압력 곡선은 임계점까지만 나타낼 수 있다.
예 물의 임계점은 374 °C, 217.7기압이다.

용어

❶ **상(相 모양, 형상)** 일정한 물리적 성질을 가지는 균일한 물질로, 일반적으로 고체, 액체, 기체가 있다.

(5) 물과 이산화 탄소의 상평형 그림 비교

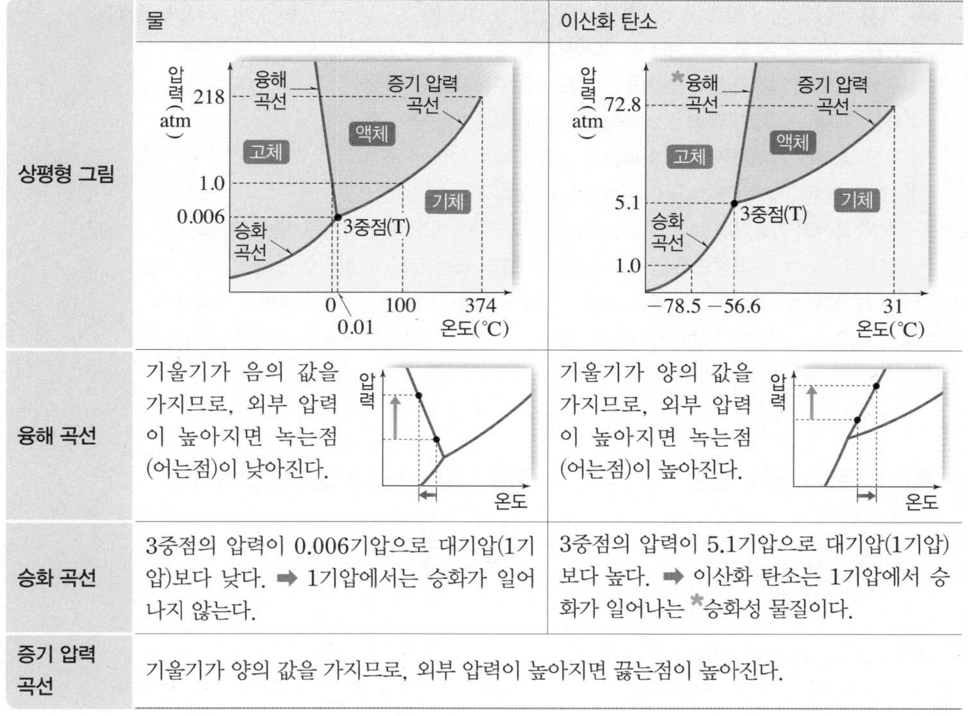

	물	이산화 탄소
상평형 그림	(상평형 그림)	(상평형 그림)
융해 곡선	기울기가 음의 값을 가지므로, 외부 압력이 높아지면 녹는점(어는점)이 낮아진다.	기울기가 양의 값을 가지므로, 외부 압력이 높아지면 녹는점(어는점)이 높아진다.
승화 곡선	3중점의 압력이 0.006기압으로 대기압(1기압)보다 낮다. ➡ 1기압에서는 승화가 일어나지 않는다.	3중점의 압력이 5.1기압으로 대기압(1기압)보다 높다. ➡ 이산화 탄소는 1기압에서 승화가 일어나는 *승화성 물질이다.
증기 압력 곡선	기울기가 양의 값을 가지므로, 외부 압력이 높아지면 끓는점이 높아진다.	

3. 상평형 그림과 물질의 상태 변화

(1) 증기 압력 곡선과 물질의 상태 변화

① 높은 산에서는 압력이 낮으므로 물이 100 ℃보다 낮은 온도에서 끓어 쌀이 설익는다. 따라서 밥을 지을 때 냄비에 돌을 올려놓으면 쌀이 설익는 것을 막을 수 있다.

② 압력솥은 물이 100 ℃보다 높은 온도에서 끓어 음식이 빨리 익는다.

(2) 승화 곡선과 물질의 상태 변화

① 아이스크림을 포장할 때 넣은 드라이아이스가 일정 시간이 지나면 사라진다.

② *동결 건조: 식품을 급속 냉동한 뒤 압력을 0.006기압 이하로 낮추면 얼어 있는 식품 속의 물이 승화하므로 식품을 건조시킬 수 있다.

융해 곡선과 물질의 상태 변화 미래엔, 천재 교과서에만 나와요.

- 얼음 위에 무거운 추를 매단 철사를 올려놓으면 철사가 닿은 부분은 압력이 높아져 녹는점이 낮아지므로 얼음이 녹아 물이 된다. 철사가 통과한 후 녹았던 물이 다시 얼기 때문에 얼음이 쪼개지지 않고 철사가 얼음을 통과한다.
- 얼음 위에서 스케이트를 탈 때, 스케이트 날이 닿는 부분은 압력이 높아져 녹는점이 낮아지므로 얼음이 녹아 물이 되어 스케이트 날이 잘 미끄러진다.

⬆ 압력에 따른 얼음의 상태 변화

궁금해

물의 융해 곡선은 왜 음의 기울기를 나타낼까?

대부분의 물질은 고체가 액체보다 밀도가 크기 때문에 고체에 압력을 가하면 입자 간의 거리가 가까워져 더 단단한 고체가 된다. 그런데 물은 얼음보다 밀도가 크기 때문에 얼음에 압력을 가하면 얼음이 녹아 물로 되므로 물의 융해 곡선은 기울기가 음수이다.

비상, 교학사 교과서에만 나와요.

*** 드라이아이스를 액체 상태로 만드는 실험**

일회용 스포이트에 곱게 간 드라이아이스를 넣는다. 기체가 새지 않도록 일회용 스포이트의 입구를 막고, 실온의 물이 담긴 수조에 넣는다.

➡ 드라이아이스가 승화하여 생긴 기체에 의해 스포이트 내부의 압력이 5.1기압보다 커지면, 남은 드라이아이스는 액체가 된다.

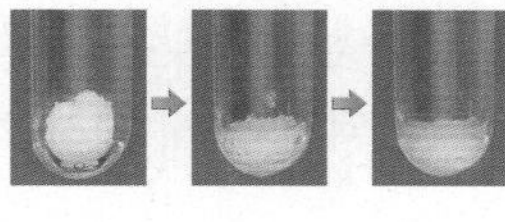

*** 승화성 물질**

1기압 조건에서 승화가 일어나는 물질로, 3중점의 압력이 1기압보다 높다. 예 이산화 탄소, 아이오딘, 나프탈렌 등

*** 동결 건조의 특징과 이용**

- 특징: 영양소의 파괴가 적고 식품 고유의 맛과 향을 보존할 수 있다.
- 이용: 즉석 커피, 라면의 건더기 수프, 과일칩, 우주 식량 등

개념 확인 문제

정답친해 80쪽

핵심 체크

- (❶   ): 두 가지 이상의 상이 함께 존재하면서 상태 변화가 같은 (❷   )로 일어나고 있는 상태
- (❸   ): 온도와 압력에 따른 물질의 상태를 나타낸 그림
  - (❹   ) 곡선: 고체와 액체가 평형을 이루는 온도와 압력을 나타낸 곡선
  - (❺   ) 곡선: 액체와 기체가 평형을 이루는 온도와 압력을 나타낸 곡선
  - (❻   ) 곡선: 고체와 기체가 평형을 이루는 온도와 압력을 나타낸 곡선
  - (❼   ): 고체, 액체, 기체가 평형을 이루는 온도와 압력
- 물의 상평형 그림
  - 융해 곡선의 기울기가 (❽   )의 값을 가지므로 압력이 높아지면 어는점이 (❾   )진다.
  - (❿   ) 곡선으로 압력솥에서 밥이 빨리 되는 것을 설명할 수 있다.
- 이산화 탄소의 상평형 그림에서 (⓫   )의 압력이 1기압보다 높으므로 1기압에서 승화가 일어난다.
- 동결 건조 식품은 (⓬   ) 이하의 압력에서 얼음이 (⓭   )하는 현상을 이용하여 만든다.

1 상평형 그림에 대한 설명으로 옳은 것은 ○, 옳지 않은 것은 ×로 표시하시오.

(1) 상평형 그림은 물질의 상태와 온도 및 압력과의 관계를 나타낸 그림이다. (   )

(2) 융해 곡선 상의 온도와 압력에서는 물질의 응고 속도와 융해 속도가 같다. (   )

(3) 주어진 압력에서 증기 압력 곡선 상의 온도가 물질의 녹는점이다. (   )

(4) 3중점보다 낮은 압력에서 온도를 높이면 물질은 고체 → 액체 → 기체로 상태 변화한다. (   )

[2~3] 그림은 물의 상평형 그림이다.

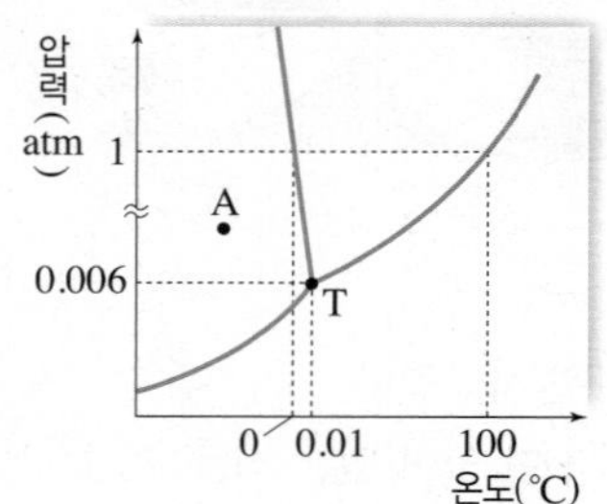

2 다음 조건에서 물의 안정한 상태를 각각 쓰시오.

(1) 0 °C, 1.5기압   (2) 0 °C, 0.6기압

(3) 60 °C, 1기압   (4) 100 °C, 2기압

3 A에서 다음과 같이 조건을 변화시켰을 때 일어나는 상태 변화를 모두 쓰시오.

(1) 온도를 일정하게 하고 압력을 낮출 때

(2) 압력을 일정하게 하고 온도를 높일 때

4 그림은 이산화 탄소의 상평형 그림이다.

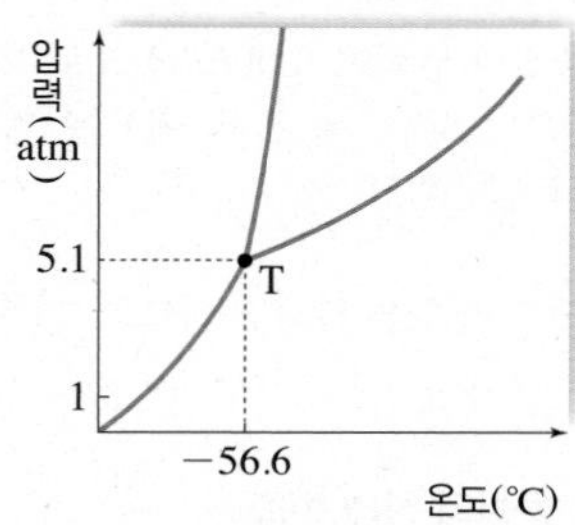

이에 대한 설명으로 옳은 것은 ○, 옳지 않은 것은 ×로 표시하시오.

(1) 기준 어는점은 −56.6 °C보다 높다. (   )

(2) 압력이 높을수록 어는점이 높다. (   )

(3) −56.6 °C, 5.1기압에서 이산화 탄소는 융해 속도와 기화 속도가 같다. (   )

(4) 이산화 탄소는 승화성 물질이다. (   )

5 다음은 우리 생활에서 일어나는 물질의 상태 변화의 예이다. 이와 관련 있는 상평형 그림의 곡선을 [보기]에서 각각 고르시오.

> **보기**
> ㄱ. 융해 곡선   ㄴ. 승화 곡선   ㄷ. 증기 압력 곡선

(1) 높은 산에서 밥을 지을 때는 냄비에 돌을 올려놓아야 쌀이 설익지 않는다.

(2) 동결 건조를 이용해 여러 가지 식품을 만든다.

대표 자료 분석

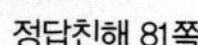

정답친해 81쪽

학교 시험에 자주 출제되는 대표 자료와 그 자료에 대한 문제를 통해 자료를 완벽하게 이해할 수 있다.

자료 1 물의 상평형 그림

기출 Point
- 융해 곡선, 증기 압력 곡선, 승화 곡선 구분 및 해석
- 물의 융해 곡선의 기울기와 이에 따른 현상

[1~4] 그림은 물의 상평형 그림이다.

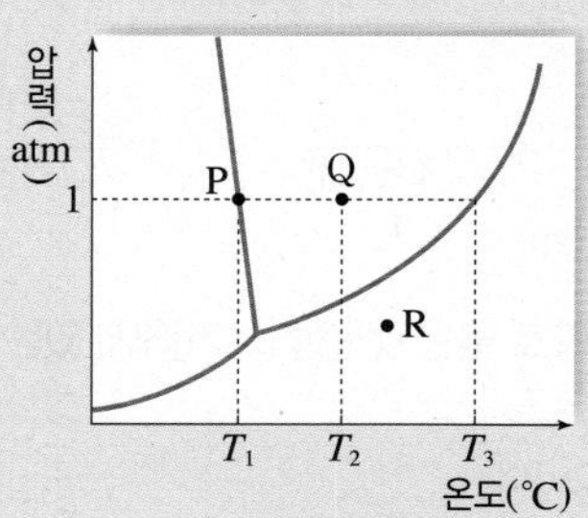

1 1기압에서 물의 어는점과 끓는점을 각각 쓰시오.

2 P에서의 융해 속도와 응고 속도를 비교하여 등호나 부등호로 나타내시오.

3 Q와 R에서 물이 안정하게 존재하는 상을 각각 쓰시오.

4 빈출 선택지로 완벽 정리!

(1) 2기압에서 물의 어는점은 T_1보다 높다. ······ (○ / ×)

(2) 2기압에서 물의 끓는점은 T_3보다 높다. ······ (○ / ×)

(3) 얼음에 압력을 가하면 얼음이 녹는다. ······ (○ / ×)

(4) R에서 온도를 일정하게 유지하고 압력을 높이면 응고가 일어난다. ······ (○ / ×)

(5) 1기압, T_3에서는 물의 증발 속도가 응축 속도보다 빠르다. ······ (○ / ×)

(6) 1기압에서 동결 건조 식품을 만들 수 있다. (○ / ×)

자료 2 이산화 탄소의 상평형 그림

기출 Point
- 이산화 탄소의 상평형 그림 해석
- 3중점과 승화성

[1~4] 그림 (가)는 이산화 탄소(CO_2)의 상평형 그림을, (나)는 강철 용기에서 CO_2가 평형을 이루고 있는 것을 나타낸 것이다.

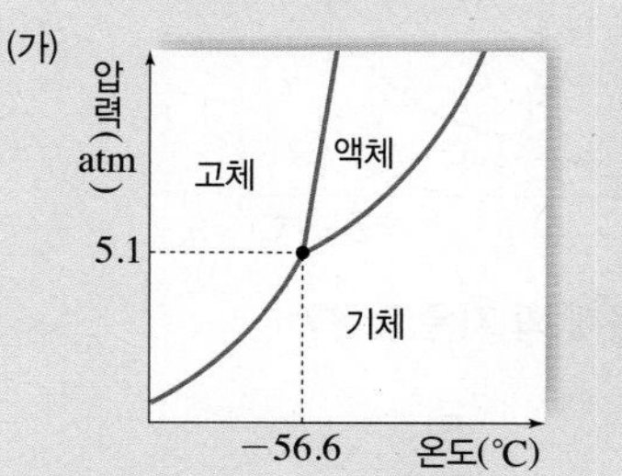

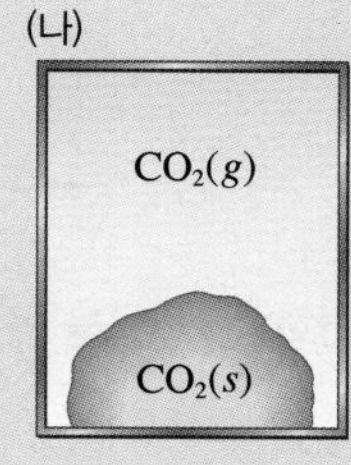

1 압력이 높아질 때 드라이아이스의 녹는점의 변화를 쓰시오.

2 고체, 액체, 기체 3가지 상태가 공존하는 온도와 압력을 쓰시오.

3 (나)의 평형을 이루는 온도와 압력을 나타낸 곡선을 쓰시오.

4 빈출 선택지로 완벽 정리!

(1) (나)의 압력은 5.1기압보다 크다. ······ (○ / ×)

(2) 이산화 탄소는 1기압에서 승화성이 있다. (○ / ×)

(3) 이산화 탄소는 1기압에서 녹는점이 존재하지 않는다. ······ (○ / ×)

(4) 이산화 탄소가 액체 상태로 존재할 수 있는 가장 높은 온도는 −56.6 ℃이다. ······ (○ / ×)

(5) 1기압, 실온에서 드라이아이스는 녹지 않고 크기가 작아진다. ······ (○ / ×)

내신 만점 문제

A 상평형 그림

01 그림은 물의 상평형 그림에 상태 변화를 표시한 것이다.

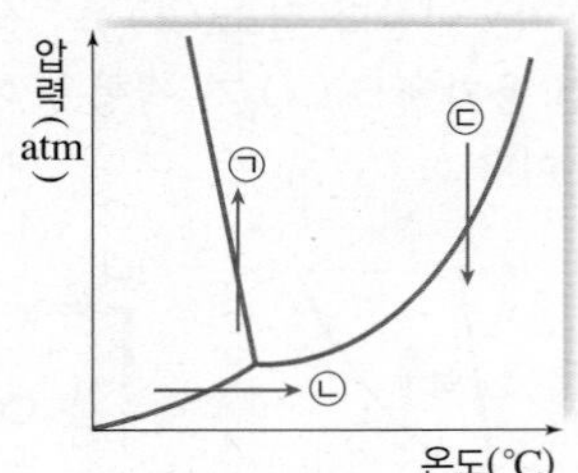

상태 변화 ㉠~㉢을 옳게 짝 지은 것은?

	㉠	㉡	㉢
①	응고	기화	액화
②	응고	기화	승화
③	융해	기화	액화
④	융해	승화	기화
⑤	융해	승화	액화

중요 **02** 그림은 물질 A의 상평형 그림이다.

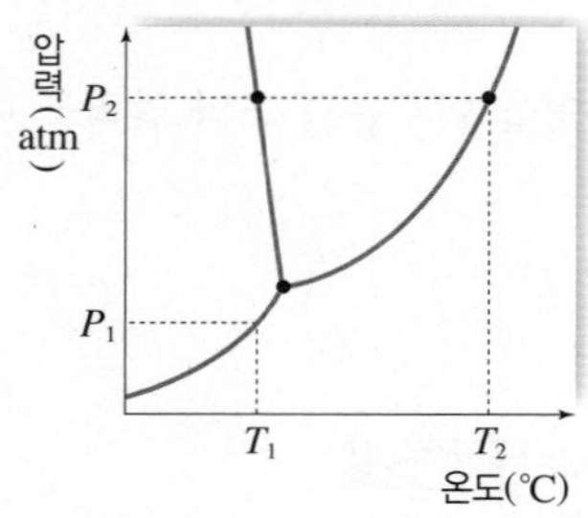

이에 대한 설명으로 옳은 것만을 [보기]에서 있는 대로 고른 것은?

[보기]

ㄱ. P_1, T_1에서 승화가 일어난다.

ㄴ. P_2, T_2에서 증발 속도가 응축 속도보다 빠르다.

ㄷ. P_2보다 압력이 높아지면 A는 T_2보다 높은 온도에서 끓는다.

① ㄱ ② ㄴ ③ ㄱ, ㄷ ④ ㄴ, ㄷ ⑤ ㄱ, ㄴ, ㄷ

03 그림 (가)는 1기압에서 일정량의 얼음을 가열할 때 가해 준 열량에 따른 온도를 나타낸 것이고, (나)는 물의 상평형 그림이다.

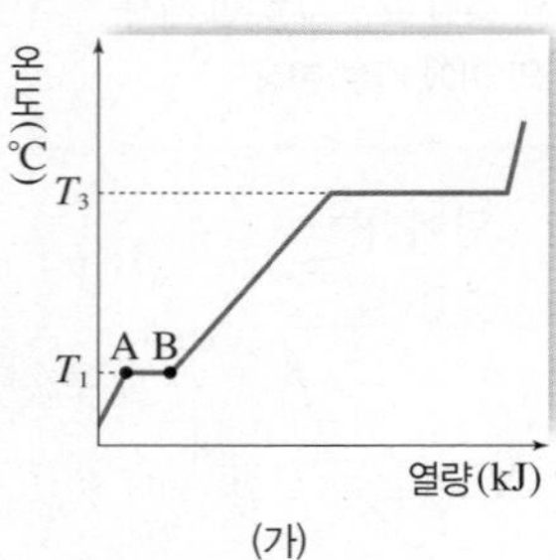

(가)

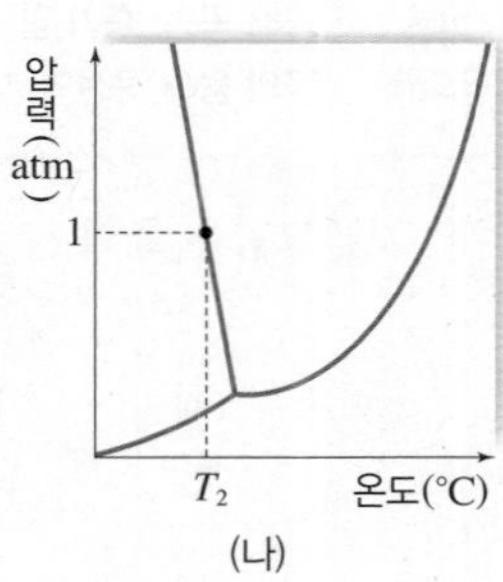

(나)

이에 대한 설명으로 옳은 것만을 [보기]에서 있는 대로 고른 것은?

[보기]

ㄱ. $T_1 < T_2$이다.

ㄴ. 밀도는 A에서가 B에서보다 크다.

ㄷ. $(T_3 - T_1)$은 2기압에서가 1기압에서보다 크다.

① ㄱ ② ㄷ ③ ㄱ, ㄴ ④ ㄴ, ㄷ ⑤ ㄱ, ㄴ, ㄷ

중요 **04** 그림 (가)는 온도 T_1에서 일정량의 $H_2O(g)$에 압력을 가했을 때 부피 변화를 나타낸 것이고, (나)는 물의 상평형 그림이다.

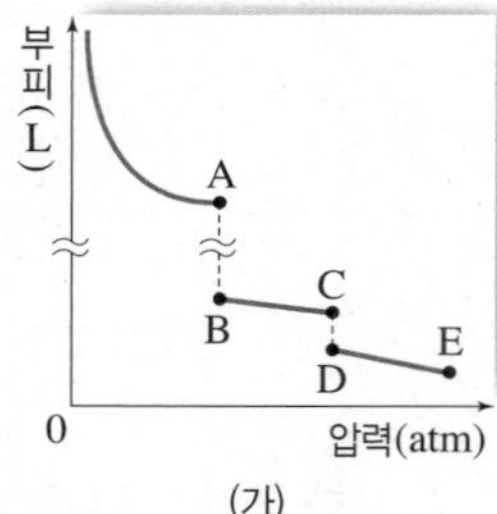

(가)

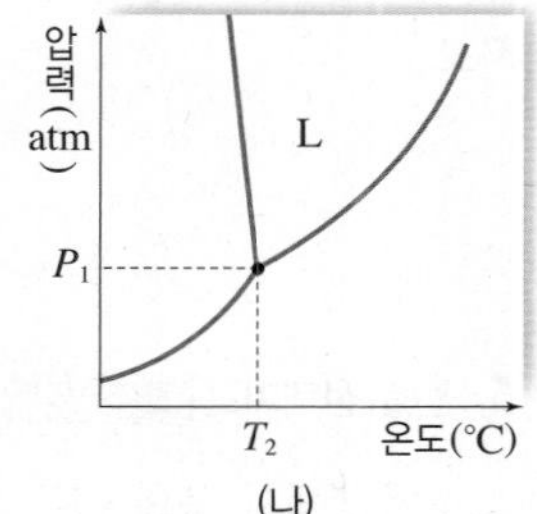

(나)

이에 대한 설명으로 옳은 것만을 [보기]에서 있는 대로 고른 것은?

[보기]

ㄱ. (가)의 온도 T_1은 T_2보다 높다.

ㄴ. (가)에서 A → B로 될 때의 압력은 P_1보다 낮다.

ㄷ. (가)의 DE에 해당하는 상태는 (나)의 L 영역에 속한다.

① ㄱ ② ㄴ ③ ㄱ, ㄷ ④ ㄴ, ㄷ ⑤ ㄱ, ㄴ, ㄷ

05 그림은 분자성 물질 (가)와 (나)의 상평형 그림이다.

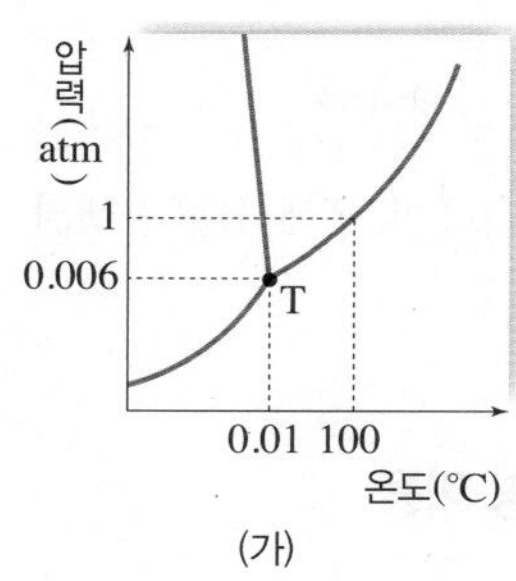

(가)

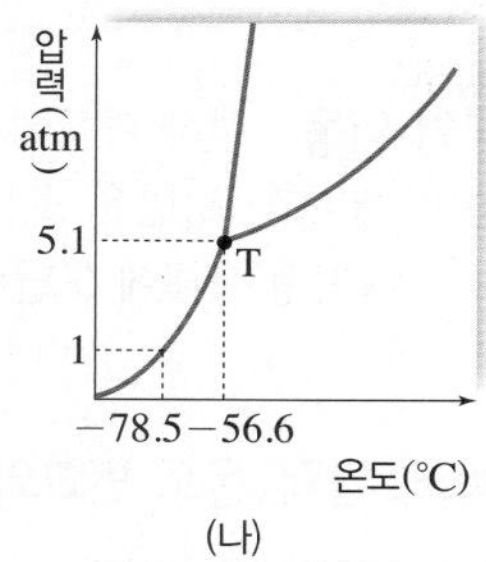

(나)

물질 (가)와 (나)의 공통점으로 옳은 것은?

① 분자 간의 평균 거리는 고체>액체이다.
② 1기압에서 승화가 일어난다.
③ 25 ℃, 1기압에서 액체 상태로 존재한다.
④ 압력이 높을수록 녹는점이 높아진다.
⑤ 압력이 높을수록 끓는점과 녹는점 차가 커진다.

중요 **06** 그림 (가)는 고정 장치가 있는 진공인 실린더에 물질 $X(l)$를 넣은 후 압력 P_1, 온도 T_1에서 액체와 기체가 평형을 이루고 있는 것을 나타낸 것이고, (나)는 이 물질의 상평형 그림이다. 대기압은 1기압이다.

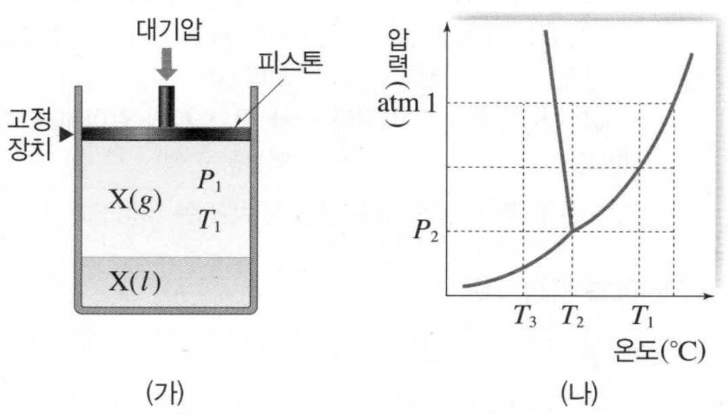

(가) (나)

이에 대한 설명으로 옳은 것만을 [보기]에서 있는 대로 고른 것은? (단, 피스톤의 질량과 마찰은 무시한다.)

보기
ㄱ. T_1일 때 액체의 증기 압력은 P_1이다.
ㄴ. (가)에서 고정 장치를 제거하면 실린더 내부 부피는 감소한다.
ㄷ. (가)에서 온도를 T_3으로 낮추어 새로운 평형이 되면 실린더 내부의 압력은 P_2보다 커진다.

① ㄱ ② ㄷ ③ ㄱ, ㄴ
④ ㄱ, ㄷ ⑤ ㄴ, ㄷ

[07~08] 그림은 물의 상평형 그림이다.

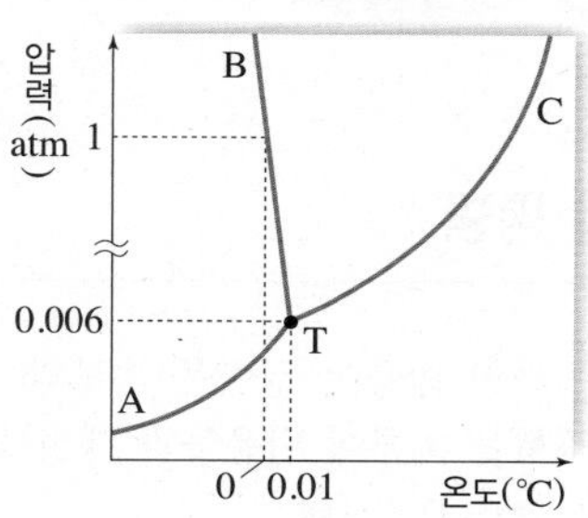

중요 **07** 다음 현상과 관련된 곡선을 골라 옳게 짝 지은 것은?

(가) 압력솥에서 밥을 하면 쌀이 빨리 익는다.
(나) 동결 건조 방법을 이용하여 우주 식품을 만든다.
(다) 스케이트를 탈 때 스케이트 날이 닿는 부분의 얼음이 더 잘 녹는다.

	(가)	(나)	(다)
①	AT	BT	CT
②	AT	CT	BT
③	BT	AT	CT
④	CT	AT	BT
⑤	CT	BT	AT

서술형
08 다음은 동결 건조 식품에 대한 설명이다.

동결 건조는 식품의 맛과 향을 보존하고, 편리한 운반을 위해 이용하는 수분 제거 방법으로 동결, 승화의 단계로 이루어진다.

상평형 그림을 이용하여 동결 건조 방법을 서술하시오. (단, 필요한 온도와 압력 조건을 포함하여 서술하시오.)

01 화학 평형

1. 화학 평형 가역 반응이 정반응 속도와 역반응 속도가 같은 동적 평형을 이루어 반응물과 생성물의 (❶) 가 일정하게 유지되는 상태

① 반응 조건이 같은 경우 반응물에서 시작하거나 생성물에서 시작하거나 동일한 화학 평형에 도달한다.

예 $2NO_2(g) \rightleftharpoons N_2O_4(g)$

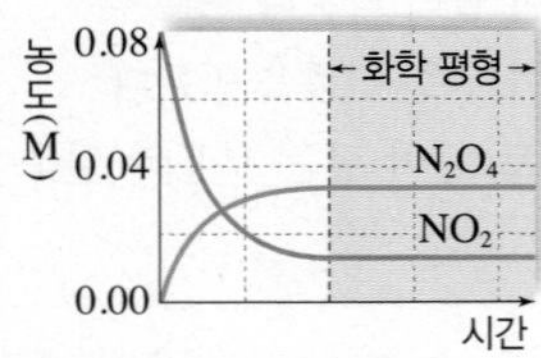

⊙ 반응물 NO_2만 넣었을 때

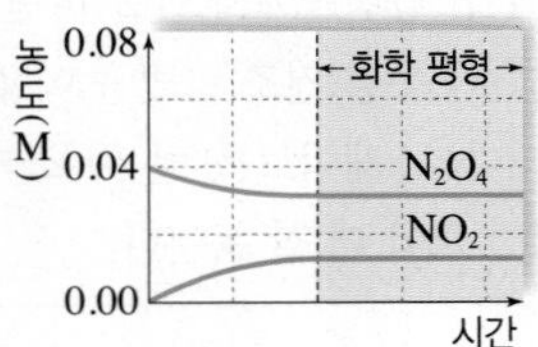

⊙ 생성물 N_2O_4만 넣었을 때

② 화학 반응식의 계수비는 화학 평형에 도달할 때까지 반응한 물질의 몰비이다. ➡ 평형 농도와는 관계가 없다.

2. 평형 상수

평형 상수 (K)	반응물의 농도 곱에 대한 생성물의 농도 곱의 비 $aA+bB \rightleftharpoons cC+dD \quad K=($❷ $)$ ([A], [B], [C], [D]: 평형 상태에서 각 물질의 농도)		
	• 일반적으로 단위를 표시하지 않는다. • (❸)가 일정하면 농도에 관계없이 항상 일정한 값을 갖는다. • 순수한 고체, 액체, 용매는 평형 상수식에 나타내지 않는다. • 기체 사이의 반응인 경우 평형 상태에서의 부분 압력을 이용하여 평형 상수를 나타내기도 한다.		
평형 상수의 의미	K가 1보다 매우 클 때	K가 1보다 매우 작을 때	
	반응물의 평형 농도 < 생성물의 평형 농도 ➡ (❹)이 우세하게 일어나 평형에 도달	반응물의 평형 농도 > 생성물의 평형 농도 ➡ (❺)이 우세하게 일어나 평형에 도달	
평형 상수(K)와 반응 지수(Q)	• 반응 지수(Q)는 평형 상수를 구하는 식에 반응물과 생성물의 현재 농도를 대입하여 계산한 값이다. • 반응 지수(Q)와 평형 상수(K)를 비교하여 반응의 진행 방향을 예측할 수 있다.		
	$Q<K$	$Q=K$	$Q>K$
	(❻) 쪽으로 반응이 진행된다.	평형 상태	(❼) 쪽으로 반응이 진행된다.

02 화학 평형 이동

1. 평형 이동 화학 평형에서 농도, 압력, 온도가 달라져 평형이 깨지고, 정반응 또는 역반응이 우세하게 진행된 뒤 새로운 평형 상태에 도달하는 것

2. 농도, 압력, 온도 변화와 평형 이동

(1) 농도 변화와 평형 이동

	반응물이나 생성물의 농도 증가	반응물이나 생성물의 농도 감소
평형 이동	증가한 물질의 농도가 (❽)하는 방향으로 평형 이동	감소한 물질의 농도가 (❾)하는 방향으로 평형 이동
예	$H_2(g)+I_2(g) \rightleftharpoons 2HI(g) \quad K=\frac{[HI]^2}{[H_2][I_2]}$	
	반응물인 H_2 첨가	반응물인 H_2 제거
	농도 / [HI] 증가 / [H_2] 감소 / [I_2] 감소 / H_2 첨가 / 정반응 / 시간	농도 / [HI] 감소 / [H_2] / [I_2] 증가 / H_2 제거 / 역반응 / 시간
	• H_2의 농도가 감소하는 정반응 쪽으로 평형 이동 • 반응 지수(Q)가 평형 상수(K)보다 (❿)진다. ➡ Q가 K와 같아지기 위해 정반응 진행	• H_2의 농도가 증가하는 역반응 쪽으로 평형 이동 • 반응 지수(Q)가 평형 상수(K)보다 (⓫)진다. ➡ Q가 K와 같아지기 위해 역반응 진행
K	농도가 변해 평형이 이동해도 평형 상수(K)는 일정하다.	

(2) 압력 변화와 평형 이동

	압력 감소	압력 증가	
평형 이동	압력이 증가하는 방향, 즉 기체의 양(mol)이 (⓬)하는 방향으로 평형 이동	압력이 감소하는 방향, 즉 기체의 양(mol)이 (⓭)하는 방향으로 평형 이동	
예 ①	$2NO_2(g) \rightleftharpoons N_2O_4(g)$ 적갈색 무색 N_2O_4 / NO_2 / 압력 높임 / 부피 감소 / 기체의 양(mol) 감소		
	처음 평형 상태 ➡ NO_2, N_2O_4 농도가 일정	압력을 가한 직후 ➡ 기체의 농도가 커져 색이 진해짐	새로운 평형 상태 ➡ 정반응 쪽으로 평형 이동

예 ②	$N_2(g)+3H_2(g) \rightleftharpoons 2NH_3(g)$ $K=\frac{[NH_3]^2}{[N_2][H_2]^3}$ 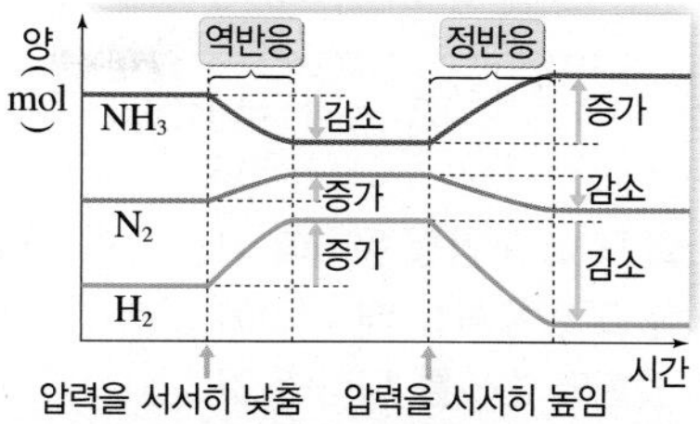	
	압력 낮춤	압력 높임
	기체의 양(mol)(분자 수)이 증가하는 역반응 쪽으로 평형 이동	기체의 양(mol)(분자 수)이 감소하는 정반응 쪽으로 평형 이동
	압력을 낮추어 부피 2배 ⇨ 물질의 농도는 각각 처음 평형 농도의 $\frac{1}{2}$배 ⇨ $Q=4K$ ➡ $Q>K$이므로 역반응 쪽으로 평형 이동	압력을 가해 부피 $\frac{1}{2}$배 ⇨ 물질의 농도는 각각 처음 평형 농도의 2배 ⇨ $Q=($⓮ $)K$ ➡ $Q<K$이므로 정반응 쪽으로 평형 이동
K	압력이 변해 평형이 이동해도 평형 상수(K)는 일정하다.	

(3) 온도 변화와 평형 이동

	온도 높임	온도 낮춤
평형 이동	온도가 낮아지는 방향, 즉 (⓯) 반응 쪽으로 평형 이동	온도가 높아지는 방향, 즉 (⓰) 반응 쪽으로 평형 이동
예	$2NO_2(g) \rightleftharpoons N_2O_4(g)$, $\Delta H<0$ 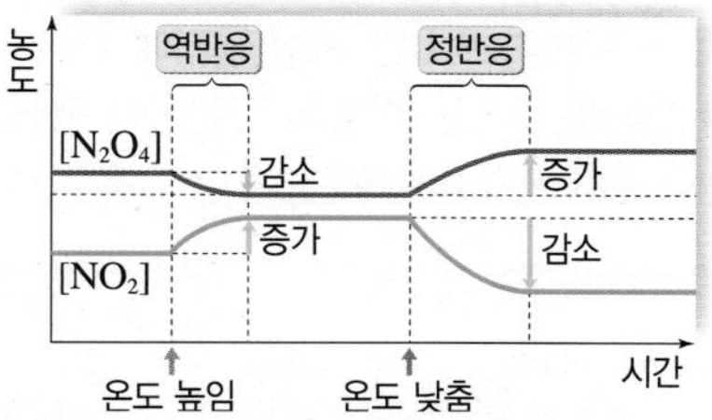	
	온도를 높이면 흡열 반응인 역반응 쪽으로 평형 이동 ➡ 반응물인 $[NO_2]$ 증가, 생성물인 $[N_2O_4]$ 감소 ➡ 평형 상수(K) 감소	온도를 낮추면 발열 반응인 정반응 쪽으로 평형 이동 ➡ 반응물인 $[NO_2]$ 감소, 생성물인 $[N_2O_4]$ 증가 ➡ 평형 상수(K) 증가
K	평형 상수는 온도에 의해서만 변한다. 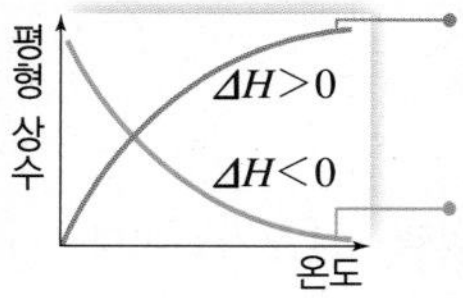 흡열 반응: 온도가 높을수록 평형 상수가 (⓱)진다. 발열 반응: 온도가 높을수록 평형 상수가 (⓲)진다.	

(4) (⓳) 원리: 화학 반응이 평형 상태에 있을 때 농도, 압력, 온도의 조건을 변화시키면 각 조건의 변화를 줄이는 방향으로 평형이 이동하여 새로운 평형에 도달한다.

3. 평형 이동과 수득률

평형을 (⓴) 쪽으로 이동시키면 생성물의 수득률을 높일 수 있다.

예 $N_2(g)+3H_2(g) \rightleftharpoons 2NH_3(g)$, $\Delta H<0$

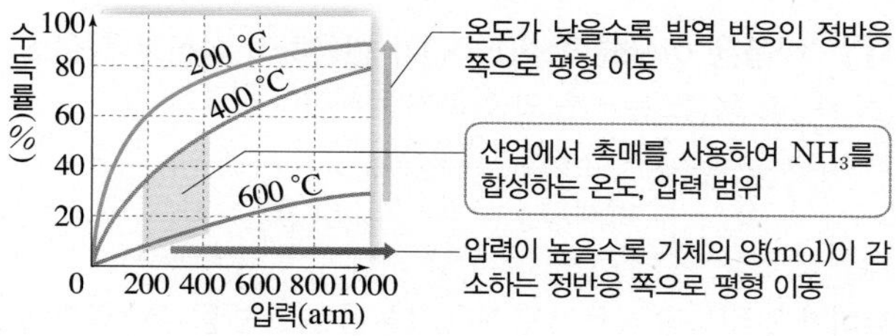

03 상평형

1. 상평형 그림

(1) 상평형 그림: 물질의 상태 사이의 평형을 온도와 압력에 따라 나타낸 그림

구분	평형을 이루는 상
융해 곡선	고체, 액체
증기 압력 곡선	액체, 기체
승화 곡선	고체, 기체
(㉑)	고체, 액체, 기체

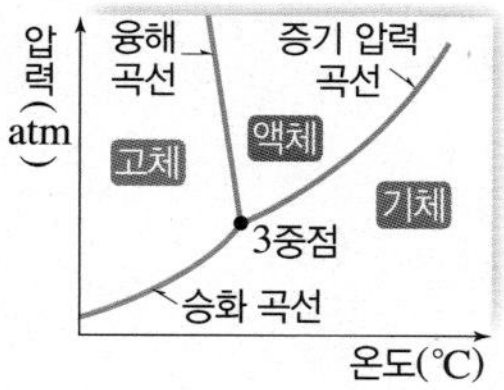

(2) 물과 이산화 탄소의 상평형 그림 비교

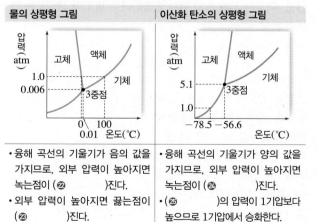

물의 상평형 그림	이산화 탄소의 상평형 그림
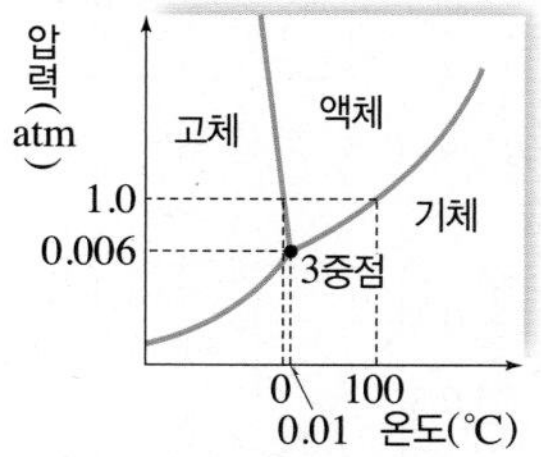	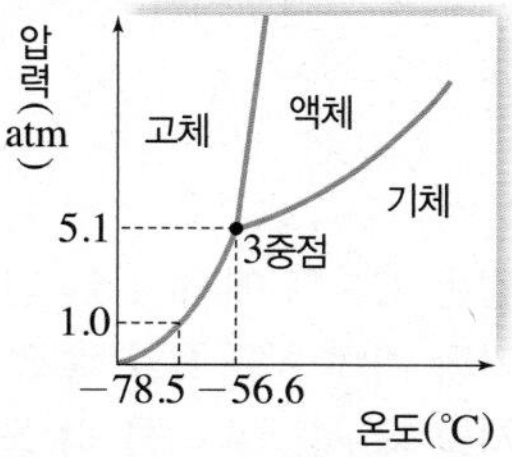
• 융해 곡선의 기울기가 음의 값을 가지므로, 외부 압력이 높아지면 녹는점이 (㉒)진다. • 외부 압력이 높아지면 끓는점이 (㉓)진다.	• 융해 곡선의 기울기가 양의 값을 가지므로, 외부 압력이 높아지면 녹는점이 (㉔)진다. • (㉕)의 압력이 1기압보다 높으므로 1기압에서 승화한다.

(3) 상평형 그림과 물질의 상태 변화 예

증기 압력 곡선	• 높은 산에서는 압력이 낮으므로 물이 100 °C보다 낮은 온도에서 끓어 쌀이 설익는다. • 압력솥에서는 밥이 빨리 된다.
(㉖) 곡선	식품을 급속 냉동한 뒤 3중점보다 낮은 압력으로 낮추어 식품 속의 얼음을 승화시켜 동결 건조 식품을 만든다.

중단원

마무리 문제

난이도 ●●●

●○○

01 다음은 이산화 질소(NO_2)가 반응하여 사산화 이질소(N_2O_4)가 생성되는 반응의 화학 반응식이다.

$$2NO_2(g) \rightleftharpoons N_2O_4(g)$$

부피가 2 L인 강철 용기에 NO_2 1몰을 넣고 반응시켜 평형에 도달했을 때, 이에 대한 설명으로 옳은 것만을 [보기]에서 있는 대로 고른 것은?

[보기]
ㄱ. NO_2와 N_2O_4의 농도비는 2 : 1이다.
ㄴ. N_2O_4의 생성 속도와 분해 속도는 같다.
ㄷ. 용기 속 기체의 전체 압력은 일정하게 유지된다.

① ㄱ ② ㄴ ③ ㄱ, ㄷ
④ ㄴ, ㄷ ⑤ ㄱ, ㄴ, ㄷ

●○○

02 다음은 기체 A와 B가 반응하여 기체 C가 생성되는 반응의 화학 반응식이다.

$$aA(g) + bB(g) \rightleftharpoons cC(g) \ (a,\ b,\ c\text{: 반응 계수})$$

그림은 25 °C에서 1 L 강철 용기에 기체 A와 B를 넣고 반응시킬 때 시간에 따른 각 물질의 농도를 나타낸 것이다.
이에 대한 설명으로 옳은 것만을 [보기]에서 있는 대로 고른 것은?

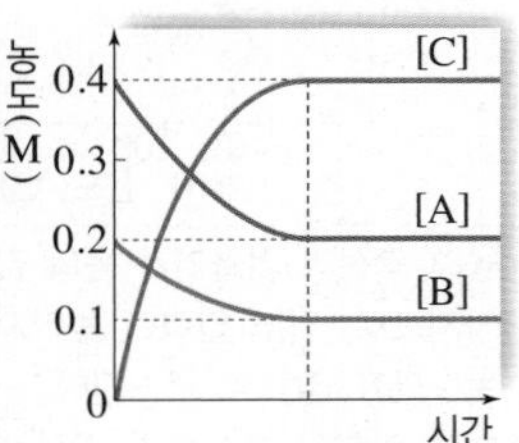

[보기]
ㄱ. $a+b+c=7$이다.
ㄴ. 평형 상수(K)는 64이다.
ㄷ. 25 °C에서 1 L 강철 용기에 A, B, C를 각각 1몰씩 넣으면 역반응이 진행된 후 평형에 도달한다.

① ㄱ ② ㄴ ③ ㄱ, ㄴ
④ ㄱ, ㄷ ⑤ ㄱ, ㄴ, ㄷ

●○○

03 다음은 기체 A가 반응하여 기체 B가 생성되는 반응의 화학 반응식이다.

$$A(g) \rightleftharpoons B(g)$$

그림은 25 °C에서 강철 용기에 기체 A를 넣고 반응시킬 때 시간에 따른 각 물질의 농도를 나타낸 것이다.
이에 대한 설명으로 옳은 것만을 [보기]에서 있는 대로 고른 것은?

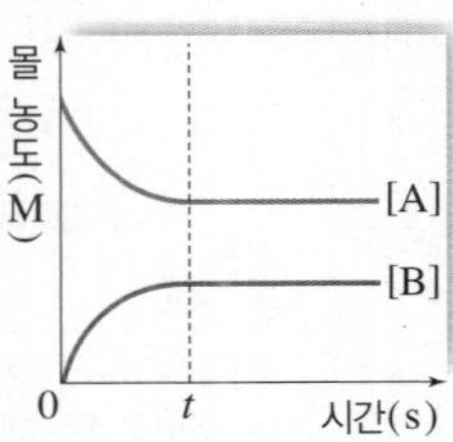

[보기]
ㄱ. 반응 시간 0~t까지 $\dfrac{\text{정반응 속도}}{\text{역반응 속도}}>1$이다.
ㄴ. 반응 시간 t 이후에는 반응이 일어나지 않는다.
ㄷ. 25 °C에서 평형 상수(K)는 1보다 크다.

① ㄱ ② ㄴ ③ ㄷ ④ ㄱ, ㄷ ⑤ ㄴ, ㄷ

●●○

04 다음은 오염화 인(PCl_5) 분해 반응의 화학 반응식이다.

$$PCl_5(g) \rightleftharpoons PCl_3(g) + Cl_2(g)$$

그림 (가)는 부피가 8 L인 강철 용기에 PCl_5 x몰을 넣은 반응 초기 상태를, (나)는 반응이 진행되어 평형에 도달한 상태를 나타낸 것이다. (나)에서 Cl_2의 몰 분율은 0.4이다.

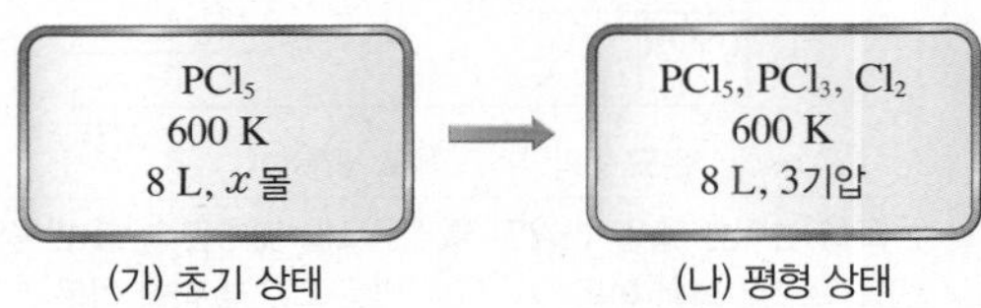

이에 대한 설명으로 옳은 것만을 [보기]에서 있는 대로 고른 것은? (단, 모든 기체는 이상 기체이며, 기체 상수(R)는 0.08 atm·L/(mol·K)이고, K는 농도로 정의되는 평형 상수이다.)

[보기]
ㄱ. (가)에서 x는 0.5이다.
ㄴ. (나)에서 PCl_3의 부분 압력은 1.2기압이다.
ㄷ. 600 K에서 이 반응의 평형 상수(K)는 $\dfrac{1}{20}$이다.

① ㄱ ② ㄷ ③ ㄱ, ㄴ
④ ㄴ, ㄷ ⑤ ㄱ, ㄴ, ㄷ

정답친해 83쪽

●●○

05 다음은 이산화 질소(NO_2)가 반응하여 사산화 이질소(N_2O_4)가 생성되는 반응의 열화학 반응식이다.

$$2NO_2(g) \rightleftharpoons N_2O_4(g) \quad \Delta H < 0$$

그림은 25 °C에서 두 기체가 실린더 속에서 평형을 이루고 있는 상태를 각각 나타낸 것이다. (가)의 피스톤은 고정 장치로 고정되어 있으며 (가)와 (나)의 부피는 같다.

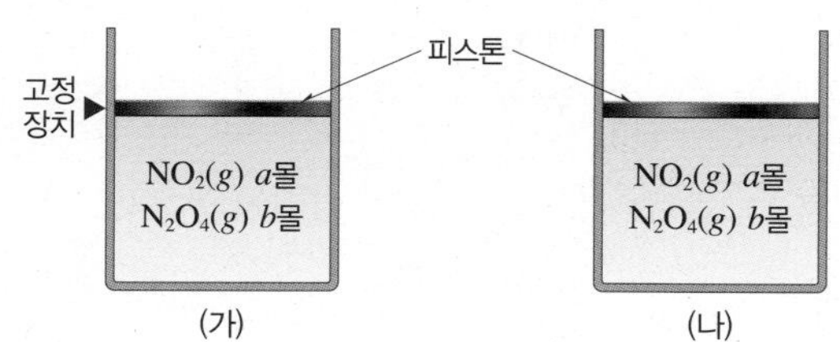

이에 대한 설명으로 옳은 것만을 [보기]에서 있는 대로 고른 것은? (단, 대기압은 1기압으로 일정하고, 피스톤의 질량과 마찰은 무시한다.)

[보기]

ㄱ. (가)에서 고정 장치를 제거하면 평형은 정반응 쪽으로 이동한다.

ㄴ. (가)와 (나)에 헬륨(He)을 넣었을 때 (가)와 (나)의 반응 지수(Q)는 같다.

ㄷ. (나)에서 온도를 높이면 $[N_2O_4]$는 감소한다.

① ㄱ ② ㄷ ③ ㄱ, ㄴ
④ ㄴ, ㄷ ⑤ ㄱ, ㄴ, ㄷ

●○○

06 일정한 온도의 강철 용기 속에서 $N_2(g) + 3H_2(g) \rightleftharpoons 2NH_3(g)$ 반응이 평형에 도달했을 때, (가)와 (나)에서 반응 조건을 변화시켰더니 그림과 같이 농도가 변하여 새로운 평형에 도달하였다.

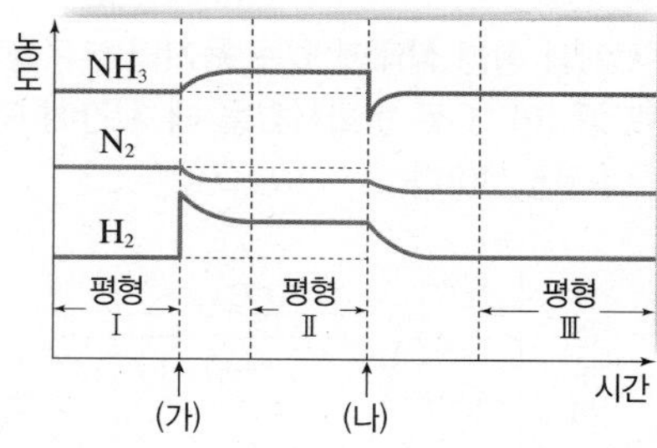

이에 대한 설명으로 옳은 것만을 [보기]에서 있는 대로 고른 것은?

[보기]

ㄱ. (가)에서는 NH_3를 첨가하였다.

ㄴ. (나)에 의해 평형은 정반응 쪽으로 이동한다.

ㄷ. 평형 상태 Ⅰ, Ⅱ, Ⅲ에서 평형 상수는 모두 같다.

① ㄱ ② ㄴ ③ ㄷ
④ ㄱ, ㄴ ⑤ ㄴ, ㄷ

●○○

07 다음은 삼산화 황(SO_3)이 반응하여 이산화 황(SO_2)과 산소(O_2)가 생성되는 반응의 열화학 반응식이다.

$$2SO_3(g) \rightleftharpoons 2SO_2(g) + O_2(g), \ \Delta H > 0$$

그림은 T °C에서 부피가 1 L인 강철 용기에 SO_3 5몰을 넣고 반응시킬 때 시간에 따른 SO_2의 농도를 나타낸 것이다.

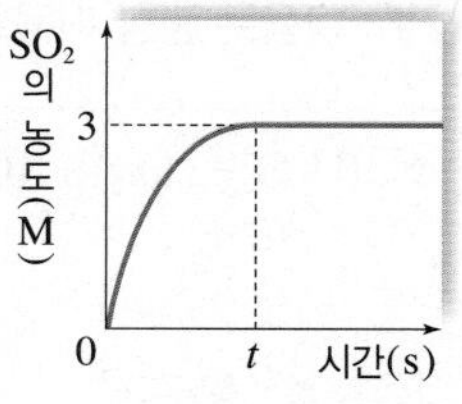

이에 대한 설명으로 옳은 것만을 [보기]에서 있는 대로 고른 것은?

[보기]

ㄱ. t초일 때 $[SO_3]$는 2 M이다.

ㄴ. T °C에서 이 반응의 평형 상수(K)는 $\frac{27}{8}$이다.

ㄷ. 온도를 $2T$ °C로 유지하면 SO_3의 몰 분율이 증가한다.

① ㄱ ② ㄷ ③ ㄱ, ㄴ
④ ㄴ, ㄷ ⑤ ㄱ, ㄴ, ㄷ

●●○

08 다음은 기체 X가 분해하여 기체 Y와 Z가 생성되는 반응의 화학 반응식이다.

$$aX(g) \rightleftharpoons bY(g) + cZ(g)$$ (a, b, c: 반응 계수)

그림은 25 °C에서 평형 상태에 있는 용기의 부피를 일정하게 유지하며 온도를 50 °C로 변화시켰을 때 시간에 따른 각 물질의 농도를 나타낸 것이다.

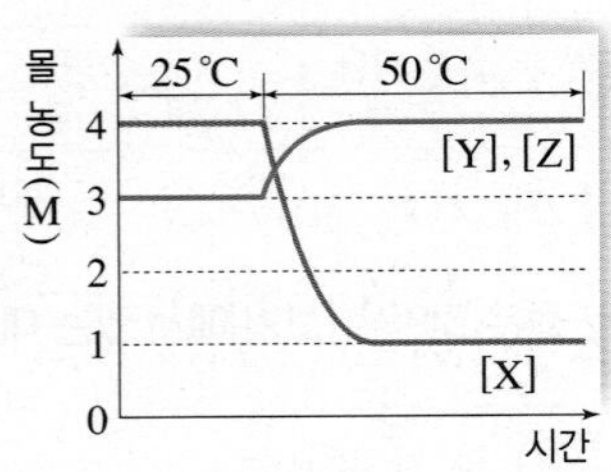

이에 대한 설명으로 옳은 것만을 [보기]에서 있는 대로 고른 것은?

〔보기〕
ㄱ. $a+b+c=3$이다.
ㄴ. 50 °C에서 평형 상수는 16이다.
ㄷ. X의 분해 반응은 발열 반응이다.

① ㄱ ② ㄴ ③ ㄷ
④ ㄱ, ㄴ ⑤ ㄴ, ㄷ

●●○

09 다음은 평형 이동을 알아보기 위한 실험이다.

$Co(H_2O)_6^{2+}(aq) + 4Cl^-(aq) \rightleftharpoons$ (붉은색) $CoCl_4^{2-}(aq) + 6H_2O(l)$, ΔH (파란색)

[실험 과정 및 결과]
(가) 시험관에 염화 코발트(Ⅱ)($CoCl_2$) 수용액 4 mL를 넣고 수용액의 색이 변할 때까지 염산($HCl(aq)$)을 한 방울씩 넣었다.
(나) (가)의 시험관을 얼음물에 넣었더니 수용액이 붉은색을 띠었다.
(다) (나)의 시험관을 더운물에 넣었더니 수용액이 파란색을 띠었다.

이에 대한 설명으로 옳은 것만을 [보기]에서 있는 대로 고른 것은?

〔보기〕
ㄱ. $\Delta H > 0$이다.
ㄴ. (나)의 수용액에 $NaCl(aq)$을 소량 넣으면 붉은색이 진해진다.
ㄷ. (다)의 수용액에 물을 넣으면 역반응이 우세하게 일어난다.

① ㄱ ② ㄴ ③ ㄱ, ㄷ
④ ㄴ, ㄷ ⑤ ㄱ, ㄴ, ㄷ

●●○

10 다음은 기체 X로부터 기체 Y가 생성되는 반응의 열화학 반응식이다.

$$aX(g) \rightleftharpoons bY(g),\ \Delta H < 0$$ (a, b: 반응 계수)

그림은 강철 용기에 들어 있는 X와 Y 혼합 기체의 전체 압력과 어느 한 기체의 부분 압력 (가)를 시간에 따라 나타낸 것이다.

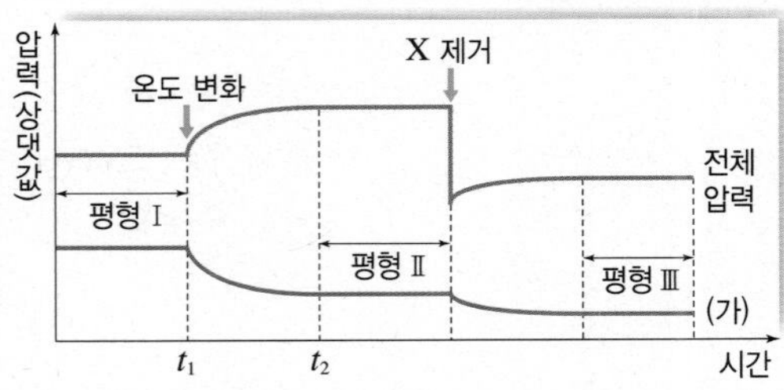

이에 대한 설명으로 옳은 것만을 [보기]에서 있는 대로 고른 것은? (단, t_2 이후 온도는 변하지 않는다.)

〔보기〕
ㄱ. (가)는 Y의 부분 압력이다.
ㄴ. $t_1 \sim t_2$에서 정반응이 우세하게 일어난다.
ㄷ. 평형 상수는 평형 Ⅲ에서가 평형 Ⅰ에서보다 크다.

① ㄱ ② ㄷ ③ ㄱ, ㄴ
④ ㄴ, ㄷ ⑤ ㄱ, ㄴ, ㄷ

11 다음은 기체 A와 B가 반응하여 기체 C가 생성되는 반응의 열화학 반응식이다.

$$A(g)+B(g) \rightleftharpoons C(g),\ \Delta H=?$$

그림 (가)는 온도가 T K이고 부피가 1 L인 강철 용기에서 이 반응이 평형에 도달한 상태를, (나)는 (가)에 B 0.2몰을 추가하여 새로운 평형에 도달한 상태를, (다)는 (나)의 온도를 낮추어 새로운 평형에 도달한 상태를 나타낸 것이다.

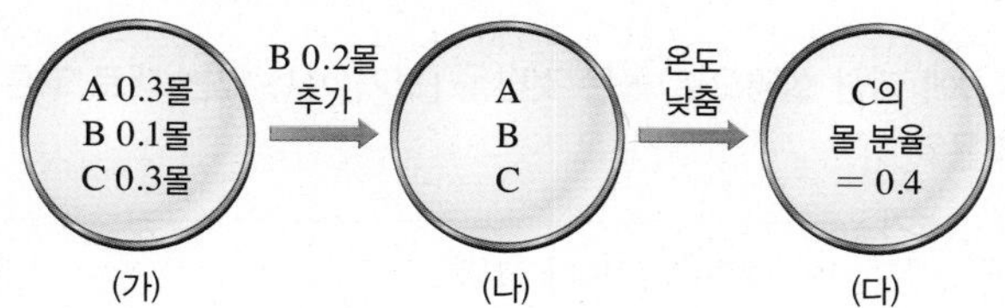

이에 대한 설명으로 옳은 것만을 [보기]에서 있는 대로 고른 것은?

[보기]
ㄱ. (나)에서 평형 상수(K)는 10이다.
ㄴ. $\dfrac{\text{(나)에서 B의 몰 분율}}{\text{(가)에서 B의 몰 분율}}=\dfrac{7}{4}$이다.
ㄷ. $\Delta H>0$이다.

① ㄱ ② ㄷ ③ ㄱ, ㄴ
④ ㄴ, ㄷ ⑤ ㄱ, ㄴ, ㄷ

12 다음은 기체 A와 B가 반응하여 기체 C와 D가 생성되는 반응의 열화학 반응식이다.

$$aA(g)+bB(g) \rightleftharpoons cC(g)+dD(g),\ \Delta H=?$$
(a~d: 반응 계수)

표는 A(g)와 B(g) 1몰씩을 서로 다른 조건에서 반응시켜 평형에 도달했을 때 C(g)의 평형 농도이다.

온도(K)	300	300	400
반응 용기의 부피(L)	1	2	1
C의 평형 농도(M)	0.50	0.31	0.40

이에 대한 설명으로 옳은 것만을 [보기]에서 있는 대로 고른 것은?

[보기]
ㄱ. $a+b<c+d$이다.
ㄴ. $\Delta H<0$이다.
ㄷ. 온도가 높을수록 평형 상수(K)는 커진다.

① ㄱ ② ㄷ ③ ㄱ, ㄴ
④ ㄴ, ㄷ ⑤ ㄱ, ㄴ, ㄷ

13 그림은 $aA(g)+bB(g) \rightleftharpoons cC(g)$ 반응이 평형 상태에 있을 때 온도에 따른 평형 상수의 변화와 압력에 따른 생성물 C의 수득률 변화를 나타낸 것이다.

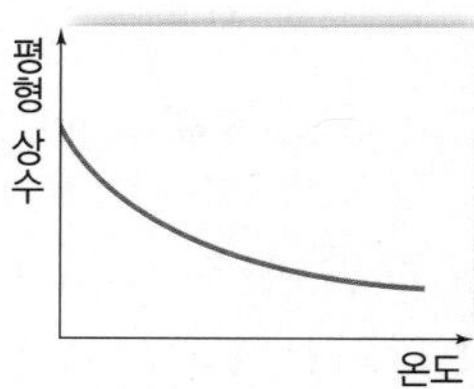

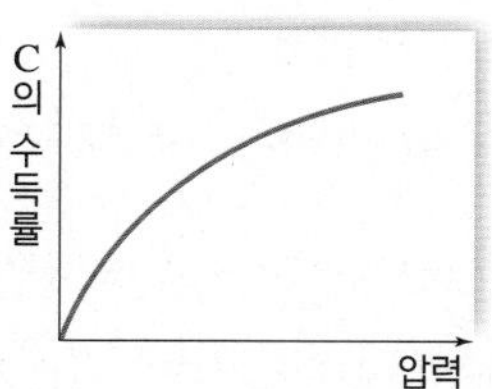

이에 대한 설명으로 옳은 것만을 [보기]에서 있는 대로 고른 것은?

[보기]
ㄱ. 정반응이 일어나면 주위의 온도가 높아진다.
ㄴ. 온도가 낮아지면 평형은 정반응 쪽으로 이동한다.
ㄷ. 압력이 높아지면 평형은 역반응 쪽으로 이동한다.

① ㄱ ② ㄷ ③ ㄱ, ㄴ
④ ㄱ, ㄷ ⑤ ㄱ, ㄴ, ㄷ

14 다음은 기체 A와 B가 반응하여 기체 C가 생성되는 반응의 열화학 반응식이다.

$$A(g)+B(g) \rightleftharpoons cC(g),\ \Delta H=?\ (c\text{: 반응 계수})$$

강철 용기에 A와 B를 각각 1몰씩 넣고 반응시킬 때 그림 (가)는 일정한 압력에서 온도에 따른 평형에서의 반응물과 생성물의 몰 분율을, (나)는 일정한 온도에서 압력에 따른 평형에서의 생성물의 몰 분율을 나타낸 것이다.

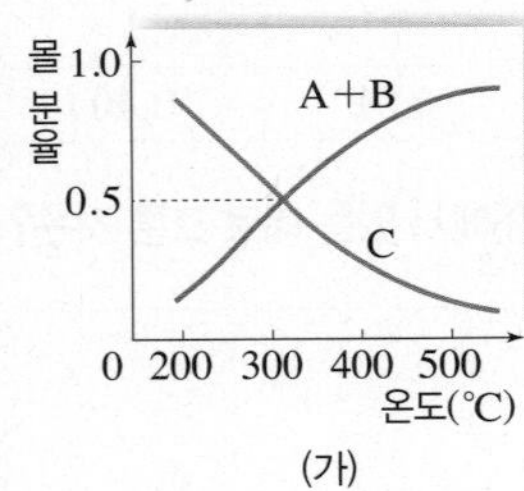

(가)

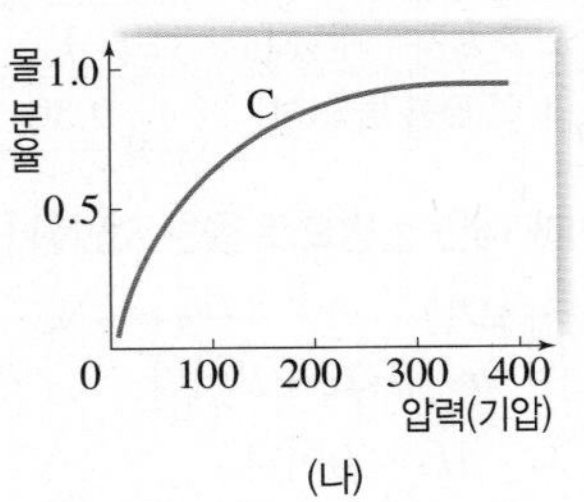

(나)

이에 대한 설명으로 옳은 것만을 [보기]에서 있는 대로 고른 것은?

[보기]
ㄱ. c는 2보다 크다.
ㄴ. 정반응은 발열 반응이다.
ㄷ. C의 몰 분율이 0.5일 때 반응 용기에 들어 있는 A와 B의 양(mol)은 같다.

① ㄱ ② ㄴ ③ ㄱ, ㄷ
④ ㄴ, ㄷ ⑤ ㄱ, ㄴ, ㄷ

15 그림 (가)는 분자성 물질 X의 상평형 그림을, (나)는 강철 용기에서 물질 X가 평형을 이루고 있는 것을 나타낸 것이다.

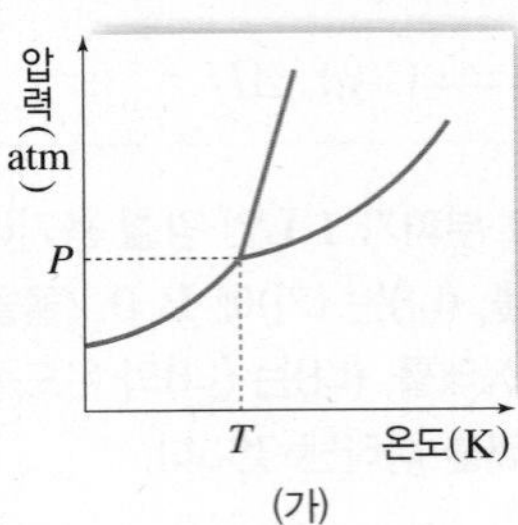

(가)

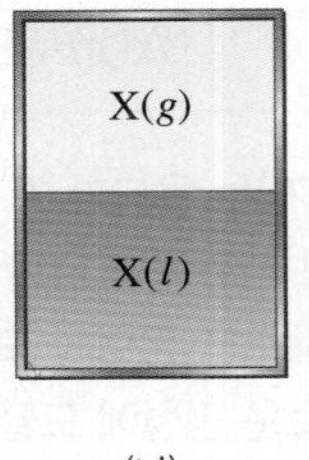

(나)

(나)에 대한 설명으로 옳은 것만을 [보기]에서 있는 대로 고른 것은?

[보기]
ㄱ. X(g)의 압력은 P보다 크다.
ㄴ. 온도는 T보다 높다.
ㄷ. 온도를 T보다 낮게 유지하면 X(s)만 존재한다.

① ㄱ ② ㄷ ③ ㄱ, ㄴ
④ ㄴ, ㄷ ⑤ ㄱ, ㄴ, ㄷ

16 그림 (가)는 1기압에서 −20 °C의 얼음을 일정한 열량으로 가열할 때 시간에 따른 온도 변화를, (나)는 물의 상평형 그림을 나타낸 것이다.

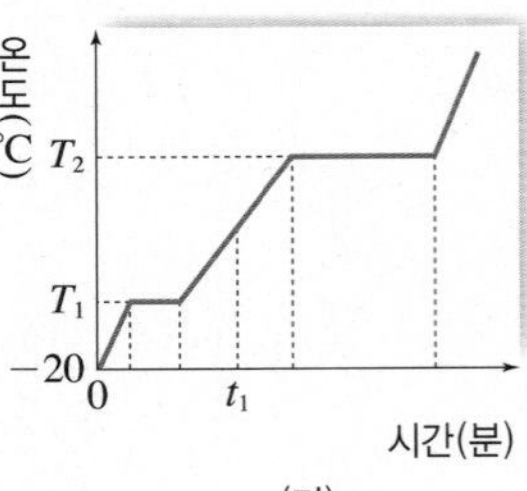

(가)

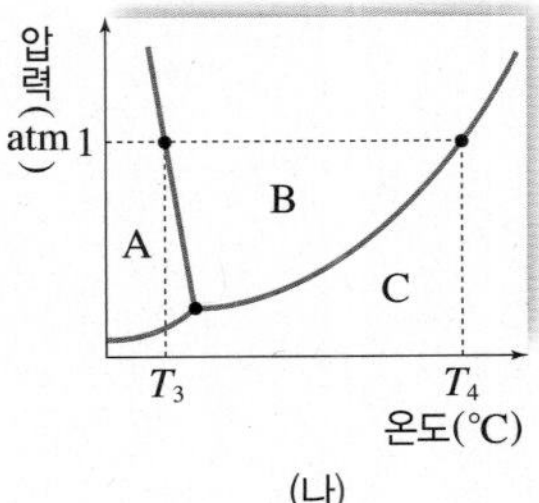

(나)

이에 대한 설명으로 옳은 것만을 [보기]에서 있는 대로 고른 것은?

[보기]
ㄱ. $(T_2-T_1)=(T_4-T_3)$이다.
ㄴ. 가열 시간 t_1일 때 물의 상태는 B 영역에 속한다.
ㄷ. 1.5기압에서 가열하면 T_1과 T_2가 모두 높아진다.

① ㄱ ② ㄷ ③ ㄱ, ㄴ
④ ㄴ, ㄷ ⑤ ㄱ, ㄴ, ㄷ

17 그림은 물질 X의 상평형 그림의 일부를 나타낸 것이다. A~C는 각각 X의 고체, 액체, 기체 상태 중 하나이다. X에 대한 설명으로 옳은 것만을 [보기]에서 있는 대로 고른 것은?

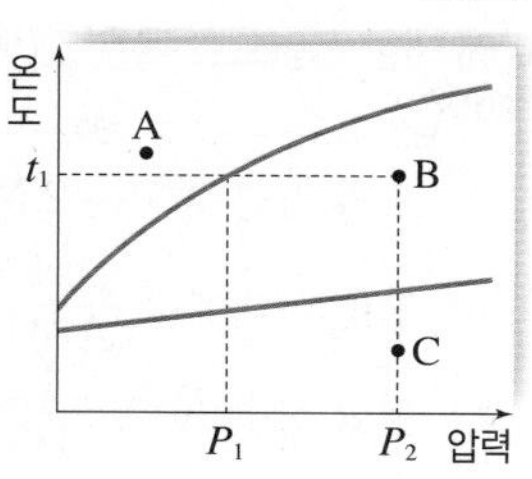

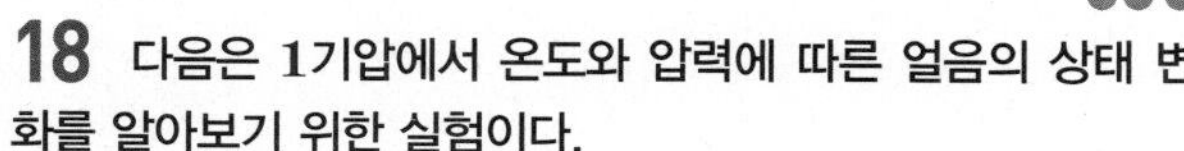

[보기]
ㄱ. 밀도는 고체<액체이다.
ㄴ. 외부 압력이 P_1일 때 끓는점은 t_1이다.
ㄷ. P_2에서 C에서 B로 상태가 변할 때 열을 흡수한다.

① ㄱ ② ㄷ ③ ㄱ, ㄴ
④ ㄴ, ㄷ ⑤ ㄱ, ㄴ, ㄷ

18 다음은 1기압에서 온도와 압력에 따른 얼음의 상태 변화를 알아보기 위한 실험이다.

[실험 Ⅰ] 온도가 T_1일 때, 추를 양쪽에 1개씩 매단 철사를 얼음 위에 올려놓았더니, 그림 (가)와 같이 얼음이 녹지 않고 그대로 있었다.
[실험 Ⅱ] 온도가 T_1일 때, 추를 양쪽에 2개씩 매단 철사를 그림 (나)와 같이 얼음 위에 올려놓았더니, 그림 (다)와 같이 철사가 얼음을 통과하면서 아래쪽으로 내려갔다.
[실험 Ⅲ] 온도가 T_2일 때, 추를 양쪽에 2개씩 매단 철사를 얼음 위에 올려놓았더니, 그림 (라)와 같이 얼음이 녹지 않고 그대로 있었다.

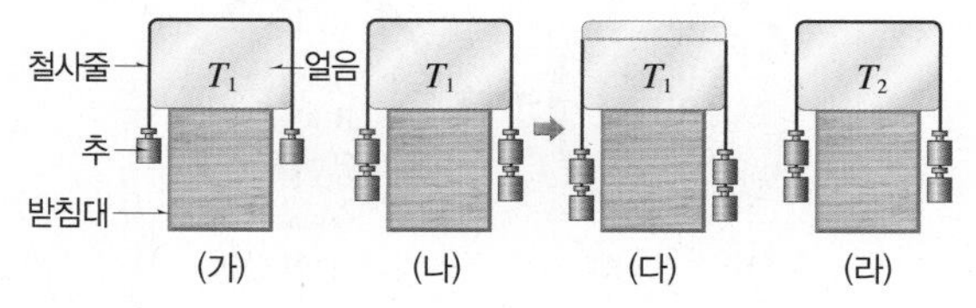

이에 대한 설명으로 옳은 것만을 [보기]에서 있는 대로 고른 것은?

[보기]
ㄱ. $T_1>0$이다.
ㄴ. $T_1<T_2$이다.
ㄷ. (나)와 (라)에서 철사에 눌린 얼음의 녹는점은 같다.

① ㄱ ② ㄷ ③ ㄱ, ㄴ
④ ㄴ, ㄷ ⑤ ㄱ, ㄴ, ㄷ

서술형 문제

19 다음은 기체 A와 B가 반응하여 기체 C와 D가 생성되는 반응의 열화학 반응식이다.

$$A(g)+3B(g) \rightleftharpoons C(g)+D(g),\ \Delta H<0$$

그림 (가)는 A와 B가 실린더 속에서 반응하여 평형을 이루고 있는 상태를, (나)와 (다)는 부피와 온도를 변화시켜 도달한 새로운 평형 상태에서의 각 물질의 양(mol)을 나타낸 것이다. 평형 (가)에서 혼합 기체의 부피는 0.5 L이다.

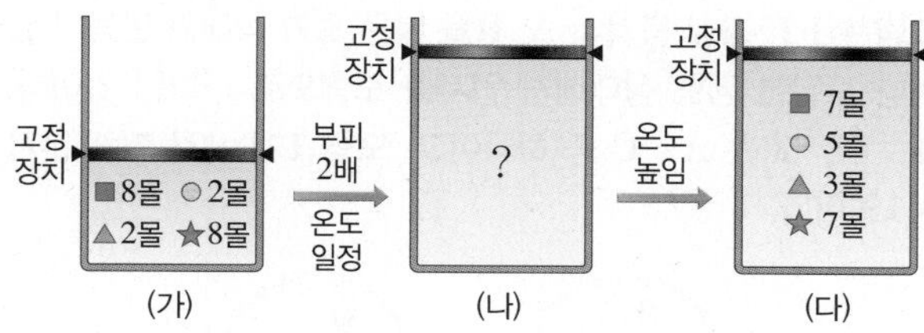

(1) (가)에서 (나)로 될 때의 평형 이동에 대해 서술하시오.

(2) (다)에서 평형 상수(K)를 구하고, 평형 이동을 근거로 하여 풀이 과정을 서술하시오.

20 다음은 물질 X의 성질을 알아본 실험 결과이다.

- 240 K에서 액체의 증기 압력은 1기압이다.
- 기준 녹는점은 196 K이다.
- 실험 온도와 압력 범위에서 밀도는 항상 고체가 액체보다 크다.
- 190 K에서는 기체와 고체의 2가지 상태만 존재하고, 고체의 증기 압력은 0.035기압이다.

이를 바탕으로 물질 X의 상평형 그림을 모식적으로 나타내시오. (단, 위 4가지 자료를 상평형 그림에 모두 나타내시오.)

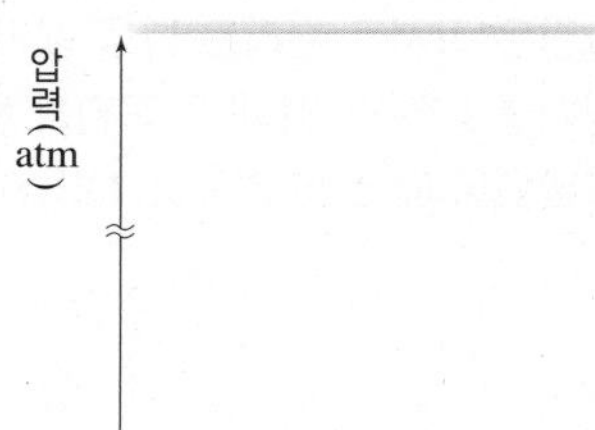

01 다음은 기체 A와 B로부터 기체 C가 생성되는 반응의 화학 반응식과 온도 T에서 농도로 정의되는 평형 상수(K)이다.

$$a\mathrm{A}(g)+2\mathrm{B}(g) \rightleftharpoons c\mathrm{C}(g) \quad K$$
(a, c: 반응 계수이고 3이하의 자연수이다.)

그림은 1 L 강철 용기에 A, B를 넣은 초기 상태와 반응이 일어나 도달한 평형 상태에서 입자를 모형으로 나타낸 것이다. ●, □, ▲은 A~C 중 하나이고, 모형 1개는 각 기체 분자 0.1몰이다.

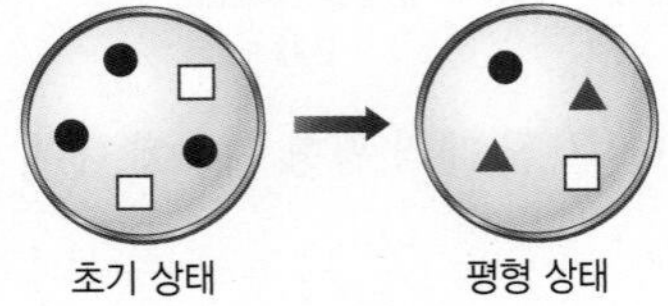

평형 상수(K)는? (단, 온도는 T로 일정하다.)

① 5 ② 10 ③ 15
④ 20 ⑤ 40

02 다음은 기체 A로부터 기체 B가 생성되는 반응의 화학 반응식이다.

$$3\mathrm{A}(g) \rightleftharpoons 2\mathrm{B}(g)$$

그림은 꼭지로 분리된 반응 용기에 기체 A와 B를 넣은 초기 상태를 나타낸 것이다. 꼭지를 열고 반응이 진행되어 평형에 도달했을 때 전체 기체는 12몰이다.

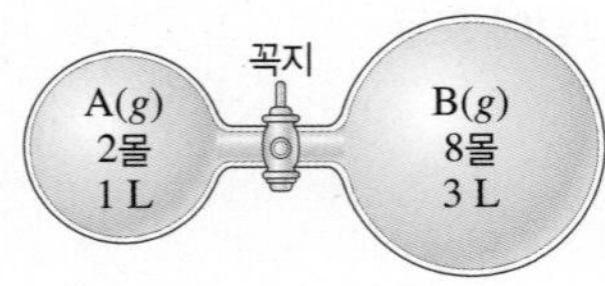

이에 대한 설명으로 옳은 것만을 [보기]에서 있는 대로 고른 것은?

[보기]
ㄱ. A의 평형 농도는 2 M이다.
ㄴ. 평형 상태에서 $\frac{\text{B의 질량}}{\text{A의 질량}}=2$이다.
ㄷ. 평형 상수(K)는 $\frac{1}{16}$이다.

① ㄱ ② ㄷ ③ ㄱ, ㄴ
④ ㄴ, ㄷ ⑤ ㄱ, ㄴ, ㄷ

03 다음은 기체 A와 B로부터 기체 C가 생성되는 반응의 화학 반응식이다.

$$\mathrm{A}(g)+\mathrm{B}(g) \rightleftharpoons \mathrm{C}(g)$$

그림은 25 °C에서 부피가 1 L인 강철 용기에 A~C가 들어 있는 초기 상태와 평형 상태에서 각 물질의 양(mol)을 나타낸 것이다.

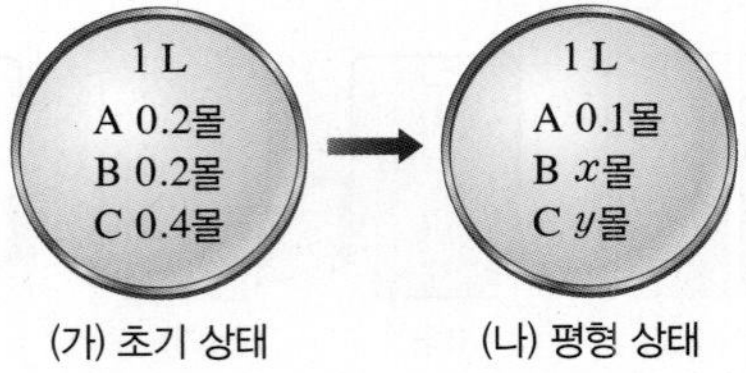

(가) 초기 상태 (나) 평형 상태

이에 대한 설명으로 옳은 것만을 [보기]에서 있는 대로 고른 것은?

[보기]
ㄱ. (가)에서 반응 지수(Q)는 평형 상수(K)보다 크다.
ㄴ. (나)에서 $\frac{x}{y}=0.2$이다.
ㄷ. 평형 상수(K)는 50이다.

① ㄱ ② ㄷ ③ ㄱ, ㄴ
④ ㄴ, ㄷ ⑤ ㄱ, ㄴ, ㄷ

04 다음은 기체 A로부터 기체 B가 생성되는 반응의 화학 반응식이다.

$$A(g) \rightleftharpoons 2B(g)$$

그림은 실린더에 A(g)와 B(g)가 들어 있는 평형 상태(평형 Ⅰ)에서 헬륨(He(g)) 4몰을 첨가하고 고정 장치를 제거하여 새로운 평형 상태(평형 Ⅱ)에 도달한 것을 나타낸 것이다. 평형 Ⅱ에서 A(g)의 몰 분율은 $\frac{1}{5}$이고, 평형 Ⅰ과 Ⅱ에서 온도는 T K로 일정하다.

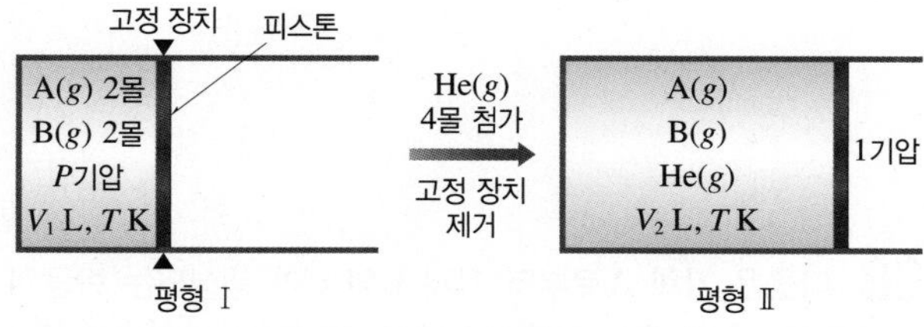

이에 대한 설명으로 옳은 것만을 [보기]에서 있는 대로 고른 것은? (단, 피스톤의 마찰은 무시한다.)

보기

ㄱ. 평형 Ⅱ에서 혼합 기체의 양(mol)은 $\frac{25}{3}$몰이다.

ㄴ. $\frac{V_1}{V_2}=\frac{15}{32}$이다.

ㄷ. $P=\frac{53}{25}$이다.

① ㄱ ② ㄷ ③ ㄱ, ㄴ
④ ㄴ, ㄷ ⑤ ㄱ, ㄴ, ㄷ

05 다음은 고체 A로부터 기체 B와 C가 생성되는 반응의 화학 반응식과 온도 T에서 농도로 정의되는 평형 상수(K)이다.

$$A(s) \rightleftharpoons B(g)+C(g) \quad K$$

그림은 온도 T에서 진공 상태인 1 L 강철 용기에 들어 있는 충분한 양의 A(s)가 반응하여 평형 Ⅰ에 도달한 후, B(g)를 첨가하여 새로운 평형 Ⅱ에 도달할 때 시간에 따른 용기 속 전체 기체의 압력을 나타낸 것이다. 평형 Ⅱ에서 C(g)의 부분 압력은 1기압이다.

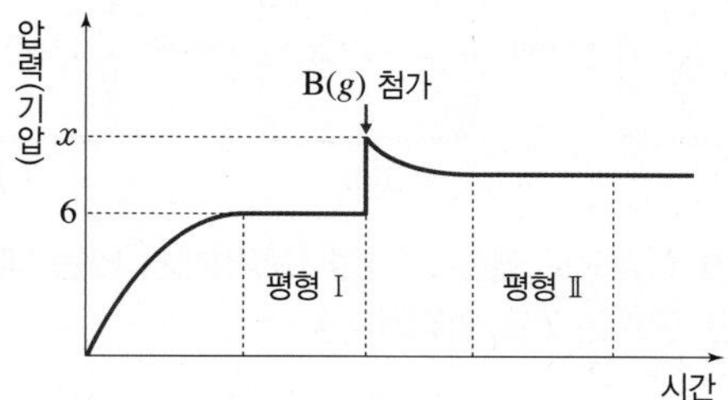

이에 대한 설명으로 옳은 것만을 [보기]에서 있는 대로 고른 것은? (단, $RT=24$ 기압·L/mol이고, 용기 속 고체의 부피는 무시한다.)

보기

ㄱ. 평형 Ⅱ에서 평형 상수(K)는 $\frac{1}{8}$이다.

ㄴ. 용기 속 A(s)의 질량은 평형 Ⅱ에서가 평형 Ⅰ에서보다 크다.

ㄷ. $x=14$이다.

① ㄱ ② ㄴ ③ ㄱ, ㄷ
④ ㄴ, ㄷ ⑤ ㄱ, ㄴ, ㄷ

06 다음은 기체 A와 B로부터 기체 C가 생성되는 반응의 화학 반응식과 온도 T에서 농도로 정의되는 평형 상수(K)이다.

$$A(g)+B(g) \rightleftharpoons 2C(g) \quad K$$

그림 (가)는 부피가 1 L인 강철 용기에 A(g)와 B(g)가 들어 있는 초기 상태를, (나)는 반응이 진행되어 용기 속 C(g)의 양이 1몰이 된 상태를, (다)는 평형 상태를 나타낸 것이다. (나)에서 반응 지수는 Q이고, (다)에서 평형 상수는 K이며 $K=3Q$이다.

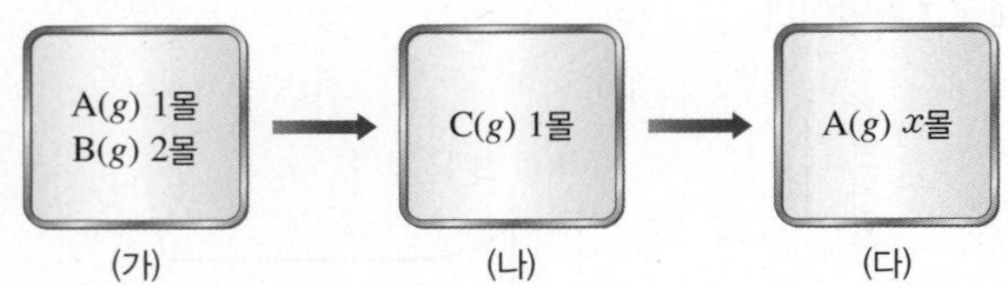

이에 대한 설명으로 옳은 것만을 [보기]에서 있는 대로 고른 것은? (단, 온도는 T로 일정하다.)

보기

ㄱ. (나)에서 C의 몰 분율은 $\frac{1}{3}$이다.

ㄴ. (나)에서 반응 지수(Q)는 $\frac{4}{3}$이다.

ㄷ. $x=\frac{1}{3}$이다.

① ㄱ ② ㄷ ③ ㄱ, ㄴ
④ ㄴ, ㄷ ⑤ ㄱ, ㄴ, ㄷ

07 다음은 기체 A로부터 기체 B가 생성되는 반응의 열화학 반응식이다.

$$aA(g) \rightleftharpoons bB(g),\ \Delta H<0\ (a,\ b\text{: 반응 계수})$$

그림은 부피가 5 L인 강철 용기에 A와 B가 들어 있는 반응 초기 상태를 나타낸 것이고, 표는 서로 다른 온도 조건에서 용기 속 A와 B가 반응하여 도달한 평형 Ⅰ과 Ⅱ에 대한 자료이다.

평형	Ⅰ	Ⅱ
온도	T_1	T_2
A의 몰 분율	$\frac{1}{3}$	$\frac{2}{3}$
전체 기체의 양(mol)	15	$x\times15$

이에 대한 설명으로 옳은 것만을 [보기]에서 있는 대로 고른 것은?

보기

ㄱ. $T_1<T_2$이다.

ㄴ. 평형 Ⅰ에서 평형 상수(K)는 40이다.

ㄷ. $x=\frac{7}{8}$이다.

① ㄱ ② ㄴ ③ ㄱ, ㄷ
④ ㄴ, ㄷ ⑤ ㄱ, ㄴ, ㄷ

08 다음은 기체 A로부터 기체 B와 C가 생성되는 반응의 열화학 반응식과 온도 T에서 농도로 정의되는 평형 상수(K)이다.

$$2A(g) \rightleftharpoons B(g)+C(g) \quad \Delta H>0,\ K=\frac{2}{3}$$

표는 온도 T에서 강철 용기에 들어 있는 A～C의 양(mol)을, 그림은 실험 Ⅰ 또는 실험 Ⅱ에서 진행된 반응에 대해 반응 시간에 따른 $\frac{\text{역반응 속도}}{\text{정반응 속도}}(\alpha)$를 나타낸 것이다.

실험		Ⅰ	Ⅱ
기체의 양(mol)	A	0.3	0.4
	B	0.3	0.4
	C	0.1	0.4

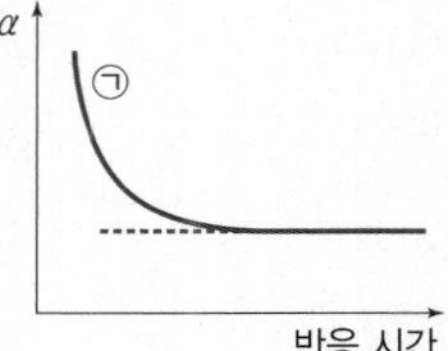

이에 대한 설명으로 옳은 것만을 [보기]에서 있는 대로 고른 것은? (단, 반응 전후의 온도는 일정하다.)

보기

ㄱ. ㉠은 실험 Ⅱ에서 일어나는 반응에 대한 α를 나타낸 것이다.

ㄴ. 실험 Ⅰ에서 반응 초기 상태에서 $\alpha<1$이다.

ㄷ. 실험 Ⅰ의 평형 상태에서 온도를 $2T$로 높여 새로운 평형에 도달하면 B의 몰 분율은 작아진다.

① ㄱ ② ㄷ ③ ㄱ, ㄴ
④ ㄴ, ㄷ ⑤ ㄱ, ㄴ, ㄷ

09 그림 (가)는 물질 X의 상평형 그림을, (나)는 온도가 a 인 일정량의 X를 세 가지 다른 압력(P_A, P_B, P_C)에서 일정한 열량으로 각각 가열할 때의 가열 곡선이다. X의 비열은 기체<고체<액체이다.

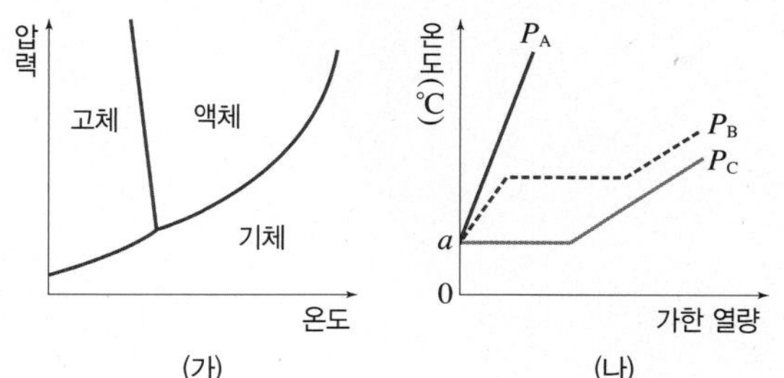

이에 대한 설명으로 옳은 것만을 [보기]에서 있는 대로 고른 것은?

[보기]
ㄱ. $P_A < P_C < P_B$이다.
ㄴ. 온도 a는 3중점의 온도보다 낮다.
ㄷ. 물질 X의 3중점의 압력은 P_C보다 높다.

① ㄱ ② ㄴ ③ ㄱ, ㄷ ④ ㄴ, ㄷ ⑤ ㄱ, ㄴ, ㄷ

10 그림은 1기압에서 물질 A의 온도에 따른 밀도를 나타낸 것으로, t ℃에서 A는 고체이다. 자료는 A의 3중점의 온도와 압력을 나타낸 것이다.

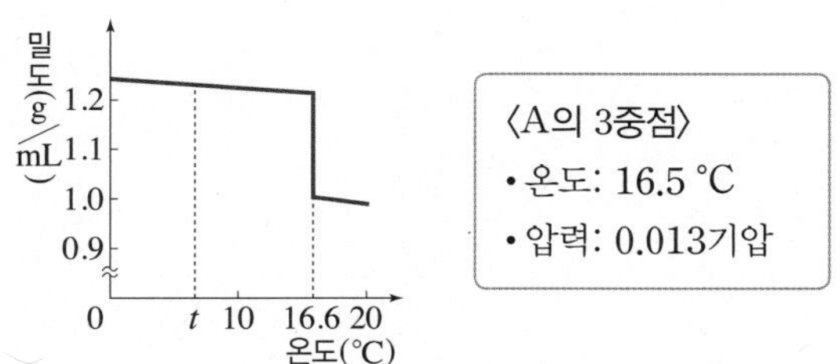

물질 A에 대한 설명으로 옳은 것만을 [보기]에서 있는 대로 고른 것은?

[보기]
ㄱ. 기준 녹는점은 16.6 ℃이다.
ㄴ. 상평형 그림에서 융해 곡선의 기울기는 음의 값을 가진다.
ㄷ. 온도 t에서 압력을 0.013기압으로 낮추면 승화가 일어난다.

① ㄱ ② ㄴ ③ ㄱ, ㄷ
④ ㄴ, ㄷ ⑤ ㄱ, ㄴ, ㄷ

11 표는 물질 X의 상평형 그림에서 상평형 상태 (가)~(라)에 대한 자료이고, 그림은 온도 300 K의 강철 용기에서 X가 상평형을 이루고 있는 것을 나타낸 것이다.

상태	압력 (mmHg)	온도(K)	안정한 상의 수
(가)	1.03	256.15	2
(나)	4.59	273.16	3
(다)	760	273.15	2
(라)	760	373.15	2

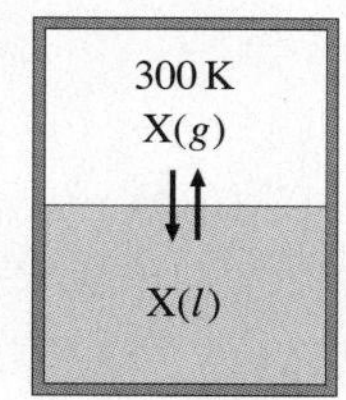

강철 용기의 온도를 낮춰 270 K를 유지하여 상평형에 도달했을 때 강철 용기에 존재하는 X의 상만을 있는 대로 고른 것은?

① 고체 ② 액체 ③ 고체, 액체
④ 고체, 기체 ⑤ 액체, 기체

12 그림 (가)는 이산화 탄소(CO_2)의 상평형 그림을, (나)는 T K에서 꼭지로 연결된 2개의 강철 용기에 CO_2가 들어 있는 것을 나타낸 것이다. 각 용기의 부피는 모두 2 L이다.

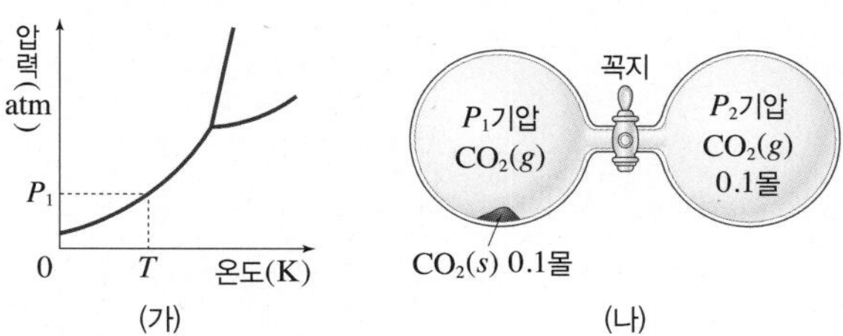

이에 대한 설명으로 옳은 것만을 [보기]에서 있는 대로 고른 것은? (단, T K, P_1기압에서 기체 1몰의 부피는 16 L이고, 고체와 연결관의 부피는 무시한다.)

[보기]
ㄱ. $\frac{P_1}{P_2} > 1$이다.
ㄴ. 꼭지를 열어 평형에 도달할 때까지 $CO_2(s) \rightleftarrows CO_2(g)$ 반응의 정반응 속도가 역반응 속도보다 빠르다.
ㄷ. 꼭지를 열고 T K를 유지하여 평형에 도달했을 때 $CO_2(s)$의 양은 0.075몰이다.

① ㄱ ② ㄷ ③ ㄱ, ㄴ
④ ㄴ, ㄷ ⑤ ㄱ, ㄴ, ㄷ

3 산 염기 평형

- **01.** 산 염기 평형
- **02.** 완충 용액

이 단원을 공부하기 전에 학습 계획을 세우고, 학습 진도를 스스로 체크해 보자.
학습이 미흡했던 부분은 다시 보기에 체크해 두고, 시험 전까지 꼭 완벽히 학습하자!

소단원	학습 내용	학습 일자	다시 보기
01. 산 염기 평형	Ⓐ 이온화 상수와 산 염기의 세기 탐구 산의 세기 비교	/	
	Ⓑ 산 염기의 상대적 세기	/	
	Ⓒ 염의 가수 분해 탐구 염 수용액의 액성	/	
02. 완충 용액	Ⓐ 완충 용액 탐구 완충 용액의 특징	/	
	Ⓑ 생체 내 완충 용액	/	

산과 염기

① 산과 염기의 정의

아레니우스 정의		브뢴스테드·로리 정의	
산	염기	산	염기
물에 녹아 ❶ ____ 을 내놓는 물질	물에 녹아 ❷ ____ 을 내놓는 물질	❸ ____ 을 내놓는 물질	❹ ____ 을 받아들이는 물질
예 염화 수소 $HCl \longrightarrow H^+ + Cl^-$	예 수산화 나트륨 $NaOH \longrightarrow Na^+ + OH^-$	예 $\underset{산}{HCl} + \underset{염기}{NH_3} \longrightarrow NH_4^+ + Cl^-$ (H^+ 이동: HCl → NH_3)	

② ❺ ____ : 반응 조건에 따라 산으로도 작용할 수 있고 염기로도 작용할 수 있는 물질

물의 자동 이온화와 pH

① 물의 자동 이온화: 순수한 물이 매우 적은 양이지만 물 분자끼리 수소 이온(H^+)을 주고받아 하이드로늄 이온(H_3O^+)과 수산화 이온(OH^-)으로 이온화하는 현상

$H_2O + H_2O \rightleftharpoons H_3O^+ + OH^-$

$K_w = [H_3O^+][OH^-] =$ 일정 $= 1 \times 10^{-14}$(25 °C)

② ❻ ____ (K_w): 물이 자동 이온화하여 동적 평형을 이루면 $[H_3O^+]$와 $[OH^-]$가 일정하게 유지되는데, 이때 이들 이온의 몰 농도의 곱

③ ❼ ____ $= \log \frac{1}{[H_3O^+]} = -\log[H_3O^+]$

④ pH와 pOH의 관계: pH + pOH = 14(25 °C)

중화 반응

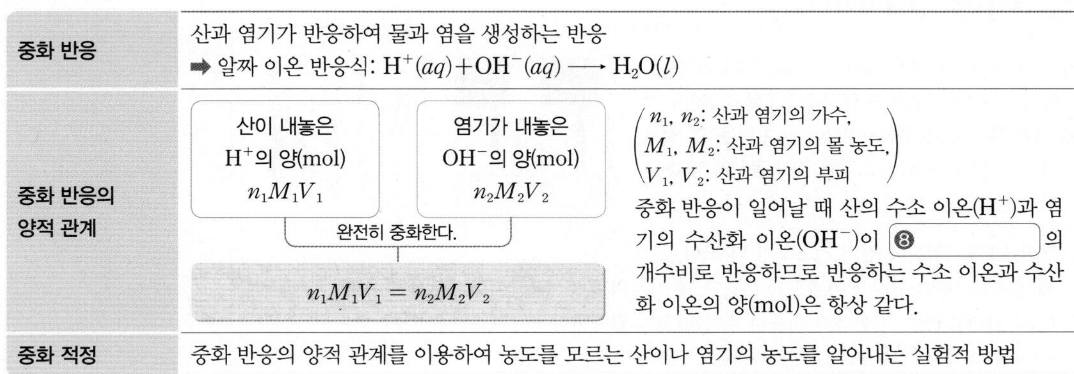

중화 반응	산과 염기가 반응하여 물과 염을 생성하는 반응 ➡ 알짜 이온 반응식: $H^+(aq) + OH^-(aq) \longrightarrow H_2O(l)$
중화 반응의 양적 관계	산이 내놓은 H^+의 양(mol) $n_1M_1V_1$ / 염기가 내놓은 OH^-의 양(mol) $n_2M_2V_2$ → 완전히 중화한다. → $n_1M_1V_1 = n_2M_2V_2$ (n_1, n_2: 산과 염기의 가수, M_1, M_2: 산과 염기의 몰 농도, V_1, V_2: 산과 염기의 부피) 중화 반응이 일어날 때 산의 수소 이온(H^+)과 염기의 수산화 이온(OH^-)이 ❽ ____ 의 개수비로 반응하므로 반응하는 수소 이온과 수산화 이온의 양(mol)은 항상 같다.
중화 적정	중화 반응의 양적 관계를 이용하여 농도를 모르는 산이나 염기의 농도를 알아내는 실험적 방법

정답 ❶ 수소 이온(H^+) ❷ 수산화 이온(OH^-) ❸ H^+ ❹ H^+ ❺ 양쪽성 물질 ❻ 물의 이온화 상수 ❼ pH(수소 이온 농도 지수) ❽ 1 : 1

01 산 염기 평형

핵심 포인트		
Ⓐ 이온화 정도와 산 염기의 세기 ★★ 이온화 상수와 산 염기의 세기 ★★★	Ⓑ 짝산 – 짝염기 ★★ 산 염기의 상대적 세기 ★★★	Ⓒ 염의 가수 분해 ★★

Ⓐ 이온화 상수와 산 염기의 세기

산에는 염산이나 황산과 같은 강산도 있고 아세트산, 탄산과 같이 식용으로도 사용되는 약산도 있어요. 산의 종류에 따라 이와 같은 차이가 생기는 까닭을 알아보고, 이를 화학 평형의 관점으로 설명해 볼까요?

1. *이온화 정도와 산 염기의 세기

(1) 산의 이온화 정도: 몰 농도가 같더라도 산의 종류에 따라 수용액에서 이온화하는 정도가 다르다. ➡ 산이 이온화하는 정도가 클수록 수용액의 하이드로늄 이온(H_3O^+)의 농도가 크므로 산의 세기가 강하다.

수용액에서 수소 이온(H^+)은 물 분자와 결합하여 하이드로늄 이온(H_3O^+)으로 존재한다.

구분	강산	약산
정의	수용액에서 대부분 이온화하는 산	수용액에서 일부만 이온화하는 산
이온화 모형	HA, A^-, H_3O^+	HB, B^-, H_3O^+
이온화 정도	상대적인 입자의 개수: HA (이온화하기 전) → HA, H_3O^+, A^- (이온화한 후) 분자 대부분이 수용액에서 이온화한다.	상대적인 입자의 개수: HB (이온화하기 전) → HB, H_3O^+, B^- (이온화한 후) 분자 중 일부만 수용액에서 이온화한다.
예	염산(HCl), 황산(H_2SO_4), 질산(HNO_3) 등	아세트산(CH_3COOH), 탄산(H_2CO_3) 등

★ 이온화도
산이나 염기가 수용액에서 이온화하는 정도를 이온화도(α)라고 하며, 다음과 같이 나타낸다.

$$이온화도(\alpha)=\frac{이온화한\ 물질의\ 양(mol)}{용해된\ 물질의\ 양(mol)}$$

- 산이나 염기의 세기가 강할수록 이온화도는 1에 가까워진다.
- 산이나 염기의 세기가 약할수록 이온화도는 0에 가까워진다.

지학사 교과서에만 나와요.
★ 농도, 온도에 따른 이온화도
약산의 경우 온도가 높을수록, 농도가 묽을수록 이온화도가 커진다.

탐구 자료창 산의 세기 비교

| 과정 | ❶ 같은 부피의 1 M 염산($HCl(aq)$)과 1 M 아세트산(CH_3COOH) 수용액의 전기 전도도를 측정한다.
❷ 과정 ❶의 수용액을 시험관에 옮겨 담은 후, 같은 크기의 마그네슘(Mg) 조각을 각각 동시에 넣고 변화를 관찰한다.

염산 | 아세트산 | 염산 | 아세트산

| 결과 | 1. **전기 전도도:** 염산의 전기 전도도가 더 크다.
➡ 전류의 세기: 염산 > 아세트산 수용액 ➡ 이온의 농도: 염산 > 아세트산 수용액

2. **마그네슘과의 반응:** 염산에서 기포가 더 활발하게 발생한다. ─ $Mg(s)+2H^+(aq) \longrightarrow Mg^{2+}(aq)+H_2(g)$
➡ 수소 이온(H^+)의 농도: 염산 > 아세트산 수용액

| 결론 | 염산이 아세트산보다 수용액에서 수소 이온(H^+)을 더 많이 내놓으므로 염산이 아세트산보다 더 강한 산이다.

(2) **염기의 이온화 정도**: 몰 농도가 같더라도 염기의 종류에 따라 수용액에서 이온화하는 정도가 다르다. ➡ 염기가 이온화하는 정도가 클수록 수용액의 수산화 이온(OH^-)의 농도가 크므로 염기의 세기가 강하다. ─• 강염기의 수용액은 약염기의 수용액보다 이온의 농도가 크므로 전류가 더 세게 흐른다.

구분	강염기	약염기
정의	수용액에서 대부분 이온화하는 염기	수용액에서 일부만 이온화하는 염기
예	*수산화 나트륨($NaOH$), 수산화 칼륨(KOH), 수산화 칼슘($Ca(OH)_2$) 등	암모니아(NH_3), 메틸아민(CH_3NH_2) 등

미래엔 교과서에만 나와요.

★ 염기의 성질

- 수산화 나트륨: 피부에 묻으면 지방 성분과 반응하여 비누와 같은 성분이 생성되므로 미끈거린다.
- 수산화 마그네슘: 제산제의 주요 성분으로, 위액 분비를 억제하고 위산을 중화하여 산에 의한 자극을 완화시키는 작용을 한다.

2. 이온화 상수와 산 염기의 세기

(1) **산의 이온화 상수(K_a)**: 산이 수용액에서 이온화 평형을 이룰 때의 평형 상수

❶ 산 HA는 물속에서 이온화하여 다음과 같이 평형을 이룬다. ··· $HA(aq)+H_2O(l) \rightleftharpoons A^-(aq)+H_3O^+(aq)$

❷ 이 반응의 평형 상수(K)는 다음과 같다. ··· $K=\dfrac{[A^-][H_3O^+]}{[HA][H_2O]}$

❸ 수용액에서 용매인 물의 몰 농도는 거의 일정하므로 $[H_2O]$는 상수로 볼 수 있다. ··· $K\times[H_2O]=\dfrac{[A^-][H_3O^+]}{[HA]}$

❹ 평형 상수(K)에 $[H_2O]$를 곱한 값인 새로운 평형 상수(K_a)로 산의 이온화 평형을 나타낸다. ··· $K_a=\dfrac{[A^-][H_3O^+]}{[HA]}$

예 $CH_3COOH(aq)+H_2O(l) \rightleftharpoons CH_3COO^-(aq)+H_3O^+(aq)$

$$K_a=\frac{[CH_3COO^-][H_3O^+]}{[CH_3COOH]}$$

(2) **염기의 이온화 상수(K_b)**: 염기가 수용액에서 이온화 평형을 이룰 때의 평형 상수

❶ 염기 B는 물속에서 이온화하여 다음과 같이 평형을 이룬다. ··· $B(aq)+H_2O(l) \rightleftharpoons BH^+(aq)+OH^-(aq)$

❷ 이 반응의 평형 상수(K)는 다음과 같다. ··· $K=\dfrac{[BH^+][OH^-]}{[B][H_2O]}$

❸ 수용액에서 용매인 물의 몰 농도는 거의 일정하므로 $[H_2O]$는 상수로 볼 수 있다. ··· $K\times[H_2O]=\dfrac{[BH^+][OH^-]}{[B]}$

❹ 평형 상수(K)에 $[H_2O]$를 곱한 값인 새로운 평형 상수(K_b)로 염기의 이온화 평형을 나타낸다. ··· $K_b=\dfrac{[BH^+][OH^-]}{[B]}$

예 $NH_3(aq)+H_2O(l) \rightleftharpoons NH_4^+(aq)+OH^-(aq)$ $K_b=\dfrac{[NH_4^+][OH^-]}{[NH_3]}$

★ 온도와 이온화 상수

산과 염기의 이온화 과정은 흡열 반응이므로 온도가 높을수록 이온화 상수가 크다.

물질의 농도와 이온화 상수

이온화 상수는 일종의 평형 상수이므로 산이나 염기의 농도에 따라 달라지지 않는다.

(3) 이온화 상수는 *온도가 일정하면 농도와 관계없이 산이나 염기의 종류에 따라 일정한 값을 갖는다.

(4) ***이온화 상수와 산 염기의 세기**

산의 이온화 상수(K_a)와 산의 세기	염기의 이온화 상수(K_b)와 염기의 세기
K_a가 클수록 산의 세기가 강하다. ➡ K_a가 클수록 산이 이온화하는 정도가 커서 $[H_3O^+]$가 크다.	K_b가 클수록 염기의 세기가 강하다. ➡ K_b가 클수록 염기가 이온화하는 정도가 커서 $[OH^-]$가 크다.

★ 이온화 상수의 의미

산의 이온화 상수(K_a)가 클수록 정반응이 우세하게 일어난 쪽에서 평형을 이루고, 이온화 상수(K_a)가 작을수록 역반응이 우세하게 일어난 쪽에서 평형을 이룬다.

01 산 염기 평형

몇 가지 산의 이온화 평형과 이온화 상수(K_a)(25 °C)

산	이온화 평형	K_a	산의 세기
HCl	$HCl+H_2O \rightleftharpoons Cl^-+H_3O^+$	$\sim 10^7$	강하다. K_a가 크므로 강산이다.
H_2SO_4	$H_2SO_4+H_2O \rightleftharpoons HSO_4^-+H_3O^+$	$\sim 10^2$	
HSO_4^-	$HSO_4^-+H_2O \rightleftharpoons SO_4^{2-}+H_3O^+$	1.3×10^{-2}	
H_3PO_4	$H_3PO_4+H_2O \rightleftharpoons H_2PO_4^-+H_3O^+$	7.1×10^{-3}	
CH_3COOH	$CH_3COOH+H_2O \rightleftharpoons CH_3COO^-+H_3O^+$	1.8×10^{-5}	
H_2CO_3	$H_2CO_3+H_2O \rightleftharpoons HCO_3^-+H_3O^+$	4.3×10^{-7}	
H_2S	$H_2S+H_2O \rightleftharpoons HS^-+H_3O^+$	1.0×10^{-7}	
HCN	$HCN+H_2O \rightleftharpoons CN^-+H_3O^+$	6.2×10^{-10}	약하다. K_a가 작으므로 약산이다.

3. 이온화 상수를 이용하여 평형 농도 구하기 산이나 염기가 수용액에서 이온화 평형을 이룰 때, 일정한 온도에서 K_a와 K_b는 일정하므로 반응물과 생성물의 평형 농도를 구할 수 있다.

예제 25 °C에서 0.1 M CH_3COOH 수용액에 들어 있는 H_3O^+의 농도를 구해 보자. (단, 25 °C에서 아세트산의 이온화 상수(K_a)는 1.8×10^{-5}이다.)

1단계 반응물과 생성물의 평형 농도 구하기

	$CH_3COOH(aq)+H_2O(l) \rightleftharpoons$	$CH_3COO^-(aq)+$	$H_3O^+(aq)$
처음 농도(M)	0.1	0	0
반응 농도(M)	$-x$	$+x$	$+x$
평형 농도(M)	$0.1-x$	x	x

2단계 평형 농도를 이온화 상수식에 대입하기

$$K_a=\frac{[CH_3COO^-][H_3O^+]}{[CH_3COOH]}=\frac{x\times x}{0.1-x}=1.8\times10^{-5}$$

3단계 $0.1-x≒0.1$로 하여 계산하기

K_a가 매우 작은 약산은 x가 매우 작으므로 $0.1-x≒0.1$이라고 할 수 있다.

$$\frac{x\times x}{0.1-x}≒\frac{x\times x}{0.1}=1.8\times10^{-5},\ x^2=1.8\times10^{-6}\quad \therefore\ x≒1.34\times10^{-3}$$

따라서 0.1 M 아세트산(CH_3COOH) 수용액에서 *H_3O^+의 농도는 1.34×10^{-3} M이다.

> **주의해**
> **강산의 평형 농도 구하기**
> 강산의 경우 이온화 정도가 크므로 $0.1-x≒0.1$이라고 할 수 없다.

확대경 약산의 이온화도(α)와 이온화 상수(K_a)의 관계 지학사, 천재 교과서에만 나와요.

일정한 온도에서 처음 농도가 C M인 약산 HA가 수용액에서 이온화 평형을 이룰 때 이온화도(α)와 이온화 상수(K_a), 산의 농도(C) 사이의 관계는 다음과 같다.

	$HA(aq)+H_2O(l) \rightleftharpoons$	$A^-(aq)+$	$H_3O^+(aq)$
처음 농도(M)	C	0	0
반응 농도(M)	$-C\alpha$	$+C\alpha$	$+C\alpha$
평형 농도(M)	$C(1-\alpha)$	$C\alpha$	$C\alpha$

이때 산의 이온화 상수 $K_a=\frac{[A^-][H_3O^+]}{[HA]}=\frac{C\alpha\times C\alpha}{C(1-\alpha)}=\frac{C\alpha^2}{1-\alpha}$이다.

약산은 이온화도(α)가 1보다 매우 작아 $1-\alpha≒1$이라고 할 수 있으므로 $K_a=C\alpha^2$이다.

또, $\alpha=\sqrt{\frac{K_a}{C}}$에서 K_a는 일정하므로, 약산의 처음 농도가 작을수록 이온화도(α)는 크다.

> ★ **수용액의 pH 구하기**
> 평형 상태에서의 H_3O^+의 농도를 알면 용액의 pH를 구할 수 있다.
> $pH=\log\frac{1}{[H_3O^+]}=-\log[H_3O^+]$
> 예 $[H_3O^+]=1.34\times10^{-3}$ M인 수용액의 $pH=-\log(1.34\times10^{-3})≒2.87$이다.

개념 확인 문제

정답친해 92쪽

- 산이나 염기가 수용액에서 (❶)하는 정도가 클수록 산이나 염기의 세기가 (❷)하다.
  - 물에 녹아 대부분 이온화하는 산을 (❸), 물에 녹아 일부만 이온화하는 산을 (❹)이라고 한다.
  - 물에 녹아 대부분 이온화하는 염기를 (❺), 물에 녹아 일부만 이온화하는 염기를 (❻)라고 한다.
- 산 염기의 이온화 상수: 산이나 염기가 수용액에서 이온화 평형을 이룰 때의 평형 상수

구분	산의 이온화 상수(K_a)	염기의 이온화 상수(K_b)
이온화 평형	$HA(aq)+H_2O(l) \rightleftharpoons A^-(aq)+H_3O^+(aq)$	$B(aq)+H_2O(l) \rightleftharpoons BH^+(aq)+OH^-(aq)$
이온화 상수	$K_a=$(❼)	$K_b=$(❽)
이온화 상수와 산 염기의 세기	산의 이온화 상수(K_a)가 클수록 산의 세기가 (❾)하다.	염기의 이온화 상수(K_b)가 클수록 염기의 세기가 (❿)하다.

1 그림은 25 °C에서 같은 양(mol)의 산 HA와 HB를 같은 양의 물에 녹였을 때 수용액에 존재하는 입자를 모형으로 나타낸 것이다.

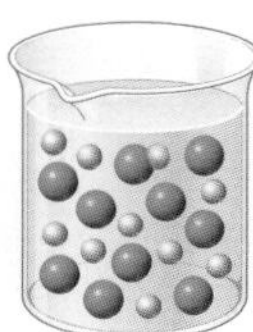

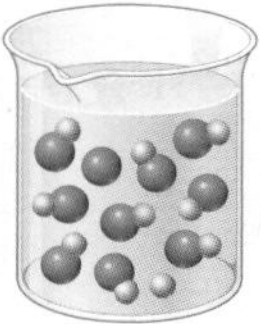

HA, A^-, H_3O^+, HB, B^-

HA가 HB보다 큰 값을 가지는 것으로 옳은 것만을 [보기]에서 있는 대로 고르시오.

> [보기]
> ㄱ. 이온화되는 정도
> ㄴ. 수용액의 전기 전도도
> ㄷ. 수용액에 같은 크기의 마그네슘(Mg) 조각을 넣은 직후 기체 발생 정도

2 다음은 산 또는 염기의 이온화 평형을 나타낸 화학 반응식이다. 산 또는 염기의 이온화 상수식을 쓰시오.

(1) $HF(aq)+H_2O(l) \rightleftharpoons F^-(aq)+H_3O^+(aq)$

(2) $NH_3(aq)+H_2O(l) \rightleftharpoons NH_4^+(aq)+OH^-(aq)$

(3) $H_2CO_3(aq)+H_2O(l) \rightleftharpoons HCO_3^-(aq)+H_3O^+(aq)$

3 산과 염기의 이온화 상수에 대한 설명으로 옳은 것은 ○, 옳지 않은 것은 ×로 표시하시오.

(1) 이온화 상수는 온도에 의해서만 달라진다. ······ ( )

(2) 염기의 이온화 상수가 클수록 물속에서 이온화하는 정도가 작다. ······ ( )

(3) 산 수용액이 평형을 이룰 때 물을 첨가하면 이온화 상수가 커진다. ······ ( )

(4) 염기 B의 이온화 상수가 클수록 $\frac{[OH^-]}{[B]}$ 값이 크다. ······ ( )

4 다음은 25 °C에서 산 HA의 이온화 반응식과 이온화 상수(K_a)이다.

$$HA(aq)+H_2O(l) \rightleftharpoons A^-(aq)+H_3O^+(aq)$$
$$K_a=4.9\times10^{-10}$$

(1) HA의 이온화 평형은 정반응과 역반응 중 어느 반응이 더 우세하게 일어난 쪽에서 이루어지는지 쓰시오.

(2) 이온화 평형 상태의 수용액에서 [HA]와 $[A^-]$의 크기를 비교하여 등호나 부등호로 나타내시오.

(3) 25 °C에서 0.1 M HA 수용액에 들어 있는 H_3O^+의 농도를 구하시오.

B 산 염기의 상대적 세기

산 염기의 세기를 화학 평형으로 알아보았어요. 가역 반응인 산과 염기 사이의 반응이 화학 평형 상태에 있을 때 역반응이 우세하게 진행된다면 역반응에서 산과 염기로 작용하는 물질이 있겠지요? 정반응과 역반응에서의 산과 염기를 알아보아요.

1. 짝산 – 짝염기

(1) 브뢴스테드·로리 산과 염기

① 산: 수소 이온(H^+)(양성자)을 내놓는 물질

② 염기: 수소 이온(H^+)(양성자)을 받는 물질

(2) 짝산 – 짝염기: 수소 이온(H^+)의 이동에 의해 산과 염기로 되는 한 쌍의 물질 — 가역 반응과 화학 평형에서 산과 염기는 상대적 개념이다.

산과 짝염기	염기와 짝산
산 HA가 H^+을 내놓아 생성된 A^-은 역반응에서는 H^+을 받으므로 염기로 작용한다. $HA(aq)+H_2O(l) \rightleftharpoons A^-(aq)+H_3O^+(aq)$ 산1 염기2 염기1 산2 (HA – A^-: 짝산 – 짝염기, H_2O – H_3O^+: 짝산 – 짝염기) ➡ HA의 짝염기는 A^-이고, A^-의 짝산은 HA이다.	염기 B가 H^+을 받아 생성된 BH^+은 역반응에서는 H^+을 내놓으므로 산으로 작용한다. $B(aq)+H_2O(l) \rightleftharpoons BH^+(aq)+OH^-(aq)$ 염기1 산2 산1 염기2 (B – BH^+: 짝산 – 짝염기, H_2O – OH^-: 짝산 – 짝염기) ➡ B의 짝산은 BH^+이고, BH^+의 짝염기는 B이다.

암모니아와 물의 반응에서 짝산과 짝염기 구분하기

1단계 정반응과 역반응에서 브뢴스테드·로리 산과 염기 구분하기: 산은 H^+을 내놓고, 염기는 H^+을 받는다.

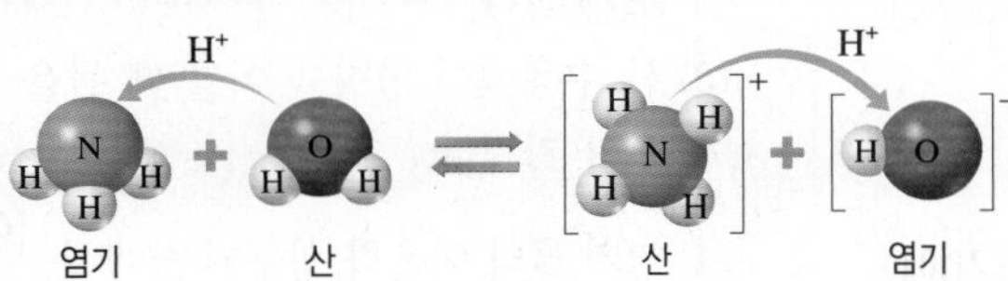

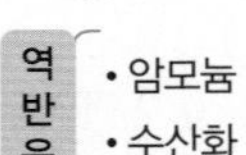

정반응
- 물(H_2O)이 H^+을 내놓으므로 산
- 암모니아(NH_3)가 H^+을 받으므로 염기

역반응
- 암모늄 이온(NH_4^+)이 H^+을 내놓으므로 산
- 수산화 이온(OH^-)이 H^+을 받으므로 염기

2단계 짝산 – 짝염기 구분하기:

$NH_3(aq)+H_2O(l) \rightleftharpoons NH_4^+(aq)+OH^-(aq)$

염기1 산2 산1 염기2

(NH_3 – NH_4^+: 짝산 – 짝염기, H_2O – OH^-: 짝산 – 짝염기)

★ **양쪽성 물질**
H_2O은 산 HA와의 반응에서는 염기로 작용하고, 염기 B와의 반응에서는 산으로 작용하는 양쪽성 물질이다. HS^-, HCO_3^-, HSO_4^- 등도 반응에 따라 산이나 염기로 모두 작용할 수 있는 양쪽성 물질이다.

2. *산 염기의 상대적 세기

(1) 산의 이온화 상수(K_a)가 클수록 산의 세기가 강하고 그 짝염기의 세기는 약하다.

(2) 산의 이온화 상수(K_a)가 작을수록 산의 세기가 약하고 그 짝염기의 세기는 강하다.

구분	K_a가 큰 산(강산)	K_a가 작은 산(약산)
예	$HCl+H_2O \rightleftharpoons Cl^-+H_3O^+$ 산1 염기2 염기1 산2 K_a: 매우 크다. ➡ 정반응이 우세하게 일어난 쪽에서 이온화 평형을 이루므로 HCl가 대부분 이온화한다.	$H_2CO_3+H_2O \rightleftharpoons HCO_3^-+H_3O^+$ 산1 염기2 염기1 산2 $K_a=4.3\times10^{-7}$ ➡ 역반응이 우세하게 일어난 쪽에서 이온화 평형을 이루므로 H_2CO_3이 대부분 분자 상태로 존재한다.
산의 세기	$HCl > H_3O^+$ (HCl – Cl^-: 짝산 – 짝염기)	$H_3O^+ > H_2CO_3$ (H_2CO_3 – HCO_3^-: 짝산 – 짝염기)
염기의 세기	$H_2O > Cl^-$ — 산의 세기가 강하고 그 짝염기의 세기는 약하다.	$HCO_3^- > H_2O$ — 산의 세기가 약하고 그 짝염기의 세기는 강하다.

★ **산 염기의 상대적 세기**

짝산	짝염기
(강) HCl	Cl^- (약)
H_2SO_4	HSO_4^-
HNO_3	NO_3^-
H_3O^+	H_2O
H_3PO_4	$H_2PO_4^-$
CH_3COOH	CH_3COO^-
H_2CO_3	HCO_3^-
NH_4^+	NH_3
(약) HCO_3^-	CO_3^{2-} (강)

산과 그 짝염기의 이온화 상수 관계 미래엔, 상상 교과서에만 나와요.

산 HA와 그 짝염기 A^-의 이온화 평형과 평형 상수는 다음과 같다.

$$HA(aq)+H_2O(l) \rightleftharpoons A^-(aq)+H_3O^+(aq) \qquad A^-(aq)+H_2O(l) \rightleftharpoons HA(aq)+OH^-(aq)$$

$$K_a=\frac{[A^-][H_3O^+]}{[HA]} \qquad K_b=\frac{[HA][OH^-]}{[A^-]}$$

$$K_a \times K_b=\frac{[A^-][H_3O^+]}{[HA]} \times \frac{[HA][OH^-]}{[A^-]}=[H_3O^+][OH^-]=K_w \Rightarrow K_a \times K_b=K_w$$

일정한 온도에서 *물의 이온화 상수(K_w)는 일정하다. 따라서 산의 K_a가 클수록 그 짝염기의 K_b는 작고, 산의 K_a가 작을수록 그 짝염기의 K_b는 크다.

*** 25 °C에서 물의 이온화 상수(K_w)**
25 °C에서 물의 자동 이온화 반응이 평형에 도달했을 때 $[H_3O^+]$와 $[OH^-]$는 1×10^{-7} M로 같다. 따라서 25 °C에서 물이 자동 이온화하여 생성된 이온의 농도 곱, 즉 물의 이온화 상수(K_w)는 1×10^{-14} M이다.

개념 확인 문제

정답친해 93쪽

- 브뢴스테드·로리 산 염기: 수소 이온(H^+)을 내놓는 물질은 (❶)이고, H^+을 받는 물질은 (❷)이다.
- (❸): 산과 염기의 가역 반응에서 수소 이온(H^+)의 이동에 의해 산과 염기로 되는 한 쌍의 물질
  ➡ 산 HA의 이온화 평형 상태 $HA(aq)+H_2O(l) \rightleftharpoons A^-(aq)+H_3O^+(aq)$에서 HA의 (❹)는 A^-이고, A^-의 (❺)은 HA이다.
- 산과 염기의 상대적 세기: 산의 세기가 강할수록 그 짝염기의 세기는 (❻)하다.

1 그림은 암모니아(NH_3)와 염화 수소(HCl)의 반응을 모형으로 나타낸 것이다.

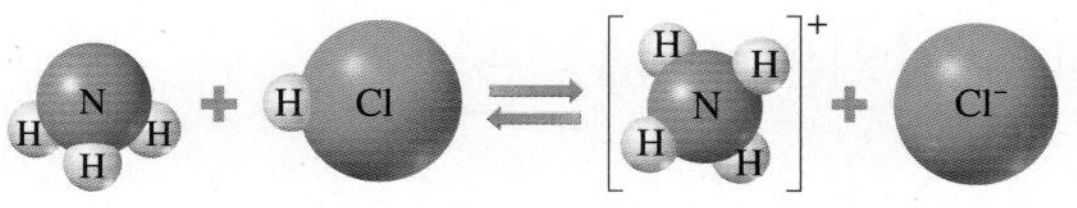

(1) 이 반응에서 브뢴스테드·로리 산으로 작용하는 물질을 모두 쓰시오.

(2) 이 반응에서 짝산－짝염기 관계에 있는 물질의 쌍을 모두 쓰시오.

2 사이안화 수소(HCN)가 물에서 이온화하는 반응을 화학 반응식으로 나타내고, 브뢴스테드·로리 산과 염기, 짝산－짝염기를 구분하여 표시하시오.

3 다음은 아세트산(CH_3COOH)의 이온화 반응식과 이온화 상수(K_a)이다.

$$CH_3COOH(aq)+H_2O(l) \rightleftharpoons CH_3COO^-(aq)+H_3O^+(aq)$$
$$K_a=1.8\times10^{-5}$$

이에 대한 설명으로 옳은 것은 ○, 옳지 않은 것은 ×로 표시하시오.

(1) CH_3COOH의 짝염기는 H_2O이다. ( )
(2) 산의 세기가 가장 큰 것은 CH_3COOH이다. ( )
(3) CH_3COO^-은 H_2O보다 강한 염기이다. ( )

4 다음은 암모니아(NH_3)의 이온화 반응식과 이온화 상수(K_b)이다.

$$NH_3(aq)+H_2O(l) \rightleftharpoons NH_4^+(aq)+OH^-(aq)$$
$$K_b=1.8\times10^{-5}$$

이 반응에서 가장 강한 산으로 작용하는 물질을 쓰시오.

C 염의 가수 분해

산과 염기가 중화 반응하면 물과 염이 생성되지요. 염은 산의 음이온과 염기의 양이온이 결합한 물질인데, 반응한 산과 염기의 세기에 따라 수용액에서 산성이나 염기성을 띠기도 해요. 이 때문에 중화 반응이 완결된 중화점에서의 액성이 중성이 아닌 경우가 생긴답니다. 지금부터 염의 종류에 따라 수용액의 액성이 어떻게 달라지는지 알아보아요.

1. 염 산과 염기가 중화 반응할 때 물과 함께 생성되는 물질로, 산의 음이온과 염기의 양이온이 결합하여 생성된 이온 화합물이다. → 중화 반응의 알짜 이온 반응식은 항상 같지만 산과 염기의 종류에 따라 생성되는 염의 종류는 다르다.

$$HA(aq) + BOH(aq) \longrightarrow H_2O(l) + BA(aq)$$
산 / 염기 / 물 / 염

나는 산!
음이온
나는 염기!
양이온
염

2. 염의 ❶가수 분해 염이 물에 녹아 이온화하여 생성된 양이온이나 음이온이 물과 반응하여 하이드로늄 이온(H_3O^+)이나 수산화 이온(OH^-)을 생성하는 반응 ➡ 산과 염기의 중화 반응에서 생성되는 염의 종류에 따라 수용액의 액성이 달라진다.

반응한 산과 염기의 세기		염의 종류 예	염 수용액의 액성
강산	강염기	$NaCl$, KNO_3, Na_2SO_4	중성
약산	강염기	CH_3COONa, KCN, Na_2CO_3, $KHCO_3$	염기성
강산	약염기	NH_4Cl, NH_4NO_3	산성

(1) 강산과 강염기가 반응하여 생성된 염: 강산의 음이온, 강염기의 양이온은 가수 분해하지 않는다.

• 강산의 음이온: Cl^-, NO_3^-, SO_4^{2-} 등 • 강염기의 양이온: Na^+, K^+, Ca^{2+} 등

예 $HCl(aq)$과 $NaOH(aq)$의 중화 반응으로 생성된 염화 나트륨($NaCl$)은 수용액에서 물과 반응하지 않고 Na^+과 Cl^-으로 거의 그대로 존재한다.

(2) 약산과 강염기가 반응하여 생성된 염: 음이온의 일부가 가수 분해하여 수산화 이온(OH^-)을 생성하므로 수용액이 염기성을 띤다.

예 아세트산 나트륨(CH_3COONa)의 가수 분해

① 이온화: CH_3COONa은 물에 녹아 나트륨 이온(Na^+)과 아세트산 이온(CH_3COO^-)으로 이온화한다.

$$CH_3COONa(aq) \longrightarrow CH_3COO^-(aq) + Na^+(aq)$$
약산의 음이온 / 강염기의 양이온 → Na^+은 물과 반응하지 않고 물속에 거의 그대로 존재한다.

② 가수 분해: CH_3COO^-의 일부가 물과 반응하여 OH^-을 생성한다.

$$CH_3COO^-(aq) + H_2O(l) \rightleftharpoons CH_3COOH(aq) + OH^-(aq)$$
→ 수용액의 액성은 염기성

CH_3COONa 수용액의 액성

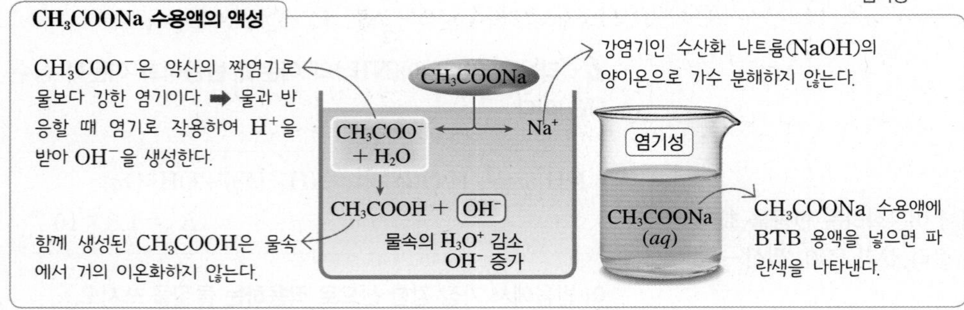
CH_3COO^-은 약산의 짝염기로 물보다 강한 염기이다. ➡ 물과 반응할 때 염기로 작용하여 H^+을 받아 OH^-을 생성한다.
CH_3COONa
CH_3COO^- + H_2O
Na^+
CH_3COOH + OH^-
물속의 H_3O^+ 감소 OH^- 증가
강염기인 수산화 나트륨(NaOH)의 양이온으로 가수 분해하지 않는다.
염기성
$CH_3COONa(aq)$
CH_3COONa 수용액에 BTB 용액을 넣으면 파란색을 나타낸다.
함께 생성된 CH_3COOH은 물속에서 거의 이온화하지 않는다.

주의해

염의 용해성

물에 잘 녹지 않는 염도 있다. 예를 들어, 수산화 바륨($Ba(OH)_2$)과 황산(H_2SO_4)이 중화 반응하여 생성된 황산 바륨($BaSO_4$)은 물에 잘 녹지 않는 염(앙금)이다.

용어

❶ **가수 분해(加 더하다, 水 물, 分 나누다, 解 풀다)** 화학 반응 중에서 물 분자가 작용하여 일어나는 분해 반응

(3) 강산과 약염기가 반응하여 생성된 염: 양이온의 일부가 가수 분해하여 하이드로늄 이온(H_3O^+)을 생성하므로 수용액이 산성을 띤다.

예 염화 암모늄(NH_4Cl)의 가수 분해

① 이온화: NH_4Cl은 물에 녹아 암모늄 이온(NH_4^+)과 염화 이온(Cl^-)으로 이온화한다.

$$NH_4Cl(aq) \longrightarrow NH_4^+(aq) + Cl^-(aq)$$

약염기의 양이온 / 강산의 음이온 — Cl^-은 물과 반응하지 않고 물속에 거의 그대로 존재한다.

② 가수 분해: NH_4^+의 일부가 물과 반응하여 H_3O^+을 생성한다.

$$NH_4^+(aq) + H_2O(l) \rightleftharpoons NH_3(aq) + H_3O^+(aq)$$

— 수용액의 액성은 산성

NH_4Cl 수용액의 액성

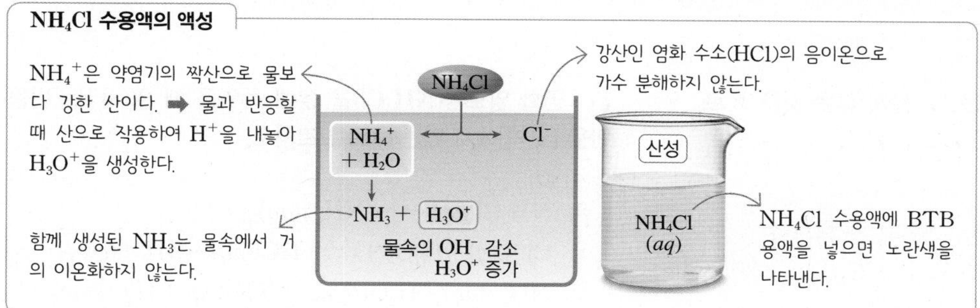

NH_4^+은 약염기의 짝산으로 물보다 강한 산이다. ➡ 물과 반응할 때 산으로 작용하여 H^+을 내놓아 H_3O^+을 생성한다.
NH_4Cl
$NH_4^+ + H_2O$
Cl^-
NH_3 + H_3O^+
물속의 OH^- 감소
H_3O^+ 증가
강산인 염화 수소(HCl)의 음이온으로 가수 분해하지 않는다.
함께 생성된 NH_3는 물속에서 거의 이온화하지 않는다.
산성
$NH_4Cl(aq)$
NH_4Cl 수용액에 BTB 용액을 넣으면 노란색을 나타낸다.

(4) 약산과 약염기가 반응하여 생성된 염: 양이온과 음이온의 일부가 물과 반응하여 H_3O^+과 OH^-을 생성하므로 수용액은 중성에 가깝다. 예 CH_3COONH_4

탐구 자료창 염 수용액의 액성

과정 ❶ 비커에 증류수를 각각 20 mL씩 넣고 염화 나트륨(NaCl), 아세트산 나트륨(CH_3COONa), 질산 칼륨(KNO_3), 탄산수소 나트륨($NaHCO_3$), 염화 암모늄(NH_4Cl)을 각각 1 g씩 녹인다.

❷ 각 수용액을 유리 막대에 묻혀 pH 시험지에 대어 본 후, 표준 변색표와 비교하여 액성을 조사한다.

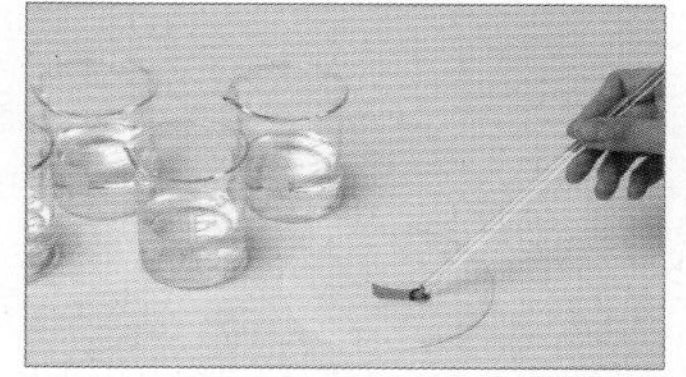

결과 및 해석

염	NaCl	CH_3COONa	KNO_3	$NaHCO_3$	NH_4Cl
수용액의 액성	중성	염기성	중성	염기성	산성
염을 생성한 산과 염기	NaOH(강염기) + HCl(강산)	NaOH(강염기) + CH_3COOH(약산)	KOH(강염기) + HNO_3(강산)	NaOH(강염기) + H_2CO_3(약산)	NH_3(약염기) + HCl(강산)
가수 분해	×	○	×	○	○
가수 분해하는 이온	—	CH_3COO^-	—	HCO_3^-	NH_4^+

결론
1. **강산과 강염기의 중화 반응으로 생성된 염:** 가수 분해하지 않으므로 염 수용액은 중성이다.
2. **약산과 강염기의 중화 반응으로 생성된 염:** 염을 물에 녹이면 음이온이 가수 분해하여 OH^-을 생성하므로 염 수용액의 액성은 산과 염기의 종류에 관계없이 염기성이다.
3. **강산과 약염기의 중화 반응으로 생성된 염:** 염을 물에 녹이면 양이온이 가수 분해하여 H_3O^+을 생성하므로 염 수용액의 액성은 산과 염기의 종류에 관계없이 산성이다.

암기해 염의 가수 분해

구분 (염의 생성)	가수 분해 여부	수용액의 액성
강산+강염기	×	염의 종류에 따라 다름
강산+약염기	○	산성
약산+강염기	○	염기성
약산+약염기	○	중성에 가까움

확대경 미래엔 교과서에만 나와요.

염 수용액의 액성을 평형 상수로 설명하기

CH_3COONa 수용액에서 가수 분해하는 CH_3COO^-의 평형 상수(K_b)는 다음과 같다.

$$CH_3COO^- + H_2O \rightleftharpoons CH_3COOH + OH^-$$

$$K_b = \frac{[CH_3COOH][OH^-]}{[CH_3COO^-]}$$

CH_3COOH의 평형 상수(K_a)는

$$K_a = \frac{[CH_3COO^-][H_3O^+]}{[CH_3COOH]} = 1.8 \times 10^{-5} (25\ °C)$$이다.

$K_w = 1.0 \times 10^{-14} (25\ °C)$

$$\Rightarrow K_b = \frac{K_w}{K_a} = \frac{1.0 \times 10^{-14}}{1.8 \times 10^{-5}} = 5.6 \times 10^{-10}$$

이 K_b를 이용하여 0.01 M CH_3COONa 수용액의 $[OH^-]$를 구하면 약 2.3×10^{-6} M이므로, pH 8.3 정도의 염기성을 띤다.

개념 확인 문제

정답친해 93쪽

- 염: 산과 염기가 중화 반응하여 생성된 물질로, 산의 (❶)과 염기의 (❷)이 결합한 물질이다.
- 염의 (❸): 염을 구성하는 이온이 물과 반응하여 H_3O^+이나 OH^-을 생성하는 반응이다.
- 염 수용액의 액성
  - 약산과 강염기가 반응하여 생성된 염: 염 수용액의 (❹)이 가수 분해하며 액성은 (❺)이다.
    - 예 아세트산 나트륨(CH_3COONa)을 물에 녹이면 (❻)이 가수 분해하여 (❼)을 생성한다.
  - 강산과 약염기가 반응하여 생성된 염: 염 수용액의 (❽)이 가수 분해하며 액성은 (❾)이다.
    - 예 염화 암모늄(NH_4Cl)을 물에 녹이면 (❿)이 가수 분해하여 (⓫)을 생성한다.

1 염에 대한 설명으로 옳은 것은 ○, 옳지 않은 것은 ×로 표시하시오.

(1) 염은 이온 화합물이다. ( )

(2) 중화 반응으로 생성된 염은 모두 물에 잘 녹는다. ( )

(3) $KHCO_3$은 H를 포함하므로 물에 녹으면 산성을 띤다. ( )

(4) NaOH과 HCl의 중화 반응으로 생성된 염의 수용액은 중성이다. ( )

2 염의 가수 분해에 대한 설명으로 옳은 것은 ○, 옳지 않은 것은 ×로 표시하시오.

(1) 약산의 음이온은 물과 반응하여 H_3O^+을 생성한다. ( )

(2) 강산의 음이온은 가수 분해하지 않는다. ( )

(3) 약염기의 양이온은 물과 반응하여 OH^-을 생성한다. ( )

(4) 강염기의 양이온은 가수 분해하지 않는다. ( )

3 물에 녹였을 때 수용액이 염기성을 나타내는 염을 [보기]에서 있는 대로 고르시오.

[보기]
ㄱ. NaCl ㄴ. KCN ㄷ. K_2CO_3
ㄹ. Na_2SO_4 ㅁ. NH_4NO_3

4 염화 암모늄(NH_4Cl)을 물에 녹였을 때 일어나는 반응만을 [보기]에서 있는 대로 고르시오.

[보기]
ㄱ. $NH_4Cl(aq) \longrightarrow NH_4^+(aq) + Cl^-(aq)$
ㄴ. $Cl^-(aq) + H_2O(l) \rightleftharpoons HCl(aq) + OH^-(aq)$
ㄷ. $NH_4^+(aq) + H_2O(l) \rightleftharpoons NH_3(aq) + H_3O^+(aq)$

5 염 수용액에 BTB 용액을 1방울~2방울 떨어뜨렸을 때 오른쪽과 같은 결과가 나타나는 염을 [보기]에서 있는 대로 고르시오.

[보기]
ㄱ. KNO_3 ㄴ. NH_4Cl ㄷ. Na_2CO_3
ㄹ. $NaHCO_3$ ㅁ. NH_4NO_3

6 0.1 M 아세트산(CH_3COOH) 수용액 50 mL에 0.1 M 수산화 나트륨(NaOH) 수용액 50 mL를 혼합한 용액에 대한 설명으로 옳은 것만을 [보기]에서 있는 대로 고르시오.

[보기]
ㄱ. 중화 반응이 완결된다.
ㄴ. 용액에는 이온이 존재하지 않는다.
ㄷ. BTB 용액을 떨어뜨리면 초록색을 나타낸다.

대표 자료 분석

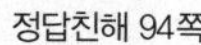

정답친해 94쪽

학교 시험에 자주 출제되는 대표 자료와 그 자료에 대한 문제를 통해 자료를 완벽하게 이해할 수 있다.

자료 1 산 염기의 세기

기출 Point
- 이온화 상수와 산 염기의 세기
- 짝산 – 짝염기 구분, 짝산 – 짝염기의 상대적 세기

[1~4] 다음은 25 °C에서 아질산(HNO_2)과 아세트산(CH_3COOH)의 이온화 반응식과 이온화 상수(K_a)이다.

(가) $HNO_2(aq)+H_2O(l) \rightleftharpoons NO_2^-(aq)+H_3O^+(aq)$ $K_a=7.1\times10^{-4}$

(나) $CH_3COOH(aq)+H_2O(l) \rightleftharpoons CH_3COO^-(aq)+H_3O^+(aq)$ $K_a=1.8\times10^{-5}$

1 HNO_2과 CH_3COOH의 이온화 상수(K_a)를 식으로 나타내시오.

2 (가)에서 브뢴스테드·로리 산으로 작용하는 물질을 모두 쓰시오.

3 (나)에서 브뢴스테드·로리 염기로 작용하는 물질을 모두 쓰시오.

4 빈출 선택지로 완벽 정리!

(1) (가)에서 HNO_2의 짝염기는 NO_2^-이다. ········ (○ / ×)

(2) (가)는 정반응이 우세하게 일어난 쪽에서 평형이 이루어진다. ········ (○ / ×)

(3) (가)에서 HNO_2은 H_3O^+보다 강한 산이다. (○ / ×)

(4) (나)에서 산으로 작용하는 물질은 CH_3COOH과 H_3O^+이다. ········ (○ / ×)

(5) (나)에서 CH_3COO^-은 H_2O보다 강한 염기이다. ········ (○ / ×)

(6) 염기의 세기는 CH_3COO^-이 NO_2^-보다 강하다. ········ (○ / ×)

자료 2 염의 가수 분해

기출 Point
- 염의 가수 분해
- 염 수용액의 액성

[1~4] 표는 25 °C에서 물에 잘 녹는 4가지 염과 그 수용액의 액성이다.

염	$NaCl$	NH_4Cl	CH_3COONa	Na_2CO_3
수용액의 액성	중성	(가)	염기성	(나)

1 (가)와 (나)에 알맞은 액성을 각각 쓰시오.

2 NH_4Cl을 물에 녹였을 때, 물과 반응하는 이온을 쓰시오.

3 CH_3COONa 수용액의 액성을 설명할 수 있는 화학 반응식을 쓰시오.

4 빈출 선택지로 완벽 정리!

(1) $NaCl$ 수용액이 중성인 까닭은 $NaCl$이 수용액에서 가수 분해하지 않기 때문이다. ········ (○ / ×)

(2) NH_4Cl을 물에 녹이면 Cl^-이 가수 분해하여 H_3O^+을 생성한다. ········ (○ / ×)

(3) Na_2CO_3을 물에 녹이면 CO_3^{2-}은 물과 반응하지 않는다. ········ (○ / ×)

(4) Na_2CO_3을 녹인 수용액에 BTB 용액을 떨어뜨리면 파란색을 나타낸다. ········ (○ / ×)

내신 만점 문제

Ⓐ 이온화 상수와 산 염기의 세기

01 그림은 같은 부피의 산 HA와 HB의 수용액에 존재하는 입자를 모형으로 나타낸 것이다.

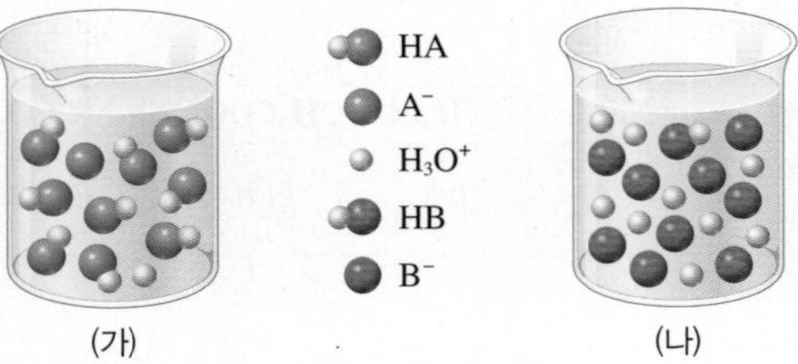

이에 대한 설명으로 옳은 것만을 [보기]에서 있는 대로 고른 것은? (단, 온도는 같다.)

[보기]
ㄱ. 산의 세기는 HA<HB이다.
ㄴ. 이온화 정도는 HA<HB이다.
ㄷ. 수용액의 pH는 (가)<(나)이다.

① ㄱ ② ㄴ ③ ㄱ, ㄴ
④ ㄴ, ㄷ ⑤ ㄱ, ㄴ, ㄷ

02 그림은 농도와 부피가 같은 산 HA와 HB 수용액에 같은 크기의 마그네슘 리본을 각각 넣었을 때 기포가 발생하는 정도를 나타낸 것이다.

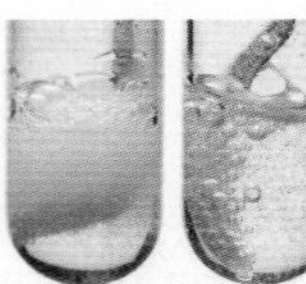

0.1 M HA(*aq*)이 HB(*aq*)보다 큰 값을 갖는 것만을 [보기]에서 있는 대로 고른 것은? (단, 온도는 일정하다.)

[보기]
ㄱ. 음이온의 농도
ㄴ. 전기 전도도
ㄷ. 수용액의 pH

① ㄱ ② ㄷ ③ ㄱ, ㄴ
④ ㄴ, ㄷ ⑤ ㄱ, ㄴ, ㄷ

중요 **03** 다음은 25 °C에서 염기 B의 이온화 반응식과 이온화 상수이다.

$$B(aq)+H_2O(l) \rightleftharpoons BH^+(aq)+OH^-(aq)$$
$$K_b=1.8\times10^{-5}$$

이에 대한 설명으로 옳은 것만을 [보기]에서 있는 대로 고른 것은?

[보기]
ㄱ. 이온화 상수$(K_b)=\dfrac{[B]}{[BH^+][OH^-]}$이다.
ㄴ. 평형 상태에서의 농도는 B가 BH^+보다 크다.
ㄷ. 25 °C에서 B의 농도가 클수록 이온화 상수(K_b)가 커진다.

① ㄱ ② ㄴ ③ ㄱ, ㄴ
④ ㄴ, ㄷ ⑤ ㄱ, ㄴ, ㄷ

04 그림은 0.1 M 산 HA와 HB 수용액에 각각 들어 있는 A^-과 B^-의 몰 농도를 나타낸 것이다.

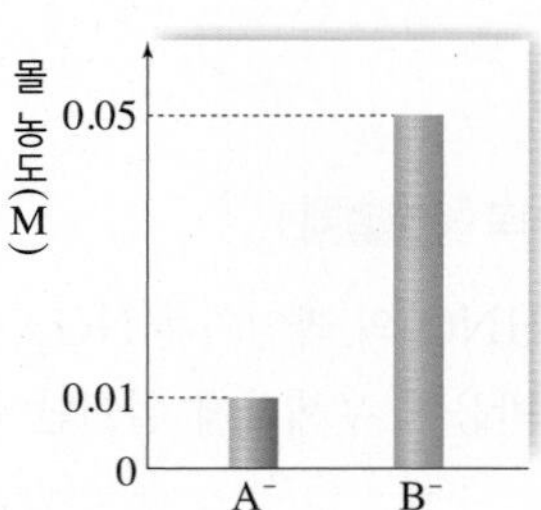

이에 대한 설명으로 옳은 것만을 [보기]에서 있는 대로 고른 것은?

[보기]
ㄱ. 산의 이온화 상수(K_a)는 HA<HB이다.
ㄴ. 수용액의 pH는 HA>HB이다.
ㄷ. 이온화도는 HB가 HA의 5배이다.

① ㄱ ② ㄷ ③ ㄱ, ㄴ
④ ㄴ, ㄷ ⑤ ㄱ, ㄴ, ㄷ

정답친해 95쪽

중요 **05** 표는 25 °C에서 약산 HA와 HB 수용액에 대한 자료이다.

수용액	몰 농도(M)	pH	이온화 상수(K_a)
HA(aq)	0.1	3	(가)
HB(aq)	1.0	(나)	1.0×10^{-8}

이에 대한 설명으로 옳은 것만을 [보기]에서 있는 대로 고른 것은?

[보기]
ㄱ. (가)는 1.0×10^{-4}이다.
ㄴ. (나)는 8이다.
ㄷ. 산의 세기는 HA가 HB보다 강하다.

① ㄱ ② ㄷ ③ ㄱ, ㄴ
④ ㄴ, ㄷ ⑤ ㄱ, ㄴ, ㄷ

B 산 염기의 상대적 세기

06 다음은 산 염기 반응의 화학 반응식이다.

$$CO_3^{2-}(aq)+H_2O(l) \rightleftharpoons HCO_3^-(aq)+OH^-(aq)$$

이에 대한 설명으로 옳은 것만을 [보기]에서 있는 대로 고르시오.

[보기]
ㄱ. 산으로 작용하는 물질은 H_2O과 HCO_3^-이다.
ㄴ. H_2O의 짝염기는 OH^-이다.
ㄷ. CO_3^{2-}의 짝산은 HCO_3^-이다.

07 다음은 2가지 산 염기 반응의 화학 반응식이다.

(가) $HCN(aq)+H_2O(l) \rightleftharpoons CN^-(aq)+H_3O^+(aq)$
(나) $CH_3NH_2(aq)+HCl(aq) \rightleftharpoons CH_3NH_3^+(aq)+Cl^-(aq)$

(가)와 (나)에서 염기로 작용하는 물질을 옳게 짝 지은 것은?

	(가)	(나)		(가)	(나)
①	HCN	CH_3NH_2	②	H_2O	HCl
③	CN^-	HCl	④	H_2O	$CH_3NH_3^+$
⑤	CN^-	CH_3NH_2			

08 다음은 3가지 산 염기 반응의 화학 반응식이다.

(가) $HF(aq)+H_2O(l) \rightleftharpoons F^-(aq)+H_3O^+(aq)$
(나) $NH_3(aq)+H_2O(l) \rightleftharpoons NH_4^+(aq)+OH^-(aq)$
(다) $NH_3(aq)+HCl(aq) \rightleftharpoons NH_4^+(aq)+Cl^-(aq)$

이에 대한 설명으로 옳은 것만을 [보기]에서 있는 대로 고른 것은?

[보기]
ㄱ. H_2O은 (가)에서는 염기로 작용하고, (나)에서는 산으로 작용한다.
ㄴ. NH_3는 양쪽성 물질이다.
ㄷ. (다)에서 NH_4^+의 짝염기는 HCl이다.

① ㄱ ② ㄴ ③ ㄱ, ㄷ
④ ㄴ, ㄷ ⑤ ㄱ, ㄴ, ㄷ

중요 **09** 다음은 25 °C에서 아세트산(CH_3COOH)의 이온화 반응식과 이온화 상수(K_a)이다.

$$CH_3COOH(aq)+H_2O(l) \rightleftharpoons CH_3COO^-(aq)+H_3O^+(aq)$$
$$K_a=1.8\times10^{-5}$$

이에 대한 설명으로 옳은 것만을 [보기]에서 있는 대로 고른 것은?

[보기]
ㄱ. H_2O은 염기로 작용하였다.
ㄴ. CH_3COO^-의 짝산은 CH_3COOH이다.
ㄷ. 산의 세기는 $CH_3COOH < H_3O^+$이다.

① ㄱ ② ㄷ ③ ㄱ, ㄴ
④ ㄱ, ㄷ ⑤ ㄱ, ㄴ, ㄷ

10 다음은 25 °C에서 산 HA의 이온화 반응식과 이온화 상수이다.

$$HA(aq) + H_2O(l) \rightleftharpoons A^-(aq) + H_3O^+(aq) \quad K_a = 1.0 \times 10^{-7}$$

이에 대한 설명으로 옳은 것만을 [보기]에서 있는 대로 고른 것은?

[보기]
ㄱ. 염기의 세기는 $H_2O > A^-$이다.
ㄴ. 평형 상태에서 $\frac{[A^-]}{[HA]} > 1$이다.
ㄷ. 0.1 M HA(*aq*)의 pH는 4이다.

① ㄱ ② ㄷ ③ ㄱ, ㄴ ④ ㄴ, ㄷ ⑤ ㄱ, ㄴ, ㄷ

중요 **11** 다음은 25 °C에서 아세트산(CH_3COOH), 탄산(H_2CO_3), 황화 수소(H_2S)의 이온화 반응식과 이온화 상수(K_a)이다.

- $CH_3COOH(aq) + H_2O(l) \rightleftharpoons CH_3COO^-(aq) + H_3O^+(aq) \quad K_a = 1.8 \times 10^{-5}$
- $H_2CO_3(aq) + H_2O(l) \rightleftharpoons HCO_3^-(aq) + H_3O^+(aq) \quad K_a = 4.3 \times 10^{-7}$
- $H_2S(aq) + H_2O(l) \rightleftharpoons HS^-(aq) + H_3O^+(aq) \quad K_a = 1.0 \times 10^{-7}$

이에 대한 설명으로 옳은 것만을 [보기]에서 있는 대로 고른 것은?

[보기]
ㄱ. CH_3COOH은 H_2S보다 약한 산이다.
ㄴ. HCO_3^-은 CH_3COO^-보다 강한 염기이다.
ㄷ. 수용액의 pH는 0.1 M $H_2CO_3(aq)$이 0.1 M $H_2S(aq)$보다 작다.

① ㄱ ② ㄴ ③ ㄷ ④ ㄱ, ㄴ ⑤ ㄴ, ㄷ

중요 **12** 다음은 25 °C에서 0.1 M 아세트산 수용액과 0.1 M 암모니아수의 이온화 반응식과 이온화 상수(K_a, K_b)이다.

- $CH_3COOH(aq) + H_2O(l) \rightleftharpoons CH_3COO^-(aq) + H_3O^+(aq) \quad K_a = 1.8 \times 10^{-5}$
- $NH_3(aq) + H_2O(l) \rightleftharpoons NH_4^+(aq) + OH^-(aq) \quad K_b = 1.8 \times 10^{-5}$

이에 대한 설명으로 옳지 않은 것은?

① H_2O은 양쪽성 물질이다.
② CH_3COO^-과 NH_3는 염기이다.
③ 산의 세기는 $CH_3COOH < H_3O^+$이다.
④ 염기의 세기는 $NH_3 > OH^-$이다.
⑤ 평형 상태에서 CH_3COO^-의 농도와 NH_4^+의 농도는 같다.

13 표는 25 °C에서 0.1 M HA와 HB 수용액의 pH이다.

구분	HA(*aq*)	HB(*aq*)
pH	3	5

이에 대한 설명으로 옳은 것만을 [보기]에서 있는 대로 고른 것은?

[보기]
ㄱ. 25 °C에서 HA의 이온화 상수(K_a)는 1.0×10^{-5}이다.
ㄴ. 산의 세기는 HA가 HB보다 강하다.
ㄷ. 염기의 세기는 A^-이 B^-보다 강하다.

① ㄱ ② ㄷ ③ ㄱ, ㄴ ④ ㄴ, ㄷ ⑤ ㄱ, ㄴ, ㄷ

C 염의 가수 분해

14 표는 몇 가지 염 수용액의 액성이다.

염	NaCl	NH_4Cl	$KHSO_4$	$NaHCO_3$	CH_3COONa
액성	중성	산성	(가)	(나)	염기성

이에 대한 설명으로 옳지 않은 것은?

① NaCl이 물에 녹으면 Na^+과 Cl^-으로 존재한다.
② NH_4Cl 수용액이 산성인 것은 NH_4^+이 가수 분해하여 H_3O^+을 생성하기 때문이다.
③ (가)는 염이 이온화하여 생성된 HSO_4^-의 반응에 의해 산성이다.
④ (나)는 HCO_3^-이 H^+과 CO_3^{2-}으로 이온화하므로 산성이다.
⑤ CH_3COONa 수용액에는 CH_3COO^-이 가수 분해하여 생성한 OH^-이 존재한다.

15 다음은 탄산수소 나트륨($NaHCO_3$)과 염화 암모늄(NH_4Cl)이 수용액의 pH에 미치는 영향을 알아보는 실험이다. 모든 수용액의 온도는 25 °C로 일정하다.

(1) pH 6.0인 용액 (가)에 $NaHCO_3(s)$을 녹인 용액 (나)의 pH를 측정하였다.
(2) 용액 (나)에 $NH_4Cl(s)$을 녹인 용액 (다)의 pH를 측정하였더니 5.6이었다.

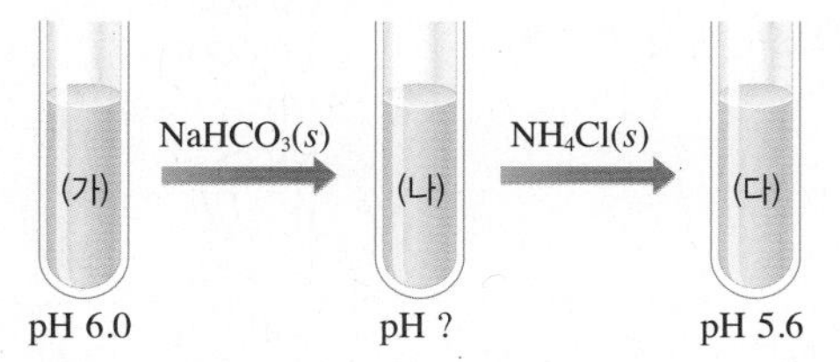

이에 대한 설명으로 옳은 것만을 [보기]에서 있는 대로 고른 것은?

[보기]
ㄱ. 수용액 (나)의 pH는 6.0보다 크다.
ㄴ. H_3O^+의 농도는 (다) > (가) > (나) 순이다.
ㄷ. NH_4Cl은 가수 분해하여 H_3O^+의 농도를 증가시킨다.

① ㄱ ② ㄷ ③ ㄱ, ㄴ
④ ㄴ, ㄷ ⑤ ㄱ, ㄴ, ㄷ

중요 **16** 다음은 약산 HA 수용액과 NaOH 수용액의 중화 반응의 화학 반응식이다.

$$HA(aq) + NaOH(aq) \rightleftharpoons NaA(aq) + H_2O(l)$$

0.1 M HA(*aq*) 100 mL와 0.1 M NaOH(*aq*) 100 mL를 혼합한 용액에 대한 설명으로 옳은 것만을 [보기]에서 있는 대로 고른 것은? (단, 혼합 후 용액의 부피는 혼합 전 각 수용액의 부피의 합과 같으며, 모든 수용액의 온도는 25 °C이다.)

[보기]
ㄱ. $Na^+(aq)$의 몰 농도는 0.05 M이다.
ㄴ. 수용액의 pH는 7보다 크다.
ㄷ. $\frac{[Na^+]}{[A^-]} < 1$이다.

① ㄱ ② ㄷ ③ ㄱ, ㄴ
④ ㄴ, ㄷ ⑤ ㄱ, ㄴ, ㄷ

중요 **17** 다음은 25 °C에서 산 HA, HB와 염기 C의 이온화 반응식과 이온화 상수이다.

- $HA(aq) + H_2O(l) \rightleftharpoons A^-(aq) + H_3O^+(aq)$ $K_a = 1.0 \times 10^{-10}$
- $HB(aq) + H_2O(l) \rightleftharpoons B^-(aq) + H_3O^+(aq)$ $K_a = 1.0 \times 10^{-5}$
- $C(aq) + H_2O(l) \rightleftharpoons CH^+(aq) + OH^-(aq)$ $K_b = 1.0 \times 10^{-5}$

이에 대한 설명으로 옳은 것만을 [보기]에서 있는 대로 고른 것은? (단, 25 °C에서 물의 이온화 상수(K_w)는 1.0×10^{-14}이다.)

[보기]
ㄱ. $NaA(aq)$은 산성 이다.
ㄴ. $CHCl(aq)$은 산성이다.
ㄷ. $CHB(aq)$은 중성이다.

① ㄱ ② ㄷ ③ ㄱ, ㄴ
④ ㄴ, ㄷ ⑤ ㄱ, ㄴ, ㄷ

02 완충 용액

핵심 포인트
- Ⓐ 완충 용액 ★★
- 완충 작용의 원리 ★★
- Ⓑ 생체 내 완충 용액 ★★

Ⓐ 완충 용액

순수한 물은 산이나 염기를 조금만 넣어도 수용액의 pH가 크게 변하지만, 사람의 혈액은 산이나 염기가 소량 들어와도 pH가 크게 변하지 않아 생명 활동에 지장이 없어요. 혈액처럼 소량의 산이나 염기에 의해 pH가 변하지 않는 용액을 알아보고, 그 작용 원리를 살펴볼까요?

1. 완충 용액 적은 양의 산이나 염기를 넣어도 *pH가 크게 변하지 않는 용액으로, 약산과 그 약산의 짝염기가 섞여 있는 수용액이나 약염기와 그 약염기의 짝산이 섞여 있는 수용액은 완충 용액이다.

예 *[CH_3COOH(약산) + CH_3COONa(약산의 짝염기)] 수용액, [NH_3(약염기) + NH_4Cl(약염기의 짝산)] 수용액

2. 완충 용액의 원리

(1) **공통 이온 효과**: 이온화 평형 상태에 있는 수용액에 이온화 평형에 참여하는 이온과 같은 종류의 이온을 넣을 때, 르샤틀리에 원리에 의해 그 이온의 농도가 감소하는 방향으로 평형이 이동하여 새로운 평형에 이르는 현상이다. (• 완충 용액에 산이나 염기를 가해도 용액의 pH가 크게 변하지 않는 까닭은 공통 이온 효과 때문이다.)

(2) **아세트산(CH_3COOH)과 아세트산 나트륨(CH_3COONa)의 완충 용액**: 약산인 CH_3COOH은 극히 일부만 이온화하고 CH_3COONa은 수용액에서 대부분 이온화한다.

$$CH_3COOH(aq) + H_2O(l) \rightleftharpoons CH_3COO^-(aq) + H_3O^+(aq) \cdots ❶$$

물에 잘 녹는 염이다. • $$CH_3COONa(aq) \longrightarrow CH_3COO^-(aq) + Na^+(aq)$$

공통 이온: CH_3COO^-

① CH_3COO^-의 공통 이온 효과: CH_3COONa이 이온화하여 CH_3COO^-의 농도가 증가하면 CH_3COOH의 이온화 평형이 CH_3COO^-의 농도를 감소시키는 역반응 쪽으로 이동하여 새로운 평형에 도달한다. ➡ 수용액 중에는 CH_3COOH과 CH_3COO^-이 비슷한 농도로 공존한다.

② *완충 작용

소량의 산 첨가

산이 내놓은 H^+은 수용액 속 CH_3COO^-과 반응한다.

$$CH_3COO^-(aq) + H^+(aq) \longrightarrow CH_3COOH(aq)$$

➡ 넣어 준 대부분의 H^+이 소모되어 수용액의 pH는 거의 일정하게 유지된다.

[평형 이동으로 해석하기] H^+의 양이 증가하므로 반응 ❶의 평형이 역반응 쪽으로 이동 ➡ CH_3COO^-의 농도가 커서 넣어 준 대부분의 H^+이 CH_3COO^-과 결합하므로 pH는 거의 일정

소량의 염기 첨가

염기가 내놓은 OH^-은 수용액 속 CH_3COOH과 중화 반응한다.

$$CH_3COOH(aq) + OH^-(aq) \longrightarrow CH_3COO^-(aq) + H_2O(l)$$

➡ 넣어 준 대부분의 OH^-이 소모되어 수용액의 pH는 거의 일정하게 유지된다.

[평형 이동으로 해석하기] OH^-과 H^+이 중화 반응하여 H^+의 양이 감소하므로 반응 ❶의 평형이 정반응 쪽으로 이동 ➡ CH_3COOH의 농도가 커서 H^+을 보충하므로 pH는 거의 일정

★ 완충 용액의 액성 변화

다음은 순수한 물과 완충 용액에 BTB 용액을 떨어뜨리고 소량의 산, 염기를 넣었을 때의 색 변화이다.

• 순수한 물

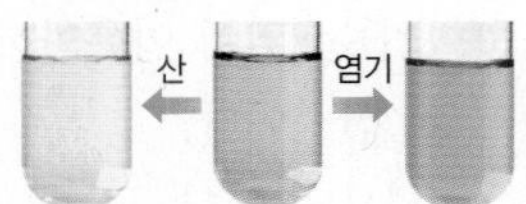

순수한 물은 중성이고, 산과 염기를 가하면 액성이 변한다.

• $CH_3COOH-CH_3COONa$ 완충 용액

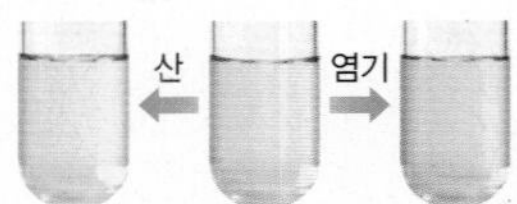

수용액은 산성이고 산이나 염기를 가해도 액성이 변하지 않는다.

★ 완충 용액의 예(단, pH는 각 용액을 1 : 1로 혼합한 경우)

완충 용액	pH (0.1 M 용액)
CH_3COOH/ CH_3COONa	4.76
NH_3/ NH_4Cl	9.25
H_2CO_3/ $NaHCO_3$	6.46
NaH_2PO_4/ Na_2HPO_4	7.20

★ 완충 용액의 한계

완충 용액도 완충 범위를 벗어나면 pH가 급격히 변한다. 즉, 완충 용액에 존재하는 약산이나 약염기가 완전히 반응할 만큼 많은 양의 염기나 산을 넣어 주면 완충 능력이 없어진다.

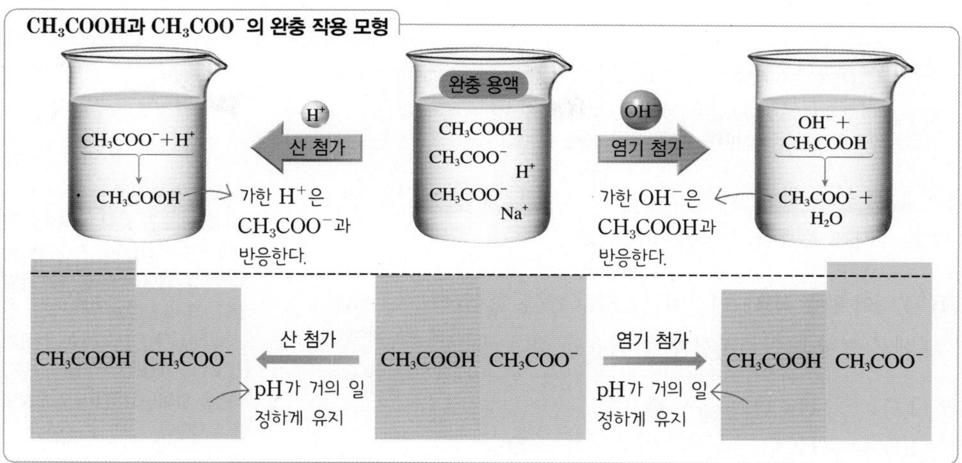

(3) 암모니아(NH_3)와 염화 암모늄(NH_4Cl)의 완충 용액: 약염기인 NH_3는 극히 일부만 이온화하고 NH_4Cl은 수용액에서 대부분 이온화한다.

$$NH_3(aq) + H_2O(l) \rightleftharpoons NH_4^+(aq) + OH^-(aq) \cdots ❶$$
$$NH_4Cl(aq) \longrightarrow NH_4^+(aq) + Cl^-(aq)$$

공통 이온 — 수용액 중에는 NH_3와 NH_4^+이 비슷한 농도로 공존한다.

소량의 산 첨가

산이 내놓은 H^+은 수용액 속 NH_3와 반응한다.

$$NH_3(aq) + H^+(aq) \longrightarrow NH_4^+(aq)$$

➡ 넣어 준 대부분의 H^+이 소모되어 수용액의 pH는 거의 일정하게 유지된다.

[평형 이동으로 해석하기] H^+과 OH^-이 중화 반응하여 OH^-의 양이 감소하므로 반응 ❶의 평형이 정반응 쪽으로 이동

소량의 염기 첨가

염기가 내놓은 OH^-은 수용액 속 NH_4^+과 중화 반응한다.

$$NH_4^+(aq) + OH^-(aq) \longrightarrow NH_3(aq) + H_2O(l)$$

➡ 넣어 준 대부분의 OH^-이 소모되어 수용액의 pH는 거의 일정하게 유지된다.

[평형 이동으로 해석하기] OH^-이 증가하므로 반응 ❶의 평형이 역반응 쪽으로 이동

천재 교과서에만 나와요.

★ HCN와 KCN의 완충 용액

약산인 사이안화 수소(HCN)는 극히 일부만 이온화하고, 사이안화 칼륨(KCN)은 대부분 이온화한다.

$$HCN(aq) + H_2O(l) \rightleftharpoons CN^-(aq) + H_3O^+(aq)$$
$$KCN(aq) \longrightarrow CN^-(aq) + K^+(aq)$$

공통 이온

- 소량의 산 첨가: 산이 내놓은 H^+은 수용액 속 CN^-과 반응하여 소모된다.
- 소량의 염기 첨가: 염기가 내놓은 OH^-은 수용액 속 HCN와 중화 반응하여 소모된다.

탐구 자료창 완충 용액의 특징

과정

❶ 증류수와 완충 용액을 50 mL씩 만들고, 만능 pH 시험지를 이용하여 각 용액의 pH를 측정한다.

❷ 증류수와 완충 용액을 각각 25 mL씩 옮겨 담은 후, 각 용액에 1 M HCl(aq)을 한 방울씩 떨어뜨린 뒤 pH를 측정한다.

❸ 남은 증류수와 완충 용액에 1 M NaOH(aq)을 각각 한 방울씩 떨어뜨린 뒤 pH를 측정한다.

결과 및 해석

구분	실험 전	*1 M HCl(aq)을 넣은 후	1 M NaOH(aq)을 넣은 후
증류수의 pH	7	3	11
완충 용액의 pH	9	8	10

➡ 증류수의 pH는 크게 변하지만 완충 용액의 pH는 크게 변하지 않는다.

결론 완충 용액에 소량의 산이나 염기를 가해도 pH는 거의 일정하게 유지된다.

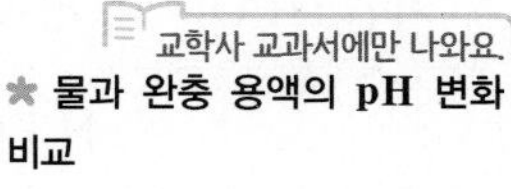

★ 물과 완충 용액의 pH 변화 비교

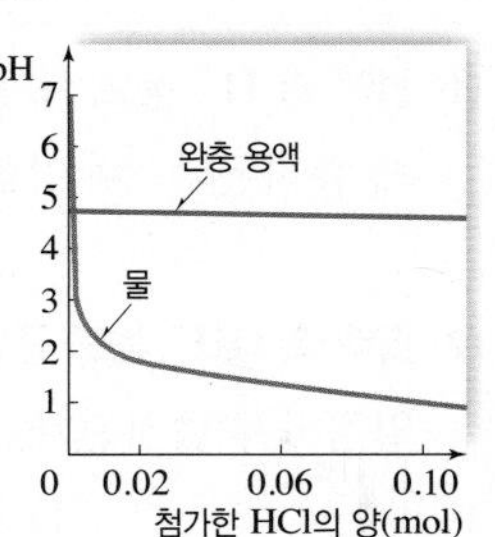

02 완충 용액

B 생체 내 완충 용액

생명 유지를 위한 다양한 대사 작용이 원활하게 일어나려면 우리 몸 각 기관의 pH가 일정하게 유지되어야 해요. 혈액은 pH 7.3~7.4 정도를 유지하는데, 이 범위를 벗어나면 사망할 수 있답니다. 혈액은 어떻게 pH를 일정하게 유지하는 걸까요?

1. 생체 내 완충 용액 입 안의 *침, *혈액 등은 완충 용액으로, 용액 속에 들어 있는 탄산이나 인산 등이 완충 작용을 하여 생명 유지에 중요한 역할을 수행한다.

2. 탄산(H_2CO_3)과 탄산수소 이온(HCO_3^-)의 완충 작용 이산화 탄소(CO_2)가 혈액에 녹아 생성된 H_2CO_3과 HCO_3^-이 혈액 내에서 평형을 이루면서 완충 작용을 한다. → 주로 세포 외액에서 이루어진다.

$$CO_2(aq)+H_2O(l) \rightleftharpoons H_2CO_3(aq) \cdots ❶$$
$$H_2CO_3(aq)+H_2O(l) \rightleftharpoons HCO_3^-(aq)+H_3O^+(aq) \cdots ❷$$

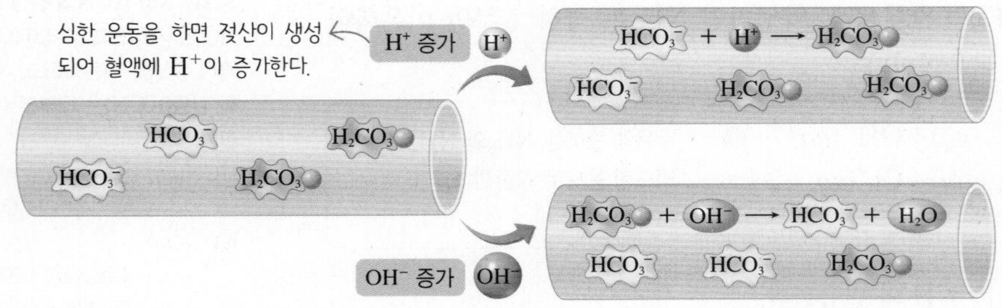

혈액 속 H^+ 농도 증가

H^+이 HCO_3^-과 반응하여 H_2CO_3을 생성하므로, 혈액의 pH는 거의 일정하게 유지된다.

$HCO_3^-(aq)+H^+(aq) \longrightarrow H_2CO_3(aq)$ … 반응 ❷의 평형이 역반응 쪽으로 이동

이때 증가한 H_2CO_3은 H_2O과 CO_2로 분해되며, CO_2는 몸 밖으로 배출된다.

$H_2CO_3(aq) \longrightarrow CO_2(aq)+H_2O(l)$ … 반응 ❶의 평형이 역반응 쪽으로 이동

혈액 속 OH^- 농도 증가

OH^-이 H_2CO_3과 중화 반응하므로, 혈액의 pH는 거의 일정하게 유지된다.

$H_2CO_3(aq)+OH^-(aq) \longrightarrow HCO_3^-(aq)+H_2O(l)$ … H_3O^+이 감소하므로 반응 ❷의 평형이 정반응 쪽으로 이동

이때 H_2CO_3이 감소하므로 혈액 속에 있던 CO_2가 H_2CO_3을 생성하여 보충한다.

$CO_2(aq)+H_2O(l) \longrightarrow H_2CO_3(aq)$ … 반응 ❶의 평형이 정반응 쪽으로 이동

3. 인산이수소 이온($H_2PO_4^-$)과 인산수소 이온(HPO_4^{2-})의 완충 작용 약산인 $H_2PO_4^-$과 그 짝염기인 HPO_4^{2-}이 평형을 이루면서 완충 작용을 한다. → 주로 세포 내에서 이루어진다.

$$H_2PO_4^-(aq)+H_2O(l) \rightleftharpoons HPO_4^{2-}(aq)+H_3O^+(aq)$$

(1) **혈액 속 H^+ 농도 증가**: H^+이 HPO_4^{2-}과 반응하여 소모되므로 혈액의 pH는 거의 일정하게 유지된다. ➡ 평형이 역반응 쪽으로 이동한다.

$$HPO_4^{2-}(aq)+H^+(aq) \longrightarrow H_2PO_4^-(aq)$$

(2) **혈액 속 OH^- 농도 증가**: OH^-이 $H_2PO_4^-$과 중화 반응하여 소모되므로 혈액의 pH는 거의 일정하게 유지된다. ➡ 평형이 정반응 쪽으로 이동한다.

$$H_2PO_4^-(aq)+OH^-(aq) \longrightarrow HPO_4^{2-}(aq)+H_2O(l)$$

*** 침의 완충 작용**
음식을 먹으면 화학 반응으로 입안에 산이 생성되며, 이 산은 치아의 에나멜을 녹여 충치를 유발한다. 그러나 침에 들어 있는 탄산계(H_2CO_3/HCO_3^-), 인산계($H_2PO_4^-/HPO_4^{2-}$) 등이 완충 작용을 하여 pH 6.0~7.2 정도를 유지한다.

*** 혈액에서 완충 작용을 하는 물질**
혈액은 탄산계(H_2CO_3/HCO_3^-), 인산계($H_2PO_4^-/HPO_4^{2-}$), 단백질 등이 완충 작용을 하여 pH를 일정하게 유지하는데, 탄산계의 완충 작용이 가장 중요하다.

개념 확인 문제

정답친해 98쪽

핵심 체크

- (❶) 용액: 적은 양의 산이나 염기를 넣어도 pH가 크게 변하지 않는 용액
- (❷) 효과: 이온화 평형 상태에 있는 수용액에 이온화 평형에 참여하는 이온과 같은 종류의 이온을 넣을 때 그 이온의 농도가 감소하는 방향으로 평형이 이동하는 현상
- 아세트산(CH_3COOH)과 아세트산 나트륨(CH_3COONa)의 완충 용액
  - 공통 이온: (❸)
  - 완충 용액에 소량의 산 첨가: H^+이 수용액 속 (❹)과 반응한다.
  - 완충 용액에 소량의 염기 첨가: OH^-이 수용액 속 (❺)과 반응한다.
- 혈액의 완충 작용: 이산화 탄소(CO_2)가 혈액에 녹아 생성된 (❻)과 그 짝염기인 (❼)이 평형을 이루면서 완충 작용을 한다.

1 완충 작용을 할 수 있는 용액을 [보기]에서 있는 대로 고르시오.

[보기]
ㄱ. $HF(aq)+NaF(aq)$
ㄴ. $HCl(aq)+NaOH(aq)$
ㄷ. $NH_3(aq)+NH_4Cl(aq)$
ㄹ. $NaH_2PO_4(aq)+Na_2HPO_4(aq)$

2 다음은 아세트산(CH_3COOH) 수용액의 이온화 평형을 나타낸 것이다.

$$CH_3COOH(aq)+H_2O(l) \rightleftharpoons CH_3COO^-(aq)+H_3O^+(aq)$$

이에 대한 설명으로 옳은 것은 ○, 옳지 않은 것은 ×로 표시하시오.

(1) 수용액에 $HCl(aq)$을 넣을 때 Cl^-은 공통 이온이다. ( )

(2) 수용액에 CH_3COONa을 소량 넣으면 평형은 역반응 쪽으로 이동한다. ( )

(3) 수용액에 CH_3COONa을 소량 넣으면 Na^+에 의해 새로운 평형에 도달한다. ( )

(4) 수용액에 CH_3COONa을 넣으면 완충 용액이 된다. ( )

3 다음은 암모니아(NH_3) 수용액의 이온화 평형과 이 수용액에 소량의 염화 암모늄(NH_4Cl)을 녹였을 때의 화학 반응식이다.

$$NH_3(aq)+H_2O(l) \rightleftharpoons NH_4^+(aq)+OH^-(aq)$$
$$NH_4Cl(aq) \longrightarrow NH_4^+(aq)+Cl^-(aq)$$

이 수용액에 (가)소량의 산을 첨가했을 때와 (나)소량의 염기를 첨가했을 때 일어나는 주된 반응의 화학 반응식을 보기에서 각각 고르시오.

[보기]
ㄱ. $NH_3(aq)+H^+(aq) \longrightarrow NH_4^+(aq)$
ㄴ. $NH_4^+(aq)+H_2O(l) \longrightarrow NH_3(aq)+H_3O^+(aq)$
ㄷ. $NH_4^+(aq)+OH^-(aq) \longrightarrow NH_3(aq)+H_2O(l)$

4 그림은 혈액에 녹아 있는 탄산(H_2CO_3)과 탄산수소 이온(HCO_3^-)을 모형으로 나타낸 것이다. 이에 대한 설명으로 옳은 것은 ○, 옳지 않은 것은 ×로 표시하시오.

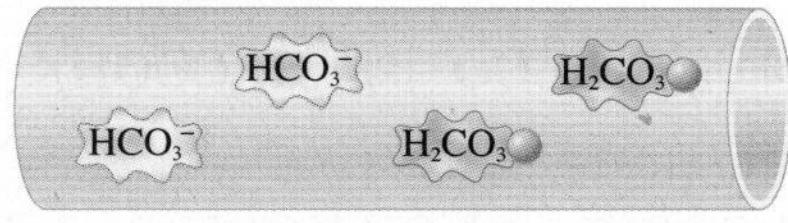

(1) 혈액에 소량의 $HCl(aq)$이 들어오면 pH가 크게 작아진다. ( )

(2) 혈액에 소량의 $NaOH(aq)$이 들어오면 pH가 크게 커진다. ( )

(3) 혈액에 소량의 $HCl(aq)$이 들어오면 혈액 속 H_2CO_3의 농도가 증가한다. ( )

대표 자료 분석

정답친해 99쪽

학교 시험에 자주 출제되는 대표 자료와 그 자료에 대한 문제를 통해 자료를 완벽하게 이해할 수 있다.

자료 1 완충 용액

기출 Point
- 완충 용액의 완충 작용
- CH_3COOH과 CH_3COONa의 완충 용액

[1~4] 다음은 0.1 M 아세트산(CH_3COOH) 수용액 100 mL와 0.1 M 아세트산 나트륨(CH_3COONa) 수용액 100 mL를 혼합하여 만든 용액에서 각 물질의 이온화 반응식이다.

- $CH_3COOH(aq)+H_2O(l) \rightleftharpoons CH_3COO^-(aq)+H_3O^+(aq)$
- $CH_3COONa(aq) \longrightarrow CH_3COO^-(aq)+Na^+(aq)$

1 용액에 소량의 산을 넣었을 때 pH 변화를 쓰시오.

2 용액에 소량의 염기를 넣었을 때 CH_3COOH의 이온화 평형이 어느 쪽으로 이동하는지 쓰시오.

3 용액에 증류수를 넣어 10배로 희석시켰을 때의 pH 변화를 쓰시오.

4 빈출 선택지로 완벽 정리!

(1) 용액 속 $[CH_3COO^-]$와 $[CH_3COOH]$는 비슷하다. (○ / ×)

(2) $CH_3COOH(aq)$에 $CH_3COONa(aq)$ 대신 같은 양의 $NaOH(aq)$을 넣어도 완충 작용을 한다. (○ / ×)

(3) $CH_3COOH(aq)$ 대신 $HCl(aq)$에 $CH_3COONa(aq)$을 넣어도 완충 작용을 한다. (○ / ×)

(4) 용액에 $NaCl(aq)$을 넣어 주면 평형이 이동하여 $CH_3COOH(aq)$의 농도가 증가한다. (○ / ×)

자료 2 혈액의 완충 작용

기출 Point
- 탄산과 탄산 수소 이온의 완충 작용
- 완충 용액에서의 평형 이동

[1~4] 다음은 혈액의 pH를 일정하게 유지하는 데 관여하는 반응의 화학 반응식이다.

(가) $CO_2(g) \rightleftharpoons CO_2(aq)$
(나) $CO_2(aq)+H_2O(l) \rightleftharpoons H_2CO_3(aq)$
(다) $H_2CO_3(aq)+H_2O(l) \rightleftharpoons HCO_3^-(aq)+H_3O^+(aq)$

1 반응 (가)~(다)에서 완충 작용에 관여하는 2가지 물질을 쓰시오.

2 몸에 젖산이 생겼을 때 반응 (다)의 평형이 어느 쪽으로 이동하는지 쓰시오.

3 혈액에 소량의 염기가 유입됐을 때 HCO_3^-의 농도 변화를 쓰시오.

4 빈출 선택지로 완벽 정리!

(1) $H_2CO_3(aq)$과 $NaHCO_3(aq)$의 혼합 용액은 완충 용액이다. (○ / ×)

(2) 혈액에 소량의 산이 유입되면 CO_2는 몸 밖으로 배출된다. (○ / ×)

(3) 혈액에 소량의 염기가 유입되면 (나)의 평형은 정반응 쪽으로 이동한다. (○ / ×)

(4) 혈액에 소량의 염기가 유입되면 (다)의 평형은 역반응 쪽으로 이동한다. (○ / ×)

내신 만점 문제

정답친해 99쪽

A 완충 용액

01 표는 3가지 수용액의 조성을 나타낸 것이다.

수용액	(가)	(나)	(다)
조성	H_2SO_4 $+NaHSO_4$	$NaOH+NaCl$	NH_3+NH_4Cl

수용액 (가)~(다) 중 완충 용액으로 작용할 수 있는 것만을 있는 대로 고른 것은?

① (가) ② (다) ③ (가), (나)
④ (나), (다) ⑤ (가), (나), (다)

02 다음은 25 °C에서 1.0 M 산 HA와 1.0 M 염기 B의 이온화 반응식과 이온화 상수이다.

- $HA(aq)+H_2O(l) \rightleftharpoons A^-(aq)+H_3O^+(aq)$ $K_a=1.0\times10^{-10}$
- $B(aq)+H_2O(l) \rightleftharpoons HB^+(aq)+OH^-(aq)$ $K_b=1.0\times10^{-10}$

이 반응에 관여하는 2가지 물질을 1 : 1의 몰비로 혼합했을 때 완충 용액을 만들 수 있는 것만을 [보기]에서 있는 대로 고른 것은?

[보기]
ㄱ. $HA+A^-$
ㄴ. $B+HB^+$
ㄷ. $HA+B$

① ㄱ ② ㄷ ③ ㄱ, ㄴ
④ ㄴ, ㄷ ⑤ ㄱ, ㄴ, ㄷ

[03~04] 다음은 아세트산(CH_3COOH)의 이온화 반응식이다.

$$CH_3COOH(aq)+H_2O(l) \rightleftharpoons CH_3COO^-(aq)+H_3O^+(aq)$$

03 이온화 평형 상태의 $CH_3COOH(aq)$에 가해 준 변화에 따른 결과로 옳은 것만을 [보기]에서 있는 대로 고르시오.

[보기]
ㄱ. 마그네슘(Mg) 조각을 넣으면 CH_3COOH의 농도가 증가한다.
ㄴ. $NaOH(s)$을 소량 넣어도 pH는 거의 변하지 않는다.
ㄷ. $CH_3COONa(s)$을 넣으면 H_3O^+의 농도가 감소한다.

중요 **04** 1 M 아세트산(CH_3COOH) 수용액 1 L에 아세트산 나트륨(CH_3COONa) 1몰을 녹여 새로운 평형을 이루었을 때, CH_3COONa을 넣기 전보다 증가한 값을 [보기]에서 있는 대로 고른 것은? (단, 온도는 일정하다.)

[보기]
ㄱ. CH_3COOH의 이온화 상수(K_a)
ㄴ. CH_3COOH의 몰 농도
ㄷ. 용액의 pH

① ㄱ ② ㄷ ③ ㄱ, ㄴ
④ ㄴ, ㄷ ⑤ ㄱ, ㄴ, ㄷ

05 다음은 아질산(HNO_2)의 이온화 반응식이다.

$$HNO_2(aq)+H_2O(l) \rightleftharpoons NO_2^-(aq)+H_3O^+(aq)$$

이온화 평형 상태의 1 M $HNO_2(aq)$ 100 mL에 아질산 나트륨($NaNO_2$) 0.1몰을 녹였을 때에 대한 설명으로 옳은 것만을 [보기]에서 있는 대로 고르시오.

[보기]
ㄱ. NO_2^-은 공통 이온이다.
ㄴ. H_3O^+의 농도는 감소한다.
ㄷ. 평형은 정반응 쪽으로 이동한다.

중요 **06** 표는 pH가 다른 3가지 용액 (가)~(다)에 대한 자료이다.

(가)	1 M HCl 수용액 50 mL
(나)	1 M CH_3COOH 수용액 50 mL
(다)	1 M CH_3COOH 수용액 25 mL와 1 M CH_3COONa 수용액 25 mL의 혼합 용액

용액 (가)~(다)에 대한 설명으로 옳은 것만을 [보기]에서 있는 대로 고른 것은? (단, 용액의 온도는 같다.)

[보기]
ㄱ. 용액의 pH는 (나)가 (가)보다 크다.
ㄴ. 용액 속 H_3O^+의 몰 농도는 (나)가 (다)보다 크다.
ㄷ. 용액에 NaOH(s)을 소량 넣었을 때 pH 변화는 (나)가 (다)보다 크다.

① ㄱ ② ㄴ ③ ㄱ, ㄷ
④ ㄴ, ㄷ ⑤ ㄱ, ㄴ, ㄷ

중요 **07** 그림은 0.1 M 아세트산(CH_3COOH) 수용액 200 mL에 0.1 M 수산화 나트륨(NaOH) 수용액 100 mL를 혼합하는 것을 나타낸 것이다.

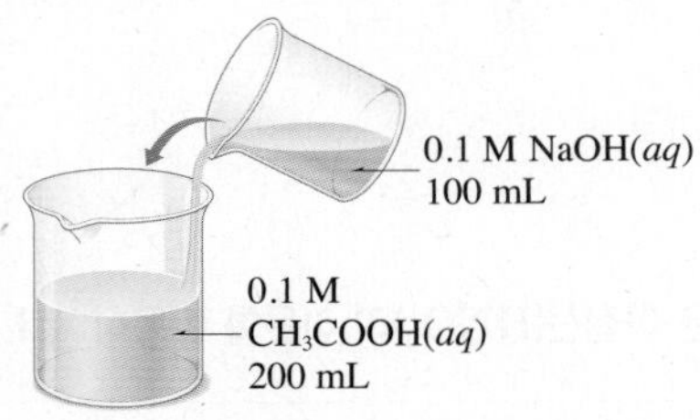

혼합 용액에 대한 설명으로 옳은 것만을 [보기]에서 있는 대로 고른 것은?

[보기]
ㄱ. 완충 용액이다.
ㄴ. 소량의 HCl(aq)을 넣으면 pH가 크게 감소한다.
ㄷ. 증류수를 넣어 10배로 희석하면 pH가 1 증가한다.

① ㄱ ② ㄴ ③ ㄱ, ㄷ
④ ㄴ, ㄷ ⑤ ㄱ, ㄴ, ㄷ

B 생체 내 완충 용액

중요 **08** 0.1 M 탄산(H_2CO_3) 수용액 1 L에 탄산수소 나트륨($NaHCO_3$) 0.1몰을 넣어 완충 용액을 만들었다. 이 완충 용액은 다음과 같이 평형을 이룬다.

$$H_2CO_3(aq)+H_2O(l) \rightleftharpoons HCO_3^-(aq)+H_3O^+(aq)$$

이 완충 용액에 (가) 소량의 염산(HCl)을 첨가할 때와 (나) 소량의 수산화 나트륨(NaOH) 수용액을 첨가할 때 완충 작용을 일으키는 주된 반응을 [보기]에서 찾아 옳게 짝 지은 것은?

[보기]
ㄱ. $HCO_3^-+OH^- \longrightarrow CO_3^{2-}+H_2O$
ㄴ. $HCO_3^-+H_3O^+ \longrightarrow H_2CO_3+H_2O$
ㄷ. $H_2CO_3+OH^- \longrightarrow HCO_3^-+H_2O$

	(가)	(나)		(가)	(나)
①	ㄱ	ㄴ	②	ㄱ	ㄷ
③	ㄴ	ㄱ	④	ㄴ	ㄷ
⑤	ㄷ	ㄱ			

09 다음은 세포액의 pH 조절에 관여하는 주요 반응의 이온화 반응식이다.

(가) $H_3PO_4(aq)+H_2O(l) \rightleftharpoons H_2PO_4^-(aq)+H_3O^+(aq)$
(나) $H_2PO_4^-(aq)+H_2O(l) \rightleftharpoons HPO_4^{2-}(aq)+H_3O^+(aq)$

이에 대한 설명으로 옳은 것만을 [보기]에서 있는 대로 고른 것은?

[보기]
ㄱ. NaH_2PO_4과 Na_2HPO_4의 혼합 수용액은 완충 용액이다.
ㄴ. 몸에 젖산이 생기면 (나)에서 평형이 정반응 쪽으로 이동한다.
ㄷ. 체내에 소량의 염기가 유입되면 HPO_4^{2-}의 농도가 감소한다.

① ㄱ ② ㄴ ③ ㄱ, ㄷ
④ ㄴ, ㄷ ⑤ ㄱ, ㄴ, ㄷ

정답친해 100쪽

01 산 염기 평형

1. 이온화 상수와 산 염기의 세기

(1) 이온화 정도와 산 염기의 세기: 물에 녹아 이온화하는 정도가 (❶)수록 산과 염기의 세기가 강하다.

예 이온화 정도와 산의 세기

(❷)	(❸)
물에 녹아 대부분 이온화하는 산	물에 녹아 일부만 이온화하는 산

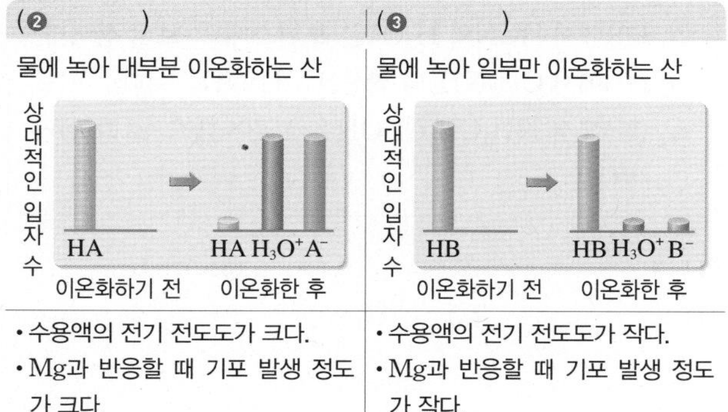

• 수용액의 전기 전도도가 크다. • Mg과 반응할 때 기포 발생 정도가 크다.	• 수용액의 전기 전도도가 작다. • Mg과 반응할 때 기포 발생 정도가 작다.

(2) 이온화 상수와 산 염기의 세기

산의 이온화 상수 (K_a)	산 수용액이 이온화 평형 상태에 있을 때의 평형 상수 $HA(aq)+H_2O(l) \rightleftharpoons A^-(aq)+H_3O^+(aq)$ $K_a=$(❹)
염기의 이온화 상수 (K_b)	염기 수용액이 이온화 평형 상태에 있을 때의 평형 상수 $B(aq)+H_2O(l) \rightleftharpoons BH^+(aq)+OH^-(aq)$ $K_b=$(❺)

① 이온화 상수와 산 염기의 세기: 이온화 상수가 클수록 산이나 염기가 이온화하는 정도가 크다. ➡ 이온화 평형이 (❻)이 우세하게 일어난 쪽에서 이루어진다. ➡ 산이나 염기의 세기가 (❼)하다.

② K_a, K_b는 평형 상수이므로 온도가 일정하면 같은 종류의 산이나 염기에서 농도에 관계없이 (❽)하다.

2. 산 염기의 상대적 세기

(1) 짝산-짝염기: (❾)의 이동에 의해 산과 염기로 되는 한 쌍의 물질

예 $NH_3(aq)+H_2O(l) \rightleftharpoons NH_4^+(aq)+OH^-(aq)$

➡ NH_3의 짝산은 (❿)이고, H_2O의 짝염기는 (⓫)이다.

(2) 산과 염기의 상대적 세기: 산의 세기가 강할수록 그 짝염기의 세기는 약하고, 산의 세기가 약할수록 그 짝염기의 세기는 강하다.

예 $H_2CO_3 + H_2O \rightleftharpoons HCO_3^- + H_3O^+$ (산1, 염기2, 염기1, 산2) $K_a=4.3\times10^{-7}$

• 산의 세기: $H_2CO_3 < H_3O^+$

• 염기의 세기: HCO_3^-(⓬)H_2O

3. 염의 가수 분해

염은 산의 음이온과 염기의 양이온이 결합하여 생성된 이온 화합물이다.

염의 생성	염의 예 및 가수 분해 여부
강산+강염기	NaCl, KNO_3 등 ➡ 강산의 음이온(Cl^-, NO_3^- 등)과 강염기의 양이온(Na^+, K^+)은 가수 분해하지 않는다.
(⓭)	CH_3COONa, KCN, $KHCO_3$ 등 ➡ 음이온의 일부가 가수 분해하여 OH^-을 생성하므로 수용액이 염기성을 띤다. 예 $CH_3COO^-(aq)+H_2O(l) \rightleftharpoons CH_3COOH(aq)+OH^-(aq)$
(⓮)	NH_4Cl, NH_4NO_3 등 ➡ 양이온의 일부가 가수 분해하여 H_3O^+을 생성하므로 수용액이 산성을 띤다. 예 $NH_4^+(aq)+H_2O(l) \rightleftharpoons NH_3(aq)+H_3O^+(aq)$

02 완충 용액

완충 용액	약산과 그 약산의 짝염기 또는 약염기와 그 약염기의 짝산이 섞여 있는 수용액 ➡ 소량의 산이나 염기를 넣어도 (⓯)가 거의 일정하게 유지된다.
완충 작용 원리	예 CH_3COOH과 CH_3COONa으로 만든 완충 용액 $CH_3COOH+H_2O \rightleftharpoons CH_3COO^- + H_3O^+$ $CH_3COONa \longrightarrow CH_3COO^- + Na^+$ (공통 이온) 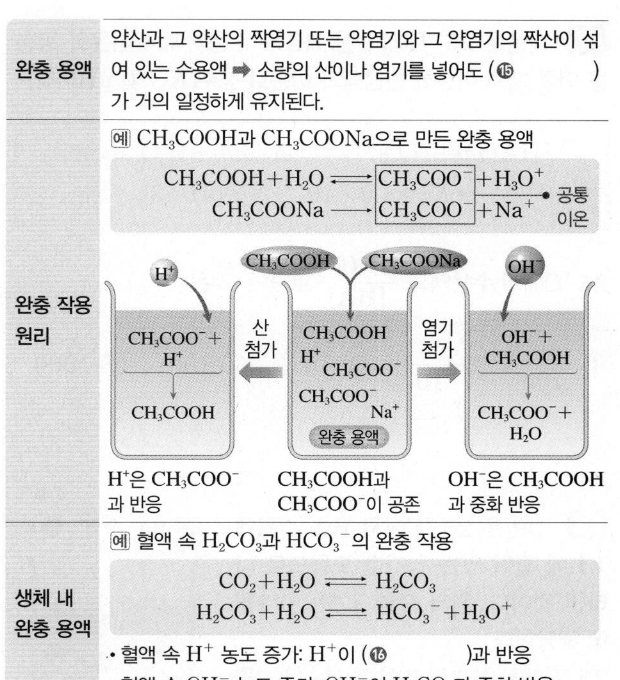
생체 내 완충 용액	예 혈액 속 H_2CO_3과 HCO_3^-의 완충 작용 $CO_2+H_2O \rightleftharpoons H_2CO_3$ $H_2CO_3+H_2O \rightleftharpoons HCO_3^- + H_3O^+$ • 혈액 속 H^+ 농도 증가: H^+이 (⓰)과 반응 • 혈액 속 OH^- 농도 증가: OH^-이 H_2CO_3과 중화 반응

중단원 마무리 문제

난이도 ●●●

●○○

01 그림은 같은 부피의 산 HA와 HB 수용액에 존재하는 입자를 모형으로 나타낸 것이다.

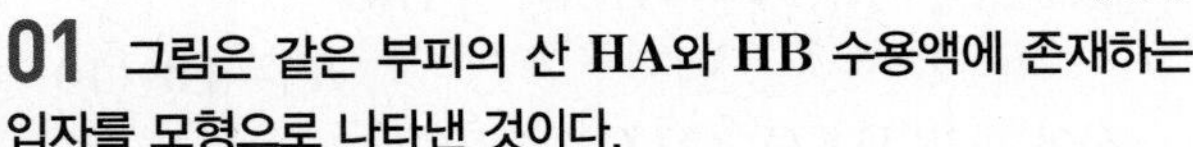

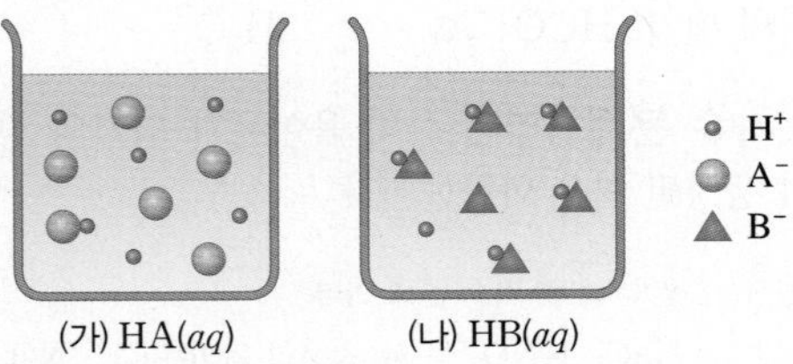

이에 대한 설명으로 옳은 것만을 [보기]에서 있는 대로 고른 것은?

[보기]
ㄱ. 전류의 세기는 (가)>(나)이다.
ㄴ. 같은 크기의 Mg 조각을 넣었을 때 기체 발생 정도는 (가)<(나)이다.
ㄷ. pH는 (가)<(나)이다.

① ㄱ ② ㄴ ③ ㄱ, ㄷ
④ ㄴ, ㄷ ⑤ ㄱ, ㄴ, ㄷ

●●○

02 다음은 25 °C에서 산 HA가 수용액에서 이온화 평형을 이룰 때의 이온화 반응식과 이온화 상수(K_a) 및 pH이다.

$$HA(aq)+H_2O(l) \rightleftharpoons A^-(aq)+H_3O^+(aq)$$
• $K_a=1.0\times10^{-5}$ • $pH=3$

25 °C에서 수용액의 $\frac{[H_3O^+]}{[HA]}$로 옳은 것은?

① $\frac{1}{100}$ ② $\frac{1}{10}$ ③ 10 ④ 100 ⑤ 1000

●●○

03 그림은 25 °C에서 HA 수용액 1 L에 들어 있는 입자를 모형으로 나타낸 것이다. 입자 모형 1개는 0.1몰에 해당한다.
25 °C에서 HA의 이온화 상수(K_a)를 구하시오.

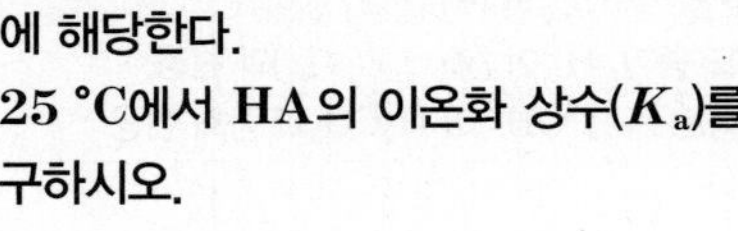

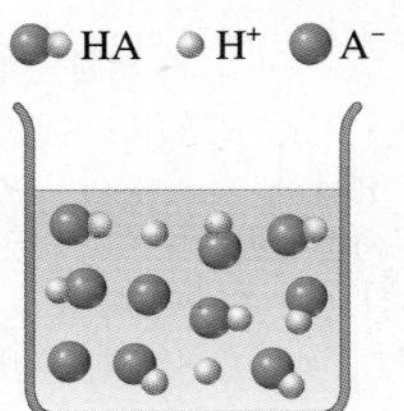

●○○

04 다음은 몇 가지 산 염기 반응의 화학 반응식이다.

(가) $HCN(aq)+H_2O(l) \rightleftharpoons CN^-(aq)+H_3O^+(aq)$
(나) $CH_3NH_2(aq)+H_2O(l) \rightleftharpoons CH_3NH_3^+(aq)+OH^-(aq)$
(다) $NH_2CH_2COOH(aq)+NaOH(aq) \longrightarrow NH_2CH_2COO^-(aq)+Na^+(aq)+H_2O(l)$

(가)~(다)에 대한 설명으로 옳은 것만을 [보기]에서 있는 대로 고른 것은?

[보기]
ㄱ. (가)에서 HCN와 H_3O^+은 브뢴스테드·로리 산이다.
ㄴ. (나)에서 CH_3NH_2의 짝산은 $CH_3NH_3^+$이다.
ㄷ. (다)에서 NH_2CH_2COOH은 브뢴스테드·로리 염기이다.

① ㄱ ② ㄷ ③ ㄱ, ㄴ
④ ㄴ, ㄷ ⑤ ㄱ, ㄴ, ㄷ

●●○

05 다음은 25 °C에서 황산(H_2SO_4)의 단계별 이온화 반응식이다.

• $H_2SO_4(aq)+H_2O(l) \rightleftharpoons HSO_4^-(aq)+H_3O^+(aq)$ $K_{a1}=1.0\times10^2$
• $HSO_4^-(aq)+H_2O(l) \rightleftharpoons SO_4^{2-}(aq)+H_3O^+(aq)$ $K_{a2}=1.3\times10^{-2}$

이에 대한 설명으로 옳은 것만을 [보기]에서 있는 대로 고른 것은?

[보기]
ㄱ. HSO_4^-은 양쪽성 물질이다.
ㄴ. H_2O은 브뢴스테드·로리 염기이다.
ㄷ. 염기의 세기는 SO_4^{2-}이 HSO_4^-보다 강하다.

① ㄱ ② ㄷ ③ ㄱ, ㄴ
④ ㄴ, ㄷ ⑤ ㄱ, ㄴ, ㄷ

정답친해 101쪽

●○○

06 그림은 25 °C에서 산 HA 수용액 100 mL와 HB 수용액 100 mL에 들어 있는 입자의 양(mol)을 나타낸 것이다. 물 분자는 나타내지 않았다.

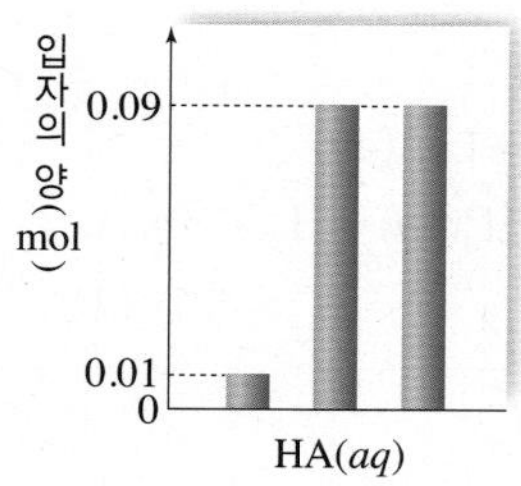

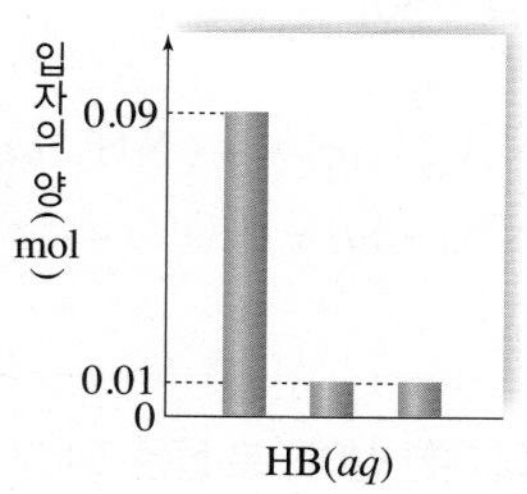

이에 대한 설명으로 옳은 것만을 [보기]에서 있는 대로 고른 것은?

[보기]
ㄱ. 이온화하는 정도는 HA가 HB보다 크다.
ㄴ. 수용액의 pH는 HA(aq)이 HB(aq)보다 크다.
ㄷ. 염기의 세기는 A^-이 B^-보다 강하다.

① ㄱ ② ㄷ ③ ㄱ, ㄴ
④ ㄴ, ㄷ ⑤ ㄱ, ㄴ, ㄷ

●●○

07 다음은 25 °C에서 암모니아(NH_3)의 이온화 반응식과 이온화 상수(K_b)이다.

$$NH_3(aq)+H_2O(l) \rightleftharpoons NH_4^+(aq)+OH^-(aq)$$
$$K_b=1.8\times10^{-5}$$

25 °C에서 0.1 M $NH_3(aq)$이 평형 상태에 있을 때에 대한 설명으로 옳은 것만을 [보기]에서 있는 대로 고른 것은?

[보기]
ㄱ. NH_4^+의 농도가 NH_3의 농도보다 크다.
ㄴ. H_2O은 NH_4^+보다 약한 산이다.
ㄷ. OH^-의 짝염기는 H_2O이다.

① ㄱ ② ㄴ ③ ㄱ, ㄴ
④ ㄴ, ㄷ ⑤ ㄱ, ㄴ, ㄷ

●○○

08 다음은 25 °C에서 산 HA와 HB의 이온화 반응식과 이온화 상수이다.

• $HA(aq)+H_2O(l) \rightleftharpoons A^-(aq)+H_3O^+(aq)$
$K_a=2.0\times10^{-4}$
• $HB(aq)+H_2O(l) \rightleftharpoons B^-(aq)+H_3O^+(aq)$
$K_a=1.0\times10^{-10}$

이에 대한 설명으로 옳은 것만을 [보기]에서 있는 대로 고른 것은?

[보기]
ㄱ. HA는 HB보다 강한 산이다.
ㄴ. 염기의 세기는 A^-이 B^-보다 강하다.
ㄷ. 1.0 M 수용액의 pH는 HB(aq)이 HA(aq)보다 크다.

① ㄱ ② ㄴ ③ ㄱ, ㄷ
④ ㄴ, ㄷ ⑤ ㄱ, ㄴ, ㄷ

●●●

09 다음은 25 °C에서 2가지 물질의 이온화 반응식과 이온화 상수이다.

• $CH_3COOH(aq)+H_2O(l) \rightleftharpoons CH_3COO^-(aq)+H_3O^+(aq)$
$K_a=1.8\times10^{-5}$
• $CH_3NH_2(aq)+H_2O(l) \rightleftharpoons CH_3NH_3^+(aq)+OH^-(aq)$
$K_b=4.0\times10^{-4}$

이에 대한 설명으로 옳은 것만을 [보기]에서 있는 대로 고른 것은? (단, 25 °C에서 물의 이온화 상수(K_w)는 1.0×10^{-14}이다.)

[보기]
ㄱ. CH_3NH_2은 CH_3COO^-보다 강한 염기이다.
ㄴ. CH_3COOH은 $CH_3NH_3^+$보다 강한 산이다.
ㄷ. 1.0 M $CH_3NH_2(aq)$의 pH는 12보다 크다.

① ㄱ ② ㄷ ③ ㄱ, ㄴ
④ ㄴ, ㄷ ⑤ ㄱ, ㄴ, ㄷ

●○○

10 표는 중화 반응으로 얻은 3가지 염을 물에 녹인 후, 수용액에 BTB 용액을 각각 1방울~2방울씩 넣었을 때의 색을 나타낸 것이다.

염	CH_3COONa	NaCl	NH_4Cl
수용액에 BTB 용액을 넣었을 때의 색	파란색	초록색	노란색

이에 대한 설명으로 옳은 것만을 [보기]에서 있는 대로 고른 것은?

보기
ㄱ. NH_3는 NaOH보다 강한 염기이다.
ㄴ. CH_3COONa과 NH_4Cl은 물에 녹아 가수 분해한다.
ㄷ. NH_4CH_3COO 수용액에 BTB 용액을 1방울~2방울 넣으면 초록색을 나타낸다.

① ㄱ ② ㄴ ③ ㄷ
④ ㄴ, ㄷ ⑤ ㄱ, ㄴ, ㄷ

●○○

11 그림은 3가지 염을 기준에 따라 분류한 것이다.

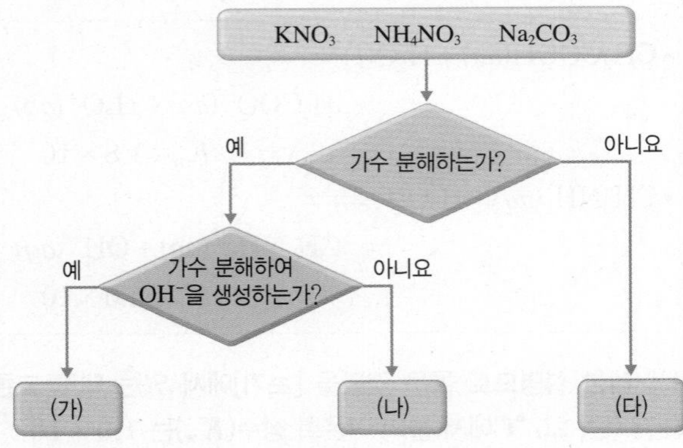

(가)~(다)에 해당하는 염을 옳게 짝 지은 것은?

	(가)	(나)	(다)
①	KNO_3	NH_4NO_3	Na_2CO_3
②	KNO_3	Na_2CO_3	NH_4NO_3
③	NH_4NO_3	KNO_3	Na_2CO_3
④	Na_2CO_3	KNO_3	NH_4NO_3
⑤	Na_2CO_3	NH_4NO_3	KNO_3

●●○

12 25 °C에서 0.1몰 염화 암모늄(NH_4Cl)을 물에 녹여 수용액 1 L를 만들었다. 다음은 25 °C에서 NH_4Cl이 물에 녹아 이온화 평형을 이루었을 때의 이온화 반응식과 이온화 상수(K_a)이다.

$$NH_4Cl(aq) \longrightarrow NH_4^+(aq)+Cl^-(aq)$$
$$NH_4^+(aq)+H_2O(l) \rightleftharpoons NH_3(aq)+H_3O^+(aq)$$
$$K_a=5.7\times10^{-10}$$

이에 대한 설명으로 옳은 것은?

① NH_4^+의 짝염기는 H_2O이다.
② NH_4^+은 H_3O^+보다 강한 산이다.
③ NH_4Cl 수용액의 pH는 7보다 크다.
④ 수용액에 가장 많이 존재하는 이온은 Cl^-이다.
⑤ 약산과 강염기의 중화 반응으로 생성된 염은 물에 녹아 가수 분해하여 H_3O^+을 내놓는다.

●○○

13 다음은 산 HA의 이온화 반응식과 이온화 상수이다.

$$HA(aq)+H_2O(l) \rightleftharpoons A^-(aq)+H_3O^+(aq)$$
$$K_a=1.8\times10^{-5}$$

이에 대한 설명으로 옳은 것만을 [보기]에서 있는 대로 고른 것은? (단, 온도는 일정하다.)

보기
ㄱ. 산의 세기는 HA가 H_3O^+보다 강하다.
ㄴ. 평형 상태의 수용액에 HA를 더 녹이면 이온화 상수(K_a)가 커진다.
ㄷ. 평형 상태의 수용액에 $NaA(s)$를 소량 녹이면 pH가 커진다.

① ㄱ ② ㄷ ③ ㄱ, ㄴ
④ ㄴ, ㄷ ⑤ ㄱ, ㄴ, ㄷ

14 다음은 25 °C에서 산 HA와 염기 B의 이온화 반응식과 이온화 상수이다.

- $HA(aq) + H_2O(l) \rightleftharpoons A^-(aq) + H_3O^+(aq)$ $K_a = 1.8 \times 10^{-5}$
- $B(aq) + H_2O(l) \rightleftharpoons BH^+(aq) + OH^-(aq)$ $K_b = 9.0 \times 10^{-8}$

이에 대한 설명으로 옳은 것만을 [보기]에서 있는 대로 고른 것은? (단, 25 °C에서 물의 이온화 상수(K_w)는 1.0×10^{-14}이다.)

[보기]
ㄱ. 1.0 M $B(aq)$의 pH는 10보다 작다.
ㄴ. 0.1 M $B(aq)$ 50 mL에 0.1 M $HCl(aq)$ 25 mL를 넣은 수용액은 완충 용액이다.
ㄷ. 2.0 M $HA(aq)$ 100 mL에 $NaOH(s)$ 0.1몰을 넣은 수용액은 완충 용액이다.

① ㄱ ② ㄷ ③ ㄱ, ㄴ
④ ㄴ, ㄷ ⑤ ㄱ, ㄴ, ㄷ

15 혈액에서 탄산(H_2CO_3)은 다음과 같이 이온화 평형을 이룬다.

$$CO_2(aq) + H_2O(l) \rightleftharpoons H_2CO_3(aq) \rightleftharpoons H^+(aq) + HCO_3^-(aq)$$

이에 대한 설명으로 옳은 것만을 [보기]에서 있는 대로 고른 것은?

[보기]
ㄱ. 혈액 속에 CO_2의 농도가 증가하면 혈액의 pH는 커진다.
ㄴ. 혈액 속에 소량의 염기가 유입되어도 HCO_3^-의 농도는 변하지 않는다.
ㄷ. 혈액 속에 젖산이 생성되면 혈액 속 CO_2의 농도가 증가한다.

① ㄱ ② ㄷ ③ ㄱ, ㄴ
④ ㄴ, ㄷ ⑤ ㄱ, ㄴ, ㄷ

서술형 문제

16 표는 25 °C 수용액에서 몇 가지 약산과 약염기의 이온화 상수에 대한 자료이다. 25 °C에서 물의 이온화 상수(K_w)는 1×10^{-14}이다.

약산	이온화 상수 (K_a)	약염기	이온화 상수 (K_b)
HCOOH	2×10^{-4}	CH_3NH_2	4×10^{-4}
HCN	6×10^{-10}	$C_6H_5NH_2$	4×10^{-10}

(1) $HCOO^-$, CN^-, $C_6H_5NH_2$의 염기의 세기를 비교하고, 그 까닭을 서술하시오.

(2) 25 °C에서 각 물질 0.1 M 수용액 중 전체 이온의 농도가 가장 큰 수용액을 쓰고, 그 까닭을 서술하시오.

17 그림은 25 °C에서 0.1 M HA 수용액 10 mL와 이 수용액에 0.1 M NaOH 수용액 5 mL를 첨가한 용액의 pH를 나타낸 것이다. (단, 온도는 일정하다.)

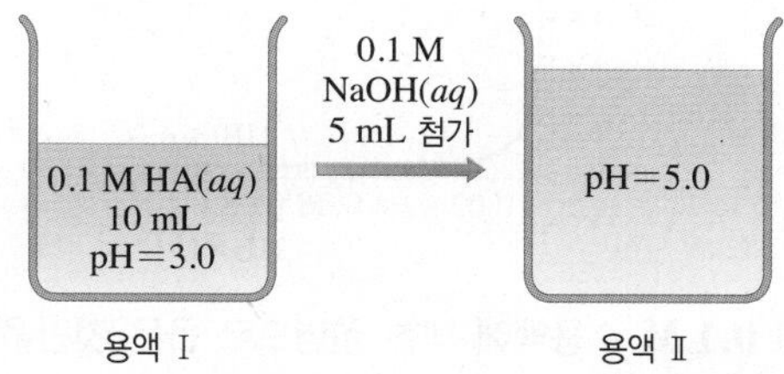

(1) 25 °C에서 HA의 이온화 상수(K_a)를 구하시오.

(2) 용액 Ⅱ에 소량의 염산($HCl(aq)$)을 첨가했을 때 pH 변화를 쓰고, 그 까닭을 서술하시오.

수능 실전 문제

01 그림은 25 °C에서 산 HA와 염기 BOH 수용액에 들어 있는 단위 부피당 입자 수를 모형으로 나타낸 것이다.

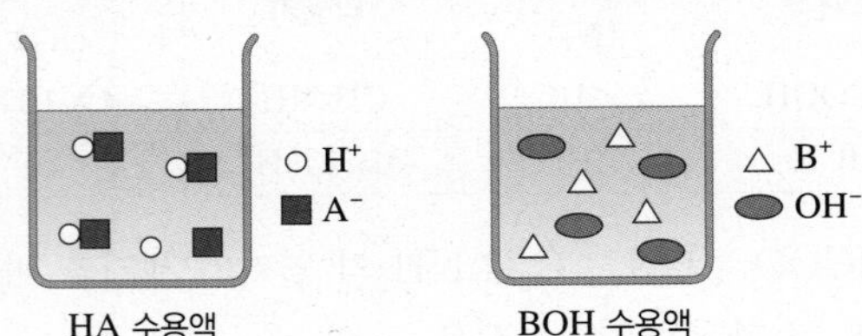

이에 대한 설명으로 옳은 것만을 [보기]에서 있는 대로 고른 것은?

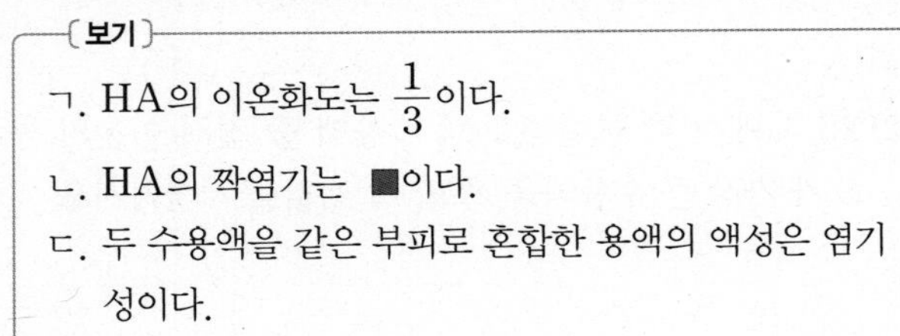

〔보기〕
ㄱ. HA의 이온화도는 $\frac{1}{3}$이다.
ㄴ. HA의 짝염기는 ■이다.
ㄷ. 두 수용액을 같은 부피로 혼합한 용액의 액성은 염기성이다.

① ㄱ ② ㄷ ③ ㄱ, ㄴ
④ ㄴ, ㄷ ⑤ ㄱ, ㄴ, ㄷ

02 그림은 25 °C에서 산 HA(*aq*)과 HB(*aq*)의 농도에 따른 이온화도를 나타낸 것이다.

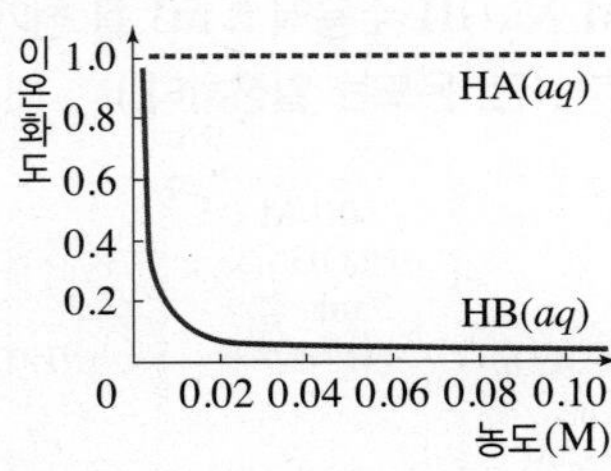

각 물질 0.1 M 수용액에 대한 설명으로 옳은 것만을 [보기]에서 있는 대로 고른 것은?

〔보기〕
ㄱ. pH는 HA(*aq*)이 HB(*aq*)보다 크다.
ㄴ. Mg 조각을 넣을 때 기체가 발생하는 정도는 HA(*aq*)이 HB(*aq*)보다 크다.
ㄷ. 염기의 세기는 A^-이 B^-보다 강하다.

① ㄱ ② ㄴ ③ ㄱ, ㄷ
④ ㄴ, ㄷ ⑤ ㄱ, ㄴ, ㄷ

03 다음은 25 °C에서 산 HA 수용액의 이온화 반응식이다.

$$HA(aq) + H_2O(l) \rightleftharpoons A^-(aq) + H_3O^+(aq)$$

표는 산 HA 6.0 g을 물에 녹여 1 L로 만든 수용액이 이온화 평형을 이룰 때 초기 농도와 평형 농도에 대한 자료이다. HA의 분자량은 60이다.

물질	HA	A^-	H_3O^+
초기 농도(M)	x	0	0
평형 농도(M)	0.08	y	0.02

$\frac{x}{y}$로 옳은 것은?

① 2 ② 3 ③ 4
④ 5 ⑤ 6

04 그림 (가)는 25 °C에서 x M HA(*aq*)을, (나)는 (가)에 0.8 M NaOH(*aq*) 20 mL를 첨가한 혼합 수용액을 나타낸 것이다.

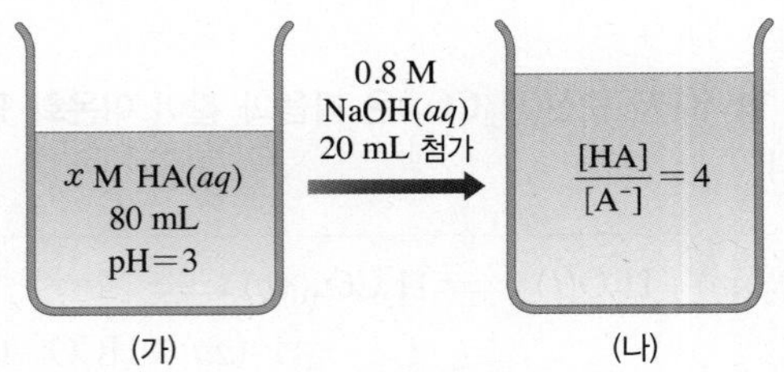

이에 대한 설명으로 옳은 것만을 [보기]에서 있는 대로 고른 것은? (단, 온도는 일정하고, 25 °C에서 물의 이온화 상수(K_w)는 1×10^{-14}이다.)

〔보기〕
ㄱ. x=1이다.
ㄴ. 25 °C에서 HA(*aq*)의 이온화 상수(K_a)는 1×10^{-6}이다.
ㄷ. x M NaA(*aq*)의 $\frac{[OH^-]}{[H_3O^+]}=10000$이다.

① ㄱ ② ㄷ ③ ㄱ, ㄴ
④ ㄴ, ㄷ ⑤ ㄱ, ㄴ, ㄷ

05 표는 25 °C에서 약산 HA와 HB의 수용액에 대한 자료이다.

수용액	HA(*aq*)	HB(*aq*)
부피(mL)	50	100
몰 농도(M)	0.1	0.2
수용액 속 양이온의 양(몰)	a	$2a$

이에 대한 설명으로 옳은 것만을 [보기]에서 있는 대로 고른 것은?

[보기]
ㄱ. 25 °C에서 HA의 이온화 상수(K_a)는 $2000a^2$이다.
ㄴ. 염기의 세기는 B^-이 A^-보다 강하다.
ㄷ. pH는 HB(*aq*)이 HA(*aq*)의 2배이다.

① ㄱ ② ㄴ ③ ㄱ, ㄷ
④ ㄴ, ㄷ ⑤ ㄱ, ㄴ, ㄷ

06 표는 용액 (가)~(다)에 대한 자료이고, 그림은 25 °C에서 용액 (가)~(다)에 각각 0.1 M NaOH(*aq*)을 조금씩 넣으면서 용액의 pH를 측정한 것이다. 그림의 ㉠과 ㉡은 각각 용액 (가)와 (나) 중 하나이다.

(가)	증류수 100 mL
(나)	0.01 mol CH_3COOH과 0.01 mol CH_3COONa 혼합 용액 100 mL
(다)	0.1 mol CH_3COOH과 0.1 mol CH_3COONa 혼합 용액 100 mL

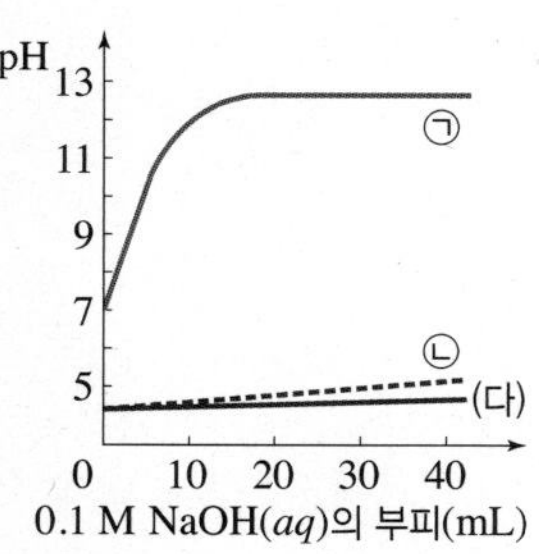

이에 대한 설명으로 옳은 것만을 [보기]에서 있는 대로 고른 것은?

[보기]
ㄱ. ㉡은 용액 (나)이다.
ㄴ. 완충 용액의 농도가 클수록 완충 효과가 크다.
ㄷ. 용액 ㉡에 NaOH(*aq*) 대신 HCl(*aq*)을 넣으면 pH가 크게 감소한다.

① ㄱ ② ㄷ ③ ㄱ, ㄴ
④ ㄴ, ㄷ ⑤ ㄱ, ㄴ, ㄷ

07 표는 25 °C에서 산 HA(*aq*), 염기 BOH(*aq*), 염 BA(*aq*)의 몰 농도와 $\frac{[OH^-]}{[H_3O^+]}$를 나타낸 것이다.

수용액	HA(*aq*)	BOH(*aq*)	BA(*aq*)
몰 농도(M)	x	0.01	0.1
$\frac{[OH^-]}{[H_3O^+]}$	1.0×10^{-8}	1.0×10^{10}	1.0×10^{4}

x로 옳은 것은? (단, 25 °C에서 물의 이온화 상수(K_w)는 1.0×10^{-14}이다.)

① 0.001 ② 0.01 ③ 0.1
④ 1 ⑤ 10

08 표는 25 °C에서 HA(*aq*)과 0.1 M NaOH(*aq*)의 부피를 달리하여 혼합한 용액 (가)~(다)에 대한 자료이다. 25 °C에서 HA의 이온화 상수(K_a)는 1.0×10^{-5}이다.

용액	부피(mL)		pH
	HA(*aq*)	NaOH(*aq*)	
(가)	150	0	x
(나)	100	50	5
(다)	75	75	y

이에 대한 설명으로 옳은 것만을 [보기]에서 있는 대로 고른 것은? (단, 온도는 일정하다.)

[보기]
ㄱ. $x=3$이다.
ㄴ. (나)는 완충 용액이다.
ㄷ. $y>7$이다.

① ㄱ ② ㄷ ③ ㄱ, ㄴ
④ ㄴ, ㄷ ⑤ ㄱ, ㄴ, ㄷ

반응 속도와 촉매

1 반응 속도

- 01. 반응 속도
- 02. 반응 속도식/활성화 에너지

이 단원을 공부하기 전에 학습 계획을 세우고, 학습 진도를 스스로 체크해 보자.
학습이 미흡했던 부분은 다시 보기에 체크해 두고, 시험 전까지 꼭 완벽히 학습하자!

소단원	학습 내용	학습 일자	다시 보기
01. 반응 속도	**A 반응의 빠르기** 탐구 화학 반응의 빠르기	/	
	B 반응 속도	/	
02. 반응 속도식/활성화 에너지	**A 반응 속도식** 탐구 반응물의 농도로 반응 속도 나타내기	/	
	B 1차 반응과 반감기	/	
	C 활성화 에너지	/	

활성화 에너지

① 활성화 에너지: 반응물이 화학 반응을 일으키기 위해 필요한 ❶ (   )의 에너지

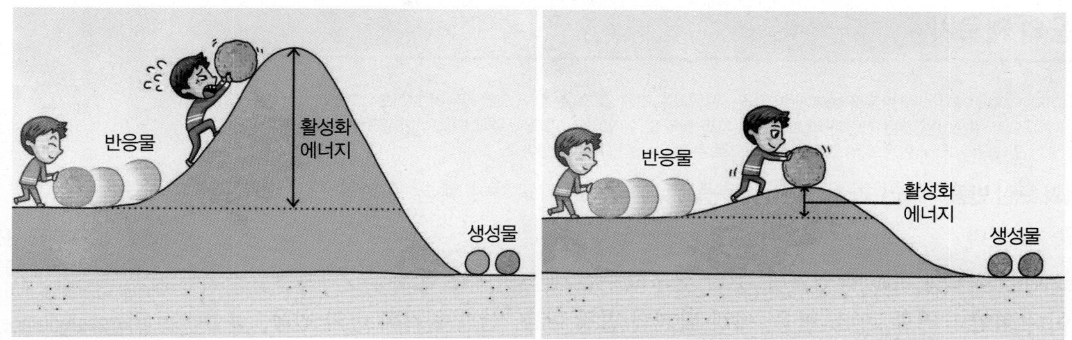

활성화 에너지가 클 때 / 활성화 에너지가 작을 때

➡ 활성화 에너지가 ❷ (   )수록 반응이 일어나기 어렵다.

② 발열 반응과 흡열 반응에서의 활성화 에너지

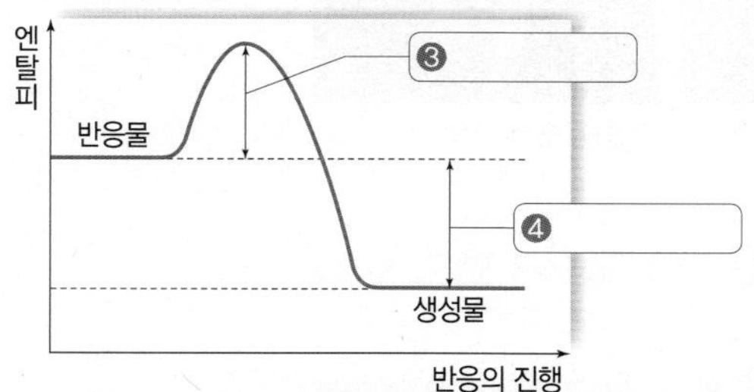

발열 반응에서의 반응의 진행에 따른 에너지

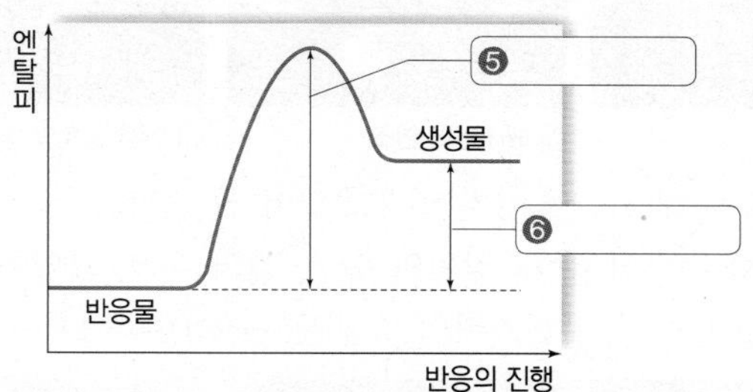

흡열 반응에서의 반응의 진행에 따른 에너지

앞으로 배울 반응 속도와 직접적으로 연계된 개념은 그전에 학습하지 않았어요. 이 단원에서는 화학 반응 속도를 정량적으로 나타내는 방법을 알아보고 그래프, 표 등의 자료를 통해 반응 속도를 구하는 방법을 배울 거예요. 또 반응 속도 상수와 반응 차수를 배워 1차 반응의 반감기를 깊이 있게 이해할 수 있도록 하고, 활성화 에너지의 개념을 정리할 거예요. 자! 시작해 볼까요?

정답 ❶ 최소한 ❷ 클 ❸ 활성화 에너지 ❹ 반응엔탈피(ΔH) ❺ 활성화 에너지 ❻ 반응엔탈피(ΔH)

01 반응 속도

핵심 포인트

Ⓐ 빠른 반응과 느린 반응 ★
반응의 빠르기 측정 ★★

Ⓑ 반응 속도 ★★★
평균 반응 속도와 순간 반응 속도 ★★★

Ⓐ 반응의 빠르기

우리 주변에서 일어나는 여러 가지 화학 반응을 빠르게 일어나는 반응과 느리게 일어나는 반응으로 나누어 보아요. 그런데 화학 반응을 빠른 반응과 느린 반응으로 구분하는 것은 기준과 비교 대상에 따라 달라질 수 있어요. 따라서 화학 반응의 빠르기를 수치화하여 객관적으로 나타낼 필요가 있답니다. 화학 반응의 빠르기를 정량적으로 측정하는 방법을 알아보아요.

1. 빠른 반응과 느린 반응 여러 가지 화학 반응을 상대적으로 비교하여 빠른 반응과 느린 반응으로 나눌 수 있다.

(1) 빠른 반응: 반응 결과를 바로 확인할 수 있을 정도로 빠르게 일어나는 반응

예 폭죽이나 화약의 폭발, 연소 반응, 야광 팔찌의 발광 반응, 산과 염기의 중화 반응, 앙금 생성 반응 등

불꽃놀이

메테인의 연소

야광 팔찌의 발광 반응

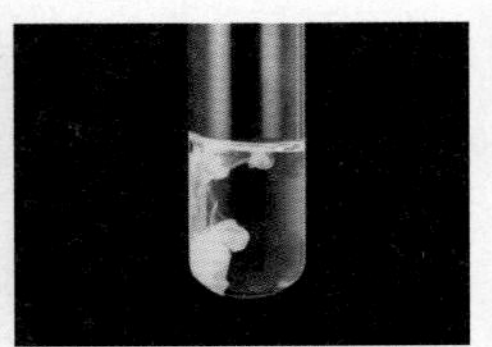
앙금 생성 반응

(2) 느린 반응: 오랜 시간에 걸쳐 느리게 일어나는 반응

예 과산화 수소의 분해, 김치의 숙성, 철의 부식, 과일이 익는 과정, 종이의 변색, 단풍, 석회 동굴의 생성, 플라스틱의 분해 등 → 몇십 년에서 몇백 년이 걸린다.

석회 동굴의 생성

철의 부식

과일이 익는 과정

종이의 변색

주의해

빠른 반응과 느린 반응의 구분

앙금이 생성되는 반응은 철의 부식에 비하여 빠른 반응이지만, 폭발 반응에 비하면 상대적으로 느린 반응이라고 할 수 있다. 이처럼 빠른 반응과 느린 반응은 비교 대상에 따라 달라지므로 상대적인 구분이다.

2. 반응의 빠르기 측정 방법

(1) 기체의 부피나 질량 측정: 기체가 발생하는 반응에서 일정 시간 동안 발생한 기체의 부피를 측정하거나 기체의 발생으로 감소한 질량을 측정한다.

$$\text{반응의 빠르기} = \frac{\text{발생한 기체의 부피 변화량}}{\text{시간}} = \frac{\text{감소한 질량 변화량}}{\text{시간}}$$

(2) *앙금 생성 시간 측정: 일정량의 앙금이 생성되어 그려 놓은 ×표가 보이지 않을 때까지 걸린 시간을 측정한다. → ×표가 보이지 않을 때까지 걸린 시간이 짧을수록 반응이 빠른 것이다.

$$\text{반응의 빠르기} = \frac{1}{\text{×표가 보이지 않을 때까지 걸린 시간(s)}}$$

★ 싸이오황산 나트륨과 염산의 반응의 빠르기 측정

싸이오황산 나트륨 수용액과 염산이 반응하면 노란색의 황 앙금이 생성된다. 일정량의 황 앙금이 생성되면 그려 놓은 ×표가 보이지 않게 되므로, 이를 이용하여 반응의 빠르기를 구한다.

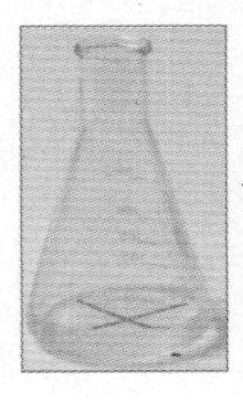
→
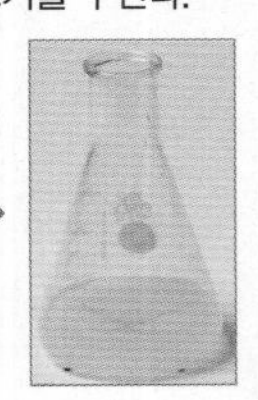

탐구 자료창 화학 반응의 빠르기

목표 발생하는 기체의 부피를 측정하여 화학 반응의 빠르기를 나타낼 수 있다.

마그네슘과 묽은 염산의 반응

과정 그림과 같이 장치하고 충분한 양의 묽은 염산(HCl)에 일정량의 마그네슘(Mg)을 넣은 후, 일정한 시간 간격으로 발생한 수소 기체의 부피를 측정한다.

$Mg(s)+2HCl(aq) \longrightarrow MgCl_2(aq)+H_2(g)$

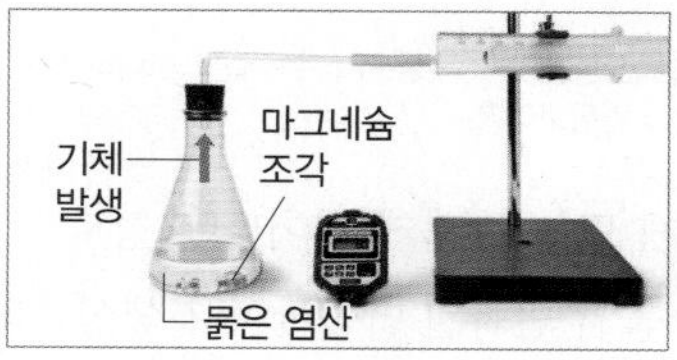

결과 및 해석

반응 시간(s)	기체의 부피(mL)	10초 동안 발생한 기체의 부피(mL)
0	0	
10	30	30
20	46	16
30	50	4
40	50	0

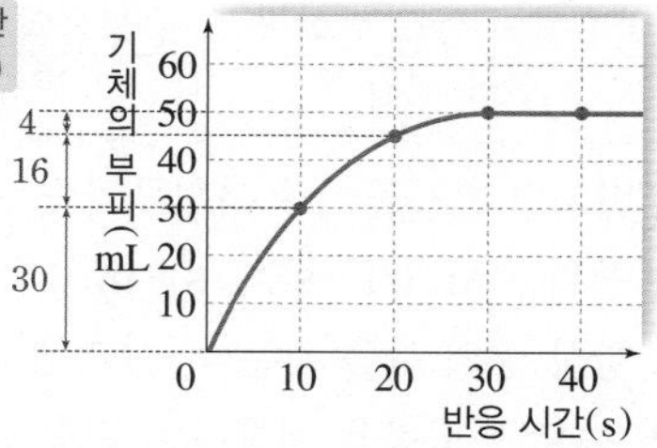

1. **시간에 따른 기체의 부피 변화**: 일정 시간 동안 발생한 기체의 부피는 시간이 지날수록 점점 감소하다가 0이 된다.
2. **반응의 빠르기**: 반응 시간과 발생한 기체의 부피로 반응의 빠르기를 구한다.

구간(s)	0~10	10~20	20~30	30~40
반응의 빠르기 (mL/s)	$\frac{30}{10}=3.0$	$\frac{16}{10}=1.6$	$\frac{4}{10}=0.4$	$\frac{0}{10}=0$

➡ 시간이 지날수록 반응의 빠르기가 감소한다.

★ **물에 녹지 않는 기체의 부피 측정 방법**
화학 반응에서 수소, 산소 등과 같이 물에 녹지 않는 기체가 발생하는 경우, 물이 가득 담긴 눈금실린더를 물이 담긴 수조에 거꾸로 세워 생성된 기체의 부피를 측정할 수 있다.

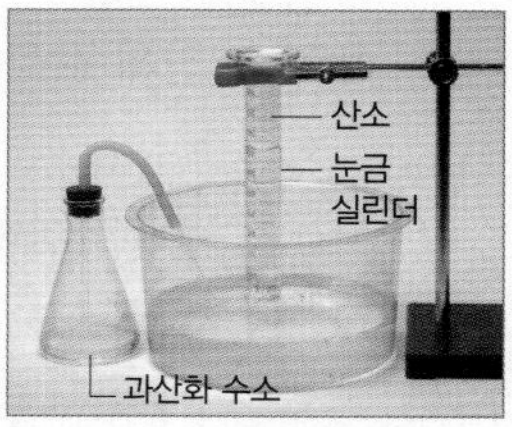

눈금실린더에 기체가 모이면서 물을 밀어내므로 기체의 부피를 측정할 수 있다.

같은 탐구 다른 실험

탄산 칼슘과 묽은 염산의 반응

미래엔 교과서에만 나와요.

과정 그림과 같이 장치하고 충분한 양의 묽은 염산(HCl)에 일정량의 탄산 칼슘($CaCO_3$)을 넣은 후, 일정한 시간 간격으로 반응 용기 전체의 질량을 측정한다. 감소한 반응 용기의 질량은 생성된 기체의 질량이다.

$CaCO_3(s)+2HCl(aq) \longrightarrow CaCl_2(aq)+H_2O(l)+CO_2(g)$

결과 및 해석

반응 시간(s)	전체 질량(g)	10초 동안 발생한 기체의 질량(g)
0	192.39	
10	191.35	1.04
20	190.62	0.73
30	190.38	0.24
40	190.38	0

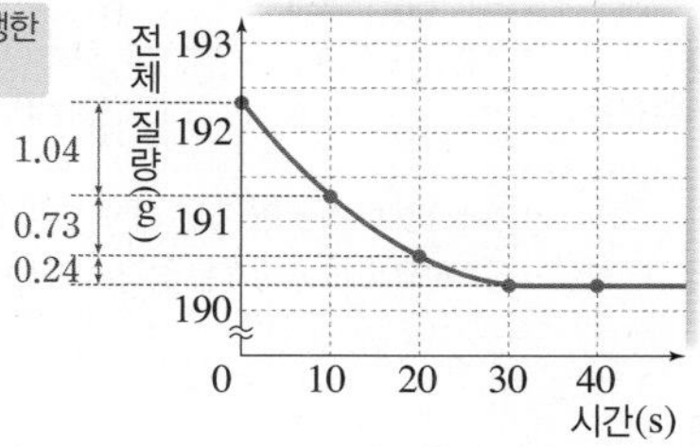

1. **시간에 따른 질량 변화**: 일정 시간 동안 감소하는 질량 변화량은 시간이 지날수록 점점 감소하다가 0이 된다.
2. **반응의 빠르기**: 반응 시간과 발생한 기체에 의해 감소한 질량으로 반응의 빠르기를 구한다.

구간(s)	0~10	10~20	20~30	30~40
반응의 빠르기 (g/s)	$\frac{1.04}{10}≒0.1$	$\frac{0.73}{10}≒0.07$	$\frac{0.24}{10}≒0.02$	$\frac{0}{10}=0$

확인 문제

1 마그네슘 조각 3 g을 충분한 양의 묽은 염산에 넣었더니 10초 동안 수소 기체 18 mL가 발생하였다. 0~10초 구간에서 이 반응의 빠르기를 구하시오.

2 마그네슘, 탄산 칼슘이 묽은 염산과 각각 반응할 때 시간에 따라 반응의 빠르기가 어떻게 변하는지 쓰시오.

확인 문제 답

1 $\frac{18\ mL}{10\ s}=1.8(mL/s)$

2 반응의 빠르기가 점차 감소하다가 0이 된다.

01 반응 속도

B 반응 속도

화학 반응의 빠르기를 일정 시간 동안 발생하는 생성물의 부피 등으로 수치화하여 나타내는 방법을 알아보았어요. 화학 반응의 빠르기를 더 정확하게 표현하는 반응 속도 표현 방법을 알아보아요.

1. 반응 속도 화학 반응이 빠르게 또는 느리게 일어나는 정도

(1) 반응 속도의 표현: 일정한 시간 동안 변화된 반응물이나 생성물의 농도를 측정하여 나타낸다.

$$\text{반응 속도}(v) = -\frac{\text{반응물의 농도 변화량}}{\text{반응 시간}} = \frac{\text{생성물의 농도 변화량}}{\text{반응 시간}}$$

① 반응 속도의 단위: 반응 속도는 변화된 반응물이나 생성물의 몰 농도를 측정한 시간으로 나누어 계산하므로 반응 속도의 단위는 mol/L·s(M/s), mol/L·min(M/min)이다.

② 반응 속도의 부호: 반응 속도는 항상 양의 값을 갖는다. 그런데 반응물의 농도 변화량은 음의 값을 나타내므로 반응물의 농도 변화량을 이용하여 반응 속도를 나타낼 때에는 앞에 '−'를 붙여 양의 값을 갖게 만든다.

반응 속도 구하기

표는 $A(g) \longrightarrow B(g)$ 반응에서 시간에 따른 반응물(A)과 생성물(B)의 농도 변화를 나타낸 것이다.

시간(s)		0	10	20	30	40
반응 모형		● A ● B				
농도(M)	A	16	8	4	2	1
	B	0	8	12	14	15

• 반응이 진행됨에 따라 반응물(A)의 농도가 감소하고 생성물(B)의 농도가 증가한다.

• 반응 속도는 단위 시간 동안 반응물의 농도 변화량 또는 생성물의 농도 변화량으로 구할 수 있다.

구간(s)		0~10	10~20	20~30	30~40
반응 속도(M/s)	반응물의 농도 감소량 이용	$\frac{8}{10}=0.8$	$\frac{4}{10}=0.4$	$\frac{2}{10}=0.2$	$\frac{1}{10}=0.1$
	생성물의 농도 증가량 이용	$\frac{8}{10}=0.8$	$\frac{4}{10}=0.4$	$\frac{2}{10}=0.2$	$\frac{1}{10}=0.1$

*화학 반응이 일어나는 동안 일정 시간 동안의 반응물이나 생성물의 농도 변화량이 감소하므로 반응 속도는 점점 느려진다.

(2) 평균 반응 속도와 순간 반응 속도

① 평균 반응 속도: 반응이 진행된 구간의 농도 변화를 반응이 진행된 시간으로 나누어 나타낸 속도 ➡ 시간−농도 그래프에서 두 점을 지나는 직선의 기울기

② *순간 반응 속도: 특정 시간에서의 반응 속도 ➡ 시간−농도 그래프에서 특정 시간의 한 지점에서의 접선의 기울기

• 초기 반응 속도: 반응이 시작되는 지점에서의 순간 반응 속도 ➡ 시간−농도 그래프에서 $t=0$인 지점에서의 접선의 기울기

*** 시간에 따른 반응물과 생성물의 농도 변화**

화학 반응이 일어나면 시간이 지남에 따라 반응물의 농도는 점점 감소하고 생성물의 농도는 점점 증가하다가 일정해진다.

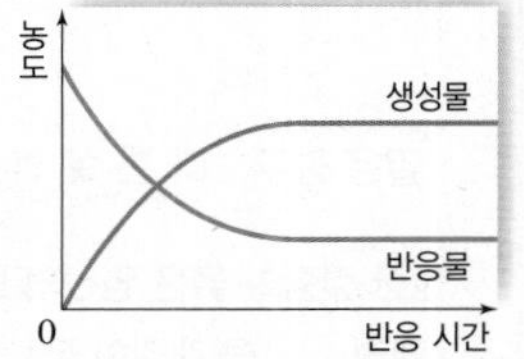

따라서 반응물이나 생성물의 농도 변화량은 시간이 지날수록 감소하므로 이를 이용하여 나타낸 반응 속도는 시간이 지날수록 점점 느려진다.

*** 순간 반응 속도**

반응이 일어나는 시간의 간격을 거의 0이 될 정도로 좁히면 평균 반응 속도는 특정한 시간에서의 순간 반응 속도가 된다.

예 $A(g) \longrightarrow B(g)$ 반응에서 시간에 따른 반응물(A)과 생성물(B)의 농도 변화와 반응 속도

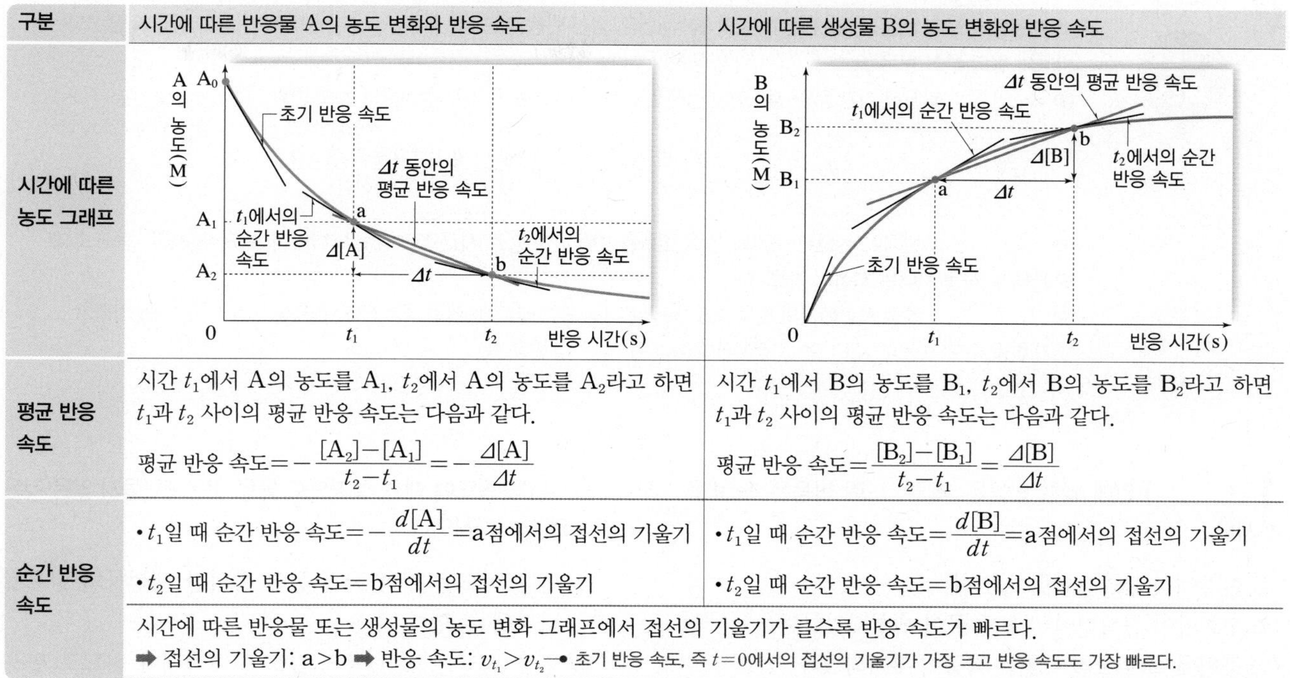

구분	시간에 따른 반응물 A의 농도 변화와 반응 속도	시간에 따른 생성물 B의 농도 변화와 반응 속도
시간에 따른 농도 그래프	(그래프)	(그래프)
평균 반응 속도	시간 t_1에서 A의 농도를 A_1, t_2에서 A의 농도를 A_2라고 하면 t_1과 t_2 사이의 평균 반응 속도는 다음과 같다. 평균 반응 속도 $= -\dfrac{[A_2]-[A_1]}{t_2-t_1} = -\dfrac{\Delta[A]}{\Delta t}$	시간 t_1에서 B의 농도를 B_1, t_2에서 B의 농도를 B_2라고 하면 t_1과 t_2 사이의 평균 반응 속도는 다음과 같다. 평균 반응 속도 $= \dfrac{[B_2]-[B_1]}{t_2-t_1} = \dfrac{\Delta[B]}{\Delta t}$
순간 반응 속도	• t_1일 때 순간 반응 속도 $= -\dfrac{d[A]}{dt}$ = a점에서의 접선의 기울기 • t_2일 때 순간 반응 속도 = b점에서의 접선의 기울기	• t_1일 때 순간 반응 속도 $= \dfrac{d[B]}{dt}$ = a점에서의 접선의 기울기 • t_2일 때 순간 반응 속도 = b점에서의 접선의 기울기
	시간에 따른 반응물 또는 생성물의 농도 변화 그래프에서 접선의 기울기가 클수록 반응 속도가 빠르다. ➡ 접선의 기울기: a > b ➡ 반응 속도: $v_{t_1} > v_{t_2}$ → 초기 반응 속도, 즉 $t=0$에서의 접선의 기울기가 가장 크고 반응 속도도 가장 빠르다.	

2. 화학 반응식과 반응 속도 표현 같은 화학 반응에서 반응물과 생성물의 농도 변화로 나타낸 반응 속도는 어느 물질을 기준으로 하여도 같도록 나타내야 한다.

(1) 반응물과 생성물의 계수의 비가 같을 때: 반응 속도는 어느 물질을 기준으로 구하여도 같다.

예 $A(g) \longrightarrow B(g)$ 반응에서 반응 속도 $= -\dfrac{\Delta[A]}{\Delta t} = \dfrac{\Delta[B]}{\Delta t}$

(2) 반응물과 생성물의 계수의 비가 다를 때: 화학 반응식에서 계수의 비는 소모되거나 생성되는 물질의 몰비이므로, 반응물이나 생성물의 농도 변화를 화학 반응식의 계수로 나누어 준다.

$$aA + bB \longrightarrow cC + dD\text{에서}$$

$$\text{반응 속도}(v) = -\frac{1}{a}\frac{\Delta[A]}{\Delta t} = -\frac{1}{b}\frac{\Delta[B]}{\Delta t} = \frac{1}{c}\frac{\Delta[C]}{\Delta t} = \frac{1}{d}\frac{\Delta[D]}{\Delta t}$$

반응 속도와 기울기

- 평균 반응 속도: 시간-농도 그래프에서 두 점을 지나는 직선의 기울기
- 순간 반응 속도: 시간-농도 그래프에서 접선의 기울기
- 시간-농도 그래프에서 기울기가 클수록 반응 속도가 빠르다.

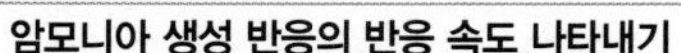

암모니아 생성 반응의 반응 속도 나타내기

$N_2(g) + 3H_2(g) \longrightarrow 2NH_3(g)$에서 반응 속도 $v = -\dfrac{\Delta[N_2]}{\Delta t} = -\dfrac{1}{3}\dfrac{\Delta[H_2]}{\Delta t} = \dfrac{1}{2}\dfrac{\Delta[NH_3]}{\Delta t}$

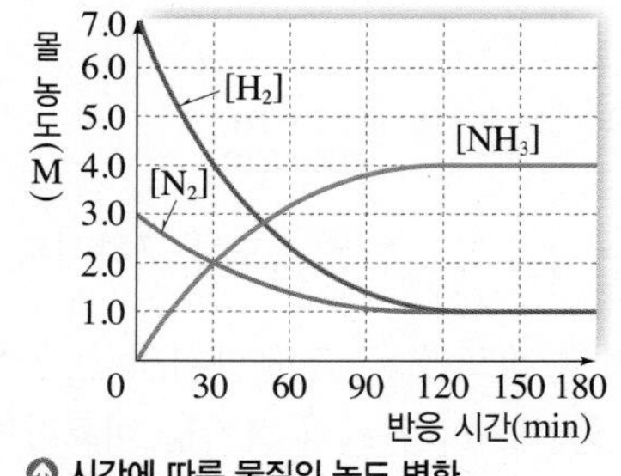

▲ 시간에 따른 물질의 농도 변화

〈0~30분 사이의 평균 반응 속도〉

$v = -\dfrac{\Delta[N_2]}{\Delta t} = -\dfrac{(2-3)\,M}{(30-0)\,min} = \dfrac{1}{30}$ M/min

$v = -\dfrac{\Delta[H_2]}{\Delta t} = -\dfrac{(4-7)\,M}{(30-0)\,min} = \dfrac{1}{10}$ M/min

$v = \dfrac{\Delta[NH_3]}{\Delta t} = \dfrac{(2-0)\,M}{(30-0)\,min} = \dfrac{1}{15}$ M/min

H_2의 농도 감소 속도는 N_2의 농도 감소 속도의 3배이다.

➡ $v = -\dfrac{1}{3}\dfrac{\Delta[H_2]}{\Delta t} = \dfrac{1}{30}$ M/min

➡ $v = \dfrac{1}{2}\dfrac{\Delta[NH_3]}{\Delta t} = \dfrac{1}{30}$ M/min

NH_3의 농도 증가 속도는 N_2의 농도 감소 속도의 2배이다.

화학 반응식의 계수로 각각을 나누어 주면 반응 속도가 같게 표현된다.

개념 확인 문제

정답친해 107쪽

핵심 체크

- 빠른 반응과 느린 반응: 연소 반응과 중화 반응, 앙금 생성 반응 등은 (❶ 　　　　) 반응이고, 석회 동굴이 생성되는 반응과 철의 부식 등은 (❷ 　　　　) 반응이다.
- (❸ 　　　　): 일정 시간 동안 감소한 반응물의 농도 변화 또는 증가한 생성물의 농도 변화

$$(❸ \quad\quad) = \frac{\text{반응물의 농도 감소량}}{\text{반응 시간}} = \frac{\text{생성물의 농도 감소량}}{\text{반응 시간}}$$

- (❹ 　　　　): 반응이 진행된 구간의 농도 변화를 반응이 진행된 시간으로 나누어 나타낸 속도 ➡ 시간－농도 그래프에서 두 점을 지나는 직선의 기울기
- (❺ 　　　　): 특정 시간에서의 반응 속도 ➡ 시간－농도 그래프에서 어느 한 점에서의 (❻ 　　　　)의 기울기
- 초기 반응 속도: 반응이 시작되는 지점에서의 (❼ 　　　　) 반응 속도

1 (　　　) 안에 빠른 반응은 '빠른', 느린 반응은 '느린'을 쓰시오.

(1) 한강에서 불꽃놀이를 하였다. ································ (　　　)

(2) 석회암이 침식되어 석회 동굴이 생성되었다. (　　　)

(3) 공원에 설치된 철로 만든 작품이 부식되었다. (　　　)

(4) 염화 나트륨 수용액에 질산 은 수용액을 떨어뜨렸더니 흰색 앙금이 생성되었다. ································ (　　　)

2 그림과 같이 장치하고 충분한 양의 묽은 염산에 탄산 칼슘을 넣고 반응시켜 반응의 빠르기를 측정하였다. (　　　) 안에 알맞은 말을 고르시오.

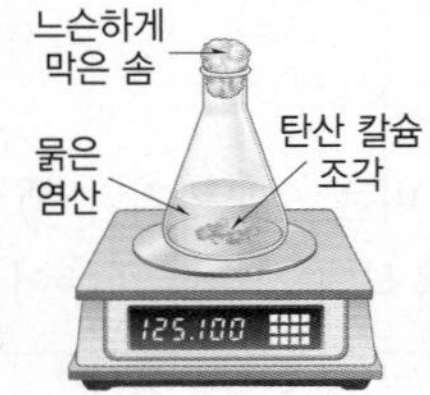

(1) (수소, 이산화 탄소) 기체가 발생하여 솜을 빠져나간다.

(2) 일정 시간 동안 ㉠(증가, 감소)한 ㉡(부피, 질량) 변화량으로 반응의 빠르기를 나타낸다.

(3) 일정 시간 동안 발생하는 기체의 양은 점점 (감소, 증가)한다.

3 표는 $A(g) \longrightarrow B(g)$ 반응에서 일정한 시간 간격으로 발생하는 B의 부피를 측정한 결과를 나타낸 것이다.

시간(s)	0	10	20	30	40	50	60
부피(mL)	0	30	40	46	48	48	48

10초~30초 구간의 반응의 빠르기를 구하시오.

4 반응 속도에 대한 설명으로 옳은 것은 ○, 옳지 않은 것은 ×로 표시하시오.

(1) 반응 속도는 일정 시간 동안 증가한 생성물의 양으로 나타낼 수 있다. ································ (　　　)

(2) 반응 속도는 항상 양의 값으로 나타내야 하므로 반응물의 농도 변화량으로 나타낼 때에는 (−)를 붙인다. ································ (　　　)

(3) 시간에 따른 물질의 몰 농도 변화량을 측정하여 반응 속도를 나타낼 때 반응 속도의 단위는 M·s 또는 M·min이다. ································ (　　　)

5 그림은 $A(g) \longrightarrow B(g)$ 반응에서 시간에 따른 생성물 B의 농도를 나타낸 것이다.

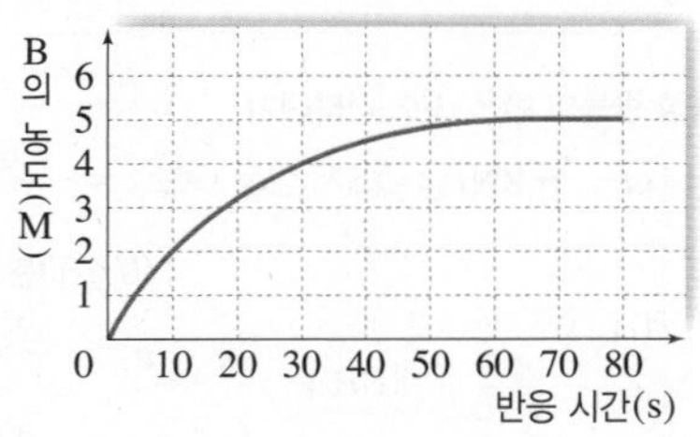

(1) 10초~30초 구간에서의 평균 반응 속도를 구하시오.

(2) 20초에서의 순간 반응 속도를 v_1, 50초에서의 순간 반응 속도를 v_2라고 할 때, v_1과 v_2의 크기를 비교하여 등호나 부등호로 나타내시오.

대표 자료 분석

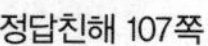

정답친해 107쪽

학교 시험에 자주 출제되는 대표 자료와 그 자료에 대한 문제를 통해 자료를 완벽하게 이해할 수 있다.

자료 1 반응 속도 측정

기출 Point
- 기체 발생 반응의 반응 속도 측정 방법
- 반응 속도 표현

[1~3] 그림과 같이 충분한 양의 묽은 염산에 마그네슘 조각을 넣어 반응시키고 일정한 시간 간격으로 발생하는 수소 기체의 부피를 측정하여 표와 같은 결과를 얻었다.

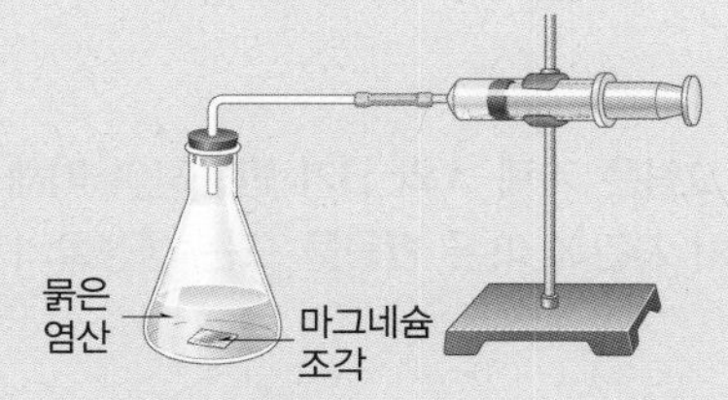

시간(s)	0	10	20	30	40	50	60
부피(mL)	0	18	27	32	35	36	36

1 반응한 10초 단위의 구간 중 반응 속도가 가장 빠른 구간을 쓰시오.

2 10초~20초 구간의 반응 속도를 구하시오.

3 빈출 선택지로 완벽 정리!

(1) 이 실험에서 반응 속도는 단위 시간 동안 감소한 질량을 측정하여 구한다. (○ / ×)

(2) 일정 시간 동안 발생하는 수소 기체의 부피는 점점 증가한다. (○ / ×)

(3) 일정 시간 동안 용액 속 수소 이온(H^+)의 농도 변화량은 점점 감소한다. (○ / ×)

(4) 반응 속도가 점차 느려지다 50초 이후에 0이 된다. (○ / ×)

자료 2 반응 속도 그래프

기출 Point
- 평균 반응 속도와 순간 반응 속도
- 시간-농도 그래프 분석

[1~3] 다음은 이산화 질소(NO_2)와 일산화 탄소(CO)의 반응을 화학 반응식으로 나타낸 것이다.

$$NO_2(g)+CO(g) \longrightarrow NO(g)+CO_2(g)$$

그림은 일정한 온도에서 이 반응이 일어날 때 시간에 따른 일산화 질소(NO)의 농도를 나타낸 것이다.

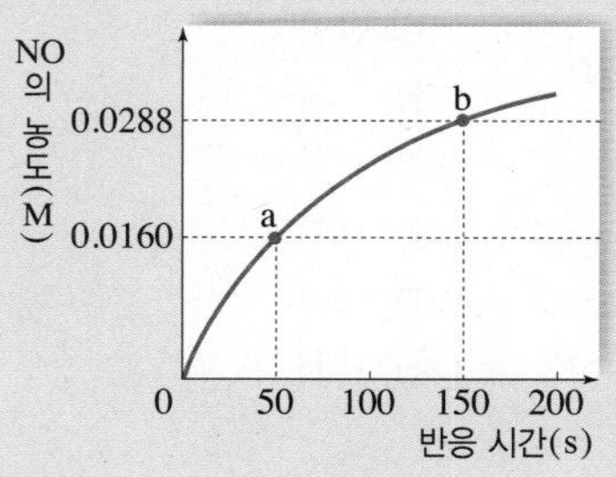

1 50초~150초 구간의 평균 반응 속도를 구하시오.

2 0~50초 구간에서 NO_2의 농도 감소량을 구하시오.

3 빈출 선택지로 완벽 정리!

(1) a점과 b점을 지나는 직선의 기울기는 평균 반응 속도이다. (○ / ×)

(2) 초기 반응 속도는 0초일 때 접선의 기울기이다. (○ / ×)

(3) 반응이 진행될수록 접선의 기울기는 감소하므로 반응 속도는 점점 증가한다. (○ / ×)

(4) 50초에서 순간 반응 속도는 $\frac{0.0160}{50}$ M/s이다. (○ / ×)

내신 만점 문제

Ⓐ 반응의 빠르기 / Ⓑ 반응 속도

01 다음은 몇 가지 반응의 예이다.

(가) 철의 부식
(나) 종이의 변색
(다) 강철 솜의 연소
(라) 염산과 수산화 나트륨의 중화

반응 속도가 빠른 반응과 느린 반응을 옳게 짝 지은 것은?

	빠른 반응	느린 반응
①	(가), (나)	(다), (라)
②	(가), (다)	(나), (라)
③	(가), (라)	(나), (다)
④	(나), (다)	(가), (라)
⑤	(다), (라)	(가), (나)

중요 **02** 그림과 같이 충분한 양의 묽은 염산에 마그네슘 조각을 넣어 반응시키고 발생하는 기체의 부피를 일정한 시간 간격으로 측정하여 표와 같은 결과를 얻었다.

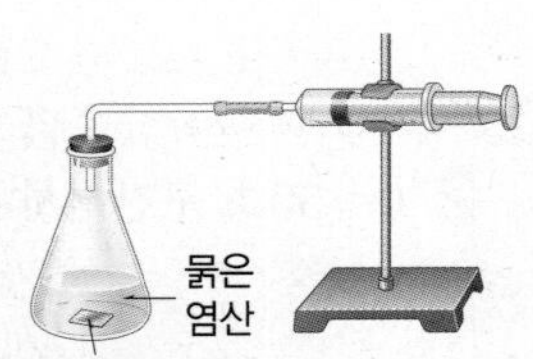

시간(s)	0	20	40	60	80	100
부피(mL)	0	25.0	40.0	50.0	50.0	50.0

이에 대한 설명으로 옳은 것만을 [보기]에서 있는 대로 고른 것은?

[보기]
ㄱ. 수용액 속 염화 이온(Cl^-)의 농도는 점점 감소하다가 일정해진다.
ㄴ. 평균 반응 속도가 가장 큰 구간은 0~20초일 때이다.
ㄷ. 반응이 진행될수록 반응 속도는 점점 느려진다.

① ㄱ ② ㄷ ③ ㄱ, ㄴ
④ ㄴ, ㄷ ⑤ ㄱ, ㄴ, ㄷ

03 반응 속도에 대한 설명으로 옳지 않은 것은?

① 항상 양의 값으로 나타낸다.
② 반응 시간에 따른 물질의 변화량이다.
③ 단위는 mL/s, M/s 등으로 나타낸다.
④ 초기 반응 속도는 $t=0$에서의 순간 반응 속도이다.
⑤ 평균 반응 속도는 시간-농도 그래프에서 어느 한 점에서의 접선의 기울기로 구할 수 있다.

[04~05] 그림은 기체 A와 B가 반응하여 기체 C가 생성되는 반응에서 시간에 따른 반응물 또는 생성물의 농도를 나타낸 것이다.

$$A(g)+B(g) \longrightarrow C(g)$$

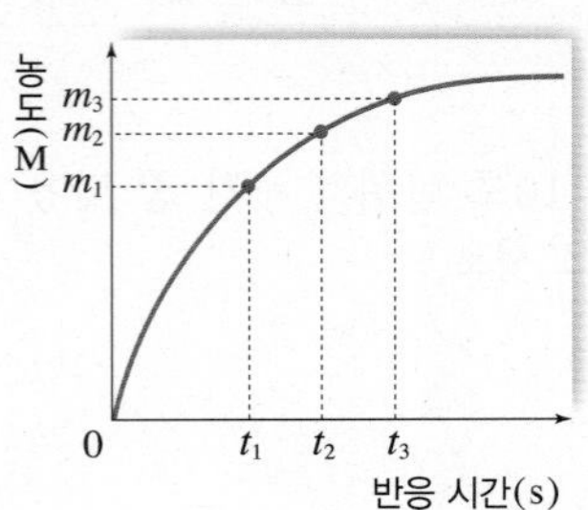

04 이에 대한 설명으로 옳은 것만을 [보기]에서 있는 대로 고른 것은?

[보기]
ㄱ. 그래프의 세로축은 $C(g)$의 농도이다.
ㄴ. 초기 반응 속도는 $\frac{m_1}{t_1}$이다.
ㄷ. t_2에서의 순간 반응 속도는 $\frac{m_3-m_1}{t_3-t_1}$이다.

① ㄱ ② ㄷ ③ ㄱ, ㄴ
④ ㄴ, ㄷ ⑤ ㄱ, ㄴ, ㄷ

서술형
05 t_1, t_2, t_3에서의 순간 반응 속도의 크기를 비교하고, 그 까닭을 서술하시오.

정답친해 108쪽

중요 06 그림은 $X(g) \longrightarrow Y(g)$ 반응에서 X의 초기 농도를 다르게 하여 반응시킬 때 시간에 따른 X의 농도를 나타낸 것이다.

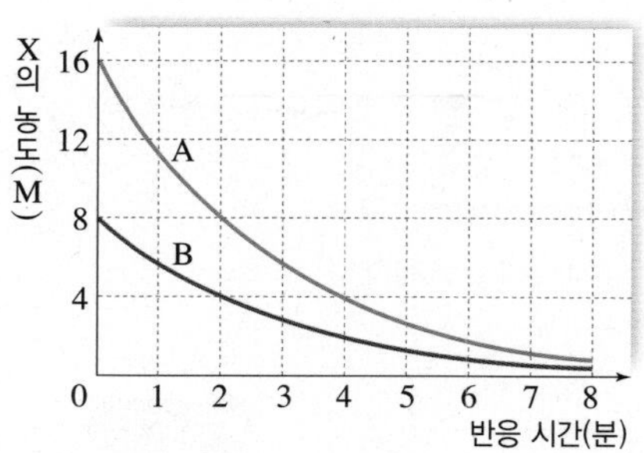

이에 대한 설명으로 옳은 것만을 [보기]에서 있는 대로 고른 것은?

보기
ㄱ. 초기 반응 속도는 A가 B보다 크다.
ㄴ. 0~2분일 때의 평균 반응 속도는 A가 B의 2배이다.
ㄷ. 3분에서의 순간 반응 속도는 B가 A보다 크다.

① ㄱ ② ㄷ ③ ㄱ, ㄴ ④ ㄴ, ㄷ ⑤ ㄱ, ㄴ, ㄷ

07 다음은 $N_2O_5(g)$ 분해 반응의 화학 반응식이다.

$$2N_2O_5(g) \longrightarrow 4NO_2(g) + O_2(g)$$

표는 일정량의 $N_2O_5(g)$가 분해될 때 생성되는 산소의 농도를 10분 간격으로 측정한 결과를 나타낸 것이다.

시간(분)	0	10	20	30	40
O_2의 농도(M)	0.000	0.021	0.036	0.043	0.047

이에 대한 설명으로 옳은 것만을 [보기]에서 있는 대로 고른 것은?

보기
ㄱ. 시간이 지남에 따라 단위 시간당 O_2의 발생량은 감소한다.
ㄴ. 20~30분 사이의 평균 반응 속도는 0.0007 M/분이다.
ㄷ. 같은 시간 동안 농도 변화량은 NO_2가 O_2의 4배이다.

① ㄱ ② ㄷ ③ ㄱ, ㄴ ④ ㄴ, ㄷ ⑤ ㄱ, ㄴ, ㄷ

08 다음은 N_2와 H_2가 반응하여 NH_3가 생성되는 반응의 화학 반응식이다.

$$N_2(g) + 3H_2(g) \longrightarrow 2NH_3(g)$$

이 반응의 반응 속도에 대한 설명으로 옳은 것만을 [보기]에서 있는 대로 고른 것은?

보기
ㄱ. 같은 시간 동안 $N_2(g)$와 $H_2(g)$의 농도가 감소하는 속도비는 1 : 3이다.
ㄴ. 같은 시간 동안의 농도 변화량은 $NH_3(g)$가 $N_2(g)$의 2배이다.
ㄷ. 반응 속도$(v) = -\frac{2\Delta[H_2]}{\Delta t} = \frac{3\Delta[NH_3]}{\Delta t}$이다.

① ㄱ ② ㄷ ③ ㄱ, ㄴ ④ ㄴ, ㄷ ⑤ ㄱ, ㄴ, ㄷ

09 그림은 일정한 온도에서 $aA(g) \longrightarrow bB(g)$의 반응이 일어날 때 시간에 따른 A와 B의 농도를 나타낸 것이다. (단, a와 b는 반응 계수이다.)

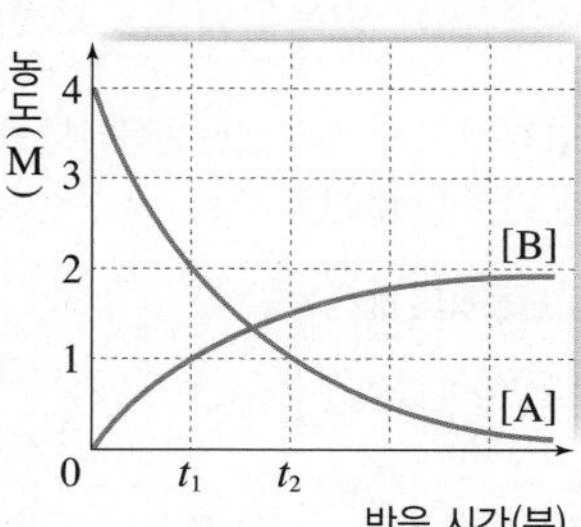

이에 대한 설명으로 옳은 것만을 [보기]에서 있는 대로 고른 것은?

보기
ㄱ. $a : b = 2 : 1$이다.
ㄴ. t_1과 t_2에서 A의 순간 반응 속도는 같다.
ㄷ. t_1~t_2에서 A의 농도 감소 속도는 B의 농도 증가 속도의 2배이다.

① ㄱ ② ㄷ ③ ㄱ, ㄴ ④ ㄱ, ㄷ ⑤ ㄱ, ㄴ, ㄷ

반응 속도식/활성화 에너지

핵심 포인트
- Ⓐ 반응 속도식 ★★★ / 반응 속도식의 결정 ★★
- Ⓑ 1차 반응과 반감기 ★★★
- Ⓒ 활성화 에너지 ★★★ / 유효 충돌 ★★

Ⓐ 반응 속도식

일정한 온도에서 화학 반응이 일어나는 속도는 반응물의 종류에 따라 다르고, 같은 반응이라도 반응물의 농도에 따라 달라요. 반응물의 농도와 반응 속도 사이의 관계를 어떻게 나타낼 수 있을까요?

1. 반응 속도식 반응 속도와 반응물의 농도와의 관계를 나타낸 식

> $aA+bB \longrightarrow cC+dD$의 반응에서 반응 속도($v$)는 A와 B의 농도에 비례한다.
> 반응 속도(v)$=k[A]^m[B]^n$
> (k: 반응 속도 상수, [A], [B]: A, B의 몰 농도, m, n: A, B에 대한 반응 차수)

(1) 반응 차수(m, n): 반응물의 농도가 변할 때 반응 속도의 변화를 알려주는 값

① 반응 차수는 반응식의 계수(a, b)와 관계없이 실험을 통해서 구한다.

② m과 n은 각각 A와 B의 반응 차수이다. ➡ A에 대한 m차 반응, B에 대한 n차 반응이며, 전체 반응 차수는 $(m+n)$이다.

(2) 반응 속도 상수(k): 반응 속도식에서 비례 상수로 반응에 따라 고유한 값을 가진다.

① 반응물의 농도의 영향은 받지 않고, 온도에 따라 변한다.

② 반응 차수에 따라 단위가 달라진다.

반응 속도식	$v=k[A]$ ➡ 1차 반응	$v=k[A][B]$ ➡ 2차 반응	$v=k[A]^2[B]$ ➡ 3차 반응
k의 단위	s^{-1}	$M^{-1}\cdot s^{-1}$	$M^{-2}\cdot s^{-1}$

확대경

기체의 반응에서 반응 속도식

기체의 반응에서 기체의 농도는 압력에 비례하므로, 농도 대신 기체의 부분 압력으로 반응 속도식을 나타낼 수 있다.

예 $H_2(g)+I_2(g) \longrightarrow 2HI(g)$

$v=k[H_2]^m[I_2]^n$
$=k'P_{H_2}{}^m\cdot P_{I_2}{}^n$

(m, n: 반응 차수, k, k': 반응 속도 상수, P_{H_2}: 수소의 부분 압력, P_{I_2}: 아이오딘의 부분 압력)

탐구 자료창 반응물의 농도로 반응 속도 나타내기

표는 $2NO(g)+O_2(g) \longrightarrow 2NO_2(g)$ 반응에서 반응물의 초기 농도를 변화시키면서 초기 반응 속도를 측정한 결과이다. (단, 온도는 일정하다.)

실험	반응물의 초기 농도(M) [NO]	반응물의 초기 농도(M) $[O_2]$	초기 반응 속도(M/s)
Ⅰ	0.020	0.010	0.028
Ⅱ	0.040	0.010	0.112
Ⅲ	0.020	0.020	0.056

(Ⅰ→Ⅱ: [NO] 2배, $[O_2]$ 일정, 속도 4배 / Ⅰ→Ⅲ: [NO] 일정, $[O_2]$ 2배, 속도 2배)

반응 속도식 $v=k[NO]^m[O_2]^n$에서

1. **NO의 반응 차수(m)**: 실험 Ⅰ과 Ⅱ에서 반응물의 초기 농도와 초기 반응 속도를 비교하면 $[O_2]$는 일정하고, [NO]가 2배가 될 때 반응 속도는 $4(=2^2)$배가 된다. ➡ NO의 반응 차수 $m=2$이다.
2. **O_2의 반응 차수(n)**: 실험 Ⅰ과 Ⅲ에서 반응물의 초기 농도와 초기 반응 속도를 비교하면 [NO]는 일정하고, $[O_2]$가 2배가 될 때 반응 속도는 $2(=2^1)$배가 된다. ➡ O_2의 반응 차수 $n=1$이다.
3. **반응 속도 상수(k)**: 실험 Ⅰ에서 측정한 [NO], $[O_2]$, 초기 반응 속도를 반응 속도식 $v=k[NO]^2[O_2]$에 대입하면 $0.028\ M/s=k(0.020\ M)^2\times0.010\ M$이다. ➡ $k=7\times10^3\ M^{-2}\cdot s^{-1}$
4. 반응 속도식은 $v=7000\ [NO]^2[O_2]$이다.

궁금해

반응 속도를 반응물의 초기 농도를 이용하여 나타내는 까닭은?

반응이 진행되면 반응물의 농도가 변하므로 보통 반응물의 초기 농도로 결정된 속도인 초기 반응 속도로 나타낸다. 반응 속도를 초기 반응 속도로 나타내면 반응 속도에 미치는 생성물의 영향도 무시할 수 있다.

B 1차 반응과 반감기

동식물의 사체나 유물에 남아 있는 탄소－14(^{14}C)의 양을 이용하면 연대를 추정할 수 있는데, 이때 이용하는 것이 반감기이지요. 1차 반응에서 시간에 따라 반응물의 농도가 어떤 규칙성을 가지고 변하는지, 1차 반응의 반감기는 어떤 특징이 있는지 알아보아요.

1. *1차 반응 $aA \longrightarrow bB$ 반응에서 반응 속도식이 $v=k[A]$로 표시되는 반응 → 반응 차수가 1차인 반응

반응 속도가 반응물의 농도에 정비례한다.

반응물의 농도는 시간에 따라 일정한 비율로 감소한다.

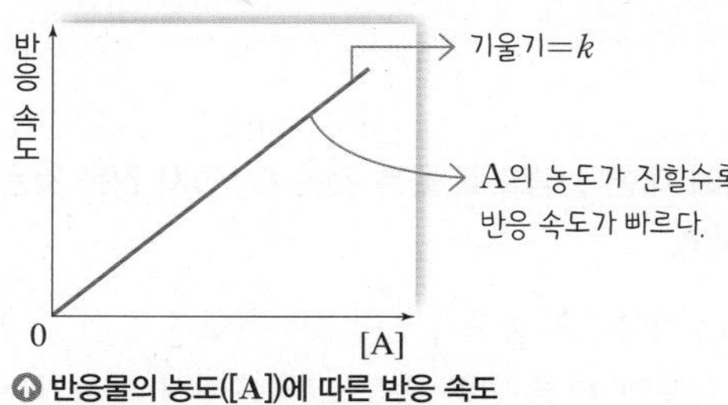

반응물의 농도([A])에 따른 반응 속도

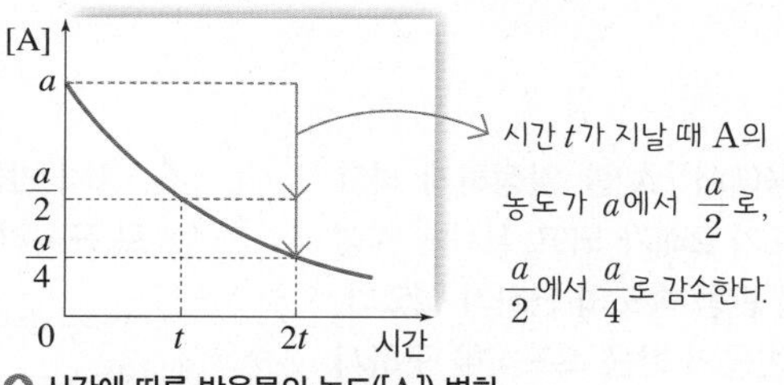

시간에 따른 반응물의 농도([A]) 변화

> ＊ **1차 반응의 예**
> 플루토늄, 우라늄 등의 방사성 동위 원소의 붕괴나 고온에서의 살균이 대표적인 1차 반응이다. 방사성 동위 원소는 반감기가 일정하므로 우주의 나이 측정, 유물이나 죽은 생명체의 연대 측정 등에 이용된다.

2. 1차 반응의 반감기

(1) **반감기**: 반응물의 농도가 절반으로 되는 데 걸리는 시간($t_{\frac{1}{2}}$)

(2) ***1차 반응의 반감기**: 1차 반응의 반감기는 반응물의 초기 농도와 관계없이 항상 일정하다.

> ＊ **1차 반응의 반감기와 반응 속도 상수의 관계**
> 1차 반응의 반응물의 농도에 따른 반응 속도 그래프에서 기울기는 반응 속도 상수이며, 기울기가 클수록 반응 속도가 빠르다. 또한, 반감기가 짧을수록 반응 속도가 빠르므로, 반감기는 반응 속도 상수에 반비례한다.

오산화 이질소 분해 반응에서의 반감기

$N_2O_5(g) \longrightarrow 2NO_2(g)+\frac{1}{2}O_2(g)$

반응물의 농도: $[N_2O_5]_0$, $\frac{[N_2O_5]_0}{2}$, $\frac{[N_2O_5]_0}{4}$, $\frac{[N_2O_5]_0}{8}$ / 첫 번째 반감기 이후, 두 번째 반감기 이후, 세 번째 반감기 이후 / $t_{\frac{1}{2}}$ / 0, 100, 200, 300, 400 시간(s)

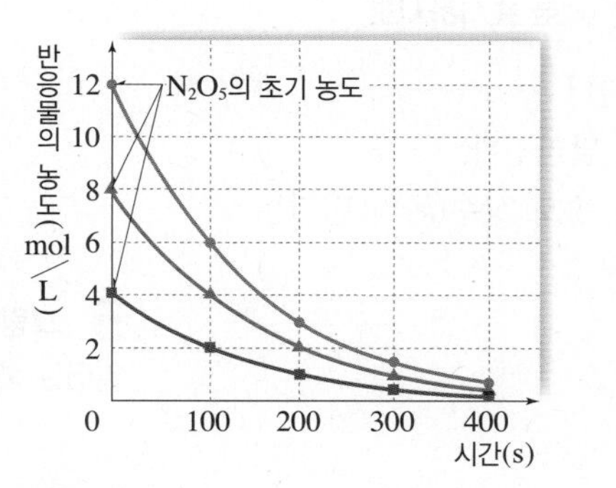

- N_2O_5의 반감기: 100초 ➡ 반응물인 N_2O_5의 농도가 100초마다 절반이 된다.
- 반응물의 초기 농도와 관계없이 반감기가 100초로 일정하므로, N_2O_5의 분해 반응은 1차 반응이다.
  ➡ 반응 속도식: $v=k[N_2O_5]$

확대경 0차 반응 (교학사, 천재 교과서에만 나와요.)

0차 반응은 $aA \longrightarrow bB$의 반응에서 반응 속도식이 $v=k[A]^0=k$로 표시되는 반응이다.

0차 반응의 반응 속도는 반응물의 농도에 영향을 받지 않으며, 반응물의 농도는 시간에 따라 일정하게 감소한다.

$2N_2O(g) \longrightarrow 2N_2(g)+O_2(g)$,
$v=k[N_2O]^0=k$(일정)

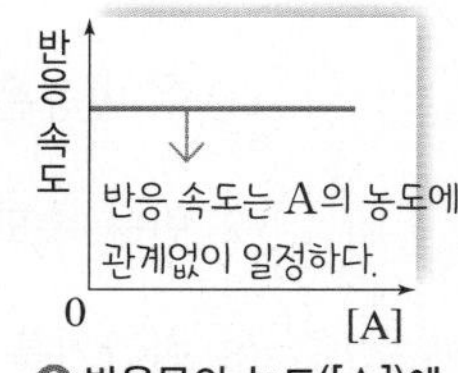

반응물의 농도([A])에 따른 반응 속도

[A] / 기울기가 일정하므로 반응 속도가 일정하다. / 0 / 시간

시간에 따른 반응물의 농도([A]) 변화

개념 확인 문제

정답친해 109쪽

핵심 체크

- (❶): 반응 속도와 반응물의 농도와의 관계를 나타낸 식이다.
  ➡ aA+bB ⟶ cC+dD의 반응에서 반응 속도식 v=(❷)이다.
- (❸): 반응 속도식에서 비례 상수로, (❹)에 영향을 받지 않고 온도에 의해 변한다.
- 반응 속도식 $v=k[A]^2[B]$인 반응에서 [A]에 대한 반응 차수는 (❺), [B]에 대한 반응 차수는 (❻)이고, 전체 반응 차수는 (❼)이다.
- (❽): 반응물의 농도가 절반이 되는 데 걸리는 시간
- 1차 반응은 반응 속도가 반응물의 농도에 (❾)하고, 반감기가 (❿)하다.

1 aA+bB ⟶ cC의 반응에서 [A]를 일정하게 하고 [B]를 2배로 하였더니 반응 속도가 2배가 되고, [B]를 일정하게 하고 [A]를 2배로 하였더니 반응 속도의 변화가 없었다. 반응 속도 상수를 k라 할 때 이 반응의 반응 속도식을 구하시오. (단, 온도는 일정하다.)

2 aA+bB ⟶ cC+dD 반응의 반응 속도식에 대한 설명으로 옳은 것은 ○, 옳지 않은 것은 ×로 표시하시오.

(1) 반응 속도(v)는 a와 b에 비례한다. ( )

(2) 반응 속도 상수는 온도에 따라 달라진다. ( )

(3) 반응의 종류에 관계없이 반응 속도 상수(k)의 단위는 같다. ( )

3 표는 $2NO(g)+O_2(g) \longrightarrow 2NO_2(g)$ 반응에서 온도를 일정하게 유지하고 반응물인 NO와 O_2의 초기 농도를 변화시키면서 초기 반응 속도를 측정한 결과이다.

실험	반응물의 초기 농도(M)		초기 반응 속도
	[NO]	$[O_2]$	(M/s)
Ⅰ	0.020	0.010	0.028
Ⅱ	0.020	0.020	0.056
Ⅲ	0.040	0.020	0.224

(1) 반응 속도 상수를 k라 할 때, 반응 속도식을 쓰시오.

(2) 전체 반응 차수를 쓰시오.

4 1차 반응에 대한 설명으로 옳은 것은 ○, 옳지 않은 것은 ×로 표시하시오.

(1) 반응 속도는 반응물의 농도가 진할수록 빠르다. ( )

(2) 반응물의 농도에 따른 반응 속도 그래프에서 기울기는 반응 속도 상수(k)이다. ( )

(3) 반감기는 초기 농도가 진할수록 길어진다. ( )

5 그림은 일정한 온도에서 aA(g) ⟶ bB(g)의 반응이 일어날 때 시간에 따른 반응물 A의 농도를 나타낸 것이다.

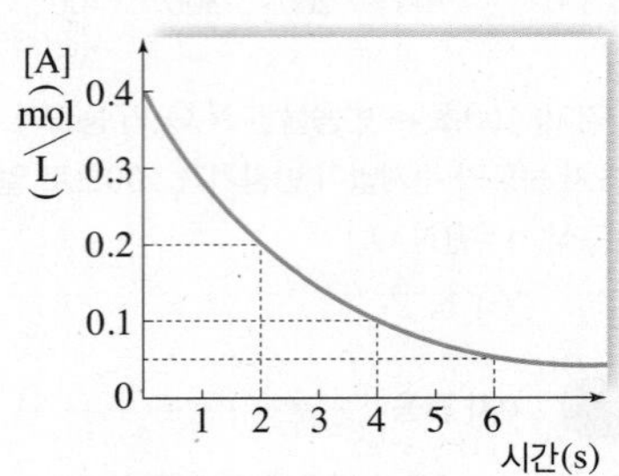

(1) 이 반응은 A에 대해 몇 차 반응인지 쓰시오.

(2) 반응 속도 상수(k)의 단위를 쓰시오.

(3) 반감기를 구하시오.

(4) 8초에서 [A]를 구하시오.

활성화 에너지

실온에서 수소 기체와 산소 기체를 아무리 오래 섞어 두어도 저절로 물이 생성되지는 않아요. 화학 반응이 일어나기 위해서는 필요한 조건이 충족되어야 한답니다. 지금부터 어떤 조건들이 충족되어야 화학 반응이 일어나는지 알아보아요.

1. 유효 충돌

(1) 화학 반응이 일어나기 위한 충돌 조건

① 화학 반응이 일어날 수 있는 적합한 방향으로 충돌해야 한다.

② 반응물의 입자 사이의 결합을 끊을 수 있을 정도로 충분히 빠른 속도로 충돌해야 한다.

(2) *__유효 충돌__: 화학 반응을 일으키기에 충분히 빠른 속도를 가진 입자들이 화학 반응이 일어나기에 적합한 방향으로 충돌하는, 즉 반응이 일어나기에 적합한 충돌

(입자: 반응하기에 충분한 에너지를 가진 입자)

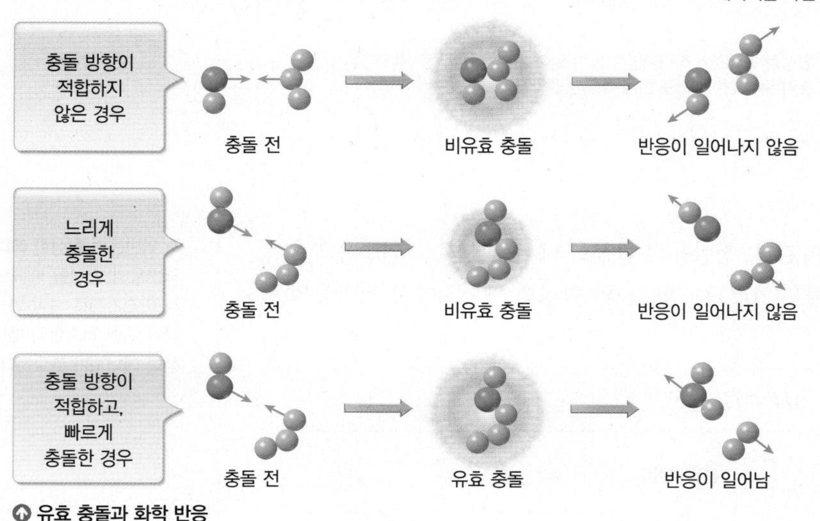

▲ 유효 충돌과 화학 반응

* 유효 충돌과 비유효 충돌의 비유

유효 충돌은 홈런!

비유효 충돌은 파울!

2. *활성화 에너지(E_a) 화학 반응이 일어나는 데 필요한 최소한의 에너지

(1) 활성화 상태: 반응물이 생성물로 변하는 과정에서 에너지가 가장 큰 불안정한 상태

(2) 활성화물: 반응물의 결합 일부가 끊어지고 생성물의 결합 일부가 형성된 활성화 상태에 있는 불안정한 화합물

활성화 에너지

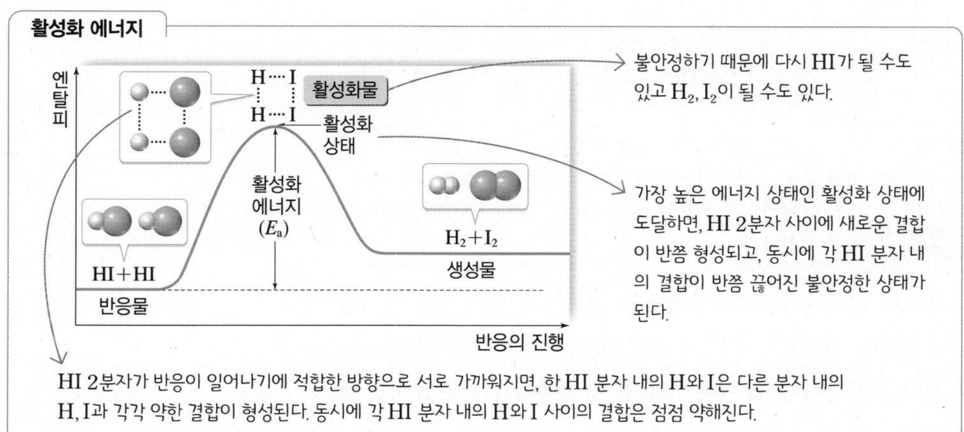

엔탈피
H····I
H····I
활성화물
활성화 상태
활성화 에너지 (E_a)
HI+HI
반응물
H_2+I_2
생성물
반응의 진행
불안정하기 때문에 다시 HI가 될 수도 있고 H_2, I_2이 될 수도 있다.
가장 높은 에너지 상태인 활성화 상태에 도달하면, HI 2분자 사이에 새로운 결합이 반쯤 형성되고, 동시에 각 HI 분자 내의 결합이 반쯤 끊어진 불안정한 상태가 된다.
HI 2분자가 반응이 일어나기에 적합한 방향으로 서로 가까워지면, 한 HI 분자 내의 H와 I은 다른 분자 내의 H, I과 각각 약한 결합이 형성된다. 동시에 각 HI 분자 내의 H와 I 사이의 결합은 점점 약해진다.

* 활성화 에너지의 비유

활성화 에너지는 반응물이 생성물로 변하기 위해 넘어야 하는 에너지 장벽으로, 골프공이 넘어야 하는 언덕 높이나 높이뛰기 선수가 넘어야 하는 가로대의 높이에 비유할 수 있다.

(3) *활성화 에너지와 반응 속도

① 활성화 에너지가 크면 외부에서 흡수해야 하는 에너지가 크므로 반응이 일어나기 어려워 반응 속도가 느리다.

② 활성화 에너지가 작으면 외부에서 흡수해야 하는 에너지가 작으므로 반응이 일어나기 쉬워져 반응 속도가 빠르다.

활성화 에너지와 반응물의 운동 에너지 분포 곡선 지학사 교과서에만 나와요.

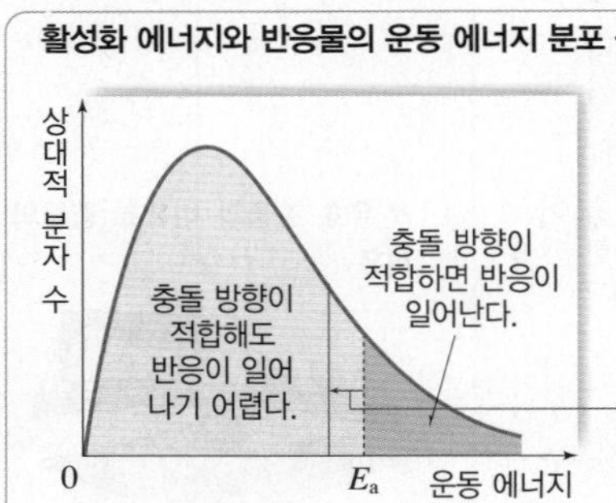

반응물이 반응이 일어나기에 적합한 방향으로 충돌하더라도 반응물이 가진 운동 에너지가 활성화 에너지보다 큰 분자들만 화학 반응을 일으킬 수 있다.

• 활성화 에너지가 작아지면 반응이 일어날 수 있는 운동 에너지를 가진 분자 수가 많아지므로 반응 속도가 빨라진다.

3. 활성화 에너지(E_a)와 반응엔탈피(ΔH)

(1) **활성화 에너지(E_a)와 반응엔탈피(ΔH)의 관계:** 정반응의 활성화 에너지를 E_a, *역반응의 활성화 에너지를 E_a'라고 하면 반응엔탈피(ΔH)는 정반응의 활성화 에너지에서 역반응의 활성화 에너지를 뺀 값이다.

$$\Delta H = E_a - E_a'$$

발열 반응	흡열 반응
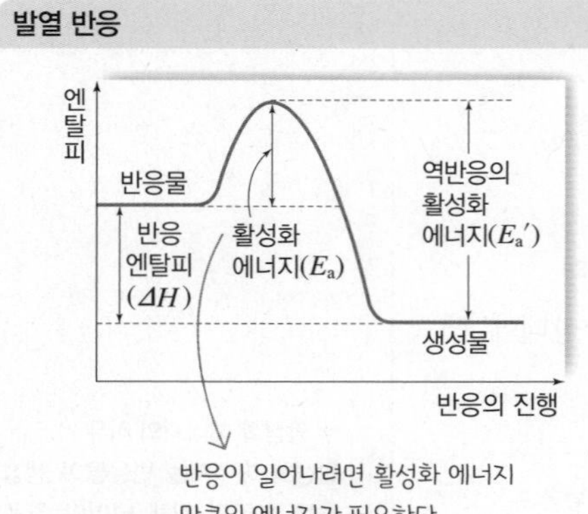 반응이 일어나려면 활성화 에너지 만큼의 에너지가 필요하다.	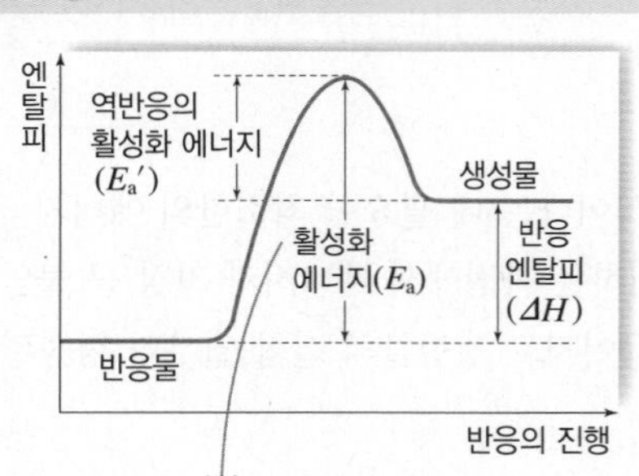 생성물이 반응물보다 엔탈피가 크므로 반응이 일어나기 위해 필요한 에너지 장벽에 반응엔탈피(ΔH)가 포함된다. ➡ 정반응의 활성화 에너지는 항상 반응엔탈피(ΔH)보다 크다.
$E_a < E_a'$이므로 $\Delta H = E_a - E_a' < 0$이다. 활성화 상태를 지나 반응이 시작되면 에너지를 방출하므로 반응이 지속적으로 일어나기 쉽다. • 일단 반응이 진행되면 방출한 에너지의 일부가 반응하지 못한 분자들의 활성화 에너지로 쓰일 수 있기 때문이다.	$E_a > E_a'$이므로 $\Delta H = E_a - E_a' > 0$이다. 흡열 반응에서는 에너지가 방출되지 않으므로, 외부에서 지속적으로 에너지를 공급해 주어야 반응이 일어난다.

(2) 활성화 에너지는 반응물이 생성물로 변하는 과정에서 어떠한 경로를 거쳤는지를 나타낸다. 반면 반응엔탈피(ΔH)는 반응물이 생성물로 변하는 과정에서 거치는 경로와 관계없이 반응물과 생성물의 엔탈피 변화만을 나타낸다. 따라서 같은 반응에서 반응엔탈피는 활성화 에너지에 관계없이 일정하다.

*** 활성화 에너지 크기와 반응 속도**
활성화 에너지가 클수록 많은 에너지를 흡수해야 하므로 반응 속도가 느리다.

*** 역반응의 활성화 에너지**
역반응이 진행될 때에도 정반응과 마찬가지로 화학 반응이 일어나기 위한 최소한의 에너지인 활성화 에너지가 필요하다.

주의해
정반응의 활성화 에너지
활성화 에너지는 보통 정반응에 대한 활성화 에너지를 뜻한다.

개념 확인 문제

정답친해 110쪽

- (❶): 화학 반응을 일으키기에 충분히 빠른 속도를 가진 입자들이 적합한 방향으로 충돌하여 화학 반응이 일어나는 충돌
- (❷): 화학 반응이 일어나기 위해 필요한 최소한의 에너지
- (❸) 상태: 반응물이 생성물로 변하는 과정에서 에너지가 가장 큰 불안정한 상태
- (❹): 반응물의 결합 일부가 끊어지고 생성물의 결합 일부가 형성된 활성화 상태에 있는 불안정한 화합물
- 활성화 에너지와 반응 속도: 활성화 에너지가 클수록 반응 속도가 (❺)다.
- 활성화 에너지와 반응엔탈피(ΔH): 반응엔탈피(ΔH)는 (❻)의 활성화 에너지에서 (❼)의 활성화 에너지를 뺀 값이다.

1 **화학 반응이 일어나기 위한 조건에 대한 설명으로 옳은 것은 ○, 옳지 않은 것은 ×로 표시하시오.**

(1) 충분한 에너지를 가진 입자들이 충돌하면 항상 반응이 일어난다. ( )

(2) 활성화 에너지는 반응물과 생성물 사이에 넘어야 하는 에너지 장벽이라고 할 수 있다. ( )

(3) 활성화 에너지가 클수록 반응엔탈피(ΔH)가 작아져 화학 반응 속도가 빨라진다. ( )

2 **그림은 $A(g) \longrightarrow B(g)$ 반응에서 반응의 진행에 따른 엔탈피 변화를 나타낸 것이다.**

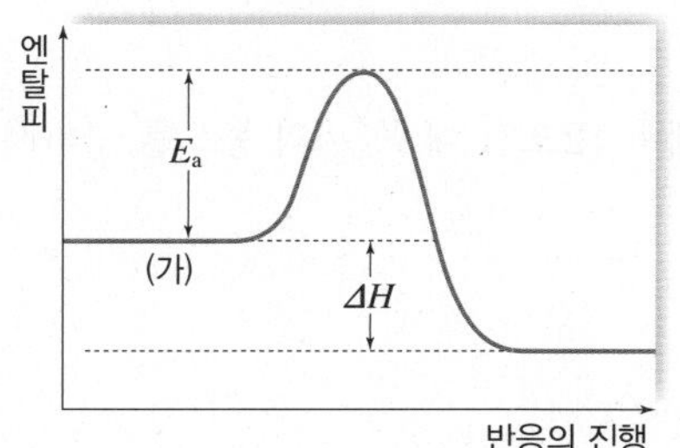

이에 대한 설명으로 옳은 것은 ○, 옳지 않은 것은 ×로 표시하시오.

(1) (가)는 활성화 상태이다. ( )

(2) E_a가 낮아지면 ΔH는 커진다. ( )

(3) 반응 속도 상수가 커지면 ΔH는 작아진다. ( )

(4) 정반응의 활성화 에너지보다 역반응의 활성화 에너지가 크다. ( )

3 **그림은 $2HI(g) \longrightarrow H_2(g)+I_2(g)$ 반응에서 반응의 진행에 따른 엔탈피 변화를 나타낸 것이다.**

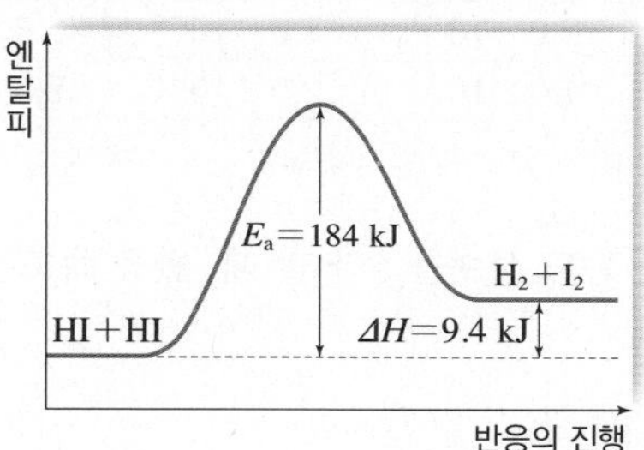

이 반응의 역반응의 활성화 에너지를 구하시오.

4 **기체 A와 B가 반응하여 기체 C를 생성하는 정반응의 활성화 에너지는 248 kJ이고, 역반응의 활성화 에너지는 289 kJ이다. 이 반응의 반응엔탈피(ΔH)를 구하시오.**

5 **다음은 기체 A와 B가 반응하여 기체 C와 D를 생성하는 반응의 열화학 반응식이다.**

$$A(g)+B(g) \longrightarrow C(g)+D(g),\ \Delta H=-180\ \text{kJ}$$

정반응의 활성화 에너지가 210 kJ일 때, 이 반응에 대한 설명으로 옳은 것은 ○, 옳지 않은 것은 ×로 표시하시오.

(1) 정반응의 활성화 에너지는 항상 반응엔탈피(ΔH)의 절댓값보다 크다. ( )

(2) 반응이 진행되면 방출되는 에너지의 일부가 활성화 에너지로 쓰일 수 있다. ( )

(3) 역반응의 활성화 에너지는 390 kJ이다. ( )

대표 자료 분석

정답친해 110쪽

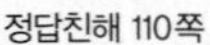

학교 시험에 자주 출제되는 대표 자료와 그 자료에 대한 문제를 통해 자료를 완벽하게 이해할 수 있다.

자료 1 반응 속도식

기출 Point
- 반응 속도식 표현
- 반응 차수와 반응 속도 상수 계산

[1~4] 다음은 기체 A와 B가 반응하여 기체 C와 D가 생성되는 반응의 화학 반응식이다.

$$2A(g)+B(g) \longrightarrow C(g)+D(g)$$

표는 A와 B의 초기 농도에 따른 초기 반응 속도를 나타낸 것이다. (단, 온도는 일정하다.)

실험	반응물의 초기 농도(M)		초기 반응 속도
	[A]	[B]	(M/s)
Ⅰ	1.0×10^{-4}	1.0×10^{-4}	2.8×10^{-6}
Ⅱ	2.0×10^{-4}	1.0×10^{-4}	5.6×10^{-6}
Ⅲ	1.0×10^{-4}	2.0×10^{-4}	5.6×10^{-6}

1 반응 속도 상수를 k라 할 때, 반응 속도식을 쓰시오.

2 이 반응의 전체 반응 차수를 구하시오.

3 이 반응의 반응 속도 상수(k)를 구하시오.

4 빈출 선택지로 완벽 정리!

(1) 반응 차수는 A와 B의 계수에 의해 결정된다. (○ / ×)

(2) B에 대하여 1차 반응이다. ········ (○ / ×)

(3) A와 B의 농도를 각각 2배로 하면 초기 반응 속도는 2배 빨라진다. ········ (○ / ×)

(4) 이 반응의 반응 속도 상수(k)는 A와 B의 농도에 따라 값이 달라진다. ········ (○ / ×)

자료 2 1차 반응

기출 Point
- 1차 반응에서 반응 속도와 농도 관계
- 1차 반응의 반감기

[1~4] 그림은 $X(g) \longrightarrow Y(g)$ 반응에서 초기 농도를 다르게 했을 때 시간에 따른 X(g)의 농도를 나타낸 것이다. (단, 온도는 일정하다.)

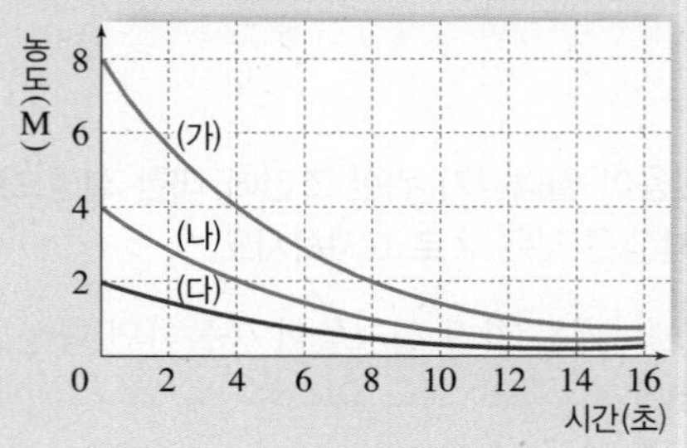

1 $X(g) \longrightarrow Y(g)$ 반응의 반응 속도식을 쓰시오. (단, 반응 속도 상수는 k로 나타낸다.)

2 $X(g) \longrightarrow Y(g)$ 반응의 반감기를 구하시오.

3 (다)에서 12초일 때 X(g)의 농도를 구하시오.

4 빈출 선택지로 완벽 정리!

(1) 반응 차수는 (가) > (나) > (다)이다. ········ (○ / ×)

(2) (나)에서 시간이 지날수록 반감기가 점점 짧아진다. ········ (○ / ×)

(3) $X(g) \longrightarrow Y(g)$ 반응은 1차 반응이다. ········ (○ / ×)

(4) $X(g) \longrightarrow Y(g)$ 반응의 반응 속도는 반응물의 농도에 비례한다. ········ (○ / ×)

내신 만점 문제

A 반응 속도식

중요 **01** 표는 $A(g)+B(g) \longrightarrow C(g)$ 반응에서 A와 B의 초기 농도에 따른 초기 반응 속도를 나타낸 것이다.

실험	초기 농도(M)		초기 반응 속도
	[A]	[B]	(M/s)
Ⅰ	0.20	0.50	0.020
Ⅱ	0.20	0.60	0.020
Ⅲ	0.60	0.60	0.060
Ⅳ	0.70	0.90	x

이에 대한 설명으로 옳지 않은 것은? (단, 온도는 일정하다.)

① 반응 속도식은 $v=k[A]$이다.
② x는 0.070이다.
③ B의 농도를 증가시켜도 반응 속도는 변하지 않는다.
④ 반응 속도 상수(k)는 실험 Ⅲ에서가 Ⅰ에서의 3배이다.
⑤ 반응 속도 상수(k)의 단위는 s^{-1}이다.

02 표는 $A(g)+B(g) \longrightarrow C(g)$ 반응에서 반응물의 초기 농도에 따른 초기 반응 속도를 나타낸 것이다.

실험		Ⅰ	Ⅱ	Ⅲ
초기 농도(M)	[A]	0.5	1	1
	[B]	0.5	0.5	1
초기 반응 속도(M/s)		0.05	0.1	0.4

이에 대한 설명으로 옳은 것만을 [보기]에서 있는 대로 고른 것은? (단, 온도는 일정하다.)

[보기]
ㄱ. 전체 반응 차수는 3차이다.
ㄴ. 반응 속도 상수(k)는 $0.4\ M^{-2}\cdot s^{-1}$이다.
ㄷ. 실험 Ⅲ에서 반응 용기의 부피를 2배로 하면 초기 반응 속도는 0.1 M/s가 된다.

① ㄱ ② ㄷ ③ ㄱ, ㄴ
④ ㄴ, ㄷ ⑤ ㄱ, ㄴ, ㄷ

B 1차 반응과 반감기

중요 **03** 그림은 $A(g) \longrightarrow 2B(g)$ 반응에서 A를 강철 용기에 넣고 반응시켰을 때 시간에 따른 A의 농도를 나타낸 것이다.

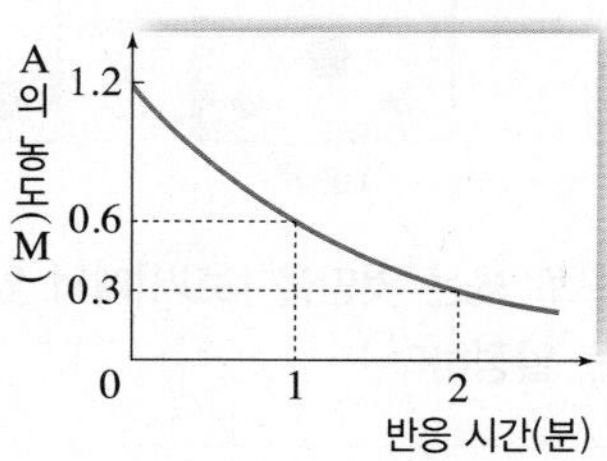

이에 대한 설명으로 옳은 것만을 [보기]에서 있는 대로 고른 것은? (단, 온도는 일정하다.)

[보기]
ㄱ. 순간 반응 속도는 1분일 때가 2분일 때보다 크다.
ㄴ. 3분일 때 몰 농도는 B가 A의 14배이다.
ㄷ. A의 초기 농도가 1.6 M이면 4분일 때 A의 농도는 0.2 M이다.

① ㄱ ② ㄷ ③ ㄱ, ㄴ
④ ㄴ, ㄷ ⑤ ㄱ, ㄴ, ㄷ

04 그림은 $2A(g) \longrightarrow B(g)$ 반응에서 온도가 T_1, T_2일 때 A의 초기 농도에 따른 초기 반응 속도를 나타낸 것이다.

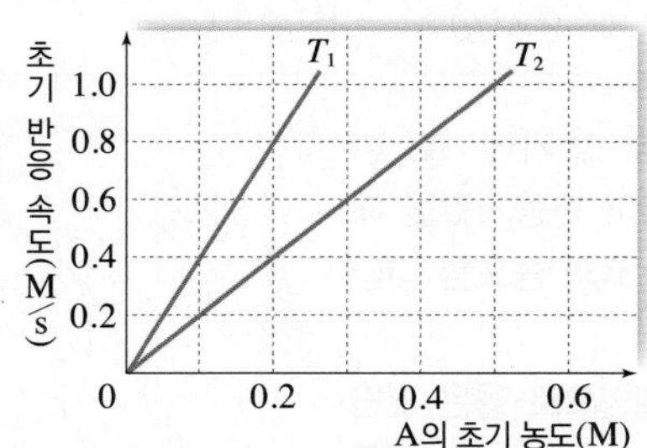

이에 대한 설명으로 옳은 것만을 [보기]에서 있는 대로 고른 것은?

[보기]
ㄱ. 반응 속도식은 $v=k[A]^2$이다.
ㄴ. 반응 속도 상수(k)는 T_1에서가 T_2에서의 2배이다.
ㄷ. A의 반감기는 T_2에서가 T_1에서의 2배이다.

① ㄱ ② ㄷ ③ ㄱ, ㄴ
④ ㄴ, ㄷ ⑤ ㄱ, ㄴ, ㄷ

중요 05 그림은 기체 A로부터 기체 B가 생성되는 반응에서 시간에 따른 A와 B의 입자 수를 모형으로 나타낸 것이다.

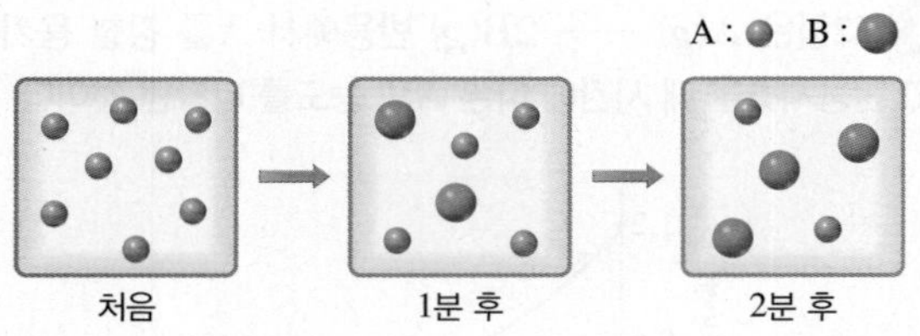

이에 대한 설명으로 옳은 것만을 [보기]에서 있는 대로 고른 것은? (단, 온도는 일정하다.)

보기

ㄱ. 전체 반응 차수는 1차이다.
ㄴ. B의 단위 시간당 농도 변화량은 A의 농도 변화량의 2배이다.
ㄷ. A의 초기 농도를 2배로 하여도 반응 속도 상수(k)는 변하지 않는다.

① ㄱ ② ㄴ ③ ㄱ, ㄷ
④ ㄴ, ㄷ ⑤ ㄱ, ㄴ, ㄷ

06 다음은 A의 분해 반응의 화학 반응식이다.

$$2A(g) \longrightarrow B(g) + C(g)$$

그림은 강철 용기에 $A(g)$ 2.0 M을 넣어 반응시켰을 때 시간에 따른 B의 농도를 나타낸 것이다.

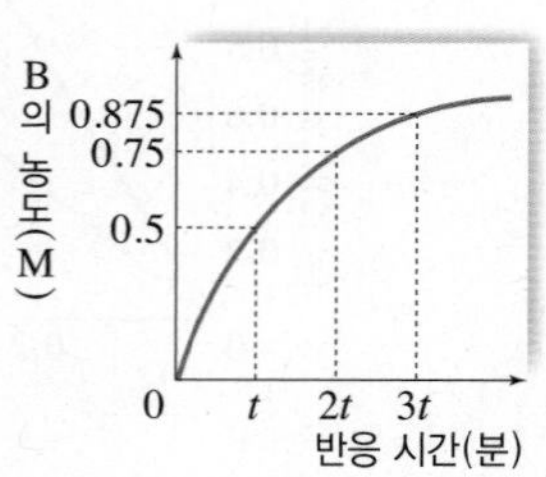

이에 대한 설명으로 옳은 것만을 [보기]에서 있는 대로 고른 것은? (단, 온도는 일정하다.)

보기

ㄱ. 반응 속도는 A의 농도에 비례한다.
ㄴ. t분일 때 A의 농도는 1.0 M이다.
ㄷ. 혼합 기체의 농도는 t분일 때와 $3t$분일 때가 같다.

① ㄱ ② ㄷ ③ ㄱ, ㄴ
④ ㄴ, ㄷ ⑤ ㄱ, ㄴ, ㄷ

중요 07 다음은 2가지 반응의 화학 반응식과 반응 속도식이다.

$$A(g) \longrightarrow B(g) \quad v_1 = k_1[A]^m$$
$$2X(g) \longrightarrow Y(g) \quad v_2 = k_2[X]^n$$
(k_1, k_2: 반응 속도 상수, m, n: 반응 차수)

그림 (가)와 (나)는 부피가 같은 2개의 강철 용기에 A와 X를 각각 넣고 반응시켰을 때, 시간에 따른 반응물의 농도를 나타낸 것이다.

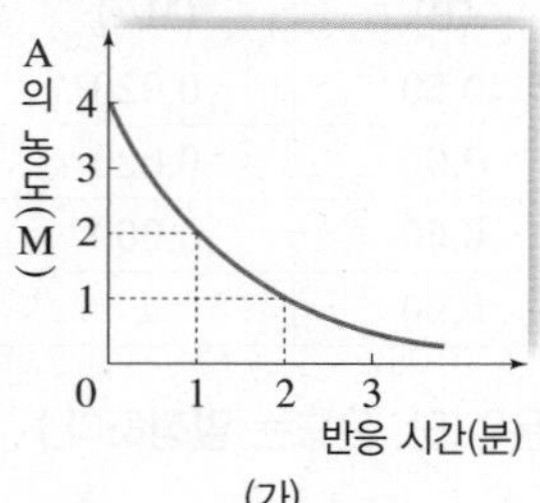

(가)

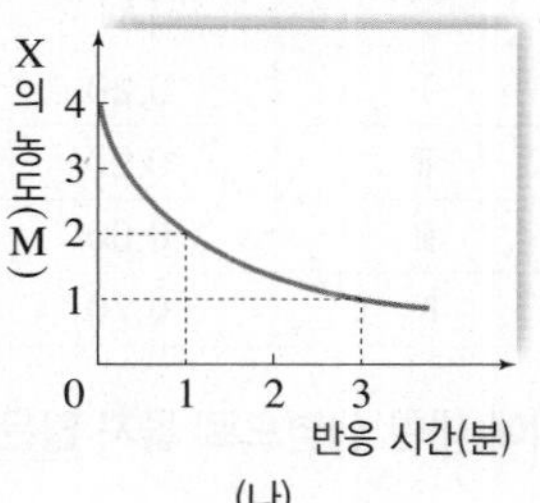

(나)

이에 대한 설명으로 옳은 것만을 [보기]에서 있는 대로 고른 것은? (단, 온도는 일정하고 역반응은 일어나지 않는다.)

보기

ㄱ. $m+n$은 2이다.
ㄴ. 0~1분에서의 평균 반응 속도는 (가)와 (나)가 같다.
ㄷ. A와 X의 초기 농도를 각각 2 M로 하여 반응시켰을 때 2분 후 B의 농도는 Y의 농도의 3배이다.

① ㄱ ② ㄴ ③ ㄱ, ㄷ
④ ㄴ, ㄷ ⑤ ㄱ, ㄴ, ㄷ

08 그림은 $X(g) \longrightarrow Y(g)$의 반응에서 강철 용기에 $X(g)$를 넣고 반응 조건을 다르게 하여 반응시켰을 때 시간에 따른 $\frac{1}{[X]}$을 각각 나타낸 것이다.

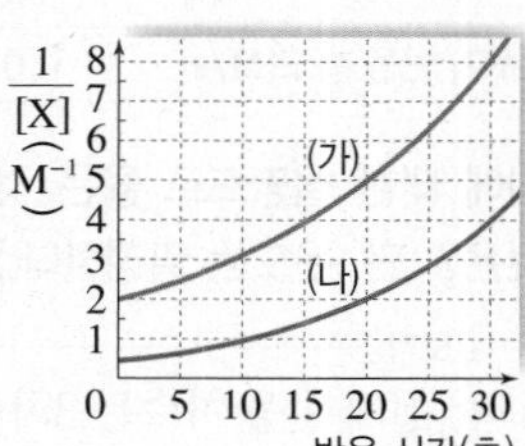

동일한 농도에서 (가)의 반응 속도 상수를 $k_{(가)}$, (나)의 반응 속도 상수를 $k_{(나)}$라고 할 때, $\frac{k_{(나)}}{k_{(가)}}$는?

① 0.5 ② 0.75 ③ 1
④ 1.5 ⑤ 2

09 다음은 기체 A가 분해되는 반응의 화학 반응식이다.

$$2A(g) \longrightarrow 3B(g)+C(g)$$

표는 일정한 온도에서 강철 용기에 A(g)를 넣고 반응시켰을 때 시간에 따른 A의 농도를 나타낸 것이다.

시간(분)	0	1	2	3	4
A의 농도(M)	2.0	1.75	x	1.25	1.0

이에 대한 설명으로 옳은 것만을 [보기]에서 있는 대로 고른 것은?

[보기]
ㄱ. x는 1.5이다.
ㄴ. 반응 속도는 A의 농도에 비례한다.
ㄷ. 반응 속도 상수(k)의 단위는 1/분이다.

① ㄱ ② ㄴ ③ ㄱ, ㄷ
④ ㄴ, ㄷ ⑤ ㄱ, ㄴ, ㄷ

C 활성화 에너지

10 유효 충돌과 활성화 에너지에 대한 설명으로 옳은 것만을 [보기]에서 있는 대로 고른 것은?

[보기]
ㄱ. 활성화 에너지보다 큰 에너지를 가진 입자들은 충돌하면 항상 반응이 일어난다.
ㄴ. 활성화 에너지보다 작은 에너지를 가진 입자들은 적합한 방향으로 충돌해도 반응이 일어나지 않는다.
ㄷ. 활성화 에너지가 큰 반응의 반응 속도는 상대적으로 빠르다.

① ㄱ ② ㄴ ③ ㄱ, ㄷ
④ ㄴ, ㄷ ⑤ ㄱ, ㄴ, ㄷ

11 다음은 아이오딘화 수소(HI)가 분해되는 반응의 열화학 반응식과 정반응의 활성화 에너지(E_a)이다.

$$2HI(g) \longrightarrow H_2(g)+I_2(g) \quad \Delta H=9.4\ kJ$$
$$E_a=184\ kJ$$

이 반응에 대한 설명으로 옳은 것만을 [보기]에서 있는 대로 고른 것은?

[보기]
ㄱ. 반응물의 결합 에너지 합은 생성물의 결합 에너지 합보다 크다.
ㄴ. HI(g)의 농도를 2배로 하면 E_a는 92 kJ이 된다.
ㄷ. 역반응의 활성화 에너지는 193.4 kJ이다.

① ㄱ ② ㄴ ③ ㄱ, ㄷ
④ ㄴ, ㄷ ⑤ ㄱ, ㄴ, ㄷ

중요 **12** 그림은 어떤 반응에서 두 가지 반응 경로 (가)와 (나)에 따른 엔탈피 변화를 나타낸 것이다.

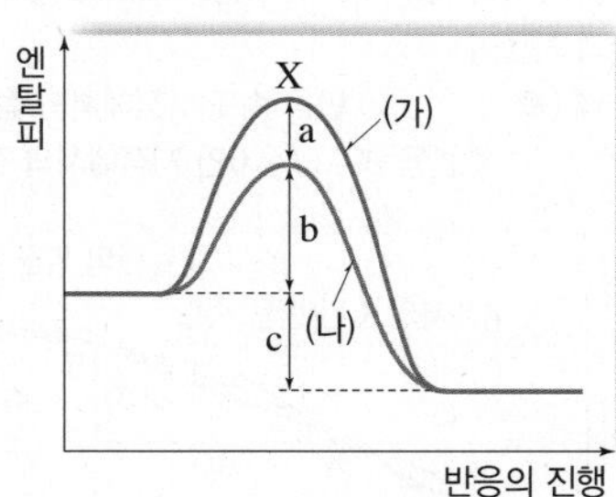

이에 대한 설명으로 옳은 것은?

① X는 에너지가 높은 안정한 상태이다.
② (가)에서 정반응의 활성화 에너지는 a이다.
③ (나)에서 역반응의 활성화 에너지는 b+c이다.
④ 반응엔탈피(ΔH)는 (가)에서가 (나)에서보다 크다.
⑤ 반응이 진행되면 주위의 온도가 낮아진다.

정답친해 113쪽

01 반응 속도

1. 반응의 빠르기

(1) 빠른 반응과 느린 반응

빠른 반응	예 불꽃놀이, 메테인의 연소, 중화 반응 등
느린 반응	예 석회 동굴의 생성, 철의 부식, 과일이 익는 현상 등

(2) 반응의 빠르기

기체 발생 반응	반응의 빠르기$=\dfrac{\text{발생한 기체의 부피 변화량}}{\text{시간}}$ $=\dfrac{\text{감소한 질량 변화량}}{\text{시간}}$
앙금 생성 반응	일정량의 앙금이 생성되어 ×표가 보이지 않을 때까지 걸린 (❶) 측정

2. 반응 속도

반응 속도의 표현	반응 속도(v)$=-\dfrac{\text{반응물의 농도 변화량}}{\text{반응 시간}}=\dfrac{\text{생성물의 농도 변화량}}{\text{반응 시간}}$ (단위: mol/L·s, mol/L·min)
	$a\text{A}+b\text{B}\longrightarrow c\text{C}+d\text{D}$에서 반응 속도($v$)$=-\dfrac{1}{a}\dfrac{\Delta[\text{A}]}{\Delta t}=-\dfrac{1}{b}\dfrac{\Delta[\text{B}]}{\Delta t}$ $=\dfrac{1}{c}\dfrac{\Delta[\text{C}]}{\Delta t}=\dfrac{1}{d}\dfrac{\Delta[\text{D}]}{\Delta t}$
평균 반응 속도와 순간 반응 속도	• t_1과 t_2 사이의 (❷) 반응 속도: a점과 b점을 지나는 직선의 기울기 • t_1일 때 (❸) 반응 속도: a점에서의 접선의 기울기 • (❹) 반응 속도: $t=0$인 지점에서의 접선의 기울기 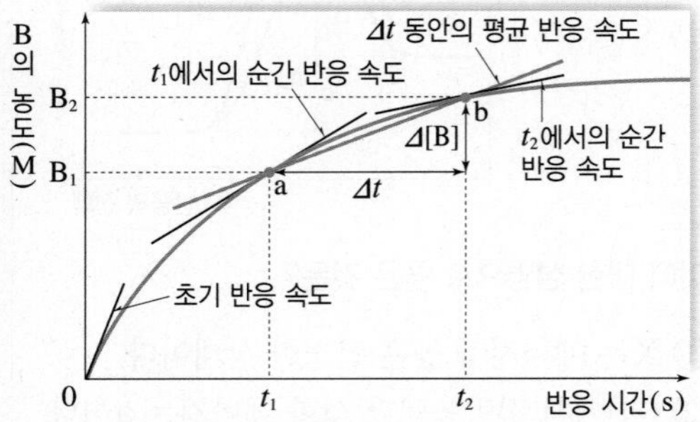 • 접선의 기울기가 클수록 반응 속도가 빠르다. ➡ 접선의 기울기: a > b ➡ 반응 속도는 t_1에서가 t_2에서보다 빠르다.

02 반응 속도식/활성화 에너지

1. 반응 속도식

반응 속도식	$a\text{A}+b\text{B}\longrightarrow c\text{C}+d\text{D},\ v=$(❺) ([A], [B]: 몰 농도, k: 반응 속도 상수, m과 n: 반응 차수)
반응 차수	• 반응 차수는 화학 반응식의 계수와는 관계가 없고 실험으로 구한다. • A에 대한 m차 반응, B에 대한 n차 반응인 경우 전체 반응 차수는 (❻)이다.
반응 속도 상수	• 반응에 따라 고유한 값을 가진다. • 반응물의 농도에는 영향을 받지 않고 온도에 따라 변한다. • 단위는 전체 반응 차수에 따라 달라진다.

2. 1차 반응과 반감기

1차 반응의 반응 속도	• $a\text{A}(g)\longrightarrow b\text{B}(g)$ 반응에서 반응 속도식이 $v=k[\text{A}]$로 표시되는 반응이다. • 반응 속도가 반응물의 농도에 (❼)하며 반응물의 농도는 시간에 따라 일정한 비율로 감소한다.
1차 반응의 반감기	• 반감기($t_{\frac{1}{2}}$)는 반응물의 농도가 절반이 되는 데 걸린 시간이다. • 1차 반응의 반감기는 반응물의 (❽)와 상관없이 항상 일정하다. 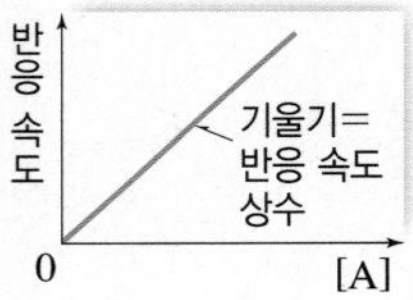 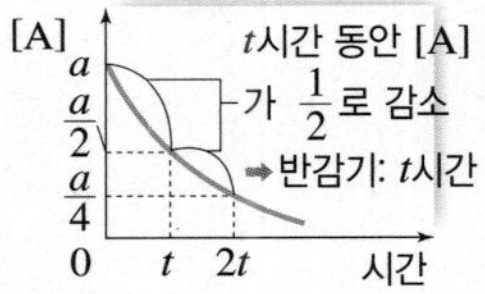

3. 유효 충돌과 활성화 에너지

(❾)	화학 반응을 일으키기에 충분히 빠른 속도를 가진 입자들이 적합한 방향으로 충돌하여 화학 반응이 일어나는 충돌
(❿)	• 화학 반응이 일어나기 위해 필요한 최소한의 에너지(E_a) • E_a가 크면 반응 속도가 느리고, E_a가 작으면 반응 속도가 빠르다. • (⓫): 반응물이 생성물로 변하는 과정에서 에너지를 얻어 생성된 활성화 상태에 있는 불안정한 화합물 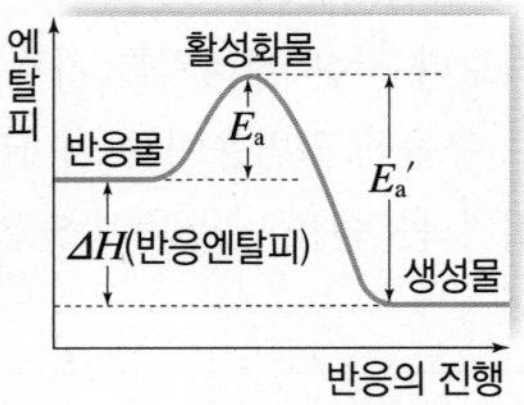 E_a : 정반응의 활성화 에너지 E_a': 역반응의 활성화 에너지 $\Delta H=E_a-E_a'$

정답친해 113쪽

난이도 ●●●

●○○

01 다음은 우리 주변에서 일어나는 몇 가지 화학 반응이다.

(가) 과일이 익는다.
(나) 나무가 연소한다.
(다) 석회 동굴이 생성된다.
(라) 야광 팔찌를 꺾으면 빛이 난다.

이에 대한 설명으로 옳지 않은 것은?

① (가)는 (나)에 비해 느린 반응이다.
② (나)는 반응 결과를 바로 확인할 수 있다.
③ (다)가 가장 느린 반응이다.
④ (라)는 (가)에 비해 빠르게 일어난다.
⑤ (가)~(라)에서 반응의 빠르기는 객관적 기준에 의해 구분된다.

●○○

02 그림은 충분한 양의 묽은 염산에 탄산 칼슘 조각을 넣고 반응시켰을 때 반응 시간에 따른 반응 용기의 질량을 나타낸 것이다.

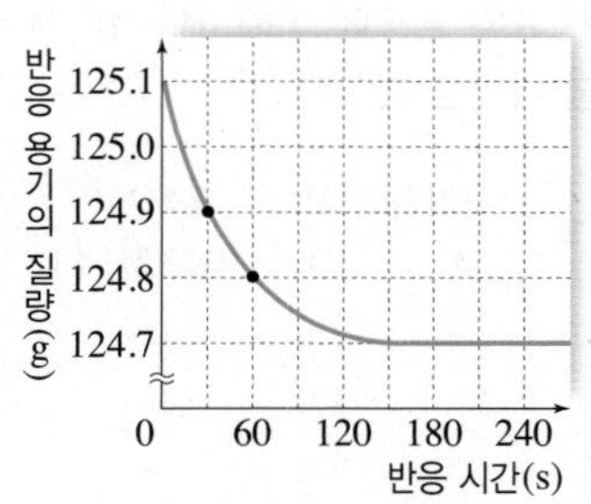

이에 대한 설명으로 옳은 것만을 [보기]에서 있는 대로 고른 것은?

[보기]
ㄱ. 반응이 진행될수록 염산의 농도가 증가한다.
ㄴ. 단위 시간당 질량 변화량이 점점 감소한다.
ㄷ. 0~30초일 때의 평균 반응 속도는 30초~60초일 때의 2배이다.

① ㄱ ② ㄴ ③ ㄱ, ㄷ
④ ㄴ, ㄷ ⑤ ㄱ, ㄴ, ㄷ

●●○

03 그림은 충분한 양의 1 M 묽은 염산(HCl)에 마그네슘 조각 2 g을 넣었을 때 생성되는 수소(H_2) 기체의 부피를 반응 시간에 따라 나타낸 것이다.
이에 대한 설명으로 옳지 않은 것은?

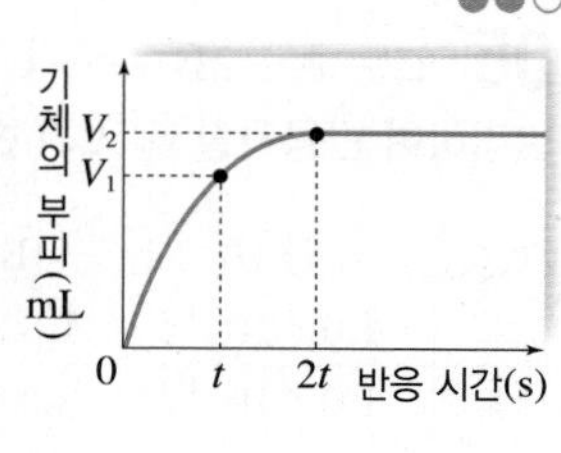

① 기체의 부피 증가량은 0~t초 구간이 t초~$2t$초 구간보다 크다.
② 0~t초 구간의 평균 반응 속도(v)는 $\frac{V_1}{t}$이다.
③ $2t$초 이후에 반응 속도(v)는 1이다.
④ 순간 반응 속도는 t초일 때가 $2t$초일 때보다 빠르다.
⑤ 충분한 양의 2 M 묽은 염산을 사용해도 발생하는 수소 기체의 부피 V_2는 일정하다.

●●○

04 다음은 기체 A와 B가 반응하여 기체 C가 생성되는 반응의 화학 반응식이다.

$$aA(g)+bB(g) \longrightarrow cC(g)$$ (a, b, c: 반응 계수)

표는 강철 용기에서 반응이 일어날 때 반응 시간에 따른 A~C의 농도를 나타낸 것이다.

시간(분)	기체의 농도(M)		
	[A]	[B]	[C]
0	0.100	0.200	0.000
t	0.090	0.170	0.020
$2t$	0.085	x	y

이에 대한 설명으로 옳은 것만을 [보기]에서 있는 대로 고른 것은? (단, 온도는 일정하다.)

[보기]
ㄱ. $a+b=c$이다.
ㄴ. $x=5y$이다.
ㄷ. 0~t분일 때의 평균 반응 속도는 t분~$2t$분일 때의 2배이다.

① ㄱ ② ㄷ ③ ㄱ, ㄴ
④ ㄴ, ㄷ ⑤ ㄱ, ㄴ, ㄷ

●○○

05 표는 $A+2B \longrightarrow C$ 반응에서 A와 B의 초기 농도를 달리하여 반응시킬 때 초기 반응 속도를 나타낸 것이다.

실험	[A](M)	[B](M)	초기 반응 속도(M/s)
Ⅰ	1.0×10^{-1}	1.0×10^{-1}	2.5×10^{-2}
Ⅱ	1.0×10^{-1}	2.0×10^{-1}	5.0×10^{-2}
Ⅲ	2.0×10^{-1}	2.0×10^{-1}	2.0×10^{-1}

이에 대한 설명으로 옳은 것만을 [보기]에서 있는 대로 고른 것은? (단, 온도는 일정하다.)

[보기]
ㄱ. 반응 속도식은 $v=k[A]^2[B]$이다.
ㄴ. 반응 속도 상수(k)의 값은 실험 Ⅱ에서 가장 크다.
ㄷ. A와 B의 농도를 각각 4.0×10^{-1} M로 했을 때 초기 반응 속도는 1.6 M/s이다.

① ㄱ ② ㄴ ③ ㄷ
④ ㄱ, ㄴ ⑤ ㄱ, ㄷ

●●○

06 그림은 $X \longrightarrow Y$ 반응에서 X의 초기 농도를 달리하여 반응시킬 때 시간에 따른 X의 농도를 나타낸 것이다.

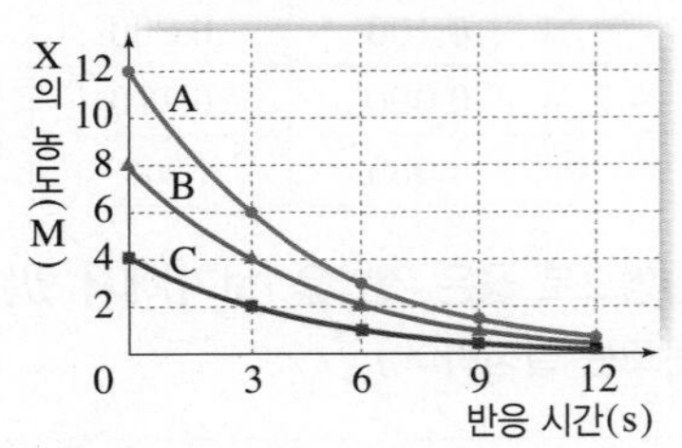

이에 대한 설명으로 옳은 것은? (단, 온도는 일정하다.)

① 반응 속도 상수의 단위는 1/s이다.
② 반응 속도 상수는 A에서 가장 크다.
③ A~C에서 반감기는 모두 6초로 같다.
④ 3초일 때 순간 반응 속도는 C에서 가장 크다.
⑤ 반응 속도는 X의 농도에 관계없이 일정하다.

●●○

07 표는 반응물 A와 B에 대한 반응 속도 실험 결과이다.

반응	화학 반응식	반응물의 농도(M)		반응 속도식
		$t=0$	$t=20$초	
(가)	A → P	0.8	0.4	$v=k_1[A]$
(나)	B → Q	2.0	0.5	$v=k_2[B]$

이에 대한 설명으로 옳은 것만을 [보기]에서 있는 대로 고른 것은? (단, t는 반응 시간이고 k_1과 k_2는 반응 속도 상수이며, 온도는 일정하다.)

[보기]
ㄱ. 반감기는 (가)가 (나)의 2배이다.
ㄴ. k_2는 k_1보다 크다.
ㄷ. $t=40$초일 때 반응물의 농도는 (가)가 (나)보다 크다.

① ㄱ ② ㄴ ③ ㄱ, ㄷ
④ ㄴ, ㄷ ⑤ ㄱ, ㄴ, ㄷ

●●●

08 표는 $A(g)+B(g) \longrightarrow C(g)$ 반응에서 반응물의 초기 농도에 따른 초기 반응 속도를 나타낸 것이고, 그림은 B의 농도가 A의 농도에 비해 매우 클 때 A의 농도에 따른 반응 속도를 나타낸 것이다.

실험	초기 농도(M)		초기 반응 속도(M/초)
	A	B	
Ⅰ	1.0	2.0	0.2
Ⅱ	2.0	1.0	0.2
Ⅲ	3.0	2.0	a

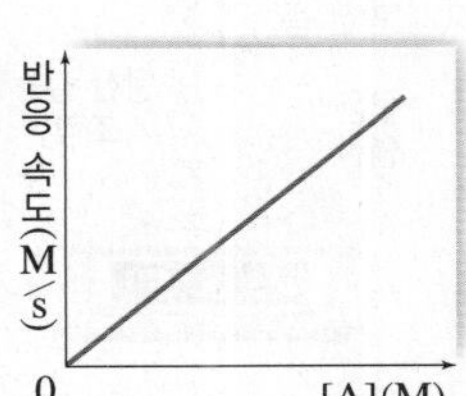

반응 속도 상수가 k일 때, 이에 대한 설명으로 옳은 것만을 [보기]에서 있는 대로 고른 것은? (단, 온도는 일정하다.)

[보기]
ㄱ. 반응 속도식은 $v=k[A][B]$이다.
ㄴ. a는 0.6이다.
ㄷ. 반응 속도 상수의 단위는 1/M·초이다.

① ㄱ ② ㄷ ③ ㄱ, ㄴ
④ ㄴ, ㄷ ⑤ ㄱ, ㄴ, ㄷ

09 다음은 A의 분해 반응식과 시간에 따른 물질의 농도를 나타낸 것이다.

$$2A(g) \longrightarrow 2B(g)+C(g)$$

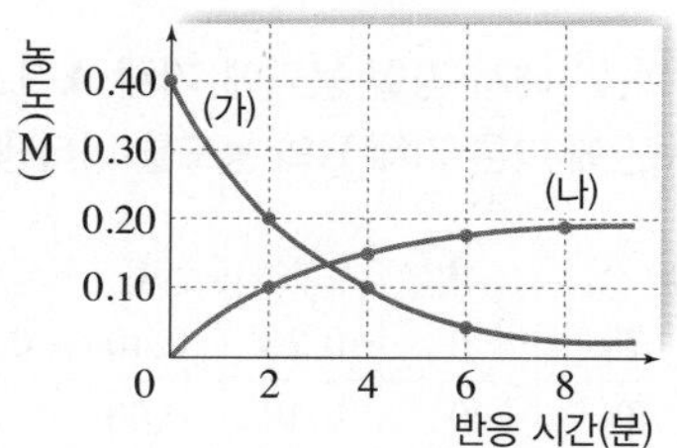

이에 대한 설명으로 옳은 것만을 [보기]에서 있는 대로 고른 것은? (단, 온도는 일정하다.)

[보기]
ㄱ. 반응 속도는 A의 농도에 정비례한다.
ㄴ. (가)는 A의 농도 변화이고, (나)는 B의 농도 변화이다.
ㄷ. 8분일 때 B의 농도는 0.375 M이다.

① ㄱ ② ㄴ ③ ㄱ, ㄷ
④ ㄴ, ㄷ ⑤ ㄱ, ㄴ, ㄷ

10 다음은 X(g)로부터 Y(g)가 생성되는 반응의 화학 반응식과 반응 속도식이다.

$X(g) \longrightarrow 2Y(g) \quad v=k[X]$ (k: 반응 속도 상수)

그림은 일정한 온도에서 1 L의 강철 용기에 4몰의 X(g)를 넣고 반응시킬 때, 시간에 따른 Y의 몰 분율을 나타낸 것이다.
이에 대한 설명으로 옳은 것만을 [보기]에서 있는 대로 고른 것은?

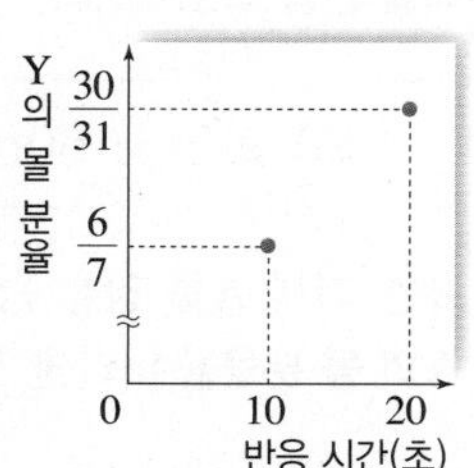

[보기]
ㄱ. 반감기는 5초이다.
ㄴ. 20초일 때 X의 농도는 1 M이다.
ㄷ. 10초~20초에서의 평균 반응 속도 0.075 M/초이다.

① ㄱ ② ㄴ ③ ㄱ, ㄷ
④ ㄴ, ㄷ ⑤ ㄱ, ㄴ, ㄷ

11 그림 (가)와 (나)는 A(g) ⟶ B(g) 반응에서 A의 반응 조건을 달리하여 반응시킬 때 시간에 따른 $\frac{1}{[A]}$을 각각 나타낸 것이다.
이에 대한 설명으로 옳은 것만을 [보기]에서 있는 대로 고른 것은?

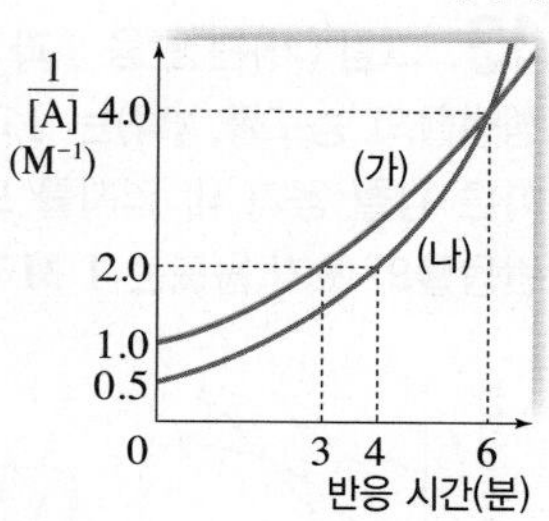

[보기]
ㄱ. A의 초기 농도는 (가)가 (나)의 2배이다.
ㄴ. 반응 속도 상수는 (나)가 (가)보다 크다.
ㄷ. A의 농도가 (가)에서가 (나)에서의 2배가 되는 시간은 18분이다.

① ㄱ ② ㄴ ③ ㄱ, ㄷ
④ ㄴ, ㄷ ⑤ ㄱ, ㄴ, ㄷ

12 다음은 X(g)로부터 Y(g)가 생성되는 반응의 화학 반응식이다.

$xX(g) \longrightarrow yY(g)$ (x, y: 반응 계수)

그림 (가)는 이 반응에서 X의 초기 농도에 따른 초기 반응 속도를, (나)는 강철 용기에 X(g)를 넣고 반응시킬 때 시간에 따른 입자 수를 모형으로 나타낸 것이다. $t=0$일 때 X의 몰 농도는 1 M이다.

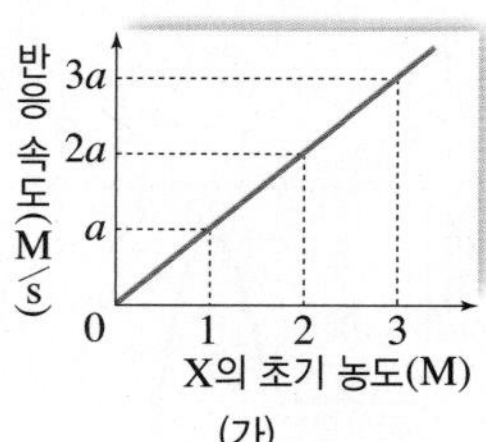

(가)

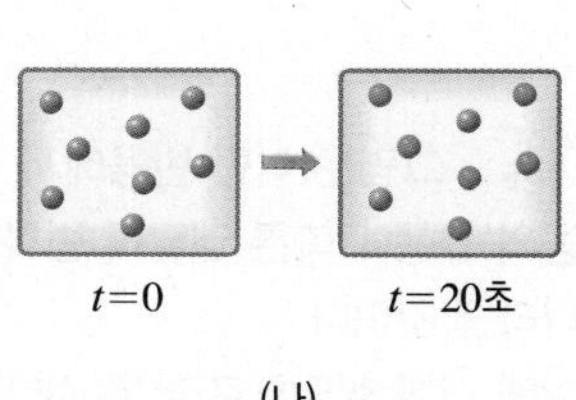

(나)

이에 대한 설명으로 옳은 것만을 [보기]에서 있는 대로 고른 것은? (단, 온도는 일정하다.)

[보기]
ㄱ. $2x=y$이다.
ㄴ. 반응 속도 상수는 $\frac{1}{a}$(s^{-1})이다.
ㄷ. 10초일 때 Y의 몰 농도는 0.5 M이다.

① ㄱ ② ㄷ ③ ㄱ, ㄴ ④ ㄴ, ㄷ ⑤ ㄱ, ㄴ, ㄷ

13 그림 (가)는 반응 Ⅰ과 반응 Ⅱ가 일어날 때 시간에 따른 생성물의 농도를, (나)는 Ⅰ과 Ⅱ 중 하나의 반응에서 시간에 따른 강철 용기 내 입자를 모형으로 나타낸 것이다. (나)에서 반응물의 초기 농도는 1 M이다.

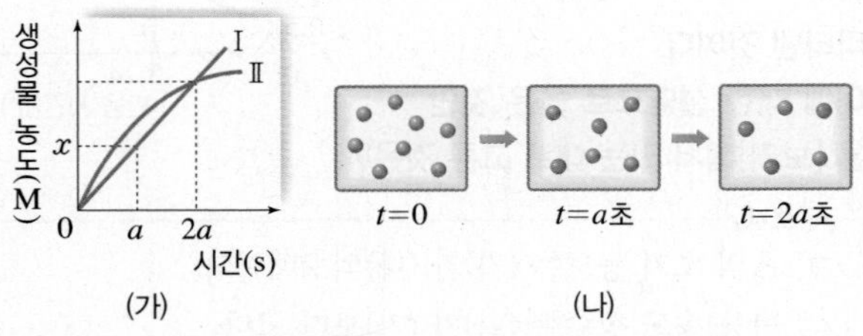

(가) (나)

이에 대한 설명으로 옳은 것만을 [보기]에서 있는 대로 고른 것은? (단, 온도는 일정하다.)

[보기]
ㄱ. Ⅱ는 1차 반응이다.
ㄴ. (나)는 Ⅰ에 해당한다.
ㄷ. x는 $\frac{3}{2}$이다.

① ㄱ ② ㄴ ③ ㄱ, ㄷ
④ ㄴ, ㄷ ⑤ ㄱ, ㄴ, ㄷ

14 그림은 어떤 반응에서 반응의 진행에 따른 엔탈피 변화를 나타낸 것이다.
이에 대한 설명으로 옳은 것만을 [보기]에서 있는 대로 고른 것은?

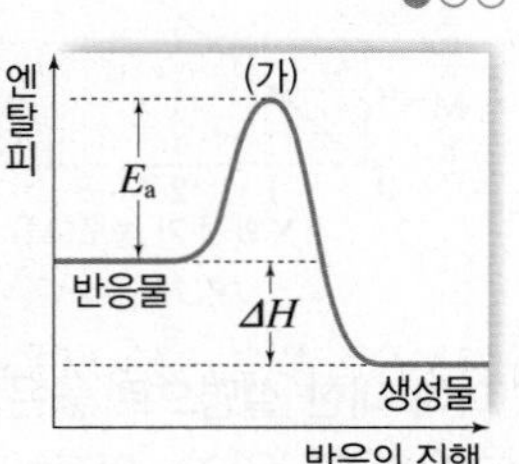

[보기]
ㄱ. (가)는 반응물의 결합 일부가 끊어진 상태이다.
ㄴ. E_a는 반응물의 농도에 따라 달라진다.
ㄷ. E_a는 ΔH에 영향을 미치지 않는다.

① ㄱ ② ㄴ ③ ㄱ, ㄷ
④ ㄴ, ㄷ ⑤ ㄱ, ㄴ, ㄷ

서술형 문제

15 다음은 기체 A가 분해되는 반응의 화학 반응식이다.

$$2A(g) \longrightarrow B(g) + 2C(g)$$

표는 온도 T_1과 T_2에서 강철 용기에 기체 A 1.6 M을 넣고 반응시킬 때 시간에 따른 기체 B의 농도를 나타낸 것이다.

시간(분)		0	2	4	6	8
B의 농도(M)	T_1	0	0.23	0.40	0.52	0.60
	T_2	0	0.40	0.60	a	0.75

(1) a를 구하고, 풀이 과정을 서술하시오.

(2) T_1에서의 반응 속도 상수를 k_1, T_2에서의 반응 속도 상수를 k_2라고 할 때 k_1과 k_2의 비($k_1 : k_2$)를 구하고, 그 까닭을 서술하시오.

16 다음은 A(g)로부터 B(g)가 생성되는 반응의 화학 반응식과 반응 속도식이다.

$$2A(g) \longrightarrow B(g) \quad v = k[A] \ (k: \text{반응 속도 상수})$$

표는 기체 A를 강철 용기에 넣고 반응시킬 때, 시간에 따른 A의 몰 분율을 나타낸 것이다.

반응 시간(초)	0	20
A의 몰 분율	1	$\frac{2}{3}$

반응 시간이 40초일 때, A의 몰 분율을 구하고, 풀이 과정을 서술하시오. (단, 온도는 일정하다.)

정답친해 117쪽

01 다음은 HI(g)가 생성되는 반응의 화학 반응식이다.

$$H_2(g)+I_2(g) \longrightarrow 2HI(g)$$

그림은 이 반응에서 시간에 따른 H_2와 HI의 농도를 나타낸 것이다.

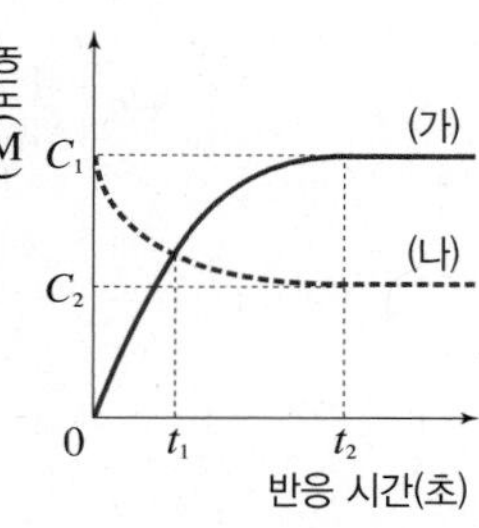

이에 대한 설명으로 옳은 것만을 [보기]에서 있는 대로 고른 것은? (단, 온도는 일정하다.)

[보기]
ㄱ. $C_1=2C_2$이다.
ㄴ. $0\sim t_1$에서 I_2의 농도 변화량은 (가)와 같다.
ㄷ. t_1에서 접선의 기울기의 절댓값은 (가)에서가 (나)에서의 2배이다.

① ㄱ ② ㄴ ③ ㄱ, ㄷ ④ ㄴ, ㄷ ⑤ ㄱ, ㄴ, ㄷ

02 A와 B가 반응하여 C를 생성하는 반응에서 그림 (가)는 온도 T_1에서 A의 초기 농도($[A]_0$)가 0.2 M일 때 B의 초기 농도($[B]_0$)에 따른 초기 반응 속도(v_0)를, (나)는 온도 T_2에서 $[B]_0$가 0.4 M일 때 $[A]_0$에 따른 v_0를 나타낸 것이다.

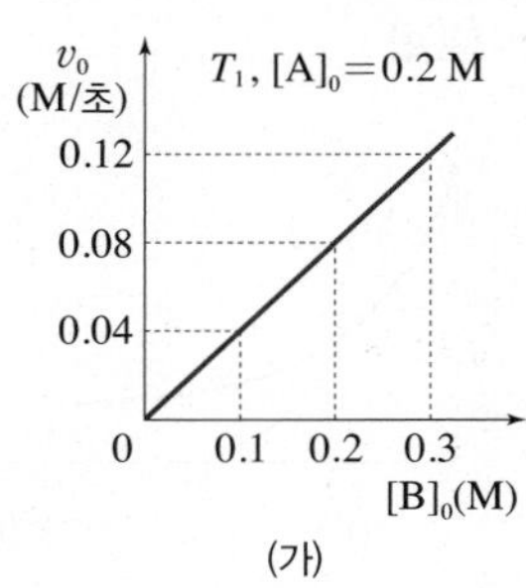

(가)

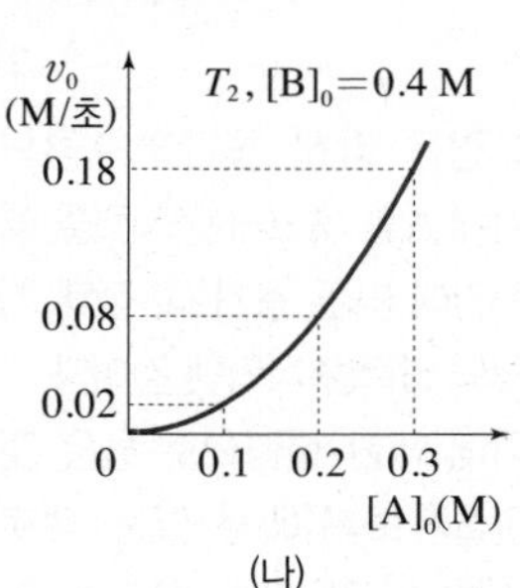

(나)

이에 대한 설명으로 옳은 것만을 [보기]에서 있는 대로 고른 것은?

[보기]
ㄱ. 전체 반응 차수는 3차이다.
ㄴ. T_1일 때 반응 속도 상수(k)는 10 $L^2/mol^2\cdot s$이다.
ㄷ. 반응 속도 상수는 T_1에서가 T_2에서보다 크다.

① ㄱ ② ㄴ ③ ㄱ, ㄷ ④ ㄴ, ㄷ ⑤ ㄱ, ㄴ, ㄷ

03 다음은 기체 A와 B가 반응하여 기체 C가 생성되는 반응의 화학 반응식이다.

$$2A(g)+B(g) \longrightarrow C(g)$$

표는 강철 용기에서 A와 B를 반응시켰을 때, 반응 전 기체의 부분 압력과 반응 시간이 t초일 때 기체의 전체 압력을 나타낸 것이다.

실험	반응 전 기체의 부분 압력(기압)		t초일 때 기체의 전체 압력(기압)
	A	B	
Ⅰ	6	6	9
Ⅱ	6	12	15
Ⅲ	12	6	12

이에 대한 설명으로 옳은 것만을 [보기]에서 있는 대로 고른 것은? (단, 실험 Ⅰ~Ⅲ의 온도는 같고, 반응 속도 상수는 k로 나타낸다.)

[보기]
ㄱ. $v=k[A]^2$이다.
ㄴ. 실험 Ⅱ에서 t초일 때 부분 압력은 A가 C의 2배이다.
ㄷ. 실험 Ⅲ에서 $2t$초일 때 기체의 전체 압력은 9기압이다.

① ㄱ ② ㄷ ③ ㄱ, ㄴ ④ ㄴ, ㄷ ⑤ ㄱ, ㄴ, ㄷ

04 다음은 A가 B와 C를 생성하는 반응의 화학 반응식이다.

$$aA(g) \longrightarrow bB(g)+C(g) \ (a, b: \text{반응 계수})$$

표는 온도 T에서 같은 부피의 강철 용기에 A(g)의 농도를 달리하여 넣고 반응시킨 실험 Ⅰ과 Ⅱ의 자료이다.

실험		Ⅰ		Ⅱ	
반응 시간(t)(분)		0	3	0	3
농도(M)	A	0.32	x	0.64	0.08
	B	0	0.42	0	y
	C	0	0.07	0	0.14
초기 반응 속도		v		$2v$	

이에 대한 설명으로 옳은 것만을 [보기]에서 있는 대로 고른 것은?

[보기]
ㄱ. $a=4$, $b=6$이다.
ㄴ. $x+y=0.88$이다.
ㄷ. $t=2$분일 때 Ⅰ에서 [A] : Ⅱ에서 [C]$=2:3$이다.

① ㄱ ② ㄴ ③ ㄱ, ㄷ ④ ㄴ, ㄷ ⑤ ㄱ, ㄴ, ㄷ

05 다음은 기체 A와 B가 반응하여 기체 C가 생성되는 반응의 화학 반응식이다.

$$aA(g)+B(g) \longrightarrow 2C(g)\ (a\text{: 반응 계수})$$

표는 부피가 같은 3개의 강철 용기에 A(g)와 B(g)를 넣어 반응시킬 때, 반응 초기 기체의 양(mol)과 시간에 따른 용기 속 전체 기체의 양(mol)이다.

실험		Ⅰ	Ⅱ	Ⅲ
반응 초기 양(mol)	A	16	24	16
	B	16	8	8
전체 기체 양(mol)	t=10분	24	28	20
	t=20분	24	26	x

이에 대한 설명으로 옳은 것만을 [보기]에서 있는 대로 고른 것은? (단, 온도는 일정하다.)

[보기]
ㄱ. 반응 속도는 B의 농도에 비례한다.
ㄴ. $x=9a$이다.
ㄷ. t=20분일 때, C(g)의 몰 분율은 Ⅰ과 Ⅲ에서 같다.

① ㄱ ② ㄴ ③ ㄱ, ㄷ ④ ㄴ, ㄷ ⑤ ㄱ, ㄴ, ㄷ

06 다음은 기체 A와 B가 반응하여 기체 C가 생성되는 반응의 화학 반응식과 반응 속도식이다.

$$A(g)+2B(g) \longrightarrow C(g)\quad v=k[A]\ (k\text{: 반응 속도 상수})$$

그림은 강철 용기에 A와 B를 넣어 반응시킬 때, 반응 초기 전체 양(mol)과 t초일 때 용기 안 물질의 몰비를 나타낸 것이다.

실험	Ⅰ		Ⅱ	
반응 시간(초)	0	t	0	t
전체 양(mol)	8	6	4	3
몰비	A B	A B C	A B	(가)

이에 대한 설명으로 옳은 것만을 [보기]에서 있는 대로 고른 것은?

[보기]
ㄱ. 반감기는 t초이다.
ㄴ. 실험 Ⅰ에서 t초일 때 B는 2몰, C는 1몰이다.
ㄷ. (가)에서 물질의 몰비는 A : B : C=3 : 2 : 1이다.

① ㄱ ② ㄴ ③ ㄱ, ㄷ ④ ㄴ, ㄷ ⑤ ㄱ, ㄴ, ㄷ

07 다음은 기체 A에서 기체 B와 C가 생성되는 반응의 화학 반응식이다.

$$2A(g) \longrightarrow bB(g)+C(g)\ (b\text{: 반응 계수})$$

그림은 강철 용기에 1 M의 A를 넣어 반응시킬 때, 시간에 따른 $\frac{[B]}{[A]_0}$와 $\frac{[C]}{[A]_0}$를 나타낸 것이다.

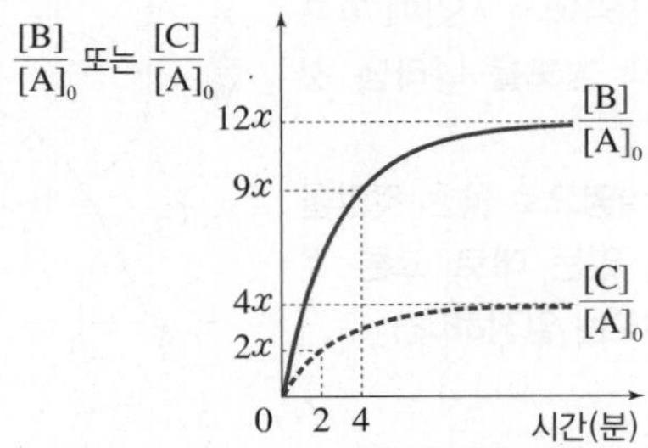

이에 대한 설명으로 옳은 것만을 [보기]에서 있는 대로 고른 것은? (단, $[A]_0$는 A의 초기 농도이며, 역반응은 일어나지 않고 온도는 일정하다.)

[보기]
ㄱ. A에 대한 2차 반응이다.
ㄴ. $x=\frac{1}{8}$이다.
ㄷ. 반감기는 2분이다.

① ㄱ ② ㄴ ③ ㄱ, ㄷ ④ ㄴ, ㄷ ⑤ ㄱ, ㄴ, ㄷ

08 다음은 A로부터 B가 생성되는 반응의 화학 반응식이다.

$$2A(g) \longrightarrow B(g)$$

그림은 강철 용기에 1몰의 기체 A를 넣고 반응시켰을 때 시간에 따른 용기 내 전체 기체의 압력을 나타낸 것이다.

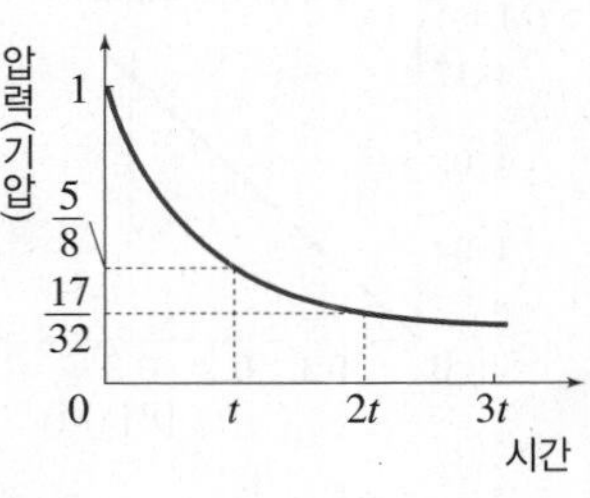

이에 대한 설명으로 옳은 것만을 [보기]에서 있는 대로 고른 것은? (단, 온도는 일정하다.)

[보기]
ㄱ. 반감기는 t이다.
ㄴ. $2t$일 때의 양(mol)은 B가 A의 1.5배이다.
ㄷ. 반응 속도는 t일 때가 $2t$일 때의 4배이다.

① ㄱ ② ㄷ ③ ㄱ, ㄴ ④ ㄴ, ㄷ ⑤ ㄱ, ㄴ, ㄷ

09 다음은 기체 A로부터 기체 B와 C가 생성되는 반응의 화학 반응식이다.

$$4A(g) \longrightarrow bB(g)+C(g)\ (b\text{는 반응 계수})$$

표는 일정한 온도에서 강철 용기에 $A(g)$를 넣어 반응시킬 때, 시간에 따른 용기 속 전체 압력(P)을 나타낸 것이다.

시간(초)	0	t	$2t$	$3t$
P(기압)	3.2	4.4	5.0	5.3

이에 대한 설명으로 옳은 것만을 [보기]에서 있는 대로 고른 것은? (단, B와 C의 초기 농도는 0이다.)

보기
ㄱ. 반감기는 t초이다.
ㄴ. $b=6$이다.
ㄷ. t초일 때 [B]는 $2t$초일 때 [C]의 4배이다.

① ㄱ ② ㄴ ③ ㄱ, ㄷ ④ ㄴ, ㄷ ⑤ ㄱ, ㄴ, ㄷ

10 다음은 A로부터 B가 생성되는 반응의 화학 반응식이다.

$$2A(g) \longrightarrow B(g)$$

강철 용기에서 이 반응이 일어날 때 그림 (가)는 온도 T_1과 T_2에서 A의 초기 농도에 따른 초기 반응 속도를, (나)는 온도가 각각 T_1과 T_2에서 일어나는 반응의 시간에 따른 A의 농도를 나타낸 것이다.

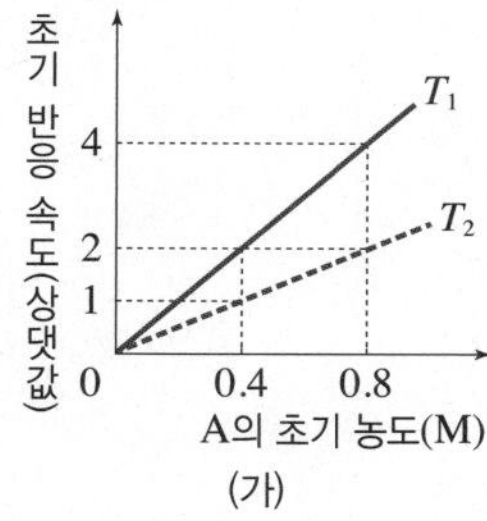

(가)

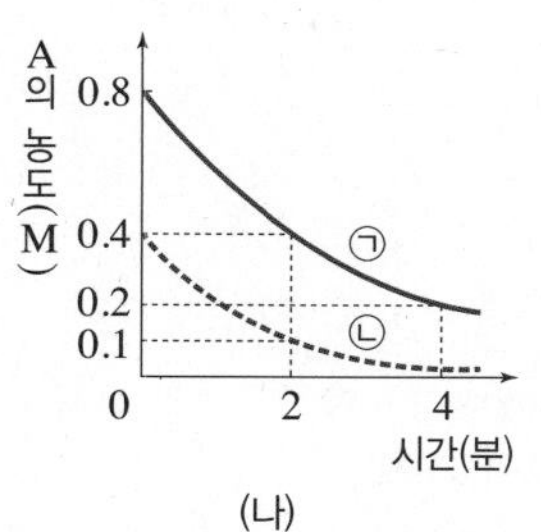

(나)

이에 대한 설명으로 옳은 것만을 [보기]에서 있는 대로 고른 것은?

보기
ㄱ. ㉠은 T_1에서의 반응이다.
ㄴ. ㉡에서 2분일 때 B의 농도는 0.15 M이다.
ㄷ. B의 생성 속도는 4분일 때 ㉠과 1분일 때 ㉡이 같다.

① ㄱ ② ㄴ ③ ㄱ, ㄷ ④ ㄴ, ㄷ ⑤ ㄱ, ㄴ, ㄷ

11 다음은 2가지 반응의 화학 반응식과 반응 속도식이다. 반응 차수 m, n은 각각 0, 1 중 하나이고, k_1, k_2는 반응 속도 상수이다.

$$A(g) \longrightarrow 2X(g)\quad v_1=k_1[A]^m$$
$$B(g) \longrightarrow Y(g)\quad v_2=k_2[B]^n$$

표는 부피가 같은 2개의 강철 용기에 $A(g)$와 $B(g)$를 각각 넣고 반응시켰을 때, 시간에 따른 농도를 나타낸 것이다.

시간(초)	0	t	$2t$	$3t$
[A]+[B](M)	2.0	1.4	1.0	
[X]+[Y](M)	0	0.8	1.4	1.9

이에 대한 설명으로 옳은 것만을 [보기]에서 있는 대로 고른 것은? (단, 온도는 일정하다.)

보기
ㄱ. $m=1$, $n=0$이다.
ㄴ. 1차 반응의 반감기는 t초이다.
ㄷ. $2t$에서 [X]와 [Y]는 같다.

① ㄱ ② ㄴ ③ ㄱ, ㄷ ④ ㄴ, ㄷ ⑤ ㄱ, ㄴ, ㄷ

12 그림은 $HI(g) \longrightarrow H_2(g)+I_2(g)$의 반응에서 반응의 진행에 따른 엔탈피 변화를 나타낸 것이다.

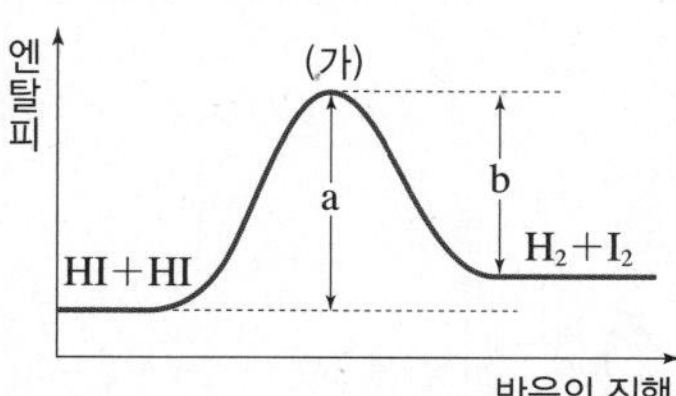

이에 대한 설명으로 옳은 것만을 [보기]에서 있는 대로 고른 것은?

보기
ㄱ. (가)에서 H−I 결합 일부가 끊어지고 새로운 결합 일부가 형성된다.
ㄴ. 반응엔탈피(ΔH)는 b−a이다.
ㄷ. a가 작아지면 반응할 수 있는 입자 수가 많아지므로 반응 속도가 빨라진다.

① ㄱ ② ㄴ ③ ㄱ, ㄷ ④ ㄴ, ㄷ ⑤ ㄱ, ㄴ, ㄷ

2 반응 속도와 농도, 온도, 촉매

이 단원을 공부하기 전에 학습 계획을 세우고, 학습 진도를 스스로 체크해 보자.
학습이 미흡했던 부분은 다시 보기에 체크해 두고, 시험 전까지 꼭 완벽히 학습하자!

소단원	학습 내용	학습 일자	다시 보기
01. 반응 속도와 농도, 온도	Ⓐ 반응 속도와 농도 탐구 농도에 따른 반응 속도 측정	/	
	Ⓑ 반응 속도와 온도 탐구 온도에 따른 반응 속도 측정	/	
02. 반응 속도와 촉매	Ⓐ 반응 속도와 촉매 탐구 촉매에 따른 반응 속도 비교	/	
	Ⓑ 촉매의 역할	/	

생체 촉매

① 생체 촉매: 생명체에서 합성되어 물질대사를 촉진하는 물질로 ❶ ______ 라고도 한다.

② 효소의 기능: 효소는 ❷ ______ 를 감소시켜 화학 반응의 반응 속도를 증가시킨다.

카탈레이스의 과산화 수소 분해 반응 촉진 확인 실험

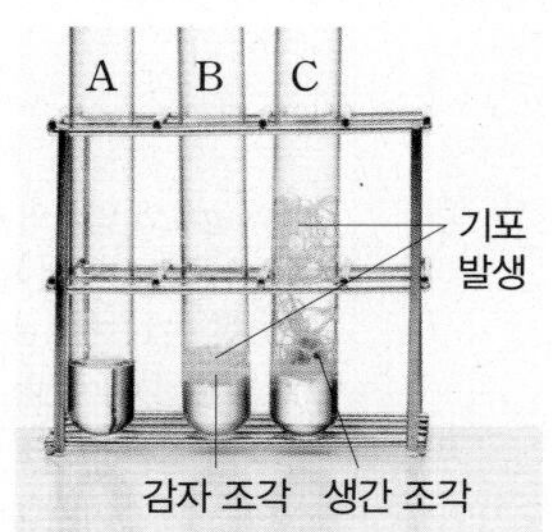

- 시험관 A: 3 % 과산화 수소수
- 시험관 B: 3 % 과산화 수소수+감자 조각
- 시험관 C: 3 % 과산화 수소수+생간 조각

- 과산화 수소는 자연적으로 분해되지만 반응 속도가 매우 느리다.
- 과산화 수소수에 감자 조각과 생간 조각을 넣으면, 과산화 수소가 빠르게 분해되어 기포가 발생한다. ➡ 감자와 생간에 들어 있는 ❸ ______ 인 카탈레이스는 과산화 수소 분해 반응의 활성화 에너지를 감소시켜 반응이 빠르게 일어나게 한다.

③ 효소의 작용 원리 및 특성: 효소마다 고유한 입체 구조를 가진다.

<table>
<tr><td>작용 원리</td><td colspan="2">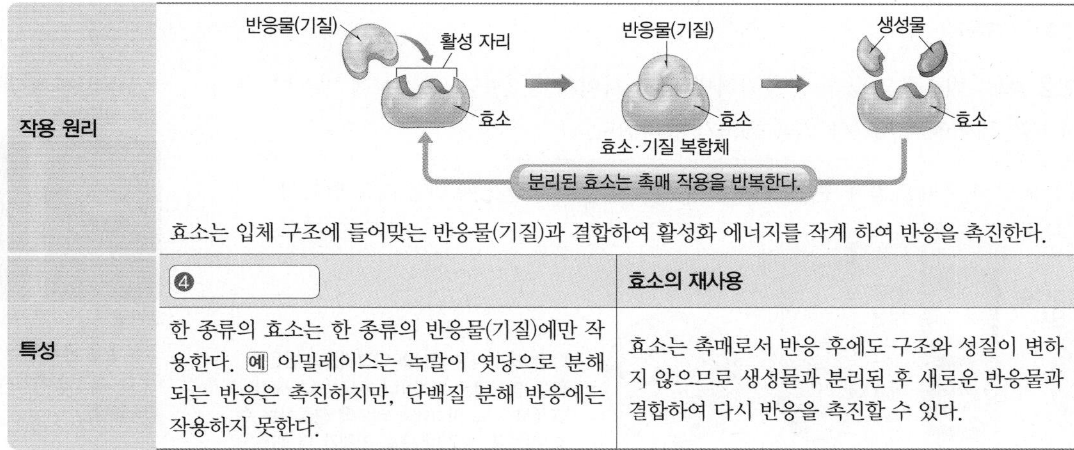

효소는 입체 구조에 들어맞는 반응물(기질)과 결합하여 활성화 에너지를 작게 하여 반응을 촉진한다.</td></tr>
<tr><td rowspan="2">특성</td><td>❹ ______</td><td>효소의 재사용</td></tr>
<tr><td>한 종류의 효소는 한 종류의 반응물(기질)에만 작용한다. 예 아밀레이스는 녹말이 엿당으로 분해되는 반응은 촉진하지만, 단백질 분해 반응에는 작용하지 못한다.</td><td>효소는 촉매로서 반응 후에도 구조와 성질이 변하지 않으므로 생성물과 분리된 후 새로운 반응물과 결합하여 다시 반응을 촉진할 수 있다.</td></tr>
</table>

④ 효소의 작용과 온도: 효소의 주성분은 ❺ ______ 이므로 열에 의해 입체 구조가 변하여 그 기능을 잃는다.

효소의 활용

① 일상생활: ❻ ______ 식품(김치, 된장, 치즈, 포도주), 생활용품(효소 첨가 치약, 세제, 화장품) 등

② 의학 분야: 의약품(소화제, 혈전 용해제), 의료 기기(요 검사지, 혈당 측정기) 등

③ 산업 분야: 섬유, 의류, 가죽 등의 제품 생산 등

④ 환경 분야: 하천 정화, 바이오 연료 생산 등

정답 ❶ 효소 ❷ 활성화 에너지 ❸ 효소 ❹ 기질 특이성 ❺ 단백질 ❻ 발효

01 반응 속도와 농도, 온도

핵심 포인트		
	Ⓐ 반응 속도와 농도 ★★★	Ⓑ 반응 속도와 온도 ★★★
	반응물의 농도와 충돌수 ★★	온도에 따른 분자 운동 에너지 분포 곡선 ★★
	농도에 따라 반응 속도가 달라지는 예 ★★	온도에 따라 반응 속도가 달라지는 예 ★★

Ⓐ 반응 속도와 농도

활성화 에너지보다 더 큰 에너지를 가진 반응물이 유효 충돌을 해야 화학 반응을 일으킨다는 것을 배웠어요. 그러면 화학 반응의 속도를 빠르게 하려면 어떻게 해야 할까요? 먼저 반응물의 농도가 반응 속도에 미치는 영향을 알아보아요.

1. 농도와 반응 속도

(1) ***농도와 입자의 충돌수**: 반응물의 농도가 증가하면 단위 부피 속에 존재하는 입자 수가 증가하므로 충돌수가 증가한다. → 입자 사이의 충돌수가 증가하면 반응 속도가 빨라진다.

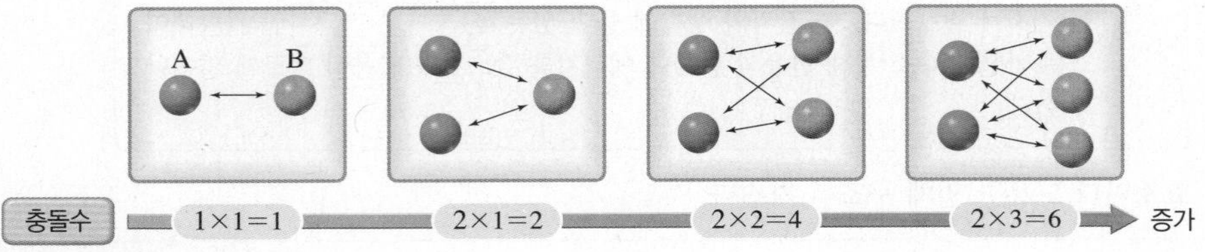

⊙ 반응물의 농도와 충돌수

(2) ***농도와 반응 속도**: 반응물의 농도가 증가하면 입자 사이의 충돌수가 증가하여 반응할 수 있는 입자 수가 많아지기 때문에 반응 속도가 빨라진다.

농도 증가 ➡ 단위 부피당 입자 수 증가 ➡ 입자 사이의 충돌수 증가 ➡ 반응 속도 빨라짐

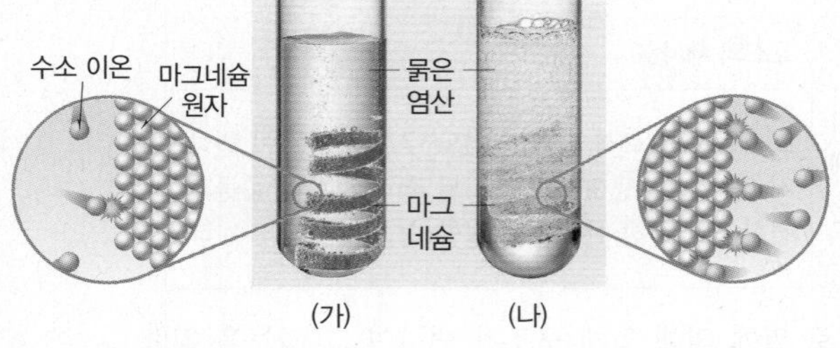

⊙ 농도가 다른 염산과 마그네슘의 반응
묽은 염산의 농도가 (나)에서가 (가)에서보다 진하므로, 마그네슘 리본에 충돌하는 수소 이온이 더 많아 수소 기체가 더 활발하게 발생한다.

(3) **기체의 압력과 반응 속도**: 기체의 반응에서 압력이 높을수록 부피가 줄어들어 단위 부피당 입자 수가 증가하여 입자 사이의 충돌수가 증가하기 때문에 반응 속도가 빨라진다.

압력 증가 ➡ 단위 부피당 입자 수 증가 ➡ 입자 사이의 충돌수 증가 ➡ 반응 속도 빨라짐

외부 압력과 충돌수
일정량의 기체가 들어 있는 용기의 압력이 높아지면 부피가 감소하므로 단위 부피당 입자 수가 증가한다. ➡ 기체의 농도가 증가하여 입자들 사이의 평균 거리가 감소하므로 입자 사이의 충돌수가 증가한다.

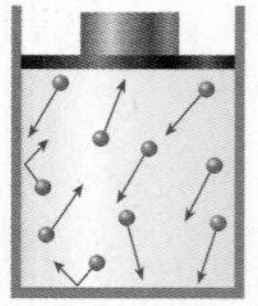

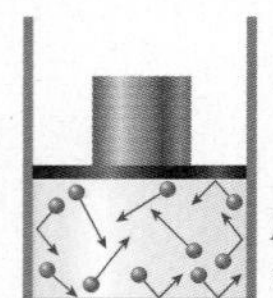

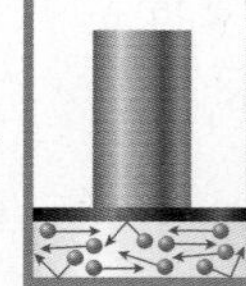

★ 농도와 입자의 충돌수
단위 부피 속의 입자 수가 증가하면 입자 간의 거리가 가까워진다. 따라서 입자의 평균 운동 속도가 일정하다면 입자들이 충돌하는 데 걸리는 시간이 짧아지므로 일정 시간 동안의 충돌수가 증가한다.

★ 산소의 농도에 따른 강철 솜의 연소 반응 속도

공기 중

산소가 든 집기병

강철 솜은 공기 중에서보다 산소가 든 집기병 속에서 더 빠르게 연소한다.

2. 표면적과 반응 속도 고체가 반응할 때 반응 입자들 사이의 충돌은 고체의 표면에서만 일어난다. 따라서 고체의 표면적이 클수록 반응물 사이의 접촉 면적이 증가하여 입자 사이의 충돌수가 증가하기 때문에 반응 속도가 빨라진다.

> 표면적 증가 ➡ 접촉 면적 증가 ➡ 입자 사이의 충돌수 증가 ➡ 반응 속도 빨라짐

표면적과 충돌수

[고체 물질을 쪼갤 때 표면적의 변화]

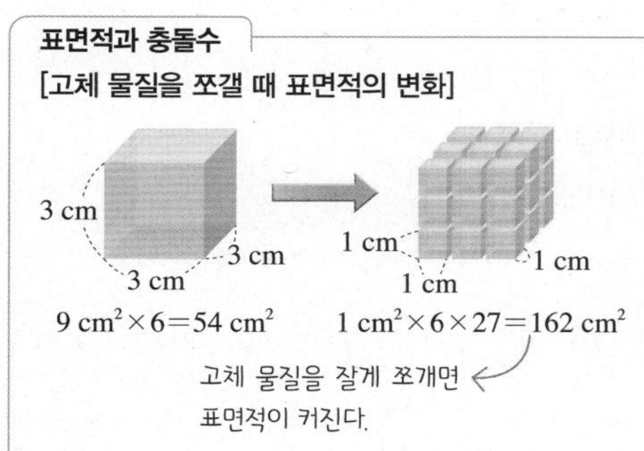
3 cm
3 cm
3 cm
1 cm
1 cm
1 cm
9 cm²×6=54 cm²
1 cm²×6×27=162 cm²
고체 물질을 잘게 쪼개면
표면적이 커진다.

[반응물의 표면적과 충돌수]

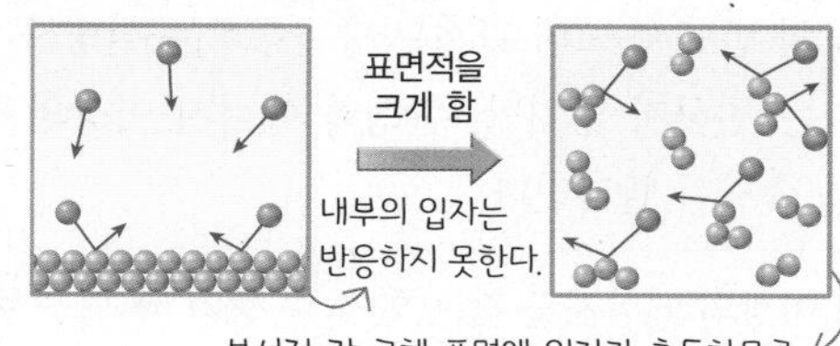
표면적을
크게 함
내부의 입자는
반응하지 못한다.
부서진 각 고체 표면에 입자가 충돌하므로
단위 시간당 충돌하는 입자 수가 증가한다.

3. 실생활에서 농도, 표면적을 다르게 하여 반응 속도를 조절하는 예

농도	• *고압 산소 치료기를 이용하여 저산소증을 치료한다. • 대장간에서 공기를 넣는 ❶풍구를 사용하였다. • 밀폐 용기는 외부의 산소를 대부분 차단하여 음식을 오래 보관할 수 있다.
표면적	• 숯이나 장작을 작은 조각으로 쪼개어 태우면 더 빠르게 연소한다. • 알약보다 가루로 된 약을 먹을 때 더 빠르게 흡수된다.

탐구 자료창 농도에 따른 반응 속도 측정

과정 ❶ 홈 판의 5개의 홈에 0.05 M 아이오딘산 칼륨(KIO_3) 수용액을 각각 0.5 mL, 1.0 mL, 1.5 mL, 2.0 mL, 2.5 mL씩 넣은 다음, 각각의 전체 부피가 2.5 mL가 되도록 증류수를 넣는다.

❷ 0.05 M 아황산수소 나트륨($NaHSO_3$) 수용액 15 mL에 1 % 녹말 용액 1.0 mL를 넣어 섞는다.

❸ 과정 ❶의 5개의 홈에 과정 ❷의 용액을 2.5 mL씩 넣고, 용액의 색이 청람색으로 변할 때까지 걸린 시간을 측정한다.

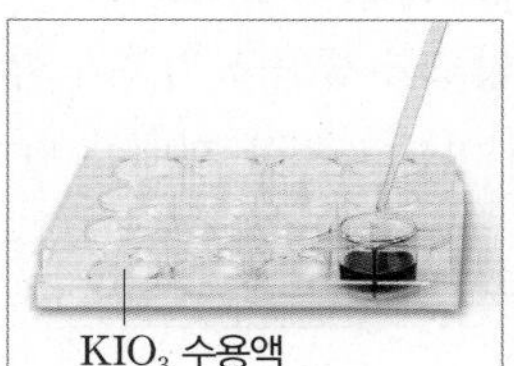
KIO₃ 수용액

결과 및 해석

홈	A	B	C	D	E
KIO_3 수용액의 부피(mL)	0.5	1.0	1.5	2.0	2.5
증류수의 부피(mL)	2.0	1.5	1.0	0.5	0
KIO_3 수용액의 농도(M)	0.01	0.02	0.03	0.04	0.05
용액의 색깔이 변할 때까지 걸린 시간(초)	11.9	6.0	4.0	3.1	1.8

1. **용액의 색이 청람색으로 변하는 까닭:** KIO_3 수용액과 $NaHSO_3$ 수용액의 반응 결과 아이오딘(I_2)이 생성되며, 아이오딘이 녹말과 반응하여 청람색을 나타내기 때문이다.
2. **반응 속도:** 반응 속도$=\frac{1}{\text{색깔이 변할 때까지 걸린 시간}}$ ➡ 용액의 색이 청람색으로 변할 때까지 걸린 시간이 짧을수록 반응 속도가 빠르다.

결론 KIO_3 수용액의 농도가 진할수록 반응이 일어나는 데 걸린 시간이 짧아지므로 반응 속도가 빨라진다. ➡ 반응물의 농도가 진할수록 입자의 충돌수가 증가하기 때문이다.

*** 고압의 산소를 이용한 용접**
산소-아세틸렌 용접에서 산소의 농도를 증가시키면 아세틸렌의 연소가 빠르게 일어나 고온을 얻을 수 있으므로 용접에 이용한다.

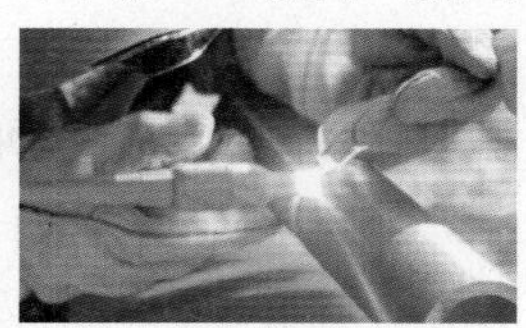

용어

❶ **풍구** 불을 피울 때 바람을 일으키는 기구로, 풀무라고도 한다.

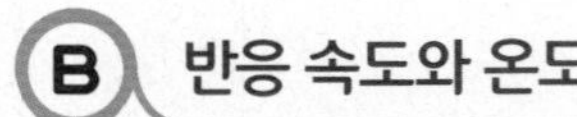

B 반응 속도와 온도

1. 온도와 분자 운동 에너지 온도가 높아지면 분자들의 운동 에너지가 증가하여 평균 운동 에너지가 증가하므로 활성화 에너지 이상의 운동 에너지를 가지는 분자 수가 증가한다.
└ 온도가 같더라도 기체 분자들이 가지고 있는 운동 에너지는 서로 다르며, 이 중 활성화 에너지 이상의 에너지를 가진 분자가 충돌할 때만 반응이 일어난다.

2. 온도와 반응 속도

(1) 화학 반응에서 온도가 10 °C 정도 높아질 때 충돌수는 약 2 % 증가하지만, 반응 속도는 2배 정도 빨라진다. 따라서 온도와 반응 속도의 관계는 충돌수로는 설명하기 어렵다.

(2) 온도가 높아지면 활성화 에너지는 변하지 않지만, 활성화 에너지 이상의 에너지를 가진 입자 수가 증가하기 때문에 반응 속도가 빨라진다.

온도 상승 ➡ 활성화 에너지(E_a) 이상의 에너지를 갖는 입자 수 증가 ➡ 반응 속도 빨라짐

온도에 따른 기체 분자의 운동 에너지 분포 곡선

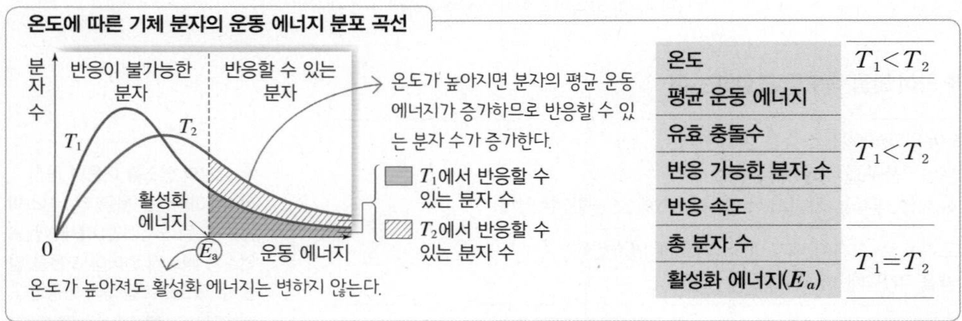

온도	$T_1 < T_2$
평균 운동 에너지	$T_1 < T_2$
유효 충돌수	
반응 가능한 분자 수	
반응 속도	
총 분자 수	$T_1 = T_2$
활성화 에너지(E_a)	

주의해
온도와 활성화 에너지
온도가 높아져도 활성화 에너지는 변하지 않고, 분자들의 운동 에너지가 커져 활성화 에너지보다 큰 에너지를 갖는 입자 수가 증가한다.

3. 실생활에서 온도를 다르게 하여 반응 속도를 조절하는 예

① 수산 시장에서 생선이 상하지 않도록 생선을 얼음과 함께 보관한다. → 냉장고에 음식을 보관한다.

② 추운 겨울에도 비닐하우스에서 여름 과일을 재배할 수 있다.

★ **발포정을 이용한 온도에 따른 반응 속도 비교**

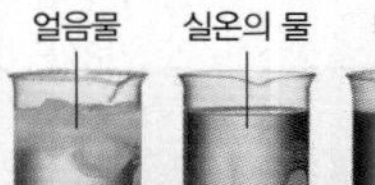

얼음물, 실온의 물, 더운물에 발포정을 동시에 떨어뜨리면 온도가 높은 물에서 발포정이 더 빠르게 반응한다.

탐구 자료창 *온도에 따른 반응 속도 측정

과정

❶ 삼각 플라스크 3개를 준비하여 바닥에 각각 ×표를 한 후 0.1 M 싸이오황산 나트륨($Na_2S_2O_3$) 수용액을 50 mL씩 넣고, 시험관 3개에 0.5 M 묽은 염산(HCl)을 10 mL씩 넣는다.

❷ 삼각 플라스크와 염산이 담긴 시험관 하나를 실온에 두었다가 용액의 온도를 측정한다.

❸ 염산을 삼각 플라스크에 재빨리 붓고, 붓는 순간 초시계를 작동하여 ×표가 보이지 않을 때까지 걸린 시간을 측정한다.

❹ 나머지 삼각 플라스크와 시험관을 얼음물과 더운물에 각각 담가 온도를 측정한 후 과정 ❸을 반복한다.

결과 및 해석

온도	얼음물(0 °C)	실온의 물(20 °C)	더운물(40 °C)
걸린 시간(초)	127	39	13

1. **×표가 보이지 않는 까닭**: $Na_2S_2O_3(aq)$과 $HCl(aq)$이 반응하면 노란색 앙금인 황($S(s)$)이 생성되기 때문이다.

2. **반응 속도**: 반응 속도$=\dfrac{1}{\text{×표가 보이지 않을 때까지 걸린 시간}}$ ➡ 시간이 짧을수록 반응 속도가 빠르다.

결론 온도가 높을수록 ×표가 보이지 않을 때까지 걸린 시간이 짧아지므로 반응 속도가 빨라진다. ➡ 반응물의 온도가 높을수록 활성화 에너지 이상의 에너지를 가진 입자 수가 증가하기 때문이다.

개념 확인 문제

정답친해 122쪽

핵심 체크

• 농도와 반응 속도: 반응물의 농도가 진할수록 입자 사이의 (❶)가 증가하므로 반응 속도가 빨라진다.
• 압력과 반응 속도: 기체의 압력을 높이면 기체의 (❷)가 줄어들어 단위 부피당 입자 수가 증가하여 (❸)가 증가하므로 반응 속도가 빨라진다.
• 표면적과 반응 속도: 고체 물질의 표면적이 (❹)하면 충돌수가 (❺)하므로 반응 속도가 빨라진다.
• 온도와 반응 속도: 온도가 높아지면 (❻)보다 큰 에너지를 가진 입자 수가 증가하므로 반응 속도가 빨라진다.
• 추운 겨울에도 비닐하우스에서 여름 과일을 재배하는 것은 (❼)를 변화시켜 반응 속도를 조절하는 예이다.

1 그림은 $A(g)+B(g) \longrightarrow C(g)$ 반응에서 동일한 부피의 밀폐 용기에 들어 있는 반응물 A와 B의 입자 수를 모형으로 나타낸 것이다.

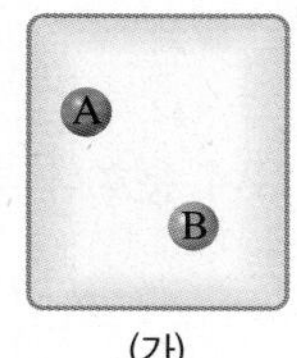

(가)

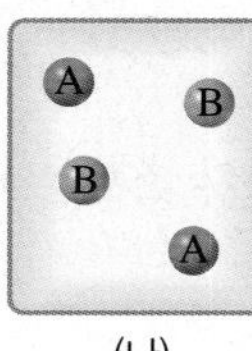

(나)

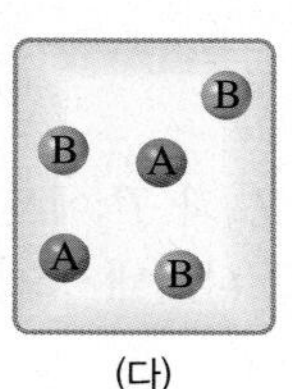

(다)

( ) 안에 알맞은 말을 쓰시오. (단, 온도는 일정하고, A와 B는 모두 반응 속도에 영향을 미친다.)

(1) 입자 사이의 충돌수가 가장 많은 것은 ( )이다.
(2) 반응 속도는 ( )>( )>( )이다.
(3) (다)의 부피를 줄이면 반응 속도는 ( )진다.

2 그림은 일정한 온도에서 일정량의 기체가 들어 있는 실린더의 압력을 증가시켰을 때의 변화를 모형으로 나타낸 것이다.

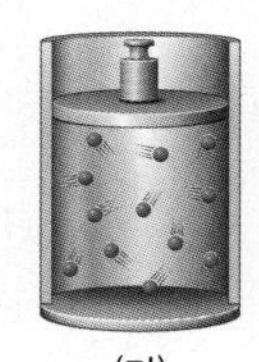
(가)

압력 증가

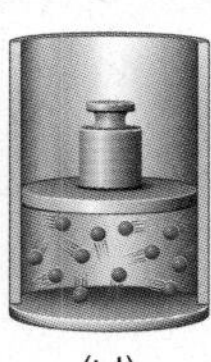
(나)

이에 대한 설명으로 옳은 것은 ○, 옳지 않은 것은 ×로 표시하시오.

(1) 기체 입자 사이의 충돌수는 (가)와 (나)에서 같다. ( )
(2) 기체의 농도는 (가)와 (나)에서 같다. ( )
(3) 반응 속도는 (나)에서가 (가)에서보다 빠르다. ( )

3 고체가 관여하는 반응에서 고체 물질을 잘게 쪼갤수록 증가하는 것을 [보기]에서 있는 대로 고르시오.

[보기]
ㄱ. 농도 ㄴ. 표면적
ㄷ. 충돌수 ㄹ. 반응 속도

4 그림은 일정량의 기체 분자의 온도에 따른 운동 에너지 분포를 나타낸 것이다. 다음에 대한 T_1과 T_2를 비교하여 ( ) 안에 알맞은 등호나 부등호를 쓰시오.

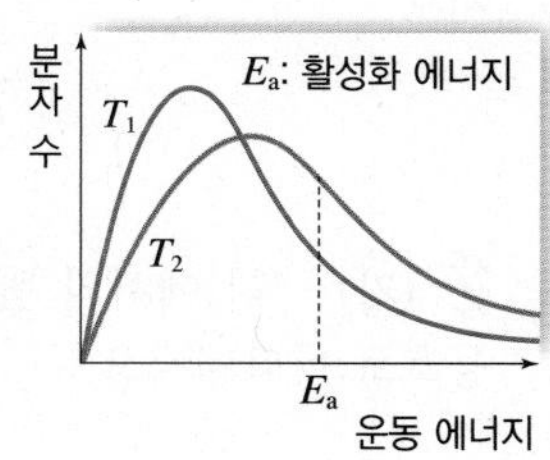

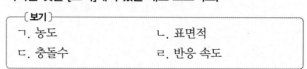

(1) 온도: T_1 ( ) T_2
(2) 분자의 평균 운동 에너지: T_1 ( ) T_2
(3) 반응할 수 있는 분자 수: T_1 ( ) T_2

5 다음 현상에서 반응 속도에 영향을 미치는 요인을 [보기]에서 각각 고르시오.

[보기]
ㄱ. 농도 ㄴ. 온도 ㄷ. 표면적

(1) 알약을 가루로 만들어 복용한다.
(2) 고압 산소 치료기를 이용하여 저산소증을 치료한다.
(3) 수산 시장에서 생선을 얼음과 함께 보관한다.
(4) 밀폐 용기는 외부의 공기를 차단하여 음식을 오래 보관할 수 있다.

대표 자료 분석

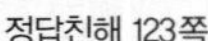
정답친해 123쪽

학교 시험에 자주 출제되는 대표 자료와 그 자료에 대한 문제를 통해 자료를 완벽하게 이해할 수 있다.

자료 1 반응 속도와 농도

기출 Point
- 농도에 따른 입자의 충돌수 변화
- 농도에 따른 반응 속도 변화

[1~4] 그림은 부피가 같은 세 용기에서 A(*g*)와 B(*g*)의 농도를 달리하여 반응시켰을 때를 모형으로 나타낸 것이다. (단, 온도는 일정하고, 생성물은 나타내지 않았다.)

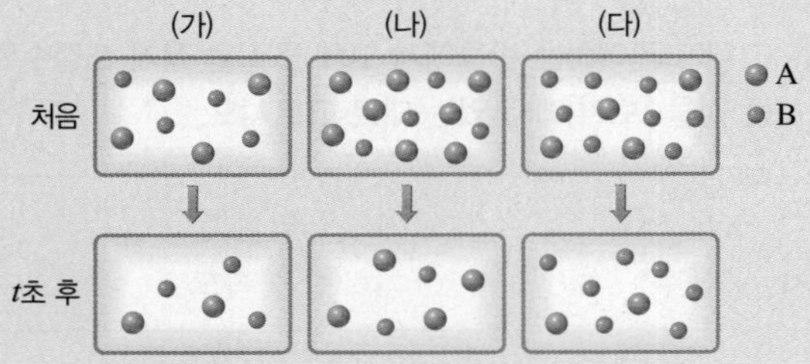

1 A(*g*)와 B(*g*)의 충돌수에 영향을 미치는 요인을 쓰시오.

2 (가)~(다)에서의 반응 속도를 비교하여 등호나 부등호로 나타내시오.

3 (다)에서 용기의 부피를 2배로 했을 때 반응 속도의 변화를 쓰시오.

4 빈출 선택지로 완벽 정리!

(1) 반응 속도식은 $v=k[A][B]$이다. .... (○ / ×)

(2) (나)에서가 (가)에서보다 입자들 사이의 평균 거리가 가까워 충돌수가 더 많다. .... (○ / ×)

(3) (가)~(다)에서 용기의 부피를 $\frac{1}{2}$배로 하면 단위 부피당 입자 수가 증가한다. .... (○ / ×)

(4) 위 모형으로 숯을 작은 조각으로 쪼개어 태우면 더 빠르게 연소하는 까닭을 설명할 수 있다. .... (○ / ×)

자료 2 반응 속도와 온도

기출 Point
- 온도에 따른 반응 속도 변화
- 온도에 의해 변하는 것과 변하지 않는 것

[1~4] 그림은 A(*g*) ⟶ B(*g*) 반응에서 온도가 T_1, T_2일 때 반응 시간에 따른 A의 농도를 나타낸 것이다.

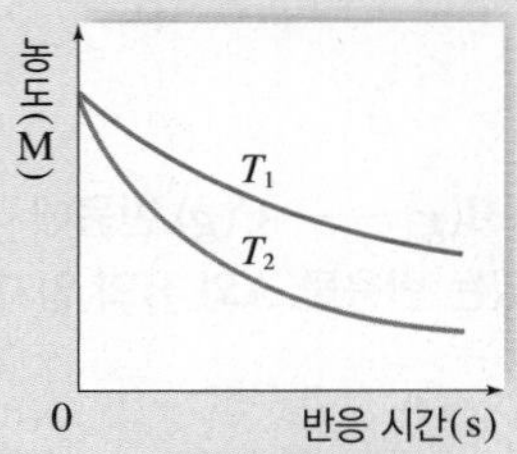

1 T_1과 T_2에서의 반응 속도를 비교하여 등호나 부등호로 나타내시오.

2 온도 T_1과 T_2를 비교하여 등호나 부등호로 나타내시오.

3 T_1과 T_2에서의 활성화 에너지(E_a)를 비교하여 등호나 부등호로 나타내시오.

4 빈출 선택지로 완벽 정리!

(1) 유효 충돌수는 T_2에서가 T_1에서보다 크다. (○ / ×)

(2) 활성화 에너지 이상의 운동 에너지를 갖는 기체 분자 수는 T_1과 T_2에서 같다. .... (○ / ×)

(3) T_1과 T_2에서의 반응 속도가 다른 주된 까닭은 충돌수 때문이다. .... (○ / ×)

정답친해 123쪽

A 반응 속도와 농도

01 그림은 일정한 온도에서 기체 반응물 A가 들어 있는 용기의 변화를 모형으로 나타낸 것이다.

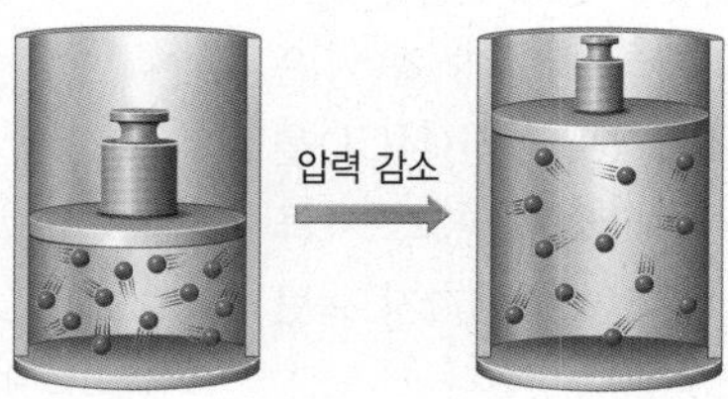

이 변화에 따라 감소하는 것만을 [보기]에서 있는 대로 고른 것은?

[보기]
ㄱ. 반응 속도 ㄴ. 기체의 농도
ㄷ. 단위 시간당 충돌수 ㄹ. 반응물 사이의 접촉 면적

① ㄱ, ㄴ ② ㄱ, ㄹ ③ ㄷ, ㄹ
④ ㄱ, ㄴ, ㄷ ⑤ ㄴ, ㄷ, ㄹ

중요 **02** 그림은 충분한 양의 5 % 염산에 일정량의 아연 조각을 넣고 반응시킬 때 일정한 시간 간격으로 발생하는 기체의 부피를 나타낸 것이다.

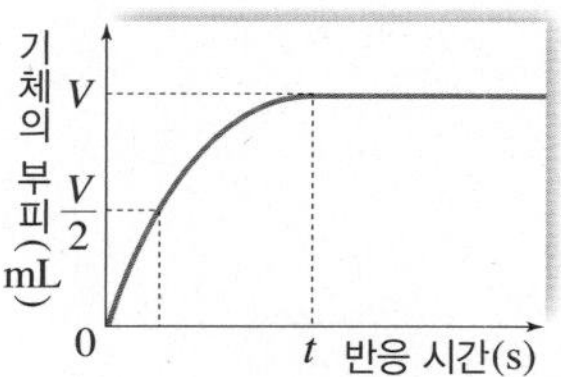

이에 대한 설명으로 옳은 것만을 [보기]에서 있는 대로 고른 것은? (단, 온도는 일정하다.)

[보기]
ㄱ. 10 % 염산을 사용하면 V가 커진다.
ㄴ. 10 % 염산을 사용하면 t가 짧아진다.
ㄷ. 아연 조각을 작게 잘라서 사용하면 V가 커진다.
ㄹ. 시간이 지날수록 반응물의 충돌수가 점점 감소한다.

① ㄱ, ㄴ ② ㄱ, ㄷ ③ ㄴ, ㄹ
④ ㄱ, ㄷ, ㄹ ⑤ ㄴ, ㄷ, ㄹ

서술형
03 그림은 고체 물질의 표면적 변화를 모형으로 나타낸 것이다.

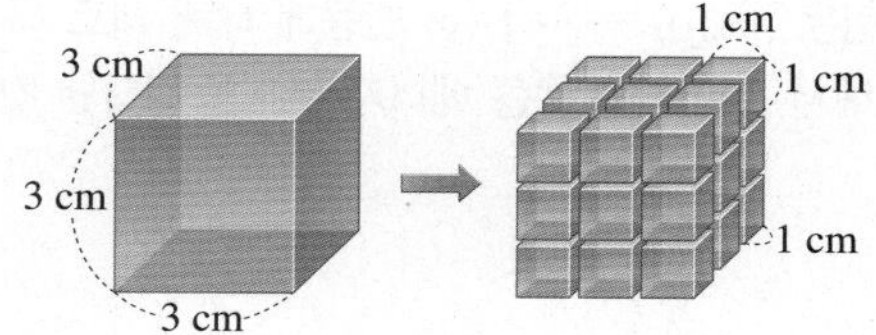

일상생활에서 위와 같은 변화를 이용하여 반응 속도를 조절하는 예를 2가지 서술하시오.

04 표는 아이오딘산 칼륨(KIO_3) 수용액의 조건을 달리하여 녹말 용액을 넣은 아황산수소 나트륨($NaHSO_3$) 수용액 일정량과 반응시켰을 때 용액의 색이 청람색으로 변하는 데 걸린 시간을 측정한 것이다.

실험	0.2 M KIO_3 수용액의 부피(mL)	증류수의 부피(mL)	$NaHSO_3$ 수용액의 농도(M)	시간(s)
Ⅰ	10.0	0	0.1	6.0
Ⅱ	7.5	2.5	0.1	8.0
Ⅲ	x	$10.0-x$	0.1	12.0

이에 대한 설명으로 옳은 것만을 [보기]에서 있는 대로 고른 것은? (단, 용액의 온도는 일정하다.)

[보기]
ㄱ. x는 5.0이다.
ㄴ. 이 반응은 $[KIO_3]$에 대한 1차 반응이다.
ㄷ. 반응 속도는 시간에 비례한다.
ㄹ. 반응물의 농도가 반응 속도에 미치는 영향을 알 수 있다.

① ㄱ, ㄴ ② ㄱ, ㄷ ③ ㄷ, ㄹ
④ ㄱ, ㄴ, ㄹ ⑤ ㄴ, ㄷ, ㄹ

B 반응 속도와 온도

05 그림은 $2A(g) \longrightarrow B(g)$ 반응에 대해 서로 다른 온도 T_1과 T_2에서 A 분자의 운동 에너지 분포를 나타낸 것이다.

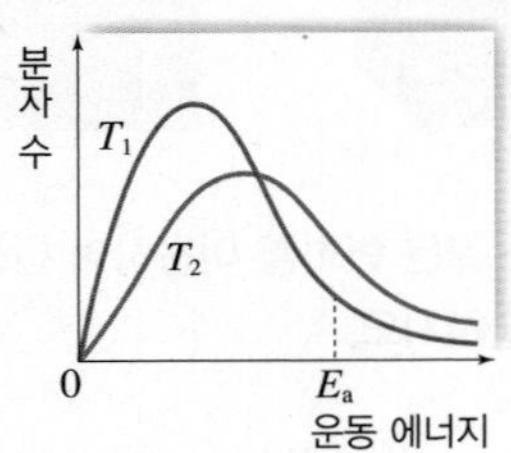

T_1에서 T_2로 변할 때에 대한 설명으로 옳은 것만을 [보기]에서 있는 대로 고른 것은? (단, E_a는 활성화 에너지이다.)

[보기]
ㄱ. E_a가 작아진다.
ㄴ. 반응 속도 상수(k)는 일정하다.
ㄷ. E_a 이상의 에너지를 가진 분자 수가 증가한다.

① ㄱ ② ㄷ ③ ㄱ, ㄴ
④ ㄴ, ㄷ ⑤ ㄱ, ㄴ, ㄷ

06 그림은 초기 농도와 반응 온도가 다른 조건에서 물질 X가 분해되는 반응의 시간에 따른 X의 농도를 나타낸 것이다.

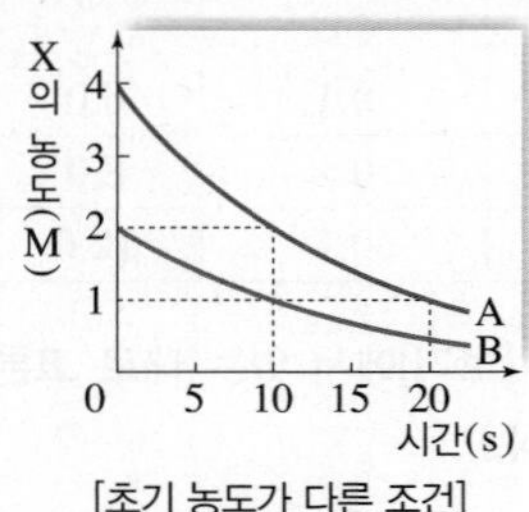

[초기 농도가 다른 조건]

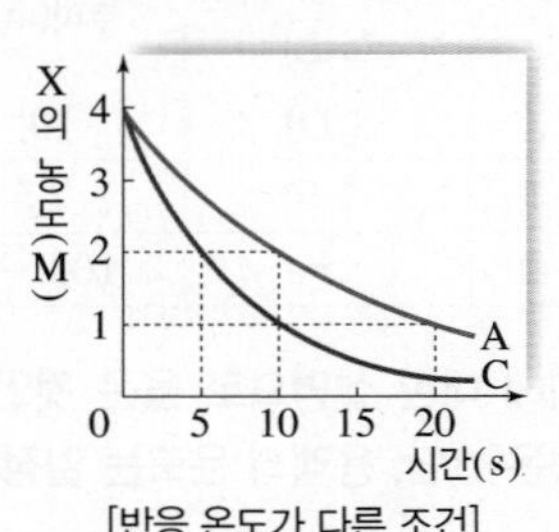

[반응 온도가 다른 조건]

이에 대한 설명으로 옳은 것만을 [보기]에서 있는 대로 고른 것은?

[보기]
ㄱ. 초기 반응 속도는 A에서가 B에서보다 크다.
ㄴ. 온도는 A에서가 C에서보다 높다.
ㄷ. 반응 속도 상수(k)는 A에서 가장 크다.

① ㄱ ② ㄷ ③ ㄱ, ㄴ
④ ㄴ, ㄷ ⑤ ㄱ, ㄴ, ㄷ

07 다음은 반응 속도를 측정하는 실험이다.

[실험 과정]
(가) ×표를 한 흰 종이 위에 3개의 삼각 플라스크를 각각 올려놓은 후, 같은 농도의 싸이오황산 나트륨($Na_2S_2O_3$) 수용액 50 mL를 넣고 온도를 20 °C, 30 °C, 40 °C로 유지한다.
(나) (가)의 각 수용액과 같은 온도의 0.1 M 염산(HCl)을 10 mL씩 각각 넣고, ×표가 보이지 않을 때까지 걸린 시간(초)을 측정한다.

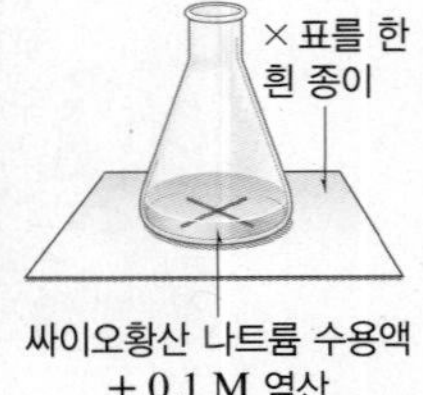

[실험 결과]

수용액의 온도(°C)	20	30	40
×표가 보이지 않을 때까지 걸린 시간(초)	70	33	15

이에 대한 설명으로 옳은 것만을 [보기]에서 있는 대로 고른 것은?

[보기]
ㄱ. ×표가 보이지 않게 되는 것은 황(S)이 생성되기 때문이다.
ㄴ. ×표가 보이지 않을 때까지 걸린 시간이 짧을수록 반응 속도가 빠르다.
ㄷ. 온도가 10 °C 높아질 때 충돌수는 2배 정도 증가한다.

① ㄱ ② ㄱ, ㄴ ③ ㄱ, ㄷ
④ ㄴ, ㄷ ⑤ ㄱ, ㄴ, ㄷ

08 온도에 의한 반응 속도의 변화를 이용한 사례가 아닌 것은?

① 압력솥으로 밥을 지으면 밥이 빨리 된다.
② 추운 겨울에도 비닐하우스에서 수박을 재배한다.
③ 에베레스트 산을 오를 때 산소 호흡기를 이용한다.
④ 생선 가게에서 생선을 얼음 위에 올려놓고 판매한다.
⑤ 김치를 냉장고에 보관하면 싱싱한 상태로 오래 보관할 수 있다.

02 반응 속도와 촉매

핵심 포인트	Ⓐ 반응 속도와 촉매 ★★★ 촉매의 특징 ★★	Ⓑ 생체 내에서 촉매의 역할 ★★★ 산업에서의 촉매 ★★

Ⓐ 반응 속도와 촉매

반응물의 농도와 온도는 반응의 활성화 에너지를 변화시키지 못해요. 하지만 지금부터 배울 촉매는 활성화 에너지를 변화시켜 반응 속도에 영향을 미친답니다. 촉매에 의한 반응 속도의 변화에 대해 알아보아요.

1. *촉매 화학 반응이 일어날 때 자신은 변하지 않으면서 반응 속도를 변하게 하는 물질

(1) **정촉매**: 반응 속도를 빠르게 하는 물질 ➡ 화학 반응에서 정촉매를 사용하면 활성화 에너지가 작아져 반응할 수 있는 입자 수가 증가하므로 반응 속도가 빨라진다.

예 과산화 수소(H_2O_2)는 물(H_2O)과 산소(O_2)로 서서히 분해되지만, 이산화 망가니즈(MnO_2)나 아이오딘화 칼륨(KI)을 넣으면 분해 속도가 빨라진다. — MnO_2나 KI이 정촉매로 작용한다.

정촉매 사용 ➡ 활성화 에너지 감소 ➡ 반응할 수 있는 입자 수 증가 ➡ 반응 속도 빨라짐

정촉매 사용에 따른 활성화 에너지와 반응할 수 있는 분자 수 변화

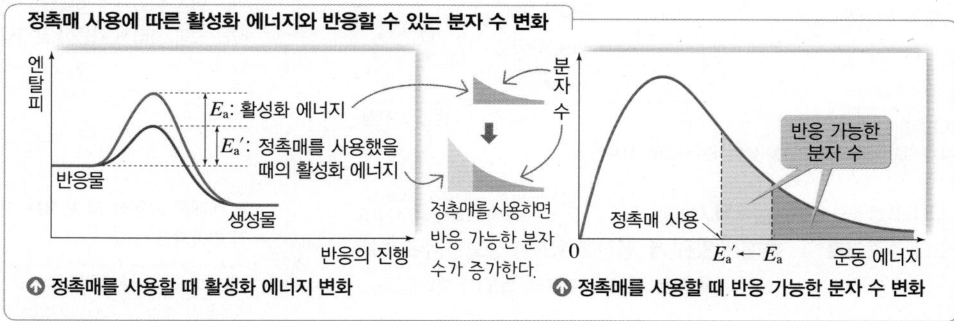

⬆ 정촉매를 사용할 때 활성화 에너지 변화 ⬆ 정촉매를 사용할 때 반응 가능한 분자 수 변화

(2) **부촉매**: 반응 속도를 느리게 하는 물질 ➡ 화학 반응에서 부촉매를 사용하면 활성화 에너지가 커져 반응할 수 있는 입자 수가 감소하므로 반응 속도가 느려진다.

예 과산화 수소(H_2O_2)수에 묽은 인산(H_3PO_4)을 넣으면 분해 속도가 느려진다. — H_3PO_4이 부촉매로 작용한다.

부촉매 사용 ➡ 활성화 에너지 증가 ➡ 반응할 수 있는 입자 수 감소 ➡ 반응 속도 느려짐

부촉매 사용에 따른 활성화 에너지와 반응할 수 있는 분자 수 변화

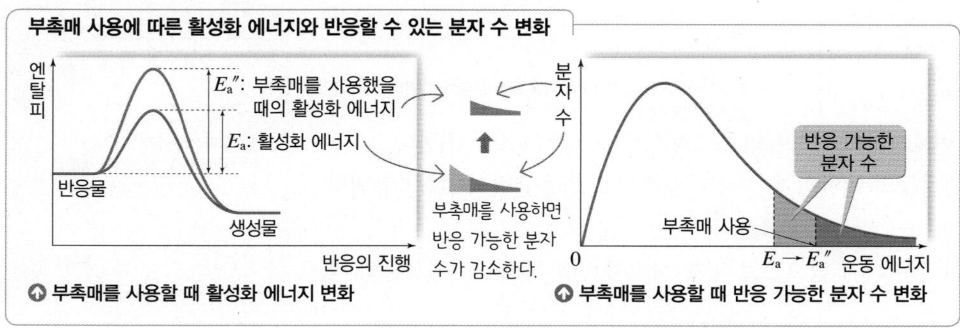

⬆ 부촉매를 사용할 때 활성화 에너지 변화 ⬆ 부촉매를 사용할 때 반응 가능한 분자 수 변화

*** 화학 반응식에서 촉매의 표현**
촉매는 화학 반응 전후에 변하지 않으므로 반응물과 생성물에 포함시키지 않고, 화학 반응식의 화살표 위에 표시하기도 한다.

예 $2H_2O_2(aq) \xrightarrow{MnO_2} 2H_2O(l) + O_2(g)$

일반적으로 촉매라고 하면 정촉매를 의미해요.

암기해
정촉매와 부촉매
- 정촉매: 활성화 에너지 감소 ⇨ 반응할 수 있는 입자 수 증가 ⇨ 반응 속도 증가
- 부촉매: 활성화 에너지 증가 ⇨ 반응할 수 있는 입자 수 감소 ⇨ 반응 속도 감소

02 반응 속도와 촉매

탐구 자료창 촉매에 따른 반응 속도 비교

과정 ❶ 눈금실린더 A와 B에 각각 3 % 과산화 수소수 10 mL를 넣고, 주방용 세제를 2방울~3방울씩 떨어뜨린다.

❷ 눈금실린더 A에는 아무것도 넣지 않고, B에는 아이오딘화 칼륨(KI) 가루 0.1 g을 넣어 변화를 관찰한다.

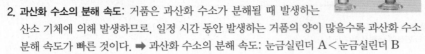

A B 거품

결과 1. **일정 시간 동안 발생하는 거품의 양:** 눈금실린더 A < 눈금실린더 B

2. **과산화 수소의 분해 속도:** 거품은 과산화 수소가 분해될 때 발생하는 산소 기체에 의해 발생하므로, 일정 시간 동안 발생하는 거품의 양이 많을수록 과산화 수소 분해 속도가 빠른 것이다. ➡ 과산화 수소의 분해 속도: 눈금실린더 A < 눈금실린더 B

결론 아이오딘화 칼륨(KI)은 과산화 수소의 분해 속도를 빠르게 하는 정촉매이다.

(3) *촉매는 활성화 에너지가 다른 새로운 반응 경로로 반응이 일어나게 한다.

촉매 사용에 따른 반응 경로

[오존(O_3)의 분해 반응] $O_3(g)+O(g) \longrightarrow 2O_2(g)$

미래엔, 천재 교과서에만 나와요.

촉매가 없을 때: 성층권에서 오존이 분해되는 반응은 활성화 에너지가 커서 분해 속도가 매우 느리다.

촉매가 있을 때: *프레온 가스가 분해되어 생성된 염소 원자(Cl)가 존재하면 오존의 분해 속도가 빨라진다.

1단계: $Cl(g)+O_3(g) \longrightarrow ClO(g)+O_2(g)$

2단계: $ClO(g)+O(g) \longrightarrow Cl(g)+O_2(g)$

전체 반응식: $O_3(g)+O(g) \longrightarrow 2O_2(g)$

염소(Cl) 원자는 반응이 끝난 뒤에도 없어지지 않고 계속하여 오존을 분해하는 촉매로 작용한다.

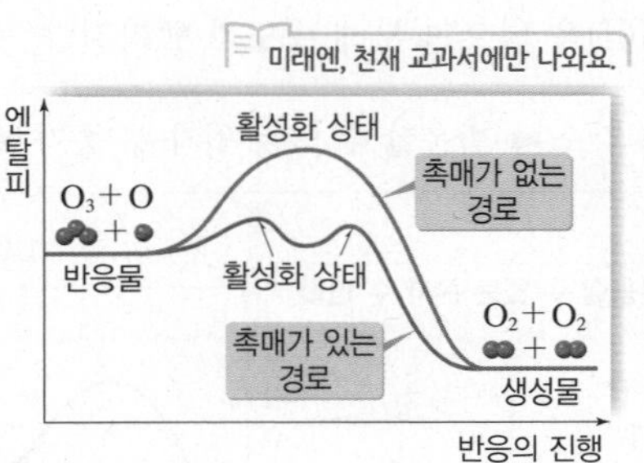

[폼산(HCOOH)의 분해 반응] $HCOOH(g) \longrightarrow CO(g)+H_2O(g)$

교학사 교과서에만 나와요.

촉매가 없을 때: 폼산은 일산화 탄소와 수증기로 서서히 분해된다.

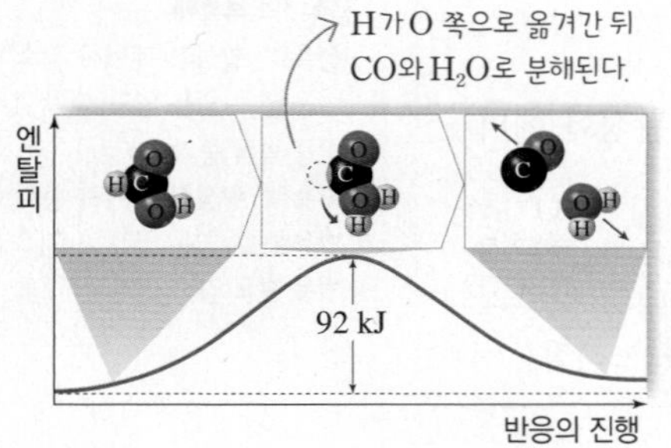

촉매가 있을 때: 폼산에 황산을 넣으면 수소 이온(H^+)이 촉매로 작용하여 분해 속도가 빨라진다.

H^+이 O에 결합하여 H_2O이 먼저 떨어져 나간다.

엔탈피

75 kJ

반응의 진행

2. 촉매의 특징

① 촉매는 반응 전후에 질량이 변하지 않는다. — 촉매가 직접적인 반응물로 작용하여 생성물로 변하는 것이 아니기 때문이다.

② 촉매는 활성화 에너지(E_a)를 변화시키므로 정반응 속도와 역반응 속도가 모두 변한다.

③ 촉매를 사용해도 반응물과 생성물의 엔탈피가 변하지 않으므로 반응엔탈피(ΔH)가 변하지 않는다.

④ 촉매를 사용해도 평형 이동이 일어나지 않으므로 평형 상수가 변하지 않고, 생성물의 양이 변하지 않는다.

* **정촉매에 의한 반응 경로 변화 비유**

화학 반응에서 촉매를 사용하지 않은 경우를 자동차가 산 위를 넘어가는 것에 비유한다면, 정촉매를 사용하는 경우는 자동차가 산 밑의 터널을 통과하여 빠르게 목적지에 도착하는 것에 비유할 수 있다.

* **프레온 가스**

프레온은 염화 플루오린화 탄소(CF_xCl_{4-x})로 불리는 화합물의 총칭이다. 냉매나 소화제 등으로 널리 사용되었으나 분해될 때 생기는 염소 원자가 오존층을 파괴하는 것이 알려져 사용이 금지되었다.

* **촉매를 사용할 때 변하는 것과 변하지 않는 것**

변하는 것	변하지 않는 것
• 정반응 속도	• 촉매의 질량
• 역반응 속도	• 반응엔탈피
• 반응 경로	• 평형 상수
• 활성화 에너지	• 생성물의 양

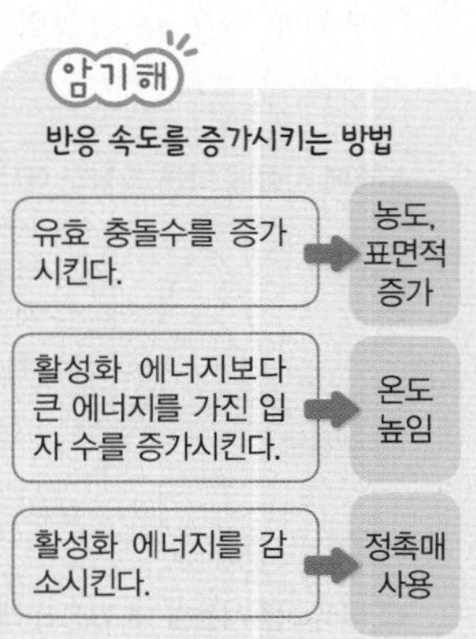

개념 확인 문제

정답친해 125쪽

핵심 체크

- (❶): 화학 반응이 일어날 때 자신은 변하지 않으면서 반응 속도를 변하게 하는 물질
  - (❷): 활성화 에너지가 작아져 반응할 수 있는 입자 수가 증가하므로 반응 속도가 (❸)진다.
  - (❹): 활성화 에너지가 커져 반응할 수 있는 입자 수가 감소하므로 반응 속도가 (❺)진다.
- 촉매의 특징: 반응 전후에 질량이 (❻)고, 정반응 속도와 역반응 속도를 모두 변화시킨다.

1 그림은 어떤 화학 반응에서 촉매를 사용하지 않을 때와 촉매 A, B를 사용할 때의 엔탈피 변화를 나타낸 것이다.

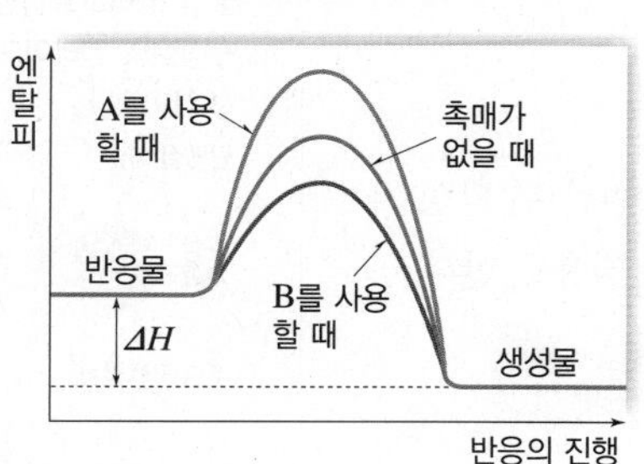

A, B를 각각 정촉매와 부촉매로 구분하시오.

2 그림은 일정량의 기체 분자들의 운동 에너지 분포를 나타낸 것이다. (단, E_a는 촉매를 사용하지 않을 때의 활성화 에너지이다.)

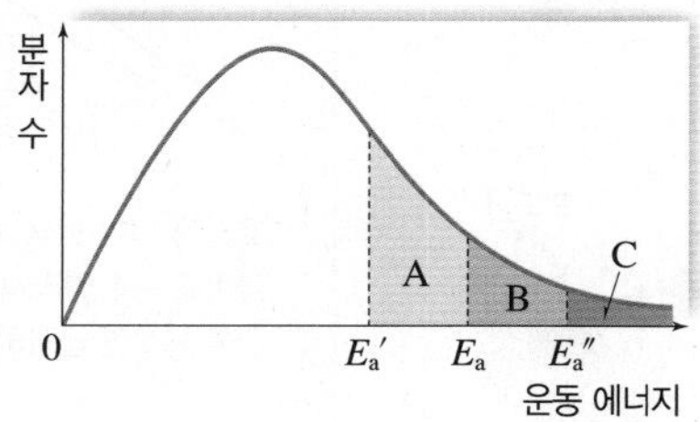

이에 대한 설명으로 옳은 것은 ○, 옳지 않은 것은 ×로 표시하시오.

(1) 온도를 높이면 E_a가 E_a'로 된다. ( )
(2) 정촉매를 사용하면 E_a가 E_a'로 된다. ( )
(3) 부촉매를 사용하면 E_a가 E_a''로 되어 반응할 수 있는 입자 수가 증가한다. ( )
(4) A 부분은 정촉매를 사용했을 때 반응할 수 있는 입자 수를 의미한다. ( )

3 그림은 3 % 과산화 수소수에 주방용 세제를 2방울 떨어뜨린 후 아이오딘화 칼륨(KI)을 0.1 g 넣었을 때의 결과이다. 이에 대한 설명으로 옳은 것은 ○, 옳지 않은 것은 ×로 표시하시오.

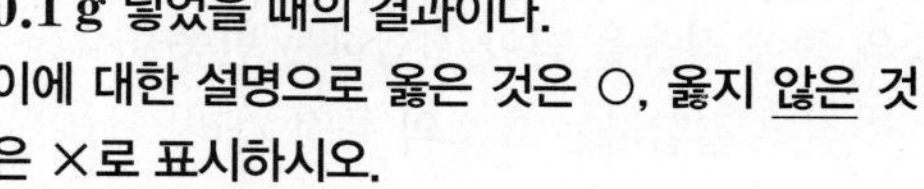

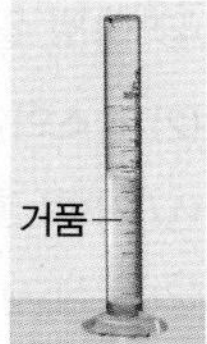

(1) 산소 기체에 의해 거품이 발생한다. ( )
(2) KI은 과산화 수소 분해 반응의 속도를 빠르게 한다. ( )
(3) KI은 과산화 수소 분자의 운동 에너지를 증가시킨다. ( )

4 그림은 어떤 화학 반응에서 반응의 진행에 따른 엔탈피 변화를 나타낸 것이다.

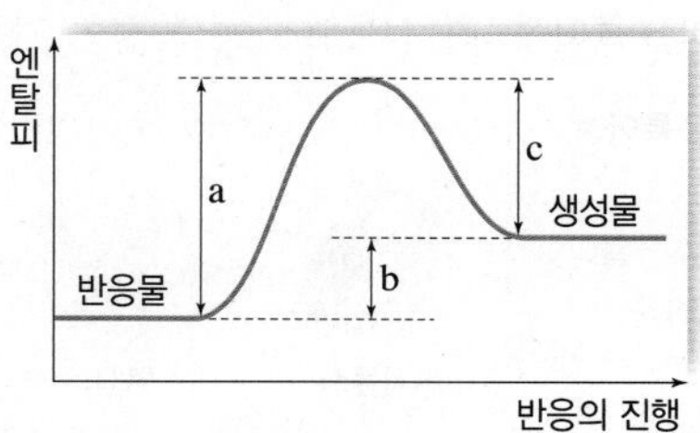

a~c 중 촉매를 사용할 때 그 값이 변하는 것을 있는 대로 고르시오.

5 촉매에 대한 설명으로 옳은 것은 ○, 옳지 않은 것은 ×로 표시하시오.

(1) 촉매는 활성화 에너지가 다른 새로운 반응 경로로 반응이 일어나게 한다. ( )
(2) 정촉매는 정반응 속도와 역반응 속도를 모두 빠르게 한다. ( )
(3) 부촉매를 사용하면 반응 속도가 느려져 생성물의 양이 줄어든다. ( )

02 반응 속도와 촉매

B 촉매의 역할

생체 내에서는 생명 활동을 유지하기 위해 수많은 화학 반응이 일어나지요. 생체 내에서 일어나는 화학 반응은 대부분 활성화 에너지가 매우 크지만 촉매가 작용하여 반응이 빠르게 일어납니다. 또, 전 세계 화학 공정의 90 % 이상에서 촉매가 사용될 정도로 촉매는 산업 현장에서도 매우 중요한 역할을 하고 있지요. 우리 주변에서 촉매가 어떤 역할을 하는지 알아보아요.

1. 생체 내에서 촉매의 역할

(1) 효소(생체 촉매): 생체 내에서 생명 활동에 필요한 반응들을 촉진시키는 촉매

① 효소는 단백질의 일종으로, [1]무기 촉매와는 다른 특성을 가진다.

② 생명 활동에 필요한 반응이 일어날 때 활성화 에너지를 감소시켜 반응 속도를 빠르게 한다.

(2) 효소의 작용

① **기질**: 효소의 촉매 작용을 받아 결합하는 반응물

② **활성 자리**: 기질이 결합하는 효소의 특정 자리

③ **효소의 작용**: 기질이 효소의 활성 자리에 결합하여 촉매 작용으로 생성물로 변한 뒤 활성 자리에서 분리된다. 반응이 끝나면 효소는 다시 새로운 기질과 결합하여 촉매 작용을 한다.

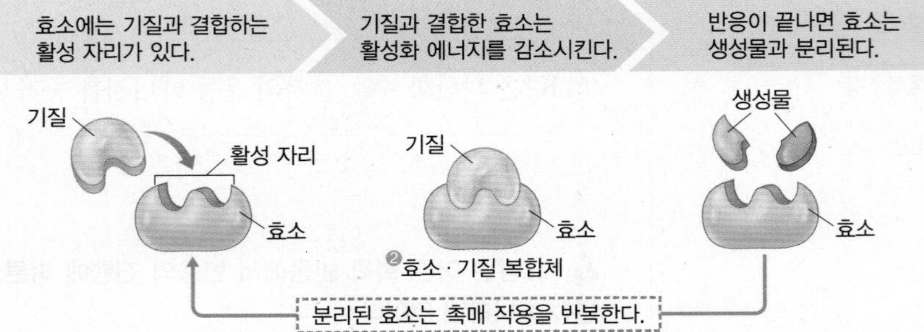

④ **효소의 기질 특이성**: 하나의 효소는 특정한 기질에만 결합하여 작용한다. ─ 효소와 기질은 특이한 입체 구조로 되어 있기 때문

효소의 기질 특이성

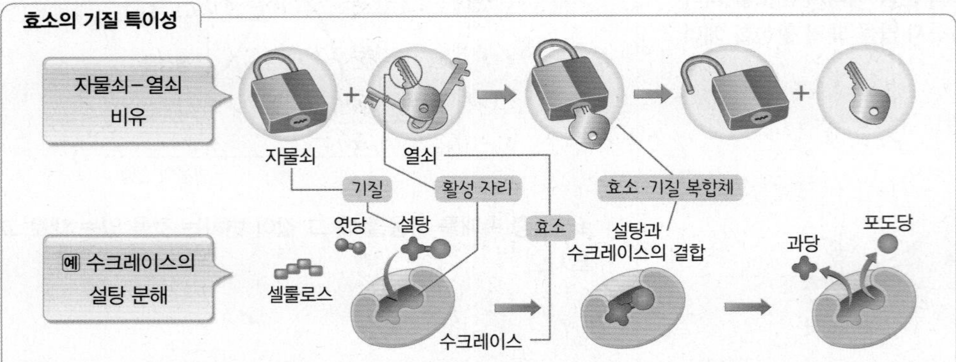

열쇠의 모양이 자물쇠 구멍의 모양과 서로 잘 맞아야 자물쇠를 열 수 있는 것처럼, 효소의 입체 구조가 기질의 입체 구조와 잘 맞아야 효소가 작용할 수 있다. 설탕 분해 효소인 수크레이스는 입체 구조가 설탕과만 맞아서 다른 영양소는 분해하지 못하고 설탕만 과당과 포도당으로 분해한다.

미래엔, 지학사 교과서에만 나와요.

(3) 효소의 작용과 온도, pH: 효소는 단백질의 일종이므로 온도와 pH의 영향을 받는다.

① *최적 온도: 효소의 반응 속도가 최대일 때의 온도 ➡ 대부분의 효소는 체온 범위의 온도에서 가장 활발하게 작용한다.
└ 온도가 효소의 최적 온도보다 너무 낮으면 반응 속도가 느려지고, 최적 온도보다 너무 높으면 효소가 파괴될 수 있다.

② 최적 pH: 효소의 반응 속도가 최대일 때의 pH

교학사 교과서에만 나와요.

★ 카이모트립신에 의한 단백질의 분해 과정

카이모트립신은 단백질 분해 효소이다. 카이모트립신의 활성 자리와 일치하는 단백질의 사슬 부분이 카이모트립신과 결합하면, 단백질의 펩타이드 결합이 약해져 끊어진다.

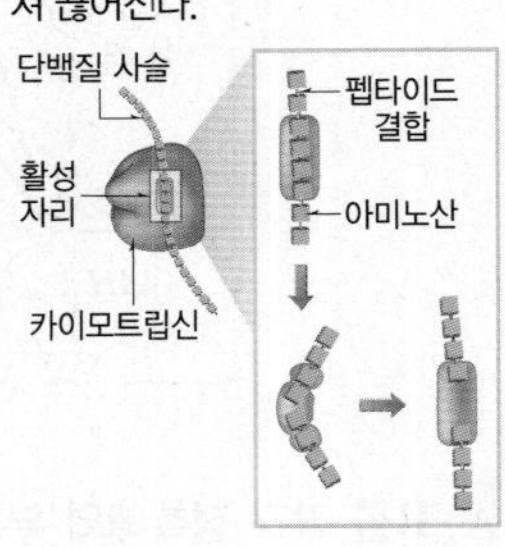

★ 효소의 작용과 온도

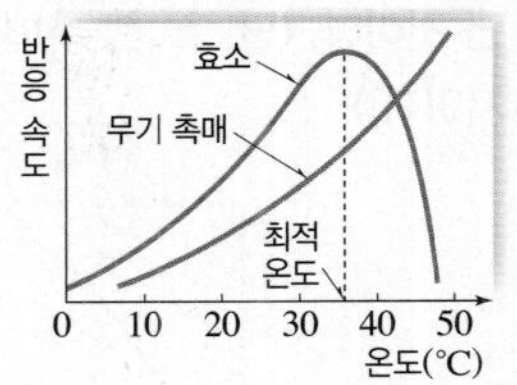

효소에 의한 반응 속도는 온도가 높아질수록 빨라지다가 최적 온도를 넘으면 급격히 느려진다.

용어

[1] **무기 촉매** 금속, 금속 산화물 등으로 이루어진 촉매

[2] **효소·기질 복합체** 효소와 기질이 결합하여 형성된 일시적인 복합체

2. *산업에서 촉매의 역할

(1) ***표면 촉매**: 금속이나 금속 산화물과 같은 고체 상태의 촉매이다. 고체 촉매의 표면에 반응물이 흡착되면 반응물을 이루는 원자 사이의 화학 결합이 약해져 활성화 에너지가 작아지므로 반응이 쉽게 일어날 수 있다.

① 하버의 암모니아 합성법: 철(Fe), 산화 알루미늄(Al_2O_3), 산화 칼륨(K_2O) 등의 고체 촉매를 사용하여 적정 온도와 압력 조건에서 암모니아를 대량으로 생산한다.

$$N_2(g)+3H_2(g) \xrightleftharpoons[400\ ^\circ\text{C}\sim 600\ ^\circ\text{C},\ 200\text{기압}\sim 400\text{기압}]{\text{Fe 또는 }Al_2O_3} 2NH_3(g)$$

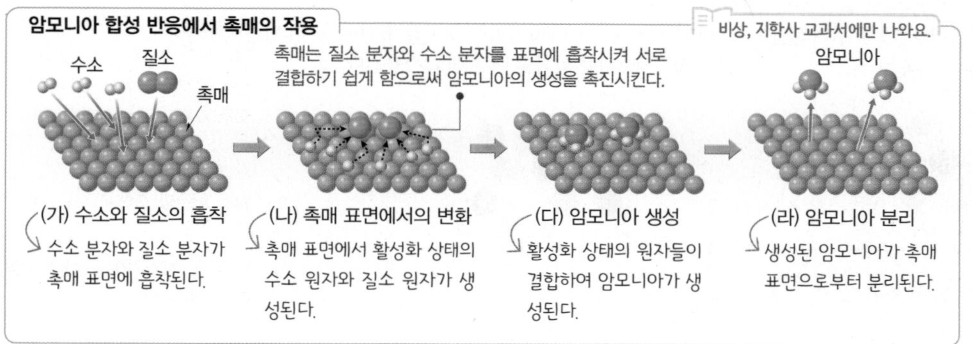

암모니아 합성 반응에서 촉매의 작용
비상, 지학사 교과서에만 나와요.
수소
질소
촉매
촉매는 질소 분자와 수소 분자를 표면에 흡착시켜 서로 결합하기 쉽게 함으로써 암모니아의 생성을 촉진시킨다.
암모니아
(가) 수소와 질소의 흡착
수소 분자와 질소 분자가 촉매 표면에 흡착된다.
(나) 촉매 표면에서의 변화
촉매 표면에서 활성화 상태의 수소 원자와 질소 원자가 생성된다.
(다) 암모니아 생성
활성화 상태의 원자들이 결합하여 암모니아가 생성된다.
(라) 암모니아 분리
생성된 암모니아가 촉매 표면으로부터 분리된다.

② 에텐(C_2H_4)의 수소화 반응: 백금(Pt) 또는 팔라듐(Pd) 등의 금속 촉매가 수소와 결합을 형성하여 수소－수소 결합을 약화시킴으로써 에텐의 수소화 반응을 촉진한다.

$$H_2C=CH_2(g)+H_2(g) \xrightarrow{\text{Pt 또는 Pd}} H_3C-CH_3(g)$$

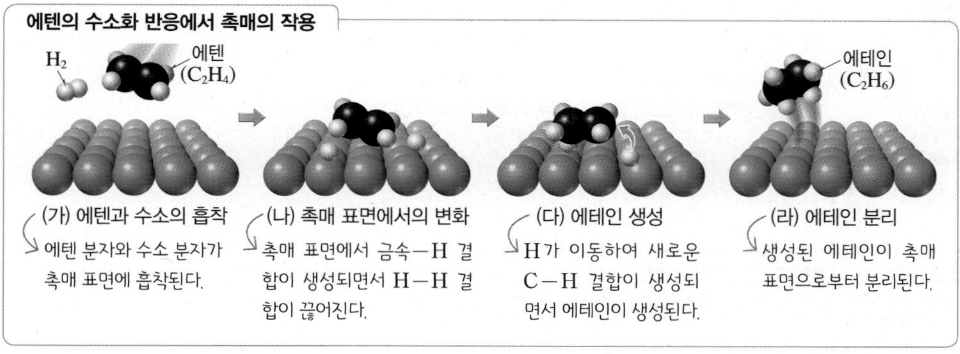

에텐의 수소화 반응에서 촉매의 작용
H_2
에텐 (C_2H_4)
에테인 (C_2H_6)
(가) 에텐과 수소의 흡착
에텐 분자와 수소 분자가 촉매 표면에 흡착된다.
(나) 촉매 표면에서의 변화
촉매 표면에서 금속－H 결합이 생성되면서 H－H 결합이 끊어진다.
(다) 에테인 생성
H가 이동하여 새로운 C－H 결합이 생성되면서 에테인이 생성된다.
(라) 에테인 분리
생성된 에테인이 촉매 표면으로부터 분리된다.

③ 자동차의 촉매 변환기: 백금(Pt), 로듐(Rh), 팔라듐(Pd) 등의 촉매가 들어 있는 촉매 변환기 내에서 자동차 배기가스에 포함된 질소 산화물(NO_x), 일산화 탄소(CO), 탄화수소(C_xH_y) 등이 수증기(H_2O), 이산화 탄소(CO_2), 질소(N_2) 등으로 변한다.

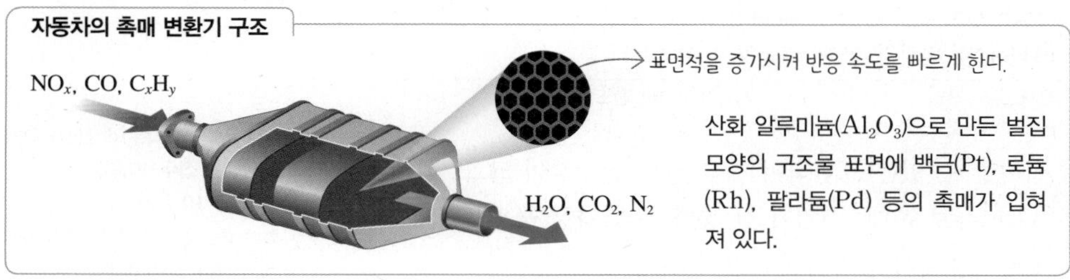

자동차의 촉매 변환기 구조
NO_x, CO, C_xH_y
표면적을 증가시켜 반응 속도를 빠르게 한다.
H_2O, CO_2, N_2
산화 알루미늄(Al_2O_3)으로 만든 벌집 모양의 구조물 표면에 백금(Pt), 로듐(Rh), 팔라듐(Pd) 등의 촉매가 입혀져 있다.

*** 산업에서 촉매의 역할**
현대 산업에서는 화학 물질의 제조 공정에 필요한 에너지와 비용, 시간을 절약하기 위해 촉매를 사용하며, 오염 물질을 제거하는 과정에서도 촉매를 사용하고 있다.

미래엔 교과서에만 나와요.
*** 정유 산업에서 표면 촉매의 활용**
정유 공장에서 원유로부터 양질의 휘발유를 많이 얻으려면, 황을 제거하는 탈황 공정과 분자량이 큰 분자를 작은 분자로 분해하거나 분자 구조를 바꾸는 크래킹 공정을 거쳐야 한다. 이러한 공정에는 제올라이트를 비롯한 여러 가지 표면 촉매가 사용된다.

(2) **유기 촉매**: 탄소, 수소, 질소, 산소 등의 비금속 원소로 이루어진 유기물 형태의 촉매로, 효소나 금속 촉매를 대체할 수 있는 친환경적인 새로운 촉매로 관심을 받고 있다.

<table>
<tr><td>장점</td><td colspan="2">• 반응의 선택성이 높고, 매우 적은 양으로도 반응 속도를 빠르게 할 수 있다.
• 효소보다 사용 가능한 온도나 용매의 범위가 넓다.
• 금속 촉매보다 인체에 유해성이 적고 친환경적이다.
• 제조와 분해가 쉽고, 가격이 저렴하다.</td></tr>
<tr><td>이용</td><td colspan="2">식품의 기능성 재료나 의약품 합성</td></tr>
<tr><td rowspan="2">예</td><td>프롤린($C_5H_9NO_2$)</td><td>DMAP($C_7H_{10}N_2$) 천재 교과서에만 나와요.</td></tr>
<tr><td>프롤린은 젤라틴이나 콜라젠에 주로 들어 있는 *아미노산으로, 신약 개발 과정에서 선택적인 분자 합성에 사용하는 유기 촉매이다.
수소 / 탄소 / 질소 / 산소</td><td>DMAP라고 불리는 다이메틸아미노피리딘(dimethylaminopyridine)은 알코올과 카복실산에서 *에스터를 합성할 때 촉매로 사용된다.</td></tr>
</table>

(3) **광촉매**: 빛에너지를 받을 때 촉매 작용을 일으키는 물질

① 광촉매는 빛에너지를 받으면 물을 수소와 산소로 분해하거나 유기물을 분해한다.

② 광촉매로 가장 많이 사용되는 물질은 이산화 타이타늄(TiO_2)이다.

광촉매의 작용

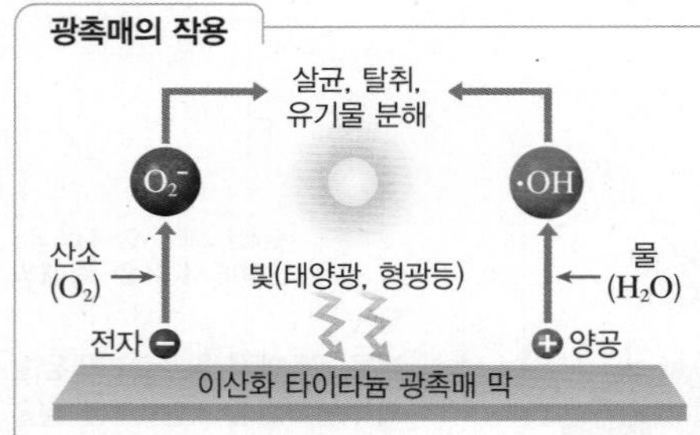

TiO_2(광촉매)이 빛을 받으면 표면의 전자가 들뜨게 되고, 들뜬 전자와 들뜬 전자가 있던 부분(양공)이 흡착 물질과 산화 환원 반응을 일으킨다. 이때 표면에서 산소나 물 분자와 반응하여 활성 산소(O_2^-)와 산화력이 큰 하이드록시기 라디칼(·OH)이 생성된다. 활성 산소는 반응성이 커서 유기물을 분해할 수 있고, 라디칼은 유기물을 산화시킨다.

③ 광촉매의 장점과 이용

<table>
<tr><td>장점</td><td colspan="2">• 실온에서도 반응할 수 있고, 원하는 시점에 반응을 정지시킬 수 있다.
• 특별한 에너지 없이 빛만으로 오염 물질이나 냄새를 제거하고 세균 번식을 막을 수 있다.</td></tr>
<tr><td rowspan="2">이용</td><td>에너지 분야</td><td>물을 광분해하여 수소 연료 전지에 수소를 공급한다.</td></tr>
<tr><td>환경 분야</td><td>• 정수: 오폐수 속의 유해 유기물을 분해하여 제거한다.
• 공기 정화 및 탈취: 공기 중의 질소 산화물, 황 산화물, 폼알데하이드 등의 유해 물질을 분해, 제거하고, 아세트알데하이드, 암모니아, 황화 수소 등의 악취를 분해, 제거한다. ➡ 공기 정화기, 에어컨 등
• 항균: 살균, 부패 방지 기능이 있다. ➡ 타일, 커튼, 벽지, 의료 기구 등
• 건축재, 도로의 표지, 반사경, 조명, 자동차, 비닐하우스 등</td></tr>
</table>

건축재 → 내외장재, 유리, 타일 / 자동차 → 사이드 미러, 전조등, 도장

상상 교과서에만 나와요.

(4) ❶**나노 촉매**: 촉매와 반응물이 접촉할 수 있는 표면적이 매우 커서 반응성이 크고, 선택적으로 반응할 수 있다. 예 탄소 나노 튜브 촉매: 전기가 잘 통하고, 다양한 물질을 쉽게 환원시키므로 연료 전지의 전극으로 사용되어 전지의 효율을 높인다.

*** 아미노산**
염기성인 아미노기($-NH_2$)와 산성인 카복실기($-COOH$)를 모두 가지고 있는 화합물이다.

*** 에스터**
탄소 화합물 중에서 $-\overset{\overset{\displaystyle O}{\|}}{C}-O-$ 와 같은 작용기를 가진 물질을 에스터라고 한다.

용어
❶ **나노** 10억분의 1(10^{-9})을 나타내는 접두사이다.
$1\ nm = 10^{-9}\ m$
1 nm는 수소 원자 지름의 10배에 해당하는 길이이다.

개념 확인 문제

정답친해 125쪽

- (❶   ): 생체 내에서 일어나는 화학 반응의 (❷   )를 감소시켜 반응 속도를 빠르게 하는 생체 촉매이다.
- 효소의 (❸   ): 효소와 기질은 특이한 입체 구조로 되어 있어, 기질이 효소의 (❹   )에 결합할 때 하나의 효소는 특정한 기질에만 결합하여 작용한다.
- (❺   ) 촉매: 고체의 표면에 반응물이 흡착되면 반응물을 이루는 원자 사이의 (❻   )이 약해져 활성화 에너지가 작아지므로 반응이 쉽게 일어날 수 있다.
- (❼   ) 촉매: 탄소, 수소, 질소, 산소 등의 비금속 원소로 이루어진 유기물 형태의 촉매로, 효소나 금속 촉매를 대체할 수 있는 친환경적인 새로운 촉매로 관심을 받고 있다.
- (❽   ): 빛에너지를 받을 때 촉매 작용을 일으키는 물질이다.

[1~2] 그림은 효소의 작용을 모형으로 나타낸 것이다.

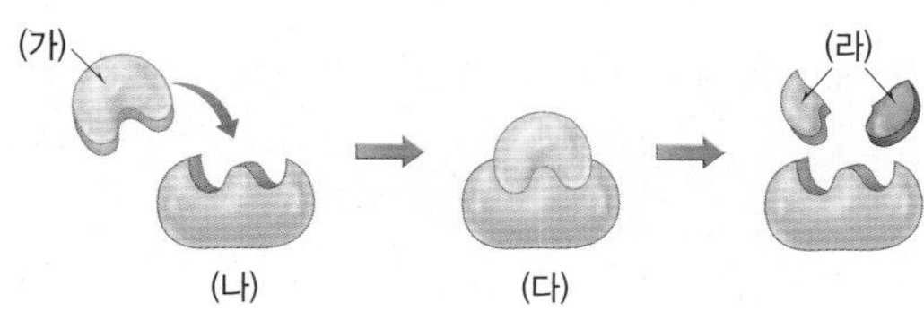

1 (가)~(다)의 이름을 각각 쓰시오.

2 이에 대한 설명으로 옳은 것은 ○, 옳지 않은 것은 ×로 표시하시오.

(1) (나)에는 촉매 작용을 하는 특정 자리가 있다. (   )

(2) (다)에서 활성화 에너지가 커진다. (   )

(3) (라)는 다시 촉매 작용을 할 수 있다. (   )

3 효소에 대한 설명으로 옳은 것은 ○, 옳지 않은 것은 ×로 표시하시오.

(1) 모든 기질에 작용하여 반응 속도를 변화시킨다. (   )

(2) 대부분 체온 범위의 온도에서 가장 활발하게 작용한다. (   )

(3) 효소마다 최적 pH가 존재한다. (   )

(4) 발효 식품, 소화제, 세제 등을 만드는 데 활용된다. (   )

4 그림은 암모니아 합성 반응에서 촉매의 작용을 모형으로 나타낸 것이다.

수소 질소 촉매 X → → 암모니아

이에 대한 설명으로 옳은 것은 ○, 옳지 않은 것은 ×로 표시하시오.

(1) X는 암모니아 합성 반응의 반응엔탈피(ΔH)를 감소시킨다. (   )

(2) 화학 반응식은 $N_2 + 3H_2 + 2X \longrightarrow 2NH_3X$이다. (   )

(3) X는 H−H 결합과 N≡N 결합을 약화시켜 반응의 활성화 에너지를 감소시킨다. (   )

5 다음은 산업에서 이용되는 촉매에 대한 설명이다. [보기]에서 알맞은 촉매를 각각 고르시오.

[보기]
ㄱ. 표면 촉매   ㄴ. 유기 촉매   ㄷ. 광촉매

(1) 화학 반응의 활성화 에너지를 작게 하는 금속이나 금속 산화물과 같은 고체 상태의 촉매이다.

(2) 빛에너지를 받아 촉매 작용을 한다.

(3) 반응 선택성이 높고 쉽게 분해될 수 있는 촉매로, 친환경적이다.

대표 자료 분석

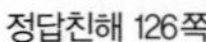

정답친해 126쪽

학교 시험에 자주 출제되는 대표 자료와 그 자료에 대한 문제를 통해 자료를 완벽하게 이해할 수 있다.

자료 1 반응 속도와 촉매

기출 Point
- 정촉매와 부촉매에 따른 활성화 에너지 변화
- 촉매의 특징

[1~3] 그림은 A로부터 B가 생성되는 반응에서 반응의 진행에 따른 엔탈피 변화를 나타낸 것이다. 반응 (가)는 촉매를 사용하지 않은 경우이고 (나)는 촉매 X를 사용한 경우이며, 두 반응은 같은 온도에서 일어난다.

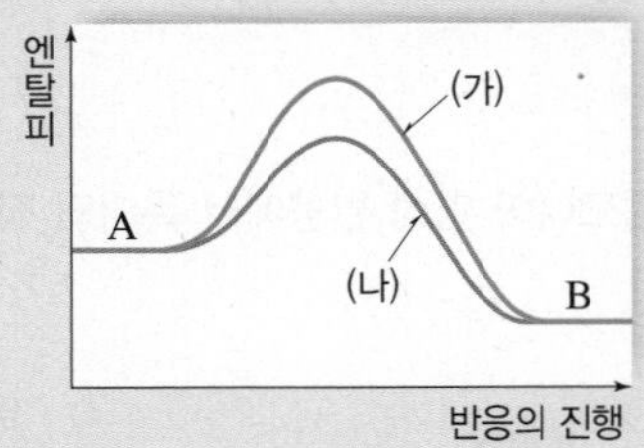

1 X는 정촉매와 부촉매 중 무엇인지 쓰시오.

2 (가)와 (나)의 정반응에서 반응 속도 상수(k)의 크기를 비교하여 등호나 부등호로 나타내시오.

3 빈출 선택지로 완벽 정리!

(1) X는 정반응과 역반응의 활성화 에너지를 모두 감소시킨다. (○ / ×)

(2) X는 반응엔탈피(ΔH)를 감소시킨다. (○ / ×)

(3) 반응 속도는 (나)에서가 (가)에서보다 빠르다. (○ / ×)

(4) 평형 상수(K)는 (나)에서가 (가)에서보다 크다. (○ / ×)

(5) 분자의 평균 운동 에너지는 (나)에서가 (가)에서보다 크다. (○ / ×)

자료 2 표면 촉매

기출 Point
- 표면 촉매의 작용 원리
- 표면 촉매의 특징

[1~4] 그림은 $C_2H_4(g)$과 $H_2(g)$가 반응하여 $C_2H_6(g)$이 생성되는 반응에 고체 X를 넣었을 때, 고체 X의 표면에서 일어나는 반응 과정을 모형으로 나타낸 것이다.

1 고체 X를 무엇이라고 하는지 쓰시오.

2 고체 X가 반응에서 감소시키는 것은 무엇인지 쓰시오.

3 위 반응의 화학 반응식을 쓰시오.

4 빈출 선택지로 완벽 정리!

(1) 고체 X는 금속이나 금속 산화물이다. (○ / ×)

(2) 고체 X 표면에 기체 반응물이 흡착되어 반응이 진행된다. (○ / ×)

(3) 고체 X는 기질 특이성이 있다. (○ / ×)

(4) 고체 X는 H−H 결합을 약화시킨다. (○ / ×)

(5) 고체 X는 반응 후 질량이 감소한다. (○ / ×)

내신 만점 문제

정답친해 126쪽

Ⓐ 반응 속도와 촉매

중요 **01** 그림은 일정한 온도에서 어떤 반응이 일어날 때 반응 경로가 (가)에서 (나)로 변하는 것을 나타낸 것이다.

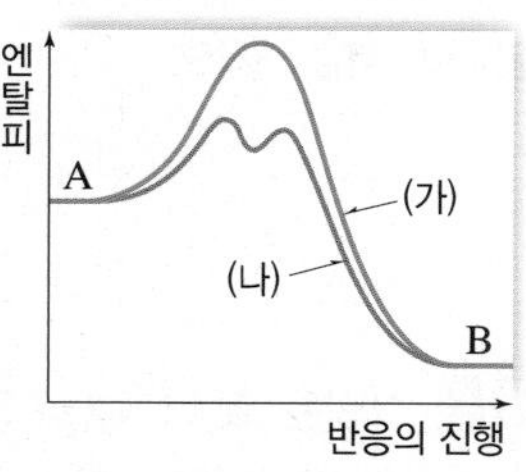

이 변화에 대한 설명으로 옳은 것만을 [보기]에서 있는 대로 고른 것은?

[보기]

ㄱ. 반응엔탈피($\varDelta H$)가 감소한다.
ㄴ. 반응 속도가 빨라진다.
ㄷ. 반응이 일어날 수 있는 분자 수가 증가한다.

① ㄱ ② ㄷ ③ ㄱ, ㄴ
④ ㄴ, ㄷ ⑤ ㄱ, ㄴ, ㄷ

02 그림은 A(g) ⟶ B(g) 반응에서 반응 조건을 변화시켰을 때 A(g)의 분자 운동 에너지 분포를 나타낸 것이다.

(E_a, $E_a{}'$: 활성화 에너지)

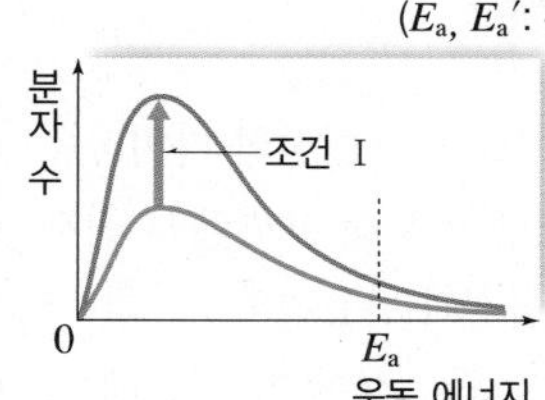

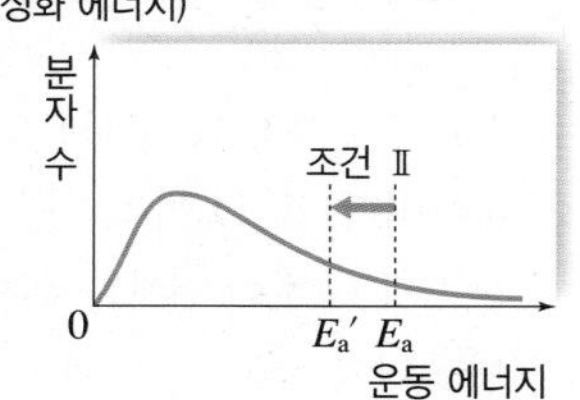

이에 대한 설명으로 옳은 것만을 [보기]에서 있는 대로 고른 것은? (단, 반응 용기의 부피는 일정하다.)

[보기]

ㄱ. 조건 Ⅰ은 '부촉매 사용', 조건 Ⅱ는 '정촉매 사용'이다.
ㄴ. 조건 Ⅱ에 의해 반응 경로가 달라진다.
ㄷ. 조건 Ⅰ과 Ⅱ에 의해 분자의 운동 에너지가 증가한다.

① ㄱ ② ㄴ ③ ㄱ, ㄷ
④ ㄴ, ㄷ ⑤ ㄱ, ㄴ, ㄷ

03 그림은 A(g) ⟶ 2B(g) 반응에서 강철 용기에 A(g)를 넣고 반응시킬 때 반응 시간에 따른 A(g)의 농도를 나타낸 것이다. 시간 t_2에서 소량의 고체 촉매를 넣었다.

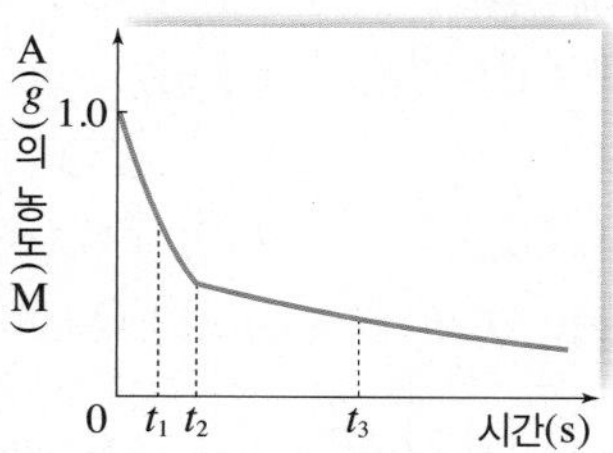

이에 대한 설명으로 옳은 것만을 [보기]에서 있는 대로 고른 것은? (단, 온도는 일정하다.)

[보기]

ㄱ. 활성화 에너지는 t_1일 때가 t_3일 때보다 크다.
ㄴ. A(g) 분자의 평균 운동 에너지는 t_3일 때가 t_1일 때보다 작다.
ㄷ. 용기 내 기체의 압력은 t_3일 때가 t_2일 때보다 크다.

① ㄱ ② ㄷ ③ ㄱ, ㄴ
④ ㄴ, ㄷ ⑤ ㄱ, ㄴ, ㄷ

중요 **04** 표는 2A(g) ⟶ B(g) 반응에서 3개의 동일한 강철 용기에 같은 양의 A(g)를 각각 넣고 반응시킨 실험에 대한 자료이다.

실험	온도	첨가한 촉매	초기 반응 속도
Ⅰ	T_1	없음	$4v$
Ⅱ	T_1	X(s)	v
Ⅲ	T_2	없음	$2v$

이에 대한 설명으로 옳은 것만을 [보기]에서 있는 대로 고른 것은?

[보기]

ㄱ. X는 부촉매이다.
ㄴ. 온도는 T_1이 T_2보다 높다.
ㄷ. 실험 Ⅱ와 Ⅲ은 실험 Ⅰ보다 활성화 에너지가 크다.

① ㄱ ② ㄷ ③ ㄱ, ㄴ
④ ㄴ, ㄷ ⑤ ㄱ, ㄴ, ㄷ

05 다음은 프레온 가스가 분해되는 반응과 오존이 분해되는 반응의 단계별 화학 반응식이다.

> [프레온 가스 분해 반응]
> $CF_2Cl_2(g) \longrightarrow CF_2Cl(g) + Cl(g)$
> [오존 분해 반응]
> 1단계: $Cl(g) + O_3(g) \longrightarrow ClO(g) + O_2(g)$
> 2단계: $ClO(g) + O(g) \longrightarrow Cl(g) + O_2(g)$

오존 분해 반응에서 염소(Cl) 원자에 대한 설명으로 옳지 않은 것은?

① 촉매로 작용한다.
② 반응 경로를 바꾼다.
③ 반응 후 소모되지 않는다.
④ 활성화 에너지를 감소시킨다.
⑤ 화학 평형을 정반응 쪽으로 이동시킨다.

B 촉매의 역할

06 그림은 수크레이스 효소에 의한 탄수화물 분해 과정을 나타낸 것이다.

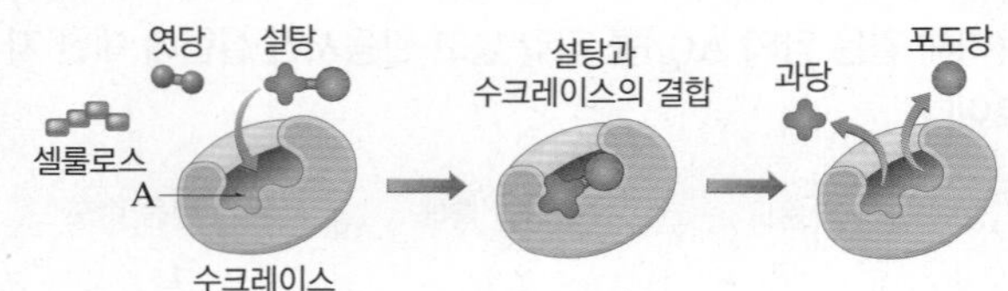

이에 대한 설명으로 옳은 것만을 [보기]에서 있는 대로 고른 것은?

> 보기
> ㄱ. 수크레이스는 탄수화물 분해 반응의 활성화 에너지를 감소시킨다.
> ㄴ. A는 활성 자리이다.
> ㄷ. 수크레이스와 결합하는 기질은 설탕, 포도당, 과당이다.

① ㄱ ② ㄷ ③ ㄱ, ㄴ
④ ㄴ, ㄷ ⑤ ㄱ, ㄴ, ㄷ

서술형
07 그림은 자동차에 장착된 촉매 변환기의 작용을 나타낸 것이다. 촉매 변환기에는 백금(Pt), 로듐(Rh), 팔라듐(Pd) 등의 금속이 사용되는데, 이 금속의 역할을 촉매의 종류를 언급하여 서술하시오.

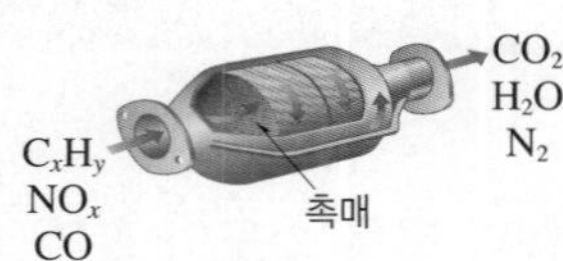

중요
08 그림은 질소($N_2(g)$)와 수소($H_2(g)$)가 고체 X 표면에 흡착하여 암모니아($NH_3(g)$)의 생성이 촉진되는 과정을 모형으로 나타낸 것이다.

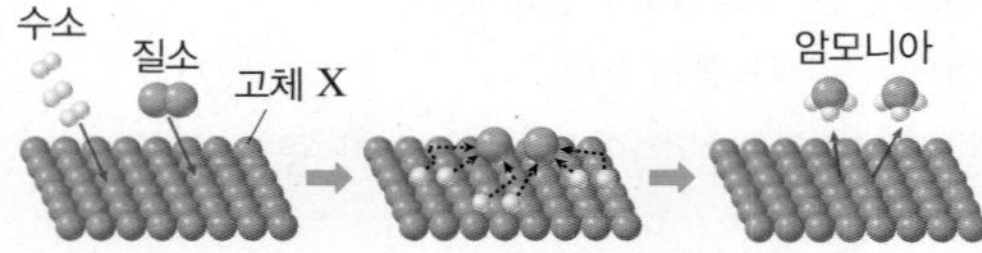

이에 대한 설명으로 옳은 것만을 [보기]에서 있는 대로 고르시오.

> 보기
> ㄱ. 고체 X는 광촉매이다.
> ㄴ. 반응 전후 고체 X의 질량은 변하지 않는다.
> ㄷ. 고체 X는 암모니아(NH_3) 합성 반응의 활성화 에너지를 감소시킨다.

09 다음은 촉매에 대한 설명이다.

> (㉠)로 가장 많이 사용되는 물질은 이산화 타이타늄(TiO_2)이다. TiO_2이 (㉡)를 받으면 표면에서 전자가 들뜨게 되며 이 전자가 흡착 물질과 반응하여 (㉢)가 만들어지는데, 이 (㉢)는 반응성이 커서 유해 물질을 분해할 수 있다.

㉠~㉢에 알맞은 말을 옳게 짝 지은 것은?

	㉠	㉡	㉢
①	광촉매	열에너지	활성 수소
②	광촉매	빛에너지	활성 산소
③	표면 촉매	빛에너지	활성 수소
④	유기 촉매	열에너지	활성 수소
⑤	유기 촉매	빛에너지	활성 산소

정답친해 128쪽

01 반응 속도와 농도, 온도

1. 농도, 표면적, 온도가 반응 속도에 미치는 영향

농도, 표면적 ⬇ 충돌수 변화	농도 증가 ➡ 단위 부피당 입자 수 증가 ➡ 단위 시간당 입자 사이의 (❶) 증가 ➡ 반응 속도 빨라짐	
	기체의 반응에서 압력 변화	(❷) 증가 ➡ 기체의 부피 감소 ➡ 단위 부피당 입자 수 증가 ➡ 입자 사이의 충돌수 증가 ➡ 반응 속도 빨라짐
	고체의 반응에서 표면적 변화	(❸) 증가 ➡ 반응물 사이의 접촉 면적 증가 ➡ 입자 사이의 충돌수 증가 ➡ 반응 속도 빨라짐
온도 ⬇ 운동 에너지 변화	온도 상승 ➡ 입자의 평균 운동 에너지 증가 ➡ (❹) 이상의 에너지를 갖는 입자 수 증가 ➡ 반응 속도 빨라짐 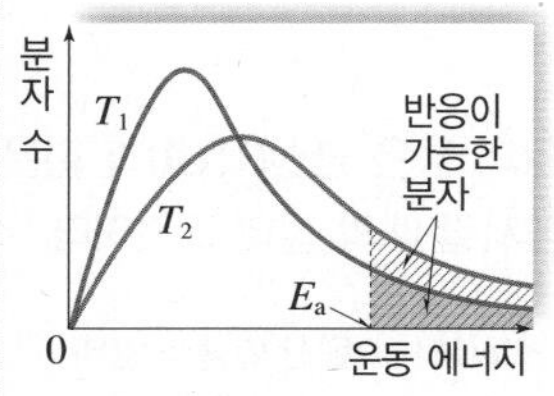 온도: $T_1 < T_2$ • 평균 운동 에너지, 활성화 에너지 이상의 에너지를 가진 분자 수, 반응 속도: T_1 (❺) T_2 • 활성화 에너지: T_1 (❻) T_2	

2. 일상생활에서 반응 속도를 조절하는 예

농도	• 고압 산소 치료기를 이용하여 저산소증을 치료한다. • 밀폐 용기는 외부의 산소를 대부분 차단하여 음식을 오래 보관할 수 있다.
(❼)	• 숯을 작은 조각으로 쪼개어 태우면 더 빠르게 연소한다. • 알약보다 가루로 된 약을 먹을 때 더 빠르게 흡수된다.
온도	• 김치는 냉장고에서 천천히 익는다. • 수산 시장에서 생선이 상하지 않도록 생선을 얼음과 함께 보관한다. • 비닐하우스에서 작물을 재배한다.

02 반응 속도와 촉매

1. 촉매

촉매	자신은 변하지 않으면서 (❽)를 변화시켜 화학 반응 속도를 변화시키는 물질	
	정촉매	부촉매
	반응 속도를 빠르게 하는 물질	반응 속도를 느리게 하는 물질
촉매의 작용	엔탈피 / 부촉매 사용시 / 촉매 없을 때 / 정촉매 사용시 / 반응물 / E_a' / E_a / E_a'' / ΔH / 생성물 / 반응의 진행 분자 수 / 반응할 수 있는 분자 수 / 0 / E_a' E_a E_a'' / 운동 에너지 • 정촉매 사용: 활성화 에너지가 (❾) 반응할 수 있는 분자 수가 증가하므로 반응 속도가 빨라진다. • 부촉매 사용: 활성화 에너지가 (❿) 반응할 수 있는 분자 수가 감소하므로 반응 속도가 느려진다.	

2. 촉매의 역할

효소	생명 활동에 필요한 반응을 촉진하는 생체 촉매		
	작용	기질	효소와 결합하는 반응물
		활성 자리	기질이 결합하는 효소 내의 특정 자리
		(⓫)	하나의 효소가 특정한 기질에만 결합하여 작용하는 성질
		기질 / 활성 자리 / 효소 ➡ 효소·기질 복합체 ➡ 생성물 / 분리된 효소는 촉매 작용을 반복한다.	
	이용	식품, 생활용품, 의약품, 폐수 처리 등	
(⓬) 촉매	금속이나 금속 산화물과 같은 고체 상태의 촉매로, 표면에 반응물이 흡착되어 반응이 쉽게 일어난다. 예 에텐의 수소화 반응 H_2 / 에텐(C_2H_4) / 촉매 ➡ ➡ 에테인(C_2H_6) 에텐 분자와 수소 분자가 촉매 표면에 흡착된다. / 금속−H 결합이 생성되면서 H−H 결합이 끊어진다. / C−H 결합이 형성되어 에테인이 생성된 후 분리된다.		
유기 촉매	비금속 원소로 이루어진 유기물 형태의 친환경 촉매		
(⓭)	빛에너지를 받을 때 촉매 작용을 일으키는 물질로, 이산화 타이타늄(TiO_2)이 대표적이다. 빛에너지를 받으면 물을 수소와 산소로 분해하거나 유기물을 분해한다.		

중단원
마무리 문제

난이도 ●●●

●○○
01 그림은 반응 속도에 영향을 미치는 요인을 설명하기 위한 모형이다.

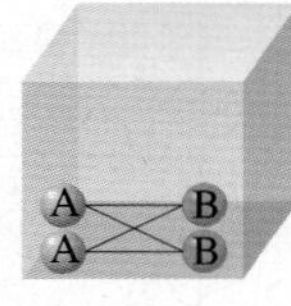
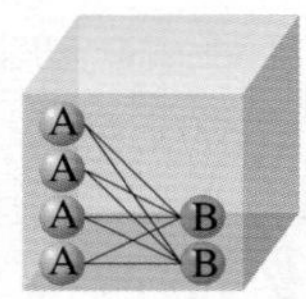
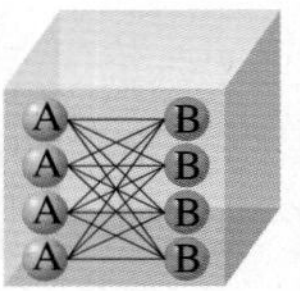

이 모형을 이용하여 설명할 수 있는 현상은?

① 먹다 남은 밥은 그대로 놓아둔 밥보다 빨리 상한다.
② 압력솥으로 밥을 하면 일반 솥보다 밥이 빨리 된다.
③ 김치를 냉장고에 넣어 두면 오랫동안 보관할 수 있다.
④ 기계적 풍화를 받은 암석은 화학적 풍화가 잘 일어난다.
⑤ 강철 솜은 공기 중에서보다 산소 기체 속에서 더 잘 탄다.

●○○
02 다음은 일정한 온도에서 반응 속도에 영향을 미치는 요인을 알아보기 위한 실험이다.

[실험 과정] 그림과 같이 준비한 후, (가)와 (나)에 같은 양의 글리세린을 동시에 떨어뜨려 불꽃이 생기는 데 걸린 시간을 측정한다.

(가)

(나)

[실험 결과] 불꽃이 생기는 데 걸린 시간은 (나)에서가 (가)에서보다 짧다.

이에 대한 설명으로 옳은 것만을 [보기]에서 있는 대로 고른 것은?

[보기]
ㄱ. 활성화 에너지는 (가)에서가 (나)에서보다 크다.
ㄴ. 입자 사이의 충돌수는 (나)에서가 (가)에서보다 크다.
ㄷ. 반응 속도 상수(k)는 (가)와 (나)에서 같다.

① ㄱ ② ㄴ ③ ㄱ, ㄷ
④ ㄴ, ㄷ ⑤ ㄱ, ㄴ, ㄷ

●○○
03 그림은 온도가 T_1, T_2인 0.5 M 염산($HCl(aq)$)에 같은 질량의 아연(Zn) 조각을 각각 반응시켰을 때 반응 시간에 따라 생성되는 수소(H_2)의 부피를 나타낸 것이다.

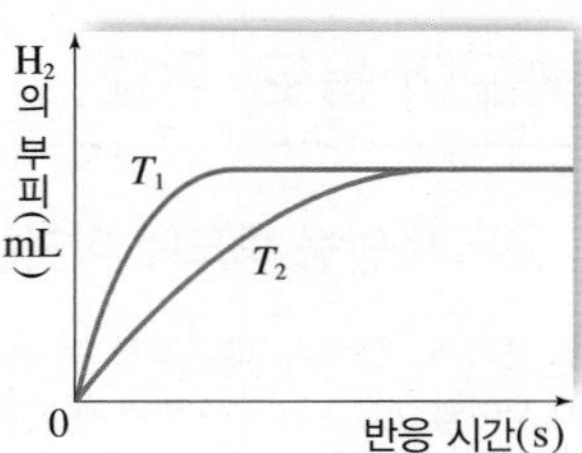

이에 대한 설명으로 옳은 것만을 [보기]에서 있는 대로 고른 것은?

[보기]
ㄱ. 온도는 T_1이 T_2보다 높다.
ㄴ. 반응 속도 상수(k)는 T_1과 T_2에서 같다.
ㄷ. 활성화 에너지는 T_1과 T_2에서 같다.

① ㄱ ② ㄴ ③ ㄱ, ㄷ
④ ㄴ, ㄷ ⑤ ㄱ, ㄴ, ㄷ

●○○
04 표는 충분한 양의 묽은 염산(HCl)과 같은 질량의 탄산 칼슘($CaCO_3$)을 반응시킬 때의 실험 조건이다.

실험	염산의 농도(M)	탄산 칼슘의 상태	온도(°C)
(가)	0.1	조각	25
(나)	0.2	조각	25
(다)	0.1	가루	25
(라)	0.2	가루	35

이에 대한 설명으로 옳은 것만을 [보기]에서 있는 대로 고른 것은?

[보기]
ㄱ. 반응 속도 상수(k)는 (나)에서가 (가)에서보다 크다.
ㄴ. 초기 반응 속도는 (다)에서가 (가)에서보다 빠르다.
ㄷ. 반응이 완결되었을 때 (나)와 (라)에서 생성되는 기체의 총 양(mol)은 같다.

① ㄱ ② ㄴ ③ ㄱ, ㄷ
④ ㄴ, ㄷ ⑤ ㄱ, ㄴ, ㄷ

05 다음은 수소(H_2)와 아이오딘(I_2)이 반응하여 아이오딘화 수소(HI)가 생성되는 반응의 화학 반응식이다.

$$H_2(g)+I_2(g) \longrightarrow 2HI(g)$$

표는 H_2와 I_2의 농도에 따른 초기 반응 속도를 온도 T_1과 T_2에서 측정한 결과이다.

실험	반응물의 초기 농도(M)		초기 반응 속도(M/s)	
	$[H_2]$	$[I_2]$	T_1	T_2
Ⅰ	0.1	0.1	4.3×10^{-9}	4.4×10^{-6}
Ⅱ	0.1	0.2	8.6×10^{-9}	8.8×10^{-6}
Ⅲ	0.2	0.2	1.7×10^{-8}	1.8×10^{-5}

이에 대한 설명으로 옳은 것만을 [보기]에서 있는 대로 고른 것은?

보기
ㄱ. 실험 Ⅰ과 Ⅱ의 반응 속도 차이는 충돌수 때문이다.
ㄴ. 실험 Ⅲ의 T_1과 T_2에서의 반응 속도 차이는 분자의 운동 에너지 때문이다.
ㄷ. T_1은 T_2보다 높다.
ㄹ. 반응 속도는 $[H_2]$와 $[I_2]$의 영향을 받는다.

① ㄱ, ㄴ ② ㄱ, ㄷ ③ ㄴ, ㄹ
④ ㄱ, ㄴ, ㄹ ⑤ ㄴ, ㄷ, ㄹ

06 그림은 같은 온도에서 $A(g) \longrightarrow B(g)$ 반응이 일어날 때 2가지 반응 경로에 따른 엔탈피 변화를 나타낸 것이다. 이에 대한 설명으로 옳은 것만을 [보기]에서 있는 대로 고른 것은?

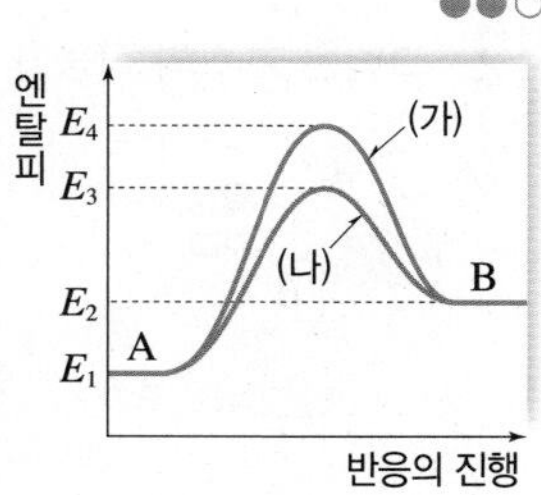

보기
ㄱ. (가)에서 정반응과 역반응의 활성화 에너지 차이는 E_2-E_1이다.
ㄴ. (가)에서 온도를 높이면 (나)로 경로가 바뀐다.
ㄷ. (나)는 촉매에 의해 (가)보다 반응엔탈피(ΔH)가 E_4-E_3만큼 감소한 경로이다.

① ㄱ ② ㄴ ③ ㄱ, ㄷ
④ ㄴ, ㄷ ⑤ ㄱ, ㄴ, ㄷ

07 그림은 1차 반응인 $X(g) \longrightarrow Y(g)$에서 온도 또는 초기 농도를 다르게 한 실험 (가)~(다)의 시간에 따른 용기 내 입자를 모형으로 나타낸 것이다.

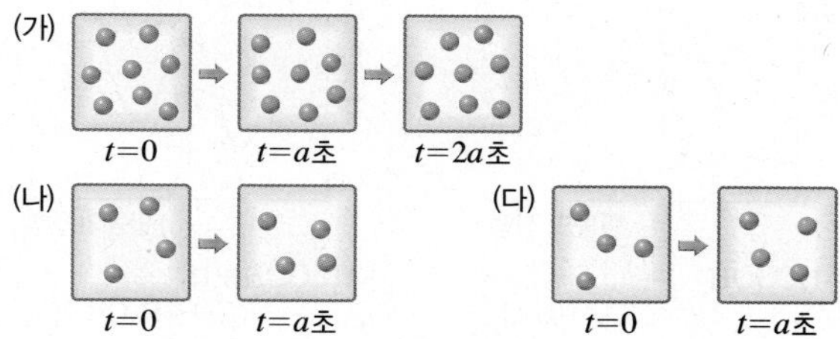

이에 대한 설명으로 옳은 것만을 [보기]에서 있는 대로 고른 것은? (단, 모든 용기의 부피는 같다.)

보기
ㄱ. 반응 속도 상수(k)는 (가)에서가 (나)에서의 2배이다.
ㄴ. 반응물의 충돌수는 (다)에서가 (나)에서의 2배이다.
ㄷ. 온도는 (나)에서가 (다)에서보다 낮다.

① ㄱ ② ㄷ ③ ㄱ, ㄷ
④ ㄴ, ㄷ ⑤ ㄱ, ㄴ, ㄷ

08 표는 $A(g) \longrightarrow B(g)$ 반응에서 2가지 반응 경로에 대한 자료이고, 그림은 강철 용기에 $A(g)$를 넣었을 때 경로 Ⅰ과 Ⅱ에서 시간에 따른 B의 농도를 나타낸 것이다.

반응 경로	Ⅰ	Ⅱ
활성화 에너지(kJ)	(가)	185
반응 속도 상수(s^{-1})	k_1	(나)
첨가 물질	(다)	없음

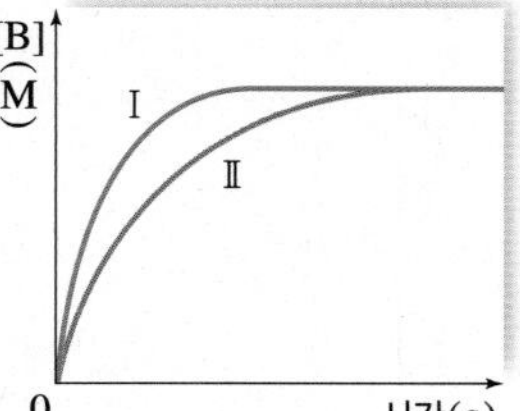

이에 대한 설명으로 옳은 것만을 [보기]에서 있는 대로 고른 것은? (단, Ⅰ과 Ⅱ에서 A의 초기 농도와 온도는 같다.)

보기
ㄱ. (가)는 185보다 작다.
ㄴ. (나)는 k_1보다 크다.
ㄷ. (다)는 정촉매이다.

① ㄱ ② ㄴ ③ ㄱ, ㄷ
④ ㄴ, ㄷ ⑤ ㄱ, ㄴ, ㄷ

●○○

09 그림은 폼산(HCOOH)이 분해되는 반응의 반응 경로 (가), (나)에서 반응의 진행에 따른 엔탈피 변화를 나타낸 것이다.

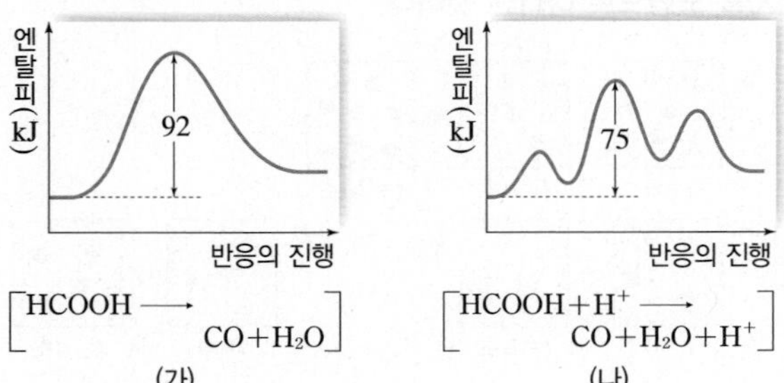

[$HCOOH \longrightarrow CO + H_2O$] (가)　　[$HCOOH + H^+ \longrightarrow CO + H_2O + H^+$] (나)

이에 대한 설명으로 옳은 것만을 [보기]에서 있는 대로 고른 것은?

[보기]

ㄱ. (나)에서 H^+은 부촉매이다.

ㄴ. 반응엔탈피(ΔH)는 (가)가 (나)보다 크다.

ㄷ. 전체 반응에 대한 반응 속도 상수(k)는 (나)가 (가)보다 크다.

① ㄱ　② ㄷ　③ ㄱ, ㄴ　④ ㄴ, ㄷ　⑤ ㄱ, ㄴ, ㄷ

●○○

10 그림 (가)는 $A(g) \longrightarrow B(g)$ 반응에서 반응의 진행에 따른 엔탈피 변화를, (나)는 온도 T_1과 T_2에서 $A(g)$의 분자 운동 에너지 분포를 나타낸 것이다. (나)에서 E_1은 고체 X를 첨가하지 않았을 때, E_2는 고체 X를 첨가했을 때의 활성화 에너지이다.

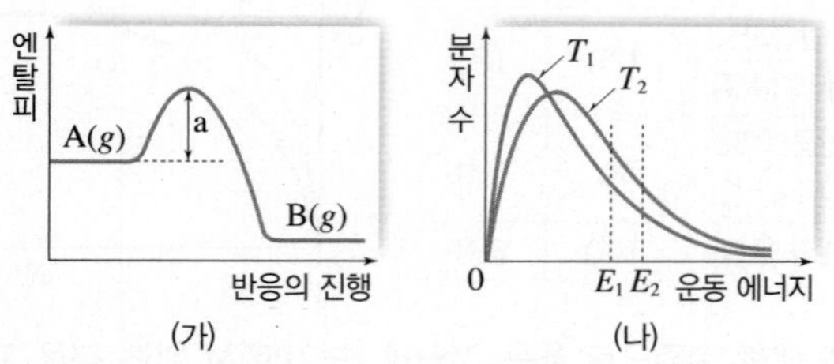

이에 대한 설명으로 옳은 것만을 [보기]에서 있는 대로 고른 것은?

[보기]

ㄱ. X는 부촉매이다.

ㄴ. 온도는 T_1이 T_2보다 높다.

ㄷ. (가)의 a는 T_2에서가 T_1에서보다 크다.

① ㄱ　② ㄴ　③ ㄱ, ㄷ　④ ㄴ, ㄷ　⑤ ㄱ, ㄴ, ㄷ

●●●

11 그림은 $A(g) \longrightarrow B(g)$ 반응에 대하여 온도 T_1과 T_2에서 강철 용기에 같은 농도의 A를 각각 넣었을 때 반응 시간에 따른 A의 농도를 나타낸 것이다. 온도가 T_1일 때는 온도는 일정하게 하고 시간 t에서 어떤 반응 조건을 변화시켰다.

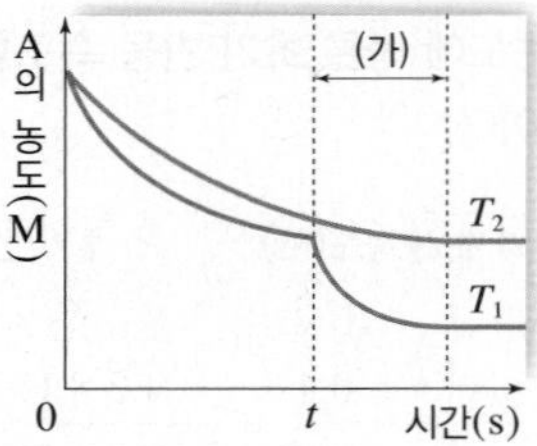

이에 대한 설명으로 옳은 것만을 [보기]에서 있는 대로 고른 것은?

[보기]

ㄱ. 초기 반응 속도는 T_2에서가 T_1에서보다 크다.

ㄴ. T_1일 때 시간 t에서 반응의 활성화 에너지가 감소한다.

ㄷ. (가)에서 반응 속도 상수(k)는 T_1에서가 T_2에서보다 크다.

① ㄱ　② ㄴ　③ ㄱ, ㄷ　④ ㄴ, ㄷ　⑤ ㄱ, ㄴ, ㄷ

●○○

12 그림은 효소의 작용을 모형으로 나타낸 것이다.

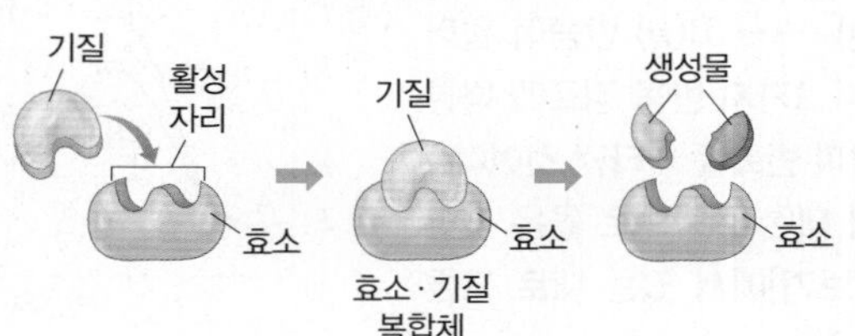

이에 대한 설명으로 옳은 것만을 [보기]에서 있는 대로 고른 것은?

[보기]

ㄱ. 효소는 활성화 에너지를 증가시킨다.

ㄴ. 반응 전후에 효소의 질량은 일정하다.

ㄷ. 하나의 효소는 다양한 기질과 효소·기질 복합체를 형성한다.

① ㄱ　② ㄴ　③ ㄱ, ㄷ　④ ㄴ, ㄷ　⑤ ㄱ, ㄴ, ㄷ

13 그림은 백금(Pt) 촉매 표면에서 에텐(C_2H_4)과 수소(H_2)가 반응하여 에테인(C_2H_6)을 생성하는 과정을 모형으로 나타낸 것이다.

이에 대한 설명으로 옳은 것은?

① Pt은 반응엔탈피(ΔH)를 감소시킨다.
② C_2H_4과 H_2가 Pt에 녹아 반응이 촉진된다.
③ 반응이 진행됨에 따라 Pt의 질량이 감소한다.
④ Pt 표면에서 Pt−H 결합이 생성되고 H−H 결합이 끊어진다.
⑤ 전체 반응의 화학 반응식은 $C_2H_4 + H_2 + Pt \longrightarrow C_2H_6Pt$이다.

14 그림은 어떤 촉매의 원리를 모식적으로 나타낸 것이다.

이에 대한 설명으로 옳은 것만을 [보기]에서 있는 대로 고른 것은?

[보기]
ㄱ. 광촉매의 원리를 설명한 것이다.
ㄴ. 이산화 타이타늄 막 표면에서 산화 환원 반응이 일어난다.
ㄷ. (가)는 반응성이 매우 커서 유기물을 분해한다.

① ㄱ ② ㄴ ③ ㄱ, ㄷ
④ ㄴ, ㄷ ⑤ ㄱ, ㄴ, ㄷ

서술형 문제

15 표는 $2X(g) \longrightarrow Y(g)$ 반응에서 3개의 강철 용기에 $X(g)$를 각각 넣고 반응시킨 실험 조건이다.

실험	X의 초기 농도(M)	온도	첨가한 정촉매
Ⅰ	a	$2T$	없음
Ⅱ	a	$2T$	있음
Ⅲ	$2a$	T	없음

(1) 실험 Ⅰ과 Ⅱ에서 반응엔탈피(ΔH)를 비교하고, 그 까닭을 서술하시오.

(2) 실험 Ⅰ과 Ⅲ에서 반응 속도 상수(k)의 크기를 비교하고, 그 까닭을 서술하시오.

(3) 실험 Ⅱ와 Ⅲ에서 활성화 에너지(E_a)의 크기를 비교하고, 그 까닭을 서술하시오.

16 그림 (가)는 효소의 작용으로 기질이 분해되는 반응을 모형으로 나타낸 것이고, (나)는 (가)의 효소가 작용할 때와 작용하지 않을 때 반응의 진행에 따른 엔탈피 변화를 나타낸 것이다.

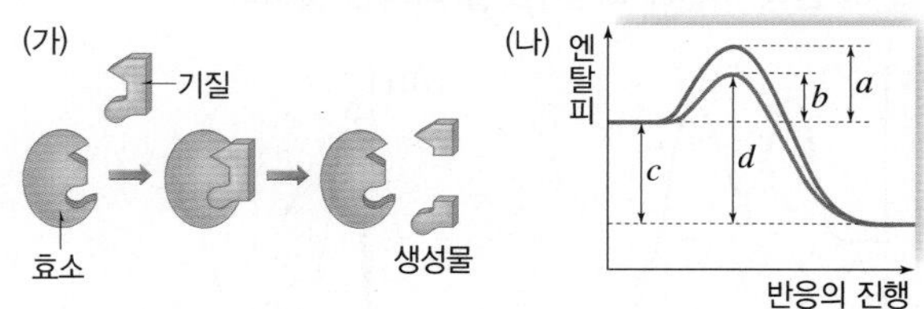

(1) 효소와 기질의 모양에 따른 효소의 특성을 무엇이라고 하는지 쓰고, 그 특성을 서술하시오.

(2) (가)의 효소에 의해 감소한 활성화 에너지의 크기를 (나)에서 구하고, 그 까닭을 서술하시오.

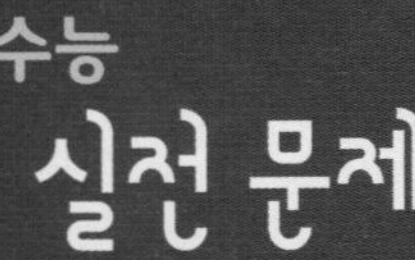

01 그림은 강철 용기에서 A가 B를 생성하는 반응이 일어날 때 서로 다른 반응 경로 Ⅰ과 Ⅱ의 반응 진행에 따른 엔탈피 변화를 나타낸 것이다.

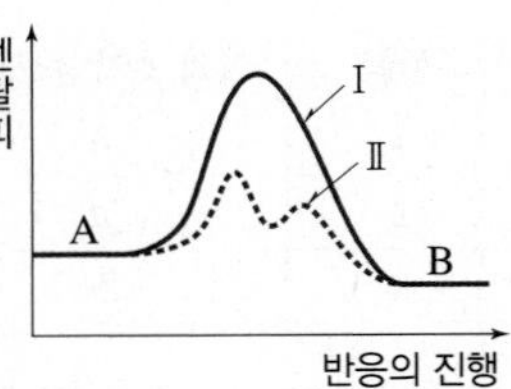

Ⅱ에서가 Ⅰ에서보다 큰 값을 갖는 것만을 [보기]에서 있는 대로 고른 것은? (단, 반응 Ⅰ과 Ⅱ의 온도는 같다.)

보기

ㄱ. 평형 상수　　ㄴ. 초기 반응 속도

ㄷ. 반응 속도 상수(k)　　ㄹ. 반응엔탈피(ΔH)

① ㄱ　② ㄱ, ㄷ　③ ㄱ, ㄹ　④ ㄴ, ㄷ　⑤ ㄴ, ㄷ, ㄹ

02 다음은 3원자 분자 A가 B를 거쳐 C가 되는 반응의 열화학 반응식이고, k_1과 k_2는 반응 속도 상수이다.

$$A(g) \xrightarrow{k_1} B(g) \xrightarrow{k_2} C(g) \quad \Delta H = ?$$

그림 (가)는 이 반응의 반응 진행에 따른 엔탈피 변화를, (나)는 A의 초기 농도를 같게 하여 온도 T_1, T_2에서 각각 반응시켰을 때 반응 시간에 따른 [B]를 나타낸 것이다.

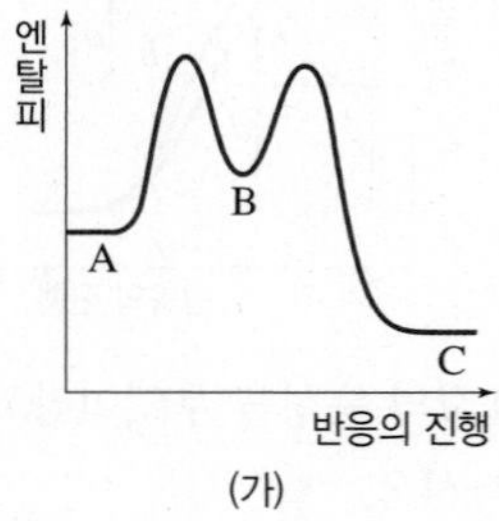

(가)

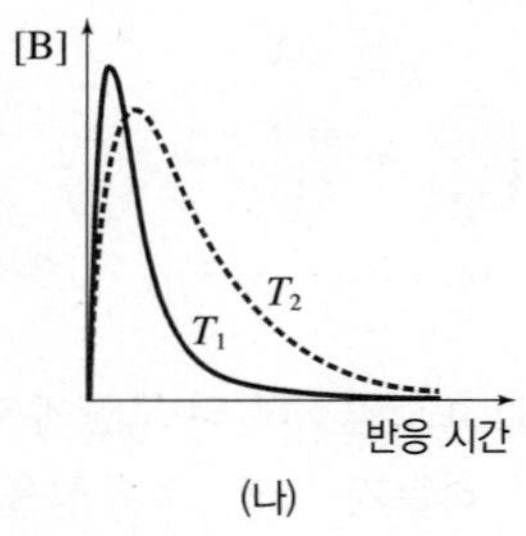

(나)

이에 대한 설명으로 옳은 것만을 [보기]에서 있는 대로 고른 것은?

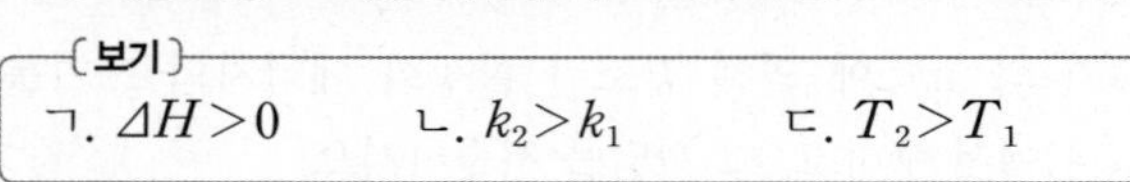

보기

ㄱ. $\Delta H > 0$　　ㄴ. $k_2 > k_1$　　ㄷ. $T_2 > T_1$

① ㄱ　② ㄴ　③ ㄱ, ㄷ　④ ㄴ, ㄷ　⑤ ㄱ, ㄴ, ㄷ

03 표는 $A(g) \longrightarrow B(g)$ 반응에서 두 가지 반응 조건 Ⅰ과 Ⅱ에 대한 자료이고, 그림은 온도 $T_{\text{Ⅰ}}$과 $T_{\text{Ⅱ}}$에서 A(g)의 분자 운동 에너지 분포를 나타낸 것이다. (단, Ⅰ과 Ⅱ에서 A의 초기 농도는 같다.)

반응 조건	Ⅰ	Ⅱ
반응 온도	$T_{\text{Ⅰ}}$	$T_{\text{Ⅱ}}$
활성화 에너지	$E_{\text{Ⅰ}}$	$E_{\text{Ⅱ}}$
초기 반응 속도	$v_{\text{Ⅰ}}$	$2v_{\text{Ⅰ}}$
첨가한 물질	없음	X

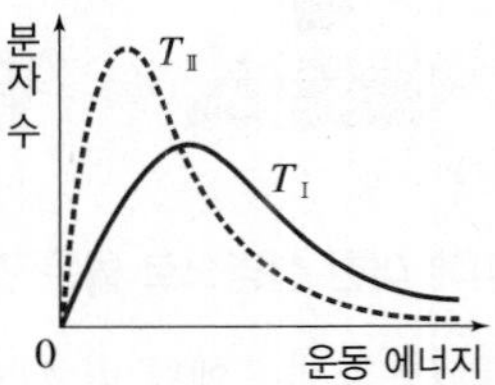

이에 대한 설명으로 옳은 것만을 [보기]에서 있는 대로 고른 것은?

보기

ㄱ. $E_{\text{Ⅰ}} > E_{\text{Ⅱ}}$이다.

ㄴ. X는 정촉매이다.

ㄷ. Ⅰ과 Ⅱ에서의 반응 경로는 서로 다르다.

① ㄱ　② ㄷ　③ ㄱ, ㄴ　④ ㄴ, ㄷ　⑤ ㄱ, ㄴ, ㄷ

04 표는 $A(g) \longrightarrow B(g)$ 반응에서 A(g)의 초기 농도를 다르게 하여 강철 용기에 넣은 후 반응시킨 실험 Ⅰ～Ⅲ의 조건이고, 그림은 실험 Ⅰ～Ⅲ에서 같은 시간 동안 생성된 B(g)의 농도를 A(g)의 초기 농도에 따라 나타낸 것이다.

실험	온도	촉매
Ⅰ	T_1	없음
Ⅱ	T_2	없음
Ⅲ	T_1	있음

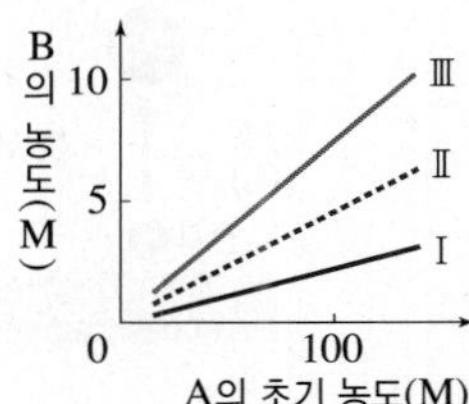

이에 대한 설명으로 옳은 것만을 [보기]에서 있는 대로 고른 것은?

보기

ㄱ. T_1은 T_2보다 높다.

ㄴ. 반응 속도 상수는 Ⅰ에서가 Ⅱ에서보다 크다.

ㄷ. Ⅲ의 촉매는 활성화 에너지를 감소시킨다.

① ㄱ　② ㄷ　③ ㄱ, ㄴ　④ ㄴ, ㄷ　⑤ ㄱ, ㄴ, ㄷ

05 다음은 A가 분해되는 반응의 화학 반응식이다.

$$2A(aq) \longrightarrow 2B(l) + C(g)$$

표는 1 M A(*aq*) 25 mL를 서로 다른 조건에서 반응시켰을 때 생성된 C(*g*)의 양을 나타낸 것이다.

실험	초기 반응 조건		0~50초 동안 생성된 C(*g*)의 양(몰)
	첨가한 물질	온도	
Ⅰ	없음	T_1	n
Ⅱ	없음	T_2	$5n$
Ⅲ	X(*s*)	T_1	$100n$

이에 대한 설명으로 옳은 것만을 [보기]에서 있는 대로 고른 것은? (단, 각 실험에서 용액의 초기 온도는 일정하고, 부피 변화는 무시한다.)

[보기]
ㄱ. T_2가 T_1보다 높다.
ㄴ. Ⅱ에서 0~50초에서의 $-\dfrac{\Delta[A]}{\Delta t} = 8n$ M/s이다.
ㄷ. Ⅲ에서 X(*s*)는 활성화 에너지를 증가시킨다.

① ㄱ ② ㄷ ③ ㄱ, ㄴ
④ ㄴ, ㄷ ⑤ ㄱ, ㄴ, ㄷ

06 다음은 기체 X와 Y의 화학 반응식이다.

$$aX(g) \longrightarrow bY(g) \quad (a, b\text{: 반응 계수})$$

표는 온도 T_1에서 강철 용기에 기체 X를 넣고 반응시킬 때, 반응 시간과 온도에 따른 X와 Y의 부분 압력을 나타낸 것이다. 반응 시간 2분이 경과한 직후, 소량의 고체 촉매를 넣고 가열하여 온도를 T_2로 높였다. $T_2 < 2T_1$이다.

반응 시간 (분)	온도 (K)	X의 압력 (기압)	Y의 압력 (기압)
0	T_1	3.2	0
1	T_1	1.6	0.8
2	T_1	0.8	1.2
3	T_2	0.8	x

이에 대한 설명으로 옳은 것만을 [보기]에서 있는 대로 고른 것은?

[보기]
ㄱ. $a=2b$이다.
ㄴ. x는 1.2기압이다.
ㄷ. 평균 반응 속도는 0~1분에서가 2분~3분에서의 4배보다 크다.

① ㄱ ② ㄴ ③ ㄱ, ㄷ
④ ㄴ, ㄷ ⑤ ㄱ, ㄴ, ㄷ

07 다음은 기체 A로부터 기체 B가 생성되는 반응의 화학 반응식과 반응 속도식이다.

$$A(g) \longrightarrow B(g) \quad v=k[A] \quad (k\text{: 반응 속도 상수})$$

표는 4개의 강철 용기에 A(*g*)를 각각 넣고 반응시킨 실험 Ⅰ~Ⅳ의 반응 조건을, 그림은 각 실험에서 시간에 따른 A(*g*)의 농도를 나타낸 것이다.

실험	Ⅰ	Ⅱ	Ⅲ	Ⅳ
A(*g*)의 초기 농도(M)	n	n	$2n$	$2n$
온도	T_1	T_1	T_1	T_2
촉매	없음	X(*s*)	없음	없음

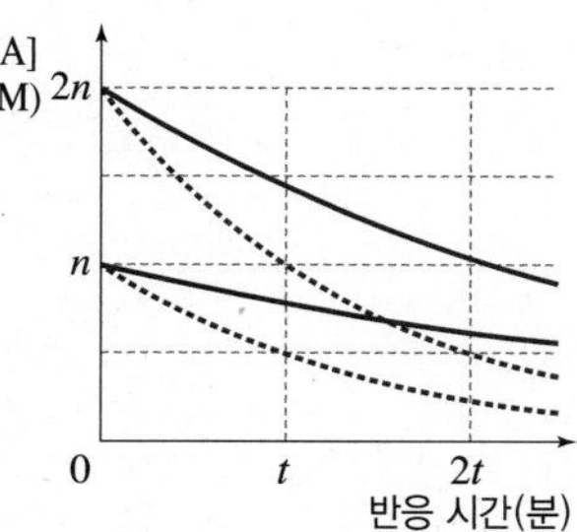

이에 대한 설명으로 옳은 것만을 [보기]에서 있는 대로 고른 것은?

[보기]
ㄱ. X(*s*)는 정촉매이다.
ㄴ. $2t$에서 [A]는 실험 Ⅱ에서가 Ⅲ에서보다 크다.
ㄷ. 반응 속도 상수(k)는 실험 Ⅲ에서가 Ⅳ에서보다 크다.

① ㄱ ② ㄴ ③ ㄱ, ㄷ
④ ㄴ, ㄷ ⑤ ㄱ, ㄴ, ㄷ

전기 화학과 이용

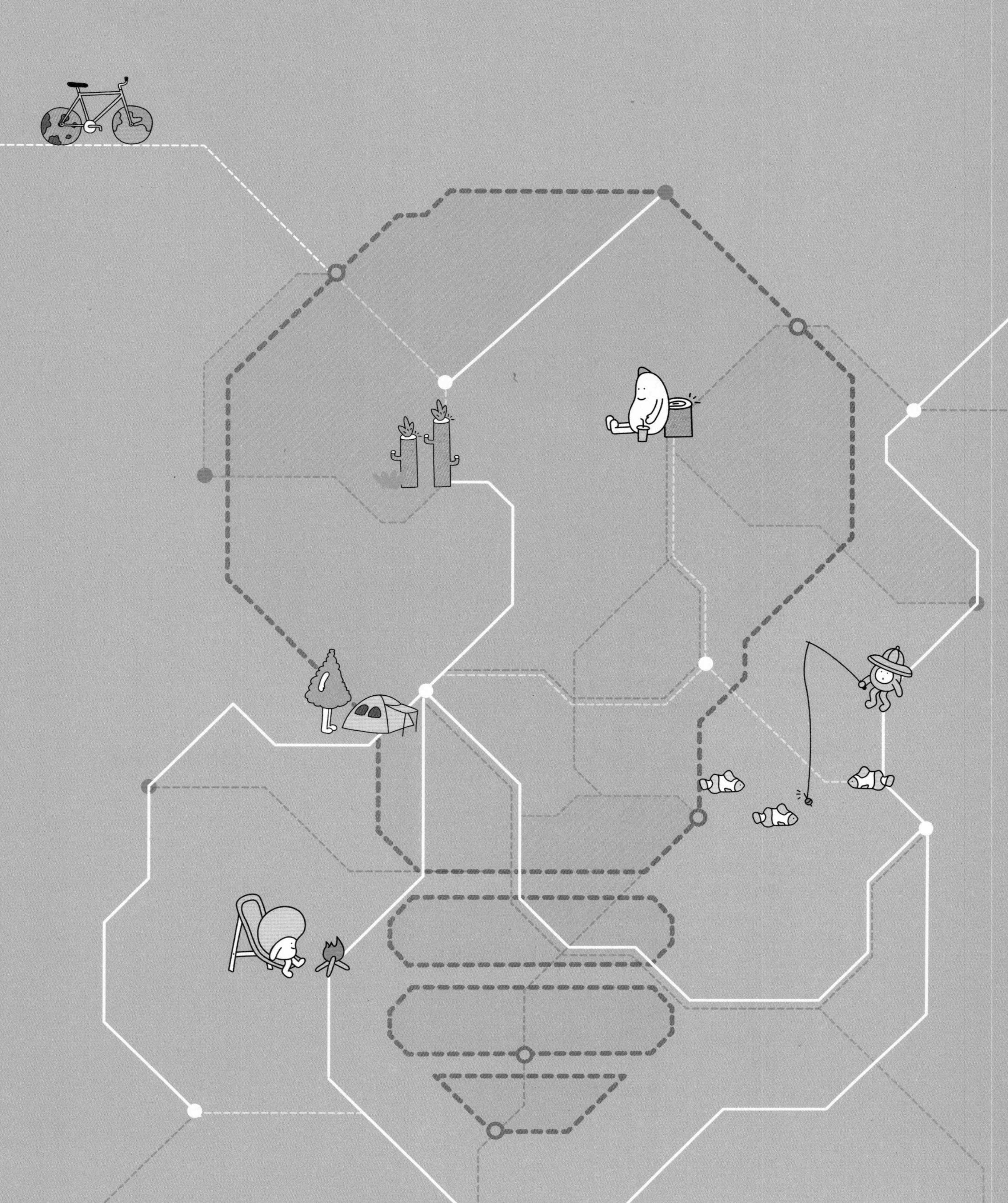

1 전기 화학과 이용

이 단원을 공부하기 전에 학습 계획을 세우고, 학습 진도를 스스로 체크해 보자.
학습이 미흡했던 부분은 다시 보기에 체크해 두고, 시험 전까지 꼭 완벽히 학습하자!

소단원	학습 내용	학습 일자	다시 보기
01. 화학 전지의 원리	**A 금속의 반응성** 탐구 금속의 반응성 비교	/	
	B 화학 전지 탐구 간단한 화학 전지 만들기 탐구 다니엘 전지의 구조와 원리	/	
	C 실용 전지	/	
	D 전지 전위 탐구 전극의 종류에 따른 전지 전위 비교	/	
02. 전기 분해의 원리	**A 전기 분해** 탐구 염화 나트륨 수용액의 전기 분해	/	
	B 전기 분해의 이용	/	
	C 수소 연료 전지	/	

이전에 학습한 내용 중 이 단원과 연계된 내용을 다시 한번 떠올려 봅시다.

전자 이동과 산화 환원 반응

산화	전자를 ❶ _____ 는 반응	예 $2H^+ + Mg \longrightarrow H_2 + Mg^{2+}$ (산화: $Mg \rightarrow Mg^{2+}$, 환원: $H^+ \rightarrow H_2$)
환원	전자를 ❷ _____ 는 반응	

금속과 금속 이온의 산화 환원 반응

반응성이 작은 금속의 양이온이 녹아 있는 수용액에 반응성이 큰 금속을 넣어 주면 금속은 전자를 잃고 ❸ _____ 되고, 금속의 양이온은 전자를 얻어 ❹ _____ 된다.

예 질산 은 수용액에 구리를 넣으면 구리가 전자를 잃고 산화되고, 은 이온이 전자를 얻어 환원된다.

$$2Ag^+(aq) + Cu(s) \longrightarrow 2Ag(s) + Cu^{2+}(aq)$$

(산화: $Cu \rightarrow Cu^{2+}$, 환원: $Ag^+ \rightarrow Ag$)

연료 전지

① 정의: 수소, 메탄올, 천연가스 등과 같은 연료의 화학 반응을 통해 ❺ _____ 에너지를 직접 ❻ _____ 에너지로 전환하는 장치

② 원리

- (−)극: 수소가 전자를 잃고 ❼ _____ 되면서 수소 이온(H^+)이 생성된다.
- (+)극: 산소가 전자를 얻어 ❽ _____ 되면서 H^+과 반응하여 물이 생성된다.
- 외부 회로로 전자가 이동하면서 전류가 흐른다.

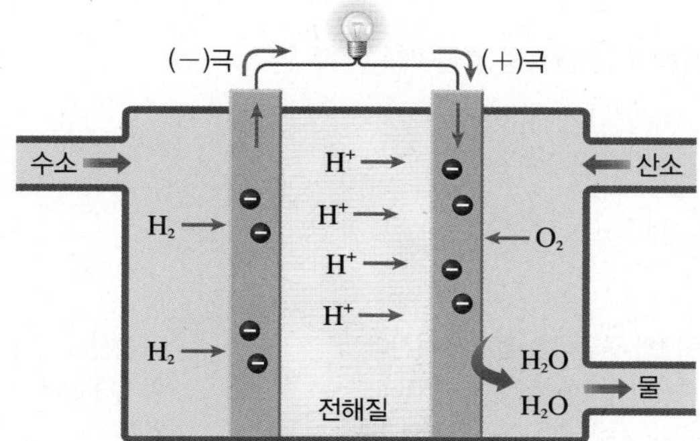

③ 장점

- 최종 생성물로 물만 생성되고 환경오염 물질이 거의 배출되지 않는다.
- 에너지 효율이 높다.

정답 ❶ 잃 ❷ 얻 ❸ 산화 ❹ 환원 ❺ 화학 ❻ 전기 ❼ 산화 ❽ 환원

01 화학 전지의 원리

핵심 포인트

Ⓐ 금속의 반응성 비교 ★★★

Ⓑ 볼타 전지의 원리 ★★
다니엘 전지의 원리 ★★★

Ⓒ 여러 가지 실용 전지의 원리 ★★
Ⓓ 화학 전지의 표준 전지 전위 계산 ★★★

Ⓐ 금속의 반응성

철 대문은 녹이 잘 슬지만 금이나 은으로 만든 장신구는 잘 녹슬지 않아요. 이는 철은 공기 중의 산소와 전자를 주고받는 반응을 잘 하는 반면, 금이나 은은 반응을 잘 하지 않기 때문이에요. 이제부터 금속의 반응성을 어떻게 비교할 수 있는지 알아보아요.

1. 금속의 이온화 경향 금속이 전자를 잃고 산화되어 양이온이 되려는 경향

➡ 이온화 경향이 큰 금속일수록 전자를 잃고 *산화되기 쉬우므로 반응성이 크다.

이온화 경향이 크다. ← K Ca Na Mg Al Zn Fe Ni Sn Pb H Cu Hg Ag Pt Au — 이온화 경향이 작다.

수소는 금속은 아니지만 산의 수용액에 포함된 H^+과 금속과의 반응 여부에 따라 금속의 반응성을 비교하는 기준으로 사용한다.

2. 금속과 산의 반응

(1) **수소보다 이온화 경향이 큰 금속을 산 수용액에 넣을 때:** 금속이 수소보다 반응성이 크므로 금속이 산과 반응하여 수소 기체를 발생한다.
└ 금속이 전자를 잃고 산화되면서 산 수용액 속의 H^+을 환원시킨다.

예 마그네슘은 묽은 염산과 반응하여 수소 기체를 발생한다.

$Mg(s) + 2HCl(aq) \longrightarrow MgCl_2(aq) + H_2(g)$ ➡ 반응성: Mg > H

- 마그네슘(Mg)의 산화: $Mg(s) \longrightarrow Mg^{2+}(aq) + 2e^-$
- 수소 이온(H^+)의 환원: $2H^+(aq) + 2e^- \longrightarrow H_2(g)$

H_2 / Cl^- / H^+ H^+ / Cl^- / Mg^{2+} / 묽은 염산 / 마그네슘

⬆ 마그네슘과 묽은 염산의 반응 모형

(2) **수소보다 이온화 경향이 작은 금속을 산 수용액에 넣을 때:** 금속이 수소보다 반응성이 작으므로 금속이 산과 반응하지 않는다. → 금, 은과 같이 수소보다 산화되기 어려운 금속은 산과 반응하지 않는다.

3. 금속과 금속 이온이 들어 있는 수용액의 반응

(1) **이온화 경향이 작은 금속의 양이온이 들어 있는 수용액에 이온화 경향이 큰 금속을 넣을 때:** 산화 환원 반응이 일어난다.

예 황산 구리(Ⅱ)($CuSO_4$) 수용액에 아연(Zn)을 넣을 때

$CuSO_4(aq) + Zn(s) \longrightarrow ZnSO_4(aq) + Cu(s)$ ➡ 반응성: Zn > Cu

***황산 구리(Ⅱ) 수용액과 아연의 반응**

$CuSO_4$ 수용액에 Zn판을 넣으면 Zn판의 표면에 금속 Cu가 석출되고, 수용액의 푸른색은 점차 옅어진다.

반응성이 큰 Zn은 Zn^{2+}이 되어 녹아 들어간다.
$Zn \longrightarrow Zn^{2+} + 2e^-$ (산화)

Cu^{2+}은 금속 Cu로 석출된다.
$Cu^{2+} + 2e^- \longrightarrow Cu$ (환원)

금속판의 전체 질량은 감소한다.
➡ 녹아 나오는 Zn^{2+}의 수와 석출되는 Cu^{2+}의 수가 같고, 원자량이 Zn > Cu이기 때문

용액의 푸른색이 점차 옅어진다.
➡ 푸른색을 띠는 Cu^{2+}의 수가 감소하기 때문

★ 산화 환원 반응의 상대성
전자를 주려는 경향이나 전자를 얻으려는 경향은 상대적이므로 어떤 금속이 한 반응에서는 산화되더라도, 다른 반응에서는 환원될 수 있다.

암기해

- **금속의 이온화 경향 순서**
원소 이름의 앞글자를 이용하여 암기한다.
➡ 칼칼나마/알아철니/주납수구/수은백금
- **이온화 경향이 크다.**
➡ 산화되기 쉽다.
➡ 반응성이 크다.

★ 황산 구리(Ⅱ) 수용액과 아연의 반응에서 수용액 속 이온 수 변화

- Zn^{2+} 수: 증가 ➡ Zn이 전자를 잃고 Zn^{2+}으로 산화되기 때문
- Cu^{2+} 수: 감소 ➡ Cu^{2+}이 전자를 얻어 Cu로 환원되기 때문
- SO_4^{2-} 수: 일정 ➡ SO_4^{2-}은 반응에 참여하지 않는 구경꾼 이온이기 때문

(2) **이온화 경향이 큰 금속의 양이온이 들어 있는 수용액에 이온화 경향이 작은 금속을 넣을 때:** 산화 환원 반응이 일어나지 않는다.

예 황산 구리(Ⅱ)($CuSO_4$) 수용액에 은(Ag)을 넣을 때

$CuSO_4(aq)+2Ag(s)$ ⟶ 반응이 일어나지 않음 ➡ 반응성: Cu > Ag

탐구 자료창 금속의 반응성 비교

비상, 천재 교과서에만 나와요.

과정 및 결과 황산 구리(Ⅱ)($CuSO_4$) 수용액, 황산 아연($ZnSO_4$) 수용액, 질산 은($AgNO_3$) 수용액에 아연(Zn)판, 구리(Cu)판, 은(Ag)판을 각각 넣고 변화를 관찰한다.

수용액	$CuSO_4$ 수용액	$ZnSO_4$ 수용액	$AgNO_3$ 수용액
금속판	Zn판	Cu판	Cu판
반응 결과	Zn판 Cu 석출	Cu판 변화 없음	Cu판 Ag 석출
	$CuSO_4(aq)+Zn(s)$ ⟶ $ZnSO_4(aq)+Cu(s)$	$ZnSO_4(aq)+Cu(s)$ ⟶ 반응이 일어나지 않음	$2AgNO_3(aq)+Cu(s)$ ⟶ $Cu(NO_3)_2(aq)+2Ag(s)$
반응성	Zn > Cu	Zn > Cu	Cu > Ag
금속판	Ag판	Ag판	Zn판
반응 결과	Ag판 변화 없음	Ag판 변화 없음	Zn판 Ag 석출
	$CuSO_4(aq)+2Ag(s)$ ⟶ 반응이 일어나지 않음	$ZnSO_4(aq)+2Ag(s)$ ⟶ 반응이 일어나지 않음	$2AgNO_3(aq)+Zn(s)$ ⟶ $Zn(NO_3)_2(aq)+2Ag(s)$
반응성	Cu > Ag	Zn > Ag	Zn > Ag

결론 이온화 경향이 큰 금속을 이온화 경향이 작은 금속의 양이온이 들어 있는 수용액에 넣으면 이온화 경향이 큰 금속은 전자를 잃고 산화되고, 이온화 경향이 작은 금속의 양이온은 전자를 얻어 환원된다. ➡ 금속의 반응성: Zn > Cu > Ag

확대경 금속과 산의 반응에서 이온 수 변화와 생성된 수소 기체의 양(mol)

산화 환원 반응에서 전자 이동이 일어날 때 주고받는 전자 수는 같지만, 반응한 이온과 생성된 이온의 전하량이 다른 경우에는 반응 전후 수용액 속 이온 수가 달라진다.

$2A(s)+2H^+(aq)$ ⟶ $2A^+(aq)+H_2(g)$ (A는 1족 금속 원소)

$B(s)+2H^+(aq)$ ⟶ $B^{2+}(aq)+H_2(g)$ (B는 2족 금속 원소)

$2C(s)+6H^+(aq)$ ⟶ $2C^{3+}(aq)+3H_2(g)$ (C는 13족 금속 원소)

→ 안정한 금속 이온의 전하량은 금속 원소가 속한 족에 따라 다르다.

1족 금속 원소가 염산과 반응할 때 수용액 속 양이온 수는 반응 전후에 변하지 않는다. 반면, 2족과 13족 금속 원소의 경우에는 반응이 일어날 때 수용액 속 양이온 수가 감소하고, 2족 원소보다 13족 원소의 경우 더 크게 감소한다. 또한, 각 금속 1몰이 충분한 양의 염산과 반응할 때 생성되는 수소 기체의 양(mol)은 1족, 2족, 13족 금속 원소에서 각각 0.5몰, 1몰, 1.5몰이다.

암기해

금속의 반응성

임의의 금속(M)과 금속 이온(N^{2+}, L^{2+}) 사이의 반응으로부터 금속 M과 N, L의 반응성을 비교할 수 있다.

$M+N^{2+}$ ⟶ $M^{2+}+N$

➡ 반응성: M > N

$M+L^{2+}$ ⟶ 반응 안 함

➡ 반응성: M < L

개념 확인 문제

정답친해 133쪽

- 금속의 이온화 경향: 금속이 전자를 잃고 산화되어 양이온이 되려는 경향으로, 이온화 경향이 (❶) 금속일수록 산화되기 쉬우며 반응성이 크다.

K > Ca > Na > Mg > Al > (❷) > Fe > Ni > Sn > Pb > (H) > Cu > Hg > Ag > Pt > Au

- 수소보다 이온화 경향이 (❸) 금속과 산의 반응: 수소 기체가 발생한다.
- 수소보다 이온화 경향이 (❹) 금속과 산의 반응: 반응이 일어나지 않는다.
- 이온화 경향이 (❺) 금속의 양이온이 들어 있는 수용액에 이온화 경향이 (❻) 금속을 넣을 때: 반응이 일어나 금속이 석출된다.
- 이온화 경향이 (❼) 금속의 양이온이 들어 있는 수용액에 이온화 경향이 (❽) 금속을 넣을 때: 반응이 일어나지 않는다.

1 **금속의 반응성에 대한 설명으로 옳은 것은 ○, 옳지 않은 것은 ×로 표시하시오.**

(1) 수소보다 반응성이 큰 금속은 염산과 반응하여 수소 기체를 발생한다. ( )

(2) 산 수용액과 반응하지 않는 금속은 수소보다 산화되기 어렵다. ( )

(3) 반응성이 큰 금속일수록 환원되기 쉽다. ( )

2 **묽은 염산에 마그네슘(Mg)과 구리(Cu)를 각각 넣었더니, Mg을 넣었을 때에만 기체가 발생하였다.**
이에 대한 설명으로 옳은 것은 ○, 옳지 않은 것은 ×로 표시하시오.

(1) Mg을 넣었을 때 발생한 기체는 산소이다. ( )

(2) Mg은 H보다 반응성이 크다. ( )

(3) H는 Cu보다 반응성이 작다. ( )

(4) 금속의 반응성은 Mg이 Cu보다 크다. ( )

3 **그림은 황산 구리(Ⅱ)($CuSO_4$) 수용액에 아연(Zn)판과 은(Ag)판을 각각 넣었을 때의 결과를 나타낸 것이다.**

구리(Cu), 아연(Zn), 은(Ag)의 반응성 크기를 비교하여 등호나 부등호로 나타내시오.

4 **다음 반응에 대한 설명으로 옳은 것은 ○, 옳지 않은 것은 ×로 표시하시오.**

$$2AgNO_3(aq) + Fe(s) \longrightarrow Fe(NO_3)_2(aq) + 2Ag(s)$$

(1) Fe은 산화된다. ( )

(2) 반응성은 Fe이 Ag보다 크다. ( )

(3) NO_3^-은 환원된다. ( )

(4) 수용액 속 양이온 수는 감소한다. ( )

5 **그림은 금속의 이온화 경향의 크기를 나타낸 것이다.**

← 이온화 경향이 크다. 이온화 경향이 작다. →

K Ca Na Mg Al Zn Fe Ni Sn Pb H Cu Hg Ag Pt Au

이를 근거로 하여 다음 반응의 알짜 이온 반응식을 쓰시오. (단, 반응이 일어나지 않으면 '반응 안 함'이라고 쓰시오.)

(1) 염화 아연 수용액 + 철

(2) 질산 은 수용액 + 마그네슘

(3) 염화 구리(Ⅱ) 수용액 + 알루미늄

(4) 질산 칼슘 수용액 + 은

(5) 염화 철(Ⅱ) 수용액 + 마그네슘

(6) 염화 나트륨 수용액 + 니켈

B 화학 전지

휴대 전화를 작동시킬 때 사용하는 배터리는 산화 환원 반응을 이용하여 전류를 발생시키는 화학 전지랍니다. 그럼 전지는 어떻게 구성되고 어떤 원리로 작동되며, 각 전극에서는 어떤 반응이 일어나는지 알아볼까요?

1. 화학 전지 산화 환원 반응을 이용하여 물질이 가진 *화학 에너지를 *전기 에너지로 전환하는 장치

(1) 구성: 전극인 (+)극과 (−)극, 전극과 접촉하는 전해질로 구성된다. ➡ 반응성이 다른 두 금속을 전해질 수용액에 넣어 도선으로 연결하면 금속이 전극으로 작용한다.

(2) 원리: 반응성이 큰 금속이 산화되어 전자를 내놓고, 전자는 도선을 따라 반응성이 작은 금속 쪽으로 이동하면서 전류가 흐른다. → 두 금속의 반응성 차이가 클수록 전류가 강하게 흐른다.

① **(−)극(산화 전극):** 화학 전지에서 산화가 일어나는 전극으로, 반응성이 큰 금속으로 구성되며 금속이 전자를 잃고 산화된다.

② **(+)극(환원 전극):** 화학 전지에서 환원이 일어나는 전극으로, 반응성이 작은 금속으로 구성되며 전해질의 양이온이 전자를 얻어 환원된다.

③ **전자의 이동 방향:** 전자는 (−)극에서 (+)극으로 이동한다.

화학 전지의 원리

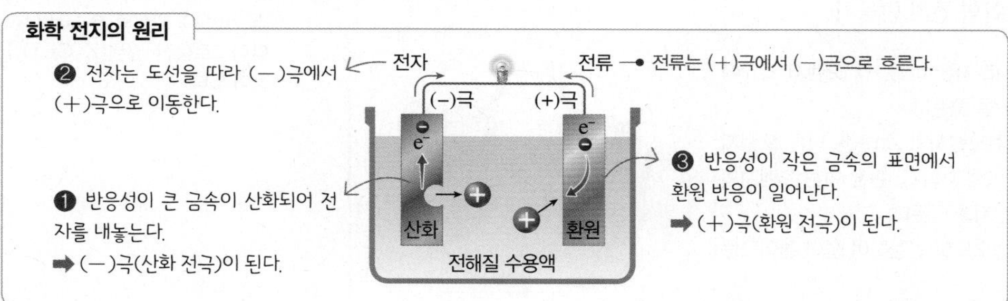

❷ 전자는 도선을 따라 (−)극에서 (+)극으로 이동한다.
전자
전류
전류는 (+)극에서 (−)극으로 흐른다.
(−)극
(+)극
❶ 반응성이 큰 금속이 산화되어 전자를 내놓는다.
➡ (−)극(산화 전극)이 된다.
산화
환원
전해질 수용액
❸ 반응성이 작은 금속의 표면에서 환원 반응이 일어난다.
➡ (+)극(환원 전극)이 된다.

볼타 전지는 최초의 화학 전지이고, 다니엘 전지는 볼타 전지의 단점을 보완한 화학 전지랍니다.

2. 볼타 전지 아연(Zn)판과 구리(Cu)판을 묽은 황산(H_2SO_4)에 담그고 도선으로 연결한 화학 전지

(1) 전극 반응: 반응성이 큰 Zn판은 산화되어 전자를 내놓는 (−)극이 되고, 반응성이 작은 Cu판은 (+)극이 된다.

① **(−)극(산화 전극):** Zn이 전자를 잃고 산화되어 묽은 황산에 Zn^{2+}으로 녹아 들어가고, 전자는 도선을 따라 Cu판 쪽으로 이동한다. ➡ Zn판의 질량은 감소한다.

② **(+)극(환원 전극):** H_2SO_4의 H^+이 Cu판의 표면에서 전자를 받아 H_2로 환원된다. ➡ Cu판의 질량은 변하지 않는다.

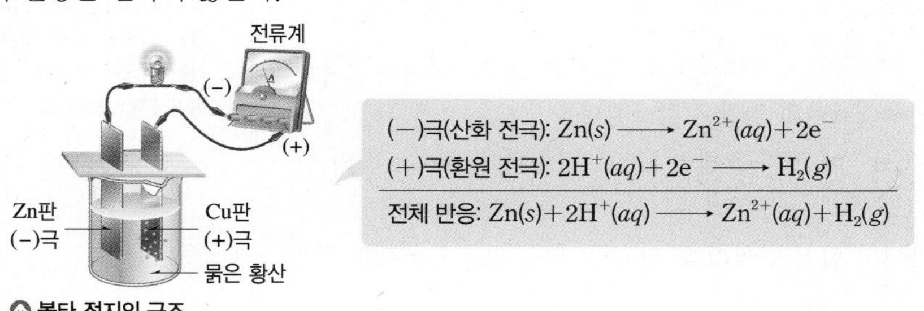

볼타 전지의 구조

(−)극(산화 전극): $Zn(s) \longrightarrow Zn^{2+}(aq)+2e^-$

(+)극(환원 전극): $2H^+(aq)+2e^- \longrightarrow H_2(g)$

전체 반응: $Zn(s)+2H^+(aq) \longrightarrow Zn^{2+}(aq)+H_2(g)$

★ 화학 에너지
물질마다 가지는 고유한 에너지로, 화학 반응이 일어나면 다른 에너지로 전환될 수 있다.

★ 전기 에너지
전류가 흐르면서 일을 할 수 있는 능력이다.

암기해
화학 전지의 전극

(−)극	(+)극
산화 전극	환원 전극
반응성이 큰 금속	반응성이 작은 금속
전자를 내놓음	전자를 받음

천재 교과서에만 나와요.
★ 화학 전지식
화학 전지는 전극과 전해질을 표시하는 화학 전지식으로 나타낼 수 있으며, 화학 전지식을 나타내는 방법은 다음과 같다.
- (−)극은 왼쪽에, (+)극은 오른쪽에 쓴다.
- 서로 다른 상태의 물질이 접촉하면 | 로 표시하고, 염다리는 ‖ 로 표시한다.
- 농도, 온도, 물질의 상태를 괄호 안에 표시한다.

예 볼타 전지의 화학 전지식

$(-)\ Zn(s)\,|\,H_2SO_4(aq)\,|\,Cu(s)\ (+)$

01 화학 전지의 원리

볼타 전지의 원리

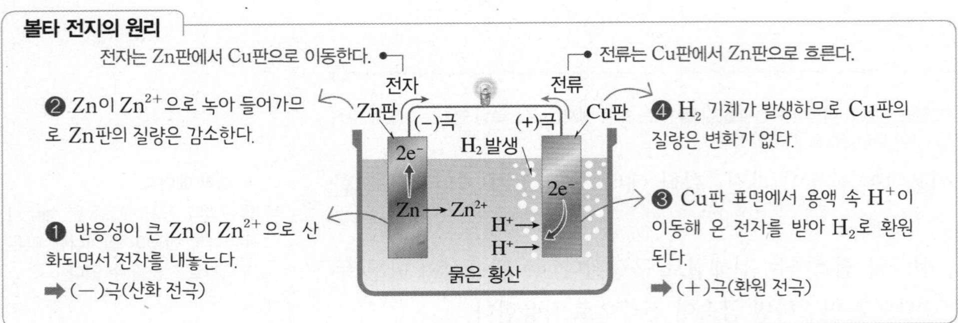

전자는 Zn판에서 Cu판으로 이동한다.
전류는 Cu판에서 Zn판으로 흐른다.
전자
전류
Zn판
Cu판
(-)극
(+)극
H_2 발생
$2e^-$
$2e^-$
Zn → Zn^{2+}
H^+
H^+
묽은 황산
❷ Zn이 Zn^{2+}으로 녹아 들어가므로 Zn판의 질량은 감소한다.
❶ 반응성이 큰 Zn이 Zn^{2+}으로 산화되면서 전자를 내놓는다.
➡ (−)극(산화 전극)
❹ H_2 기체가 발생하므로 Cu판의 질량은 변화가 없다.
❸ Cu판 표면에서 용액 속 H^+이 이동해 온 전자를 받아 H_2로 환원된다.
➡ (+)극(환원 전극)

(2) **분극 현상**: 볼타 전지를 사용할 때 전지의 전압이 급격히 떨어지는 현상

① 원인: Cu판에서 발생하는 H_2 기체가 Cu판을 둘러싸서 용액 속 H^+이 전자를 받는 반응이 일어나기 어렵기 때문이다.

② 분극 현상을 줄이기 위해서 *감극제를 사용하여 H_2를 H_2O로 산화시킨다. → H_2 기체를 제거하면 분극 현상을 줄일 수 있다.

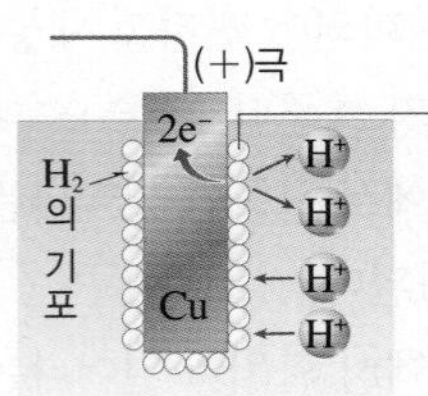

분극 현상

H_2의 기포가 H^+과 전자가 만나는 것을 방해한다. 이때 일부 H_2는 H^+이 되면서 전자를 내놓기도 한다.

★ 감극제(소극제)
전극에서 분극 현상을 줄이기 위해 사용하는 산화제이다. 흔히 쓰이는 감극제로는 이산화 망가니즈(MnO_2), 과산화 수소(H_2O_2), 다이크로뮴산 칼륨($K_2Cr_2O_7$) 등이 있다.

탐구 자료창 **간단한 화학 전지 만들기**

상상, 천재 교과서에만 나와요.

과정
❶ 오렌지 2개를 각각 반으로 자른 다음, 각 오렌지 조각에 아연(Zn)판과 구리(Cu)판을 꽂는다.
❷ 집게 전선을 이용하여 각 오렌지의 Zn판은 다른 오렌지의 Cu판에 연결하고, 각 오렌지의 Cu판은 다른 오렌지의 Zn판에 연결하여 과일 전지를 만든다.
❸ 양 끝의 전선에 발광 다이오드를 연결하여 불이 들어오는지 관찰한다.

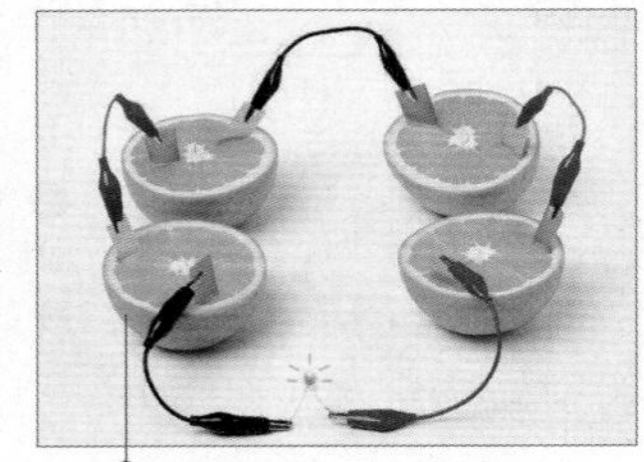

비상 교과서에서는 오렌지 대신 오렌지 주스를 사용한다.

결과 발광 다이오드에 불이 들어온다.

해석
1. **전해질 수용액 대신 오렌지를 사용한 까닭**: 오렌지에 들어 있는 시트르산과 같은 물질이 전해질로 작용하기 때문이다.
2. **전극 반응**: Zn판은 (−)극이 되고, Cu판은 (+)극이 된다. (−)극에서는 Zn이 산화되어 전자를 내놓고, (+)극에서는 전해질 속 수소 이온(H^+)이 전자를 얻어 수소 기체로 환원된다.

3. 다니엘 전지 *아연(Zn)판을 황산 아연($ZnSO_4$) 수용액에, 구리(Cu)판을 황산 구리(Ⅱ)($CuSO_4$) 수용액에 담그고 도선과 염다리로 연결한 화학 전지
└● 화학 전지식: (−) $Zn(s) | ZnSO_4(aq) \| CuSO_4(aq) | Cu(s)$ (+)

(1) **전극 반응**: 반응성이 큰 Zn판은 산화되어 전자를 내놓는 (−)극이 되고, 반응성이 작은 Cu판은 (+)극이 된다.

① (−)극(산화 전극): Zn이 전자를 잃고 산화되어 수용액에 Zn^{2+}으로 녹아 들어가고, 전자는 도선을 따라 Cu판 쪽으로 이동한다. ➡ Zn판의 질량은 감소한다.

② (+)극(환원 전극): $CuSO_4$ 수용액 속 Cu^{2+}이 전자를 받아 Cu로 석출된다. ➡ Cu판의 질량은 증가한다.

③ 용액의 변화: (+)극 쪽 수용액의 푸른색이 점점 옅어진다. ➡ 푸른색을 띠는 Cu^{2+}의 수가 감소하기 때문이다.

★ 반쪽 전지
다니엘 전지에서는 각 전극이 서로 다른 전해질에 담겨 있는데, 각각을 반쪽 전지라고 한다. 따라서 한 전극이 다른 전극과 연결되어 있지 않으면 전극을 구성하는 금속과 금속 이온이 들어 있는 수용액 사이에서는 반응이 일어나지 않는다.

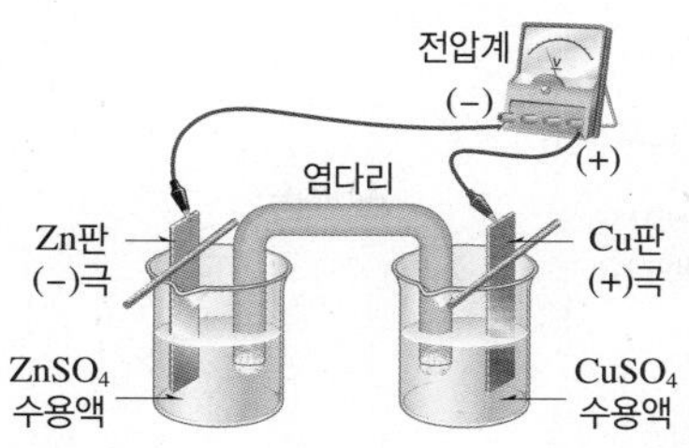

(−)극(산화 전극): $Zn(s) \longrightarrow Zn^{2+}(aq)+2e^-$
(+)극(환원 전극): $Cu^{2+}(aq)+2e^- \longrightarrow Cu(s)$
전체 반응: $Zn(s)+Cu^{2+}(aq) \longrightarrow Zn^{2+}(aq)+Cu(s)$

다니엘 전지의 구조

(2) ***염다리의 역할**: 두 반쪽 전지의 전해질 수용액이 섞이지 않게 하고, 염다리 속의 이온이 양쪽 전해질 수용액으로 이동하여 양이온과 음이온의 전하 균형이 이루어지게 한다.
- 염다리 속의 음이온은 $ZnSO_4$ 수용액 쪽으로, 양이온은 $CuSO_4$ 수용액 쪽으로 이동하여 양쪽 전해질 수용액의 전하 균형을 맞춘다.

다니엘 전지의 원리

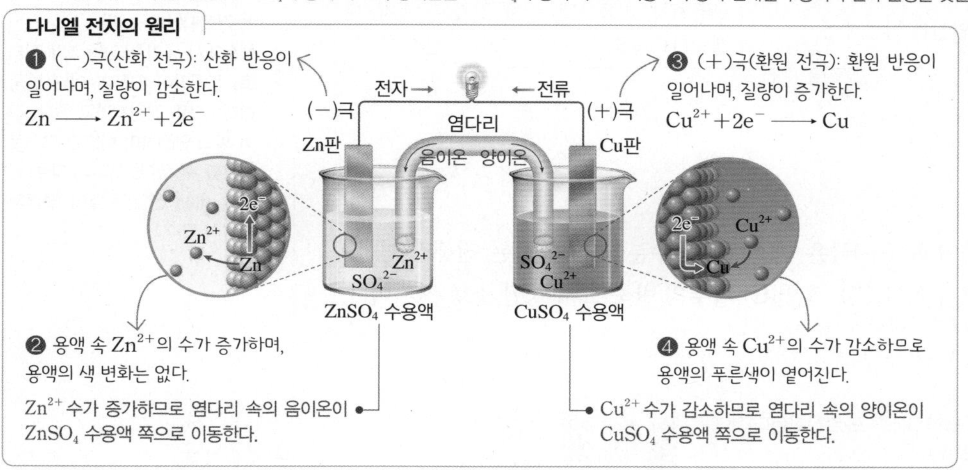

❶ (−)극(산화 전극): 산화 반응이 일어나며, 질량이 감소한다.
$Zn \longrightarrow Zn^{2+}+2e^-$
❸ (+)극(환원 전극): 환원 반응이 일어나며, 질량이 증가한다.
$Cu^{2+}+2e^- \longrightarrow Cu$
전자 →
← 전류
(−)극
(+)극
Zn판
Cu판
염다리
음이온 양이온
$2e^-$
Zn^{2+}
Zn
SO_4^{2-}
Cu^{2+}
Cu
$ZnSO_4$ 수용액
$CuSO_4$ 수용액
❷ 용액 속 Zn^{2+}의 수가 증가하며, 용액의 색 변화는 없다.
❹ 용액 속 Cu^{2+}의 수가 감소하므로 용액의 푸른색이 옅어진다.
Zn^{2+} 수가 증가하므로 염다리 속의 음이온이 $ZnSO_4$ 수용액 쪽으로 이동한다.
Cu^{2+} 수가 감소하므로 염다리 속의 양이온이 $CuSO_4$ 수용액 쪽으로 이동한다.

(3) **특징**

① 기체가 발생하지 않으므로 분극 현상이 거의 일어나지 않는다.

② 전하 균형이 유지되므로 볼타 전지보다 안정적으로 전류가 흐르며, 재사용이 가능하다.

탐구 자료창 다니엘 전지의 구조와 원리

미래엔 교과서에만 나와요.

과정

❶ 황산 아연($ZnSO_4$) 수용액이 들어 있는 비커에 아연(Zn)판을, 황산 구리(Ⅱ)($CuSO_4$) 수용액이 들어 있는 비커에 구리(Cu)판을 담근다.

❷ 염화 칼륨(KCl) 포화 수용액을 적신 거름종이를 말아 2개의 비커에 각각 한쪽 끝을 담가서 염다리를 만든다.

❸ Zn판을 전압계의 (−)단자에, Cu판을 (+)단자에 연결한 후 시간에 따른 변화를 관찰한다.

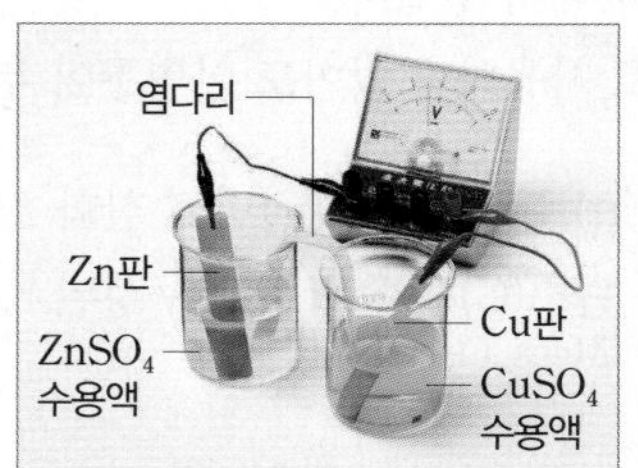

결과 및 해석

1. **금속판의 변화**: Zn판의 크기는 점점 작아지고, Cu판 표면에는 Cu가 석출된다. ➡ Zn이 전자를 잃고 산화되어 수용액에 Zn^{2+}으로 녹아 들어가고, Cu판 표면에서 $CuSO_4$ 수용액 속 Cu^{2+}이 전자를 받아 Cu로 석출되기 때문이다.
2. **시간에 따른 수용액의 색 변화**: $CuSO_4$ 수용액의 푸른색이 점점 옅어진다. ➡ 푸른색을 띠는 Cu^{2+}의 수가 감소하기 때문이다.
3. **전압의 변화**: 전압이 거의 일정하게 유지된다.
4. **KCl 포화 수용액을 적신 거름종이로 양쪽 전해질을 연결한 까닭**: $ZnSO_4$ 수용액에서는 Zn^{2+}의 수가 증가하고, $CuSO_4$ 수용액에서는 Cu^{2+}의 수가 감소하므로 KCl의 Cl^-은 $ZnSO_4$ 수용액 쪽으로, K^+은 $CuSO_4$ 수용액 쪽으로 이동하여 전하 균형을 맞추기 위해서이다.

＊염다리
전지에서 산화가 일어나는 전극과 환원이 일어나는 전극이 담겨 있는 두 용액을 연결하는 장치로, 일반적으로 ❶한천과 전해질의 포화 수용액을 함께 끓여 U자관에 부어 굳혀 만든다.
염다리에 사용되는 전해질은 전지에서 사용되는 전해질과 반응하여 앙금을 생성하지 않고, 전극 반응에 참여하지 않아야 한다. 염다리에 사용되는 전해질로는 KCl, NaCl, KNO_3 등이 있다.

암기해
볼타 전지와 다니엘 전지 비교

구분	볼타 전지	다니엘 전지
분극 현상	○	×
염다리	×	○
Zn판	질량 감소	질량 감소
Cu판	질량 일정	질량 증가

용어
❶ **한천** 바다 식물인 우뭇가사리를 끓여서 얻는 물질로, 물에 녹이면 젤리와 같은 상태가 된다.

C 실용 전지

볼타 전지와 다니엘 전지는 부피가 크고 전해질이 액체 상태여서 관리가 불편하여 실생활에 이용하기가 어렵답니다. 하지만 일상생활에서 화학 전지의 활용 범위가 점점 확대되면서 여러 가지 실용 전지들이 개발되었어요. 그러면 어떤 실용 전지들이 있는지 알아보아요.

1. 실용 전지

구분	1차 전지	2차 전지
정의	❶충전할 수 없어 한 번 사용하면 더 이상 사용할 수 없는 전지	충전하여 재사용할 수 있는 전지
종류	망가니즈 *건전지, 알칼리 건전지 등	납축전지, 리튬 이온 전지, 산화 은 전지, 니켈-카드뮴 전지, 리튬-폴리머 전지 등

2. 1차 전지의 종류

미래엔 교과서에만 나와요.

(1) 망가니즈 건전지: (−)극은 아연통, (+)극은 탄소 막대, 수분이 거의 없는 전해질(이산화 망가니즈(MnO_2), 염화 암모늄(NH_4Cl), 흑연(C) 가루의 반죽)로 구성된 소형 전지이다.

└● 화학 전지식: (−) $Zn(s) | NH_4Cl(aq) | C(s)$ (+)

① 전극 반응

- (−)극(산화 전극): 아연통의 Zn이 Zn^{2+}으로 산화된다.
  └● Zn통의 질량은 점점 감소한다.
- (+)극(환원 전극): 탄소 막대에서 H^+이 H_2로 환원되고, H_2는 감극제인 MnO_2에 의해 H_2O로 산화된다.
  └● 분극 현상이 나타나지 않는다.

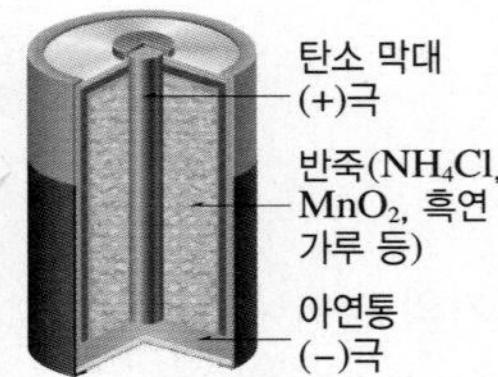

망가니즈 건전지의 구조

② 특징

- 수분이 거의 없는 형태이므로 휴대하기 쉽다.
- 전해질이 약한 산성 물질이므로 사용하지 않아도 아연통이 부식되어 전지의 수명이 짧다.

(2) 알칼리 건전지: (−)극은 아연(Zn) 분말과 전해질인 수산화 칼륨(KOH)의 혼합물, (+)극은 이산화 망가니즈(MnO_2)와 탄소(C)의 혼합물로 구성된 소형 전지이다.

└● 화학 전지식: (−) $Zn(s) | KOH(aq) | MnO_2, C(s)$ (+)

① *전극 반응

- (−)극(산화 전극): 전해질인 KOH에 의해 Zn이 ZnO으로 산화된다.
- (+)극(환원 전극): (−)극에서 생성된 H_2O과 전자에 의해 MnO_2가 Mn_2O_3로 환원된다.

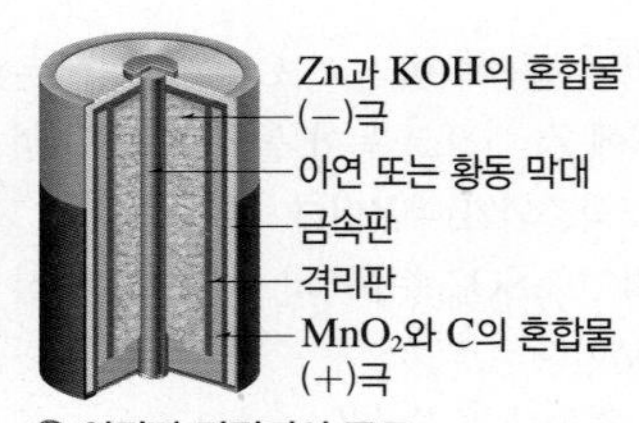

알칼리 건전지의 구조

② 특징

- 전해질이 염기성 물질이므로 사용하지 않을 때는 아연통이 부식되지 않는다.
- 망가니즈 건전지에 비해 수명이 길고, 전압이 일정하게 유지된다.

*** 건전지(dry-cell)**
생활에서 널리 쓰이는 1차 전지로, 전해질이 액체가 아닌 반죽 상태이므로 건전지라고 한다. 값이 싸고 안전하며 다양한 크기로 제조할 수 있다. 그러나 다른 전지에 비해 전압이 빨리 떨어져 수명이 짧다.

주의해
건전지에서 탄소 막대
건전지에서 탄소 막대가 직접 환원된다고 생각하지 않도록 한다. 탄소 막대는 전지에서 도체 역할만 하며, 반응에 참여하지 않으므로 질량 변화가 없다.

천재 교과서에만 나와요.
*** 알칼리 건전지의 전극 반응식**
- (−)극(산화 전극)
  $Zn(s)+2OH^-(aq) \longrightarrow ZnO(s)+H_2O(l)+2e^-$
- (+)극(환원 전극)
  $2MnO_2(s)+H_2O(l)+2e^- \longrightarrow Mn_2O_3(s)+2OH^-(aq)$
- 전체 반응
  $Zn(s)+2MnO_2(s) \longrightarrow ZnO(s)+Mn_2O_3(s)$

용어
❶ **충전(充 채우다, 電 전기)** 전지에 전기 에너지를 공급할 때 각 전극에서 역반응이 일어나 전극 물질이 다시 생성되는 현상

3. 2차 전지의 종류

(1) *납축전지: $(-)$극은 납(Pb)판, $(+)$극은 이산화 납(PbO_2)판으로 하여 두 극판을 교대로 세워 놓은 구조로, 두 극판이 전해질인 묽은 황산(H_2SO_4)에 담겨 있다.
└ 화학 전지식: $(-)\ Pb(s)\ |\ H_2SO_4(aq)\ |\ PbO_2(s)\ (+)$

① ❶방전과 충전 시 전극 반응

방전 할 때는 $(-)$극의 Pb이 $PbSO_4$으로 산화되고, $(+)$극의 PbO_2이 $PbSO_4$으로 환원된다.
→ $PbSO_4$이 전극에 달라붙어 두 전극의 질량이 모두 증가하고, 묽은 황산의 농도가 묽어진다.

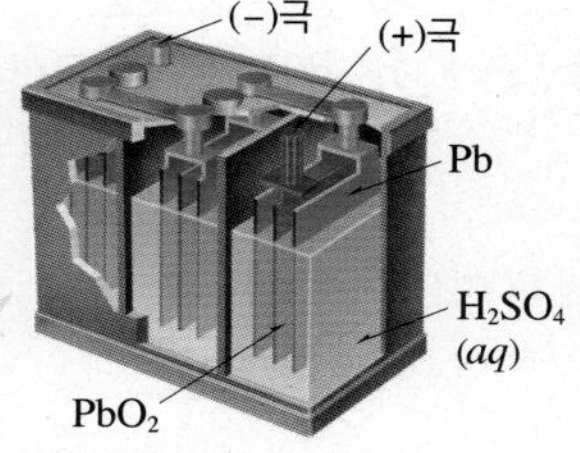

납축전지의 구조

충전 할 때는 방전할 때의 역반응이 일어나 $(-)$극에서는 $PbSO_4$이 환원되어 Pb이, $(+)$극에서는 $PbSO_4$이 산화되어 PbO_2이 다시 생성된다.
→ 두 전극의 질량이 모두 감소하고, 묽은 황산의 농도가 진해진다.

② 특징
- 짧은 시간에 비교적 큰 전압을 낼 수 있으며, 전지의 수명이 길다.
- 산업용 전원 장치나 자동차, 선박, 비상등, 통신 회로 등에 사용된다.

(2) 리튬 이온 전지: $(-)$극은 흑연(C), $(+)$극은 리튬 코발트 산화물($LiCoO_2$), 전해질로는 유기 용매가 사용된다.
└ 화학 전지식: $(-)\ C(s)\ |$ 유기 용매 $|\ LiCoO_2(s)\ (+)$

① 방전과 충전 시 전극 반응: 리튬 이온(Li^+)이 $(-)$극과 $(+)$극 사이를 이동하여 작동한다.

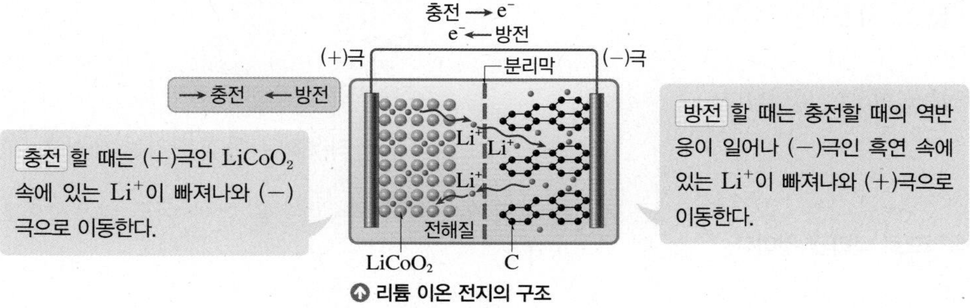

리튬 이온 전지의 구조

② 특징
- 다른 2차 전지에 비해 가볍고, 단위 질량당 에너지 저장 능력이 매우 크다.
  └ Li은 원자량이 가장 작은 금속이기 때문이다.
- 사용하지 않을 때 자가 방전이 일어나는 정도가 작다.
- 휴대용 전자 기기에 가장 널리 사용되며, 소형 전자 기기와 전기 자동차에도 사용된다.

(3) 그 외의 전지

전지	특징
니켈-카드뮴 전지	무게에 비해 효율이 좋고 수명이 길며, 휴대용 전자 기기, 장난감 등에 사용된다.
산화 은 전지	크기가 작고 수명이 길어 손목시계, 계산기 등에 사용된다.
리튬-폴리머 전지 (리튬-고분자 전지)	리튬 이온 전지에 폴리머(고분자 중합체) 상태의 전해질을 사용한 전지이다. 다른 전지보다 성능이 뛰어나지만, 가격이 비싸서 로봇, 무인비행기 등 고가의 장비에 사용된다.
리튬 공기 전지	가볍고, 단위 질량당 에너지 저장 능력이 커서 대용량 2차 전지로 개발 중이다. └ 산소를 (+)극으로 사용하기 때문이다.

천재 교과서에만 나와요.

★ 납축전지의 전극 반응식

- $(-)$극(산화 전극)

$$Pb(s)+SO_4^{2-}(aq) \longrightarrow PbSO_4(s)+2e^-$$

- $(+)$극(환원 전극)

$$PbO_2(s)+4H^+(aq)+SO_4^{2-}(aq)+2e^- \longrightarrow PbSO_4(s)+2H_2O(l)$$

- 전체 반응

$$Pb(s)+PbO_2(s)+2H_2SO_4(aq) \underset{\text{충전}}{\overset{\text{방전}}{\rightleftarrows}} 2PbSO_4(s)+2H_2O(l)$$

미래엔, 비상 교과서에만 나와요.

★ 실용 전지의 발달

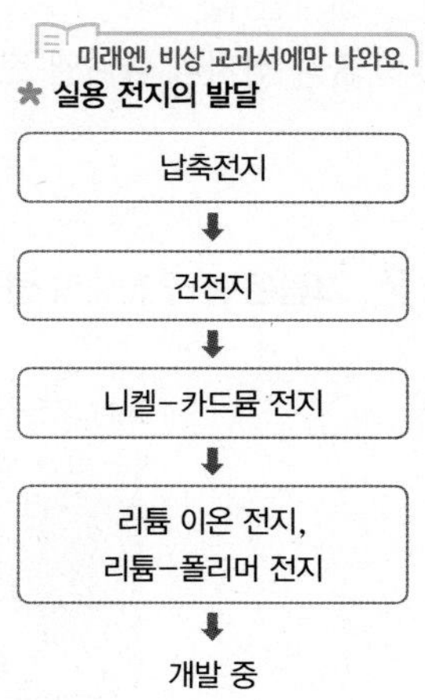

용어

❶ **방전(放 놓다, 電 전기)** 충전되어 있는 전지로부터 전류가 흘러 전압이 떨어지는 현상, 즉 전지를 사용하여 전지가 닳는 과정

개념 확인 문제

정답친해 133쪽

핵심 체크

- (❶　　　　): 산화 환원 반응을 이용하여 물질이 가진 화학 에너지를 전기 에너지로 전환하는 장치
  - 구성: (+)극, (−)극, 각 전극이 접촉하고 있는 (❷　　　　)로 구성된다.
  - 원리: (−)극에서는 (❸　　　　) 반응이, (+)극에서는 (❹　　　　) 반응이 일어난다.
- 볼타 전지: 아연판과 구리판을 전해질인 (❺　　　　)에 담그고 도선으로 연결한 화학 전지
- (❻　　　　) 현상: 볼타 전지를 사용할 때 전지의 전압이 급격히 떨어지는 현상
- 다니엘 전지: 아연판을 황산 아연 수용액에, 구리판을 황산 구리(Ⅱ) 수용액에 담그고 도선과 (❼　　　　)로 연결한 화학 전지
- 실용 전지
  - (❽　　　　) 전지: 충전할 수 없어 한 번 사용하면 더 이상 사용할 수 없는 전지
    예 망가니즈 건전지, 알칼리 건전지 등
  - (❾　　　　) 전지: 충전하여 재사용할 수 있는 전지
    예 납축전지, 리튬 이온 전지, 산화 은 전지, 니켈-카드뮴 전지, 리튬-폴리머 전지 등

1 화학 전지에 대한 설명으로 옳은 것은 ○, 옳지 않은 것은 ×로 표시하시오.

(1) 전기 에너지를 화학 에너지로 전환하는 장치이다. ············ (　　)

(2) 화학 전지의 (−)극에서는 전극으로 사용되는 금속이 전자를 잃는다. ············ (　　)

(3) 볼타 전지와 다니엘 전지 모두 분극 현상이 일어난다. ············ (　　)

2 그림은 볼타 전지의 원리를 모식적으로 나타낸 것이다.

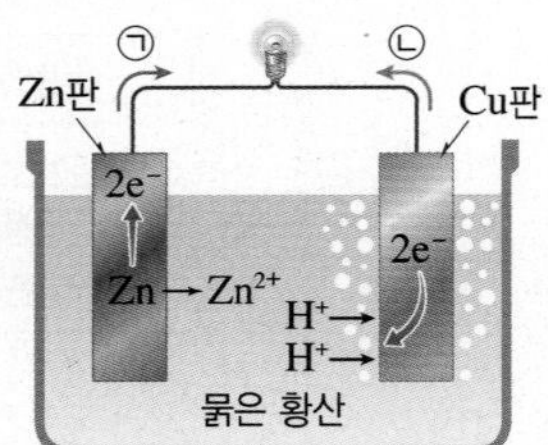

볼타 전지에서 일어나는 반응에 대한 설명으로 옳은 것은 ○, 옳지 않은 것은 ×로 표시하시오.

(1) Zn판은 산화 전극으로 작용한다. ············ (　　)

(2) Cu판에서는 환원 반응이 일어난다. ············ (　　)

(3) ㉠은 전자의 이동 방향이다. ············ (　　)

(4) Zn판의 질량은 감소하고, Cu판의 질량은 증가한다. ············ (　　)

(5) 수용액 속 양이온 수가 증가한다. ············ (　　)

3 그림은 다니엘 전지의 구조를 나타낸 것이다.

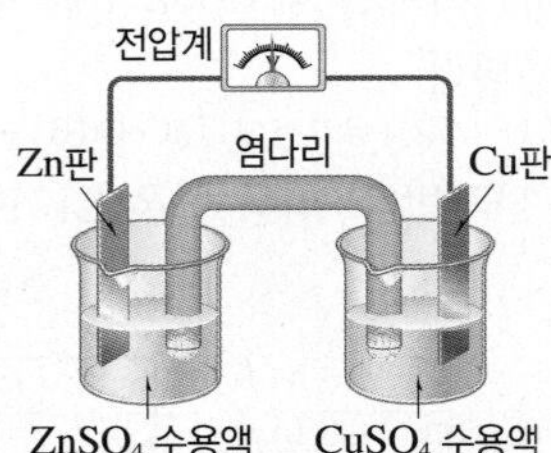

(1) (−)극과 (+)극으로 작용하는 물질을 각각 쓰시오.

(2) 각 전극에서 일어나는 반응을 알짜 이온 반응식으로 쓰시오.

(3) Cu판의 질량이 어떻게 변하는지 쓰시오.

(4) 전자의 이동 방향을 쓰시오.

4 실용 전지에 대한 설명으로 옳은 것은 ○, 옳지 않은 것은 ×로 표시하시오.

(1) 1차 전지는 충전하여 여러 번 사용할 수 있다. (　　)

(2) 납축전지는 1차 전지이고, 건전지는 2차 전지이다. ············ (　　)

(3) 리튬 이온 전지는 가볍고 에너지 밀도가 높아 휴대용 전자 기기에 많이 사용된다. ············ (　　)

D 전지 전위

지학사, 천재 교과서에만 나와요.

화학 전지에서 전류가 흐르는 까닭은 두 전극에서 일어나는 산화 환원 반응 때문이에요. 그런데 전극으로 사용되는 물질에 따라 산화 또는 환원 반응이 달라 전지의 전압도 달라져요. 지금부터 전극으로 사용되는 물질에 따라 전지의 전압이 어떻게 달라지는지 알아보아요.

1. 전극 전위(E) 화학 전지에서 각 반쪽 전지의 *전위

(1) 표준 전극 전위($E°$): 25 °C에서 전해질 수용액의 농도가 1 M, 기체의 압력이 1기압일 때의 전극 전위 (→ 표준 상태)

(2) 표준 수소 전극: 반쪽 전지의 전위를 정하는 기준이 되는 반쪽 전지

① 산화와 환원은 동시에 일어나므로 어느 한쪽의 반쪽 전지만 분리하여 전위를 측정할 수 없다. 따라서 표준 수소 전극을 다른 반쪽 전지로 하는 화학 전지를 만들어 측정한다.

② 구성: 25 °C에서 수소 이온(H^+)의 농도가 1 M인 수용액에 *백금 전극을 꽂고, 1기압의 수소(H_2) 기체를 채운 구조

③ 수소 기체가 수소 이온과 평형을 이루고 있을 때의 전위를 0.00 V로 정한다.

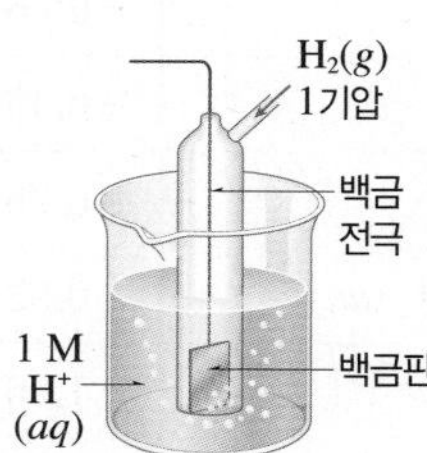

표준 수소 전극

$$2H^+(aq,\ 1\ M,\ 25\ °C) + 2e^- \longrightarrow H_2(g,\ 1기압,\ 25\ °C) \qquad E° = 0.00\ V$$

(3) 표준 환원 전위($E°$): 표준 수소 전극과 연결하여 측정한 반쪽 전지의 전위를 환원 반응의 형태로 나타낸 전위

① 표준 환원 전위가 클수록 환원되기 쉽고, 작을수록 산화되기 쉽다. (→ 표준 환원 전위로 금속의 반응성을 비교할 수 있다.)

② 표준 환원 전위가 (+)값이면 수소 이온보다 환원되기 쉽고, (−)값이면 수소 이온보다 환원되기 어렵다.

③ 전지에서는 표준 환원 전위가 큰 쪽이 (+)극(환원 전극), 작은 쪽이 (−)극(산화 전극)이 된다.

아연 반쪽 전지의 표준 환원 전위

전압계, 아연 반쪽 전지, 표준 수소 전극, e^-, (−)극, (+)극, Zn판, H_2, Pt판, SO_4^{2-}, Zn^{2+}, H^+, 1 M $ZnSO_4$ 수용액, 1 M H^+ 수용액

아연 반쪽 전지에서는 Zn판의 Zn이 전자를 잃고 Zn^{2+}으로 산화된다. ➡ (−)극(산화 전극)

표준 수소 전극에서는 전해질 수용액 속 수소 이온(H^+)이 전자를 얻어 H_2로 환원된다. ➡ (+)극(환원 전극)

• 전압계의 눈금(표준 수소 전극과 아연 반쪽 전지의 전위 차이): 0.76 V ➡ 표준 수소 전극의 전위는 0.00 V이므로 아연 반쪽 전지의 전위는 +0.76 V이다.

$2H^+(aq) + 2e^- \longrightarrow H_2(g) \qquad E° = 0.00\ V$

$Zn(s) \longrightarrow Zn^{2+}(aq) + 2e^- \qquad E° = +0.76\ V$

(→ 전위 차이 = 0.76 V)

• 아연 반쪽 전지의 표준 환원 전위($E°$): −0.76 V ➡ 아연 반쪽 전지에서 산화 반응이 일어나므로 환원 반응 형태로 바꾸어 표준 환원 전위를 나타낸다.

$Zn^{2+}(aq) + 2e^- \longrightarrow Zn(s) \qquad E° = -0.76\ V$

★ 전위
전기장 안에서 단위 전하가 갖는 위치 에너지이다. 두 반쪽 전지의 전위 차이가 큰 화학 전지일수록 큰 전압을 얻을 수 있다.

주의해
표준 상태
기체 상태에서의 표준 상태는 0 °C, 1기압이지만, 화학 반응에서의 표준 상태는 25 °C, 1기압이다. 또한, 수용액에서 반응할 때는 수용액의 농도가 1 M일 때가 표준 상태이다.

★ 백금 전극
H^+과 H_2 기체 사이의 전자를 전달하는 매개체로, 그 주위에 H_2 기체를 계속적으로 공급하여 H_2 기체의 압력을 1기압으로 유지한다. 백금 자체는 반응성이 매우 작아 반응에 관여하지 않는다. 백금 전극과 같이 전자를 전달하는 역할을 할 뿐 반응에 참여하지 않는 전극을 비활성 전극이라고 하며, 또 다른 비활성 전극으로 탄소 전극이 있다.

★ 표준 산화 전위
표준 수소 전극과 연결하여 측정한 반쪽 전지의 전위를 산화 반응의 형태로 나타냈을 때의 전위이다. ➡ 표준 환원 전위와 크기는 같고 부호는 반대이다.

01 화학 전지의 원리

표준 환원 전위가 클수록 전지의 (+)극(환원 전극)이 된다.

전극 반응(반쪽 반응)	표준 환원 전위(V)	환원되는 경향	산화되는 경향
$F_2(g)+2e^- \longrightarrow 2F^-(aq)$	$+2.87$	커짐 ↑	↓
$O_2(g)+4H^+(aq)+4e^- \longrightarrow 2H_2O(l)$	$+1.23$		
$Ag^+(aq)+e^- \longrightarrow Ag(s)$	$+0.80$		
$Cu^{2+}(aq)+2e^- \longrightarrow Cu(s)$	$+0.34$		
$2H^+(aq)+2e^- \longrightarrow H_2(g)$	0.00		
$Pb^{2+}(aq)+2e^- \longrightarrow Pb(s)$	-0.13		
$Ni^{2+}(aq)+2e^- \longrightarrow Ni(s)$	-0.26		
$Fe^{2+}(aq)+2e^- \longrightarrow Fe(s)$	-0.45		
$Zn^{2+}(aq)+2e^- \longrightarrow Zn(s)$	-0.76		
$2H_2O(l)+2e^- \longrightarrow H_2(g)+2OH^-(aq)$	-0.83		
$Al^{3+}(aq)+3e^- \longrightarrow Al(s)$	-1.66		
$Mg^{2+}(aq)+2e^- \longrightarrow Mg(s)$	-2.37		
$Na^+(aq)+e^- \longrightarrow Na(s)$	-2.71		커짐

▲ 표준 환원 전위(25 °C)

표준 환원 전위가 작을수록 전지의 (−)극(산화 전극)이 된다.

2. 전지 전위($E_{전지}$) 화학 전지에서 두 반쪽 전지 사이의 전위차

➡ 반쪽 전지의 종류(전극으로 사용되는 물질), 전해질 수용액의 농도, 온도에 따라 다르다.

(1) 표준 전지 전위($E°_{전지}$): 25 °C에서 전해질 수용액의 농도가 1 M, 기체의 압력이 1기압일 때 (→ 표준 상태) 두 반쪽 전지를 연결한 화학 전지의 전위

① **표준 전지 전위($E°_{전지}$)의 계산**: 환원 반응이 일어나는 반쪽 전지의 표준 환원 전위($E°$)에서 산화 반응이 일어나는 반쪽 전지의 표준 환원 전위($E°$)를 빼서 구한다.

$$E°_{전지}=E°_{(+)극}-E°_{(-)극}=E°_{환원\ 전극}-E°_{산화\ 전극}=E°_{값이\ 큰\ 쪽}-E°_{값이\ 작은\ 쪽}$$

표준 전지 전위($E°_{전지}$) 계산

[아연 반쪽 전지와 구리 반쪽 전지로 구성된 전지의 $E°_{전지}$]

$Zn^{2+}+2e^- \longrightarrow Zn \quad E°=-0.76$ V → 표준 환원 전위가 작다. ➡ (−)극(산화 전극)

$Cu^{2+}+2e^- \longrightarrow Cu \quad E°=+0.34$ V → 표준 환원 전위가 크다. ➡ (+)극(환원 전극)

- $E°_{전지}=E°_{(+)극}-E°_{(-)극}=+0.34\ V-(-0.76\ V)=+1.10\ V$
- 전지 반응: $Zn+Cu^{2+} \longrightarrow Zn^{2+}+Cu \quad E°_{전지}=+1.10\ V$

[아연 반쪽 전지와 은 반쪽 전지로 구성된 전지의 $E°_{전지}$]

$Zn^{2+}+2e^- \longrightarrow Zn \quad E°=-0.76$ V → 표준 환원 전위가 작다. ➡ (−)극(산화 전극)

$Ag^+ + e^- \longrightarrow Ag \quad E°=+0.80$ V → 표준 환원 전위가 크다. ➡ (+)극(환원 전극)

- $E°_{전지}=E°_{(+)극}-E°_{(-)극}=+0.80\ V-(-0.76\ V)=+1.56\ V$
- *전지 반응: $Zn+2Ag^+ \longrightarrow Zn^{2+}+2Ag \quad E°_{전지}=+1.56\ V$
  (→ 반쪽 전지 반응식의 계수가 2배가 되어도 $E°$ 값은 변하지 않는다.)

암기해

- **표준 환원 전위와 전극**
  금속의 이온화 경향이 작다.
  → 표준 환원 전위가 크다.
  → 환원되기 쉽다.
  → 전지의 (+)극이 된다.
- **표준 전지 전위 계산**
  $E°_{전지}=E°_{(+)극}-E°_{(-)극}$
  $=E°_{환원\ 전극}-E°_{산화\ 전극}$

★ 표준 전지 전위 계산에서 반응식의 계수를 고려하지 않는 까닭
전극 전위는 전극의 종류, 즉 구성하는 물질의 종류에 따라 정해지는 상대적인 값이므로 전극의 질량과는 관계가 없다.

② 전극의 종류와 표준 전지 전위($E°_{전지}$)

- 두 전극 반응의 표준 환원 전위($E°$)의 차이가 클수록 $E°_{전지}$가 크다.
- 두 전극을 이루는 금속의 이온화 경향의 차이가 클수록 $E°_{전지}$가 크다.

탐구 자료창 **전극의 종류에 따른 전지 전위 비교**

과정

❶ 거름종이를 페트리 접시에 놓고, 그 위에 사포로 잘 문지른 아연(Zn), 철(Fe), 구리(Cu) 조각을 각각 올려놓는다.

❷ 금속 주위에 그 금속의 이온이 들어 있는 수용액을 각각 1방울~2방울씩 떨어뜨리고, 가운데 부분에 황산 나트륨(Na_2SO_4) 수용액을 다른 금속 이온의 수용액과 닿을 정도로만 소량 떨어뜨린다.

└● 거름종이에 적신 황산 나트륨 수용액은 염다리 역할을 한다.

❸ 멀티미터를 이용하여 금속의 짝들 사이의 전압을 각각 측정한다.

결과

금속	Zn−Zn	Zn−Fe	Zn−Cu	Fe−Cu
전압(V)	0.00	0.31	1.10	0.79

해석

1. 각 전지의 전극 반응
   - Zn−Zn: $Zn+Zn^{2+} \longrightarrow$ 반응이 일어나지 않음
   - Zn−Fe: $Zn+Fe^{2+} \longrightarrow Zn^{2+}+Fe$
   - Zn−Cu: $Zn+Cu^{2+} \longrightarrow Zn^{2+}+Cu$
   - Fe−Cu: $Fe+Cu^{2+} \longrightarrow Fe^{2+}+Cu$
2. 금속의 반응성 비교: Zn > Fe > Cu
3. 전압이 가장 큰 전지: Zn과 Cu를 사용한 전지 ➡ 두 금속의 반응성 차이가 클수록 전지의 전압이 크기 때문이다.

(2) 표준 전지 전위($E°_{전지}$)와 반응의 자발성: $E°_{전지}$가 (+)값이면 반응이 자발적으로 일어나고, (−)값이면 반응이 자발적으로 일어나지 않는다.

표준 전지 전위와 반응의 자발성

[황산 구리(Ⅱ) 수용액에 철판을 담근 경우]

- 반응: $Cu^{2+}(aq)+Fe(s) \longrightarrow Fe^{2+}(aq)+Cu(s)$

$$Cu^{2+}(aq)+2e^- \longrightarrow Cu(s) \quad E°=+0.34\ V$$
$$Fe^{2+}(aq)+2e^- \longrightarrow Fe(s) \quad E°=-0.45\ V$$

—● Cu^{2+}의 $E°$에서 Fe^{2+}의 $E°$를 빼서 $E°_{전지}$를 구한다.

- $E°_{전지}=+0.34\ V-(-0.45\ V)=+0.79\ V$

➡ $E°_{전지}$가 (+)값이므로 이 반응은 자발적으로 일어난다.

[황산 아연 수용액에 철판을 담근 경우]

- 반응: $Zn^{2+}(aq)+Fe(s) \longrightarrow Fe^{2+}(aq)+Zn(s)$

$$Zn^{2+}(aq)+2e^- \longrightarrow Zn(s) \quad E°=-0.76\ V$$
$$Fe^{2+}(aq)+2e^- \longrightarrow Fe(s) \quad E°=-0.45\ V$$

—● Zn^{2+}의 $E°$에서 Fe^{2+}의 $E°$를 빼서 $E°_{전지}$를 구한다.

- $E°_{전지}=-0.76\ V-(-0.45\ V)=-0.31\ V$

➡ $E°_{전지}$가 (−)값이므로 이 반응은 자발적으로 일어나지 않는다.

★ 표준 환원 전위가 (−)값인 두 반쪽 전지를 연결한 전지

표준 환원 전위는 표준 수소 전극 전위와 비교한 상대적인 값이다. 따라서 표준 환원 전위가 (−)값인 두 반쪽 전지를 전극으로 연결하여도 전지가 만들어진다.

개념 확인 문제

정답친해 134쪽

- 전극 전위(E): 화학 전지에서 각 (❶)의 전위
- (❷)($E°$): 25 °C에서 전해질 수용액의 농도가 1 M, 기체의 압력이 1기압일 때의 전극 전위
- (❸): 25 °C에서 H^+의 농도가 1 M인 수용액에 백금 전극을 꽂고, 그 주변에 1기압의 수소 기체를 채워 놓은 전극으로, 이때의 전극 전위를 (❹) V로 정한다.
- (❺)($E°$): 표준 수소 전극과 연결하여 측정한 반쪽 전지의 전위를 환원 반응의 형태로 나타냈을 때의 전위
- (❻)($E_{전지}$): 화학 전지에서 두 반쪽 전지 사이의 전위차
- 표준 전지 전위($E°_{전지}$): 25 °C에서 전해질 수용액의 농도가 1 M, 기체의 압력이 1기압일 때 두 반쪽 전지를 연결한 화학 전지의 전위 ➡ $E°_{전지}$=(❼)−(❽)$=E°_{환원\ 전극}-E°_{산화\ 전극}=E°_{값이\ 큰\ 쪽}-E°_{값이\ 작은\ 쪽}$

1 **화학 전지의 전위에 대한 설명으로 옳은 것은 ○, 옳지 않은 것은 ×로 표시하시오.**

(1) 표준 수소 전극의 전위는 0.00 V로 정한다. ( )

(2) 표준 환원 전위가 클수록 금속의 반응성이 크다. ( )

(3) 수소보다 이온화 경향이 작은 금속은 표준 환원 전위가 (+)값이다. ( )

(4) 전지에서 표준 환원 전위가 큰 전극이 (−)극이 된다. ( )

(5) 표준 전지 전위는 두 전극의 표준 환원 전위의 차이가 클수록 크다. ( )

(6) 표준 전지 전위가 (−)값일 때 자발적인 전지 반응이 일어난다. ( )

2 **표는 금속 A~C의 표준 환원 전위($E°$)이다. (단, A~C는 임의의 원소 기호이다.)**

금속	A	B	C
$E°$(V)	−0.76	+0.34	+0.80

(1) 금속 A~C 중 반응성이 가장 큰 것을 고르시오.

(2) 금속 A~C로 만든 다니엘 전지 중에서 표준 전지 전위가 가장 큰 전지의 (−)극과 (+)극으로 작용하는 금속을 각각 쓰시오.

(3) 금속 A와 C로 만든 다니엘 전지의 표준 전지 전위($E°_{전지}$)를 구하시오.

3 **다음은 3가지 금속의 표준 환원 전위($E°$)를 나타낸 것이다.**

- $Zn^{2+}(aq)+2e^- \longrightarrow Zn(s)$ $E°=-0.76$ V
- $Pb^{2+}(aq)+2e^- \longrightarrow Pb(s)$ $E°=-0.13$ V
- $Cu^{2+}(aq)+2e^- \longrightarrow Cu(s)$ $E°=+0.34$ V

(1) Pb과 Cu로 화학 전지를 구성할 때 (−)극과 (+)극으로 작용하는 금속을 각각 쓰시오.

(2) 다음 다니엘 전지의 표준 전지 전위($E°_{전지}$)를 구하시오.

$$(-)\ Zn(s)|ZnSO_4(aq)\,\|\,CuSO_4(aq)|Cu(s)\ (+)$$

4 **표는 4가지 금속의 표준 환원 전위($E°$)이다.**

반쪽 반응	$E°$(V)
$A^+(aq)+e^- \longrightarrow A(s)$	+0.80
$B^{2+}(aq)+2e^- \longrightarrow B(s)$	+0.34
$C^{2+}(aq)+2e^- \longrightarrow C(s)$	−0.45
$D^{3+}(aq)+3e^- \longrightarrow D(s)$	−1.66

이에 대한 설명으로 옳은 것은 ○, 옳지 않은 것은 ×로 표시하시오. (단, A~D는 임의의 원소 기호이다.)

(1) 금속 A와 B는 수소(H)보다 반응성이 크다. ( )

(2) 금속 B를 (−)극으로 사용할 때 (+)극으로 사용할 수 있는 금속은 A이다. ( )

(3) 금속 A~D로 만들 수 있는 화학 전지 중 금속 A와 D로 구성된 전지의 표준 전지 전위($E°_{전지}$)가 가장 크다. ( )

대표 자료 분석

정답친해 135쪽

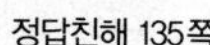

학교 시험에 자주 출제되는 대표 자료와 그 자료에 대한 문제를 통해 자료를 완벽하게 이해할 수 있다.

자료 1 금속의 반응성과 화학 전지

기출 Point
- 금속의 반응성 비교
- 금속과 금속 양이온이 들어 있는 수용액의 반응

[1~3] 다음은 금속 A, B를 이용한 실험이다. (단, A, B는 임의의 원소 기호이다.)

[실험 과정]
금속 A, B를 그림과 같이 장치하여 금속 표면에서 일어나는 변화를 관찰한다.

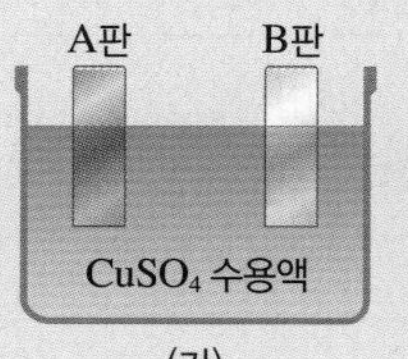

(가)

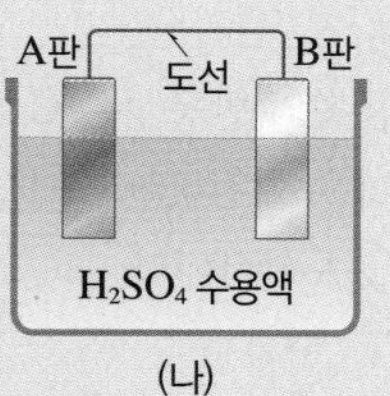

(나)

[실험 결과]
(가) A판 표면에 붉은색 고체가 석출되었고, B판에서는 변화가 없었다.
(나) A판은 질량이 감소하였고, B판 표면에서 기체가 발생하였다.

1 (가)에서 금속 A, B와 구리(Cu)의 반응성 크기를 비교하여 등호나 부등호로 나타내시오.

2 (나)에서 (−)극으로 작용하는 물질과 (+)극으로 작용하는 물질을 각각 쓰시오.

3 빈출 선택지로 완벽 정리!

(1) (가)에서 A는 전자를 얻어 환원된다. (○ / ×)
(2) (가)의 A판에서는 수용액 속 구리 이온이 전자를 얻어 금속 구리가 된다. (○ / ×)
(3) (나)의 B판 표면에서 발생하는 기체는 수소이다. (○ / ×)
(4) (나)에서 수용액 속 B 이온 수가 증가한다. (○ / ×)
(5) (나)에서 전자는 도선을 따라 A판에서 B판으로 이동한다. (○ / ×)

자료 2 화학 전지와 전지 전위

기출 Point
- 금속의 반응성과 화학 전지의 구성
- 화학 전지의 표준 전지 전위
- 염다리의 역할과 분극 현상

[1~3] 그림은 아연(Zn)과 구리(Cu)를 전극으로 하는 화학 전지이고, 표는 Zn과 Cu의 표준 환원 전위이다.

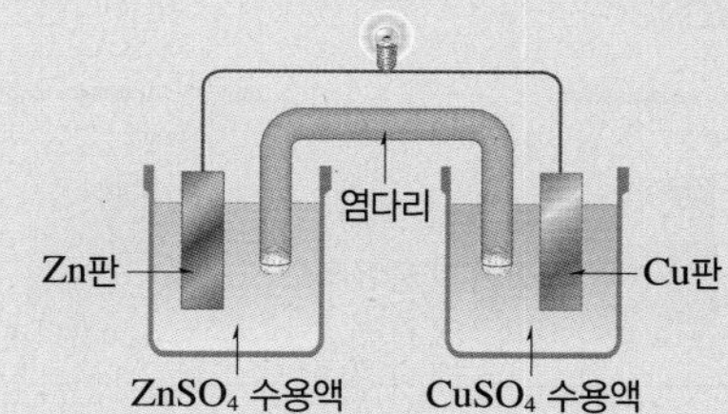

반쪽 반응	표준 환원 전위(V)
$Cu^{2+}(aq)+2e^- \longrightarrow Cu(s)$	$+0.34$
$Zn^{2+}(aq)+2e^- \longrightarrow Zn(s)$	-0.76

1 이 전지의 (−)극과 (+)극에서 일어나는 반쪽 반응의 화학 반응식을 각각 쓰시오.

2 이 전지의 표준 전지 전위($E°_{전지}$)를 구하시오.

3 빈출 선택지로 완벽 정리!

(1) $CuSO_4$ 수용액의 푸른색이 점점 옅어진다. (○ / ×)
(2) Cu판에서는 분극 현상이 나타난다. (○ / ×)
(3) 전자는 Zn판에서 Cu판으로 이동한다. (○ / ×)
(4) 염다리의 양이온은 $ZnSO_4$ 수용액 쪽으로 이동한다. (○ / ×)
(5) 전지 반응이 진행될수록 수용액 속 $\frac{[Zn^{2+}]}{[Cu^{2+}]}$는 증가한다. (○ / ×)

내신 만점 문제

A 금속의 반응성

01 다음은 금속의 반응성을 알아보기 위한 실험이다.

철 이온(Fe^{2+})이 들어 있는 수용액에 금속 A를 넣었더니 철(Fe)이 석출되었고, 금속 B를 넣었더니 반응이 일어나지 않았다.

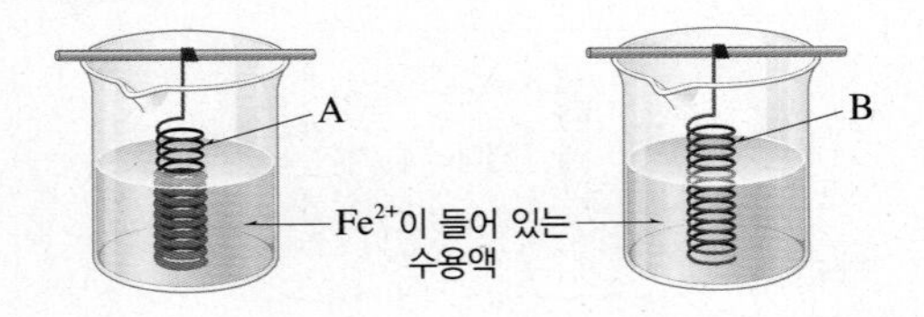

위 실험 결과로부터 금속 A, B, Fe의 반응성 크기를 비교한 것으로 옳은 것은? (단, A, B는 임의의 원소 기호이다.)

① Fe>A>B ② Fe>B>A
③ A>B>Fe ④ A>Fe>B
⑤ B>Fe>A

02 그림은 금속 X를 YSO_4 수용액과 ZSO_4 수용액에 각각 넣은 다음, 금속 X 표면에 석출된 금속을 각각 묽은 염산(HCl)에 넣을 때의 변화를 나타낸 것이다.

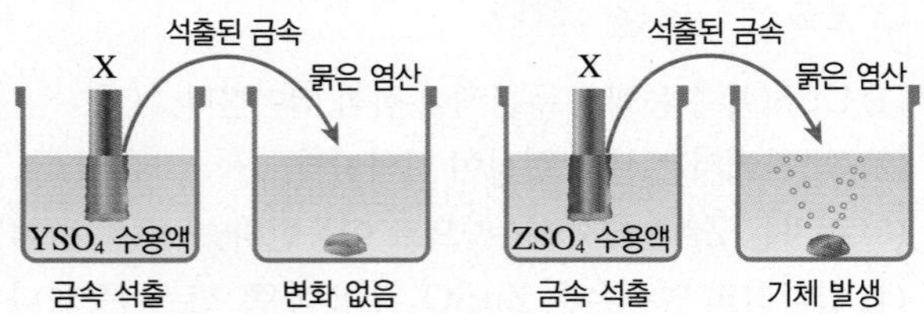

금속 X~Y 중 수소(H)보다 반응성이 큰 금속만을 있는 대로 고른 것은? (단, X~Z는 임의의 원소 기호이다.)

① Y ② Z ③ X, Y
④ X, Z ⑤ Y, Z

03 그림은 금속 A와 B의 이온이 들어 있는 수용액과 이 수용액에 금속 C를 넣고 일정 시간이 지난 후 수용액 속의 금속 이온을 입자 모형으로 각각 나타낸 것이다. C 이온의 전하는 +2이다.

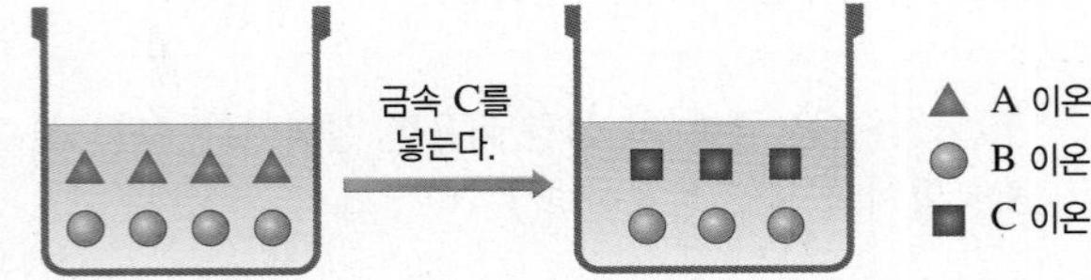

이에 대한 설명으로 옳은 것만을 [보기]에서 있는 대로 고른 것은? (단, A~C는 임의의 원소 기호이며, 용액의 음이온 수는 일정하다.)

보기
ㄱ. 금속의 반응성은 C>A>B이다.
ㄴ. 이온의 전하는 B가 A보다 크다.
ㄷ. C는 산화된다.

① ㄱ ② ㄷ ③ ㄱ, ㄴ
④ ㄱ, ㄷ ⑤ ㄴ, ㄷ

04 그림은 금속의 이온 X^{2+}, Y^{+}이 들어 있는 수용액에 금속 Z판을 넣었을 때 수용액 속 이온 수 변화와 금속판의 질량 변화를 나타낸 것이다. Z 이온의 전하는 +2이다.

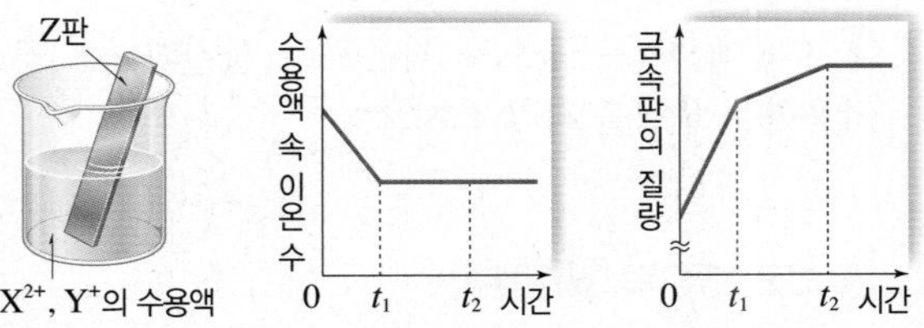

이에 대한 설명으로 옳은 것만을 [보기]에서 있는 대로 고른 것은? (단, X~Z는 임의의 원소 기호이다.)

보기
ㄱ. 반응성은 Y>X이다.
ㄴ. 원자량은 X>Z이다.
ㄷ. Z^{2+}의 수용액에 금속 Y판을 넣으면 Z가 석출된다.

① ㄱ ② ㄴ ③ ㄱ, ㄷ
④ ㄴ, ㄷ ⑤ ㄱ, ㄴ, ㄷ

B 화학 전지

중요 **05** 그림 (가)는 묽은 황산(H_2SO_4)에 알루미늄(Al)판과 은(Ag)판을 담근 후 두 금속을 도선으로 연결한 모습을, (나)는 두 금속을 도선으로 연결하지 않은 모습을 나타낸 것이다.

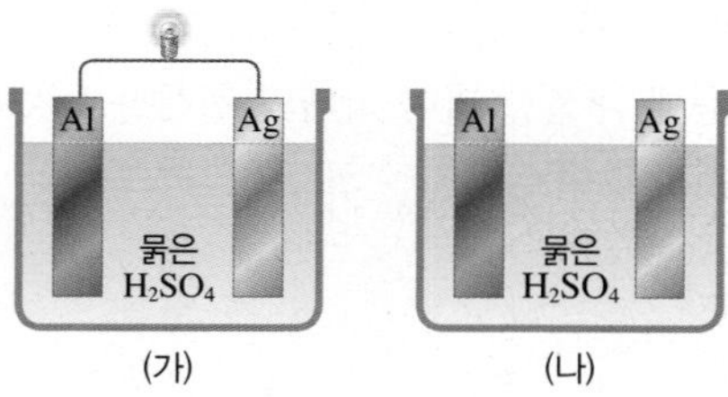

이에 대한 설명으로 옳은 것은?

① 산화 환원 반응은 (가)에서만 일어난다.
② Al판의 질량은 (가)에서 감소하고, (나)에서 증가한다.
③ Ag판의 질량은 (가)와 (나)에서 모두 감소한다.
④ 수용액 속 양이온 수는 (가)와 (나)에서 모두 감소한다.
⑤ 황산 이온(SO_4^{2-})의 수는 (가)에서 감소하고, (나)에서 증가한다.

06 그림과 같이 아연(Zn)판과 구리(Cu)판을 묽은 황산(H_2SO_4)에 담그고 도선으로 연결하였다.
이에 대한 설명으로 옳은 것만을 [보기]에서 있는 대로 고른 것은?

[보기]
ㄱ. Zn은 산화되고, Cu는 환원된다.
ㄴ. 전자는 Zn판에서 Cu판으로 이동한다.
ㄷ. Zn판과 Cu판의 질량은 모두 감소한다.

① ㄱ　② ㄴ　③ ㄱ, ㄷ　④ ㄴ, ㄷ　⑤ ㄱ, ㄴ, ㄷ

서술형
07 다니엘 전지가 전해질로 묽은 황산이 아닌 금속 이온이 들어 있는 수용액을 사용하는 까닭을 볼타 전지의 단점과 연관지어 서술하시오.

중요 **08** 그림은 황산 아연($ZnSO_4$) 수용액에 아연(Zn)판을, 황산 구리(Ⅱ)($CuSO_4$) 수용액에 구리(Cu)판을 담근 후 두 용액을 염다리로 연결한 전지를 나타낸 것이다.

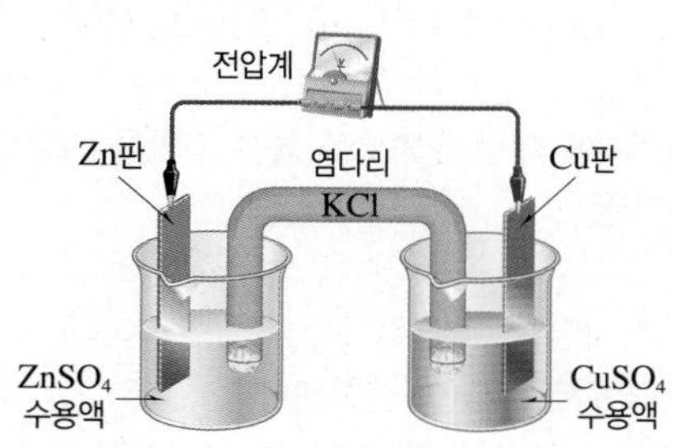

이에 대한 설명으로 옳은 것만을 [보기]에서 있는 대로 고른 것은? (단, Zn과 Cu의 원자량은 각각 65, 63.5이다.)

[보기]
ㄱ. 전자는 염다리를 통해 Zn판에서 Cu판으로 이동한다.
ㄴ. Cu판에서는 환원 반응이 일어난다.
ㄷ. 두 전극의 질량의 합은 감소한다.

① ㄱ　② ㄷ　③ ㄱ, ㄴ　④ ㄴ, ㄷ　⑤ ㄱ, ㄴ, ㄷ

C 실용 전지

09 그림은 망가니즈 건전지의 구조를 나타낸 것이다.
망가니즈 건전지를 사용할 때 일어나는 반응에 대한 설명으로 옳은 것만을 [보기]에서 있는 대로 고른 것은?

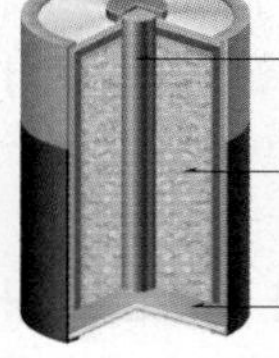

[보기]
ㄱ. 아연통의 질량은 점점 감소한다.
ㄴ. 탄소 막대에서는 환원 반응이 일어난다.
ㄷ. MnO_2는 분극 현상을 방지한다.

① ㄱ　② ㄴ　③ ㄱ, ㄷ　④ ㄴ, ㄷ　⑤ ㄱ, ㄴ, ㄷ

10 다음은 알칼리 건전지의 구성을 화학 전지식으로 나타낸 것이다.

> Zn(s) | KOH(aq) | MnO_2, C(s)

알칼리 건전지에 대한 설명으로 옳은 것만을 [보기]에서 있는 대로 고른 것은?

〔보기〕
ㄱ. 1차 전지이다.
ㄴ. (+)극에서는 Zn이 산화된다.
ㄷ. 전해질이 염기성 물질이므로 아연통이 잘 부식되지 않는다.

① ㄱ ② ㄴ ③ ㄱ, ㄷ
④ ㄴ, ㄷ ⑤ ㄱ, ㄴ, ㄷ

11 다음은 납축전지가 방전될 때 두 전극에서 일어나는 변화를 나타낸 것이다.

- Pb판: $Pb(s)+SO_4^{2-}(aq) \longrightarrow PbSO_4(s)+2e^-$
- PbO_2판: $PbO_2(s)+4H^+(aq)+SO_4^{2-}(aq)+2e^- \longrightarrow PbSO_4(s)+2H_2O(l)$

납축전지가 방전될 때 나타나는 현상으로 옳은 것만을 [보기]에서 있는 대로 고른 것은?

〔보기〕
ㄱ. Pb판은 (+)극으로 작용한다.
ㄴ. 두 전극의 질량이 모두 증가한다.
ㄷ. 황산(H_2SO_4)이 소모되므로 용액의 pH가 커진다.

① ㄱ ② ㄴ ③ ㄱ, ㄷ
④ ㄴ, ㄷ ⑤ ㄱ, ㄴ, ㄷ

12 리튬 이온 전지에 대한 설명으로 옳지 않은 것은?

① 2차 전지이다.
② 휴대용 전자 기기에 많이 사용된다.
③ 다른 전지에 비해 무겁지만 에너지 저장 능력이 크다.
④ 방전과 충전 시 리튬 이온이 (−)극과 (+)극 사이를 이동하여 작동한다.
⑤ 유기 용매 대신 폴리머 상태의 전해질을 사용하여 성능을 개선할 수 있다.

D 전지 전위

13 화학 전지의 전위에 대한 설명으로 옳지 않은 것은?

① 표준 수소 전극의 전위는 0.00 V이다.
② 반응성이 큰 금속일수록 표준 환원 전위가 크다.
③ 표준 전극 전위는 25 °C, 1기압, 1 M 수용액일 때의 전극 전위이다.
④ 표준 환원 전위는 표준 수소 전극과 연결하여 측정한 반쪽 전지의 환원 전위이다.
⑤ 표준 전지 전위는 (+)극과 (−)극의 표준 환원 전위 차이로 구한다.

중요 **14** 다음은 3가지 반쪽 반응의 표준 환원 전위($E°$)를 나타낸 것이다.

- $Zn^{2+}(aq)+2e^- \longrightarrow Zn(s)$ $E°=-0.76$ V
- $Fe^{2+}(aq)+2e^- \longrightarrow Fe(s)$ $E°=-0.45$ V
- $Cu^{2+}(aq)+2e^- \longrightarrow Cu(s)$ $E°=+0.34$ V

이에 대한 설명으로 옳은 것만을 [보기]에서 있는 대로 고른 것은?

〔보기〕
ㄱ. 환원되기 가장 쉬운 금속의 양이온은 Cu^{2+}이다.
ㄴ. Zn과 Fe은 수소보다 산화되기 쉽다.
ㄷ. Zn과 Cu를 전극으로 하는 다니엘 전지의 표준 전지 전위($E°_{전지}$)는 −0.42 V이다.

① ㄱ ② ㄷ ③ ㄱ, ㄴ
④ ㄴ, ㄷ ⑤ ㄱ, ㄴ, ㄷ

15 다음은 화학 전지의 전압을 측정하는 실험이다.

[실험 과정]

(가) 거름종이를 페트리 접시에 넣고, 금속 A~D 조각을 거름종이 위에 올려놓는다.

(나) 금속 주위에 그 금속의 이온이 들어 있는 수용액을 1방울~2방울씩 떨어뜨리고, 가운데 부분에 수산화 나트륨 수용액을 떨어뜨린다.

(다) 금속 D와 A, D와 B, D와 C를 각각 도선으로 연결하여 화학 전지를 만든 후 전압을 측정한다.

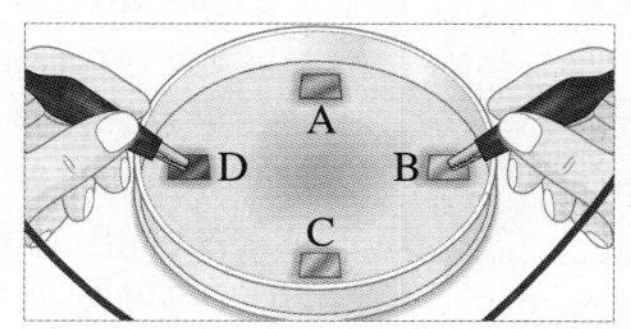

[실험 결과]

금속	D−A	D−B	D−C
전압(V)	1.56	0.63	1.10

이 실험 결과를 근거로 금속 A~C의 반응성 크기를 비교하여 등호나 부등호로 나타내시오. (단, A~D는 임의의 원소 기호이고, 사용한 금속 중 D의 반응성이 가장 크다.)

16 다음은 2가지 반쪽 반응의 표준 환원 전위($E°$)를 나타낸 것이다.

- $A^{2+}(aq)+2e^- \longrightarrow A(s)$ $E°=+1.18$ V
- $B^{+}(aq)+e^- \longrightarrow B(s)$ $E°=-0.14$ V

이에 대한 설명으로 옳은 것만을 [보기]에서 있는 대로 고른 것은? (단, A, B는 임의의 금속 원소 기호이다.)

보기

ㄱ. $A^{2+}(aq)$에 $B(s)$를 넣으면 산화 환원 반응이 일어난다.

ㄴ. $HCl(aq)$에 $A(s)$를 넣으면 $H_2(g)$가 발생한다.

ㄷ. B의 반쪽 전지를 표준 수소 전극에 연결하면 B 전극에서 산화 반응이 일어난다.

① ㄱ ② ㄴ ③ ㄱ, ㄷ ④ ㄴ, ㄷ ⑤ ㄱ, ㄴ, ㄷ

중요 **17** 그림은 금속 A와 B를 전극으로 하는 화학 전지를 나타낸 것이고, 표는 2가지 반쪽 반응의 표준 환원 전위($E°$)이다.

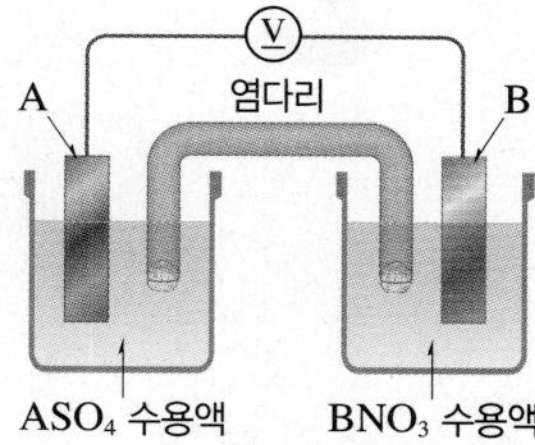

반쪽 반응	$E°$(V)
$A^{2+}(aq)+2e^- \longrightarrow A(s)$	−0.76
$B^{+}(aq)+e^- \longrightarrow B(s)$	+0.80

이에 대한 설명으로 옳은 것만을 [보기]에서 있는 대로 고른 것은? (단, A, B는 임의의 원소 기호이다.)

보기

ㄱ. 전자는 A에서 B로 이동한다.

ㄴ. 표준 전지 전위는 +1.56 V이다.

ㄷ. 전지 반응이 진행될 때 $\frac{[A^{2+}]}{[B^{+}]}$는 증가한다.

① ㄱ ② ㄴ ③ ㄱ, ㄷ ④ ㄴ, ㄷ ⑤ ㄱ, ㄴ, ㄷ

18 표는 4가지 반쪽 반응의 표준 환원 전위($E°$)이다.

반쪽 반응	$E°$(V)
$A^{3+}(aq)+3e^- \longrightarrow A(s)$	−1.66
$B^{2+}(aq)+2e^- \longrightarrow B(s)$	−0.76
$C^{2+}(aq)+2e^- \longrightarrow C(s)$	+0.34
$D^{+}(aq)+e^- \longrightarrow D(s)$	+0.80

금속 A~D 중 2가지를 각각 (−)극과 (+)극으로 하여 화학 전지를 만들 때 전지 반응이 자발적으로 일어나지 않는 경우는? (단, A~D는 임의의 원소 기호이다.)

	(−)극	(+)극
①	A	B
②	A	C
③	A	D
④	C	B
⑤	C	D

02 전기 분해의 원리

핵심 포인트
- Ⓐ 전해질 용융액과 수용액의 전기 분해 ★★★
- Ⓑ 은 도금과 구리의 제련 ★★
- Ⓒ 수소 연료 전지의 구조 ★★★

Ⓐ 전기 분해

화학 전지는 물질의 산화 환원 반응을 이용하여 전기 에너지를 얻는 장치랍니다. 그렇다면 물질에 전기 에너지를 가하면 어떻게 될까요?

1. 전기 분해 전기 에너지를 이용하여 *산화 환원 반응을 일으켜 물질을 분해하는 반응

백금(Pt)이나 탄소(C)는 반응성이 작은 도체이므로 전기 분해할 때 영향을 받지 않아 전극으로 사용된다.

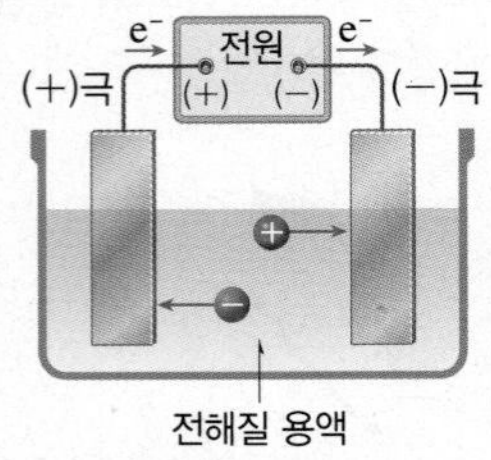

전기 분해의 원리

(1) **구성**: 백금 전극이나 탄소 전극을 전해질 용액에 담그고 전원 장치와 도선으로 전극을 연결한다.

(2) **원리**: 외부에서 전압을 걸어 전해질 용액에 직류 전류를 흘려 주면, 용액 속의 양이온과 음이온이 각각 (−)극과 (+)극 쪽으로 끌려가 산화 환원 반응을 하여 각 전극에서 물질이 생성된다.

① (+)극(산화 전극): 음이온이 (+)극 쪽으로 끌려가 전자를 내놓고 산화된다.

② (−)극(환원 전극): 양이온이 (−)극 쪽으로 끌려가 전자를 얻어 환원된다.

2. 전해질 용융액의 전기 분해 전해질 용융액에는 전해질의 양이온과 음이온만 존재한다.

(1) ***염화 나트륨(NaCl) 용융액의 전기 분해**: NaCl 용융액에는 Na^+과 Cl^-이 존재하므로 (+)극에서는 Cl^-이 Cl_2로 산화되고, (−)극에서는 Na^+이 Na으로 환원된다.

염화 나트륨 용융액의 전기 분해

전류를 흘려 주면 Cl^-은 (+)극 쪽으로, Na^+은 (−)극 쪽으로 끌려간다.

(+)극(산화 전극): $2Cl^-(l) \longrightarrow Cl_2(g)+2e^-$

(−)극(환원 전극): $2Na^+(l)+2e^- \longrightarrow 2Na(l)$

전체 반응: $2NaCl(l) \longrightarrow 2Na(l)+Cl_2(g)$

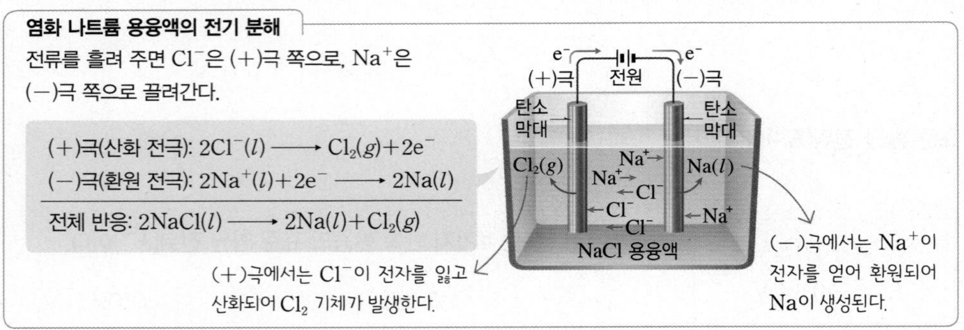

(+)극에서는 Cl^-이 전자를 잃고 산화되어 Cl_2 기체가 발생한다.

(−)극에서는 Na^+이 전자를 얻어 환원되어 Na이 생성된다.

(2) **염화 구리(Ⅱ)($CuCl_2$) 용융액의 전기 분해**: $CuCl_2$ 용융액에는 Cu^{2+}과 Cl^-이 존재하므로 (+)극에서는 Cl^-이 Cl_2로 산화되고, (−)극에서는 Cu^{2+}이 Cu로 환원된다.

염화 구리(Ⅱ) 용융액의 전기 분해

전류를 흘려 주면 Cl^-은 (+)극 쪽으로, Cu^{2+}은 (−)극 쪽으로 끌려간다.

(+)극(산화 전극): $2Cl^-(l) \longrightarrow Cl_2(g)+2e^-$

(−)극(환원 전극): $Cu^{2+}(l)+2e^- \longrightarrow Cu(s)$

전체 반응: $CuCl_2(l) \longrightarrow Cu(s)+Cl_2(g)$

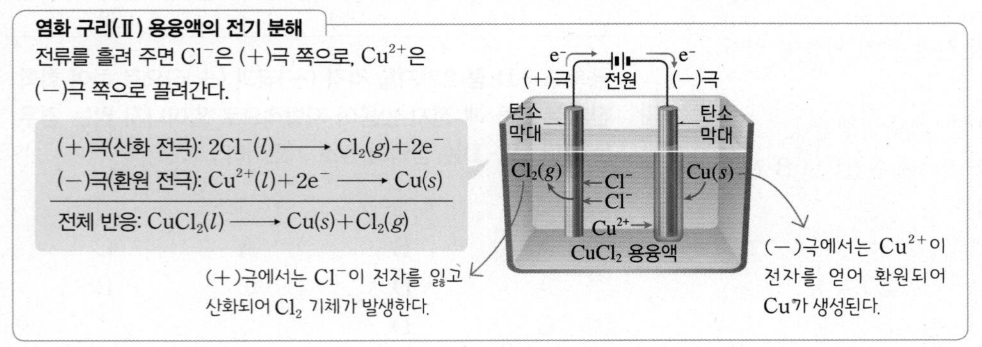

(+)극에서는 Cl^-이 전자를 잃고 산화되어 Cl_2 기체가 발생한다.

(−)극에서는 Cu^{2+}이 전자를 얻어 환원되어 Cu가 생성된다.

★ 화학 전지와 전기 분해에서의 산화 환원 반응

화학 전지에서의 산화 환원 반응은 자발적으로 일어나는 반응이지만, 전기 분해에서의 산화 환원 반응은 외부에서 영향을 주어야 일어나는 비자발적인 반응이다.

궁금해

왜 화학 전지의 (−)극은 산화 전극이고, 전기 분해의 (−)극은 환원 전극일까?

(−)극은 전자를 내놓는 극이다. 화학 전지의 (−)극에서는 전극 물질이 직접 전자를 내놓고 산화되므로 (−)극이 산화 전극이다. 그러나 전기 분해의 (−)극에서는 외부의 전원 장치가 공급한 전자를 전기 분해하는 물질의 양이온에게 내놓으므로 전극 표면에서 양이온이 전자를 얻어 환원된다. 따라서 전기 분해에서는 (−)극이 환원 전극이다.

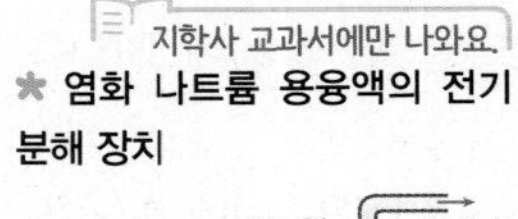

지학사 교과서에만 나와요.

★ 염화 나트륨 용융액의 전기 분해 장치

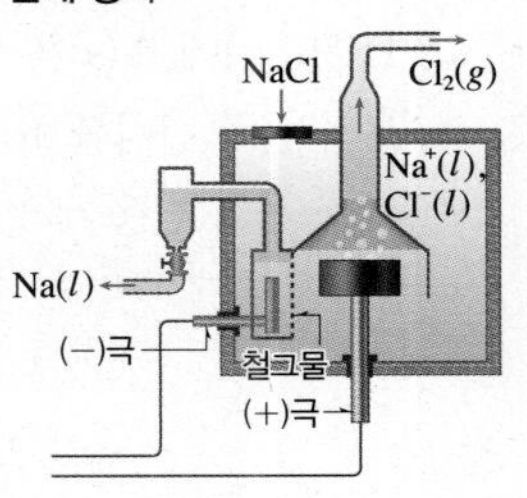

3. 전해질 수용액의 전기 분해 전해질 수용액에는 전해질을 구성하는 양이온과 음이온 외에도 물이 존재하므로 이온의 종류에 따라 각 전극에서 생성되는 물질이 달라진다.

(1) (+)극(산화 전극)에서 산화되는 물질

① 전해질의 음이온과 물 분자 중 전자를 잃어 산화되기 더 쉬운 것이 먼저 산화된다. (→ 표준 환원 전위가 작은 것)

② 물이 산화되는 경우: 전해질의 음이온이 F^-, SO_4^{2-}, PO_4^{3-}, CO_3^{2-}, NO_3^- 등인 경우 물이 대신 산화된다. ➡ $2H_2O(l) \longrightarrow O_2(g)+4H^+(aq)+4e^-$ ➡ O_2 기체가 발생하고, H^+이 생성되므로 (+)극 주변 수용액의 액성이 산성이 된다. (→ pH는 작아진다.)

(2) (−)극(환원 전극)에서 환원되는 물질

① 전해질의 양이온과 물 분자 중 전자를 얻어 환원되기 더 쉬운 것이 먼저 환원된다. (→ 표준 환원 전위가 큰 것)

② 물이 환원되는 경우: 전해질의 양이온이 Li^+, K^+, Ca^{2+}, Na^+, Mg^{2+}, Al^{3+}, NH_4^+ 등인 경우 물이 대신 환원된다. (→ 이온화 경향이 큰 금속의 양이온) ➡ $2H_2O(l)+2e^- \longrightarrow H_2(g)+2OH^-(aq)$ ➡ H_2 기체가 발생하고, OH^-이 생성되므로 (−)극 주변 수용액의 액성이 염기성이 된다. (→ pH는 커진다.)

(3) *염화 나트륨(NaCl) 수용액의 전기 분해: NaCl 수용액에는 물, Na^+, Cl^-이 존재하므로 (+)극에서는 Cl^-이 Cl_2로 산화되고, (−)극에서는 Na^+ 대신 H_2O이 환원되어 H_2 기체가 발생한다.

염화 나트륨 수용액의 전기 분해

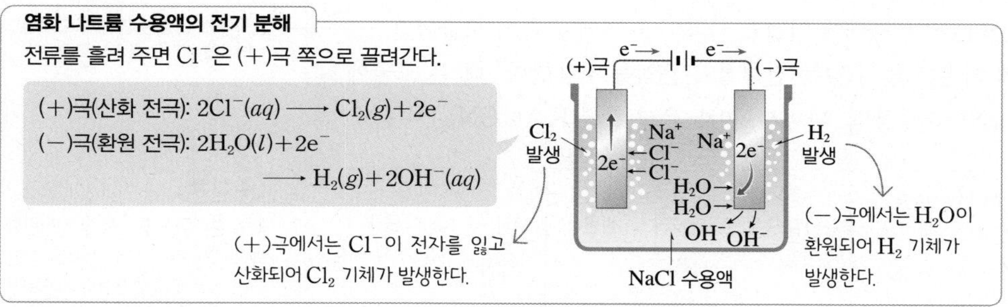

전류를 흘려 주면 Cl⁻은 (+)극 쪽으로 끌려간다.
(+)극(산화 전극): 2Cl⁻(aq) ⟶ Cl₂(g)+2e⁻
(−)극(환원 전극): 2H₂O(l)+2e⁻ ⟶ H₂(g)+2OH⁻(aq)
(+)극
(−)극
e⁻
Cl₂ 발생
H₂ 발생
Na⁺
Cl⁻
2e⁻
H₂O
OH⁻
NaCl 수용액
(+)극에서는 Cl⁻이 전자를 잃고 산화되어 Cl₂ 기체가 발생한다.
(−)극에서는 H₂O이 환원되어 H₂ 기체가 발생한다.

탐구 자료창 염화 나트륨 수용액의 전기 분해

상상, 지학사 교과서에만 나와요.

과정

❶ 홈 판에 홈 판용 시험관 2개를 꽂고 염화 나트륨(NaCl) 수용액을 $\frac{2}{3}$ 정도 넣은 후 염다리로 연결한다.

❷ 각 시험관에 탄소 막대를 꽂고 9 V 건전지를 연결한 후 각 전극에서 일어나는 변화를 관찰한다.

❸ (−)극 수용액에 BTB 용액을 1방울~2방울 떨어뜨리고 색 변화를 관찰한다.

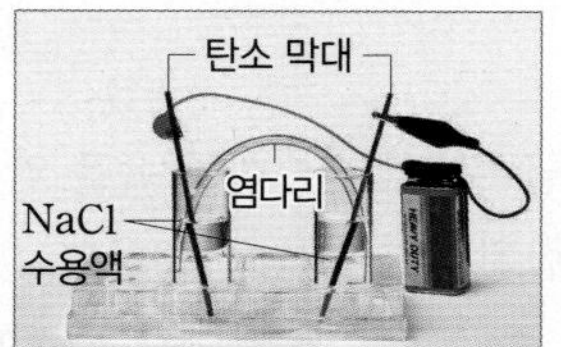

결과

구분	각 전극에서 일어나는 변화	수용액의 색 변화
(+)극(산화 전극)	기체 발생	−
(−)극(환원 전극)	기체 발생	초록색 → 파란색

해석

1. **각 전극에서 발생하는 물질**
- (+)극(산화 전극): 염소 기체 ➡ $2Cl^-(aq) \longrightarrow Cl_2(g)+2e^-$
- (−)극(환원 전극): 수소 기체 ➡ $2H_2O(l)+2e^- \longrightarrow H_2(g)+2OH^-(aq)$

2. **(−)극에서 색 변화가 나타난 까닭:** 전기 분해 결과 OH^-이 함께 생성되어 용액의 액성이 염기성이 되기 때문이다.

★ 염화 나트륨 수용액의 전기 분해 시 (−)극에서 환원되는 물질

염화 나트륨 수용액을 전기 분해할 때 (−)극(환원 전극)에서 Na^+ 대신 H_2O이 환원되는 것은 H_2O이 Na^+보다 표준 환원 전위가 더 커서 H_2O이 더 잘 환원되기 때문이다.

- $2H_2O(l)+2e^- \longrightarrow H_2(g)+2OH^-(aq)$ $E° = -0.83$ V
- $Na^+(aq)+e^- \longrightarrow Na(s)$ $E° = -2.71$ V

★ 전기 분해 생성물의 양적 관계

산화 환원 반응은 전자의 이동에 의해 일어나므로 전기 분해 생성물의 양(mol)은 이동한 전자의 양(mol)에 비례한다. 이를 이용하여 전기 분해 시 발생하는 기체의 부피비나 석출되는 금속의 질량비를 구할 수 있다.

예 NaCl 수용액의 전기 분해 생성물의 양적 관계

(+)극: $2Cl^-(aq) \longrightarrow Cl_2(g)+2e^-$

(−)극: $2H_2O(l)+2e^- \longrightarrow H_2(g)+2OH^-(aq)$

➡ 전자 2몰에 의해 Cl_2 1몰과 H_2 1몰이 생성되므로 발생하는 기체의 부피비는 $Cl_2 : H_2 = 1 : 1$이다.

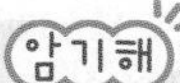

염화 나트륨 용융액과 수용액의 전기 분해 생성물

전극	(+)극	(−)극
용융액	Cl_2	Na
수용액	Cl_2	H_2

4. 물의 전기 분해 순수한 물은 전기를 통하지 않으므로 물을 전기 분해하기 위해 질산 칼륨(KNO_3), 황산 나트륨(Na_2SO_4) 등의 전해질을 조금 넣어 준다. ➡ (+)극에서는 H_2O이 산화되어 O_2 기체가 발생하고, (−)극에서는 H_2O이 환원되어 H_2 기체가 발생한다.

• 양이온은 물보다 환원되기 어렵고, 음이온은 물보다 산화되기 어려운 전해질이어야 한다.

물의 전기 분해

H_2O에 전해질인 Na_2SO_4을 조금 넣어 녹인 후 전류를 흘려 주면 (+)극에서는 SO_4^{2-} 대신 H_2O이 산화되고, (−)극에서는 Na^+ 대신 H_2O이 환원된다.

(+)극(산화 전극): $2H_2O(l) \longrightarrow O_2(g)+4H^+(aq)+4e^-$
(−)극(환원 전극): $4H_2O(l)+4e^- \longrightarrow 2H_2(g)+4OH^-(aq)$

전체 반응: $2H_2O(l) \longrightarrow 2H_2(g)+O_2(g)$

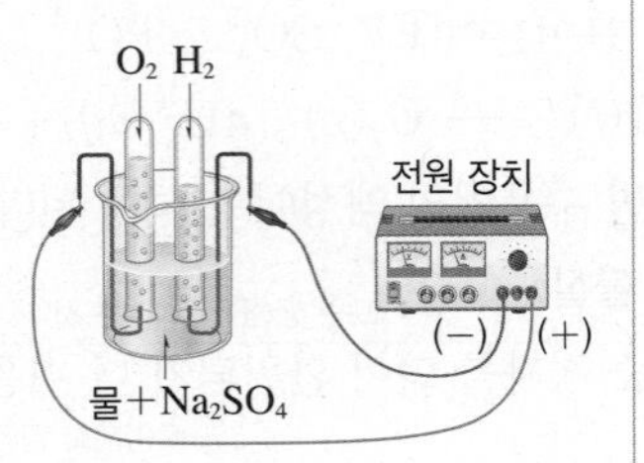

B 전기 분해의 이용

1. 전기 도금 전기 분해를 이용하여 금속의 표면에 다른 금속을 입히는 기술

(1) 방법: (+)극에는 물체의 표면에 입힐 금속을, (−)극에는 도금할 물체를 연결하여 전해질 수용액에 넣고 전류를 흘려 준다. ➡ (−)극에 연결된 물체의 표면에 금속이 도금된다.

• (−)극에 연결된 물체의 표면에 (+)극에 연결된 금속이 도금된다.

(2) 전해질: 표면에 입힐 금속의 양이온이 들어 있는 전해질 수용액을 사용한다. 예 은 도금에 사용하는 전해질: 질산 은($AgNO_3$) 수용액, 다이사이아노은산 칼륨($KAg(CN)_2$) 수용액

은 도금

• (+)극(산화 전극): 은(Ag) ➡ Ag이 Ag^+으로 산화되어 녹아 들어간다.
$Ag(s) \longrightarrow Ag^+(aq)+e^-$

• (−)극(환원 전극): 도금할 물체 ➡ Ag^+이 Ag으로 환원되어 도금할 물체의 표면에 도금된다.
$Ag^+(aq)+e^- \longrightarrow Ag(s)$

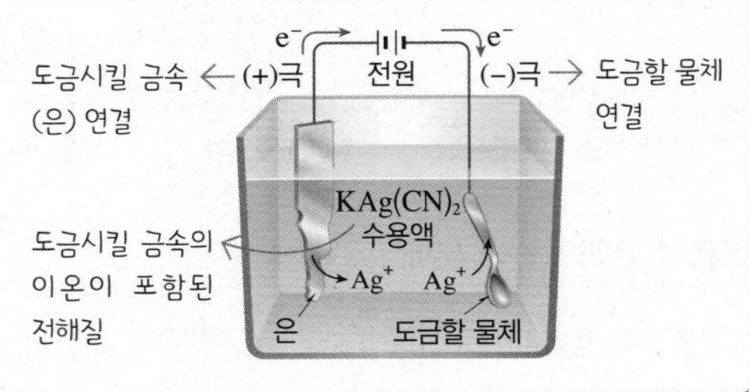

2. 금속의 제련 불순물이 포함된 금속에서 순수한 금속을 얻는 기술

• (+)극에 연결한 금속과 같은 종류의 금속이다.

(1) 방법: (+)극에는 불순물이 포함된 금속판을, (−)극에는 순수한 금속판을 연결하여 전해질 수용액에 넣고 전류를 흘려 준다. ➡ (−)극에서 순수한 금속이 석출된다.

(2) 전해질: 제련할 금속과 종류가 같은 금속의 양이온이 들어 있는 전해질 수용액을 사용한다.
예 구리의 제련에 사용하는 전해질: 황산 구리(Ⅱ)($CuSO_4$) 수용액

구리의 제련

• (+)극(산화 전극): 불순물이 포함된 구리(Cu) ➡ *불순물 중 반응성이 큰 금속(Zn, Fe, Ni)과 Cu가 산화되어 녹아 들어간다.
$Cu(s) \longrightarrow Cu^{2+}(aq)+2e^-$

• (−)극(환원 전극): 순수한 구리(Cu) ➡ Cu^{2+}이 Cu로 환원되어 석출된다.
$Cu^{2+}(aq)+2e^- \longrightarrow Cu(s)$

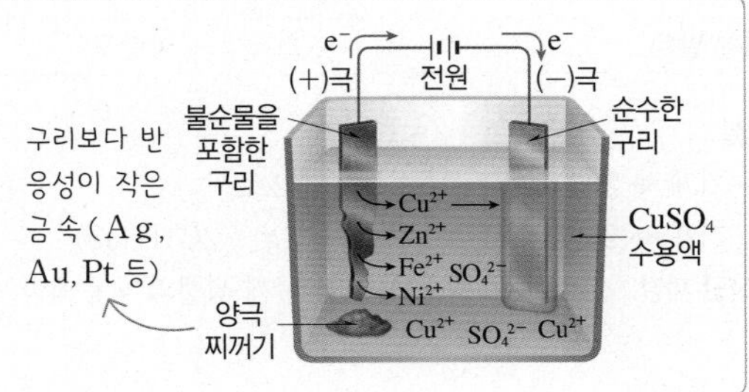

주의해

전기 분해의 이용에서 전극의 변화
백금 전극이나 탄소 전극을 사용하여 전해질 용융액이나 수용액을 분해하는 경우와 달리, 전기 도금이나 금속의 제련에서는 (+)극 자체가 직접 산화된다. 은 도금에서는 (+)극의 Ag이 산화되고, 구리의 제련에서는 (+)극의 Cu가 산화된다. 이는 Ag이나 Cu가 전해질 속 음이온보다 산화가 잘 되는 물질이기 때문이다.

*** 구리의 제련 시 불순물의 이동**
불순물 중 구리보다 반응성이 큰 금속은 구리보다 먼저 산화되어 수용액에 녹고, 구리보다 반응성이 작은 금속은 산화되지 않고 찌꺼기로 바닥에 쌓인다.

개념 확인 문제

정답친해 139쪽

- (❶): 전기 에너지를 이용하여 산화 환원 반응을 일으켜 물질을 분해하는 반응
- 전해질 용융액과 수용액의 전기 분해

구분	(+)극(산화 전극)	(−)극(환원 전극)
전해질 용융액의 전기 분해	전해질의 (❷)이온이 전자를 잃고 산화된다.	전해질의 (❸)이온이 전자를 얻어 환원된다.
전해질 수용액의 전기 분해	전해질의 음이온과 (❹) 분자 중 전자를 잃어 산화되기 쉬운 것이 먼저 산화된다.	전해질의 양이온과 (❺) 분자 중 전자를 얻어 환원되기 쉬운 것이 먼저 환원된다.
	전해질의 음이온이 F^-, SO_4^{2-}, PO_4^{3-}, CO_3^{2-}, NO_3^- 등인 경우 ➡ 물(H_2O)이 대신 산화된다.	전해질의 양이온이 Li^+, K^+, Ca^{2+}, Na^+, Mg^{2+}, Al^{3+}, NH_4^+ 등인 경우 ➡ 물(H_2O)이 대신 환원된다.

- 물의 전기 분해: (+)극에서는 물이 산화되어 (❻) 기체가, (−)극에서는 물이 환원되어 (❼) 기체가 발생한다.
- 전기 도금: 물체의 표면에 입힐 금속을 (❽)극에, 도금할 물체를 (❾)극에 연결하여 전해질 수용액에 넣고 전류를 흘려 준다. 예 은 도금
- 금속의 제련: 불순물이 포함된 금속판을 (❿)극에, 순수한 금속판을 (⓫)극에 연결하여 전해질 수용액에 넣고 전류를 흘려 준다. 예 구리의 제련

1 전기 분해에 대한 설명으로 옳은 것은 ○, 옳지 않은 것은 ×로 표시하시오.

(1) 전기 분해는 산화 환원 반응을 이용하여 전기 에너지를 얻는다. ( )

(2) 전해질 용융액을 전기 분해할 때 (−)극에서는 항상 전해질의 양이온이 환원된다. ( )

(3) 전해질 수용액을 전기 분해할 때 (−)극에서 수소 기체가 발생하면 (−)극 주변의 pH는 커진다. ( )

(4) 물을 전기 분해할 때 전기가 잘 통하도록 염화 나트륨을 소량 넣어 준다. ( )

2 다음 물질들을 전기 분해할 때 (+)극과 (−)극에서 각각 생성되는 물질의 화학식을 쓰시오.

(1) 염화 구리(Ⅱ)($CuCl_2$) 용융액

(2) 염화 나트륨(NaCl) 용융액

(3) 황산 구리(Ⅱ)($CuSO_4$) 수용액

(4) 황산 나트륨(Na_2SO_4) 수용액

3 그림과 같이 염화 나트륨(NaCl) 수용액에 전류를 흘려 전기 분해하였다. 이에 대한 설명으로 옳은 것은 ○, 옳지 않은 것은 ×로 표시하시오.

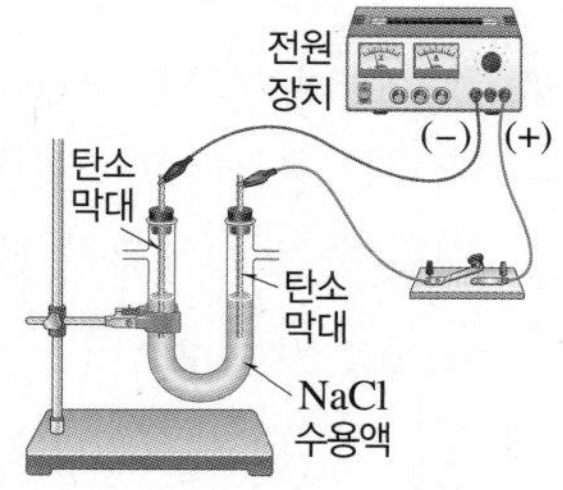

(1) (−)극에서는 Na^+이 환원된다. ( )

(2) (+)극에서는 Cl_2 기체가 발생한다. ( )

(3) (−)극 주변에 BTB 용액을 떨어뜨리면 파란색을 띤다. ( )

(4) (+)극 막대의 질량이 감소한다. ( )

4 전기 도금과 금속의 제련 과정에 대한 설명이다. ( ) 안에 알맞은 말을 쓰시오.

(1) 은 도금 시 (+)극에서 Ag이 ㉠( )되어 수용액에 녹아 들어가고, (−)극에서 Ag^+이 ㉡( )되어 물체의 표면에 도금된다.

(2) 구리의 제련 시 구리보다 반응성이 ㉠( ) 금속은 수용액 속에 이온 상태로 존재하고, 구리보다 반응성이 ㉡( ) 금속은 찌꺼기로 남는다.

02 전기 분해의 원리

C 수소 연료 전지

물에 전기 에너지를 가하면 수소와 산소로 분해되지요. 그렇다면 수소와 산소를 반응시키면 물과 함께 전기 에너지가 발생하지 않을까요? 수소와 산소를 반응시켜 전기 에너지를 얻는 장치인 수소 연료 전지에 대해 알아보아요.

1. 수소 *연료 전지 수소를 연료로 하여 화학 에너지를 전기 에너지로 변환하는 화학 전지

(1) 원리

미래엔 교과서에만 나와요.

1	물에 탄소나 백금 전극을 넣고 전류를 흘려 주면 (−)극 표면에 수소(H_2) 기체가 모이고, (+)극 표면에 산소(O_2) 기체가 모인다.
2	전원 장치를 떼고 두 전극을 회로로 연결하면, H_2는 (−)극에 전자를 내놓고 H^+이 되어 물에 녹아 들어가고, O_2는 (+)극으로부터 전자를 받아 주변의 H^+과 결합하여 H_2O 분자가 된다.
3	수소와 산소가 반응하여 물이 생성되는 반응은 발열 반응으로, 방출되는 열에너지가 전기 에너지로 전환될 수 있다.

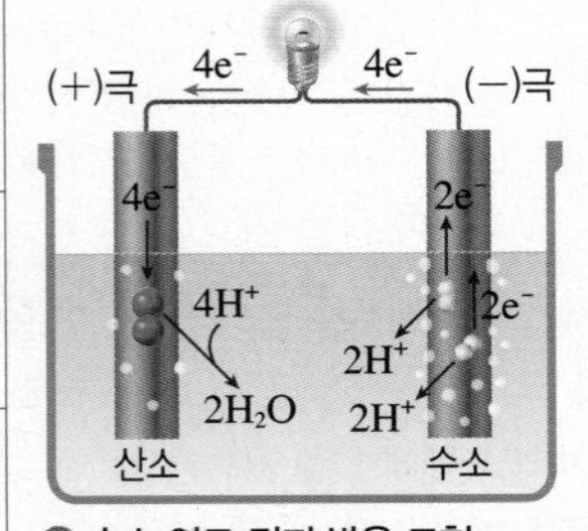

▲ 수소 연료 전지 반응 모형

(2) 전극 반응

(−)극(산화 전극, 연료극): $2H_2(g) \longrightarrow 4H^+(aq) + 4e^-$

(+)극(환원 전극, 공기극): $O_2(g) + 4H^+(aq) + 4e^- \longrightarrow 2H_2O(l)$

전체 반응: $2H_2(g) + O_2(g) \longrightarrow 2H_2O(l)$, *$\Delta H = -571.6$ kJ → 최종 생성물은 물이며, 물이 생성될 때 열에너지를 방출한다.

(3) *구조: 각 전극은 백금 촉매가 채워진 다공성 탄소 전극을 사용한다. (−)극에는 수소(H_2) 기체를 공급하고, (+)극에는 산소(O_2) 기체를 공급하며(→ 산화제로 작용한다.), 전해질로는 양이온(H^+)을 이동시킬 수 있는 고분자 전해질 막을 사용한다.

수소 연료 전지의 구조

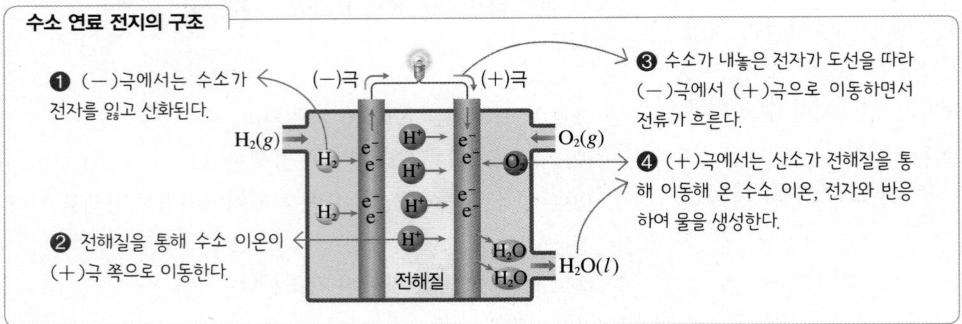

2. 수소 연료 전지의 특징

장점	• 최종 생성물이 물이므로 환경오염 물질을 배출하지 않는다. • 에너지 효율이 40 %~60 % 정도로 매우 높다. → 화력 발전으로 전기를 생산하는 경우 에너지 전환 단계가 많아 에너지 효율이 20 %~30 % 정도이다. • 전기를 생산할 때 소음이 거의 발생하지 않는다. • 발생하는 열에너지의 최대 80 %를 활용 가능한 에너지로 바꿀 수 있다. • 충전을 따로 할 필요 없이 연료가 공급되는 한 전기를 계속 생산할 수 있다.
단점	• 수소를 생산하는 데 비용이 많이 든다. • 수소는 끓는점이 낮아 기체 상태로 존재하므로 저장하기 힘들고, 저장 공간이 많이 필요하므로 수소 저장 기술의 개발이 필요하다. • 수소 자체의 폭발 위험성이 있어 안전성 확보가 필요하다.

★ 연료 전지
외부에서 수소, 탄화수소, 알코올 등의 연료를 공급하여 화학 에너지를 전기 에너지로 변환하는 화학 전지이다.

★ 수소 에너지
수소 1몰이 연소될 때 발생하는 에너지는 285.8 kJ이다.

$H_2(g) + \frac{1}{2}O_2(g) \longrightarrow H_2O(l)$

$\Delta H = -285.8$ kJ

수소는 분자량이 작아 1 g당 발생하는 열량이 메테인, 뷰테인 등에 비해 매우 크므로 강력한 에너지 공급원이다.

지학사 교과서에만 나와요.

★ 수소 연료 전지의 분류
수소 연료 전지는 작동 온도와 전해질에 따라 분류하며, 전해질로는 인산, 수산화 칼륨, 용융 탄산염, 고체 산화물, 고체 고분자 등을 사용한다. 그 중 저온형 고분자 전해질 연료 전지는 작동이 쉽고 빠르므로 수소 연료 전지 자동차에 많이 사용한다.

교학사, 지학사 교과서에만 나와요.

★ 알칼리 수소 연료 전지
알칼리 수소 연료 전지는 전해질로 수산화 칼륨을 사용하며, 전극 반응은 다음과 같다.

(−)극: $2H_2(g) + 4OH^-(aq) \longrightarrow 4H_2O(l) + 4e^-$

(+)극: $O_2(g) + 2H_2O(l) + 4e^- \longrightarrow 4OH^-(aq)$

전체 반응: $2H_2(g) + O_2(g) \longrightarrow 2H_2O(l)$

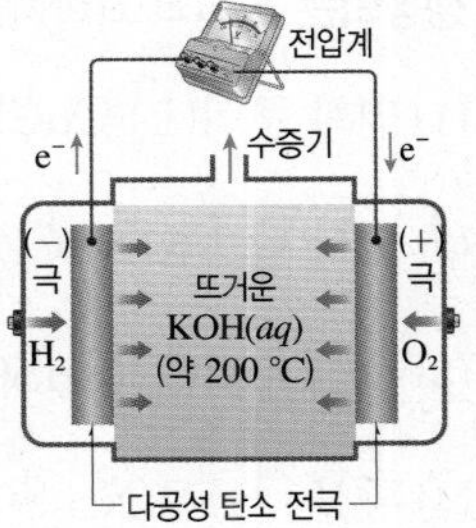

3. 수소 연료 전지의 연료(*수소)를 얻는 방법

(1) 화석 연료와 수증기의 반응(화석 연료의 리포밍): 메테인 등의 화석 연료와 뜨거운 수증기를 촉매를 사용하여 반응시키면 수소를 얻을 수 있다.

$$CH_4(g)+2H_2O(g) \xrightarrow{\text{촉매}} 4H_2(g)+CO_2(g)$$

➡ 많은 양의 이산화 탄소를 배출하므로 지구 온난화와 기후 변화 등의 문제를 일으킨다.

(2) 물의 전기 분해: 물을 전기 분해하면 (−)극에서 수소를 얻을 수 있다.

$$2H_2O(l) \longrightarrow 2H_2(g)+O_2(g)$$

➡ 전기 에너지가 많이 소모되므로 비효율적이다.

(3) 물의 광분해: 식물의 광합성에서 엽록소에 흡수된 빛에 의해 물이 전자와 수소 이온, 산소 기체로 분해되는 과정을 인공적으로 모방하면 태양광으로 수소를 얻을 수 있다.

➡ 환경오염 없이 수소를 얻는 방법으로, 미래의 에너지 문제를 해결할 수 있을 것으로 기대된다.

광촉매 전극을 이용한 물의 광분해

- 광촉매: 식물의 엽록소와 같은 역할을 하는 물질 → 광촉매 대신 반도체성 광전극을 사용할 수 있다.
- 광촉매 전극에 빛을 쪼여 주면 광촉매 전극에서 물이 전자를 내놓고 산소로 산화되고, 전자는 외부 도선을 따라 백금 전극으로 이동하여 수소 이온을 수소 기체로 환원시키므로 수소를 얻을 수 있다.

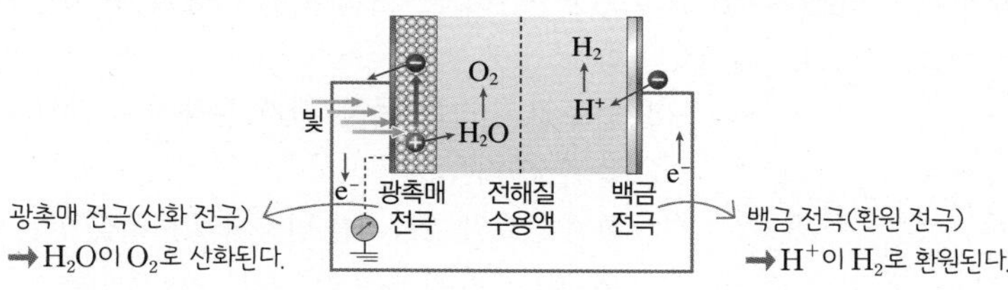

수소의 제조와 저장 — 지학사 교과서에만 나와요.

구분	내용
수소의 제조 방법	• 신재생 에너지를 이용한 물의 전기 분해 • 녹조류, 남조류 등을 이용한 광생물학적 분해 • 화석 연료와 수증기의 반응 • 제철, 석유 화학 산업의 부산물
수소의 저장 방법	• 고압으로 수소 가스를 저장하거나 액화시켜 저장한다. • 수소 저장 합금 이용: *수소 저장 합금은 수소를 흡수하여 금속 수소화물을 형성하고, 온도를 높이면 수소를 방출한다. • 탄소 나노 튜브 이용: 탄소 나노 튜브는 수소를 흡착시켜 저장한다.

4. 수소 연료 전지의 활용

(1) 운송수단의 동력원: 수소 연료 전지는 작은 공간에서 전기와 열을 동시에 생산할 수 있어 우주 왕복선, 자동차, 자전거, 선박 등의 동력원으로 활용된다.

(2) 가정 및 산업용 발전 장치: 수소 연료 전지는 에너지 효율이 높아 주택의 발전 및 난방에 활용되고, 산업의 대용량 발전 장치에도 활용된다.

(3) 휴대용 소형 전자 기기 등에도 활용된다.

수소 연료 전지 자동차

＊ 수소의 특징
- 우주에서 가장 풍부한 원소이다.
- 지구에 물, 유기물, 화석 연료 등의 화합물 형태로 존재하므로 여러 가지 방법으로 분리하여 얻을 수 있다.
- 물을 분해하여 얻을 수 있으므로 자원이 거의 무한하다.
- 연소 후 원료인 물이 되므로 고갈과 환경오염의 염려가 없다.
- 연소될 때 발열량이 크다.

＊ 수소 저장 합금
니켈 수소 저장 합금 등이 개발되어 있으며, 금속 수소화물 부피의 1000배 정도의 수소 기체를 저장할 수 있다.

＊ 전기 화학
전기 화학은 산화 환원 반응에 따른 전자의 이동과 관련된 다양한 현상을 다루는 학문이다. 전기 화학 기술은 화학 전지, 전기 분해, 수소 연료 전지 등에 광범위하게 활용되어 인류의 생활과 사회에 많은 영향을 끼치고 있다.

개념 확인 문제

정답친해 140쪽

핵심 체크

• (❶   ): 수소를 연료로 하여 화학 에너지를 전기 에너지로 변환하는 화학 전지

전극 반응	• (❷)극: $2H_2(g) \longrightarrow 4H^+(aq)+4e^-$ • (❸)극: $O_2(g)+4H^+(aq)+4e^- \longrightarrow 2H_2O(l)$ • 전체 반응: $2H_2(g)+O_2(g) \longrightarrow 2H_2O(l)$, $\Delta H=-571.6$ kJ
구조	• 각 전극은 백금 촉매가 채워진 다공성 (❹) 전극을 사용하며, (−)극에는 (❺) 기체를, (+)극에는 (❻) 기체를 공급한다. • 전해질은 고분자 전해질 막을 사용한다.
특징	• 최종 생성물이 (❼)이므로 환경오염 물질을 배출하지 않는다. • 충전을 따로 할 필요 없이 연료가 공급되는 한 전기를 계속 생산할 수 있다.
연료	수소는 화석 연료와 수증기의 반응, 물의 전기 분해, 물의 (❽) 등으로 생산한다.

1 수소 연료 전지에 대한 설명으로 옳은 것은 ○, 옳지 않은 것은 ×로 표시하시오.

(1) 화학 에너지를 전기 에너지로 바꾸는 장치이다. (   )

(2) 외부에서 연료를 계속적으로 공급하는 화학 전지이다. (   )

(3) 연료는 수소와 산소이다. (   )

(4) 여러 번 충전하여 사용할 수 있다. (   )

(5) 환경오염 물질을 배출하지 않는다. (   )

2 그림은 수소 연료 전지의 구조를 모식적으로 나타낸 것이다.

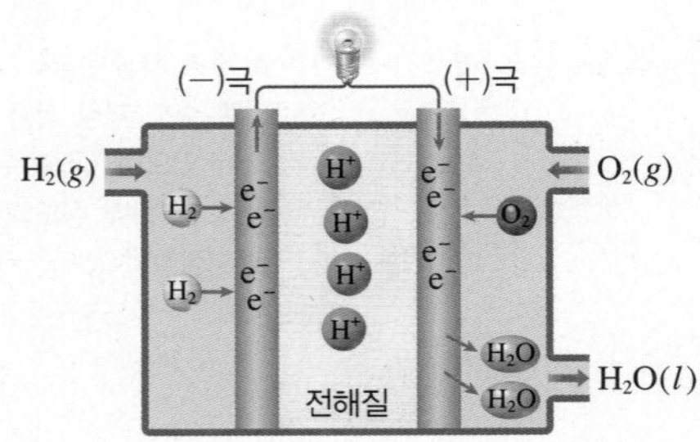

이에 대한 설명으로 옳은 것은 ○, 옳지 않은 것은 ×로 표시하시오.

(1) (−)극에서는 H_2가 환원된다. (   )

(2) (+)극에서는 산화 반응이 일어난다. (   )

(3) 전해질에서 H^+은 (+)극 쪽으로 이동한다. (   )

(4) 최종 생성물은 H_2O이다. (   )

3 수소 연료 전지의 특징과 활용에 대한 설명으로 옳은 것은 ○, 옳지 않은 것은 ×로 표시하시오.

(1) 화석 연료에 비해 에너지 효율이 높다. (   )

(2) 운송수단의 동력원으로만 이용할 수 있어 활용 범위가 좁다. (   )

(3) 연료인 수소는 물을 전기 분해하여 값싼 비용으로 얻을 수 있다. (   )

(4) 화석 연료와 수증기를 반응시켜 수소를 얻는 방법은 지구 온난화 등의 문제를 일으킨다. (   )

(5) 수소의 폭발 위험성이 있어 안전성 확보가 필요하다. (   )

4 그림은 광촉매 전극을 이용한 물의 광분해 장치를 나타낸 것이다.

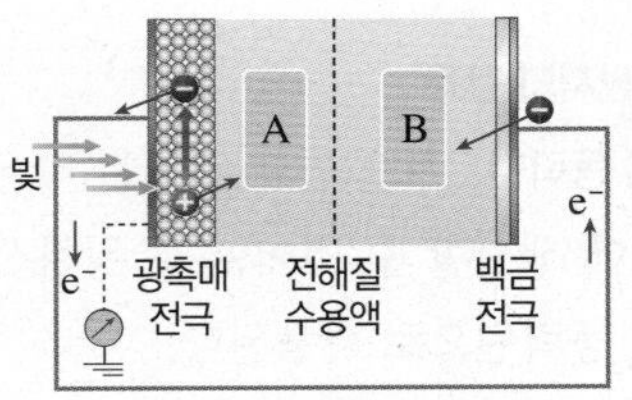

(1) A와 B에서 생성되는 물질을 각각 쓰시오.

(2) 산화 반응이 일어나는 전극과 환원 반응이 일어나는 전극을 각각 쓰시오.

대표 자료 분석

정답친해 140쪽

학교 시험에 자주 출제되는 대표 자료와 그 자료에 대한 문제를 통해 자료를 완벽하게 이해할 수 있다.

자료 1 전기 분해의 원리

기출 Point
- 염화 나트륨 용융액과 수용액의 전기 분해
- 전극의 반쪽 반응

[1~3] 그림 (가)는 염화 나트륨 용융액($NaCl(l)$)의 전기 분해 장치를 나타낸 것이고, (나)는 염화 나트륨 수용액($NaCl(aq)$)의 전기 분해 장치를 나타낸 것이다.

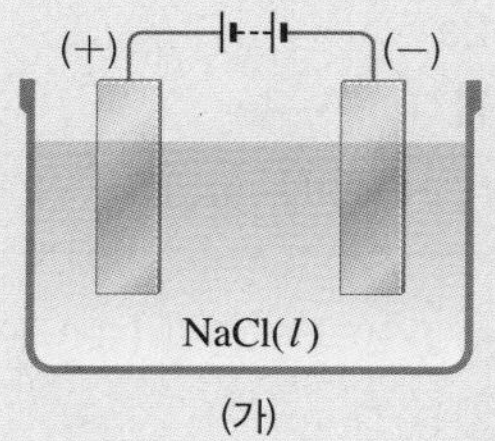

(가)

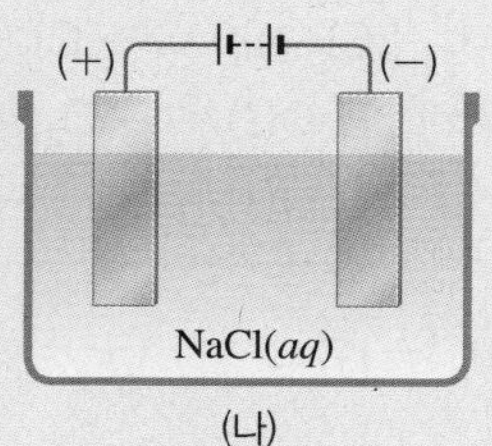

(나)

1 (가)와 (나)의 (+)극에서 일어나는 반응의 화학 반응식을 각각 쓰시오.

2 (가)와 (나)의 (−)극에서 생성되는 물질을 각각 쓰시오.

3 빈출 선택지로 완벽 정리!

(1) (가)의 (+)극에서는 산화 반응이 일어난다. ··· (○ / ×)

(2) (나)의 (−)극에서는 Na^+이 환원된다. ········ (○ / ×)

(3) (가)와 (나)의 (+)극에서 생성되는 물질은 서로 같다. ········ (○ / ×)

(4) (가)와 (나)의 (−)극에서 생성되는 물질은 모두 기체이다. ········ (○ / ×)

(5) (가)에서 (−)극 주변의 pH는 커진다. ········ (○ / ×)

(6) (나)에서 (−)극 주변의 pH는 커진다. ········ (○ / ×)

자료 2 수소 연료 전지

기출 Point
- 수소 연료 전지의 전극 반응
- 전체 반응식과 최종 생성물

[1~3] 그림은 수소 연료 전지의 모식도와 두 전극에서 일어나는 반쪽 반응을 나타낸 것이다.

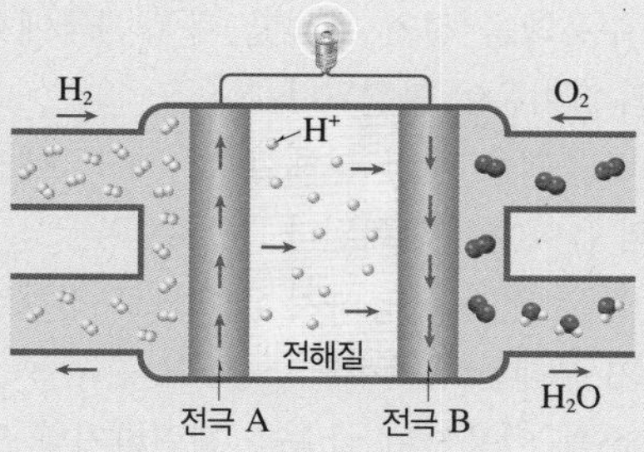

- (−)극: $2H_2(g) \longrightarrow 4H^+(aq) + 4e^-$
- (+)극: $O_2(g) + 4H^+(aq) + 4e^- \longrightarrow 2H_2O(l)$

1 전극 A와 전극 B의 전극의 종류를 각각 쓰시오.

2 이 전지 반응의 전체 반응식을 쓰시오.

3 빈출 선택지로 완벽 정리!

(1) 전극 A에서는 환원 반응이 일어난다. ········ (○ / ×)

(2) 전극 B에서는 O_2가 산화된다. ········ (○ / ×)

(3) 전자는 전극 B에서 도선을 따라 전극 A로 이동한다. ········ (○ / ×)

(4) 전체 반응식은 수소의 연소 반응식과 같다. (○ / ×)

(5) 최종 생성물로 물이 나온다. ········ (○ / ×)

내신 만점 문제

Ⓐ 전기 분해

01 전기 분해에 대한 설명으로 옳지 <u>않은</u> 것은?

① 전기 분해는 전기 에너지를 이용하여 산화 환원 반응을 일으켜 물질을 분해하는 반응이다.
② 전해질 수용액을 전기 분해할 때 (−)극에서는 항상 전해질의 양이온이 환원된다.
③ 전해질 용융액을 전기 분해할 때 (+)극에서는 항상 전해질의 음이온이 산화된다.
④ 순수한 물은 전기를 통하지 않으므로 전해질을 조금 넣어 전기 분해한다.
⑤ 전기 분해를 이용하여 금속을 제련하거나 도금할 수 있다.

02 그림은 염화 나트륨(NaCl) 용융액의 전기 분해 장치를 나타낸 것이다.

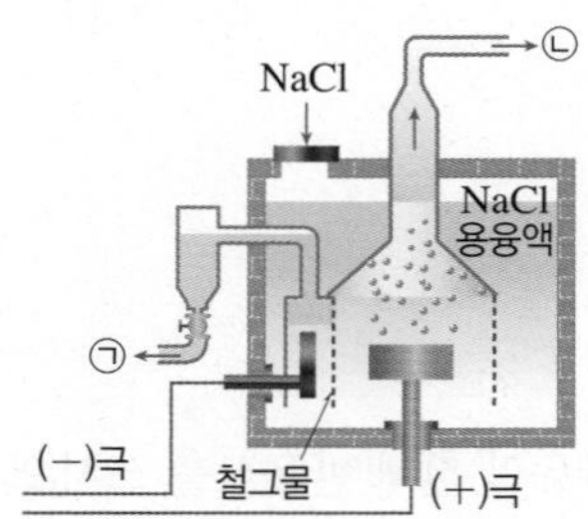

㉠과 ㉡으로 배출되는 물질의 화학식으로 옳은 것은?

	㉠	㉡		㉠	㉡
①	Na	H_2	②	Na	Cl_2
③	Na	O_2	④	H_2	Cl_2
⑤	H_2	O_2			

03 서술형 그림은 전기 분해의 원리를 모형으로 나타낸 것이다.
염화 구리(Ⅱ)($CuCl_2$) 용융액을 전기 분해할 때 전극 A와 전극 B에서 각각 일어나는 반응을 생성 물질을 포함하여 서술하시오.

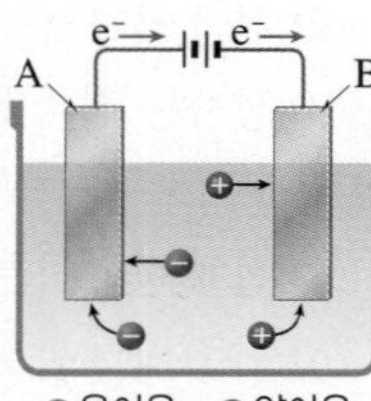

[04~05] 그림과 같이 염화 나트륨(NaCl) 수용액에 전류를 흘려 전기 분해하였다.

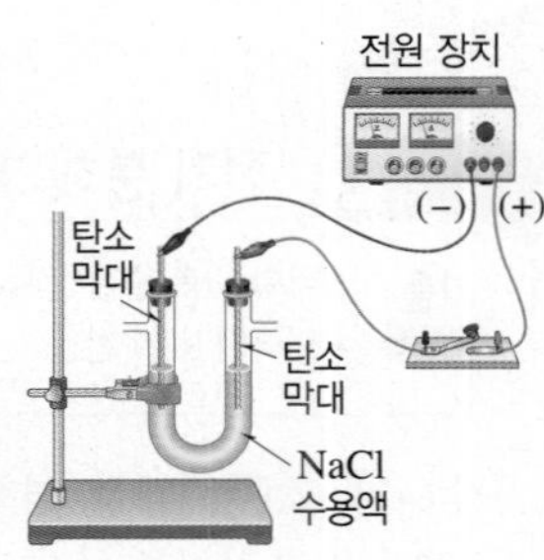

04 중요 (−)극과 (+)극에서 일어나는 반쪽 반응을 [보기]에서 골라 옳게 짝 지은 것은?

[보기]
ㄱ. $Na^+(aq)+e^- \longrightarrow Na(l)$
ㄴ. $2Cl^-(aq) \longrightarrow Cl_2(g)+2e^-$
ㄷ. $2H_2O(l) \longrightarrow O_2(g)+4H^+(aq)+4e^-$
ㄹ. $2H_2O(l)+2e^- \longrightarrow H_2(g)+2OH^-(aq)$

	(−)극	(+)극		(−)극	(+)극
①	ㄱ	ㄷ	②	ㄱ	ㄹ
③	ㄴ	ㄹ	④	ㄷ	ㄴ
⑤	ㄹ	ㄴ			

05 이에 대한 설명으로 옳은 것만을 [보기]에서 있는 대로 고른 것은?

[보기]
ㄱ. (+)극에서는 환원 반응이 일어난다.
ㄴ. (−)극 막대의 질량이 증가한다.
ㄷ. 반응이 진행될수록 (−)극 주변 수용액의 pH는 증가한다.

① ㄱ ② ㄷ ③ ㄱ, ㄴ
④ ㄴ, ㄷ ⑤ ㄱ, ㄴ, ㄷ

06 그림은 구리(Cu)와 백금(Pt) 전극을 사용한 황산 구리(Ⅱ)($CuSO_4$) 수용액의 전기 분해 장치를 나타낸 것이다.
이에 대한 설명으로 옳은 것만을 [보기]에서 있는 대로 고른 것은?

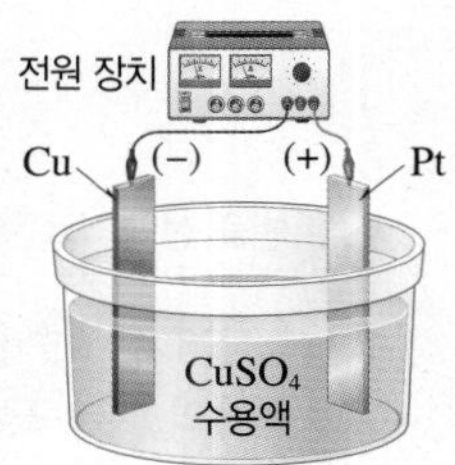

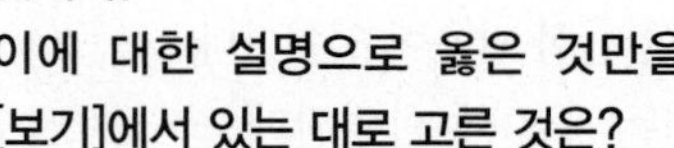

[보기]
ㄱ. 수용액의 pH는 작아진다.
ㄴ. 구리 전극의 질량은 증가한다.
ㄷ. 백금 전극에서는 환원 반응이 일어난다.

① ㄴ ② ㄷ ③ ㄱ, ㄴ
④ ㄱ, ㄷ ⑤ ㄱ, ㄴ, ㄷ

07 그림과 같이 장치하고 X 수용액($X(aq)$)을 전기 분해하였더니, (−)극에서 수소(H_2) 기체가 발생하였다.
X로 적절한 것만을 [보기]에서 있는 대로 고른 것은?

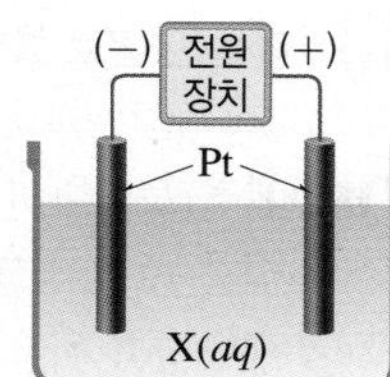

[보기]
ㄱ. $NaNO_3$　ㄴ. $CuSO_4$　ㄷ. $AgNO_3$
ㄹ. $CuCl_2$　ㅁ. KI　ㅂ. $Ca(NO_3)_2$

① ㄱ, ㄷ　② ㄴ, ㄷ　③ ㄱ, ㅁ, ㅂ
④ ㄴ, ㄷ, ㄹ　⑤ ㄹ, ㅁ, ㅂ

중요 **08** 그림 (가)는 금속 M의 염화물인 MCl 용융액의 전기 분해 장치를 나타낸 것이고, (나)는 MCl 수용액의 전기 분해 장치를 나타낸 것이다.

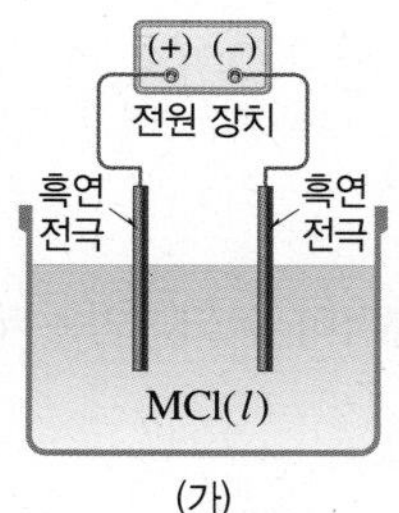

(가)

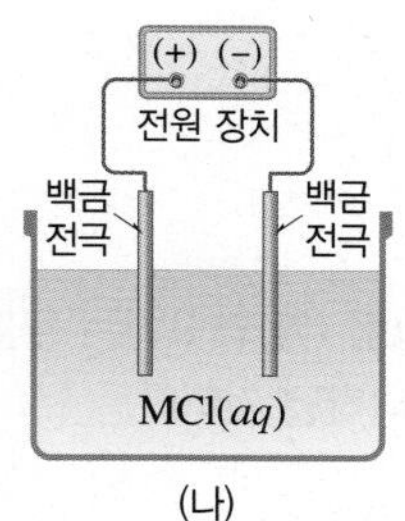

(나)

다음은 반쪽 반응의 표준 환원 전위($E°$)이다.

- $M^+(aq)+e^- \longrightarrow M(s)$　$E°=-2.71$ V
- $2H_2O(l)+2e^- \longrightarrow H_2(g)+2OH^-(aq)$　$E°=-0.83$ V
- $Cl_2(g)+2e^- \longrightarrow 2Cl^-(aq)$　$E°=+1.36$ V

이에 대한 설명으로 옳은 것만을 [보기]에서 있는 대로 고른 것은? (단, M은 임의의 원소 기호이다.)

[보기]
ㄱ. (+)극에서 생성되는 물질은 (가)와 (나)에서 같다.
ㄴ. (−)극 주변의 pH는 (가)와 (나)에서 모두 커진다.
ㄷ. (−)극의 질량이 (가)와 (나)에서 모두 증가한다.

① ㄱ　② ㄷ　③ ㄱ, ㄴ
④ ㄴ, ㄷ　⑤ ㄱ, ㄴ, ㄷ

09 다음은 $AgNO_3$ 수용액과 $CuCl_2$ 수용액의 전기 분해 장치와 이 장치에 일정 시간 동안 전류를 흘려 주었을 때의 결과를 나타낸 것이다.

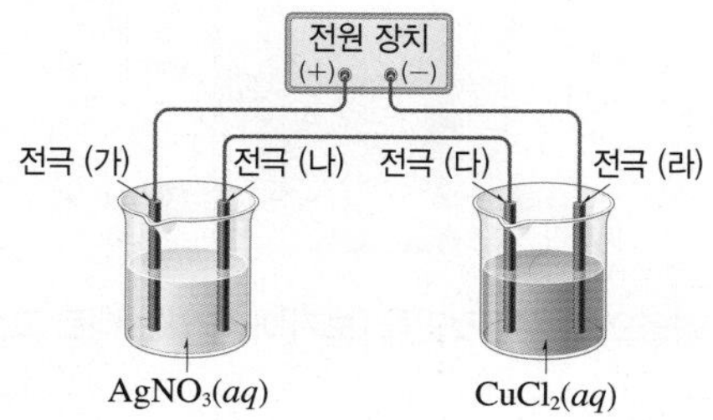

[실험 결과]
- (가)와 (다)에서 기체가 발생하였다.
- (나)와 (라)에서 금속이 석출되었다.

이에 대한 설명으로 옳은 것만을 [보기]에서 있는 대로 고른 것은?

[보기]
ㄱ. (가)에서는 환원 반응이, (나)에서는 산화 반응이 일어난다.
ㄴ. 석출되는 금속의 몰비는 (나) : (라)=1 : 2이다.
ㄷ. 발생하는 기체의 부피비는 (가) : (다)=1 : 2이다.

① ㄱ　② ㄷ　③ ㄱ, ㄴ
④ ㄴ, ㄷ　⑤ ㄱ, ㄴ, ㄷ

B 전기 분해의 이용

10 그림은 Ag^+이 들어 있는 수용액을 이용하여 놋숟가락에 은 도금을 하는 장치를 나타낸 것이다.
이에 대한 설명으로 옳은 것만을 [보기]에서 있는 대로 고른 것은?

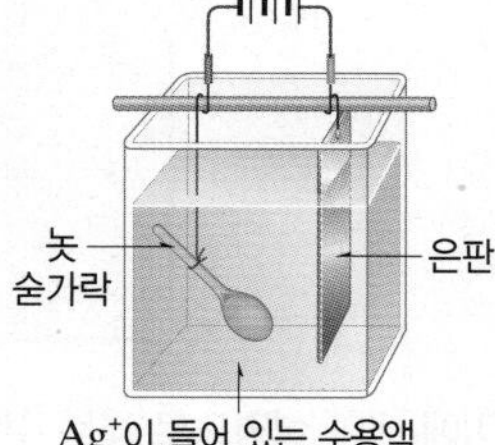

[보기]
ㄱ. 은판의 질량은 감소한다.
ㄴ. 수용액 속 Ag^+의 수는 감소한다.
ㄷ. 놋숟가락 표면에서 Ag^+이 환원된다.

① ㄱ　② ㄴ　③ ㄱ, ㄷ
④ ㄴ, ㄷ　⑤ ㄱ, ㄴ, ㄷ

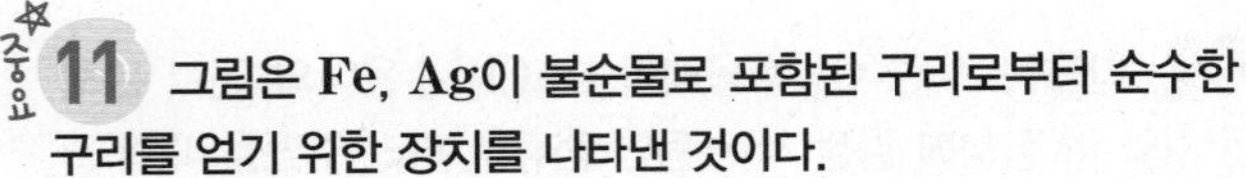

중요 11 그림은 Fe, Ag이 불순물로 포함된 구리로부터 순수한 구리를 얻기 위한 장치를 나타낸 것이다.

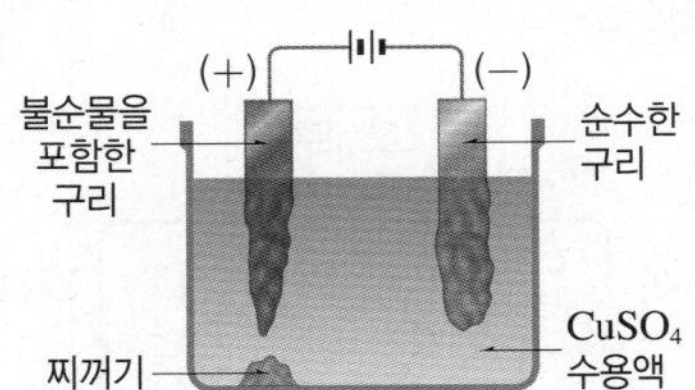

이에 대한 설명으로 옳은 것만을 [보기]에서 있는 대로 고른 것은?

[보기]
ㄱ. (−)극의 구리의 질량은 점점 증가한다.
ㄴ. 전해질 수용액에는 Ag^{+}이 존재한다.
ㄷ. 찌꺼기에는 Fe이 원소 상태로 존재한다.

① ㄱ ② ㄴ ③ ㄱ, ㄷ
④ ㄴ, ㄷ ⑤ ㄱ, ㄴ, ㄷ

C 수소 연료 전지

중요 12 그림은 수소 연료 전지의 구조를 모식적으로 나타낸 것이다.

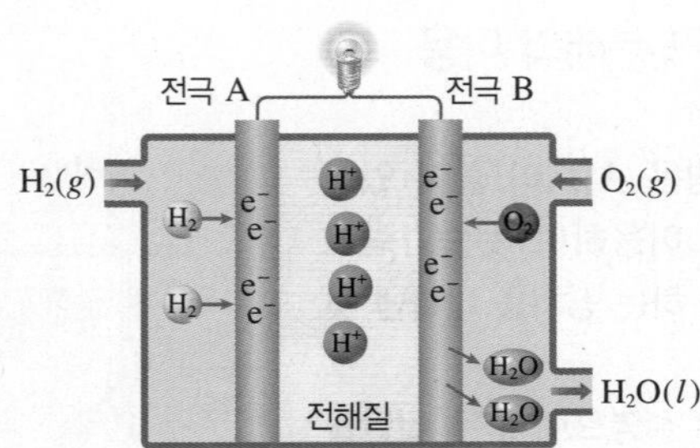

이에 대한 설명으로 옳은 것만을 [보기]에서 있는 대로 고른 것은?

[보기]
ㄱ. 전극 A는 산화 전극이다.
ㄴ. 전극 B에서 O_2가 환원된다.
ㄷ. H^{+}은 전해질 막을 통과하지 못한다.

① ㄱ ② ㄷ ③ ㄱ, ㄴ
④ ㄴ, ㄷ ⑤ ㄱ, ㄴ, ㄷ

13 다음은 연료 X에 대한 자료이다.

(가) 물을 분해하여 얻을 수 있다.
(나) 이용 시 환경오염 물질을 배출하지 않는다.
(다) 태양광을 이용한 광분해로 얻는 방법에 대한 연구가 진행되고 있다.

이에 대한 설명으로 옳은 것만을 [보기]에서 있는 대로 고른 것은?

[보기]
ㄱ. X는 산소이다.
ㄴ. X가 연소할 때 물을 생성한다.
ㄷ. (다)에서 분해되는 물질은 이산화 탄소이다.

① ㄱ ② ㄴ ③ ㄱ, ㄷ
④ ㄴ, ㄷ ⑤ ㄱ, ㄴ, ㄷ

14 그림 (가)와 (나)는 물을 분해하여 수소를 얻는 두 가지 방법을 나타낸 것이다.

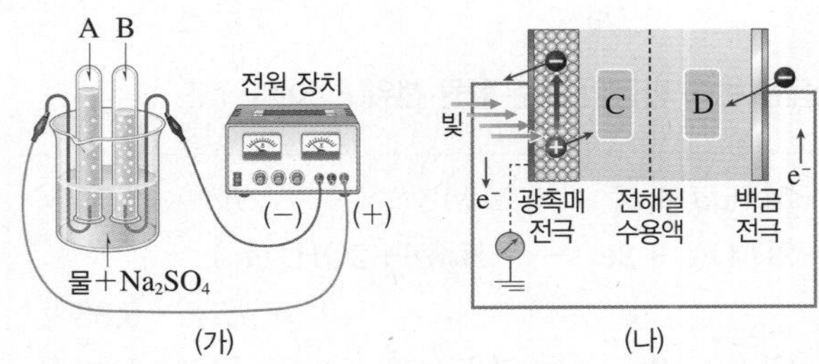

이에 대한 설명으로 옳은 것만을 [보기]에서 있는 대로 고른 것은?

[보기]
ㄱ. (가)는 전기 에너지 소모가 많아 수소를 얻는 데 비효율적이다.
ㄴ. (나)에서 광촉매 전극은 식물의 엽록소와 같은 역할을 한다.
ㄷ. A와 C에서 수소 기체가 발생한다.

① ㄱ ② ㄷ ③ ㄱ, ㄴ
④ ㄴ, ㄷ ⑤ ㄱ, ㄴ, ㄷ

정답친해 144쪽

01 화학 전지의 원리

1. 금속의 반응성

금속의 이온화 경향	K Ca Na Mg Al Zn Fe Ni Sn Pb H Cu Hg Ag Pt Au 크다 ← 이온화 경향 → 작다 금속의 이온화 경향이 클수록 반응성이 (❶)다.
금속의 반응	이온화 경향이 (❷) 금속 이온이 들어 있는 수용액에 이온화 경향이 (❸) 금속을 넣으면 반응이 일어난다.

2. 화학 전지

2. 화학 전지 산화 환원 반응을 이용하여 (❹) 에너지를 (❺) 에너지로 전환하는 장치

(1) (❻) **전지:** 아연판과 구리판을 묽은 황산에 담그고 도선으로 연결한 전지

구성	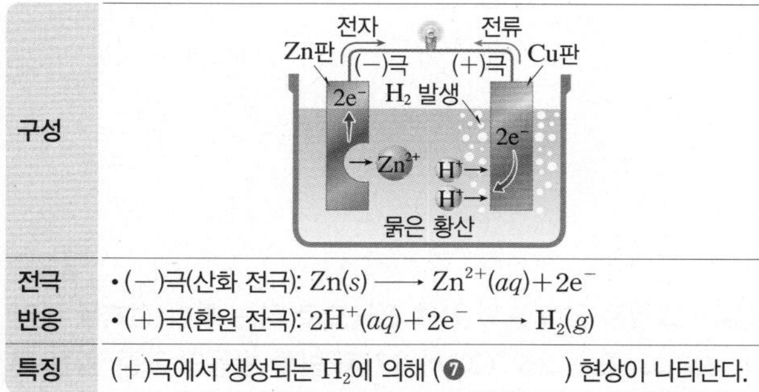
전극 반응	• (−)극(산화 전극): $Zn(s) \longrightarrow Zn^{2+}(aq)+2e^-$ • (+)극(환원 전극): $2H^+(aq)+2e^- \longrightarrow H_2(g)$
특징	(+)극에서 생성되는 H_2에 의해 (❼) 현상이 나타난다.

(2) (❽) **전지:** 아연판을 황산 아연 수용액에, 구리판을 황산 구리(Ⅱ) 수용액에 넣고 (❾)로 연결한 전지

구성	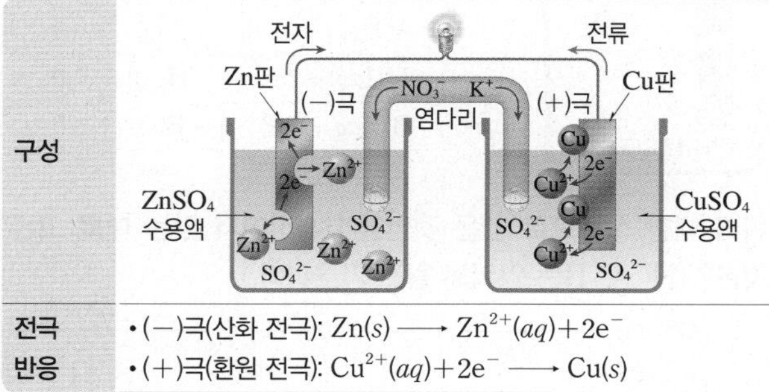
전극 반응	• (−)극(산화 전극): $Zn(s) \longrightarrow Zn^{2+}(aq)+2e^-$ • (+)극(환원 전극): $Cu^{2+}(aq)+2e^- \longrightarrow Cu(s)$

3. 실용 전지

(❿)차 전지	한 번 사용하면 다시 사용할 수 없는 전지 예 망가니즈 건전지, 알칼리 건전지
(⓫)차 전지	충전하여 재사용할 수 있는 전지 예 납축전지, 리튬 이온 전지, 산화 은 전지

4. 전지 전위

표준 수소 전극	반쪽 전지의 전위를 정하는 기준으로, 전위를 (⓬)V로 정한다.
표준 환원 전위($E°$)	• 표준 수소 전극과 연결하여 측정한 반쪽 전지의 전위를 환원 반응의 형태로 나타낸 전위 • 표준 환원 전위가 클수록 (⓭)되기 쉽다. • 전지에서 표준 환원 전위가 큰 쪽이 (+)극(환원 전극), 작은 쪽이 (−)극(산화 전극)이 된다.
표준 전지 전위 ($E°_{전지}$)	• 25 °C에서 전해질 수용액의 농도가 1 M, 기체의 압력이 1 기압일 때 두 반쪽 전지를 연결한 화학 전지의 전위 • $E°_{전지}=E°_{(+)극}-E°_{(-)극}=E°_{환원\ 전극}-E°_{산화\ 전극}$

02 전기 분해의 원리

1. 전기 분해 전기 에너지를 공급하여 산화 환원 반응을 일으켜 물질을 분해하는 반응

용융액	• (+)극(산화 전극): (⓮)이 전자를 잃고 산화된다. • (−)극(환원 전극): (⓯)이 전자를 얻어 환원된다.
수용액	• (+)극(산화 전극): 음이온과 물 분자 중 산화되기 쉬운 것(표준 환원 전위가 작은 것)이 먼저 산화된다. • (−)극(환원 전극): 양이온과 물 분자 중 환원되기 쉬운 것(표준 환원 전위가 큰 것)이 먼저 환원된다.
물	• (+)극(산화 전극): 물이 산화되어 (⓰) 기체가 발생한다. • (−)극(환원 전극): 물이 환원되어 (⓱) 기체가 발생한다.

2. 전기 분해의 이용

은 도금	• (+)극(산화 전극): $Ag(s) \longrightarrow Ag^+(aq)+e^-$ • (−)극(환원 전극): $Ag^+(aq)+e^- \longrightarrow Ag(s)$
구리의 제련	• (+)극(산화 전극): $Cu(s) \longrightarrow Cu^{2+}(aq)+2e^-$ • (−)극(환원 전극): $Cu^{2+}(aq)+2e^- \longrightarrow Cu(s)$

3. 수소 연료 전지

구성	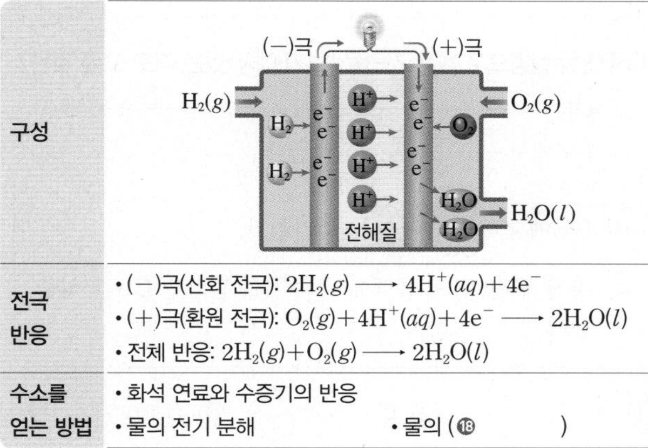
전극 반응	• (−)극(산화 전극): $2H_2(g) \longrightarrow 4H^+(aq)+4e^-$ • (+)극(환원 전극): $O_2(g)+4H^+(aq)+4e^- \longrightarrow 2H_2O(l)$ • 전체 반응: $2H_2(g)+O_2(g) \longrightarrow 2H_2O(l)$
수소를 얻는 방법	• 화석 연료와 수증기의 반응 • 물의 전기 분해 • 물의 (⓲)

중단원

마무리 문제

난이도 ●●●

●●○

01 그림은 1 M 염산($HCl(aq)$)에 아연(Zn)판을 담근 모습을 나타낸 것이다. 이에 대한 설명으로 옳은 것만을 [보기]에서 있는 대로 고른 것은? (단, Zn의 원자량은 65이다.)

보기
ㄱ. 아연판에서 H_2 기체가 발생한다.
ㄴ. Zn의 질량이 3.25 g 감소할 때 이동한 전자의 양은 0.1몰이다.
ㄷ. 수용액 속 양이온 수는 감소한다.

① ㄱ ② ㄷ ③ ㄱ, ㄴ
④ ㄴ, ㄷ ⑤ ㄱ, ㄴ, ㄷ

●●○

02 다음은 금속 A, B를 이용한 실험이다.

(가) 금속 A를 묽은 염산에 담갔더니 기체가 발생하였다.
(나) 금속 A를 황산 구리(Ⅱ) 수용액에 담갔더니 금속이 석출되었고, 수용액 속 이온 수는 일정하였다.
(다) 금속 A 이온의 수용액에 금속 B를 담갔더니 금속이 석출되었다.

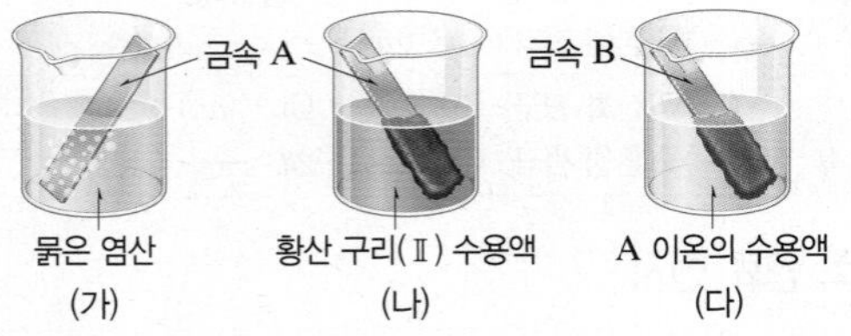

이에 대한 설명으로 옳은 것만을 [보기]에서 있는 대로 고른 것은?

보기
ㄱ. (가)에서 $\frac{\text{양이온 수}}{\text{음이온 수}}$는 감소한다.
ㄴ. (나)에서 $\frac{\text{A 이온 수}}{Cu^{2+}\text{ 수}}$는 증가한다.
ㄷ. 황산 구리(Ⅱ) 수용액에 금속 B를 담그면 Cu가 석출된다.

① ㄱ ② ㄷ ③ ㄱ, ㄴ
④ ㄴ, ㄷ ⑤ ㄱ, ㄴ, ㄷ

●○○

03 그림 (가)와 (나)는 아연판과 구리판을 이용하여 만든 두 종류의 화학 전지를 나타낸 것이다.

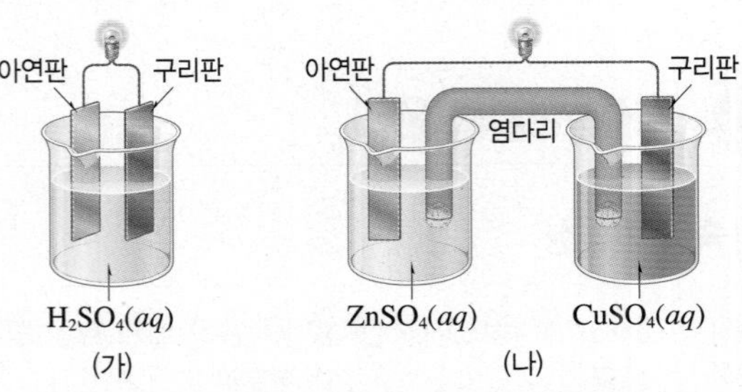

두 화학 전지에서 전극 반응이 일어날 때 공통점만을 [보기]에서 있는 대로 고른 것은?

보기
ㄱ. 분극 현상이 나타난다.
ㄴ. 아연판은 (−)극으로 작용한다.
ㄷ. 아연은 산화되고, 구리 이온은 환원된다.

① ㄱ ② ㄴ ③ ㄷ
④ ㄱ, ㄴ ⑤ ㄴ, ㄷ

●●○

04 그림은 금속 A와 B를 전극으로 하는 화학 전지를 나타낸 것이고, 표는 25 °C에서 3가지 반쪽 반응의 표준 환원 전위($E°$)이다.

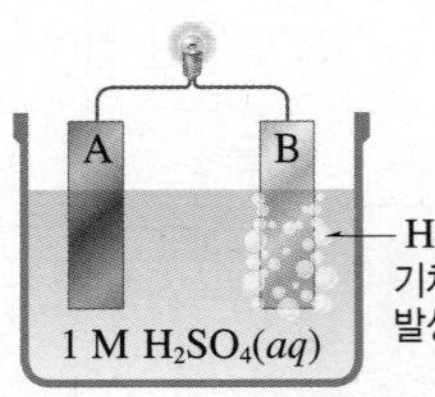

반쪽 반응	$E°$(V)
$A^{2+}(aq)+2e^- \longrightarrow A(s)$	a
$2H^+(aq)+2e^- \longrightarrow H_2(g)$	0
$B^{2+}(aq)+2e^- \longrightarrow B(s)$	b

이에 대한 설명으로 옳은 것만을 [보기]에서 있는 대로 고른 것은? (단, A, B는 임의의 원소 기호이다.)

보기
ㄱ. $a>b$이다.
ㄴ. 기체가 발생하는 동안 $[A^{2+}]$는 증가한다.
ㄷ. 전자는 A 전극에서 B 전극으로 도선을 따라 이동한다.

① ㄱ ② ㄷ ③ ㄱ, ㄴ
④ ㄴ, ㄷ ⑤ ㄱ, ㄴ, ㄷ

●●○

05 그림은 Cd과 Ag을 전극으로 하는 화학 전지를 나타낸 것이고, 표는 2가지 반쪽 반응의 표준 환원 전위($E°$)이다.

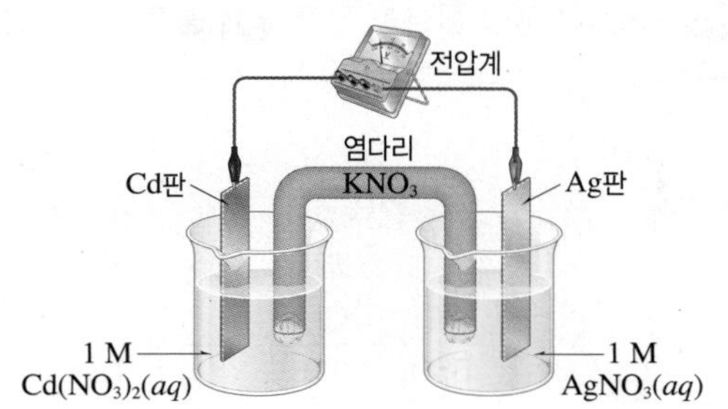

반쪽 반응	$E°$(V)
$Cd^{2+}(aq)+2e^- \longrightarrow Cd(s)$	−0.40
$Ag^+(aq)+e^- \longrightarrow Ag(s)$	+0.80

이에 대한 설명으로 옳은 것만을 [보기]에서 있는 대로 고른 것은?

[보기]
ㄱ. Cd은 산화되고, Ag^+은 환원된다.
ㄴ. 이 전지의 표준 전지 전위($E°_{전지}$)는 +1.20 V이다.
ㄷ. 전해질 수용액의 전하 균형을 맞추기 위해 염다리의 K^+은 Cd판이 담긴 비커 쪽으로 이동한다.

① ㄱ ② ㄷ ③ ㄱ, ㄴ
④ ㄴ, ㄷ ⑤ ㄱ, ㄴ, ㄷ

●●○

06 표는 금속 A～D의 표준 환원 전위이다.

반쪽 반응	$E°$(V)
$A^{2+}+2e^- \longrightarrow A$	−0.76
$B^{2+}+2e^- \longrightarrow B$	−0.45
$C^{2+}+2e^- \longrightarrow C$	+0.34
$D^{+}+e^- \longrightarrow D$	+0.80

이에 대한 설명으로 옳은 것만을 [보기]에서 있는 대로 고른 것은? (단, A～D는 임의의 원소 기호이다.)

[보기]
ㄱ. 산화가 가장 잘 되는 금속은 A이다.
ㄴ. $B+C^{2+} \longrightarrow B^{2+}+C$의 반응은 자발적이다.
ㄷ. 반쪽 전지 B와 D를 이용하여 만든 전지의 표준 전지 전위는 +0.35 V이다.

① ㄱ ② ㄷ ③ ㄱ, ㄴ
④ ㄴ, ㄷ ⑤ ㄱ, ㄴ, ㄷ

●●○

07 다음은 25 °C에서 금속 A와 B를 전극으로 하는 화학 전지와, 2가지 반쪽 반응의 표준 환원 전위($E°$)를 나타낸 것이다.

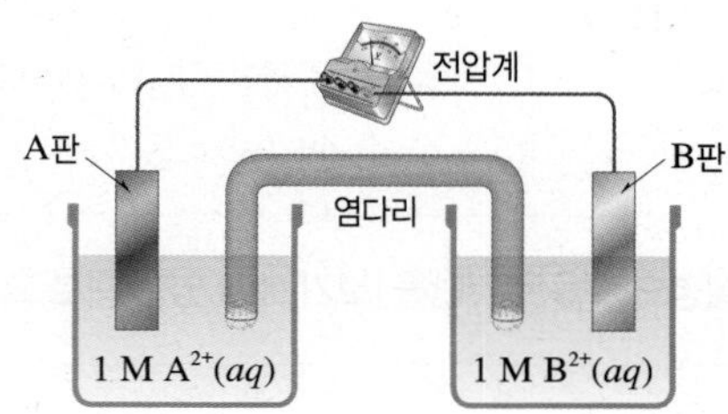

• $A^{2+}(aq)+2e^- \longrightarrow A(s)$ $E°=a$ V $(a<0)$
• $B^{2+}(aq)+2e^- \longrightarrow B(s)$ $E°=b$ V $(b>0)$

이에 대한 설명으로 옳은 것만을 [보기]에서 있는 대로 고른 것은? (단, A, B는 임의의 원소 기호이다.)

[보기]
ㄱ. 표준 전지 전위($E°_{전지}$)는 $(a-b)$ V이다.
ㄴ. A판의 질량은 감소하고, B판의 질량은 증가한다.
ㄷ. A^{2+}의 농도는 증가하고, B^{2+}의 농도는 감소한다.

① ㄱ ② ㄷ ③ ㄱ, ㄴ
④ ㄴ, ㄷ ⑤ ㄱ, ㄴ, ㄷ

●●○

08 다음은 납축전지의 구성을 나타낸 것이다.

$Pb(s)$ | $H_2SO_4(aq)$ | $PbO_2(s)$

납축전지에 대한 설명으로 옳지 않은 것은?

① 충전하면 재사용할 수 있다.
② PbO_2은 (+)극으로 작용한다.
③ 전지를 사용하면 (−)극에서 Pb이 산화된다.
④ 전지를 사용하면 두 전극의 질량이 모두 증가한다.
⑤ 전지를 사용하면 전해질의 pH가 작아진다.

●○○

09 다음은 NaCl 수용액을 전기 분해할 때 전극 A와 전극 B에서 일어나는 반응의 화학 반응식이다.

• 전극 A: $2H_2O(l)+2e^-$ ⟶ ㉠ $(g)+2OH^-(aq)$
• 전극 B: 2 ㉡ (aq) ⟶ $Cl_2(g)+2e^-$

이에 대한 설명으로 옳은 것만을 [보기]에서 있는 대로 고른 것은?

[보기]
ㄱ. ㉠은 O_2이다.
ㄴ. ㉡은 산화된다.
ㄷ. 전극 A는 (−)극이다.

① ㄱ ② ㄷ ③ ㄱ, ㄴ
④ ㄴ, ㄷ ⑤ ㄱ, ㄴ, ㄷ

●●○

10 그림과 같이 백금(Pt) 전극을 사용하여 황산 구리(Ⅱ)($CuSO_4$) 수용액을 전기 분해하였다.

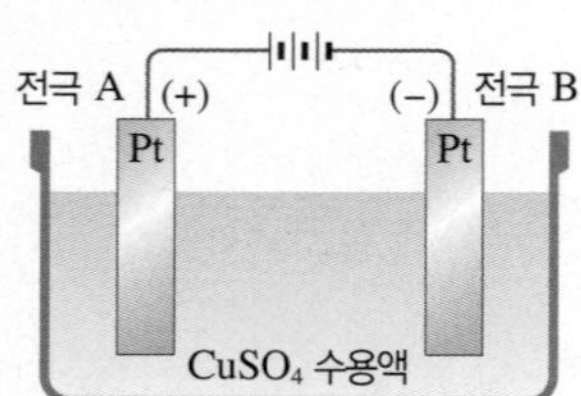

황산 구리(Ⅱ) 수용액이 전기 분해될 때 일어나는 현상에 대한 설명으로 옳지 않은 것은?

① 전극 A에서 산화 반응이 일어난다.
② 전기 분해가 진행되면 수용액의 pH가 작아진다.
③ 전기 분해가 진행되면 전극 B의 질량이 증가한다.
④ 같은 시간 동안 전극 A, B에서 생성되는 물질의 양(mol)은 같다.
⑤ 전극 A에서는 O_2가 발생하고, 전극 B에서는 Cu가 석출된다.

●●●

11 그림은 전기 분해 장치를 나타낸 것이고, 표는 25 °C에서 1 M ACl_2 수용액과 BSO_4 수용액을 각각 전기 분해했을 때 각 전극에서의 생성 물질과 전극 주변 용액의 pH 변화의 일부이다.

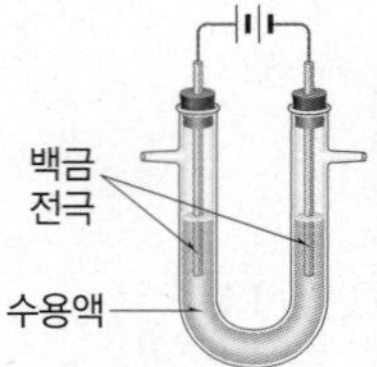

수용액	(+)극 생성 물질	(+)극 pH 변화	(−)극 생성 물질	(−)극 pH 변화
ACl_2	Cl_2		(가)	일정
BSO_4	(나)	감소	H_2	(다)

이에 대한 설명으로 옳지 않은 것은? (단, A, B는 임의의 원소 기호이다.)

① (가)는 $A(s)$이다.
② (나)는 $B(s)$이다.
③ (다)는 '증가'이다.
④ 표준 환원 전위는 A가 B보다 크다.
⑤ 순수한 물에 BSO_4를 소량 넣으면 물이 전기 분해된다.

●●●

12 그림은 $CuSO_4$ 수용액과 $AgNO_3$ 수용액을 각각 같은 세기의 전류를 흘려 전기 분해할 때 시간에 따른 석출된 금속의 질량을 나타낸 것이다. (가)와 (나)는 각각 $CuSO_4$ 수용액과 $AgNO_3$ 수용액 중 하나이다.

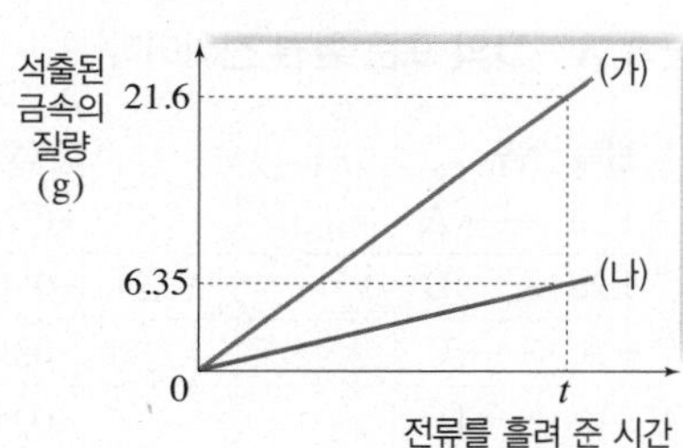

이에 대한 설명으로 옳은 것만을 [보기]에서 있는 대로 고른 것은? (단, Cu와 Ag의 원자량은 각각 63.5, 108이다.)

[보기]
ㄱ. (가)는 $CuSO_4$ 수용액이다.
ㄴ. (가)에서 금속 21.6 g이 석출될 때까지 이동한 전자의 양은 0.2몰이다.
ㄷ. t에서 발생한 기체의 양(mol)은 (가)와 (나)에서 같다.

① ㄱ ② ㄷ ③ ㄱ, ㄴ
④ ㄴ, ㄷ ⑤ ㄱ, ㄴ, ㄷ

●●○

13 그림은 철(Fe)이 불순물로 포함된 구리(Cu)를 정제하기 위한 장치를 나타낸 것이다.

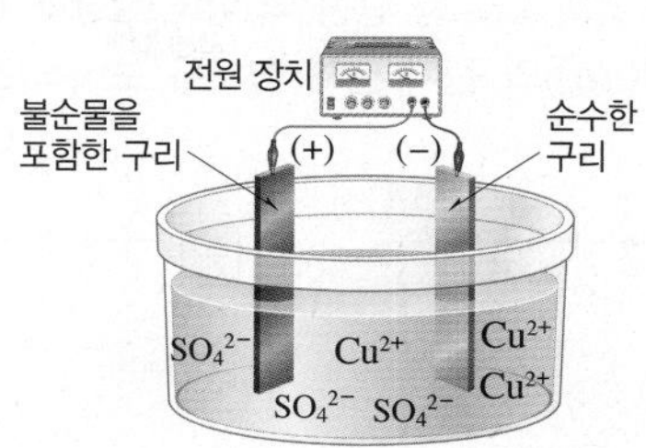

이에 대한 설명으로 옳은 것만을 [보기]에서 있는 대로 고른 것은?

보기

ㄱ. 불순물 중 Fe은 찌꺼기에 원소 상태로 존재한다.
ㄴ. 불순물을 포함한 구리의 질량은 감소한다.
ㄷ. 전해질 속 Cu^{2+}의 수는 일정하다.

① ㄱ ② ㄴ ③ ㄱ, ㄷ
④ ㄴ, ㄷ ⑤ ㄱ, ㄴ, ㄷ

●●●

14 그림과 같은 장치를 이용하여 1 M NaCl 수용액과 1 M $CuSO_4$ 수용액을 전기 분해하였다.

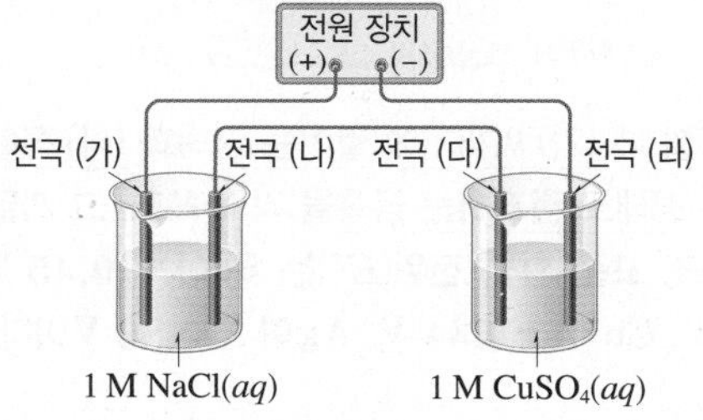

이에 대한 설명으로 옳은 것만을 [보기]에서 있는 대로 고른 것은? (단, 온도와 압력은 일정하다.)

보기

ㄱ. (가)와 (다)에서 생성되는 물질의 부피비는 2 : 1이다.
ㄴ. (나)와 (라)의 질량은 모두 증가한다.
ㄷ. 전극 (나) 주변과 전극 (다) 주변의 pH는 모두 작아진다.

① ㄱ ② ㄷ ③ ㄱ, ㄴ
④ ㄴ, ㄷ ⑤ ㄱ, ㄴ, ㄷ

●○○

15 다음은 수소와 관련된 설명이다.

• 수소를 얻기 위해 최근에는 태양 에너지를 이용하여 (㉠)을 광분해하는 연구 방법이 진행되고 있다.
• 수소 연료 전지는 수소와 산소를 반응시켜 (㉠)을 생성하면서 전기 에너지를 얻는 장치이다.

㉠으로 가장 적절한 것은?

① 산소 ② 메테인 ③ 염록소
④ 물 ⑤ 리튬

●○○

16 그림은 수소 연료 전지의 구조를 나타낸 것이다.

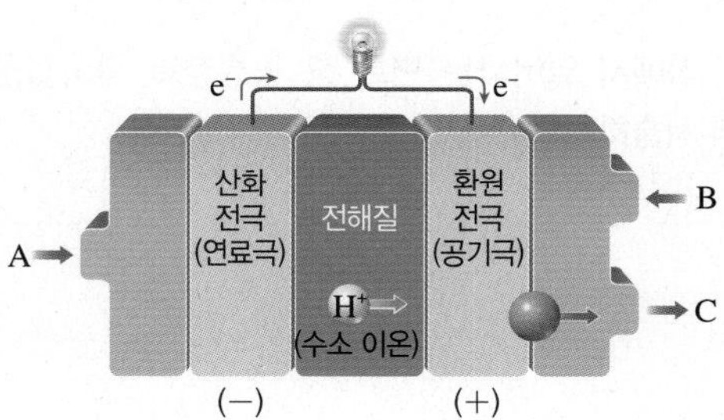

A~C로 출입하는 물질로 옳은 것은?

	A	B	C
①	H_2	O_2	H_2O
②	H_2	H_2O	O_2
③	O_2	H_2	H_2O
④	H_2O	H_2	O_2
⑤	O_2	H_2O	H_2

서술형 문제

●●○

17 그림은 금속 A 막대를 금속 B 이온이 들어 있는 수용액에 넣었을 때 시간에 따른 용액의 전체 이온 수를 나타낸 것이다.

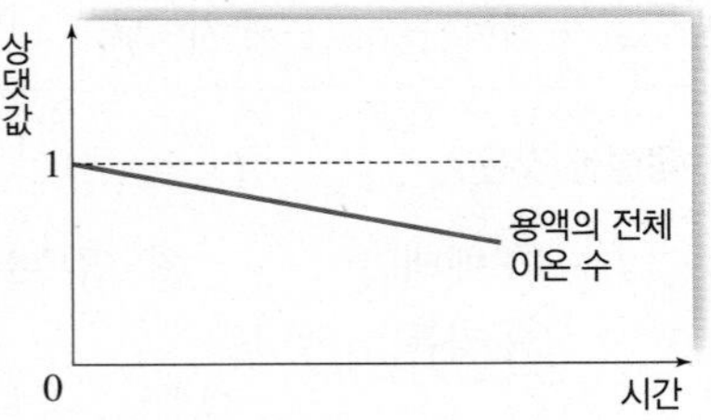

금속 A와 B의 (가) 반응성 크기와 (나) 금속 이온의 전하 크기를 각각 비교하여 서술하시오.

●●○

18 그림 (가)는 묽은 황산(H_2SO_4)에 알루미늄(Al)판과 은(Ag)판을 담근 후 두 금속을 도선으로 연결한 모습을, (나)는 두 금속을 도선으로 연결하지 않은 모습을 나타낸 것이다.

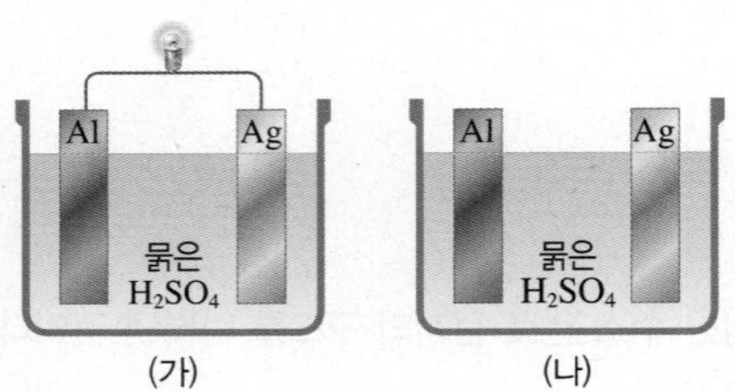

(가)와 (나)에서 일어나는 변화 중 공통점과 차이점을 각각 1가지씩 서술하시오.

●●○

19 25 °C, 1기압에서 구리 반쪽 전지(Cu^{2+} | Cu)와 알루미늄 반쪽 전지(Al^{3+} | Al)를 염다리로 연결하여 전지를 구성하였을 때 전지의 전체 반응식을 쓰고, 표준 전지 전위($E°_{전지}$)를 구하시오. (단, Cu와 Al의 표준 환원 전위($E°$)는 각각 +0.34 V, −1.66 V이다.)

●●○

20 그림은 염화 나트륨 용융액(NaCl(l))과 염화 나트륨 수용액(NaCl(aq))의 전기 분해 장치를 모식적으로 각각 나타낸 것이다.

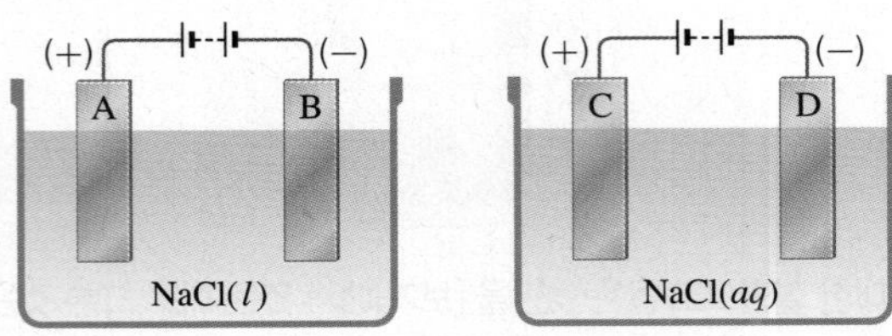

전극 B와 전극 D에서 일어나는 반쪽 반응을 각각 쓰고, 그 반응이 일어나는 까닭을 서술하시오.

●●○

21 그림은 철(Fe), 아연(Zn), 은(Ag)이 불순물로 포함된 구리(Cu)를 제련하는 장치를 나타낸 것이다.

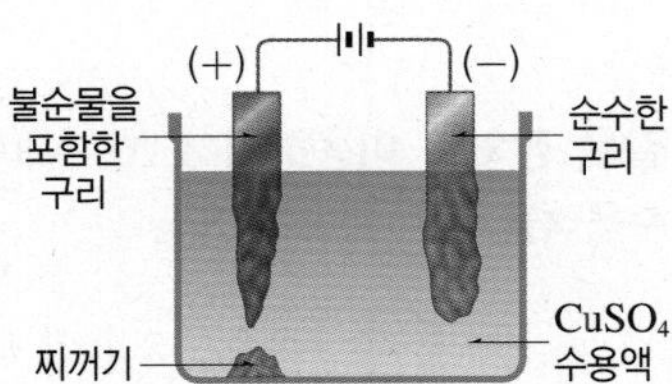

전기 분해할 때 (가) 찌꺼기에 쌓이는 금속과 (나) 전해질 수용액에 이온 상태로 존재하는 금속을 각각 쓰고, 그 까닭을 서술하시오. (단, 표준 환원 전위($E°$)는 Fe이 −0.45 V, Zn이 −0.76 V, Cu가 +0.34 V, Ag이 +0.80 V이다.)

●●○

22 수소 연료 전지는 환경오염을 일으키지 않는데, 그 까닭을 서술하시오.

정답친해 148쪽

01 그림은 금속 A 이온의 수용액에 금속 B를 넣었을 때 시간에 따른 수용액의 양이온 수와 밀도를 나타낸 것이다.

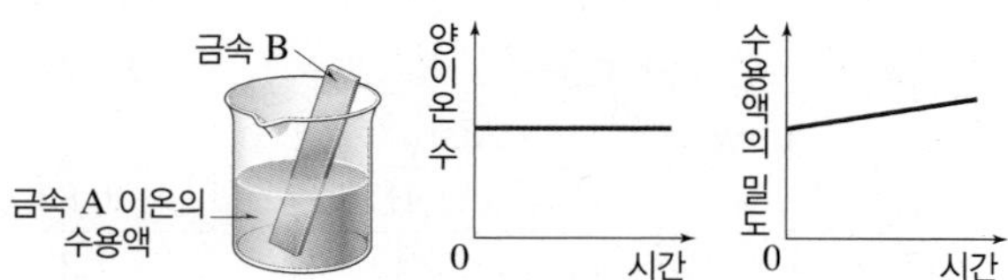

이에 대한 설명으로 옳은 것만을 [보기]에서 있는 대로 고른 것은? (단, 금속 B는 물과 반응하지 않는다.)

보기

ㄱ. 반응성은 A<B이다.
ㄴ. 금속 이온의 전하 크기는 A 이온과 B 이온이 같다.
ㄷ. 원자량은 A>B이다.

① ㄱ ② ㄷ ③ ㄱ, ㄴ
④ ㄴ, ㄷ ⑤ ㄱ, ㄴ, ㄷ

02 그림은 아연(Zn)과 백금(Pt)을 전극으로 하는 화학 전지를 나타낸 것이고, 표는 25 °C에서 3가지 반쪽 반응의 표준 환원 전위($E°$)이다.

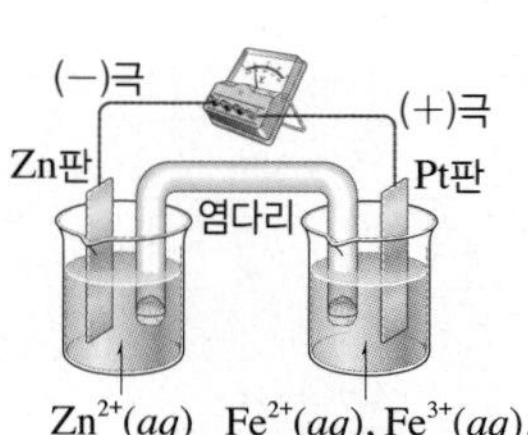

반쪽 반응	$E°$(V)
$Zn^{2+}(aq)+2e^- \longrightarrow Zn(s)$	−0.76
$Fe^{2+}(aq)+2e^- \longrightarrow Fe(s)$	−0.45
$Fe^{3+}(aq)+e^- \longrightarrow Fe^{2+}(aq)$	+0.77

이에 대한 설명으로 옳은 것만을 [보기]에서 있는 대로 고른 것은?

보기

ㄱ. 표준 전지 전위($E°_{전지}$)는 +1.53 V이다.
ㄴ. 전지 반응이 일어날 때 Zn판의 질량은 감소하고, Pt판의 질량은 증가한다.
ㄷ. 전지 반응이 일어날 때 $\frac{[Fe^{3+}]}{[Fe^{2+}]}$는 증가한다.

① ㄱ ② ㄷ ③ ㄱ, ㄴ
④ ㄴ, ㄷ ⑤ ㄱ, ㄴ, ㄷ

03 그림은 금속 A와 B를 사용한 화학 전지를 나타낸 것이고, 표는 이와 관련된 물질의 반쪽 반응과 표준 환원 전위($E°$)이다.

반쪽 반응	$E°$(V) (25 °C)
$A^{2+}(aq)+2e^- \longrightarrow A(s)$	−0.76
$B^+(aq)+e^- \longrightarrow B(s)$	+0.80

25 °C에서 이에 대한 설명으로 옳은 것만을 [보기]에서 있는 대로 고른 것은? (단, A, B는 임의의 원소 기호이다.)

보기

ㄱ. B는 산화 전극이다.
ㄴ. 반응이 진행됨에 따라 수용액의 질량은 증가한다.
ㄷ. 이 전지의 표준 전지 전위($E°_{전지}$)는 +0.76 V이다.

① ㄱ ② ㄴ ③ ㄱ, ㄷ
④ ㄴ, ㄷ ⑤ ㄱ, ㄴ, ㄷ

04 그림 (가)와 (나)는 25 °C에서 금속 A~C를 1 M $HCl(aq)$과 1 M $HNO_3(aq)$에 각각 담갔을 때 기포가 발생하는 것을 나타낸 것이고, 표는 이와 관련된 물질의 반쪽 반응과 표준 환원 전위($E°$)이다.

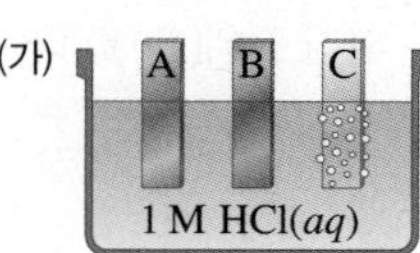

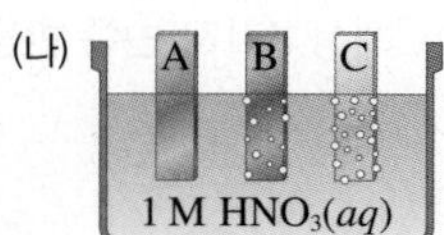

반쪽 반응	$E°$(V)
$2H^+(aq)+2e^- \longrightarrow H_2(g)$	0.00
$NO_3^-(aq)+4H^+(aq)+3e^- \longrightarrow NO(g)+2H_2O(l)$	+0.96
$A^+(aq)+e^- \longrightarrow A(s)$	a
$B^{2+}(aq)+2e^- \longrightarrow B(s)$	+0.34
$C^{2+}(aq)+2e^- \longrightarrow C(s)$	b

이에 대한 설명으로 옳은 것만을 [보기]에서 있는 대로 고른 것은?

보기

ㄱ. $a>b$이다.
ㄴ. (가)와 (나)의 금속 C 표면에서 생성되는 기체는 같은 종류이다.
ㄷ. (가)에서 금속 A와 B를 도선으로 연결하면 B가 전지의 환원 전극이 된다.

① ㄱ ② ㄴ ③ ㄱ, ㄷ
④ ㄴ, ㄷ ⑤ ㄱ, ㄴ, ㄷ

05 다음은 금속 A~C와 관련된 반쪽 반응과 25 °C에서의 표준 환원 전위($E°$)를 나타낸 것이다.

- $A^{2+} + 2e^- \longrightarrow A$ $E° = +1.18$ V
- $B^{2+} + 2e^- \longrightarrow B$ $E° = -0.76$ V
- $C^+ + e^- \longrightarrow C$ $E° = -0.14$ V

이에 대한 설명으로 옳은 것만을 [보기]에서 있는 대로 고른 것은? (단, A~C는 임의의 원소 기호이다.)

[보기]
ㄱ. A~C 중 $HCl(aq)$에 넣을 때 산화되는 것은 1가지이다.
ㄴ. $B^{2+}(aq)$에 $C(s)$를 넣으면 B가 석출된다.
ㄷ. $A^{2+} + 2C \longrightarrow A + 2C^+$ 반응의 표준 전지 전위($E°_{전지}$)는 $+1.32$ V이다.

① ㄱ ② ㄷ ③ ㄱ, ㄴ ④ ㄴ, ㄷ ⑤ ㄱ, ㄴ, ㄷ

06 그림 (가)와 (나)는 25 °C에서 표준 전지 전위($E°_{전지}$)가 각각 $+x$ V와 $+0.46$ V인 2가지 화학 전지이고, 자료는 25 °C에서 3가지 반쪽 반응의 표준 환원 전위($E°$)이다.

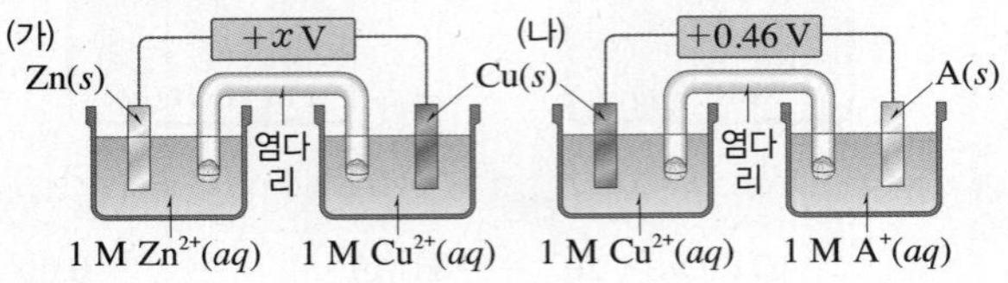

- $Zn^{2+}(aq) + 2e^- \longrightarrow Zn(s)$ $E° = -0.76$ V
- $Cu^{2+}(aq) + 2e^- \longrightarrow Cu(s)$ $E° = +0.34$ V
- $A^+(aq) + e^- \longrightarrow A(s)$ $E° = a$ V$(a > 0)$

이에 대한 설명으로 옳은 것만을 [보기]에서 있는 대로 고른 것은? (단, A는 임의의 원소 기호이다.)

[보기]
ㄱ. (가)의 반응이 진행될수록 Zn 전극의 질량이 감소한다.
ㄴ. (나)의 반응이 진행될수록 $\frac{[Cu^{2+}]}{[A^+]}$는 감소한다.
ㄷ. $x = 1.10$이다.

① ㄱ ② ㄴ ③ ㄱ, ㄷ ④ ㄴ, ㄷ ⑤ ㄱ, ㄴ, ㄷ

07 그림은 ANO_3 수용액을 전기 분해할 때 이동한 전자의 양(mol)에 따른 각 전극에서 생성되는 물질의 양(mol)을 나타낸 것이고, 표는 25 °C에서 3가지 물질의 표준 환원 전위($E°$)이다.

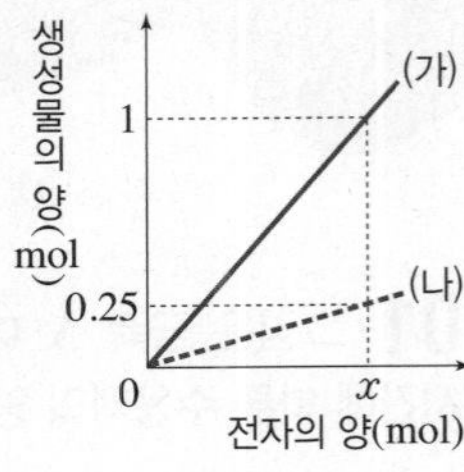

반쪽 반응	$E°$(V)
$A^+(aq) + e^- \longrightarrow A(s)$	㉠
$2H_2O(l) + 2e^- \longrightarrow H_2(g) + 2OH^-(aq)$	-0.83
$O_2(g) + 4H^+(aq) + 4e^- \longrightarrow 2H_2O(l)$	$+1.23$

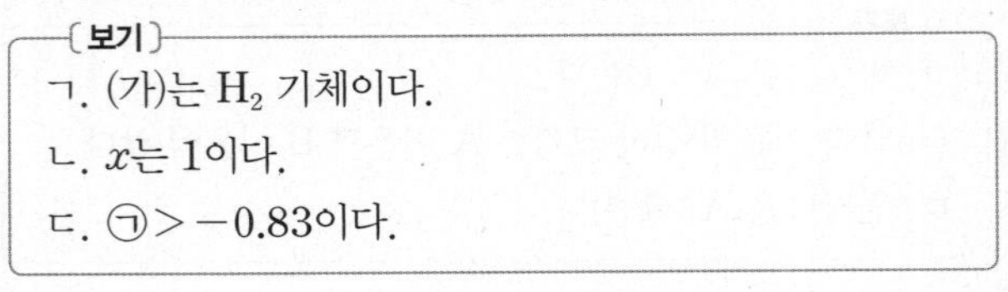

이에 대한 설명으로 옳은 것만을 [보기]에서 있는 대로 고른 것은? (단, A는 임의의 금속 원소 기호이다.)

[보기]
ㄱ. (가)는 H_2 기체이다.
ㄴ. x는 1이다.
ㄷ. ㉠ > -0.83이다.

① ㄱ ② ㄷ ③ ㄱ, ㄴ ④ ㄴ, ㄷ ⑤ ㄱ, ㄴ, ㄷ

08 그림 (가)와 (나)는 $CuSO_4(aq)$과 $CuCl_2(aq)$을 각각 전기 분해하는 장치를 나타낸 것이다.

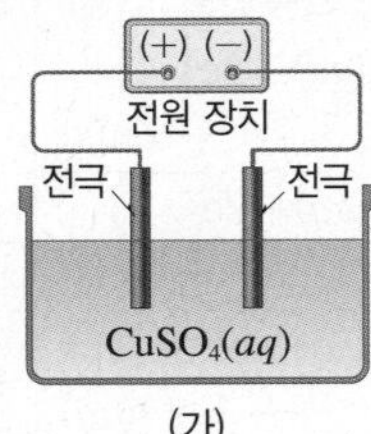

(가)

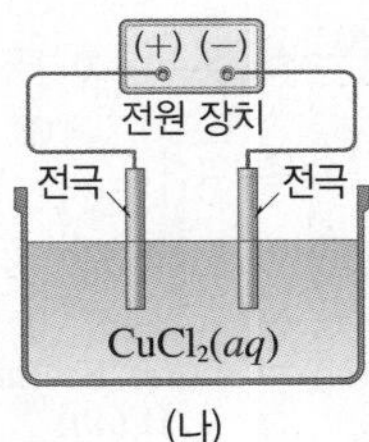

(나)

(가)와 (나)에 같은 양의 전류를 같은 시간 동안 흘려 줄 때에 대한 설명으로 옳은 것만을 [보기]에서 있는 대로 고른 것은? (단, 온도와 압력은 일정하다.)

[보기]
ㄱ. (가)에서 수용액의 pH가 커진다.
ㄴ. (가)와 (나)에서 발생하는 기체의 종류는 같다.
ㄷ. 발생하는 기체의 부피비는 (가) : (나)=1 : 2이다.

① ㄱ ② ㄷ ③ ㄱ, ㄴ ④ ㄴ, ㄷ ⑤ ㄱ, ㄴ, ㄷ

09 그림은 금속 X의 염인 XSO_4 수용액과 금속 Y의 염인 YCl 수용액을 전기 분해하는 장치를 나타낸 것이고, 표는 전기 분해가 진행될 때 각 전극에서 관찰된 결과이다.

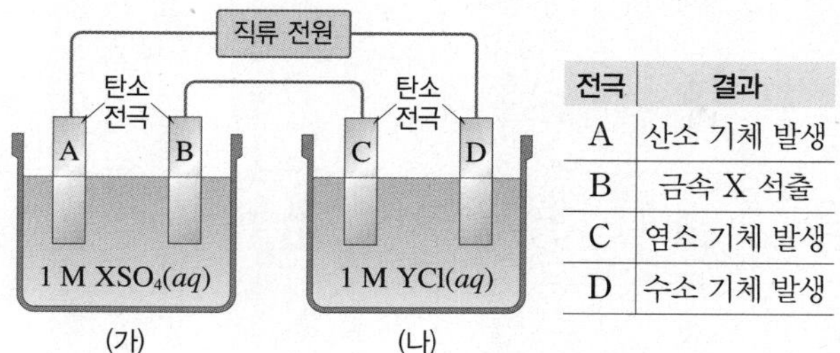

전극	결과
A	산소 기체 발생
B	금속 X 석출
C	염소 기체 발생
D	수소 기체 발생

이에 대한 설명으로 옳은 것만을 [보기]에서 있는 대로 고른 것은? (단, X, Y는 임의의 원소 기호이다.)

[보기]
ㄱ. A에서 환원 반응이 일어난다.
ㄴ. (가)에서 수용액의 전체 양이온 수는 감소한다.
ㄷ. (나)의 C와 D에서 생성되는 기체의 양(mol)은 같다.

① ㄱ ② ㄷ ③ ㄱ, ㄴ
④ ㄴ, ㄷ ⑤ ㄱ, ㄴ, ㄷ

10 다음은 전기 분해를 이용하여 철(Fe)이 포함된 구리(Cu)를 제련하는 장치와 2가지 금속의 표준 환원 전위($E°$)를 나타낸 것이다.

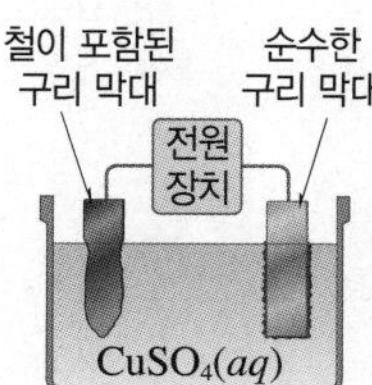

• $Fe^{2+}(aq)+2e^- \longrightarrow Fe(s)$ $E° = -0.45$ V
• $Cu^{2+}(aq)+2e^- \longrightarrow Cu(s)$ $E° = +0.34$ V

이에 대한 설명으로 옳은 것만을 [보기]에서 있는 대로 고른 것은?

[보기]
ㄱ. 순수한 구리 막대는 전원 장치의 (−)극에 연결한다.
ㄴ. Fe은 수용액에 양이온으로 존재한다.
ㄷ. Fe이 포함된 구리 막대의 감소한 질량과 순수한 구리 막대의 증가한 질량은 같다.

① ㄱ ② ㄷ ③ ㄱ, ㄴ
④ ㄴ, ㄷ ⑤ ㄱ, ㄴ, ㄷ

11 다음은 어떤 에너지원에 대한 설명이다.

> (가) 는 ㉠ 물의 광분해로 얻을 수 있다. (가) 는 연소시켰을 때 생성되는 물질이 (나) 이기 때문에 환경 친화적인 에너지원이다.

이에 대한 설명으로 옳은 것만을 [보기]에서 있는 대로 고른 것은?

[보기]
ㄱ. (가)는 물의 전기 분해로도 얻을 수 있다.
ㄴ. (나)는 수소 연료 전지의 연료로 이용할 수 있다.
ㄷ. ㉠은 흡열 반응이다.

① ㄱ ② ㄴ ③ ㄱ, ㄷ
④ ㄴ, ㄷ ⑤ ㄱ, ㄴ, ㄷ

12 그림 (가)는 수소 연료 전지를, (나)는 물의 광분해 장치를 나타낸 것이다.

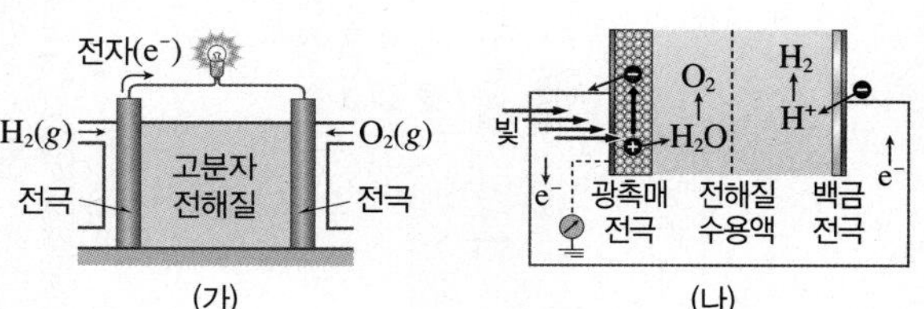

(가)와 (나)의 공통점으로 옳은 것만을 [보기]에서 있는 대로 고른 것은?

[보기]
ㄱ. 생성물이 $H_2O(l)$이다.
ㄴ. 산화 환원 반응이 일어난다.
ㄷ. 태양광을 에너지로 이용한다.

① ㄱ ② ㄴ ③ ㄱ, ㄷ
④ ㄴ, ㄷ ⑤ ㄱ, ㄴ, ㄷ

주기율표

원자 번호 — 5, 10.81 — 원자량
원소 기호 — B — 실온에서의 상태
원소 이름 — 붕소

Ne 기체
Br 액체
Fe 고체
Rf 합성 원소

금속	준금속	비금속
1족 알칼리 금속		17족 할로젠
		18족 비활성 기체

족 / 주기

주기	1	2	3	4	5	6	7	8	9	10	11	12	13	14	15	16	17	18
1	1 H 수소 1.008																	2 He 헬륨 4.0026
2	3 Li 리튬 6.94	4 Be 베릴륨 9.0122											5 B 붕소 10.81	6 C 탄소 12.011	7 N 질소 14.007	8 O 산소 15.999	9 F 플루오린 18.998	10 Ne 네온 20.180
3	11 Na 나트륨 22.990	12 Mg 마그네슘 24.305											13 Al 알루미늄 26.982	14 Si 규소 28.085	15 P 인 30.974	16 S 황 32.06	17 Cl 염소 35.45	18 Ar 아르곤 39.948
4	19 K 칼륨 39.098	20 Ca 칼슘 40.078	21 Sc 스칸듐 44.956	22 Ti 타이타늄 47.867	23 V 바나듐 50.942	24 Cr 크로뮴 51.996	25 Mn 망가니즈 54.938	26 Fe 철 55.845	27 Co 코발트 58.933	28 Ni 니켈 58.693	29 Cu 구리 63.546	30 Zn 아연 65.38	31 Ga 갈륨 69.723	32 Ge 저마늄 72.630	33 As 비소 74.922	34 Se 셀레늄 78.971	35 Br 브로민 79.904	36 Kr 크립톤 83.798
5	37 Rb 루비듐 85.468	38 Sr 스트론튬 87.62	39 Y 이트륨 1312.0	40 Zr 지르코늄 91.224	41 Nb 나이오븀 92.906	42 Mo 몰리브데넘 95.95	43 Tc 테크네튬	44 Ru 루테늄 101.07	45 Rh 로듐 102.91	46 Pd 팔라듐 106.42	47 Ag 은 107.87	48 Cd 카드뮴 112.41	49 In 인듐 114.82	50 Sn 주석 118.71	51 Sb 안티모니 121.76	52 Te 텔루륨 127.60	53 I 아이오딘 126.90	54 Xe 제논 131.29
6	55 Cs 세슘 132.91	56 Ba 바륨 137.33	57–71 La-Lu 란타넘족	72 Hf 하프늄 178.49	73 Ta 탄탈럼 180.95	74 W 텅스텐 183.84	75 Re 레늄 186.21	76 Os 오스뮴 190.23	77 Ir 이리듐 192.22	78 Pt 백금 195.08	79 Au 금 196.97	80 Hg 수은 200.59	81 Tl 탈륨 204.38	82 Pb 납 207.2	83 Bi 비스무트 208.98	84 Po 폴로늄	85 At 아스타틴	86 Rn 라돈
7	87 Fr 프랑슘	88 Ra 라듐	89–103 Ac-Lr 악티늄족	104 Rf 러더포듐	105 Db 더브늄	106 Sg 시보귬	107 Bh 보륨	108 Hs 하슘	109 Mt 마이트너륨	110 Ds 다름슈타튬	111 Rg 뢴트게늄	112 Cn 코페르니슘	113 Nh 니호늄	114 Fl 플레로븀	115 Mc 모스코븀	116 Lv 리버모륨	117 Ts 테네신	118 Og 오가네손

란타넘족

57 La 란타넘 138.91	58 Ce 세륨 140.12	59 Pr 프라세오디뮴 140.91	60 Nd 네오디뮴 144.24	61 Pm 프로메튬	62 Sm 사마륨 150.36	63 Eu 유로퓸 151.96	64 Gd 가돌리늄 157.25	65 Tb 터븀 158.93	66 Dy 디스프로슘 162.50	67 Ho 홀뮴 164.93	68 Er 어븀 167.26	69 Tm 툴륨 168.93	70 Yb 이터븀 173.05	71 Lu 루테튬 174.97

악티늄족

89 Ac 악티늄	90 Th 토륨 232.04	91 Pa 프로트악티늄 231.04	92 U 우라늄 238.03	93 Np 넵투늄	94 Pu 플루토늄	95 Am 아메리슘	96 Cm 퀴륨	97 Bk 버클륨	98 Cf 캘리포늄	99 Es 아인슈타이늄	100 Fm 페르뮴	101 Md 멘델레븀	102 No 노벨륨	103 Lr 로렌슘

15개정 교육과정

· 완벽한 자율학습서 ·

Wi 완자

완자네 새주소

자율학습시 비상구

정확한 답과 친절한 해설

정답친해로 53

화학 Ⅱ

책 속의 가접 별책 (특허 제 0557442호)
'정답친해'는 본책에서 쉽게 분리할 수 있도록 제작되었으므로 유통 과정에서 분리될 수 있으나 파본이 아닌 정상제품입니다.

visang

ABOVE IMAGINATION

우리는 남다른 상상과 혁신으로
교육 문화의 새로운 전형을 만들어
모든 이의 행복한 경험과 성장에 기여한다

자율학습시 비상구 정답친해로 53

정확한 답과 친절한 해설

화학 Ⅱ

I. 물질의 세 가지 상태와 용액

1 물질의 세 가지 상태(1)

01 기체(1)

개념 확인 문제 15쪽

❶ 대기압 ❷ 76 ❸ 압력 ❹ 많 ❺ 강 ❻ 온도 ❼ 반비례 ❽ 일정 ❾ P_2V_2

1 (1) ○ (2) × (3) ○ **2** (1) 대기압$>P_{기체}$ (2) $P_{기체}=$대기압$+h$ **3** (1) × (2) ○ (3) × (4) ○ **4** A=B **5** 100 mL

1 (1) 기체 분자들이 끊임없이 자유롭게 운동하면서 기체가 담긴 용기 벽면에 충돌하므로 기체의 압력이 나타난다.
(2) 기체의 압력은 단위 시간 동안 기체가 벽면에 충돌하는 횟수가 많을수록 크게 나타난다.
(3) 자유롭게 운동하는 기체 분자들이 모든 방향으로 충돌하므로 기체의 압력은 모든 방향에서 같은 크기로 작용한다.

2 (1) 기체 쪽으로 수은 기둥의 높이가 h만큼 높으므로 기체의 압력이 대기압보다 h만큼 작다.
(2) 대기압 쪽으로 수은 기둥의 높이가 h만큼 높으므로 기체의 압력이 대기압보다 h만큼 크다.

3 (1), (2) 온도가 일정할 때 일정량의 기체에 압력을 가하면 부피가 작아지고, 가하는 압력이 작아지면 부피가 커지므로 기체의 부피는 압력에 반비례한다.
(3) 수면에 가까워질수록 수압이 감소한다. 따라서 물속에서 잠수부가 호흡할 때 내뿜는 기포는 수면에 가까워질수록 받는 압력이 감소하므로 부피가 점점 커진다.
(4) 일정한 온도에서 일정량의 기체에 대한 압력과 부피의 곱은 항상 일정하다. 따라서 1기압$\times$500 mL$=P\times$100 mL이므로 $P=$5기압이다.

4 일정한 온도에서 일정량의 기체의 압력과 부피의 곱은 일정하므로 $P_1V_1=P_2V_2$의 관계가 성립한다. 따라서 A와 B의 면적은 같다.

5 일정한 온도에서 일정량의 기체의 압력과 부피의 곱은 일정하다. 따라서 1기압$\times$200 mL$=$2기압$\times V$이므로 $V=$100 mL이다.

개념 확인 문제 18쪽

❶ 절대 온도 ❷ 압력 ❸ 절대 온도 ❹ 일정 ❺ $\frac{V_2}{T_2}$ ❻ 양(mol)

1 (1) ○ (2) × (3) × **2** 450 mL **3** ㄱ, ㄴ **4** $V_3>V_1=V_4>V_2$ **5** (1) ○ (2) × (3) ○ **6** 44.8 L

1 (2) 일정한 압력에서 일정량의 기체의 부피와 절대 온도의 비($\frac{V}{T}$)가 일정하며, 기체의 부피와 절대 온도의 곱은 일정하지 않다.
(3) 일정한 압력에서 일정량의 기체의 부피는 온도가 1 °C 높아질 때마다 0 °C 때 부피의 $\frac{1}{273}$씩 증가한다.

2 섭씨온도를 절대 온도로 바꾸면 27 °C는 300 K이고, −3 °C는 270 K이다.
$\frac{V_1}{T_1}=\frac{V_2}{T_2}$이므로 $\frac{500(\text{mL})}{300(\text{K})}=\frac{V}{270(\text{K})}$, $V=450(\text{mL})$이다.

3 샤를 법칙은 기체의 온도와 부피 관계를 설명한 법칙이므로 절대 온도와 부피 사이의 관계를 나타낸 ㄱ, ㄴ이 샤를 법칙과 관련된 그래프이다. ㄷ은 기체의 압력과 부피 사이의 관계를 나타내었으므로 보일 법칙과 관련된 그래프이다.

4 일정량의 기체의 부피는 온도가 일정할 때 압력이 낮을수록 크고, 압력이 일정할 때 온도가 높을수록 크다.
- V_1과 V_2 비교: 온도가 일정할 때 압력은 (나)가 (가)의 2배이므로 부피는 V_1이 V_2의 2배이다.
- V_1과 V_3 비교: 압력이 일정할 때 온도는 (다)가 (가)보다 높으므로 부피는 V_3이 V_1보다 크다.
- V_1과 V_4 비교: (가)의 온도는 300 K이고, (라)의 온도는 600 K이지만, 압력은 (라)가 (가)의 2배이므로 V_1과 V_4는 같다.

따라서 $V_3>V_1=V_4>V_2$이다.

5 (2) 일정한 온도와 압력에서 기체의 부피는 기체의 양(mol)에 비례한다.

(3) 0 °C, 1기압에서 기체 1몰의 부피는 22.4 L이므로 같은 온도와 압력에서 질소 기체 0.5몰의 부피는 11.2 L이다.

6 일정한 온도와 압력에서 기체의 종류에 관계없이 기체의 부피는 기체의 양(mol)에 비례한다. 0 °C, 1기압에서 기체 1몰의 부피는 22.4 L이므로 기체 2몰의 부피는 44.8 L이다.

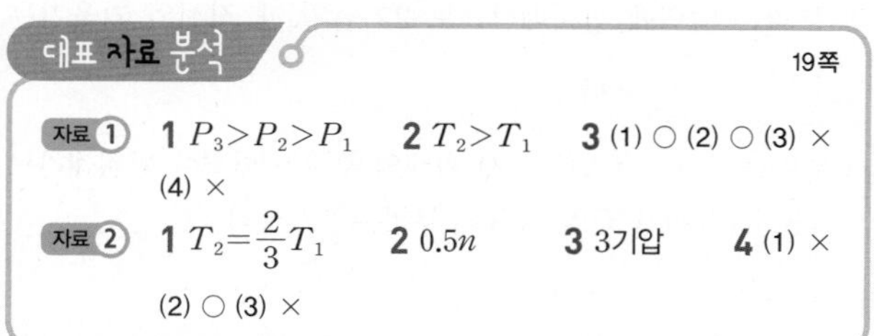

대표 자료 분석 19쪽

자료 ① 1 $P_3>P_2>P_1$ 2 $T_2>T_1$ 3 (1) ○ (2) ○ (3) × (4) ×

자료 ② 1 $T_2=\frac{2}{3}T_1$ 2 $0.5n$ 3 3기압 4 (1) × (2) ○ (3) ×

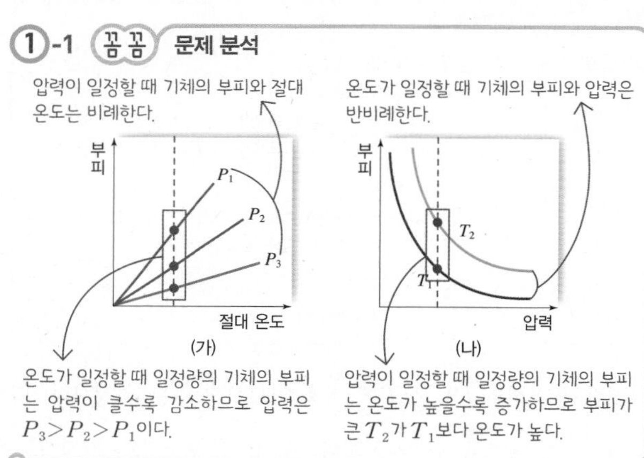

①-1 꼼꼼 문제 분석
압력이 일정할 때 기체의 부피와 절대 온도는 비례한다.
온도가 일정할 때 기체의 부피와 압력은 반비례한다.
부피
P_1
P_2
P_3
절대 온도
(가)
부피
T_2
T_1
압력
(나)
온도가 일정할 때 일정량의 기체의 부피는 압력이 클수록 감소하므로 압력은 $P_3>P_2>P_1$이다.
압력이 일정할 때 일정량의 기체의 부피는 온도가 높을수록 증가하므로 부피가 큰 T_2가 T_1보다 온도가 높다.

온도가 일정할 때 일정량의 기체의 압력과 부피는 반비례 관계이므로 압력은 $P_3>P_2>P_1$이다.

①-2 압력이 일정할 때 일정량의 기체의 절대 온도와 부피는 비례 관계이므로 $T_2>T_1$이다.

①-3 (1) (가)에서 압력이 P_1로 일정할 때 기체의 부피는 절대 온도에 비례한다. 이는 압력이 P_2나 P_3으로 일정한 경우에도 성립하므로 (가)는 샤를 법칙을 설명할 수 있다.

(2) (나)에서 온도가 T_1로 일정할 때 기체의 부피는 압력에 반비례한다. 이는 온도가 T_2로 일정한 경우에도 성립하므로 (나)는 보일 법칙을 설명할 수 있다.

(3) 아보가드로 법칙은 기체의 양(mol)과 부피의 관계를 설명한 법칙이므로 일정량의 기체의 부피와 온도, 압력의 관계를 나타낸 (가)와 (나)를 아보가드로 법칙으로 설명할 수 없다.

(4) (나)에서 압력이 같을 때 기체의 부피는 T_2가 T_1보다 크므로 기체의 밀도는 T_1이 T_2보다 크다.

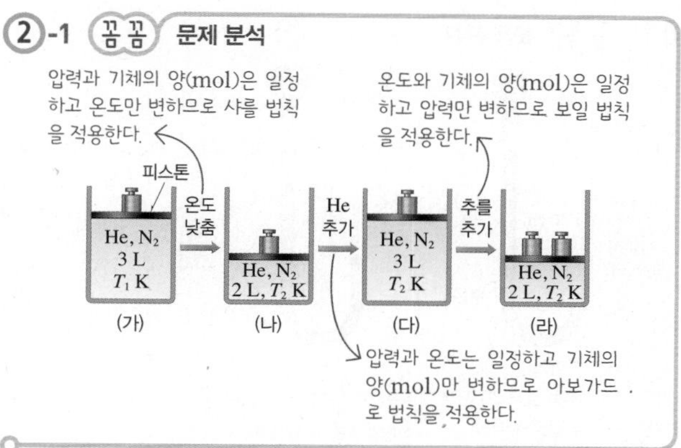

일정한 압력에서 일정량의 기체의 부피는 절대 온도에 비례한다. (가), (나)에서 $\frac{V_1}{T_1}=\frac{V_2}{T_2}$이므로 $\frac{3\text{ L}}{T_1}=\frac{2\text{ L}}{T_2}$, $T_2=\frac{2}{3}T_1$이다.

②-2 일정한 온도와 압력에서 기체의 부피는 기체의 양(mol)에 비례한다. (나) → (다)에서 부피가 1.5배가 되었으므로 기체의 양(mol)도 1.5배가 되었다. 따라서 추가한 He의 양(mol)은 $0.5n$이다.

②-3 추 1개가 가하는 압력을 $P_추$라고 하면, (다)와 (라)에서 보일 법칙이 성립하므로 $(1+P_추)\times3=(1+2P_추)\times2$, $P_추=$ 1기압이다. (라)에서 기체의 압력은 (대기압+추 2개의 압력)이므로 3기압이다.

②-4 (1) (나) → (다)에서 추가하는 He의 양(mol)을 2배로 하면 부피가 2배가 되므로 4 L가 되는데, 온도를 $\frac{1}{2}T_2$로 변화시키면 부피가 $\frac{1}{2}$배가 되므로 (다)의 부피는 2 L가 된다.

(2) $T_2=\frac{2}{3}T_1$이므로 $T_1=\frac{3}{2}T_2$이다. (다)에서 온도를 T_1로 변화시키면 기체의 부피는 다음과 같다.

$$\frac{3\text{ L}}{T_2}=\frac{V}{T_1} \Rightarrow \frac{3\text{ L}}{T_2}=\frac{V}{\frac{3}{2}T_2},\ V=4.5\text{ L}$$

(3) (라)에 추 1개를 더 올렸을 때 기체의 양(mol)은 변하지 않으므로 PV는 일정하다. 추 1개의 압력은 1기압이므로 기체의 부피는 3기압×2 L=4기압×V, $V=\frac{3}{2}$ L이다.

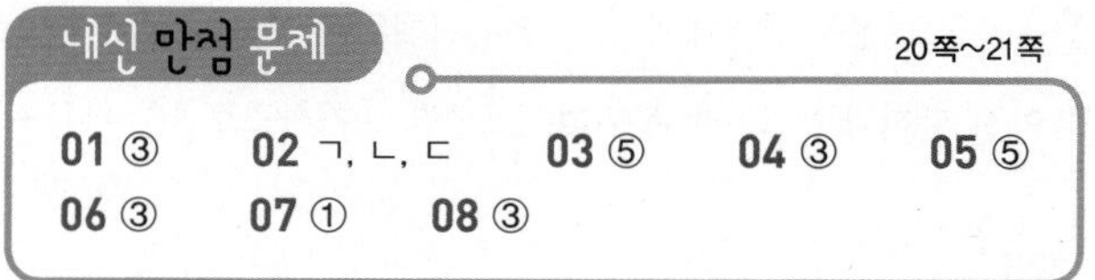

내신 만점 문제 20쪽~21쪽

01 ③ 02 ㄱ, ㄴ, ㄷ 03 ⑤ 04 ③ 05 ⑤ 06 ③ 07 ① 08 ③

01 꼼꼼 문제 분석

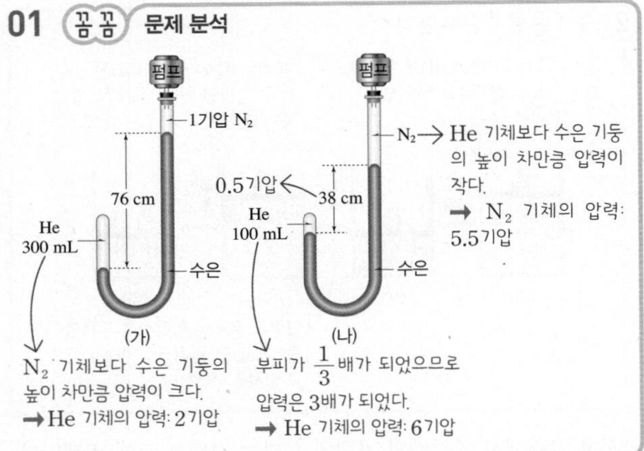

펌프
1기압 N_2
76 cm
He 300 mL
수은
(가)
N_2 기체보다 수은 기둥의 높이 차만큼 압력이 크다.
➡He 기체의 압력: 2기압
펌프
N_2 → He 기체보다 수은 기둥의 높이 차만큼 압력이 작다.
➡ N_2 기체의 압력: 5.5기압
0.5기압
38 cm
He 100 mL
수은
(나)
부피가 $\frac{1}{3}$배가 되었으므로 압력은 3배가 되었다.
➡ He 기체의 압력: 6기압

ㄱ. (가)에서 He 기체와 N_2 기체 사이의 수은 기둥의 높이가 76 cm로 1기압 차이가 나므로 He 기체의 압력은 2기압이다.

ㄴ. (나)에서 He 기체의 부피가 100 mL이므로 보일 법칙에 의해 2기압×300 mL$=P\times$100 mL이다. 따라서 He 기체의 압력인 P는 6기압이다. 이때 He 기체와 N_2 기체 사이의 수은 기둥 높이가 0.5기압만큼 차이가 나므로 N_2 기체의 압력은 5.5기압이다.

바로알기 ㄷ. (나)에서 N_2 기체의 압력은 5.5기압이고, He 기체의 압력은 6기압으로 He 기체가 N_2 기체보다 압력이 크다.

02 ㄱ. 온도가 같은 (가)와 (나)를 비교하면 보일 법칙에 의해 1기압$\times V_1=$2기압$\times V_2$이므로 $V_1=2V_2$이다.

ㄴ. 압력이 같은 (가)와 (다)를 비교하면 샤를 법칙에 의해 $\frac{V_1}{273\,\text{K}}=\frac{V_3}{546\,\text{K}}$이므로 $V_3=2V_1$이다. $V_1=2V_2$이므로 부피는 $V_3>V_1>V_2$이다.

ㄷ. 2기압, 546 K에서의 부피를 V_4라고 하면, 압력이 2기압으로 같은 (나)와 비교할 때 샤를 법칙에 의해 $\frac{V_2}{273\,\text{K}}=\frac{V_4}{546\,\text{K}}$이므로 $V_4=2V_2$이다.

03 ㄱ. 압력이 같을 때 B에서가 C에서보다 부피가 크므로 온도는 $T_2>T_1$이다.

ㄴ. A에서 C로 변할 때 온도와 기체의 양(mol)은 같고, 압력이 증가하여 부피가 감소하므로 보일 법칙으로 설명할 수 있다.

ㄷ. B에서 C로 변할 때 압력과 기체의 양(mol)은 같고, 온도가 낮아져 부피가 감소하므로 샤를 법칙으로 설명할 수 있다.

04 ㄱ. 일정한 압력에서 일정량의 기체의 부피는 온도가 1 ℃ 높아질 때마다 0 ℃ 때 부피의 $\frac{1}{273}$씩 증가하므로 $V_t=V_0+\frac{V_0}{273}t$이다.

따라서 0 ℃일 때의 부피 V_1과 100 ℃일 때의 부피 V_2를 이 식에 대입하면 다음의 관계식이 성립한다.

$$V_t=V_0+\frac{V_0}{273}t \Rightarrow V_2=V_1+\frac{V_1}{273}\times100=\frac{373}{273}V_1$$

다른 풀이 0 ℃인 273 K에서 기체의 부피는 V_1이고, 100 ℃인 373 K에서 기체의 부피는 V_2이므로 $\frac{V_1}{273}=\frac{V_2}{373}$, $V_2=\frac{373}{273}V_1$이다.

ㄷ. 1기압일 때 직선의 기울기는 $\frac{V_1}{273}$이다. 같은 온도에서 기체의 부피는 압력에 반비례하므로 2기압일 때 직선의 기울기는 $\frac{V_1}{273\times2}=\frac{V_1}{546}$이다.

바로알기 ㄴ. 같은 온도에서 기체의 부피는 압력에 반비례하므로 0.5기압에서 0 ℃일 때 X의 부피는 $2V_1$이다.

05 꼼꼼 문제 분석

일정량의 기체의 PV는 T에 비례한다.

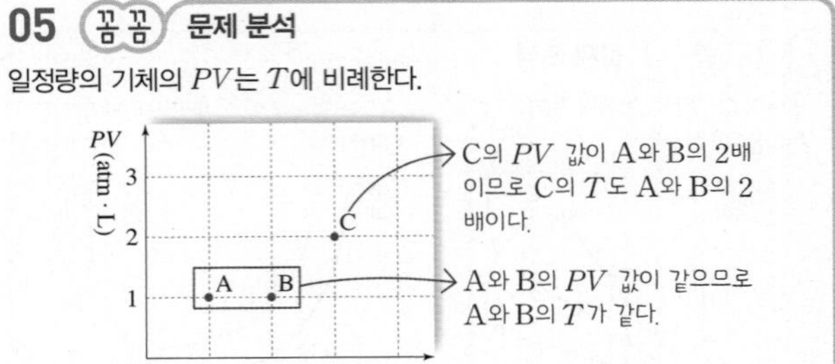

C의 PV 값이 A와 B의 2배이므로 C의 T도 A와 B의 2배이다.
A와 B의 PV 값이 같으므로 A와 B의 T가 같다.

일정량의 기체의 PV는 T에 비례하므로 $\frac{PV}{T}$는 일정하다. 따라서 A~C의 $\frac{PV}{T}$는 모두 같다. A, B, C의 온도를 각각 T_A, T_B, T_C라고 할 때 $\frac{PV}{T}$는 표와 같다.

구분	PV	P	V	$\frac{PV}{T}$
A	1	1	1	$\frac{1}{T_A}$
B	1	2	$\frac{1}{2}$	$\frac{1}{T_B}$
C	2	3	$\frac{2}{3}$	$\frac{2}{T_C}$

ㄱ. P는 A에서가 B에서의 $\frac{1}{2}$배이지만, PV가 같으므로 V는 A에서가 B에서의 2배이다.

ㄴ. V는 B에서가 $\frac{1}{2}$, C에서가 $\frac{2}{3}$로 B에서가 C에서보다 작으므로 밀도는 B에서가 C에서보다 크다.

ㄷ. 일정량의 기체의 $\frac{PV}{T}$는 일정하므로 $\frac{1}{T_A}=\frac{1}{T_B}=\frac{2}{T_C}$이다. 따라서 $T_A : T_B : T_C=1 : 1 : 2$이므로 온도는 C에서 가장 높다.

06 ㄱ. 온도가 일정할 때 일정량의 기체의 부피는 압력에 반비례하므로 (가)에서 압력은 P_2가 P_1보다 크다.
ㄴ. 온도와 압력이 일정할 때 기체의 부피는 기체의 양(mol)에 비례하므로 (나)에서 기체의 양(mol)은 A가 B보다 크다.
바로알기 ㄷ. 기체의 압력은 P_2가 P_1보다 크다. (나)에서 압력이 P_1에서 P_2로 증가하면 기체의 부피가 감소하므로 A와 B의 기울기는 모두 작아진다.

07 꼼꼼 문제 분석

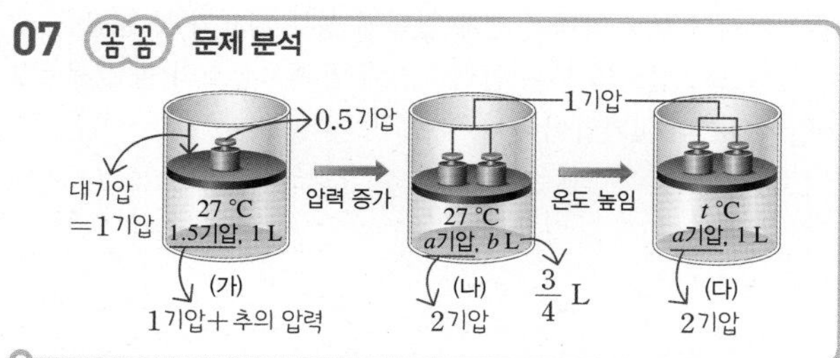

(가) → (나)는 온도가 일정할 때 기체의 압력이 증가하여 부피가 감소하는 과정이고, (나) → (다)는 압력이 일정할 때 기체의 온도가 높아져 부피가 증가하는 과정이다.
ㄱ. (가)와 (나)에서 온도와 기체의 양(mol)이 일정하므로 보일 법칙에 의해 1.5기압×1 L=a기압×b L이다. 따라서 $a\times b=1.5$이다.
바로알기 ㄴ. (가)에서 기체의 압력은 (대기압+추 1개의 압력)이므로 추 1개의 압력은 0.5기압이다. 따라서 (나)에서 a는 2(기압)이고, b는 $\frac{3}{4}$(L)이다. (나)에서 기체의 양(mol)을 2배로 하면 부피도 2배인 $\frac{3}{2}$ L가 되므로 (나)의 부피는 (가)와 같지 않다.
ㄷ. (다)와 압력이 같고, 온도가 300 K(=27 °C)인 (나)에서 기체의 부피가 $\frac{3}{4}$ L이므로 300 K : $\frac{3}{4}$ L=(273+t) K : 1 L이다. 따라서 t는 127(°C)이다.

08 꼼꼼 문제 분석

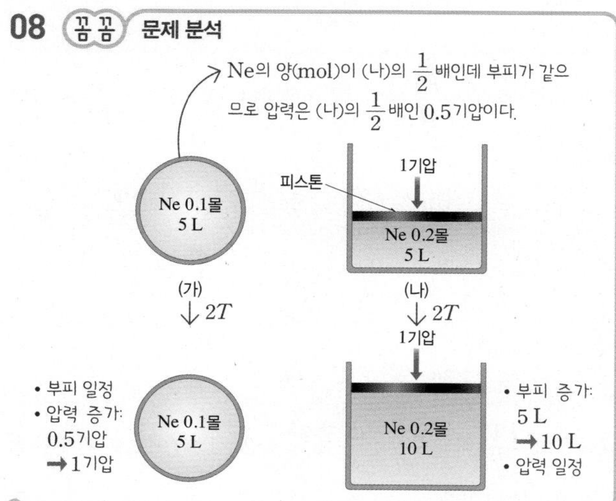

ㄱ. 온도가 T로 일정할 때 (나)에서 Ne 0.2몰의 부피가 5 L이고, 압력이 1기압이므로 (가)에서 Ne 0.1몰의 부피가 5 L일 때 압력은 0.5기압이다.
ㄴ. 온도가 $2T$가 되면 (가)의 압력은 1기압이 되고, (나)에서는 부피가 2배 증가하면서 압력은 그대로 1기압이다.
바로알기 ㄷ. 온도가 $2T$가 되면 기체의 부피가 (가)는 그대로 5 L이지만, (나)는 10 L가 되고, 이때 Ne의 양(mol)은 (나)가 (가)의 2배이므로 Ne의 밀도는 (가)와 (나)가 같아진다.

02 기체(2)

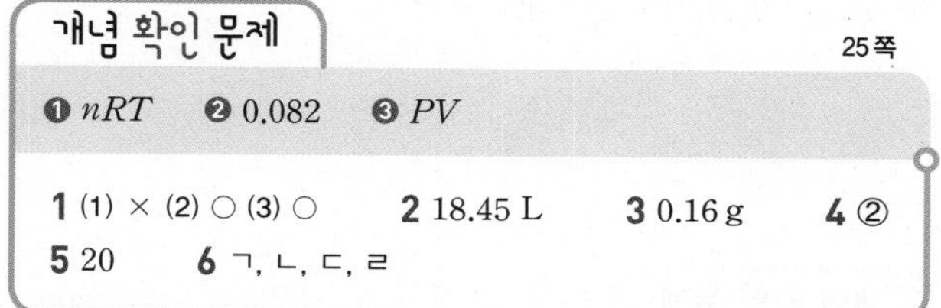

개념 확인 문제 25쪽

❶ nRT ❷ 0.082 ❸ PV

1 (1) × (2) ○ (3) ○ **2** 18.45 L **3** 0.16 g **4** ②
5 20 **6** ㄱ, ㄴ, ㄷ, ㄹ

1 (1) 이상 기체 방정식은 보일 법칙, 샤를 법칙, 아보가드로 법칙을 모두 설명할 수 있다.
(2) 기체 1몰은 0 °C, 1기압에서 부피가 22.4 L이므로, 이를 이상 기체 방정식에 대입하면 기체 상수 R을 구할 수 있다.
$PV=nRT$
$$\Rightarrow R=\frac{PV}{nT}=\frac{1\ \text{atm}\times 22.4\ \text{L}}{1\ \text{mol}\times 273\ \text{K}}\fallingdotseq 0.082\ \text{atm}\cdot\text{L/(mol}\cdot\text{K)}$$
(3) 기체의 질량(w)이나 밀도(d)를 알면 이상 기체 방정식을 이용하여 기체의 분자량(M)을 구할 수 있다.
$$PV=nRT=\frac{w}{M}RT \Rightarrow M=\frac{wRT}{PV}=\frac{dRT}{P}$$

2 NaN_3의 화학식량은 65이므로 32.5 g은 0.5몰이다. 화학 반응식에서 계수비는 반응하거나 생성되는 물질의 몰비이므로 생성되는 N_2는 0.75몰이다.
$PV=nRT$에서 $V=\frac{nRT}{P}$이므로 N_2의 부피는 다음과 같다.
$$V=\frac{0.75\ \text{mol}\times 0.082\ \text{atm}\cdot\text{L/(mol}\cdot\text{K)}\times 300\ \text{K}}{1\ \text{atm}}=18.45\ \text{L}$$

3 $PV=nRT=\frac{w}{M}RT$에서 $w=\frac{MPV}{RT}$이다.
$$w=\frac{16\ \text{g/mol}\times 1\ \text{atm}\times 0.246\ \text{L}}{0.082\ \text{atm}\cdot\text{L/(mol}\cdot\text{K)}\times 300\ \text{K}}=0.16\ \text{g}$$

4 $PV = nRT = \frac{w}{M}RT$에서 $M = \frac{wRT}{PV}$이다.

$M = \frac{0.3\,\text{g} \times 0.082\,\text{atm}\cdot\text{L/(mol}\cdot\text{K)} \times 273\,\text{K}}{1\,\text{atm} \times 0.240\,\text{L}} ≒ 28\,\text{g/mol}$

N_2의 분자량이 28이므로 이 기체는 N_2로 예상된다.

5 $PV = nRT = \frac{w}{M}RT$에서 $M = \frac{wRT}{PV} = \frac{dRT}{P}$이다.

$M = \frac{dRT}{P}$

$= \frac{0.82\,\text{g/L} \times 0.082\,\text{atm}\cdot\text{L/(mol}\cdot\text{K)} \times 300\,\text{K}}{1\,\text{atm}} ≒ 20$

6 $PV = nRT = \frac{w}{M}RT$에서 $M = \frac{wRT}{PV}$이므로 측정해야 하는 실험값은 실험실의 온도(ㄱ), 실험실의 대기압(ㄴ), 드라이아이스를 넣기 전과 후 주사기의 질량(ㄷ), 드라이아이스 승화 전과 후 주사기 속 기체의 부피(ㄹ)이다.

개념 확인 문제 29쪽

❶ 기체 분자 운동론 ❷ 크 ❸ 빠르 ❹ nRT ❺ 부분 압력 ❻ 몰 분율 ❼ $\frac{n_A}{n_A+n_B}$ ❽ $\frac{n_B}{n_A+n_B}$

1 (1) ○ (2) × (3) × (4) ○ (5) × **2** (1) 증가 (2) 증가 (3) 증가
3 (1) × (2) ○ (3) × **4** 3기압 **5** (1) 0.8 (2) 0.4기압

1 (2) 기체 분자 사이에는 인력과 반발력이 작용하지 않는다. 분자 사이에 인력이 크게 작용하면 액체나 고체 상태가 된다.
(3) 기체 분자의 평균 운동 에너지는 절대 온도에 비례한다.
(5) 기체 분자끼리 충돌할 때 에너지 손실이 없으므로 충돌 후에 기체 분자의 평균 운동 속력은 느려지지 않는다.

2 부피가 고정된 실린더 속에 들어 있는 기체의 온도를 높이면 다음과 같은 변화가 일어난다.

> 기체의 온도 상승 ➡ 기체 분자의 운동 에너지 증가 ➡ 기체 분자의 충돌수와 충돌 세기 증가 ➡ 기체의 압력 증가

3 (1) 혼합 기체에서 성분 기체의 부분 압력은 전체 압력에 성분 기체의 몰 분율을 곱해서 구한다.
(3) 부분 압력 법칙에 의해 혼합 기체의 전체 압력은 각 성분 기체의 부분 압력의 합과 같다.

4 기체를 혼합했을 때 혼합 기체의 전체 압력을 P라고 하면 보일 법칙에 의해 2기압×3 L+3기압×2 L=P×4 L이다. 따라서 P는 3기압이다.

5 (1) 헬륨의 몰 분율은 $\frac{\text{헬륨의 양(mol)}}{\text{전체 기체의 양(mol)}} = \frac{4}{5} = 0.8$이다.
(2) 혼합 기체에서 성분 기체의 몰 분율 합은 1이므로 산소의 몰 분율=1−헬륨의 몰 분율=1−0.8=0.2이다.
성분 기체의 부분 압력은 전체 압력에 성분 기체의 몰 분율을 곱한 값이므로 산소의 부분 압력=전체 압력×산소의 몰 분율=2기압×0.2=0.4기압이다.

대표 자료 분석 30쪽

자료 1 **1** A>B=C **2** A: $\frac{aR}{2b}$, B: $\frac{aR}{b}$, C: $\frac{aR}{b}$
3 (1) × (2) ○ (3) × (4) ○

자료 2 **1** He : Ne=1 : 1 **2** He: 0.5, Ne: 0.5 **3** $\frac{4}{3}$기압
4 (1) ○ (2) × (3) × (4) ○ (5) ○ (6) ○

1-1 꼼꼼 문제 분석

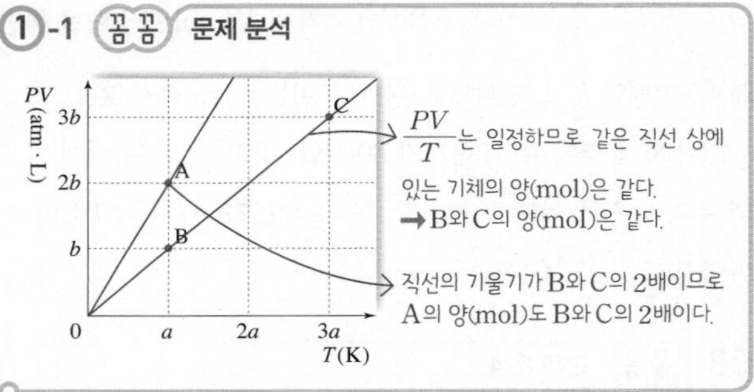

PV (atm·L)
3b
2b
b
0
a
2a
3a
T(K)
A
B
C
$\frac{PV}{T}$는 일정하므로 같은 직선 상에 있는 기체의 양(mol)은 같다.
➡ B와 C의 양(mol)은 같다.
직선의 기울기가 B와 C의 2배이므로 A의 양(mol)도 B와 C의 2배이다.

$PV = nRT$에서 $\frac{PV}{T}$는 n에 비례한다. A~C의 $\frac{PV}{T}$는 표와 같다.

구분	PV	T	$\frac{PV}{T}$
A	$2b$	a	$\frac{2b}{a}$
B	b	a	$\frac{b}{a}$
C	$3b$	$3a$	$\frac{b}{a}$

A~C의 $\frac{PV}{T}$비는 $\frac{2b}{a} : \frac{b}{a} : \frac{3b}{3a}$=2 : 1 : 1이므로 기체의 몰비도 2 : 1 : 1이다.

1-2 $PV=nRT=\frac{w}{M}RT$에서 $M=\frac{wRT}{PV}$이므로 A~C의 분자량은 다음과 같다.

• A: $\frac{1\times R\times a}{2b}=\frac{aR}{2b}$

• B: $\frac{1\times R\times a}{b}=\frac{aR}{b}$

• C: $\frac{1\times R\times 3a}{3b}=\frac{aR}{b}$

1-3 (1) A와 B의 절대 온도가 a로 같지만 A와 B의 분자량이 다르므로 분자의 평균 운동 속력이 다르다.
(2) 절대 온도는 C가 B의 3배이다. 기체 분자의 평균 운동 에너지는 절대 온도에 비례하므로 C가 B의 3배이다.
(3) 일정량의 기체의 PV는 T에 비례하므로 C의 온도를 $3a$에서 $2a$로 낮추면 PV도 $3b$일 때의 $\frac{2}{3}$배가 되므로 $2b$가 된다.
(4) 일정량의 기체의 PV는 T에 비례하므로 A의 온도를 C의 온도와 같은 $3a$로 높이면 PV 값도 $2b$일 때의 3배인 $6b$가 되어 PV 값은 A가 C의 2배이다. 마찬가지로 C의 온도를 A의 온도와 같은 a로 낮추면 PV 값도 $3b$일 때의 $\frac{1}{3}$배인 b가 되어 PV 값은 A가 C의 2배이다. 즉, A와 C의 온도가 서로 같을 때, PV 값은 A가 C의 2배이다.

2-1 꼼꼼 문제 분석

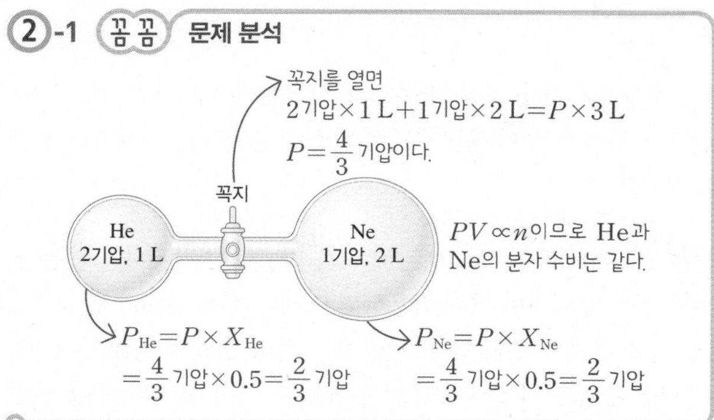

$PV=nRT$에서 T가 일정할 때 n은 PV에 비례하므로 He과 Ne의 분자 수비는 2기압×1 L : 1기압×2 L=1 : 1이다.

2-2 꼭지를 열어 He과 Ne을 섞어도 용기 안에 들어 있는 He과 Ne의 분자 수비는 변하지 않으므로 각 기체의 몰 분율은 0.5이다.

2-3 꼭지를 열었을 때 혼합 기체의 전체 압력을 P라고 하면 2기압×1 L+1기압×2 L=P×3 L이므로 $P=\frac{4}{3}$기압이다.

2-4 (1) 꼭지를 열면 He의 부피가 1 L에서 3 L로 증가하므로 보일 법칙에 의해 압력은 처음보다 감소한다.
(2) 꼭지를 열어도 온도가 변하지 않으므로 Ne의 평균 운동 에너지는 일정하다.
(3), (4) 꼭지를 열었을 때 He과 Ne의 몰 분율이 각각 0.5이고, 전체 압력이 $\frac{4}{3}$기압이므로 He과 Ne의 부분 압력은 다음과 같다.

$P_{He}=P\times X_{He}=\frac{4}{3}$기압$\times 0.5=\frac{2}{3}$기압

$P_{Ne}=P\times X_{Ne}=\frac{4}{3}$기압$\times 0.5=\frac{2}{3}$기압

따라서 He과 Ne의 부분 압력은 같다.

다른 풀이 꼭지를 열면 Ne의 부피는 2 L에서 3 L로 증가하므로 부분 압력은 1기압×2 L=P_{Ne}×3 L에 의해 $P_{Ne}=\frac{2}{3}$기압이 되고, 전체 압력(P)이 $\frac{4}{3}$기압이므로 $P_{He}=P-P_{Ne}=\frac{4}{3}$기압$-\frac{2}{3}$기압$=\frac{2}{3}$기압이 된다.

(5) 꼭지를 열면 He과 Ne이 차지하는 부피는 3 L로 같다.
(6) $PV=nRT$에서 n과 V가 같을 때 P는 T에 비례하므로 300 K에서 혼합 기체의 압력이 $\frac{4}{3}$기압이면 600 K에서는 $\frac{8}{3}$기압이 된다.

내신 만점 문제

31쪽~34쪽

01 ⑤	02 ③	03 ④	04 ①	05 ①	06 ④
07 ②	08 ③	09 ③	10 250 mmHg	11 ㄱ	
12 ⑤	13 (1) 0.96기압 (2) 0.008 g	14 ④	15 ③		

01 ㄱ. $PV=nRT$에서 $n=\frac{PV}{RT}$이므로 기체의 몰비는 다음과 같다.

$n_{(가)} : n_{(나)} : n_{(다)}=\frac{1\times 2}{300R} : \frac{3\times 1}{300R} : \frac{4\times 1}{600R}=2 : 3 : 2$

ㄴ, ㄷ. 밀도는 $\frac{질량}{부피}$이다. 질량은 분자량×기체의 양(mol)이고, 분자량이 같으므로 기체의 밀도는 $\frac{n}{V}$과 같다. 또, 단위 부피당 분자 수도 $\frac{n}{V}$이므로 밀도비와 단위 부피당 분자 수비는 다음과 같다.

(가) : (나) : (다)$=\frac{2}{2\text{ L}} : \frac{3}{1\text{ L}} : \frac{2}{1\text{ L}}=1 : 3 : 2$

02 꼼꼼 문제 분석

A~C는 0.5몰$(=\frac{PV}{RT})$이다.

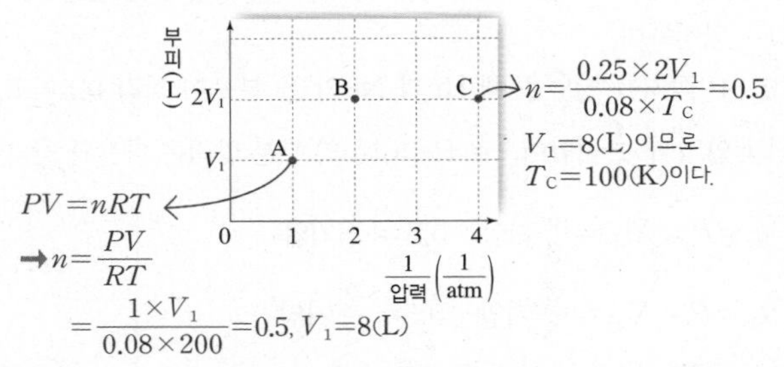

ㄱ. $n=\frac{PV}{RT}=\frac{1\ \text{atm}\times V_1}{0.08\ \text{atm}\cdot\text{L}/(\text{mol}\cdot\text{K})\times 200\ \text{K}}=0.5\ \text{mol}$이므로 V_1은 8 L이다.

ㄴ. 기체의 양(mol)이 일정하므로 기체의 밀도는 부피에 반비례한다. 따라서 기체의 밀도는 A에서가 B에서의 2배이다.

바로알기 ㄷ. C에서의 온도를 T_C라고 하면 다음 식이 성립한다.

$$n=\frac{0.25\ \text{atm}\times 2V_1}{0.08\ \text{atm}\cdot\text{L}/(\text{mol}\cdot\text{K})\times T_C}=0.5\ \text{mol}$$

$V_1=8$ L이므로 $T_C=100$ K이다. 따라서 절대 온도는 A에서가 C에서의 2배이다.

03

ㄴ. $PV=nRT=\frac{w}{M}RT$에서 $w=\frac{MPV}{RT}$이므로 기체의 질량비는 다음과 같다.

$$A:B:C=\frac{20\times 2\times 2}{R\times 273}:\frac{44\times 2\times 1}{R\times 546}:\frac{4\times 3\times 3}{R\times 273}=20:11:9$$

ㄷ. 기체의 질량비가 A : B : C=20 : 11 : 9이므로 밀도비는 $A:B:C=\frac{20}{2\ \text{L}}:\frac{11}{1\ \text{L}}:\frac{9}{3\ \text{L}}=10:11:3$이다. 따라서 밀도가 가장 큰 기체는 B이다.

바로알기 ㄱ. $n=\frac{PV}{RT}$이므로 $n_B:n_C=\frac{2\times 1}{546R}:\frac{3\times 3}{273R}=1:9$이다. 따라서 기체의 양(mol)은 C가 B의 9배이다.

04 꼼꼼 문제 분석

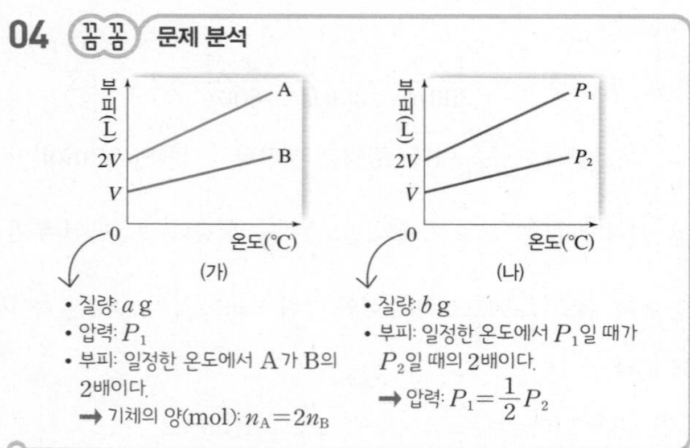

ㄱ. $PV=nRT=\frac{w}{M}RT$에서 $M=\frac{wRT}{PV}$이고, (가)의 0 °C에서 A와 B의 T, P, w가 같으므로 A와 B의 분자량비는 $\frac{1}{2V}:\frac{1}{V}=1:2$이다. 즉, 분자량은 B가 A의 2배이다.

다른 풀이 $PV=nRT$에서 T와 P가 일정할 때 V는 n에 비례한다. (가)에서 압력은 P_1로 일정하고, 0 °C에서 기체의 부피는 A가 B의 2배이므로 기체의 양(mol)도 A가 B의 2배이다. 이때 A와 B의 질량이 같으므로 분자량$\left(=\frac{질량}{기체의 양(mol)}\right)$은 B가 A의 2배이다.

바로알기 ㄴ. (가)에서 B는 a g, 273 K, P_1에서의 부피가 V이고, (나)에서 B는 b g, 273 K, P_1에서의 부피가 $2V$이다. $PV=nRT$에서 T와 P가 일정할 때 V는 n에 비례하므로 B의 양(mol)은 (나)가 (가)의 2배이다. 또한, 같은 물질인 경우 질량은 기체의 양(mol)에 비례하므로 $a=\frac{1}{2}b$이다.

ㄷ. (나)에서 $P_1\times 2V=P_2\times V$이므로 $P_1=\frac{1}{2}P_2$이다.

05

ㄱ. $PV=nRT$에서 $n=\frac{PV}{RT}$이므로 주사기 속에 들어 있는 산소의 양(mol)은 다음과 같다.

$$n=\frac{1\ \text{atm}\times 0.1\ \text{L}}{0.08\ \text{atm}\cdot\text{L}/(\text{mol}\cdot\text{K})\times 300\ \text{K}}=\frac{1}{240}\ \text{mol}$$

바로알기 ㄴ. $T=300$ K이고, $P=1$ atm이므로 산소의 분자량을 구하는 식은 다음과 같다.

$$M=\frac{wRT}{PV}=\frac{(w_1-w_2)300R}{V}$$

ㄷ. 주사기에 모인 산소의 온도가 실험실의 온도보다 낮은 경우 산소의 부피가 작게 측정되므로 산소의 분자량은 실제보다 크게 측정된다.

06

② 기체 분자 사이에는 인력과 반발력이 작용하지 않는다. 분자 사이에 인력이 크게 작용하면 액체나 고체 상태가 된다.

③ 기체 분자의 평균 운동 에너지는 절대 온도에 비례한다. 즉, 온도가 같으면 기체의 종류에 관계없이 기체 분자의 평균 운동 에너지는 같다.

바로알기 ④ 기체 분자 운동론에 의하면 기체 분자끼리 충돌한 후나 기체 분자가 용기 벽에 충돌한 후에 에너지의 손실이 없다.

07

ㄷ. 그래프가 오른쪽으로 치우칠수록 온도가 높아 기체 분자의 평균 운동 속력이 빠르다. 따라서 기체 분자의 평균 운동 속력은 T_3이 가장 빠르다.

바로알기 ㄱ. 그래프가 오른쪽으로 치우칠수록 온도가 높으므로 온도는 $T_3>T_2>T_1$이다.

ㄴ. 온도가 높을수록 기체 분자의 평균 운동 에너지가 크므로 기체 분자의 평균 운동 에너지는 $T_3>T_2>T_1$이다.

08 꼼꼼 **문제 분석**

$PV=nRT$에서 T가 일정하므로 $PV \propto n$이다.

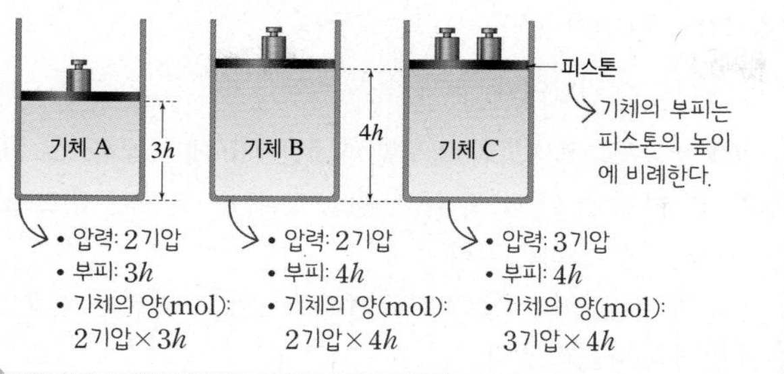

실린더의 단면적이 모두 같으므로 기체의 부피는 실린더 바닥에서 피스톤까지의 길이(피스톤의 높이)에 비례한다.

ㄱ. $PV=nRT$에서 T가 일정하므로 n은 PV에 비례한다. 따라서 A~C의 몰비는 다음과 같다.

A : B : C=2기압×$3h$: 2기압×$4h$: 3기압×$4h$=3 : 4 : 6

따라서 기체의 양(mol)이 가장 큰 것은 C이다.

ㄷ. A와 C의 몰비는 A : C=2기압×$3h$: 3기압×$4h$=1 : 2이고, A와 C의 질량이 같으므로 분자량$\left(=\frac{\text{질량}}{\text{기체의 양(mol)}}\right)$은 A가 C의 2배이다.

바로알기 ㄴ. 기체 B와 C는 온도와 부피가 같지만, 압력은 C가 더 크므로 단위 면적당 기체 분자의 충돌수는 C가 B보다 크다.

09 ㄱ. $PV=nRT=\frac{w}{M}RT$에서 밀도 $d=\frac{w}{V}$이므로 $P=\frac{dRT}{M}$이고, 이 식을 T에 대해 정리하면 $T=\frac{PM}{dR}$이다.

따라서 A~E의 온도는 표와 같다.

구분	A	B	C	D	E
압력(P)	2	1	3	1	2
밀도(d)	3	2	2	1	1
온도(T)	$\frac{2M}{3R}$	$\frac{M}{2R}$	$\frac{3M}{2R}$	$\frac{M}{R}$	$\frac{2M}{R}$

A~E에서 M과 R은 일정하므로 온도는 E>C>D>A>B이다.

다른 풀이 이상 기체 방정식과 $d=\frac{w}{V}$를 이용하여 다음과 같이 그래프의 기울기를 나타낼 수 있다.

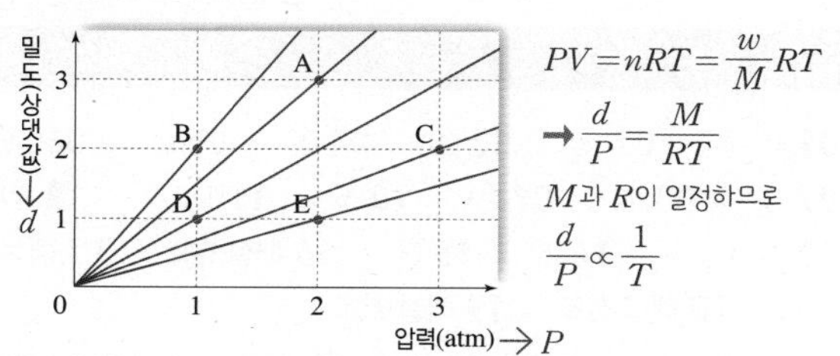

온도가 높을수록 그래프의 기울기가 작으므로 기울기가 가장 작은 E의 온도가 가장 높다.

ㄷ. 온도가 높을수록 기체 분자의 평균 운동 에너지가 커져 평균 운동 속력이 빨라진다. 따라서 기체 분자의 평균 운동 속력은 E>C>D>A>B이다.

바로알기 ㄴ. B와 D에서 절대 온도의 비는 B : D=$\frac{M}{2R}$: $\frac{M}{R}=\frac{1}{2}$: 1이고, 기체 분자의 평균 운동 에너지는 절대 온도에 비례하므로, 기체 분자의 평균 운동 에너지는 B에서가 D에서의 $\frac{1}{2}$배이다.

10 $PV=nRT$에서 T와 V가 일정할 때 P는 n에 비례한다. N_2 11.2 g의 양(mol)은 0.4몰이고, 이때 N_2의 부분 압력이 200 mmHg이므로 CO_2 4.4 g, 즉 0.1몰의 부분 압력은 50 mmHg이다.

혼합 기체의 전체 압력은 두 성분 기체의 부분 압력의 합과 같으므로 250 mmHg이다.

11 꼼꼼 **문제 분석**

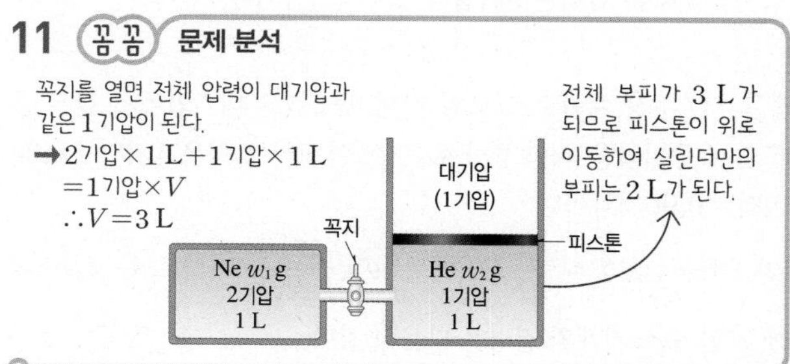

꼭지를 열면 전체 압력이 대기압과 같은 1기압이 된다.
→2기압×1 L+1기압×1 L
=1기압×V
∴V=3 L
대기압 (1기압)
전체 부피가 3 L가 되므로 피스톤이 위로 이동하여 실린더만의 부피는 2 L가 된다.
꼭지
피스톤
Ne w_1 g
2기압
1 L
He w_2 g
1기압
1 L

꼭지를 열어 두 기체가 혼합되어도 기체의 양(mol)은 같고 혼합 기체의 압력은 대기압인 1기압이므로 혼합 기체의 부피를 V라고 하면 다음 식이 성립한다.

2기압×1 L+1기압×1 L=1기압×V L

따라서 V=3(L)이다.

ㄱ. $PV=nRT$에서 T가 일정할 때 n은 PV에 비례하므로 Ne과 He의 몰비는 2 : 1이다. 따라서 2 : 1=$\frac{w_1}{20}$: $\frac{w_2}{4}$이므로 $w_1=10w_2$이다.

바로알기 ㄴ. 기체가 혼합된 후 전체 부피는 3 L인데, 용기의 부피가 1 L이므로 실린더의 부피는 2 L이다.

ㄷ. 1.5기압의 추를 실린더에 올려놓으면 기체의 전체 압력은 2.5기압이 된다. Ne의 몰 분율이 $\frac{2}{3}$이므로 Ne의 부분 압력은 2.5기압×$\frac{2}{3}=\frac{5}{3}$기압이다.

12 꼼꼼 문제 분석

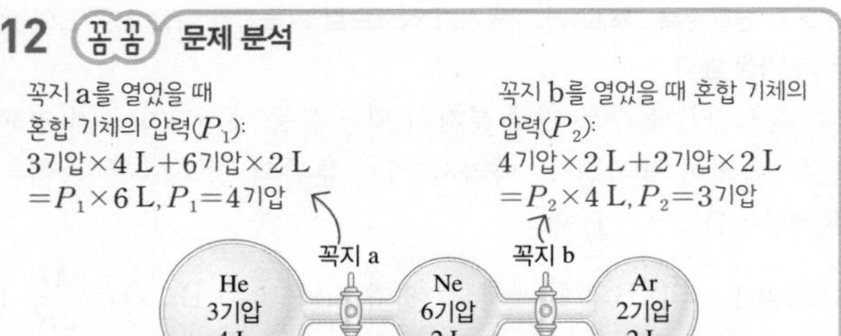
꼭지 a를 열었을 때
혼합 기체의 압력(P_1):
3기압×4 L+6기압×2 L
=P_1×6 L, P_1=4기압
꼭지 b를 열었을 때 혼합 기체의
압력(P_2):
4기압×2 L+2기압×2 L
=P_2×4 L, P_2=3기압
꼭지 a
꼭지 b
He
3기압
4 L
Ne
6기압
2 L
Ar
2기압
2 L

ㄱ. $PV=nRT$에서 T가 일정할 때 n은 PV에 비례하므로 (가)에서 He : Ne의 분자 수비는 다음과 같다.

3기압×4 L : 6기압×2 L=1 : 1

따라서 분자 수는 He과 Ne이 같다.

ㄴ. (나)에서 꼭지 a를 열었을 때의 Ne의 부분 압력을 P_{Ne}이라고 하면 T와 Ne의 양(mol)이 일정하므로 6기압×2 L=P_{Ne}×6 L이므로 P_{Ne}=2기압이다.

ㄷ. (다)에서 꼭지 b를 열었을 때 혼합 기체의 압력을 P_2라고 하면 다음 식이 성립한다.

4기압×2 L+2기압×2 L=P_2×4 L

따라서 P_2=3기압이다. 이때 Ar의 몰 분율은 $\frac{4}{8+4}=\frac{1}{3}$이므로 Ar의 부분 압력은 3기압×$\frac{1}{3}$=1기압이다.

13 (1) 수상 치환으로 모인 기체의 압력은 대기압에서 같은 온도의 수증기압을 빼야 하므로 수소 기체의 압력은 1기압−0.04기압=0.96기압이다.

(2) $PV=nRT=\frac{w}{M}RT$에서 $w=\frac{MPV}{RT}$이므로 눈금실린더에 모인 수소 기체의 질량은 다음과 같다.

$$w=\frac{MPV}{RT}=\frac{2\text{ g/mol}\times0.96\text{ atm}\times0.1\text{ L}}{0.08\text{ atm}\cdot\text{L/(mol}\cdot\text{K)}\times300\text{ K}}=0.008\text{ g}$$

14 꼼꼼 문제 분석

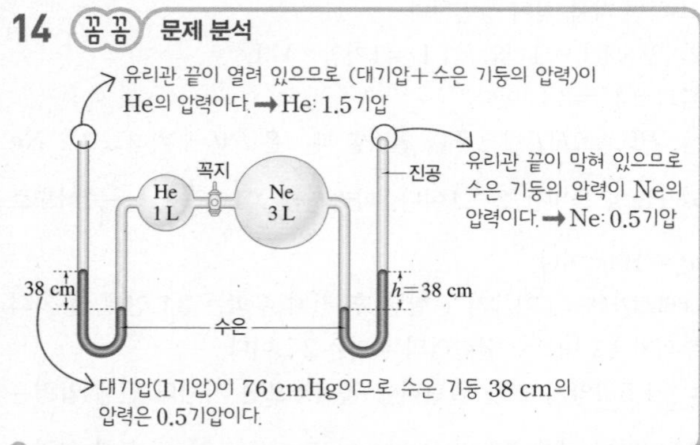
유리관 끝이 열려 있으므로 (대기압+수은 기둥의 압력)이 He의 압력이다. ➡ He: 1.5기압
꼭지
진공
He
1 L
Ne
3 L
유리관 끝이 막혀 있으므로 수은 기둥의 압력이 Ne의 압력이다. ➡ Ne: 0.5기압
38 cm
h=38 cm
수은
대기압(1기압)이 76 cmHg이므로 수은 기둥 38 cm의 압력은 0.5기압이다.

꼭지를 열기 전 He의 압력은 (대기압+수은 기둥의 압력)과 같으므로 1.5기압이고, Ne의 압력은 수은 기둥의 압력과 같으므로 0.5기압이다. 꼭지를 열고 충분한 시간이 흘렀을 때 전체 압력을 P라고 하면 다음 식이 성립한다.

1.5기압×1 L+0.5기압×3 L=P×4 L

따라서 $P=\frac{3}{4}$기압이다.

ㄴ. $PV=nRT$에서 T가 일정할 때 n은 PV에 비례하므로 He과 Ne의 양(mol)이 같고, 몰 분율도 같다. 몰 분율이 같으므로 두 기체의 부분 압력은 같다.

ㄷ. Ne의 압력은 꼭지를 열기 전 0.5기압이고, 꼭지를 열고 난 후의 압력은 다음과 같다.

$P_{Ne}=P\times X_{Ne}=\frac{3}{4}$기압×0.5=$\frac{3}{8}$기압

따라서 꼭지를 열기 전과 후의 압력비는 4 : 3이다.

바로알기 ㄱ. 1기압일 때 h=76 cm이므로 $\frac{3}{4}$기압일 때 h=57 cm이다.

15 ㄱ. (가)에서 He과 N_2의 부피는 기체의 양(mol)에 비례하므로 몰비는 3 : 2이다. 이때 He의 양(mol)은 $\frac{2.4\text{ g}}{4\text{ g/mol}}$=0.6 mol이므로 N_2의 양(mol)은 0.4몰이다. 따라서 a는 0.4이다.

ㄴ. (나)에서 He 0.6몰의 부피와 N_2 0.4몰과 Ne b몰의 부피의 비가 3 : 7이므로 0.6 : 0.4+b=3 : 7에서 b=1.0이다. N_2 0.4몰의 질량은 11.2 g이고, Ne 1.0몰의 질량은 20 g이므로 N_2와 Ne의 질량의 합은 31.2 g이다.

바로알기 ㄷ. (나)에서 N_2의 몰 분율은 $\frac{0.4}{1.4}=\frac{2}{7}$이고, Ne의 몰 분율은 $\frac{1.0}{1.4}=\frac{5}{7}$이므로 N_2와 Ne의 부분 압력의 비는 $\frac{2}{7}$: $\frac{5}{7}$=2 : 5이다.

중단원 핵심 정리 35쪽

❶ 크 ❷ 반비례 ❸ 절대 온도 ❹ 비례 ❺ nRT ❻ 절대 온도 ❼ 빠르 ❽ 비례 ❾ 반비례 ❿ 부분 압력 ⓫ 전체 압력

중단원 마무리 문제 36쪽~40쪽

01 ㄴ, ㄷ **02** ③ **03** ④ **04** ⑤ **05** ② **06** ② **07** ① **08** ④ **09** ④ **10** ⑤ **11** ㄴ, ㄷ **12** ② **13** ㄱ, ㄴ, ㄷ **14** ⑤ **15** ② **16** 해설 참조 **17** 해설 참조 **18** 해설 참조 **19** 해설 참조

01 수소가 들어 있는 플라스크 쪽으로 수은이 밀려 올라갔으므로 수소의 압력이 헬륨보다 작고, 수은 기둥의 높이 차가 7.6 cm이므로 수소와 헬륨의 압력 차는 0.1기압이다. 따라서 수소의 압력은 0.1기압(=0.2기압−0.1기압)이다.
ㄴ. ㄷ. $PV=nRT$에서 T와 V가 일정할 때 n은 P에 비례하므로 플라스크에 들어 있는 분자 수는 헬륨이 수소의 2배이다. 따라서 밀도($d=\frac{w}{V}=\frac{M\times n}{V}$)비는 헬륨 : 수소=4×2 : 2×1 =4 : 1로, 밀도는 헬륨이 수소의 4배이다.
바로알기 ㄱ. 수소의 압력은 0.1기압이고, 헬륨의 압력은 0.2기압이므로 압력은 수소가 헬륨의 $\frac{1}{2}$배이다.

02 ㄱ. (나)는 온도와 압력이 같을 때 부피가 (가)의 2배이므로 입자 수가 2배이다. 따라서 x는 4이다.
ㄷ. $PV=nRT$에서 $M=\frac{wRT}{PV}$이고, T_1이 27 °C이므로 (가)의 값을 대입하여 분자량을 계산하면 다음과 같다.
$M=\frac{2\times R\times(273+27)}{2\times h}=\frac{300R}{h}$
바로알기 ㄴ. (나)에서 기체의 압력은 2기압이고, (다)에서 기체의 압력은 3기압이며, 실린더 속에 들어 있는 기체의 부피를 $2h$라고 하면 $\frac{P_1V_1}{T_1}=\frac{P_2V_2}{T_2}$에 의해 $\frac{2\times 2h}{T_1}=\frac{3\times 2h}{T_2}$이므로 $T_2=\frac{3}{2}T_1$이다. 따라서 T_2는 T_1의 $\frac{3}{2}$배이다.

03 ㄴ. $PV=nRT$에서 n이 일정할 때 T는 PV에 비례한다. (가)에서 A는 $2PV$, B는 $4PV$, C는 $2PV$이므로 온도의 비는 A : B : C=1 : 2 : 1이다. 또, 기체의 부피는 A가 V이고, B와 C가 $2V$이므로 (나)에서 p는 C, q는 B, r은 A이다.
ㄷ. (나)에서 r → p → q로의 변화는 (가)에서 A → C → B로의 변화에 해당하므로 압력은 $2P$에서 P로 감소하다가 다시 $2P$로 증가한다.
바로알기 ㄱ. $PV=nRT$에서 n이 일정할 때 T는 PV에 비례하므로 A의 경우 $2PV$이고, B의 경우 $4PV$이다. 따라서 온도는 B가 A의 2배이다.

04 ㄱ. A와 B는 절대 온도가 같으므로 기체 분자의 평균 운동 에너지가 같다.
ㄴ. $PV=nRT$에서 $n=\frac{PV}{RT}$이므로 n은 $\frac{PV}{T}$에 비례한다. 따라서 기체의 몰비는 A : B : C=$\frac{1\times 1}{300}:\frac{2\times 0.25}{300}:\frac{2\times 0.25}{600}$ =4 : 2 : 1이므로 기체의 양(mol)은 B가 C의 2배이다.
ㄷ. $PV=nRT$에서 단위 부피당 기체 분자 수 $\frac{n}{V}=\frac{P}{RT}$이므로 A가 $\frac{1}{300R}$, C가 $\frac{2}{600R}$로 A와 C가 같다.

05 ㄷ. B에서는 질량이 1 g, 부피가 2 L이므로 밀도가 0.5 g/L이다. B와 D에서 밀도가 같으므로 B는 D이다. $PV=nRT$에서 $n=\frac{PV}{RT}$이므로 D의 양(mol)은 $\frac{2\times 2}{R\times 400}=\frac{1}{100R}$몰이다.
바로알기 ㄱ. $PV=nRT$에서 n이 일정하므로 PV는 T에 비례하고, A와 B에서의 PV비는 1×1 : 2×2=1 : 4이다. 따라서 절대 온도는 B에서가 A에서의 4배이다.
ㄴ. C와 D에서 질량이 1 g으로 같으므로 부피는 $\frac{1}{\text{밀도}}$이다. 즉, C에서의 부피는 1 L이고, D에서의 부피는 2 L이다. $PV=nRT$에서 n이 일정하므로 P는 $\frac{T}{V}$에 비례한다. C와 D에서의 압력비는 $\frac{200}{1}:\frac{400}{2}$=1 : 1이다. 따라서 C와 D에서의 압력은 같다.

06 (가)와 (나)의 $\frac{P}{T}$와 T를 정리하면 표와 같다.

구분	$\frac{P}{T}$	T	$\frac{P}{T}\times T=P$
(가) A	a	T_1	aT_1
(나) B	b	$2T_1$	$2bT_1$

ㄴ. (가)에서 A와 (나)에서 B의 압력의 비는 $aT_1:2bT_1=a:2b$이다.
바로알기 ㄱ. $PV=nRT$에서 $M=\frac{wRT}{PV}$이고, w와 V가 같으므로 A와 B의 분자량은 $\frac{T}{P}$에 비례한다. 따라서 A와 B의 분자량비는 $\frac{1}{a}:\frac{1}{b}$이다.
ㄷ. $PV=nRT$에서 단위 부피당 기체 분자 수 $\frac{n}{V}=\frac{P}{RT}$이고, R이 같으므로 (가)에서 A와 (나)에서 B의 단위 부피당 기체 분자 수는 $\frac{P}{T}$에 비례한다. 따라서 (가)에서 A와 (나)에서 B의 단위 부피당 기체 분자 수비는 $a:b$이다.

07 ㄱ. t °C에서의 수증기압이 0.04기압이므로 기체의 압력은 대기압−수증기압=1기압−0.04기압=0.96기압이다.
바로알기 $PV=nRT$에서 $n=\frac{PV}{RT}$이므로 기체의 양(mol)은 다음과 같다.
$n=\frac{(1-0.04)\text{ atm}\times 0.05\text{ L}}{0.08\text{ atm}\cdot\text{L/(mol}\cdot\text{K)}\times 300\text{ K}}=0.002\text{ mol}$

ㄷ. $PV=nRT$에서 $M=\frac{wRT}{PV}$이므로 기체 A의 분자량은 다음과 같다.

$$M=\frac{(150.70-150.61)\ \text{g}\times 0.08\ \text{atm}\cdot\text{L/(mol}\cdot\text{K)}\times 300\ \text{K}}{(1-0.04)\ \text{atm}\times 0.05\ \text{L}}$$

08 꼼꼼 문제 분석

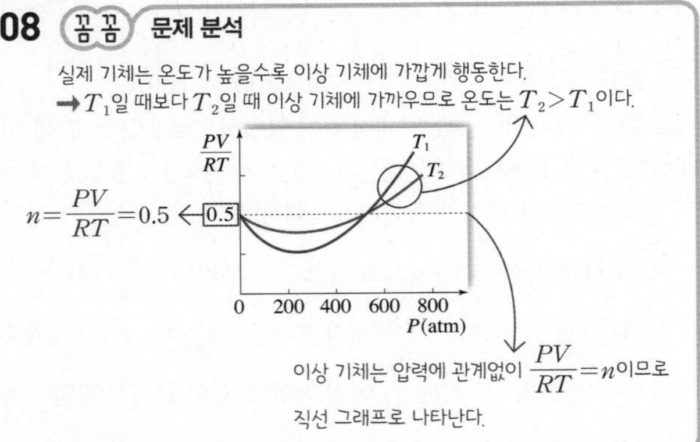

실제 기체는 온도가 높을수록 이상 기체에 가깝게 행동한다.
➜ T_1일 때보다 T_2일 때 이상 기체에 가까우므로 온도는 $T_2>T_1$이다.
$\frac{PV}{RT}$
T_1
T_2
$n=\frac{PV}{RT}=0.5$
0.5
0 200 400 600 800
P(atm)
이상 기체는 압력에 관계없이 $\frac{PV}{RT}=n$이므로 직선 그래프로 나타난다.

ㄴ. 실제 기체는 온도가 높을수록 이상 기체에 가까우므로 온도는 T_1보다 T_2가 높다. 기체 분자의 평균 운동 에너지는 절대 온도에 비례하므로 평균 운동 에너지는 T_1일 때보다 T_2일 때 더 크다.

ㄷ. 실제 기체는 분자들 사이에 인력이나 반발력이 작용하는데, 기체 분자 사이에 인력이 작용할 때는 이웃 분자들의 끌어당기는 힘 때문에 기체 분자가 용기 벽면에 약하게 충돌한다. 따라서 기체의 압력이 이상 기체보다 작아지고, 이상 기체보다 $\frac{PV}{RT}$ 값이 작아진다. 기체 분자 사이에 반발력이 작용할 때는 이웃 분자들을 밀어내는 힘 때문에 기체 분자가 용기 벽면에 강하게 충돌한다. 따라서 기체의 압력이 이상 기체보다 커지고, 이상 기체보다 $\frac{PV}{RT}$ 값이 커진다.

바로알기 ㄱ. X 8 g이 0.5몰이므로, X의 몰 질량$=\frac{\text{X의 질량}}{\text{X의 양(mol)}}=\frac{8\ \text{g}}{0.5\ \text{mol}}=16$ g/mol이다. 따라서 X의 분자량은 16이다.

09 기체 분자의 평균 운동 에너지는 절대 온도에 비례($E_k=\frac{3}{2}kT$)하고, 질량과 속력의 제곱에 비례($E_k=\frac{1}{2}mv^2$)한다. 따라서 기체 분자의 평균 운동 속력은 온도가 높을수록, 분자량이 작을수록 빠르다.

ㄴ. (나)에서 분자의 평균 운동 속력은 B가 A보다 빠르므로 분자량은 A가 B보다 크다.

ㄷ. 분자량은 B가 A보다 작으므로 T_2에서도 평균 분자 운동 속력은 B가 A보다 빠르다.

바로알기 ㄱ. T_2에서의 평균 분자 운동 속력이 T_1보다 빠르므로 온도는 T_2가 T_1보다 높다.

10 (가)와 (나)에서 기체 A~C는 $PV=nRT$에서 n이 일정하므로 $\frac{P_1V_1}{T_1}=\frac{P_2V_2}{T_2}$가 성립한다. 따라서 (가)와 (나)에서 A에 대해 $\frac{x\times 2\ \text{L}}{T}=\frac{0.2\text{기압}\times 5\ \text{L}}{2T}$이므로 x는 0.25기압이다. 또, B에 대해 $\frac{0.5\text{기압}\times 2\ \text{L}}{T}=\frac{P_\text{B}\times 5\ \text{L}}{2T}$이므로 $P_\text{B}=0.4$기압이다. (나)에서 $P_\text{A}=0.2$기압이고, $P_\text{B}=0.4$기압이며, 전체 압력은 1기압이므로 $y=1\text{기압}-(0.2+0.4)\text{기압}=0.4$기압이다.

11 꼼꼼 문제 분석

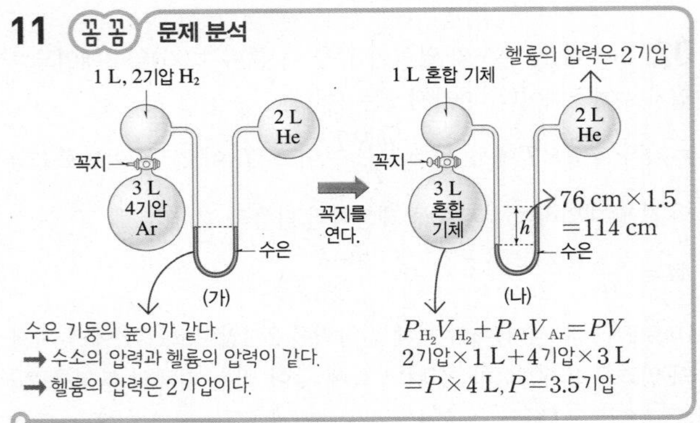

ㄴ. 혼합 기체의 압력을 P라고 하면 2기압×1 L+4기압×3 L$=P\times$4 L, $P=3.5$기압이다.

ㄷ. 1기압은 수은 기둥 76 cm가 누르는 힘에 해당한다. (가)에서 수은 기둥의 높이가 같으므로 수소와 헬륨의 압력은 서로 같다. 즉, 헬륨의 압력은 2기압이다. (나)에서 혼합 기체와 헬륨의 압력 차이가 3.5기압−2기압=1.5기압이므로 수은 기둥의 높이 차 $h=76\ \text{cm}\times 1.5=114$ cm이다.

바로알기 ㄱ. $PV=nRT$에서 T가 일정할 때 n은 PV에 비례한다. 따라서 수소와 헬륨의 분자 수비는 2기압×1 L : 2기압×2 L=1 : 2이므로, 분자 수는 헬륨이 수소의 2배이다.

12 꼼꼼 문제 분석

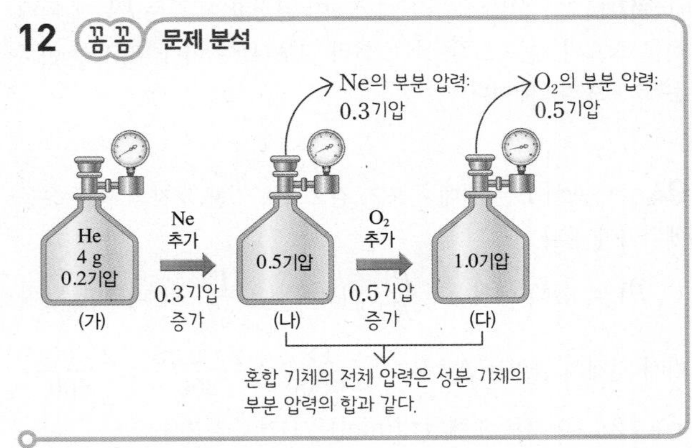

$PV=nRT$에서 T, V가 일정할 때 n은 P에 비례한다. (가)에서 He은 1몰, 0.2기압이고, (나)에서 혼합 기체가 0.5기압이므로 Ne을 추가하여 증가한 압력이 0.3기압이다. 따라서 추가된 Ne의 양(mol)은 1.5몰이다.

ㄴ. (다)에서 추가된 O_2는 0.5기압이므로 O_2의 양(mol)은 2.5몰이다. 따라서 O_2의 부분 압력은 1.0기압$\times\dfrac{2.5}{1+1.5+2.5}=0.5$기압이고, He의 부분 압력은 1.0기압$\times\dfrac{1}{1+1.5+2.5}=0.2$기압이므로 부분 압력은 O_2가 He의 2.5배이다.

바로알기 ㄱ. 추가된 Ne의 양(mol)은 1.5몰이므로 질량은 20 g/mol×1.5 mol=30 g이다.

ㄷ. He은 1몰, Ne은 1.5몰, O_2는 2.5몰이므로 Ne의 몰 분율은 $\dfrac{1.5}{1+1.5+2.5}=0.3$, O_2의 몰 분율은 $\dfrac{2.5}{1+1.5+2.5}=0.5$이다.

13 $PV=nRT$에서 T가 일정할 때 n은 PV에 비례하는데, V가 같으므로 n은 각 기체의 부분 압력에 비례한다. 화학 반응식에서 계수비는 반응물과 생성물의 양(mol)에 비례하므로 A와 B가 반응할 때 각 기체의 양(mol)의 변화는 다음과 같다.

	$A(g)$ +	$2B(g)$ ⟶	$2C(g)$
반응 전	0.2	0.8	0
반응	−0.2	−0.4	+0.4
반응 후	0	0.4	0.4

ㄱ. 반응 전과 후 기체의 온도와 압력은 일정하므로 반응 전 기체의 총 양(mol)이 1.0몰이면, 반응 후 기체의 총 양(mol)은 0.8몰이다.

ㄴ. 반응 후 실린더 속 전체 압력은 외부 압력인 1기압과 같고, 같은 양(mol)의 기체 B와 C가 남아 있으므로 기체 B와 C의 부분 압력은 0.5기압으로 같다.

ㄷ. 반응 전과 후 기체의 총 양(mol)의 비는 5 : 4이므로 기체의 부피비는 5 : 4이고, 기체의 질량은 일정하므로 밀도비는 4 : 5이다.

14 $PV=nRT$에서 T가 일정할 때 n은 PV에 비례하므로 X와 Y의 반응 전과 후 기체의 양(mol)은 다음과 같다.

	$X(g)$ +	$Y(g)$ ⟶	$Z(g)$
반응 전	$3V$	$4V$	0
반응	$-3V$	$-3V$	$+3V$
반응 후	0	V	$3V$

ㄱ. 반응 전 기체 X와 Y의 분자 수는 PV에 비례하므로 분자 수비는 3기압×V L : 4기압×V L=3 : 4이다.

ㄴ. 반응 후 생성된 Z의 몰 분율은 $\dfrac{3V}{4V}=0.75$이고, 전체 압력은 1기압이므로 Z의 부분 압력은 0.75기압이다.

ㄷ. 반응 후 $4V$몰의 기체는 1기압에서 $(4+2V)$ L를 차지하므로 1기압×$(4+2V)$ L$=4V$몰에서 $V=2$이다.

15 $PV=nRT$에서 T가 일정할 때 n은 PV에 비례하므로 메테인의 연소 반응 전과 후 기체의 양(mol)은 다음과 같다.

	$CH_4(g)$+	$2O_2(g)$ ⟶	$CO_2(g)$+	$2H_2O(g)$
반응 전	$0.2n$	$1.0n$	0	0
반응	$-0.2n$	$-0.4n$	$+0.2n$	$+0.4n$
반응 후	0	$0.6n$	$0.2n$	$0.4n$

ㄷ. 반응 전과 후의 분자 수비는 $(0.2n+1.0n):(0.6n+0.2n+0.4n)=1:1$로, 반응 전과 후의 총 분자 수는 같다.

바로알기 ㄱ. ㄴ. 반응 후 혼합 기체와 남은 산소의 몰비는 $1.2n:0.6n=2:1$이고, $PV=nRT$에서 n은 PV에 비례하므로 혼합 기체 2.0 L의 압력은 0.6기압이고 남은 산소의 압력은 0.3기압이다.

16 (1) $PV=nRT$에서 T와 P가 같을 때 V는 n에 비례한다. (가)와 (나)에서 온도와 압력이 같고, 부피는 (나)가 (가)의 2배이므로 He의 양(mol)도 (나)가 (가)의 2배이다.

(2) $PV=nRT$에서 $\dfrac{PV}{T}$는 n에 비례하므로 (가)와 (다)에서 온도가 2배일 때 일정량의 기체의 부피가 같으면 압력도 2배이다.

모범답안 (1) 0.2

(2) 1기압, (가)와 (다)에서 기체의 양(mol)과 부피가 같지만 온도는 (다)가 (가)의 2배이므로 압력도 (다)가 (가)의 2배이다. 따라서 추 1개의 압력은 1기압이다.

채점 기준		배점
(1)	x의 값을 옳게 구한 경우	30 %
(2)	추 1개의 압력을 옳게 구하고, 그 까닭을 옳게 서술한 경우	70 %
	추 1개의 압력만 옳게 구한 경우	30 %

17 꼼꼼 문제 분석

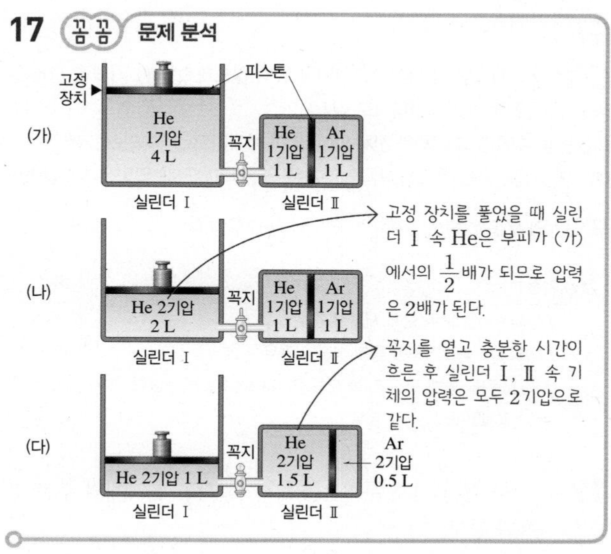

(1) 실린더 Ⅰ 속 He은 고정 장치를 풀기 전 1기압, 4 L이고, 고정 장치를 풀고 난 후 부피가 2 L이므로 압력을 P로 두면 1기압 $\times$4 L$=P\times$2 L, P는 2기압이다.

모범답안 (1) 2기압

(2) He : Ar=3 : 1, 꼭지를 열기 전 실린더 Ⅱ 속 Ar은 1기압, 1 L이고 꼭지를 열었다가 닫았을 때 실린더 Ⅱ 속 Ar은 2기압이므로 부피는 0.5 L이다. 실린더 Ⅱ의 전체 부피가 2 L이므로 실린더 Ⅱ 속 He의 부피는 1.5 L이다. 온도와 압력이 같을 때 기체의 부피는 기체의 양(mol)에 비례하므로 He과 Ar의 몰비는 He : Ar=1.5 : 0.5=3 : 1이다.

채점 기준		배점
(1)	He의 압력을 옳게 구한 경우	40 %
(2)	He과 Ar의 몰비를 옳게 구하고, 풀이 과정을 옳게 서술한 경우	60 %
	He과 Ar의 몰비만 옳게 구한 경우	30 %

18 $PV=nRT$에서 T가 일정할 때 n은 PV에 비례하는데, V가 같으므로 n은 각 기체의 부분 압력에 비례한다. 따라서 C_3H_8을 연소시킬 때 부분 압력의 변화는 다음과 같다.

	$C_3H_8(g)$	$+5O_2(g)$	$\longrightarrow 3CO_2(g)$	$+4H_2O(g)$
반응 전	0.1	0.9	0	0
반응	−0.1	−0.5	+0.3	+0.4
반응 후	0	0.4	0.3	0.4

따라서 반응 후 실린더 속 기체의 몰 분율은 다음과 같다.

• O_2의 몰 분율: $\dfrac{0.4}{0.4+0.3+0.4}=\dfrac{4}{11}$

• CO_2의 몰 분율: $\dfrac{0.3}{0.4+0.3+0.4}=\dfrac{3}{11}$

• H_2O의 몰 분율: $\dfrac{0.4}{0.4+0.3+0.4}=\dfrac{4}{11}$

피스톤이 고정되어 있지 않으므로 반응 후 기체의 전체 압력은 1기압이고, 부분 압력은 O_2가 $\dfrac{4}{11}$기압, CO_2가 $\dfrac{3}{11}$기압, H_2O이 $\dfrac{4}{11}$기압이다.

모범답안 (1) (가) 피스톤이 고정되어 있지 않으므로 혼합 기체의 전체 압력은 반응 전과 후가 1기압으로 같다.

(나) 반응 후에 혼합 기체의 전체 양(mol)이 증가하므로 부피는 증가한다.

(2) $\dfrac{3}{11}$기압, 반응 후 CO_2의 몰 분율은 $\dfrac{3}{11}$이고, 전체 압력은 1기압이므로 CO_2의 부분 압력은 1기압$\times\dfrac{3}{11}=\dfrac{3}{11}$기압이다.

채점 기준		배점
(1)	(가)와 (나)를 모두 옳게 서술한 경우	50 %
	(가)와 (나) 중 1가지만 옳게 서술한 경우	20 %
(2)	부분 압력을 옳게 구하고, 몰 분율을 이용하여 옳게 서술한 경우	50 %
	부분 압력만 옳게 구한 경우	20 %

19 꼭지를 열면 전체 부피는 5 L가 되므로 각 기체의 부분 압력은 다음과 같다.

• A_2: 2기압$\times$3 L$=P_{A_2}\times$5 L, $P_{A_2}=$1.2기압

• B_2: 10기압$\times$2 L$=P_{B_2}\times$5 L, $P_{B_2}=$4기압

$PV=nRT$에서 T가 일정할 때 n은 PV에 비례하는데, 꼭지를 열면 A_2와 B_2의 V는 같다. 따라서 n은 각 기체의 부분 압력에 비례하므로, A_2와 B_2를 반응시켰을 때 부분 압력의 변화는 다음과 같다.

	$A_2(g)$	$+2B_2(g)$	$\longrightarrow 2AB_2(g)$
반응 전	1.2	4	0
반응	−1.2	−2.4	+2.4
반응 후	0	1.6	2.4

A_2가 모두 반응하면 B_2가 남고, 남은 B_2의 부분 압력은 1.6기압이다. 이때 생성된 기체 AB_2의 부분 압력은 2.4기압이다.

모범답안 (1) A_2 : B_2=3 : 10, $PV=nRT$에서 온도가 일정할 때 기체의 양(mol)은 압력과 부피의 곱에 비례하므로 꼭지를 열기 전 몰비는 A_2 : B_2=2기압$\times$3 L : 10기압$\times$2 L=3 : 10이다.

(2) B_2: 1.6기압, AB_2: 2.4기압

채점 기준		배점
(1)	몰비를 옳게 구하고, 풀이 과정을 옳게 서술한 경우	60 %
	몰비만 옳게 구한 경우	30 %
(2)	남아 있는 기체의 부분 압력을 모두 옳게 구한 경우	40 %

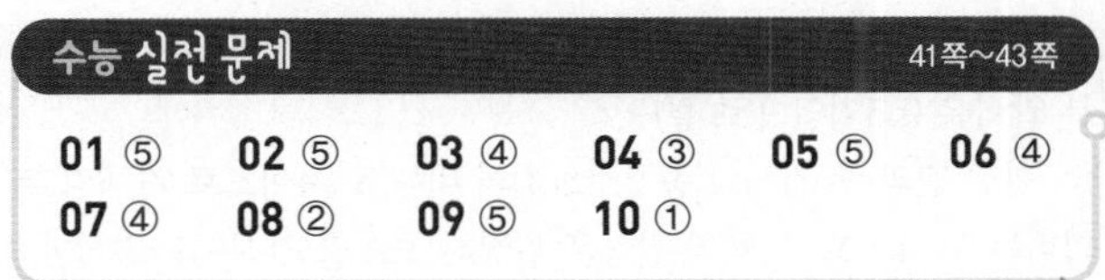

수능 실전 문제

41쪽~43쪽

01 ⑤ 02 ⑤ 03 ④ 04 ③ 05 ⑤ 06 ④ 07 ④ 08 ② 09 ⑤ 10 ①

01 꼼꼼 문제 분석

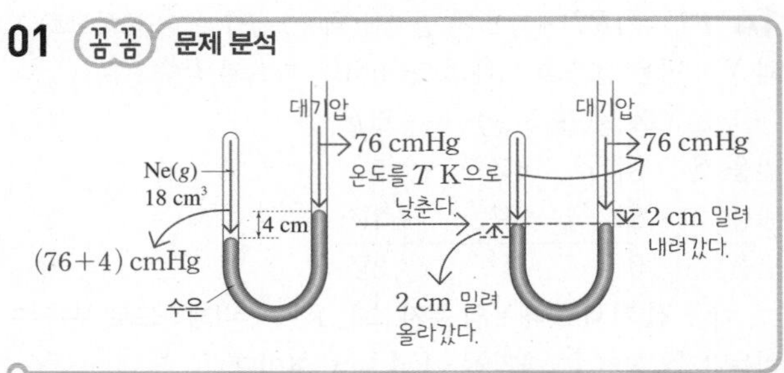

선택지 분석

ㄱ. $Ne(g)$의 압력은 76 cmHg이다.

ㄴ. $Ne(g)$의 부피는 16 cm^3이다.

ㄷ. T는 304이다.

ㄱ. 양쪽 수은 기둥의 높이가 같을 때 Ne(g)의 압력은 대기압과 같은 76 cmHg이다.

ㄴ. 온도를 T K으로 낮추면 Ne(g) 쪽 수은 면이 2 cm 밀려 올라가고, 끝이 뚫린 쪽 수은 면이 2 cm 밀려 내려가 양쪽 수은 기둥의 높이가 같아지므로 Ne(g)의 부피는 16 cm^{3}가 된다.

ㄷ. $PV=nRT$에서 n이 일정하므로 $\frac{P_1V_1}{T_1}=\frac{P_2V_2}{T_2}$이다. 따라서 $\frac{(76+4)\times18}{360}=\frac{76\times16}{T}$, $T=304$(K)이다.

02

선택지 분석

㉠ t는 127이다.
㉡ ㉢과 ㉤은 분자량이 같다.
㉢ 기체의 양(mol)이 가장 큰 것은 ㉡이다.

ㄱ. $PV=\frac{w}{M}RT$에서 P와 w가 같으므로 M은 $\frac{T}{V}$에 비례한다. ㉠과 ㉤의 분자량비가 2 : 1이므로 $\frac{t+273}{1}$: $\frac{(t+400)+273}{4}$ =2 : 1이다. 따라서 t는 127(℃)이다.

ㄴ. t는 127이므로 이를 적용하여 ㉠~㉤의 값을 정리하면 다음과 같다.

구분	㉠	㉡	㉢	㉣	㉤
t(℃)	127	287	327	367	527
T(K)	400	560	600	640	800
V	1	3.5	3	2	4
$M\left(\propto\frac{T}{V}\right)$	$\frac{400}{1}$	$\frac{560}{3.5}$	$\frac{600}{3}$	$\frac{640}{2}$	$\frac{800}{4}$

㉢과 ㉤의 분자량비는 $\frac{600}{3}$: $\frac{800}{4}$ =1 : 1이다. 따라서 ㉢과 ㉤의 분자량은 같다.

ㄷ. 질량이 같으므로 기체의 양(mol)이 가장 큰 것은 분자량이 가장 작은 기체인 ㉡이다.

03

선택지 분석

✕ㄱ. $\frac{P}{T}$는 A가 B의 2배이다. $\frac{1}{2}$배
㉡ A는 ㉠이다.
㉢ $M_A=5M_B$이다.

ㄴ. (가)에서 A와 B의 $\frac{P}{T}$의 비는 $\frac{1}{1}$: $\frac{4}{2}$=1 : 2이고, $PV=nRT$에서 $\frac{P}{T}=\frac{nR}{V}$이다. (나)에서 기체의 부피는 ㉡이 ㉠의 2.5배이고, 기체의 양(mol)은 ㉡이 ㉠의 3배 이상이다. 따라서 $\frac{nR}{V}$은 ㉡>㉠이므로 A가 ㉠, B가 ㉡이다.

ㄷ. $M=\frac{wRT}{PV}$이므로 A의 분자량을 M_A, B의 분자량을 M_B라고 하면 $M_A=\frac{wR\times1}{1\times2}=\frac{wR}{2}$, $M_B=\frac{wR\times2}{4\times5}=\frac{wR}{10}$이다. 따라서 $M_A=5M_B$이다.

바로알기 ㄱ. (가)에서 $\frac{P_A}{T_A}=\frac{P_B}{T_B}$=1 : 2이므로 $\frac{P}{T}$는 A가 B의 $\frac{1}{2}$배이다.

04

선택지 분석

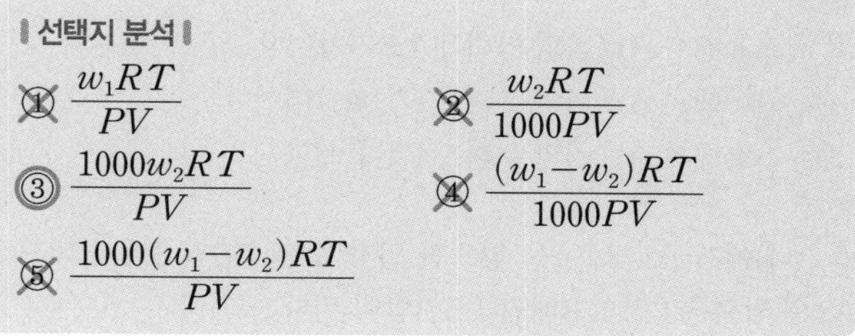

✕① $\frac{w_1RT}{PV}$
✕② $\frac{w_2RT}{1000PV}$
③ $\frac{1000w_2RT}{PV}$
✕④ $\frac{(w_1-w_2)RT}{1000PV}$
✕⑤ $\frac{1000(w_1-w_2)RT}{PV}$

액체 X가 모두 증발한 후 다시 응축한 양이 플라스크 전체를 채운 기체의 질량이므로 X의 분자량을 구하는 식은 $\frac{1000w_2RT}{PV}$이다.

05 꼼꼼 문제 분석

$PV=nRT$에서 $n=\frac{PV}{RT}$이다.

피스톤
(가) 200 K, V L, X 1 g → Y 1 g 첨가, 가열 → (나) 300 K, $2V$ L, X, Y → Z 1 g 첨가, 가열 → (다) 400 K, $4V$ L, X, Y, Z

X $\frac{V}{200R}$몰 → $\left(\frac{V}{200R}+\text{Y}\right)=\frac{2V}{300R}$ → $\left(\frac{2V}{300R}+\text{Z}\right)=\frac{4V}{400R}=\frac{V}{100R}$

선택지 분석

㉠ (나)에서 기체의 양(mol)은 X가 Y의 3배이다.
㉡ 기체 분자의 평균 운동 에너지는 (다)가 (가)의 2배이다.
㉢ 분자량비는 X : Y : Z=2 : 6 : 3이다.

ㄱ. $n=\frac{PV}{RT}$이므로 (나)에서 X의 양(mol)은 $\frac{V}{200R}$몰이고, Y의 양(mol)은 $\frac{V}{600R}\left(=\frac{2V}{300R}-\frac{V}{200R}\right)$몰이므로 기체의 양(mol)은 X가 Y의 3배이다.

ㄴ. 기체 분자의 평균 운동 에너지는 절대 온도에 비례한다. 절대 온도는 (다)가 (가)의 2배이므로 기체 분자의 평균 운동 에너지도 (다)가 (가)의 2배이다.

ㄷ. (다)에서 Z의 양(mol)은 $\frac{V}{300R}(=\frac{V}{100R}-\frac{2V}{300R})$몰이고, $M=\frac{w}{n}$이므로 각 기체의 분자량을 M_X, M_Y, M_Z라고 하면 분자량비는 다음과 같다.

$$M_X : M_Y : M_Z = \frac{1}{\frac{V}{200R}} : \frac{1}{\frac{V}{600R}} : \frac{1}{\frac{V}{300R}} = 2 : 6 : 3$$

06

선택지 분석

ㄱ. (나)에서 $Ar(g)$의 압력은 1.5기압이다.

~~ㄴ.~~ (다)에서 $Ar(g)$의 부피는 (가)의 2배이다. 1.5배

ㄷ. (라)에서 $Ar(g)$의 부피는 0.6 L이다.

ㄱ. (나)에서 Ar $2w$ g을 넣으면 입자 수는 (가)의 3배가 되므로 Ar의 압력은 (가)의 3배인 1.5기압이 된다.

ㄷ. (나)에서 입자 수는 (가)의 3배가 되고, (다)에서 고정 장치를 풀면 압력은 1기압이 된다. 또, (라)에서 온도를 200 K으로 낮추면 $PV=nRT$에 의해 $\frac{0.5기압\times0.6\text{ L}}{n\times300\text{ K}}=\frac{1기압\times V\text{ L}}{3n\times200\text{ K}}$, $V=0.6$(L)가 된다.

바로알기 ㄴ. (나)에서 압력은 1.5기압이고, (다)에서 고정 장치를 풀면 압력은 1기압이 되므로 1.5기압×0.6 L=1기압×V, $V=0.9$(L)이다. 따라서 (다)의 부피는 (가)의 1.5배이다.

다른 풀이 (나)에서 입자 수는 (가)의 3배가 되고, (다)에서 압력은 1기압이 되므로 $\frac{0.5기압\times0.6\text{ L}}{n}=\frac{1기압\times V\text{ L}}{3n}$, $V=0.9$(L)가 된다.

07 꼼꼼 문제 분석

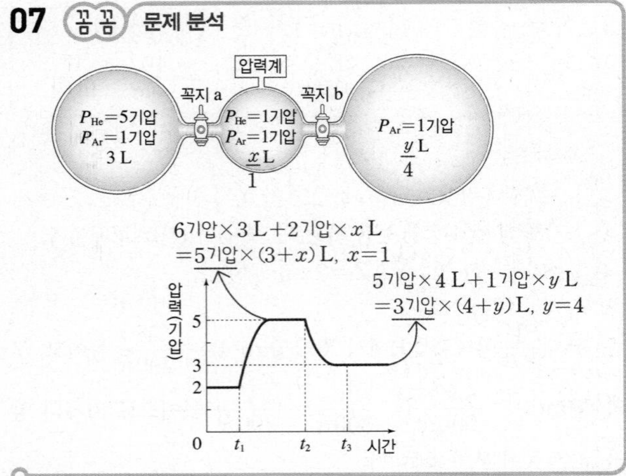

선택지 분석

~~ㄱ.~~ $x+y=2$이다. 5

ㄴ. (나)에서 P_{He}=4기압이다.

ㄷ. (다)에서 P_{Ar}=1기압이다.

t_1에서 꼭지 a를 열고 난 후 충분한 시간이 흘렀을 때 압력이 5기압이므로 6기압×3 L+2기압×x L=5기압×(3+x) L이다. 따라서 $x=1$이다.

한편 t_2에서 꼭지 b를 열어 충분한 시간이 흘렀을 때 압력이 3기압이므로 5기압×4 L+1기압×y L=3기압×(4+y) L이다. 따라서 $y=4$이다.

ㄴ. $x=1$이므로 (나)에서 He과 Ar의 몰비는 다음과 같다.

He : Ar=(5기압×3 L+1기압×1 L) : (1기압×3 L+1기압×1 L)=4 : 1

혼합 기체의 압력은 5기압이므로 P_{He}=5기압×$\frac{4}{5}$=4기압이다.

ㄷ. $y=4$이므로 (다)에서 He과 Ar의 몰비는 다음과 같다.

He : Ar=(5기압×3 L+1기압×1 L) : (1기압×3 L+1기압×1 L+1기압×4 L)=2 : 1

혼합 기체의 압력은 3기압이므로 P_{Ar}=3기압×$\frac{1}{3}$=1기압이다.

바로알기 ㄱ. $x=1$, $y=4$이므로 $x+y=5$이다.

08 꼼꼼 문제 분석

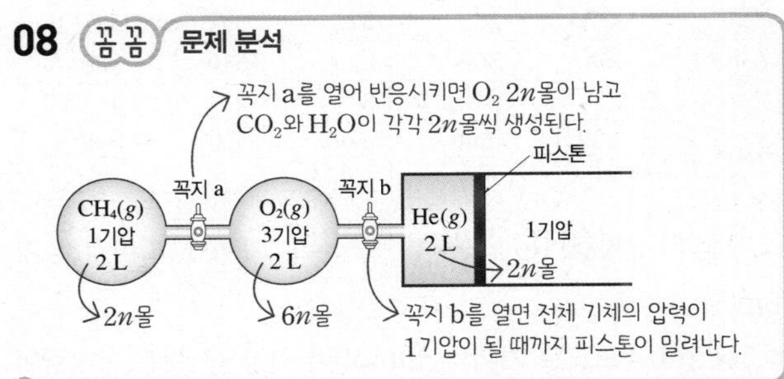

선택지 분석

~~ㄱ.~~ 실린더의 부피는 10 L가 된다. 6 L

ㄴ. 남아 있는 O_2의 부분 압력은 $\frac{1}{5}$기압이다.

~~ㄷ.~~ 실린더 속 CO_2의 양은 $\frac{1}{33}$몰이다. $\frac{2}{55}$몰

$PV=nRT$에서 T가 일정할 때 n은 PV에 비례하므로 400 K에서 CH_4 연소 반응 전과 후 기체의 양(mol)은 다음과 같다.

	$CH_4(g)$	$+2O_2(g)$	$\longrightarrow CO_2(g)$	$+2H_2O(g)$
반응 전	$2n$	$6n$	0	0
반응	$-2n$	$-4n$	$+2n$	$+4n$
반응 후	0	$2n$	$2n$	$4n$

따라서 꼭지 a를 열어 반응이 완결된 후 전체 기체는 $8n$몰이다. He의 양(mol)은 $2n$몰이므로 꼭지 b를 열었을 때 전체 기체는 $10n$몰이다.

ㄴ. 꼭지 b를 열어 충분한 시간이 흐르면 기체의 압력이 외부 압력인 1기압과 같아질 때까지 기체의 부피가 변하므로 전체 압력은 1기압이다. 남아 있는 O_2의 몰 분율이 $\frac{2n}{10n}=\frac{1}{5}$이므로 O_2의 부분 압력은 1기압$\times\frac{1}{5}=\frac{1}{5}$기압이다.

| 바로알기 | ㄱ. 실린더에서 He $2n$몰의 부피가 2 L이었으므로 꼭지 b를 열어 전체 기체의 양(mol)이 $10n$몰이 되면 전체 부피는 10 L가 된다. 두 강철 용기의 부피 합이 4 L이므로 실린더만의 부피는 6 L이다.

ㄷ. 반응 후 CO_2의 몰 분율은 $\frac{2n}{10n}=\frac{1}{5}$이므로 CO_2의 부분 압력은 1기압$\times\frac{1}{5}=\frac{1}{5}$기압이다. $PV=nRT$에서 $n=\frac{PV}{RT}$이므로 CO_2의 양(mol)은 $\frac{\frac{1}{5}\text{ atm}\times 6\text{ L}}{33\text{ atm}\cdot\text{L/mol}}=\frac{2}{55}$ mol이다.

09

| 선택지 분석 |

ㄱ. a는 5이다.

ㄴ. n_A와 n_B는 같다.

ㄷ. 혼합 기체의 온도를 500 K으로 높이면 부피는 12.5 L가 된다.

ㄱ. $PV=nRT$에서 T가 일정할 때 n은 PV에 비례하므로 (가)에서 n_A를 $2.5n$몰, He의 양(mol)을 $2n$몰이라고 할 수 있다. (나)에서 A를 모두 반응시켰으므로 A와 B의 반응 전과 후 기체의 양(mol)은 다음과 같다.

	aA(g)	+ B(g)	$\longrightarrow$ 3C(g)	+ 4D(g)
반응 전	$2.5n$	n_B	0	0
반응	$-2.5n$	$-\frac{2.5n}{a}$	$+\frac{7.5n}{a}$	$+\frac{10n}{a}$
반응 후	0	$n_B-\frac{2.5n}{a}$	$\frac{7.5n}{a}$	$\frac{10n}{a}$

$\frac{\text{He}(g)\text{의 부분 압력}}{\text{B}(g)\text{의 부분 압력}}=1$이므로 He의 양(mol)과 B의 양(mol)이 같다. He의 양(mol)이 $2n$이므로 $n_B-\frac{2.5n}{a}=2n$이다. 또, (나) 과정 후 기체의 온도를 400 K으로 높이면 부피는 10 L가 되므로 300 K일 때 부피를 V라고 하면 $\frac{10\text{ L}}{400\text{ K}}=\frac{V}{300\text{ K}}$, $V=7.5$ L이다.

1기압, 300 K에서 7.5 L의 양(mol)은 $7.5n$이므로 He $2n$+B $2n$+C $\frac{7.5n}{a}$+D $\frac{10n}{a}=7.5n$, a는 5이다.

ㄴ. 반응 후 남은 B의 양(mol)은 $2n$이므로 반응 전 B의 양(mol)인 $n_B=2n+0.5n=2.5n$이므로 n_A와 n_B는 같다.

ㄷ. 400 K일 때 부피가 10 L이므로 온도를 500 K으로 높일 때 부피를 V라고 하면 $\frac{10\text{ L}}{400\text{ K}}=\frac{V}{500\text{ K}}$, $V=12.5$ L이다.

10

| 선택지 분석 |

ㄱ. 반응 전 기체의 양(mol)은 A가 C의 2배이다.

ㄴ. P는 3이다.

ㄷ. 반응 후 C의 몰 분율은 $\frac{3}{5}$이다.

ㄱ. $PV=nRT$에서 T가 일정할 때 n은 PV에 비례하므로 반응 전 A와 C의 몰비는 1기압×2 L : 1기압×1 L=2 : 1이다. 따라서 기체의 양(mol)은 A가 C의 2배이다.

| 바로알기 | ㄴ. 꼭지 a를 열었을 때 A와 B 중 어느 것이 모두 반응하였는지 반응 전과 후 기체의 양(mol)을 확인하여 P를 구한다.

[A가 모두 반응한 경우]

	A(g)	+ 2B(g)	$\longrightarrow$ 2C(g)
반응 전	$2n$	Pn	n
반응	$-2n$	$-4n$	$+4n$
반응 후	0	$(P-4)n$	$5n$

꼭지 b를 열고 충분한 시간이 흐르면 혼합 기체의 압력은 대기압과 같은 1기압이 된다. 이때 혼합 기체의 부피는 4 L이므로 A가 모두 반응한 경우 혼합 기체의 양(mol)은 $(P-4)n+5n=4n$이 되어 P는 3이 되지만, 반응 후 남은 기체 B의 양(mol)이 음수가 되므로 모순이다. 따라서 B가 모두 반응한다.

[B가 모두 반응한 경우]

	A(g)	+ 2B(g)	$\longrightarrow$ 2C(g)
반응 전	$2n$	Pn	n
반응	$-\frac{Pn}{2}$	$-Pn$	$+Pn$
반응 후	$(2-\frac{P}{2})n$	0	$(1+P)n$

B가 모두 반응한 경우 혼합 기체의 양(mol)은 $(2-\frac{P}{2})n+(1+P)n=4n$이 되어 P는 2이다.

ㄷ. P가 2일 때 반응 후 남은 A의 양(mol)은 n, 생성된 C의 양(mol)은 $3n$이므로 C의 몰 분율은 $\frac{3}{4}$이다.

2 물질의 세 가지 상태(2)

01 분자 간 상호 작용

개념 확인 문제 50쪽

❶ 쌍극자 ❷ 쌍극자·쌍극자 힘 ❸ 편극 ❹ 순간 쌍극자 ❺ 분산력 ❻ 수소 결합 ❼ 분산력 ❽ 쌍극자·쌍극자 힘 ❾ 수소 결합

1 (1) ○ (2) ○ (3) × (4) ○ **2** ① **3** ㄱ, ㄷ, ㅁ, ㅂ
4 (1) 수소 결합 (2) 분산력 (3) ㉠ 쌍극자·쌍극자 힘 ㉡ 분산력
5 (1) (다) (2) (나) (3) (가)

1 (1) 분산력, 쌍극자·쌍극자 힘, 수소 결합 등 분자 사이에 작용하는 힘이 클수록 물질의 끓는점이 높다.
(2) 분자량이 비슷한 경우 극성 분자의 쌍극자·쌍극자 힘이 무극성 분자의 분산력보다 크므로 극성 물질이 무극성 물질보다 끓는점이 더 높다.
(3) 무극성 분자에서는 분자량이 클수록 편극이 쉽게 일어나 분산력이 커진다.
(4) 분자량이 비슷한 경우 수소 결합은 분산력보다 100배 정도 강하고, 쌍극자·쌍극자 힘보다 10배 정도 강하다.

2 H_2, N_2, O_2는 모두 무극성 분자이므로 끓는점 차이에 영향을 미치는 가장 큰 요인은 분산력이다.

3 수소 결합은 한 분자 내 F, O, N 원자에 결합한 H 원자와 이웃한 분자의 F, O, N 원자 사이에 작용하는 강한 정전기적 인력이다.

4 (1) H_2O의 끓는점이 다른 16족 원소의 수소 화합물보다 높은 것은 H_2O 분자 사이에 수소 결합을 하기 때문이다.
(2) CH_4과 SiH_4은 14족의 무극성 분자이므로 두 화합물의 끓는점 차이에 가장 큰 영향을 미치는 분자 간 힘은 분산력이다.
(3) H_2Se는 4주기 16족 원소의 수소 화합물이고, H_2S는 3주기 16족 원소의 수소 화합물이다. 같은 족에서 원자 번호가 커질수록 전기 음성도가 작아지므로 4주기 수소 화합물인 H_2Se는 3주기 수소 화합물인 H_2S보다 쌍극자·쌍극자 힘이 약하다. 이때 분자량은 H_2Se가 H_2S보다 크므로 분산력은 더 크게 작용한다.

5 (가)는 분산력, (나)는 쌍극자·쌍극자 힘, (다)는 수소 결합을 나타낸 모형이다.
(1) NH_3와 PH_3은 15족 원소의 수소 화합물이고 분자량은 PH_3이 NH_3보다 크지만, NH_3가 수소 결합을 하므로 PH_3보다 끓는점이 더 높다.
(2) H_2S는 극성 분자이고, O_2는 무극성 분자이며 분자량이 비슷하므로 H_2S의 끓는점이 O_2보다 높은 것은 극성 분자의 쌍극자·쌍극자 힘이 무극성 분자의 분산력보다 크기 때문이다.
(3) Cl_2와 F_2은 무극성 분자이고, Cl_2의 분자량이 F_2보다 크다. 따라서 Cl_2가 F_2보다 분산력이 더 크므로 끓는점이 더 높다.

대표 자료 분석 51쪽

자료 ① **1** 분산력 **2** D>C **3** (1) × (2) ○ (3) ○ (4) × (5) ○
자료 ② **1** (가) 17족 원소의 수소 화합물 (나) 14족 원소의 수소 화합물 **2** 분산력 **3** (1) ○ (2) × (3) ○ (4) ○ (5) × (6) ○

①-1 꼼꼼 문제 분석

물질	분자량	쌍극자 모멘트(D)	분자의 종류	끓는점(°C)
A		0	무극성	−191
B	30	0.15	극성	−152
C	44	0	무극성	−48
D	44	2.6	극성	

→ 분자량이 같지만, C보다 D의 쌍극자 모멘트가 크므로 D의 끓는점> −48 °C이다.

B는 쌍극자 모멘트가 0이 아니므로 쌍극자·쌍극자 힘과 분산력이 작용하는 극성 분자이고, C는 분산력만 작용하는 무극성 분자이지만 C가 B보다 끓는점이 높다. 이는 C의 분자량이 B보다 커서 분산력이 더 크기 때문이다.

①-2 C와 D의 분자량이 같으므로 쌍극자 모멘트가 큰 D의 쌍극자·쌍극자 힘이 무극성 분자인 C의 분산력보다 더 크게 작용하여 D의 끓는점이 C보다 더 높다.

①-3 (1) A와 B의 분자량이 비슷한 경우 B의 끓는점이 A보다 높은 까닭은 극성 분자인 B의 쌍극자·쌍극자 힘이 무극성 분자인 A의 분산력보다 크게 작용하기 때문이다.

(2) 쌍극자 모멘트가 클수록 분자의 극성이 크므로 분자의 극성은 D가 B보다 크다.
(3) A와 C는 쌍극자 모멘트가 0이므로 무극성 분자로 이루어진 물질이다.
(4) 분산력의 크기 차이로만 끓는점을 비교할 수 있는 물질은 무극성 분자로 이루어진 물질인 A와 C이다.
(5) 분자 간 힘이 클수록 끓는점이 높으므로 A~C 중 분자 간 힘이 가장 큰 물질은 C이다.

2-1 꼼꼼 문제 분석

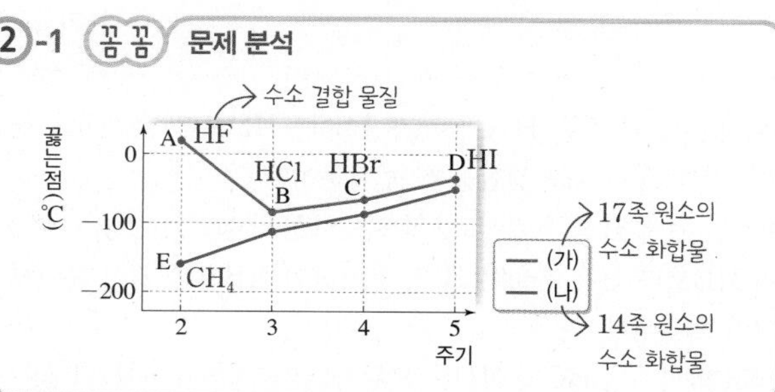

14족 원소는 수소 4개와 결합하여 수소 화합물을 생성하는데, 분자의 구조가 정사면체로 대칭 구조이다. 따라서 14족 원소의 수소 화합물은 분자의 쌍극자 모멘트가 0인 무극성 분자이므로 분자량이 클수록 분산력이 크게 작용하여 끓는점이 높다. 한편 17족 원소의 수소 화합물에서 HF는 수소 결합을 하므로 분자량이 비슷한 다른 물질에 비해 끓는점이 높다. 따라서 (가)는 17족 원소의 수소 화합물이고, (나)는 14족 원소의 수소 화합물이다.

2-2 14족 원소의 수소 화합물은 무극성 분자이므로 분자량이 클수록 분산력이 크게 작용하여 끓는점이 높다.

2-3 (1) 같은 족 원소의 경우 원자 번호가 작을수록 전기 음성도가 크므로 분자의 극성은 B가 C보다 크다. 그러나 분산력은 C가 B보다 크므로 끓는점은 C가 B보다 높다.
(2) A는 HF로, 분자 사이에 수소 결합, 분산력, 쌍극자·쌍극자 힘이 작용한다.
(3) B는 HCl로, 극성 물질이다. HCl는 분자 사이에 쌍극자·쌍극자 힘과 분산력이 작용한다.
(4) A와 B는 17족 원소의 수소 화합물로, A의 끓는점이 B보다 높은 까닭은 A의 분자 사이에 수소 결합이 작용하기 때문이다.
(5) 17족 원소의 수소 화합물에서 끓는점이 D>C>B인 까닭은 분자량이 클수록 분산력이 크기 때문이다.
(6) A(HF)의 분자 사이에는 수소 결합, 분산력, 쌍극자·쌍극자 힘이 작용하지만, E(CH_4)는 무극성 물질이므로 분자 사이에 분산력만 작용한다. 따라서 A가 분자량이 비슷한 E보다 끓는점이 높은 까닭은 쌍극자·쌍극자 힘, 수소 결합 때문이다.

내신 만점 문제

52쪽~53쪽

01 ③ 02 ② 03 ④ 04 ③ 05 ② 06 ② 07 ① 08 ③

01 (가)는 분산력, (나)는 쌍극자·쌍극자 힘, (다)는 수소 결합을 나타낸 것이다.
ㄱ. 무극성 분자에 편극이 일어나면 순간적으로 쌍극자가 형성되어 순간 쌍극자 사이의 힘인 분산력이 작용한다.
ㄷ. 분자량이 비슷할 때 분자 사이에 작용하는 힘이 가장 큰 것은 수소 결합이다.
바로알기 ㄴ. HF는 분산력, 쌍극자·쌍극자 힘, 수소 결합이 모두 작용하지만, HCl는 분산력과 쌍극자·쌍극자 힘만 작용한다.

02 ① 비활성 기체는 무극성 물질이므로 원자 번호가 클수록 분산력이 커서 끓는점이 높다.
③ Ar과 Cl_2는 무극성 물질이므로 각각 분자 사이에 분산력만 작용한다.
④ CCl_4의 끓는점이 CH_4보다 높은 까닭은 CCl_4의 분자량이 커서 분산력이 크기 때문이다.
⑤ HCl의 끓는점이 분자량이 비슷한 O_2보다 높은 까닭은 극성 분자인 HCl 사이에 작용하는 쌍극자·쌍극자 힘이 무극성 분자인 O_2 사이에 작용하는 분산력보다 크기 때문이다.
바로알기 ② NH_3는 극성 물질로 분자 사이에 수소 결합, 쌍극자·쌍극자 힘, 분산력이 작용한다.

03 ㄴ. 3가지 탄소 화합물은 모두 무극성 분자로 이루어진 물질로, 끓는점이 가장 높은 노말펜테인의 분산력이 가장 크다.
ㄷ. 노말펜테인과 네오펜테인은 분자식이 같아 분자량이 같지만, 분자의 모양이 달라 분산력이 다르게 작용한다. 이때 분자의 표면적이 클수록 분산력이 크므로 끓는점이 높은 노말펜테인이 네오펜테인보다 분자의 표면적이 크다.
바로알기 ㄱ. 분자량이 같더라도 분자의 표면적에 따라 분산력의 크기가 달라지므로 끓는점이 다르게 나타난다.

04 ㄱ. (가)와 (나)는 분자량이 같지만 (가)의 경우 분자에 OH가 있어 수소 결합을 한다. 따라서 (가)는 (나)보다 끓는점이 높다.
ㄴ. 분자량이 클수록 분산력이 크므로 분산력은 (다)가 (나)보다 크다.
바로알기 ㄷ. (나)는 극성 물질이므로 분자 사이에 쌍극자·쌍극자 힘이 작용하지만, (라)는 무극성 물질이므로 분자 사이에 쌍극자·쌍극자 힘이 작용하지 않는다. 따라서 (라)의 끓는점이 (나)보다 높은 까닭은 (라)의 분산력이 매우 크기 때문이다.

05 ㄷ. I_2의 끓는점이 CH_3Cl보다 높은 까닭은 I_2의 분자량이 매우 커서 분산력이 크기 때문이다.

바로알기 ㄱ. 분자의 쌍극자 모멘트는 CH_3Cl이 H_2O이나 I_2보다 크지만 끓는점은 H_2O과 I_2이 더 높다. 이는 H_2O의 경우 수소 결합을 하며, I_2의 경우 분자량이 크기 때문이다. 따라서 조건이 다른 경우 분자의 극성으로만 끓는점의 경향을 설명할 수 없다.

ㄴ. 분자 사이에 작용하는 힘이 가장 큰 것은 끓는점이 가장 높은 I_2이다.

06 꼼꼼 문제 분석

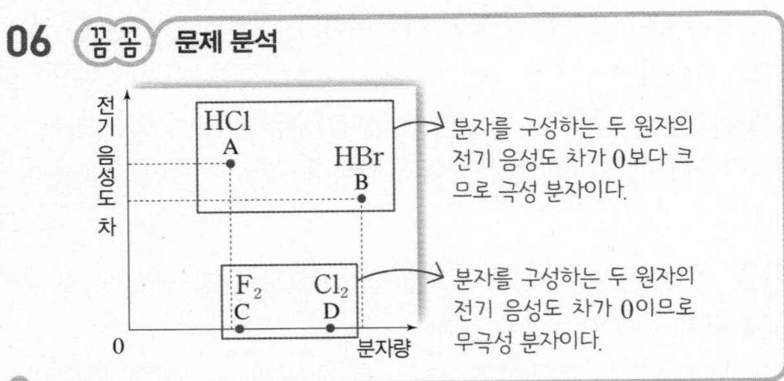

A와 B는 극성 분자이다. 전기 음성도 차는 A가 B보다 크고, 분자량은 B가 A보다 크므로 A는 HCl, B는 HBr이다.

C와 D는 무극성 분자이고, D의 분자량이 C보다 크므로 C는 F_2, D는 Cl_2이다.

ㄷ. D의 분자량이 C보다 크므로 분산력이 크게 작용하여 D의 끓는점이 C보다 높다.

바로알기 ㄱ. 쌍극자·쌍극자 힘은 극성 분자 사이에만 작용한다. 따라서 쌍극자·쌍극자 힘이 작용하는 분자는 A와 B로 2가지이다.

ㄴ. A~D 중에서 분자 내 F, O, N 원자와 결합한 H 원자가 있는 분자가 없으므로 수소 결합을 하는 분자는 없다.

07 꼼꼼 문제 분석

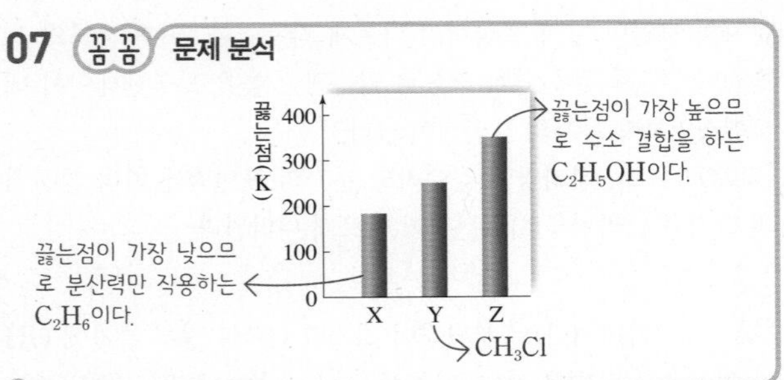

끓는점이 Z>Y>X 순이므로 Z는 수소 결합을 하는 C_2H_5OH, Y는 극성 물질인 CH_3Cl, X는 무극성 물질인 C_2H_6이다.

ㄱ. C_2H_6은 무극성 물질이므로 분자 사이에 쌍극자·쌍극자 힘이 작용하지 않는다.

바로알기 ㄴ. Z는 끓는점이 가장 높으므로 수소 결합을 하는 C_2H_5OH이다.

ㄷ. 분산력은 극성 분자와 무극성 분자에서 모두 작용하므로 분자 사이에 분산력이 작용하는 물질은 3가지 모두이다.

08 꼼꼼 문제 분석

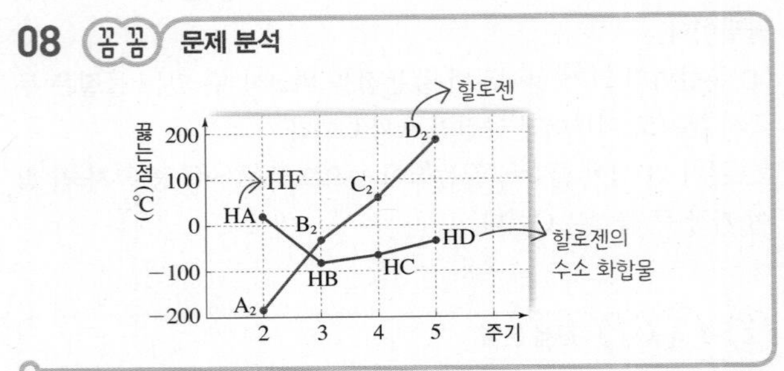

ㄱ. 분자량이 작은 HA가 분자량이 큰 HD보다 끓는점이 높은 까닭은 HA가 수소 결합을 하기 때문이다.

ㄴ. B_2는 무극성 물질이고, HB는 극성 물질이다. B_2의 끓는점이 HB보다 높은 까닭은 B_2의 분자량이 HB보다 커서 분산력이 크기 때문이다.

바로알기 ㄷ. HC와 HD는 모두 극성 물질이다. HD의 끓는점이 HC보다 높은 까닭은 HD의 분자량이 HC보다 커서 분산력이 크기 때문이다.

02 액체와 고체

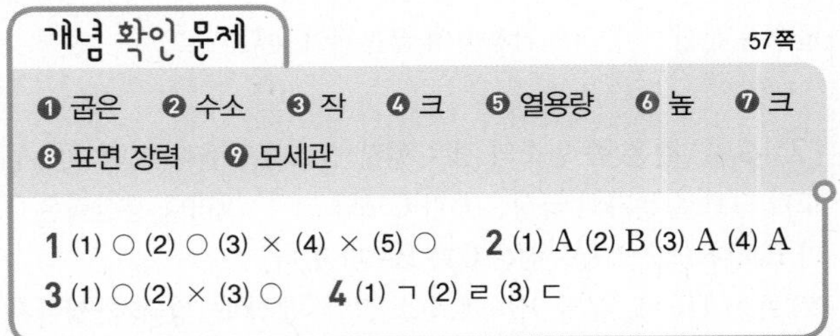

개념 확인 문제 57쪽

❶ 굽은 ❷ 수소 ❸ 작 ❹ 크 ❺ 열용량 ❻ 높 ❼ 크 ❽ 표면 장력 ❾ 모세관

1 (1) ○ (2) ○ (3) × (4) × (5) ○ **2** (1) A (2) B (3) A (4) A
3 (1) ○ (2) × (3) ○ **4** (1) ㄱ (2) ㄹ (3) ㄷ

1 (1) 얼음은 수소 결합에 의해 육각형 모양의 빈 공간이 있는 구조를 형성하므로 같은 질량의 물에 비해 부피가 크다.

(2) 열용량은 물질의 온도를 1 °C 높이는 데 필요한 열량으로, 열용량이 클수록 질량이 같은 다른 액체에 비해 가열할 때 온도가 서서히 높아진다.

(3) 물이 분자량이 비슷한 메테인보다 끓는점이 높은 까닭은 수소 결합을 하기 때문이다.

(4) 물은 수소 결합을 하므로 다른 물질에 비해 표면 장력이 크다.

(5) 물은 수소 결합에 의해 응집력이 매우 크고 유리관과의 부착력도 크므로 모세관 현상이 잘 일어난다.

2 결합 A는 물 분자 사이의 수소 결합이고, 결합 B는 물 분자를 이루는 수소 원자와 산소 원자 사이의 공유 결합이다.
(1) 얼음이 녹아 물로 될 때 끊어지는 결합은 분자 사이의 결합인 수소 결합(A)이다.
(2) 물이 수소와 산소로 분해될 때 끊어지는 결합은 분자 내 공유 결합(B)이다.
(3) 물이 얼면서 부피가 증가하는 까닭은 수소 결합(A)에 의해 물 분자 사이에 빈 공간이 많은 육각형 구조가 형성되기 때문이다.
(4) 물의 열용량과 표면 장력이 큰 까닭은 물 분자 사이의 수소 결합(A) 때문이다.

3 (1) A에서 B로 변할 때 온도가 높아짐에 따라 열팽창이 일어나 얼음의 부피가 증가하므로 밀도가 감소한다.
(2) B에서 C로 변할 때 얼음이 물로 융해되면서 수소 결합이 일부 끊어져 수소 결합의 수가 감소하고, 이때 부피가 감소하므로 밀도가 급격히 증가한다.
(3) 같은 질량의 물의 부피는 4 °C인 D에서가 가장 작으므로 밀도가 가장 크다.

4 (1) 겨울철에 호수의 물이 표면부터 어는 까닭은 얼음은 질량이 같은 물보다 밀도가 작아 물 위에 뜨고, 4 °C 물의 밀도가 가장 크므로 물속에서 더 이상 대류가 일어나지 않기 때문이다.
(2) 식물의 뿌리에서 흡수된 물이 잎까지 올라갈 수 있는 까닭은 물의 모세관 현상이 잘 일어나기 때문이다.
(3) 소금쟁이가 물 위에 떠 있을 수 있는 까닭은 물의 표면 장력이 크기 때문이다.

개념 확인 문제 60쪽

❶ 증기 압력(증기압) ❷ 크다 ❸ 끓음 ❹ 높 ❺ 기준 끓는점 ❻ 크 ❼ 낮

1 (1) ○ (2) ○ (3) × (4) × (5) × **2** (1) (가)=(나)=(다) (2) (다)>(나)>(가) (3) (다) **3** (1) (가) 24 mmHg (나) 72 mmHg (2) 물>에탄올 **4** (1) ○ (2) ○ (3) ×

1 (1) 증기 압력은 액체와 증기가 동적 평형을 이룰 때 증기가 나타내는 압력이다.
(2) 같은 온도에서 분자 간 힘이 작은 액체일수록 증발이 잘 일어나므로 증기 압력이 크다.
(3) 같은 온도에서 액체의 종류가 같으면 액체의 양에 관계없이 증기 압력이 같다.
(4) 기준 끓는점에서 모든 액체의 증기 압력은 대기압인 1기압이다.
(5) 외부 압력이 높을수록 액체는 더 큰 증기 압력을 가져야 끓을 수 있으므로 끓는점이 높다.

2 (1) (가)~(다)에서 증발하는 입자 수가 일정하므로 액체의 증발 속도는 (가)=(나)=(다)이다.
(2) (가)~(다)에서 기체 입자 수가 증가할수록 응축되는 입자 수도 증가하므로 기체의 응축 속도는 (다)>(나)>(가)이다.
(3) 동적 평형에서는 증발 속도와 응축 속도가 같다. 따라서 증발하는 입자 수와 응축하는 입자 수가 같은 (다)가 동적 평형에 도달한 상태이다.

3 (1) 각 액체의 증기 압력은 수은 기둥의 높이 차와 같으므로 물의 증기 압력은 24 mmHg이고, 에탄올의 증기 압력은 72 mmHg이다.
(2) 같은 온도에서 증기 압력이 작을수록 끓는점이 높으므로 끓는점은 물이 에탄올보다 높다.

4 (1) 20 °C에서 증기 압력은 A>B>C로, A가 가장 크다.
(2) 증기 압력이 760 mmHg일 때의 온도는 C>B>A이므로 기준 끓는점은 C가 가장 높다.
(3) 분자 간 힘이 큰 액체일수록 증발하기 어려워 증기 압력이 작다. 같은 온도에서 증기 압력은 A>B>C이므로 분자 간 힘의 크기는 C>B>A이다.

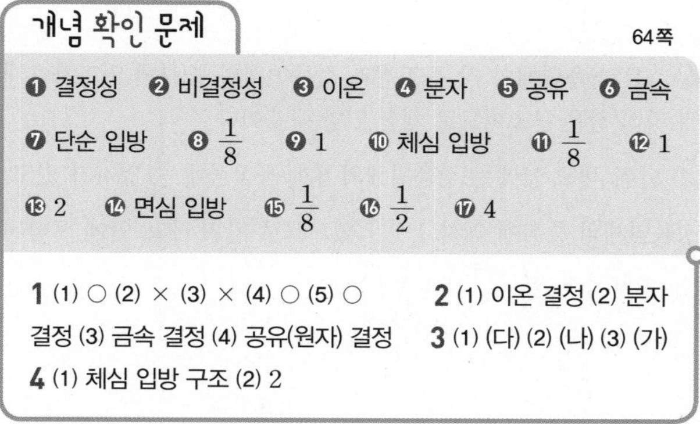
개념 확인 문제 64쪽

❶ 결정성 ❷ 비결정성 ❸ 이온 ❹ 분자 ❺ 공유 ❻ 금속 ❼ 단순 입방 ❽ $\frac{1}{8}$ ❾ 1 ❿ 체심 입방 ⓫ $\frac{1}{8}$ ⓬ 1 ⓭ 2 ⓮ 면심 입방 ⓯ $\frac{1}{8}$ ⓰ $\frac{1}{2}$ ⓱ 4

1 (1) ○ (2) × (3) × (4) ○ (5) ○ **2** (1) 이온 결정 (2) 분자 결정 (3) 금속 결정 (4) 공유(원자) 결정 **3** (1) (다) (2) (나) (3) (가) **4** (1) 체심 입방 구조 (2) 2

1 (1) 결정성 고체는 구성 입자들이 규칙적인 배열을 이루고 있는 고체이고, 비결정성 고체는 구성 입자들이 불규칙적으로 배열되어 있는 고체로 결정성 고체와 비결정성 고체는 구성 입자 배열의 규칙성 여부로 구분한다.
(2) 이온 결정은 단단하지만, 외부 충격을 가하면 이온 층이 밀리면서 같은 전하를 띠는 이온끼리 만나 반발력이 생기므로 쉽게 부스러진다.

(3) 분자 결정은 공유 결합을 하므로 분자를 구성하는 원자 간 결합력은 강하지만, 분자 간 결합력은 상대적으로 약하다. 따라서 녹는점이 낮다.
(4) 공유 결정은 원자들이 직접 공유 결합하여 형성되므로 다른 결정에 비해 구성 입자 간 결합력이 매우 강하다.
(5) 금속 결정은 자유 전자를 가지므로 외부에서 힘을 가해도 자유 전자가 이동하여 결합이 유지된다.

2 (1) MgO 결정은 Mg^{2+}과 O^{2-}이 이온 결합을 하여 규칙적으로 배열된 이온 결정이다.
(2) I_2 결정은 I_2 분자들이 분자 간 힘에 의해 규칙적으로 배열된 분자 결정이다.
(3) Cu 결정은 Cu 원자들이 금속 결합을 하여 규칙적으로 배열된 금속 결정이다.
(4) C(흑연) 결정은 C 원자들이 공유 결합을 하여 그물처럼 연결된 공유(원자) 결정이다.

3 (가)는 CO_2 분자가 규칙적으로 배열되어 이루어진 결정이므로 분자 결정이다. (나)는 Si 원자와 O 원자가 규칙적으로 결합하여 연결된 결정이므로 공유 결정이다. (다)는 Na^+과 Cl^-이 결합하여 규칙적으로 배열된 결정이므로 이온 결정이다.
(1) 액체 및 수용액 상태에서 전기 전도성이 있는 결정은 이온 결정이므로 (다)이다.
(2) 원자들이 연속적으로 공유 결합을 하여 이루어진 결정은 공유 결정이므로 (나)이다.
(3) 입자 간 결합력이 약해 녹는점과 끓는점이 낮은 결정은 분자 결정이므로 (가)이다.

4 (1) 정육면체의 각 꼭짓점과 정육면체의 중심에 입자가 1개씩 자리 잡은 구조이므로 체심 입방 구조이다.
(2) 단위 세포 안에는 정육면체의 8개 꼭짓점에 $\frac{1}{8}$ 입자가 있고, 정육면체의 중심에 입자 1개가 있으므로 단위 세포 안에 포함된 Cr 원자 수는 $2\left(=\frac{1}{8}\times8+1\right)$이다.

대표 자료 분석 65쪽

자료 ① **1** 감소 **2** A: 수소 결합, B: 공유 결합, 결합력: B>A
3 (1) × (2) ○ (3) × (4) × (5) ○ (6) ○

자료 ② **1** (가) 분자 결정 (나) 이온 결정 (다) 금속 결정 **2** (가) 면심 입방 구조 (나) 면심 입방 구조 (다) 체심 입방 구조
3 (1) ○ (2) ○ (3) × (4) × (5) ×

①-1 꼼꼼 문제 분석

얼음이 융해될 때 밀도 증가 → 부피 감소 → 수소 결합 수 감소
4 °C에서 밀도가 가장 크다. → 부피가 가장 작다.
분자 간 수소 결합이다. 원자 간 공유 결합이다.
결합 A 결합 B
밀도(g/cm³) 1.0000 0.9998 0.9174 0.9170
물 얼음
온도(°C) −4 −2 0 2 4 6 8 10
(가) (나)
물보다 밀도가 작다. → 수소 결합에 의해 빈 공간이 많은 육각형 구조를 이루어 같은 질량의 물보다 부피가 크기 때문이다.

0 °C 얼음이 0 °C 물로 융해될 때 수소 결합의 일부가 끊어져 빈 공간을 채우므로 부피가 감소한다.

①-2 (나)에서 결합 A는 물 분자 사이의 수소 결합이고, 결합 B는 물 분자 내의 수소 원자와 산소 원자 사이의 공유 결합이다. 수소 결합과 같은 분자 간 힘은 공유 결합과 같은 화학 결합에 비해 결합력이 매우 약하다.

①-3 (1) 얼음은 물 분자가 수소 결합에 의해 빈 공간이 많은 육각형 구조를 이루므로 같은 질량의 물보다 부피가 크다.
(2) −4 °C에서 0 °C가 될 때 얼음의 부피가 증가한다. 이는 온도가 높아짐에 따라 얼음의 열팽창이 이루어지기 때문이다.
(3) 0 °C 얼음이 0 °C 물로 융해될 때 수소 결합(결합 A) 수가 감소하여 부피가 감소하므로 밀도가 증가한다. 상태가 변할 때 공유 결합(결합 B) 수는 변하지 않는다.
(4) 물의 밀도는 4 °C에서 가장 크므로 같은 질량의 물의 부피는 4 °C에서 가장 작다. 즉, 4 °C에서 물 분자 간 평균 거리가 가장 가깝다.
(5) 물이 대부분의 액체와 다른 특성을 나타내는 것은 수소 결합(결합 A) 때문이다.
(6) 얼음은 물보다 밀도가 작아 물 위에 뜨고, 물의 밀도는 4 °C에서 가장 크므로 추운 겨울철 호수의 물은 표면부터 얼게 된다. 따라서 (가)로 호수의 물이 표면부터 어는 현상을 설명할 수 있다.

②-1 꼼꼼 문제 분석

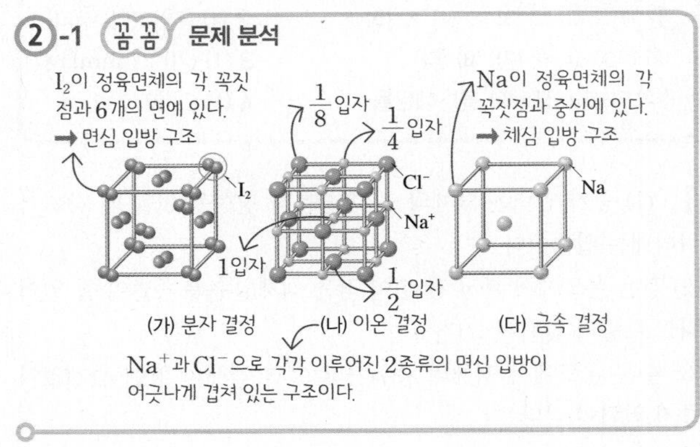
I₂이 정육면체의 각 꼭짓점과 6개의 면에 있다.
→ 면심 입방 구조
1/8 입자
1/4 입자
Na이 정육면체의 각 꼭짓점과 중심에 있다.
→ 체심 입방 구조
I₂
Cl⁻
Na⁺
Na
1입자
1/2 입자
(가) 분자 결정
(나) 이온 결정
(다) 금속 결정
Na⁺과 Cl⁻으로 각각 이루어진 2종류의 면심 입방이 어긋나게 겹쳐 있는 구조이다.

(가)는 I_2 분자들이 분자 간 힘에 의해 규칙적으로 배열된 분자 결정이다. (나)는 Na^+과 Cl^-이 결합하여 규칙적으로 배열된 결정이므로 이온 결정이다. (다)는 Na 원자들이 금속 결합을 하여 규칙적으로 배열된 금속 결정이다.

②-2 (가)에서 I_2은 정육면체의 각 꼭짓점과 6개의 면에 자리 잡고 있으므로 면심 입방 구조를 이루고 있다. (나)의 NaCl 결정은 Cl^-과 Na^+으로 각각 이루어진 2종류의 면심 입방이 어긋나게 겹쳐 있는 구조이다. 따라서 (나)에서 Na^+은 면심 입방 구조를 이루고 있다. (다)에서 Na 원자는 정육면체의 각 꼭짓점과 정육면체의 중심에 자리 잡고 있으므로 체심 입방 구조를 이루고 있다.

②-3 (1) 분자 간 힘은 화학 결합에 비해 결합력이 매우 약하다. (가)는 분자 간 힘에 의해 결정을 이루고, (나)는 이온 결합으로 결정을 이루며, (다)는 금속 결합으로 결정을 이루므로 결정의 구성 입자 간 결합력이 가장 작은 것은 (가)이다.

(2) 액체 상태에서 전기 전도성이 있는 물질은 이온 결정인 (나)와 금속 결정인 (다)이다.

(3) (나)에서 Cl^-은 면심 입방 구조이다. NaCl 결정은 2종류의 면심 입방이 어긋나게 겹쳐 있는 구조이다.

(4) (나)에서 단위 세포 안에 Na^+은 $\frac{1}{4}$입자가 정육면체의 12개 모서리에 있고, 1입자가 정육면체의 중심에 있다. 따라서 단위 세포 안에 포함된 Na^+의 수는 $4\left(=\frac{1}{4}\times12+1\right)$이다.

(5) (나)에서 단위 세포 안에 Cl^-은 $\frac{1}{8}$입자가 정육면체의 8개 꼭짓점에 있고, $\frac{1}{2}$입자가 정육면체의 6개 면에 있다. 따라서 단위 세포 안에 포함된 Cl^-의 수는 $4\left(=\frac{1}{8}\times8+\frac{1}{2}\times6\right)$이다. (나)에서 단위 세포 안에 포함된 Na^+의 수는 4이고, Cl^-의 수도 4이다. (다)에서 단위 세포 안에 Na 원자는 $\frac{1}{8}$입자가 정육면체의 8개 꼭짓점에 있고, 1입자가 정육면체의 중심에 있다. 따라서 단위 세포 안에 포함된 Na 원자 수는 $2\left(=\frac{1}{8}\times8+1\right)$이다. 단위 세포 안에 포함된 입자 수는 (나)가 8, (다)가 2이므로 (나)가 (다)의 4배이다.

내신 만점 문제

66쪽~69쪽

01 ① 02 ⑤ 03 ④ 04 해설 참조 05 ④
06 해설 참조 07 ② 08 ㄱ, ㄴ, ㄷ, ㄹ 09 ③
10 ④ 11 ④ 12 ③ 13 ② 14 ① 15 ①
16 ⑤ 17 ③ 18 ②

01 결합 A는 물 분자 사이의 수소 결합이고, 결합 B는 물 분자 내의 산소 원자와 수소 원자 사이의 공유 결합이다.
ㄱ. 결합력은 원자 사이의 공유 결합(B)이 분자 사이의 수소 결합(A)보다 강하다.
바로알기 ㄴ. 얼음이 녹을 때 수소 결합 수가 감소하여 분자 사이의 빈 공간이 채워지므로 부피가 감소한다.
ㄷ. 물이 다른 액체보다 표면 장력이 큰 것은 수소 결합을 하여 분자 사이에 작용하는 힘이 크기 때문이다.

02 ㄱ. 호수의 표면이 언 것은 얼음이 물보다 밀도가 작아 물 위에 뜨고, 4 °C 물의 밀도가 가장 크므로 물속에서 더 이상 대류가 일어나지 않기 때문이다.
ㄴ. 같은 질량의 부피는 0 °C 얼음이 2 °C 물보다 크므로 분자 사이의 평균 거리는 A가 B보다 멀다.
ㄷ. 물 1분자당 평균 수소 결합 수는 얼음이 물보다 크므로 A가 C보다 크다.

03 ① 0 °C(A 구간)에서 물은 고체 상태와 액체 상태 사이에 상태 변화가 일어나므로 부피 변화가 크다.
② 일정한 질량의 물은 4 °C일 때 부피가 가장 작으므로 밀도는 가장 크다.
③ 0 °C에서 얼음이 물로 상태가 변할 때 수소 결합 수가 감소하므로 부피가 감소하고, 물이 얼음으로 상태가 변할 때 수소 결합 수가 증가하므로 부피가 증가한다.
⑤ 얼음은 온도가 높아질수록 열팽창이 일어나 분자 사이의 빈 공간이 커진다.
바로알기 ④ 4 °C에서 물의 부피가 가장 작으므로 물 분자 사이의 평균 거리는 가장 가깝다.

04 모범답안 물은 분자 사이에 수소 결합을 하여 질량이 비슷한 다른 액체에 비해 열용량이 크므로 쉽게 가열되거나 냉각되지 않는다. 지구 표면은 약 70 %가 바다로 이루어져 있으므로 열용량이 큰 바닷물이 지구 전체의 온도를 일정하게 유지하는 데 기여한다.

채점 기준	배점
지구 전체의 평균 온도가 일정한 까닭을 물의 열용량과 관련지어 옳게 서술한 경우	100 %
물의 열용량이 크기 때문이라고만 서술한 경우	30 %

05 ㄱ. 수소 결합을 하는 물질은 암모니아와 물이다.
ㄷ. 물은 분자 사이에 수소 결합이 작용하므로 분자 사이에 분산력만 작용하는 메테인보다 끓는점이 높다.
바로알기 ㄴ. 물은 암모니아보다 녹는점과 끓는점이 높으므로 분자 사이에 작용하는 힘이 더 크다.

06 표면 장력이 클수록 액체 방울이 더 둥근 모양이다. 따라서 표면 장력은 수은>물>에탄올이다.

모범답안 액체의 종류에 따라 표면 장력이 다르고, 표면 장력이 클수록 액체 방울이 더 둥근 모양이 되기 때문이다.

채점 기준	배점
표면 장력의 크기를 언급하여 옳게 서술한 경우	100 %
표면 장력의 크기는 언급하지 않고 액체의 종류에 따라 표면 장력이 다르기 때문이라고만 서술한 경우	30 %

07 모세관 현상은 액체가 가는 관이나 미세한 틈을 따라 올라가는 현상이다.

ㄷ. 물이 유리관 속에서 위로 올라가는 까닭은 물과 유리 사이에는 부착력이 작용하고, 물 분자 사이에는 응집력이 작용하기 때문이다.

바로알기 ㄱ. 굵기가 더 가는 유리관을 사용하면 물과 유리관 사이의 부착력이 더 크게 작용하므로 h가 증가한다.

ㄴ. 수은은 부착력에 비해 응집력이 훨씬 크기 때문에 모세관 현상이 잘 나타나지 않는다. 따라서 물 대신 수은을 사용하면 유리관 속 수은의 액면이 아래로 내려가므로 h가 감소한다.

08 물이 얼음보다 밀도가 크고, 다른 액체에 비해 열용량과 표면 장력이 크며, 모세관 현상이 잘 일어나는 것은 모두 물 분자의 수소 결합으로 인해 나타나는 현상이다.

ㄱ. 얼음이 물 위에 뜨는 까닭은 얼음의 밀도가 물보다 작기 때문이다.

ㄴ. 풀잎에 맺힌 이슬 방울의 모양이 둥근 까닭은 물의 표면 장력이 크기 때문이다.

ㄷ. 내륙 지방의 일교차가 해안 지방보다 큰 까닭은 해안 지방의 경우 물의 열용량이 크기 때문이다.

ㄹ. 식물의 뿌리에서 흡수된 물이 잎까지 올라가는 까닭은 물의 모세관 현상 때문이다.

09 꼼꼼 문제 분석

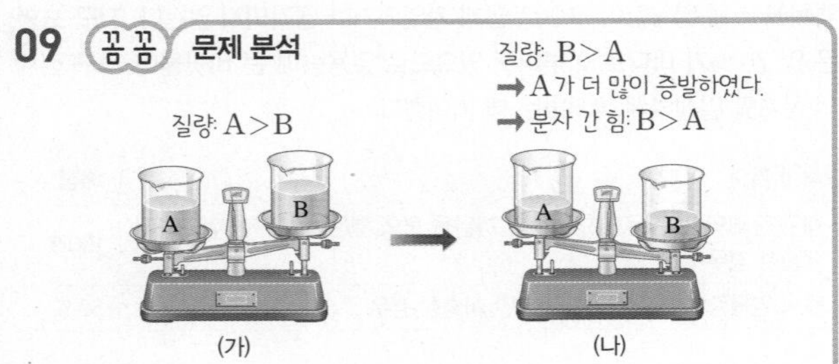

ㄱ, ㄴ. 일정한 시간이 흐른 (나)에서 A의 증발이 많이 일어났으므로 액체의 분자 간 힘은 A가 B보다 작다. 분자 간 힘이 작을수록 끓는점이 높으므로 끓는점은 B가 A보다 높다.

바로알기 ㄷ. 끓는점에서의 증기 압력은 대기압과 같으므로 A와 B가 같다.

10 꼼꼼 문제 분석

액체의 증기 압력은 대기압과 수은 기둥의 높이 차에 해당하는 압력이다.

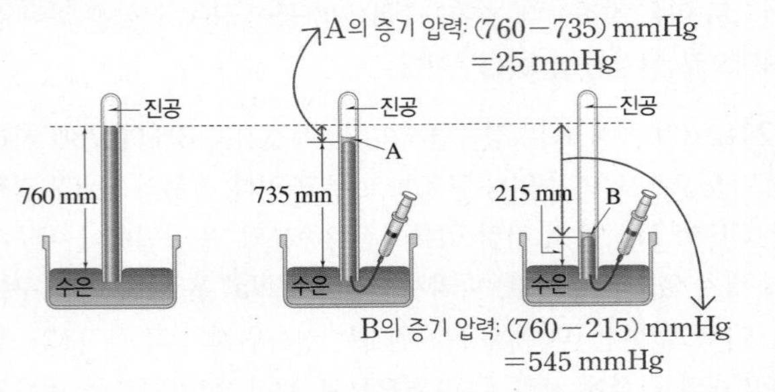

ㄴ. 액체 B를 넣은 유리관의 수은 기둥이 액체 A를 넣은 유리관의 수은 기둥보다 더 낮아졌으므로 액체의 증기 압력은 B가 A보다 크다. 따라서 분자 간 힘은 액체 A가 B보다 크다.

ㄷ. 액체의 증기 압력은 온도가 높을수록 증가한다. 25 °C에서 액체 B의 증기 압력은 (760−215) mmHg=545 mmHg이므로 50 °C에서의 증기 압력은 545 mmHg보다 크다.

바로알기 ㄱ. 액체 A의 증기 압력은 (760−735) mmHg=25 mmHg이다.

11 꼼꼼 문제 분석

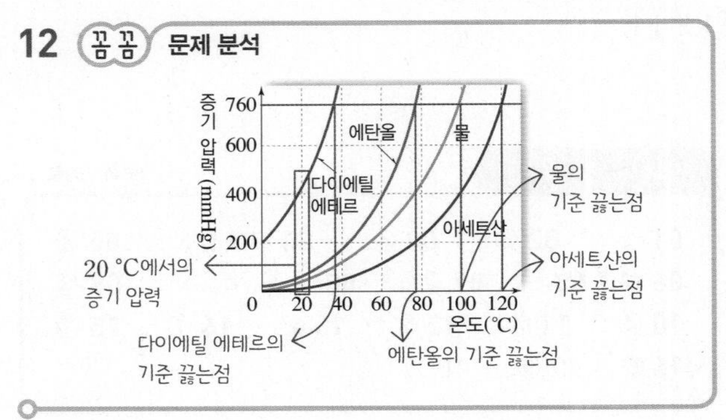

ㄱ. 증기 압력은 Y가 X보다 크므로 분자 간 힘은 X가 Y보다 크다.

ㄷ. 25 °C에서 Y의 증기 압력은 대기압에서 수은 기둥의 높이 차에 해당하는 압력을 뺀 $(760-h_2)$ mmHg이고, X의 증기 압력은 Y의 증기 압력에서 h_1을 뺀 $(760-h_2-h_1)$ mmHg이다.

바로알기 ㄴ. 증발 속도는 증기 압력이 큰 Y가 X보다 빠르다.

12 꼼꼼 문제 분석

ㄱ. 20 °C에서 증기 압력은 다이에틸 에테르>에탄올>물>아세트산이다.
ㄷ. 기준 끓는점은 외부 압력이 1기압, 즉 760 mmHg일 때의 끓는점이므로 기준 끓는점이 가장 높은 액체는 아세트산이다.
바로알기 ㄴ. 같은 온도에서 증기 압력은 에탄올이 물보다 크므로 분자 간 힘은 에탄올이 물보다 작다.

13 (가)의 석영과 (다)의 얼음은 결정성 고체이고, (나)의 유리는 비결정성 고체이다.
ㄴ. 녹는점이 일정한 고체는 결정성 고체인 (가)와 (다)이다.
바로알기 ㄱ. (가)와 (나)의 화학식은 같지만, (가)는 결정성 고체이므로 녹는점이 일정하고 (나)는 비결정성 고체이므로 녹는점이 일정하지 않다. 즉, (가)와 (나)의 녹는점은 같지 않다.
ㄷ. (가)는 공유 결정이고, (다)는 분자 결정이며, (나)는 비결정성 고체이다.

14 공유 결합 물질이면서 녹는점이 매우 높은 A는 공유 결정이고, 공유 결합 물질이지만 녹는점이 비교적 낮은 B는 분자 결정이다. 한편, 공유 결합 물질이 아닌 C는 이온 결정이나 금속 결정 중 하나이다.
ㄱ. 흑연과 다이아몬드는 공유 결정인 A에 해당된다.
바로알기 ㄴ. 공유 결정인 A를 구성하는 입자는 원자이고, 분자 결정인 B를 구성하는 입자는 분자이다.
ㄷ. C는 이온 결정과 금속 결정이 모두 해당된다. 이온 결정과 금속 결정은 녹는점이 높다.

15 (가)는 Na^+과 Cl^-의 이온 결합으로 형성된 이온 결정이고, (나)는 C 원자의 공유 결합으로 형성된 공유(원자) 결정이며, (다)는 금속 양이온과 자유 전자로 이루어진 금속 결정이다.
ㄱ. (가)는 액체 상태 및 수용액 상태에서 전기 전도성이 있다.
바로알기 ㄴ. (나)는 원자들이 공유 결합으로 매우 강하게 결합하고 있으므로 1기압에서 승화성이 없다.
ㄷ. (가)에서 (−)전하를 띠는 입자는 음이온이고, (다)에서 (−)전하를 띠는 입자는 자유 전자이다.

16 A는 고체 상태와 액체 상태에서 모두 전기 전도성이 있고 은백색이므로 금속 결정이다.
B는 고체 상태에서는 전기 전도성이 없지만, 액체 상태에서는 전기 전도성이 있으므로 이온 결정이다.
C는 고체 상태와 액체 상태에서 모두 전기 전도성이 없고, 녹는점이 비교적 낮으므로 분자 결정이다.
ㄱ. 금속 결정인 A는 자유 전자에 의해 열전도성과 전기 전도성이 나타난다.
ㄴ. 이온 결정인 B는 외부에서 힘을 가할 때 이온 층이 밀리면서 같은 전하를 띠는 이온끼리 만나 반발하므로 부서지기 쉽다.
ㄷ. 분자 결정인 C는 분산력, 쌍극자·쌍극자 힘, 수소 결합과 같은 분자 간 힘에 의해 규칙적으로 배열된 결정 구조를 이룬다.

17 단위 세포에 포함된 입자 수를 계산할 때 정육면체의 꼭짓점에 있는 입자는 $\frac{1}{8}$입자, 모서리에 있는 입자는 $\frac{1}{4}$입자, 면에 있는 입자는 $\frac{1}{2}$입자, 중심에 있는 입자는 1입자로 계산한다.
ㄱ. (가)는 정육면체의 8개 꼭짓점에 입자가 1개씩 자리 잡은 단순 입방 구조이다.
ㄴ. (나)는 정육면체의 8개 꼭짓점에 입자가 1개씩, 정육면체의 중심에 입자 1개가 자리 잡은 체심 입방 구조이므로 단위 세포에 포함된 입자 수는 $2\left(=\frac{1}{8}\times8+1\right)$이다.
바로알기 ㄷ. (가)는 단순 입방 구조이고, (다)는 면심 입방 구조이므로 단위 세포에 포함된 입자 수는 (가)가 $1\left(=\frac{1}{8}\times8\right)$, (다)가 $4\left(=\frac{1}{8}\times8+\frac{1}{2}\times6\right)$이다. 따라서 단위 세포에 포함된 입자 수는 (다)가 (가)의 4배이다.

18 꼼꼼 문제 분석

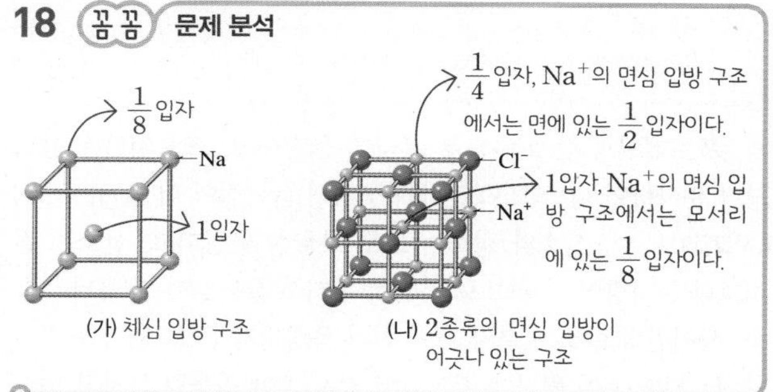

ㄷ. (가)는 정육면체의 8개 꼭짓점에 입자가 1개씩, 정육면체의 중심에 입자 1개가 자리 잡은 체심 입방 구조이므로 단위 세포에 포함된 Na 원자 수는 $2\left(=\frac{1}{8}\times8+1\right)$이다.
(나)에서 Na^+은 정육면체의 12개 모서리의 중심에 1개씩, 정육면체의 중심에 1개가 자리 잡았으므로 단위 세포에 포함된 Na^+ 수는 $4\left(=\frac{1}{4}\times12+1\right)$이다.
따라서 (가)와 (나)에서 단위 세포에 포함된 Na 원자와 Na^+의 개수비는 Na : Na^+=2 : 4=1 : 2이다.
바로알기 ㄱ. (가)는 정육면체의 8개 꼭짓점에 입자가 1개씩, 정육면체의 중심에 입자 1개가 자리 잡은 체심 입방 구조이다.
ㄴ. (나)에서 Na^+과 가장 인접한 Cl^-은 위, 아래, 좌, 우, 앞, 뒤에 1개씩 있으므로 총 6개이다.

중단원 핵심 정리 70쪽

❶ 크 ❷ 높 ❸ 크 ❹ 높 ❺ H ❻ 높 ❼ 크
❽ 크 ❾ 크 ❿ 기준 끓는점 ⓫ 높 ⓬ 작은 ⓭ 일정
⓮ 분자 ⓯ 원자 ⓰ 이온 결합 ⓱ 금속 결합 ⓲ 낮음
⓳ 단순 ⓴ 체심 ㉑ 면심

중단원 마무리 문제 71쪽~74쪽

01 ② 02 ③ 03 ② 04 ① 05 ③ 06 ⑤
07 ㄱ, ㄷ 08 ④ 09 ① 10 ④ 11 ② 12 ③
13 ④ 14 ④ 15 해설 참조 16 해설 참조

01 꼼꼼 문제 분석

산소는 질소보다 분자량이 더 크므로 분산력이 커서 끓는점이 더 높다.

물질	구조식	분자량	끓는점(°C)
질소	N≡N 무극성($\mu=0$)	28	−196
산소	O=O 무극성($\mu=0$)	32	−183
사이안화 수소	H−C≡N 극성($\mu\neq0$)	27	25.6
프로페인	$H_3C-CH_2-CH_3$ 무극성($\mu=0$)	44	−42

사이안화 수소는 극성 물질이므로 분자 사이에 쌍극자·쌍극자 힘이 작용하여 무극성 물질인 프로페인보다 끓는점이 더 높다.

ㄷ. 프로페인과 산소는 모두 무극성 물질이고, 프로페인은 산소보다 분자량이 더 크므로 분산력이 커서 끓는점이 더 높다.

바로알기 ㄱ. 산소와 질소는 모두 무극성 물질이고, 산소는 질소보다 분자량이 더 크므로 분산력이 커서 끓는점이 더 높다.

ㄴ. 사이안화 수소는 분자 내에 전기 음성도가 큰 N 원자가 있지만, H 원자가 N 원자에 결합되어 있지 않아 이웃한 분자와 수소 결합을 형성하지 않는다. 사이안화 수소의 끓는점이 프로페인보다 높은 것은 극성 물질인 사이안화 수소는 무극성 물질인 프로페인과 달리 분자 사이에 쌍극자·쌍극자 힘이 작용하기 때문이다.

02 ㄱ. 분자량이 가장 큰 HD(HI)가 분산력이 가장 크다.

ㄴ. HA(HF)는 다른 17족 원소의 수소 화합물보다 분자량이 작지만 끓는점이 높으므로 수소 결합을 하는 물질이다.

바로알기 ㄷ. 같은 족 원소는 주기가 커질수록 전기 음성도가 작아지므로 17족 원소의 수소 화합물인 HC(HBr)는 HB(HCl)보다 쌍극자 모멘트가 작다. HC가 HB보다 끓는점이 높은 까닭은 분자량이 커서 분산력이 더 크기 때문이다.

03 ㄴ. 모든 물질에는 분산력이 존재하므로 3가지 모두 해당된다.

바로알기 ㄱ. (가)와 (나)는 분자량이 같지만, 극성 물질인 (가)는 무극성 물질인 (나)와 달리 분자 사이에 쌍극자·쌍극자 힘이 작용하므로 (가)의 끓는점이 (나)보다 높다. 즉, ㉠은 21보다 작다.

ㄷ. 분자 사이에 수소 결합을 하는 물질은 (다)이다. (가)는 분자 내에 전기 음성도가 큰 O 원자가 있지만, H 원자가 O 원자에 결합되어 있지 않다. 따라서 이웃한 분자와 수소 결합을 형성하지 않는다.

04 꼼꼼 문제 분석

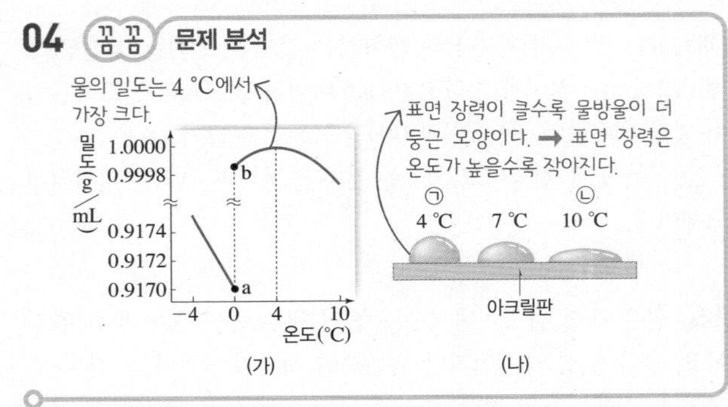

ㄱ. (가)에서 얼음인 a가 물인 b보다 밀도가 작으므로 물은 같은 질량의 얼음보다 부피가 작다. 이는 얼음이 녹을 때 수소 결합이 끊어져 분자 사이의 빈 공간이 채워지기 때문이다. 따라서 평균 수소 결합 수는 a에서가 b에서보다 크다.

바로알기 ㄴ. 물의 밀도는 4 °C일 때가 10 °C일 때보다 크므로 물의 부피가 같으면 질량은 4 °C일 때가 10 °C일 때보다 크다. (나)에서 물방울의 부피가 같으므로 물방울의 질량은 ㉠이 ㉡보다 크다.

ㄷ. (나)에서 온도가 높을수록 물방울의 모양이 넓게 퍼지므로 표면 장력은 온도가 높을수록 작다는 것을 알 수 있다.

05 ㄱ. (가)의 A는 유리관 안쪽 액체 면이 위로 볼록한 모양이므로 A 입자 사이의 응집력이 유리관과의 부착력보다 크다. (나)의 물은 유리관 안쪽 수면이 아래로 볼록한 모양이므로 물 분자 사이의 응집력보다 유리관과의 부착력이 더 크다.

ㄷ. (나)에서 더 가는 유리관을 사용하면 부착력이 크게 작용하여 물이 더 위로 올라가게 된다. 따라서 a가 증가한다.

바로알기 ㄴ. (나)에 같은 온도의 에탄올을 넣어 주면 에탄올의 표면 장력이 물보다 작으므로 a가 감소한다.

06 감압 용기에 90 °C의 물을 넣어 압력을 낮추었을 때 물이 끓는 까닭은 외부 압력이 낮아져 물의 증기 압력과 같아졌기 때문이다.

ㄱ. Ⅰ은 열린 용기이므로 증발하는 물 분자 수가 응축하는 물 분자 수보다 크다. 따라서 물의 증발 속도는 응축 속도보다 빠르다.
ㄴ. 증기 압력은 온도에 따라 달라지는데, Ⅰ과 Ⅱ에서 물의 온도가 같으므로 물의 증기 압력은 Ⅰ과 Ⅱ에서 같다.
ㄷ. 높은 산 위는 대기압이 1기압보다 낮으므로 물이 100 °C보다 낮은 온도에서 끓는다. 이 현상과 실험의 결과는 모두 외부 압력이 낮아져 물의 끓는점이 낮아지기 때문에 나타나는 현상이다.

07 ㄱ. 20 °C에서 증기 압력이 가장 큰 액체는 A이므로 A가 증발이 가장 잘된다.
ㄷ. 분자 간 힘이 가장 큰 액체는 일정한 온도에서 증기 압력이 가장 작은 액체이므로 C이다.
바로알기 ㄴ. 기준 끓는점에서 증기 압력은 모두 대기압(760 mmHg)과 같다.

08 ㄴ. 액체의 증기 압력이 클수록 끓는점이 낮으므로 h는 B가 가장 크다.
ㄷ. A와 C의 끓는점이 78 °C이므로 78 °C에서 A와 C의 증기 압력은 대기압과 같다. 따라서 h_A와 h_C는 같다.
바로알기 ㄱ. 분자량이 작은 A가 분자량이 큰 B보다 끓는점이 높은 것은 A가 수소 결합을 하기 때문이다.

09 (가)는 공유 결정인 다이아몬드, (나)는 공유 결정인 흑연, (다)는 분자 결정인 얼음의 구조이다.
ㄱ. 다이아몬드와 흑연은 원자들이 공유 결합을 하여 연속적으로 연결되어 있고, 얼음은 분자 내 원자 사이에 공유 결합을 하고 있다.
바로알기 ㄴ. 공유 결정은 원자 사이에 공유 결합을 하여 결정을 구성하지만, 분자 결정은 분자 사이에 쌍극자·쌍극자 힘, 분산력, 수소 결합이 작용하여 결정을 구성한다.
ㄷ. 공유 결정과 분자 결정은 고체 상태에서 전기 전도성이 없지만, 흑연은 예외로 고체 상태에서 전기 전도성이 있다.

10 아이오딘은 분자 결정이므로 A이고, 염화 나트륨은 이온 결정이므로 C이며, 석영은 공유 결정이므로 B이다.
ㄱ. 분자 결정인 A(아이오딘)는 다른 결정에 비해 입자 간 결합력이 약해 승화성이 있다.
ㄷ. 이온 결정인 C(염화 나트륨)는 고체 상태에서는 전기 전도성이 없지만, 액체 상태에서는 이온들이 자유롭게 이동할 수 있으므로 전기 전도성이 있다.
바로알기 ㄴ. B(석영)는 공유 결정이므로 분자 결정인 A에 비해 녹는점이 매우 높다.

11 꼼꼼 문제 분석

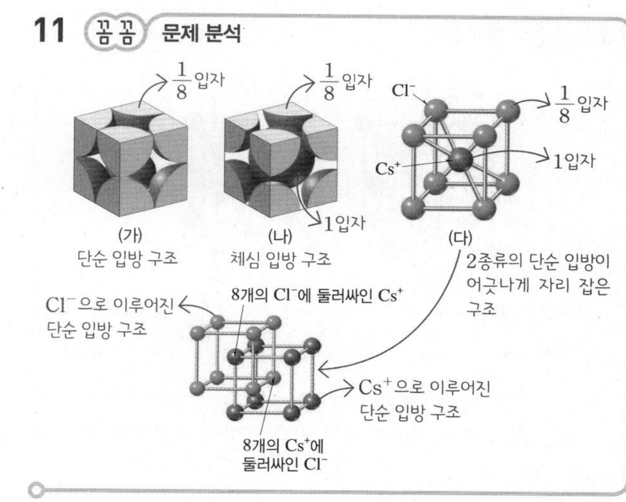

ㄷ. (다)의 단위 세포에서 Cs^+은 정육면체의 중심에 1개가 있고, Cl^-은 정육면체의 8개 꼭짓점에 $\frac{1}{8}$입자가 있으므로 총 1($=\frac{1}{8}\times 8$)개가 있다.
바로알기 ㄱ. (나)는 체심 입방 구조이고, (다)는 Cs^+과 Cl^-으로 각각 이루어진 2종류의 단순 입방이 어긋나게 자리 잡은 구조이므로 서로 다른 구조이다.
ㄴ. (가)의 단위 세포에는 정육면체의 8개 꼭짓점에 $\frac{1}{8}$입자가 있으므로 포함된 입자 수는 $1\left(=\frac{1}{8}\times 8\right)$이다.

12 꼼꼼 문제 분석

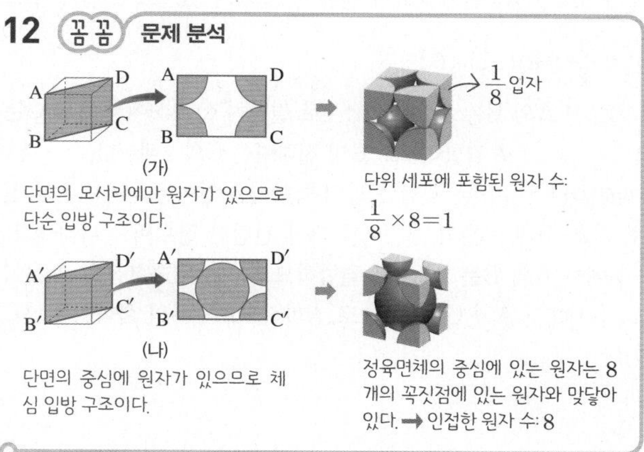

ㄱ. (가)는 단면의 모서리에만 원자가 있으므로 단순 입방 구조이고, (나)는 단면의 중심에 원자가 있으므로 체심 입방 구조이다.
ㄷ. (나)는 체심 입방 구조이므로, 정육면체의 중심에 있는 원자를 기준으로 하면 기준 원자는 8개의 꼭짓점에 있는 원자와 맞닿아 있다. 즉, 결정에서 한 원자에 가장 인접한 원자 수는 8이다.
바로알기 ㄴ. (가)는 단순 입방 구조로, 단위 세포에서 정육면체의 8개 꼭짓점에 원자가 1개씩 있으므로 단위 세포에 포함된 원자 수는 1($=\frac{1}{8}\times 8$)이다.

13 꼼꼼 문제 분석

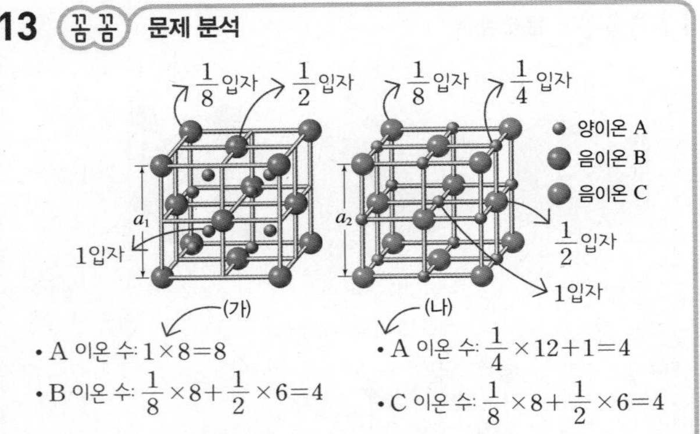

ㄴ. (나)는 A의 면심 입방과 C의 면심 입방이 어긋나게 자리 잡은 구조이다.

ㄷ. (가)의 단위 세포에서 A 이온은 정육면체 내부에 8개가 있으므로 입자 수는 8(=1×8)이고, B 이온은 정육면체의 8개 꼭짓점에 $\frac{1}{8}$입자가 있고, 6개 면에 $\frac{1}{2}$입자가 있으므로 입자 수는 $4\left(=\frac{1}{8}\times8+\frac{1}{2}\times6\right)$이다.

(나)의 단위 세포에서 A 이온은 정육면체의 12개 모서리에 $\frac{1}{4}$입자가 있고, 정육면체의 중심에 1입자가 있으므로 입자 수는 $4\left(=\frac{1}{4}\times12+1\right)$이고, C 이온은 정육면체의 8개 꼭짓점에 $\frac{1}{8}$입자가 있고, 정육면체의 6개 면에 $\frac{1}{2}$입자가 있으므로 입자 수는 $4\left(=\frac{1}{8}\times8+\frac{1}{2}\times6\right)$이다.

(가)에서 A와 B는 8 : 4=2 : 1로 결합하고, (나)에서 A와 C는 4 : 4=1 : 1로 결합하므로 B의 전하량은 C의 2배이다.

바로알기 ㄱ. 이온 결합 물질의 화학식은 양이온과 음이온의 원소 기호 뒤에 이온의 개수비를 가장 간단한 정수비로 나타낸다. (가)에서 A와 B는 2 : 1로 결합하므로 (가)의 화학식은 A_2B이고, (나)에서 A와 C는 1 : 1로 결합하므로 (나)의 화학식은 AC이다.

14 꼼꼼 문제 분석

단위 세포에 포함된 A 양이온과 B 음이온을 모두 나타내면 다음과 같다.

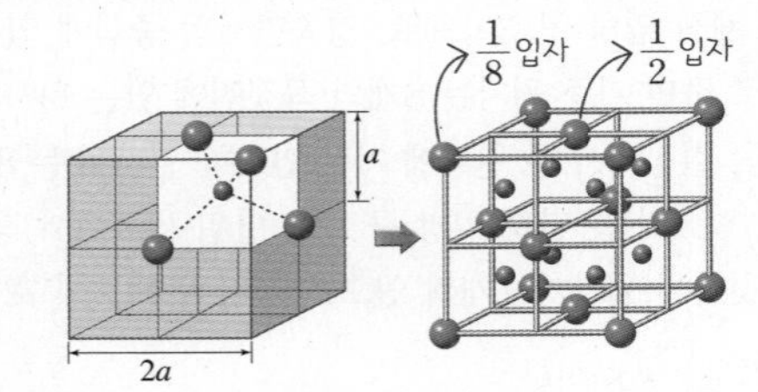

ㄴ. A 양이온은 면심 입방 구조이므로 정육면체의 8개 꼭짓점에 $\frac{1}{8}$입자가 있고, 6개 면에 $\frac{1}{2}$입자가 있으므로 입자 수는 4($=\frac{1}{8}\times8+\frac{1}{2}\times6$)이다. B 음이온은 한 변의 길이가 a인 8개의 정육면체 중심에 각각 위치하므로 입자 수가 8이다. 따라서 단위 세포에 포함된 이온 수는 12이다.

ㄷ. 단위 세포에 포함된 A 양이온 수는 4이고, B 음이온 수는 8이므로 이 화합물의 화학식은 AB_2이다.

바로알기 ㄱ. A 양이온은 면심 입방 구조이므로 정육면체의 한 꼭짓점에 있는 A 양이온을 기준으로 할 때, 기준 이온에 가장 인접한 양이온은 상, 하, 좌, 우, 앞, 뒤의 12개 면에 있는 양이온이다. 따라서 A 양이온 1개와 가장 인접한 양이온 수는 12이다.

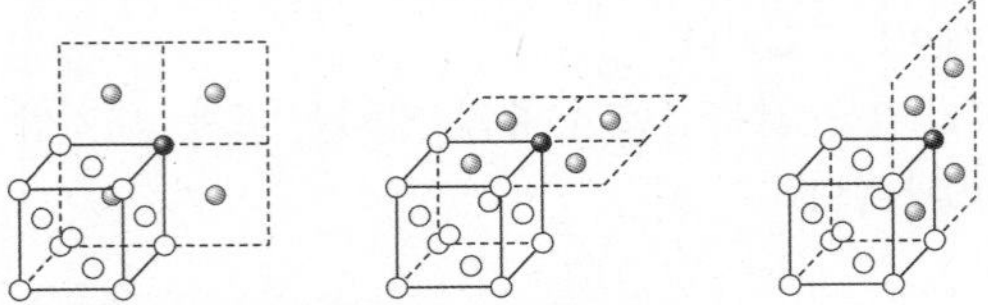

면심 입방 구조에서 인접한 입자의 수

15 수소 결합은 분산력이나 쌍극자·쌍극자 힘보다 훨씬 강하다. 따라서 분산력만 작용하는 물질보다 수소 결합을 하는 물질의 끓는점이 더 높다.

모범답안 에테인과 프로페인에는 분산력만 존재하지만, 메탄올에는 분산력뿐만 아니라 쌍극자·쌍극자 힘과 수소 결합이 존재하므로 메탄올의 끓는점이 가장 높다.

채점 기준	배점
3가지 물질에 존재하는 분자 간 힘의 종류를 모두 언급하여 옳게 서술한 경우	100 %
메탄올의 수소 결합만 언급하여 서술한 경우	20 %

16 **모범답안** 물>액체 A, 액체 A가 30 °C일 때의 증기 압력과 물이 60 °C일 때의 증기 압력이 같으므로, 온도가 같을 때는 물의 증기 압력이 더 작을 것이다. 증기 압력이 작은 액체일수록 끓는점이 높으므로 기준 끓는점은 물이 액체 A보다 높다.

채점 기준	배점
기준 끓는점을 옳게 비교하고, 그 까닭도 옳게 서술한 경우	100 %
기준 끓는점만 옳게 비교한 경우	40 %

수능 실전 문제

75쪽~77쪽

01 ① **02** ④ **03** ② **04** ⑤ **05** ③ **06** ⑤
07 ③ **08** ② **09** ⑤ **10** ④

01 꼼꼼 문제 분석

물질	HX HF	HY HCl	X_2 F_2	Y_2 Cl_2
기준 끓는점(°C)	20	−85	$a<-34$	−34

HX의 끓는점이 높으므로 HX가 수소 결합을 하는 HF이다. → X: F, Y: Cl

F_2은 Cl_2보다 분자량이 작으므로 분산력이 더 작다. → 끓는점: $Cl_2>F_2$

| 선택지 분석 |

ㄱ. Y는 Cl이다.

~~ㄴ.~~ $a>-34$이다. $a<-34$

~~ㄷ.~~ 분산력은 HX가 HY보다 크다. 작다

ㄱ. 수소 화합물의 기준 끓는점이 HX가 HY보다 높으므로 HX는 수소 결합을 하는 HF이다. 따라서 X는 F이고, Y는 Cl이다.

| 바로알기 | ㄴ. F_2과 Cl_2는 무극성 물질이므로 분자 사이에 분산력이 작용한다. 분자량이 클수록 분산력이 크므로 a는 −34보다 작다.

ㄷ. 기준 끓는점이 HX가 HY보다 높은 것은 HX에 수소 결합이 존재하기 때문이다. 분자량은 HX보다 HY가 크므로 분산력은 HX가 HY보다 작다.

02 꼼꼼 문제 분석

C, N, O, Si, P, S의 수소 화합물은 CH_4, NH_3, H_2O, SiH_4, PH_3, H_2S이다.

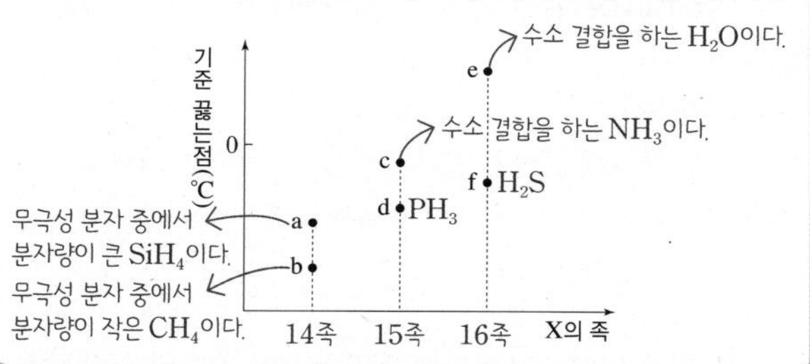

| 선택지 분석 |

~~ㄱ.~~ a는 CH_4이다. SiH_4

ㄴ. 수소 결합을 하는 화합물은 c와 e이다.

ㄷ. 3주기 원소를 포함한 화합물은 a, d, f이다.

CH_4, NH_3, H_2O, SiH_4, PH_3, H_2S 중 수소 결합을 하는 H_2O과 NH_3의 끓는점이 가장 높다. 따라서 c는 15족 원소의 수소 화합물인 NH_3이고, e는 16족 원소의 수소 화합물인 H_2O이다.

d는 15족 원소인 P의 수소 화합물 PH_3이고, f는 16족 원소인 S의 수소 화합물 H_2S이다.

SiH_4과 CH_4은 무극성 분자이고, SiH_4의 분자량이 더 크므로 끓는점은 SiH_4이 CH_4보다 높다. 따라서 a는 SiH_4, b는 CH_4이다.

ㄴ. 수소 결합을 하는 화합물은 c인 NH_3와 e인 H_2O이다.

ㄷ. 2주기 원소를 포함한 화합물은 b, c, e인 CH_4, NH_3, H_2O이고, 3주기 원소를 포함한 화합물은 a, d, f인 SiH_4, PH_3, H_2S이다.

| 바로알기 | ㄱ. a는 무극성 분자 중에서 분자량이 큰 SiH_4이다.

03

| 선택지 분석 |

~~ㄱ.~~ 온도가 높을수록 $H_2O(s)$의 밀도가 감소하는 것은 ㉠ 결합의 수가 감소하기 때문이다. 열팽창

~~ㄴ.~~ 0 °C에서 $H_2O(s)$이 융해되면서 밀도가 급격히 증가하는 것은 ㉡ 결합 때문이다. ㉠ 결합

ㄷ. $H_2O(l)$의 질량이 일정할 때 0 °C와 4 °C에서 ㉡ 결합 수는 같다.

㉠ 결합은 수소 결합이고, ㉡ 결합은 공유 결합이다.

ㄷ. $H_2O(l)$의 질량이 일정할 때 0 °C와 4 °C에서 원자 간 공유 결합(㉡ 결합)의 수는 같다.

| 바로알기 | ㄱ. 온도가 높을수록 $H_2O(s)$의 밀도가 감소하는 것은 $H_2O(s)$이 열팽창하여 부피가 증가하기 때문이다.

ㄴ. 0 °C에서 $H_2O(s)$이 융해되면서 밀도가 급격히 증가하는 것은 수소 결합(㉠ 결합)이 끊어져 부피가 감소하기 때문이다.

04 꼼꼼 문제 분석

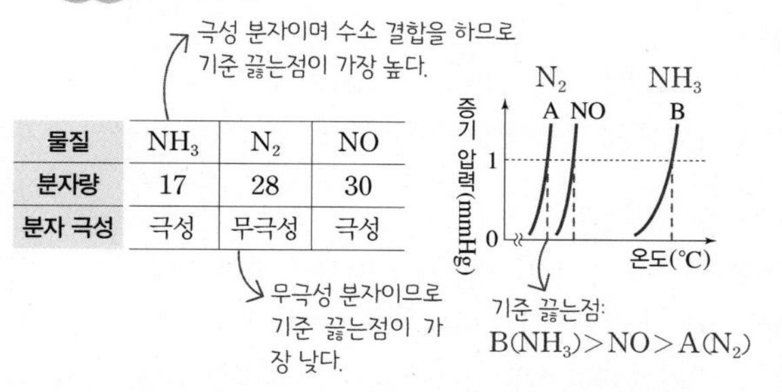

물질	NH_3	N_2	NO
분자량	17	28	30
분자 극성	극성	무극성	극성

| 선택지 분석 |

ㄱ. B는 NH_3이다.

ㄴ. A 분자 사이에는 분산력이 작용한다.

ㄷ. NO 분자 사이에는 쌍극자·쌍극자 힘이 작용한다.

ㄱ. A는 기준 끓는점이 가장 낮으므로 무극성 물질인 N_2이다. B는 기준 끓는점이 가장 높으므로 극성 물질이며 수소 결합이 존재하는 NH_3이다.

ㄴ. A는 무극성 물질인 N_2이므로 분자 사이에 분산력이 작용한다.

ㄷ. NO는 극성 물질이므로 분자 사이에 분산력과 쌍극자·쌍극자 힘이 작용한다.

05 꼼꼼 문제 분석

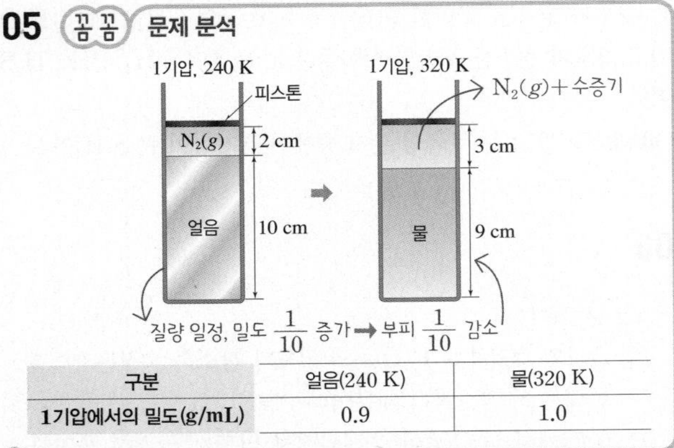

구분	얼음(240 K)	물(320 K)
1기압에서의 밀도(g/mL)	0.9	1.0

| 선택지 분석 |

ㄱ. 240 K과 320 K에서 N_2의 부피비는 2 : 3이다.

ㄴ. 320 K에서 물의 높이는 11 cm이다. 9

ㄷ. 320 K에서 물의 증기 압력은 $\frac{1}{9}$기압이다.

ㄱ. 240 K 얼음과 320 K 물의 밀도비가 0.9 : 1.0이므로 240 K 얼음이 녹아 320 K 물이 되면 물이 차지하는 높이는 9 cm가 된다. 이때 피스톤의 위치가 변하지 않으므로 N_2의 높이는 3 cm가 된다. 따라서 240 K과 320 K에서 N_2의 부피비는 2 : 3이다.

ㄷ. 240 K에서 N_2의 압력은 1기압이고, N_2의 양(mol)은 일정하므로 320 K에서 N_2의 부분 압력을 P_{N_2}라고 하면 다음 식이 성립한다.

$$\frac{P_1V_1}{T_1}=\frac{P_2V_2}{T_2} \Rightarrow \frac{1\times2}{240}=\frac{P_{N_2}\times3}{320},\ P_{N_2}=\frac{8}{9}\text{기압}$$

이때 전체 기체의 압력이 1기압이므로 320 K에서 물의 증기 압력은 $\frac{1}{9}$기압이다.

| 바로알기 | ㄴ. 240 K 얼음과 320 K 물의 질량이 같고, 얼음과 물의 밀도가 각각 0.9 g/mL, 1.0 g/mL이므로 부피비는 10 : 9이다. 따라서 320 K에서 물의 높이는 9 cm가 된다.

06

| 선택지 분석 |

ㄱ. ㉠으로 적절한 것은 면심 입방 구조이다.

ㄴ. ㉡에서 한 입자에 가장 인접한 입자 수는 6이다.

ㄷ. 단위 세포에 포함된 입자 수는 ㉠이 ㉡의 4배이다. (㉠: 4, ㉡: 1)

ㄱ. ㉠은 정육면체의 8개 꼭짓점과 6개 면의 중심에 입자가 1개씩 있으므로 면심 입방 구조이다.

ㄴ. ㉡은 정육면체의 8개 꼭짓점에 입자가 1개씩 있으므로 단순 입방 구조이다.
단순 입방 구조에서 한 꼭짓점에 있는 입자를 기준으로 할 때, 기준 입자의 상, 하, 좌, 우, 앞, 뒤의 각 꼭짓점에 입자가 1개씩 인접해 있으므로, 한 입자에 가장 인접한 입자 수는 6이다.

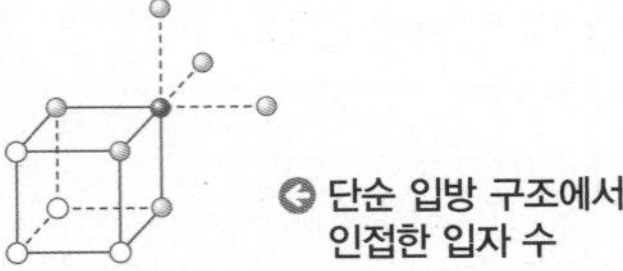

단순 입방 구조에서 인접한 입자 수

ㄷ. ㉠은 면심 입방 구조이므로 단위 세포에 포함된 입자 수가 4$\left(=\frac{1}{8}\times8+\frac{1}{2}\times6\right)$이고, ㉡은 단순 입방 구조이므로 단위 세포에 포함된 입자 수가 1$\left(=\frac{1}{8}\times8\right)$이다.

07 꼼꼼 문제 분석

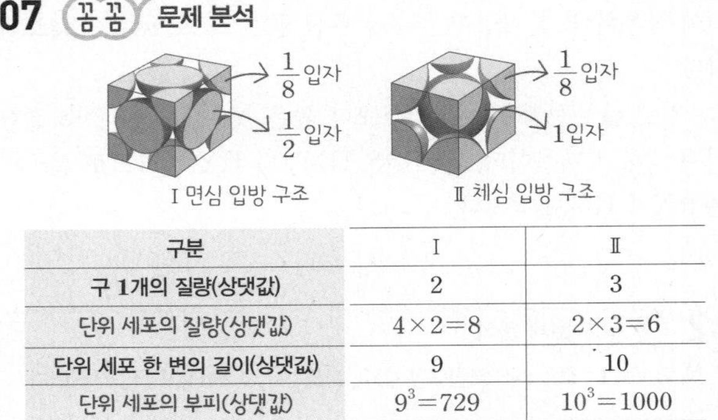

구분	Ⅰ	Ⅱ
구 1개의 질량(상댓값)	2	3
단위 세포의 질량(상댓값)	4×2=8	2×3=6
단위 세포 한 변의 길이(상댓값)	9	10
단위 세포의 부피(상댓값)	9^3=729	10^3=1000

| 선택지 분석 |

ㄱ. 단위 세포에 포함된 입자 수비는 Ⅰ : Ⅱ=2 : 1이다.

ㄴ. 단위 세포의 질량은 Ⅰ이 Ⅱ보다 크다.

ㄷ. 밀도는 Ⅱ가 Ⅰ보다 크다. 작다

ㄱ. Ⅰ은 면심 입방 구조이므로 단위 세포에 포함된 입자 수는 4$\left(=\frac{1}{8}\times8+\frac{1}{2}\times6\right)$이다. Ⅱ는 체심 입방 구조이므로 단위 세포에 포함된 입자 수는 2$(=\frac{1}{8}\times8+1)$이다. 따라서 단위 세포에 포함된 입자 수비는 Ⅰ : Ⅱ=4 : 2=2 : 1이다.

ㄴ. 단위 세포에 포함된 입자 수가 Ⅰ은 4, Ⅱ는 2이고, 구 1개의 질량이 Ⅰ은 2, Ⅱ는 3이므로 단위 세포의 질량은 Ⅰ이 4×2=8, Ⅱ가 2×3=6이다. 따라서 단위 세포의 질량은 Ⅰ이 Ⅱ보다 크다.

| 바로알기 | ㄷ. 단위 세포의 질량은 Ⅰ이 4×2=8, Ⅱ가 2×3=6이고, 단위 세포의 부피는 Ⅰ이 9^3=729, Ⅱ가 10^3=1000이다. 밀도=$\frac{\text{질량}}{\text{부피}}$이므로, 밀도는 Ⅰ이 $\frac{8}{729}$, Ⅱ가 $\frac{6}{1000}$이다. 따라서 단위 세포의 밀도는 Ⅰ이 Ⅱ보다 크다.

08 

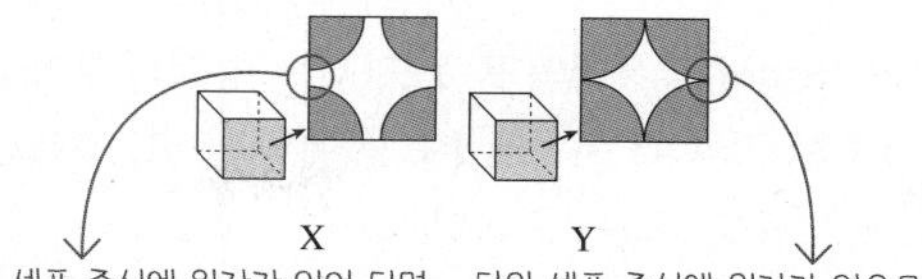

단위 세포 중심에 원자가 있어 단면에서 각 원자가 서로 접하지 않는다.
➜ 체심 입방 구조

단위 세포 중심에 원자가 없으므로 단면에서 각 원자가 서로 접한다.
➜ 단순 입방 구조

$\frac{1}{8}\times8+1=2$

금속	X	Y
단위 세포에 포함된 원자 수	$a=2$	1
한 원자에 가장 인접한 원자 수	8	$b=6$

선택지 분석

~~ㄱ~~. X의 결정 구조는 단순 입방 구조이다. 체심

~~ㄴ~~. Y 결정의 단위 세포에 포함된 원자 수는 2이다. 1

ⓒ $b=3a$이다.

ㄷ. X는 단위 세포 중심에 원자가 있어 단면에서 각 원자가 서로 접하지 않으므로 체심 입방 구조이다. 따라서 단위 세포에 포함된 원자 수 a는 $2\left(=\frac{1}{8}\times8+1\right)$이다. Y는 단위 세포 중심에 원자가 없어 단면에서 각 원자가 서로 접하므로 단순 입방 구조이다. 따라서 한 원자에 가장 인접한 원자 수 b는 6이다. 그러므로 $b=3a$이다.

바로알기 ㄱ. X는 체심 입방 구조, Y는 단순 입방 구조이다.
ㄴ. Y는 단순 입방 구조이므로 결정의 단위 세포에 포함된 원자 수가 $1\left(=\frac{1}{8}\times8\right)$이다.

09

선택지 분석

ⓐ X의 결정 구조는 면심 입방 구조이다.

ⓑ X 1몰의 부피는 $\frac{Ma^3}{4w}$ cm^3이다.

ⓒ 한 원자에 가장 인접한 원자 수는 12이다.

ㄱ. X는 정육면체의 각 꼭짓점과 면에 입자가 있으므로 면심 입방 구조이다.
ㄴ. 단위 세포 내 원자의 수는 $4\left(=\frac{1}{8}\times8+\frac{1}{2}\times6\right)$이고, 이때 질량은 $4w$ g, 부피는 a^3 cm^3이다. 1몰의 질량은 M g이므로 1몰의 부피를 V라고 하면, $4w : a^3 = M : V$, $V=\frac{Ma^3}{4w}(cm^3)$이다.
ㄷ. 면심 입방 구조에서 정육면체의 한 꼭짓점에 있는 원자를 기준으로 할 때, 기준 원자에 가장 인접한 원자는 상, 하, 좌, 우, 앞, 뒤의 12개 면에 있는 원자이므로 가장 인접한 원자 수는 12이다.

10 꼼꼼 문제 분석

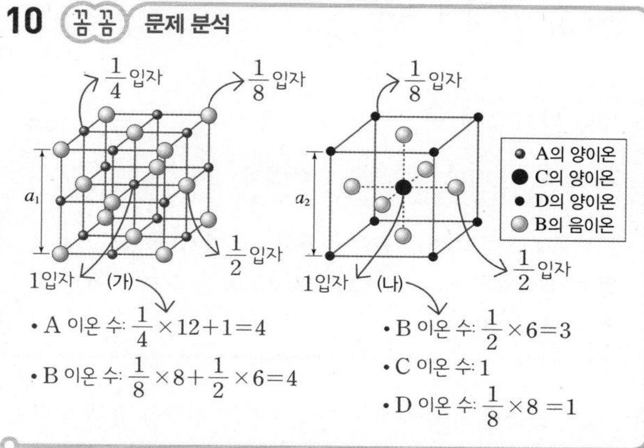

- A 이온 수: $\frac{1}{4}\times12+1=4$
- B 이온 수: $\frac{1}{8}\times8+\frac{1}{2}\times6=4$
- B 이온 수: $\frac{1}{2}\times6=3$
- C 이온 수: 1
- D 이온 수: $\frac{1}{8}\times8=1$

선택지 분석

~~ㄱ~~. (가)의 단위 세포에 포함된 양이온과 음이온 수의 비는 13 : 14이다. 1 : 1

ⓑ (나)의 화학식은 CDB_3이다.

ⓒ 단위 세포당 포함된 양이온 수는 (가)에서가 (나)에서의 2배이다.

(가)의 단위 세포에서 양이온 A는 정육면체의 12개 모서리에 $\frac{1}{4}$입자가 있고, 정육면체의 중심에 1입자가 있으므로 양이온 A의 수는 $4\left(=\frac{1}{4}\times12+1\right)$이다. 음이온 B는 정육면체의 8개 꼭짓점에 $\frac{1}{8}$입자가 있고, 6개 면에 $\frac{1}{2}$입자가 있으므로 음이온 B의 수는 $4\left(=\frac{1}{8}\times8+\frac{1}{2}\times6\right)$이다.
(나)의 단위 세포에서 양이온 C는 정육면체의 중심에 1입자가 있으므로 양이온 C의 수는 1이다. 양이온 D는 정육면체의 8개 꼭짓점에 $\frac{1}{8}$입자가 있으므로 양이온 D의 수는 $1\left(=\frac{1}{8}\times8\right)$이다. 음이온 B는 정육면체의 6개 면에 $\frac{1}{2}$입자가 있으므로 음이온 B의 수는 $3\left(=\frac{1}{2}\times6\right)$이다.
ㄴ. (나)의 단위 세포에 포함된 양이온 C와 D의 수는 각각 1이고, 음이온 B의 수는 3이므로 (나)의 화학식은 CDB_3이다.
ㄷ. 단위 세포당 포함된 양이온 수는 (가)에서 4이고, (나)에서 2이므로 (가)에서가 (나)에서의 2배이다.

바로알기 ㄱ. (가)의 단위 세포에 포함된 양이온 A와 음이온 B의 수는 각각 4이다. 따라서 (가)의 단위 세포에 포함된 양이온과 음이온 수의 비는 1 : 1이다.

3 용액

01 용액의 농도

개념 확인 문제 83쪽

❶ 퍼센트 ❷ 10^6 ❸ 용액 ❹ 몰랄 ❺ 용매

1 (1) 용해 (2) 용액 (3) ㉠ 용매 ㉡ 용질 **2** (1) × (2) ○ (3) × **3** (1) 10 % (2) 1 ppm (3) 0.2 M (4) 0.5 m **4** ㄷ **5** (1) ○ (2) × (3) × (4) × (5) ○

1 (1), (2) 용질이 용매에 녹아 들어가는 현상을 용해라 하고, 용질이 용매에 용해되어 용질과 용매가 균일하게 섞여 있는 혼합물을 용액이라고 한다.
(3) 같은 상태의 물질이 섞여 있는 용액에서는 양이 많은 물질이 용매, 양이 적은 물질이 용질이다.

2 (1) 퍼센트 농도는 용질의 질량을 이용하여 나타내는 농도이다. 용질의 입자 수를 이용하여 나타내는 농도는 몰 농도와 몰랄 농도이다.
(3) 몰 농도는 온도에 따라 용액의 부피가 변하므로 온도의 영향을 받지만, 몰랄 농도는 온도에 관계없이 일정하다.

3 (1) 밀도가 1.84 g/mL이므로 용액 1 L의 질량은 1840 g이다. 따라서 퍼센트 농도는 $\frac{184\text{ g}}{1840\text{ g}} \times 100 = 10\ \%$이다.
(2) 10 kg은 10^4 g이고 10 mg은 10^{-2} g이므로, ppm 농도는 $\frac{10^{-2}\text{ g}}{10^4\text{ g}} \times 10^6 = 1$ ppm이다.
(3) 수산화 나트륨 4 g은 $\frac{4\text{ g}}{40\text{ g/mol}} = 0.1$ mol이므로 수용액의 몰 농도는 $\frac{0.1\text{ mol}}{0.5\text{ L}} = 0.2$ M이다.
(4) 포도당 9.0 g은 $\frac{9.0\text{ g}}{180\text{ g/mol}} = 0.05$ mol이므로 수용액의 몰랄 농도는 $\frac{0.05\text{ mol}}{0.1\text{ kg}} = 0.5\ m$이다.

4 몰 농도는 용액의 부피를 기준으로 하므로 온도가 변하면 농도도 변한다. 질량을 기준으로 하는 퍼센트 농도, ppm 농도, 몰랄 농도는 온도의 영향을 받지 않는다.

5 (1) 용액의 몰 농도(M)$=\frac{\text{용질의 양(mol)}}{\text{용액의 부피(L)}}$
➡ 용질의 양(mol)=용액의 몰 농도(M)×용액의 부피(L)
따라서 0.1 M NaOH 수용액 1 L 속에 녹아 있는 NaOH의 양(mol)은 0.1 M×1 L=0.1 mol이다.
(2) NaOH의 화학식량이 40이므로 NaOH 0.1몰의 질량은 0.1 mol×40 g/mol=4.0 g이다. 따라서 x는 4.0이다.
(3) 온도가 높아지면 용질의 양(mol)은 일정하지만 용액의 부피가 증가하므로 몰 농도는 0.1 M보다 작아진다.
(4) NaOH(s)과 증류수의 부피 합이 1 L이므로 용액 속 증류수의 부피는 1 L보다 작다.
(5) 용액의 부피가 $\frac{1}{2}$배가 되면 녹아 있는 용질의 양(mol)도 $\frac{1}{2}$배가 되므로 0.1 M NaOH 수용액 500 mL 속에 녹아 있는 NaOH의 양(mol)은 0.05몰이다.

86쪽

완자쌤 비법 특강 Q1 18.4 M, 500 m Q2 1.1 m

Q1 • 몰 농도(M)$=\frac{10ad}{M_w}$

$$=\frac{10\times98\times1.84}{98}=18.4\text{ M}$$

• 몰랄 농도(m)$=\frac{1000a}{(100-a)M_w}$

$$=\frac{1000\times98}{(100-98)\times98}=500\ m$$

다른 풀이 98 % 황산 100 g은 부피가 $\frac{100\text{ g}}{1.84\text{ g/mL}} \fallingdotseq 54.3$ mL=0.0543 L이고, 물 2 g과 H_2SO_4 98 g으로 이루어져 있다.
H_2SO_4 98 g은 $\frac{98\text{ g}}{98\text{ g/mol}}=1$ mol이므로 98 % 황산의 몰 농도는 $\frac{1\text{ mol}}{0.0543\text{ L}} \fallingdotseq 18.4$ M이고, 몰랄 농도는 $\frac{1\text{ mol}}{0.002\text{ kg}}=500\ m$이다.

Q2 몰랄 농도(m)$=\frac{1000a}{1000d-aM_w}$

$$=\frac{1000\times1}{(1000\times1.1)-(1\times180)}\fallingdotseq1.1\ m$$

다른 풀이 1 M 포도당 수용액 1 L는 질량이 1000 mL×1.1 g/mL=1100 g이다. 이 용액 속에 녹아 있는 포도당의 양(mol)은 1몰이므로 포도당의 질량은 180 g이고, 물의 질량은 920 g이다. 따라서 1 M 포도당 수용액의 몰랄 농도는 $\frac{1\text{ mol}}{0.92\text{ kg}} \fallingdotseq 1.1\ m$이다.

개념 확인 문제

87쪽

❶ 질량 ❷ 양(mol) ❸ 양(mol) ❹ 질량(kg) ❺ 질량(kg)

1 ㄴ, ㄹ **2** (가) 6 (나) 0.1 (다) 0.094 (라) 1.06 **3** (1) 0.01 M (2) 0.01 m **4** 12.5 M **5** 6.25 m **6** 0.46 m

1 ㄴ, ㄹ. 몰 농도는 용액 1 L 속에 녹아 있는 용질의 양(mol)이므로 퍼센트 농도로부터 몰 농도를 구하려면 용액의 질량을 용액의 부피로 환산하기 위해 용액의 밀도를 알아야 한다. 또, 용질의 양(mol)을 구하려면 용질의 질량을 양(mol)으로 환산하기 위해 용질의 화학식량(몰 질량)을 알아야 한다.

2 (가) 요소의 질량=요소 수용액의 질량×$\dfrac{\text{퍼센트 농도}}{100}$이므로 6 % 요소 수용액 100 g 속 요소의 질량은 $100\text{ g}\times\dfrac{6}{100}=6\text{ g}$이다.

(나) 요소의 분자량이 60이므로 요소 6 g은 $\dfrac{6\text{ g}}{60\text{ g/mol}}=$ 0.1 mol이다.

(다) 6 % 요소 수용액 100 g 속에 요소 6 g이 녹아 있으므로 물의 질량은 $(100-6)\text{ g}=94\text{ g}=0.094\text{ kg}$이다.

(라) 몰랄 농도(m)=$\dfrac{\text{용질의 양(mol)}}{\text{용매의 질량(kg)}}$이므로 6 % 요소 수용액의 몰랄 농도는 $\dfrac{0.1\text{ mol}}{0.094\text{ kg}}\fallingdotseq 1.06\ m$이다.

3 (1) 수용액의 질량은 $1000\text{ mL}\times1.0\text{ g/mL}=1000\text{ g}$이고, 퍼센트 농도는 0.18 %이므로 수용액 속에 녹아 있는 포도당의 질량은 $1000\text{ g}\times\dfrac{0.18}{100}=1.8\text{ g}$이다. 포도당 1.8 g의 양(mol)은 $\dfrac{1.8\text{ g}}{180\text{ g/mol}}=0.01\text{ mol}$이다. 따라서 이 수용액의 몰 농도는 $\dfrac{0.01\text{ mol}}{1\text{ L}}=0.01\text{ M}$이다.

(2) 용매인 물의 질량은 $1000\text{ g}-1.8\text{ g}=998.2\text{ g}=0.9982\text{ kg}$이므로 이 수용액의 몰랄 농도는 $\dfrac{0.01\text{ mol}}{0.9982\text{ kg}}\fallingdotseq 0.01\ m$이다.

4 36.5 % HCl(aq) 100 g 속에 녹아 있는 HCl는 36.5 g이므로 HCl의 양(mol)은 $\dfrac{36.5\text{ g}}{36.5\text{ g/mol}}=1\text{ mol}$이다. 따라서 HCl($aq$)의 몰 농도는 다음과 같다.

$$\frac{1\text{ mol}}{\dfrac{100\text{ g}}{1.25\text{ g/mL}}\times\dfrac{1\text{ L}}{1000\text{ mL}}}=12.5\text{ M}$$

5 20 % NaOH 수용액 100 g 속에 녹아 있는 NaOH은 20 g이므로 NaOH의 양(mol)은 $\dfrac{20\text{ g}}{40\text{ g/mol}}=0.5\text{ mol}$이다. 물의 질량은 80 g이므로 NaOH 수용액의 몰랄 농도는 $\dfrac{0.5\text{ mol}}{0.08\text{ kg}}=6.25\ m$이다.

6 0.5 M 요소 수용액은 용액 1000 mL 속에 요소 0.5 mol이 녹아 있다. 요소 0.5 mol의 질량은 $0.5\text{ mol}\times60\text{ g/mol}=30\text{ g}$이고, 수용액의 질량은 $1000\text{ mL}\times1.11\text{ g/mL}=1110\text{ g}$이며 용매인 물의 질량은 $1110\text{ g}-30\text{ g}=1080\text{ g}=1.08\text{ kg}$이므로 요소 수용액의 몰랄 농도는 $\dfrac{0.5\text{ mol}}{1.08\text{ kg}}\fallingdotseq 0.46\ m$이다.

대표 자료 분석

88쪽

자료 ① **1** B>C>A **2** (가) 용질의 질량 (나) 용매의 질량 (다) 용질의 양(mol) **3** (1) × (2) × (3) ○ (4) ×

자료 ② **1** (가)=(나) **2** 0.5 m **3** 1 % **4** (1) ○ (2) ○ (3) × (4) ×

①-1 꼼꼼 문제 분석

구분		A 5 % 포도당 수용액 120 g	B 0.5 M 포도당 수용액 100 mL	C 0.5 m 포도당 수용액 100 g
용질	양(mol)	$\frac{1}{30}$	0.05	약 0.046
	질량(g)	6	9	8.26
용액의 질량(g)		120	105	100
용매의 질량(g)		114	96	91.74

• A: 수용액 속 포도당의 질량을 x라고 하면 $\dfrac{x\text{ g}}{120\text{ g}}\times100=5\ \%$이므로 $x=6$(g)이다.

• B: 수용액 속 포도당의 양(mol)을 y라고 하면 $\dfrac{y\text{ mol}}{0.1\text{ L}}=0.5\text{ M}$, $y=0.05$(mol)이고, 포도당 0.05 mol의 질량은 $0.05\text{ mol}\times180\text{ g/mol}=9\text{ g}$이다.

• C: 용매의 질량이 1 kg(=1000 g)일 때 용질은 90 g(=0.5 mol)이 녹아 있다. 따라서 수용액 100 g 속에 녹아 있는 포도당의 질량을 z라고 하면 $1000:90=(100-z):z$, $z\fallingdotseq$ 8.26(g)이다.

①-2 (가)는 퍼센트 농도를 이용하여 구한 포도당 수용액 120 g 속에 들어 있는 용질의 질량이고, (나)는 용액의 질량에서 용질의 질량을 뺀 값이므로 용매의 질량이다. (다)는 용질의 질량을 몰 질량으로 나눈 값이므로 용질의 양(mol)이다.

①-3 (1) A 수용액 속에 녹아 있는 포도당의 질량이 가장 작으므로 포도당의 양(mol)도 가장 작다.

(2) 포도당 6 g의 양(mol)은 $\frac{6\text{ g}}{180\text{ g/mol}}=\frac{1}{30}$ mol이므로 밀도가 1.05 g/mL인 A 수용액의 몰 농도는 다음과 같다.

$$\frac{\frac{1}{30}\text{ mol}}{\frac{120\text{ g}}{1.05\text{ g/mL}}\times\frac{1\text{ L}}{1000\text{ mL}}}\fallingdotseq 0.3\text{ M}$$

(3) B 수용액의 질량은 105 g(=100 mL × 1.05 g/mL)이고, 용질의 질량은 9 g이므로 B 수용액의 용매의 질량은 96 g이다. 용질의 양(mol)은 0.05몰이므로 몰랄 농도는 $\frac{0.05\text{ mol}}{0.096\text{ kg}}\fallingdotseq$ 0.52 m이다.

(4) C 수용액에서 용질의 질량은 8.26 g이고, 용매의 질량은 91.74(=100−8.26) g이므로 여기에 증류수 108.26 g을 더하면 용매의 질량은 200 g이 된다. 따라서 C 수용액의 몰랄 농도는 $\frac{\frac{8.26\text{ g}}{180\text{ g/mol}}}{0.2\text{ kg}}\fallingdotseq 0.23$ m이다.

②-1 꼼꼼 문제 분석

구분		(가) 0.5 M A(aq) 100 mL 밀도 = 1.02 g/mL	(나) 2 % A(aq) 100 g
용질	양(mol)	0.05	0.05
	질량(g)	2	2
용액의 질량(g)		102	100
용매의 질량(g)		100	98

(가)에서 A의 양(mol)은 0.5 mol/L × 0.1 L = 0.05 mol이다.
(나)에서 용액 속에 녹아 있는 A의 질량을 x라고 하면 $\frac{x\text{ g}}{100\text{ g}}\times 100=2\%$, $x=2$(g)이다. 따라서 A의 양(mol)은 $\frac{2\text{ g}}{40\text{ g/mol}}$ = 0.05 mol이다.

②-2 (가) 용액의 밀도가 1.02 g/mL이므로 용액의 질량은 100 mL × 1.02 g/mL = 102 g이고, A의 질량은 0.05 mol × 40 g/mol = 2 g이며, 물의 질량은 102 g − 2 g = 100 g이다.
(나)에서 용액의 질량은 100 g이고, A의 질량은 2 g이므로 물의 질량은 98 g이다.
혼합 수용액의 몰랄 농도는 $\frac{0.05\text{ mol}+0.05\text{ mol}}{0.1\text{ kg}+0.098\text{ kg}}\fallingdotseq 0.5$ m이다.

②-3 (가) 용액의 질량은 100 mL × 1.02 g/mL = 102 g이고, A의 질량은 0.05 mol × 40 g/mol = 2 g이므로 물 98 g을 추가하면 퍼센트 농도는 $\frac{2\text{ g}}{102\text{ g}+98\text{ g}}\times 100=1\%$가 된다.

②-4 (1) (가)와 (나) 수용액 속에 녹아 있는 A의 질량은 2 g으로 같다.
(2) (가) 수용액의 퍼센트 농도는 $\frac{2\text{ g}}{102\text{ g}}\times 100\fallingdotseq 1.96\%$이다.
(3) (나) 수용액의 몰랄 농도는 $\frac{0.05\text{ mol}}{0.098\text{ kg}}\fallingdotseq 0.51$ m이다.
(4) 수용액의 온도를 높이면 (나) 수용액의 퍼센트 농도는 변하지 않지만, (가) 수용액은 부피가 증가하므로 몰 농도가 작아진다.

내신 만점 문제

89쪽~91쪽

01 ③ 02 ① 03 해설 참조 04 ⑤ 05 ④
06 ③ 07 ④ 08 ④ 09 ② 10 ④
11 A: $\frac{50d}{M}$, B: $\frac{500d}{M}$, C: $\frac{1000}{M}$ 12 ③ 13 ②

01 ㄱ. 용액은 두 종류 이상의 순물질이 균일하게 섞여 있는 균일 혼합물이다.
ㄷ. 용해 현상은 (용매 − 용질) 입자 간 인력이 (용질 − 용질) 입자 간 인력 또는 (용매 − 용매) 입자 간 인력보다 강할 때 잘 일어난다.
바로알기 ㄴ. 극성 물질은 극성 용매에 잘 녹고, 무극성 물질은 무극성 용매에 잘 녹는다.

02 꼼꼼 문제 분석

성분	수질 검사 결과		먹는 물의 수질 기준	
	($\times 10^{-4}$ g)	(ppm)	(mg/kg)	(ppm)
납	0.3	0.3	0.05 이하	0.05 이하
플루오린	1.0	1.0	1.5 이하	1.5 이하
수은	0.0005	0.0005	0.001 이하	0.001 이하
비소	검출되지 않음	—	0.01 이하	0.01 이하

② 지하수에 포함된 플루오린의 농도는 $\frac{(1.0\times10^{-4})\,g}{100\,g}\times100$ $=0.0001\,\%$이다.

③ 수은의 ppm 농도는 $\frac{(0.0005\times10^{-4})\,g}{100\,g}\times10^6=0.0005\,ppm$으로 먹는 물의 수질 기준 이하이다.

④ 비소는 먹는 물의 수질 기준이 $\frac{(0.01\times10^{-3})\,g}{1000\,g}\times10^6=$ $0.01\,ppm$ 이하이다.

⑤ 지하수 속에 녹아 있는 물질 중 1가지라도 먹는 물의 수질 기준보다 농도가 크면 먹는 물로 적합하지 않다. 지하수 속에 녹아 있는 납의 농도가 $\frac{(0.3\times10^{-4})\,g}{100\,g}\times10^6=0.3\,ppm$이므로 먹는 물의 수질 기준인 0.05 ppm보다 크다. 따라서 이 지하수는 먹는 물로 적합하지 않다.

바로알기 ① 납의 수질 검사 결과는 0.3 ppm이다.

03 **모범답안** 물속에 녹아 있는 중금속 등의 물질은 용질의 질량이 매우 작기 때문에 용액 10^6 g 속에 녹아 있는 용질의 질량(g)인 ppm 농도로 나타낸다.

채점 기준	배점
ppm 농도의 정의를 언급하며 용질의 질량이 매우 작기 때문이라고 옳게 서술한 경우	100 %
용질의 질량이 매우 작기 때문이라고만 서술한 경우	30 %

04 ㄱ. 퍼센트 농도는 $\frac{\text{용질의 질량(g)}}{\text{용액의 질량(g)}}\times100=\frac{20\,g}{(180+20)\,g}\times100=10\,\%$이다.

ㄴ. 이 수용액 속에 녹아 있는 용질의 양(mol)은 $\frac{20\,g}{100\,g/mol}=$ $0.2\,mol$이고, 용매의 질량은 0.180 kg이다. 따라서 몰랄 농도는 $\frac{\text{용질의 양(mol)}}{\text{용매의 질량(kg)}}=\frac{0.2\,mol}{0.180\,kg}\fallingdotseq1.1\,m$이다.

ㄷ. 몰 농도는 $\frac{\text{용질의 양(mol)}}{\text{용액의 부피(L)}}=\frac{\frac{20\,g}{100\,g/mol}}{\frac{200\,g}{d\,g/mL}\times\frac{1\,L}{1000\,mL}}=d\,M$ 이다.

05 ㄴ. A는 일정한 부피의 액체를 측정할 때 사용하는 실험 기구이므로 부피 플라스크이다.

ㄷ. (라)에서 만든 수용액의 온도를 높이면 수용액의 부피가 1 L보다 커지므로 몰 농도는 0.1 M보다 작아진다.

바로알기 ㄱ. 수용액의 몰 농도는 0.1 M이므로 1 L 속에 0.1몰의 NaOH이 녹아 있다. NaOH의 화학식량이 40이므로 $\frac{x\,g}{40\,g/mol}=0.1\,mol$, $x=4$(g)이다.

06 ㄱ. (가) 속에 녹아 있는 NaOH의 양(mol)은 $0.1\,M\times0.2\,L=0.02\,mol$이므로 질량은 $0.02\,mol\times40\,g/mol=0.8\,g$이다. (나) 속에 녹아 있는 NaOH의 질량은 0.4 g이므로 (가)가 (나)의 2배이다.

ㄴ. NaOH의 양(mol)은 (가)에서 0.02 mol, (나)에서 $\frac{0.4\,g}{40\,g/mol}$ $=0.01\,mol$이다. 따라서 (다)의 몰 농도는 $\frac{(0.02+0.01)\,mol}{1\,L}=$ $0.03\,M$이다.

바로알기 ㄷ. 수용액의 부피가 1 L이므로 증류수만의 부피는 1 L보다 작다.

07 ㄴ. (가)에서 만든 수용액 200 g에 A 40 g이 녹아 있으므로 (가)에서 만든 수용액 10 g에 포함된 A는 2 g이다. 따라서 (나)에서 만든 수용액에 녹아 있는 A의 양(mol)은 $\frac{2\,g}{100\,g/mol}$ $=0.02\,mol$이므로 몰 농도는 $\frac{0.02\,mol}{1\,L}=0.02\,M$이다.

ㄷ. (가)에서 만든 수용액 50 g 속에 녹아 있는 A는 10 g이고, (나)에서 만든 수용액 500 mL 속에 녹아 있는 A는 1 g ($=0.01\,mol\times100\,g/mol$)이므로 (다)에서 만든 수용액 속에 녹아 있는 A의 양(mol)은 $\frac{11\,g}{100\,g/mol}=0.11\,mol$이다.

바로알기 ㄱ. (가)에서 만든 수용액 속에 녹아 있는 A의 양(mol)은 $\frac{40\,g}{100\,g/mol}=0.4\,mol$이므로 몰랄 농도는 $\frac{0.4\,mol}{0.16\,kg}$ $=2.5\,m$이다.

08 **꼼꼼 문제 분석**

수용액	(가)	(나)
수용액의 양	100 mL	110 g
수용액의 밀도	0.96 g/mL	1.1 g/mL
용질의 종류와 질량	에탄올 24 g	요소 20 g
용질의 분자량	46	60
용질의 양(mol)	약 0.52 mol	약 0.33 mol

ㄴ. (나)에서 용매의 질량은 $110\,g-20\,g=90\,g$이므로 (나)의 몰랄 농도는 $\frac{\frac{20\,g}{60\,g/mol}}{90\,g\times\frac{1\,kg}{1000\,g}}=\frac{100}{27}\,m$이다.

ㄷ. (가)의 몰 농도는 $\frac{\frac{24\,g}{46\,g/mol}}{0.1\,L}\fallingdotseq5.2\,M$이다. (나)의 부피는 $\frac{110\,g}{1.1\,g/mL}=100\,mL$이므로 몰 농도는 $\frac{\frac{20\,g}{60\,g/mol}}{0.1\,L}\fallingdotseq3.3\,M$이다. 따라서 몰 농도는 (가)가 (나)보다 크다.

| 바로알기 | ㄱ. (가)에서 수용액의 질량은 100 mL×0.96 g/mL =96 g이다. 따라서 퍼센트 농도는 $\frac{24\text{ g}}{96\text{ g}}\times100=25$ %이다.

09 (가) 속에 녹아 있는 용질의 질량을 x라고 하면, x는 다음과 같다.

$1000\text{ g} : 1\text{ mol}=(1000-x)\text{ g} : \frac{x}{M}\text{ mol},\ x=\frac{1000M}{1000+M}(\text{g})$

ㄴ. (나)의 몰랄 농도는 (가)의 2배이므로 추가로 녹인 X의 질량은 (가)의 질량인 $\frac{1000M}{1000+M}$ g이다.

| 바로알기 | ㄱ. (가) 속에 녹아 있는 용질의 질량은 $\frac{1000M}{1000+M}$ g이다.

ㄷ. (가)에서 물 500 g을 증발시키면 용매의 질량이 $\frac{1}{2}$배보다 더 작아진다. 따라서 용액의 몰랄 농도는 2 m보다 커진다.

10 ㄴ. (가)와 (다)의 몰 농도가 같으므로 용질의 양(mol)은 같다. 그런데 용액 1 L당 용질의 질량은 (가)가 (다)보다 크므로 용매의 질량은 (가)가 (다)보다 작다. 따라서 몰랄 농도는 (가)가 (다)보다 크다.

ㄷ. (나)와 (다)는 용액 1 L의 질량과 용액 1 L당 용질의 질량이 같으므로 퍼센트 농도가 같다.

| 바로알기 | ㄱ. 같은 부피의 용액 속에 녹아 있는 용질의 질량이 (가)가 (나)의 4배이므로 몰 농도는 (가)가 (나)의 4배이다. 따라서 $b=\frac{a}{4}$이다.

다른 풀이 X의 화학식량을 M_X라 하면 (가)의 몰 농도 $a=\frac{40}{M_X}$이고, (나)의 몰 농도 $b=\frac{10}{M_X}$이다. 따라서 M_X에 대해 정리하면 $\frac{40}{a}=\frac{10}{b}$이므로 $b=\frac{a}{4}$이다.

11 꼼꼼 문제 분석

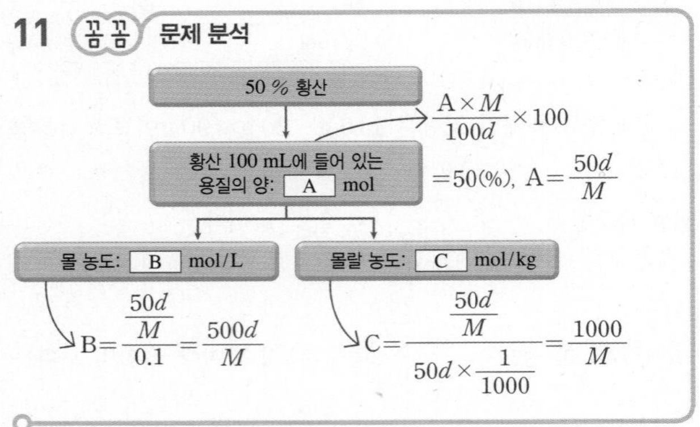

50 % $H_2SO_4(aq)$ 100 mL의 질량은 100 mL×d g/mL= $100d$ g이다. 이 수용액 속에 들어 있는 용질의 질량을 x라고 하면, $\frac{x\text{ g}}{100d\text{ g}}\times100=50$ %, $x=50d$(g)이다. 따라서 용질의 양(mol)은 $\frac{50d}{M}$이다.

이 수용액의 몰 농도 B는 $\frac{\frac{50d}{M}\text{ mol}}{0.1\text{ L}}=\frac{500d}{M}$ M이고, 용매의 질량과 용질의 질량이 각각 $50d$ g이므로 몰랄 농도 C는 다음과 같다.

$$\frac{\frac{50d}{M}\text{ mol}}{50d\text{ g}\times\frac{1\text{ kg}}{1000\text{ g}}}=\frac{1000}{M}\ m$$

12 ㄱ. (가) 속에 녹아 있는 $KHCO_3$의 질량을 x라고 하면, $\frac{x\text{ g}}{100\text{ g}}\times100=10$ %, $x=10$(g)이다.

ㄷ. (가) 속에 녹아 있는 $KHCO_3$의 질량은 10 g이고, 양(mol)은 $\frac{10\text{ g}}{100\text{ g/mol}}=0.1$ mol이다. (나) 속에 녹아 있는 $KHCO_3$의 양(mol)은 3 M×0.5 L=1.5 mol이므로 질량은 150 g이다. 따라서 (다) 속에 녹아 있는 $KHCO_3$의 질량은 160 g이고, 용매의 질량은 800 g−160 g=640 g이므로 몰랄 농도는 $\frac{1.6\text{ mol}}{0.64\text{ kg}}=2.5\ m$이다.

| 바로알기 | ㄴ. (나)에 포함된 $KHCO_3$의 양(mol)은 1.5몰로 150 g이다. 이때 (나) 수용액의 밀도가 제시되지 않았으므로 수용액의 질량은 알 수 없다. 따라서 물의 질량도 알 수 없다.

13 ㄷ. (가) 1 m A 수용액은 용매 1000 g(=1 kg)에 A가 100 g(=1 mol) 녹아 있으므로 용액의 질량은 1100 g이다. 따라서 1 m A 수용액의 질량이 100 g일 때 A의 질량 x는 1100 g : 100 g=100 g : x이고, x≒9.1 g이다.

(나) 1 M A 수용액은 용액의 부피가 1 L일 때 A가 100 g (=1 mol) 녹아 있으므로 용액의 부피가 0.1 L일 때는 A가 10 g 녹아 있다. 또, 수용액의 질량은 100 mL×1.05 g/mL=105 g 이다.

(가)의 퍼센트 농도는 $\frac{9.1\text{ g}}{100\text{ g}}\times100=9.1$ %이고, (나)의 퍼센트 농도는 $\frac{10\text{ g}}{105\text{ g}}\times100$≒9.5 %이므로 퍼센트 농도는 (나)가 (가)보다 크다.

| 바로알기 | ㄱ. 용액 속 A의 질량은 (가)가 약 9.1 g이고, (나)가 10 g으로 (가)가 (나)보다 작다.

ㄴ. (나)에 A가 0.1 mol(=10 g) 녹아 있고, 수용액의 질량은 105 g이므로 용매의 질량은 (105−10) g=95 g=0.095 kg이다. 용매의 질량이 0.1 kg보다 작으므로 (나)의 몰랄 농도는 1 m보다 크다. 따라서 몰랄 농도는 (가)가 (나)보다 작다.

02 묽은 용액의 총괄성

개념 확인 문제

94쪽

❶ 증기 압력 내림 ❷ $P°_{용매}$ ❸ $P_{용액}$ ❹ 작다 ❺ 라울 ❻ 몰 분율

1 (1) 작다 (2) 작다 (3) 몰 분율 **2** (1) × (2) × (3) ○ **3** 0.595 mmHg **4** (가)>(다)>(나) **5** (1) ○ (2) × (3) ×

1 (1) 일정한 온도에서 비휘발성 용질이 녹아 있는 용액은 용질이 용매의 증발을 방해하므로 증기 압력이 순수한 용매의 증기 압력보다 작다.
(2) 용액의 농도가 클수록 증기 압력 내림이 커져 용액의 증기 압력이 작다.
(3) 증기 압력 내림(ΔP)은 용매의 종류에 따라 다르고, 용질의 종류에 관계없이 용질의 몰 분율($X_{용질}$)에 비례한다.
$\Delta P=P°_{용매}\times X_{용질}$

2 (1), (2) 수은 기둥이 설탕물 A 쪽으로 밀려 올라갔으므로 설탕물 A가 설탕물 B보다 증기 압력이 작다. 따라서 설탕물 A가 설탕물 B보다 농도가 크다.
(3) 설탕물 A에 설탕을 조금 첨가하여 녹이면 농도가 더 커지므로 증기 압력이 더 작아진다. 따라서 수은 기둥의 높이 차인 h가 증가한다.

3 요소의 양(mol)은 $\dfrac{12\text{ g}}{60\text{ g/mol}}=0.2\text{ mol}$이고, 물의 양(mol)은 $\dfrac{140.4\text{ g}}{18\text{ g/mol}}=7.8\text{ mol}$이므로 요소의 몰 분율은 $\dfrac{0.2\text{ mol}}{0.2\text{ mol}+7.8\text{ mol}}=0.025$이다. 따라서 요소 수용액의 증기 압력 내림은 $\Delta P=P°_{용매}\times X_{용질}=23.8\text{ mmHg}\times0.025=0.595\text{ mmHg}$이다.

4 증기 압력 내림은 용질의 몰 분율에 비례한다. 설탕 10 g보다 포도당 10 g의 양(mol)이 크므로 용질의 몰 분율은 (나)에서가 (가)에서보다 크다. 따라서 물의 질량이 같을 때 수용액의 증기 압력은 같은 질량의 설탕이 녹아 있는 수용액이 포도당이 녹아 있는 수용액보다 크다.

다른 풀이 용질의 양(mol)은 (가) $\dfrac{10}{342}$, (나) $\dfrac{10}{180}$, (다) $\dfrac{5}{342}+\dfrac{5}{180}$이고, 용매인 물의 양(mol)이 모두 같으므로 용질의 몰 분율은 (나)>(다)>(가)이다. 따라서 수용액의 증기 압력 내림은 (나)>(다)>(가)이므로 수용액의 증기 압력은 (가)>(다)>(나)이다.

5 (1) A의 몰 분율이 0일 때의 증기 압력인 $3.1a$가 용매인 물의 증기 압력이다.
(2) A의 몰 분율이 x일 때 A 수용액의 증기 압력 내림은 $\Delta P=P°_{용매}-P_{용액}=3.1a-3.0a=0.1a$이다.
(3) $\Delta P=P°_{용매}\times X_{용질}=3.1a\times x=0.1a$, $x=\dfrac{1}{31}$이다.

개념 확인 문제

97쪽

❶ 높 ❷ 낮 ❸ m ❹ m ❺ $w\times K_b$ ❻ $w\times K_f$

1 (1) 몰랄 농도 (2) 1 m (3) 용매 (4) 크다 **2** (1) ○ (2) ○ (3) × **3** (1) 0.5 m (2) 100.255 ℃ (3) 180 **4** (1) ○ (2) ○ (3) ×

1 (1) 용액의 끓는점 오름(ΔT_b)과 어는점 내림(ΔT_f)은 용액의 몰랄 농도(m)에 비례한다.
$\Delta T_b=K_b\times m$, $\Delta T_f=K_f\times m$
(2), (3) 몰랄 오름 상수(K_b)는 농도가 1 m인 용액의 끓는점 오름이고, 몰랄 내림 상수(K_f)는 농도가 1 m인 용액의 어는점 내림으로 용매의 종류에 따라 값이 다르다.
(4) 비휘발성, 비전해질 용질이 녹아 있는 묽은 용액의 어는점 내림은 용액의 몰랄 농도에 비례하므로 0.2 m 포도당 수용액이 0.1 m 포도당 수용액보다 어는점 내림이 크다.

2 (1) 용매 A의 끓는점은 T_1이고, 0.05 m 용액의 끓는점은 T_2이므로 끓는점 오름은 (T_2-T_1)이다.
(2) 0.05 m 용액의 끓는점 오름은 (T_2-T_1)이고, 0.10 m 용액의 끓는점 오름은 (T_3-T_1)이다. 용액의 몰랄 농도가 2배가 되면 끓는점 오름도 2배가 되므로 (T_3-T_1)은 (T_2-T_1)의 2배이다. 즉, (T_3-T_1)과 $2(T_2-T_1)$은 같다.
(3) 용매 A의 몰랄 오름 상수(K_b)가 x이므로, 0.10 m 용액의 끓는점 오름은 $\Delta T_b=K_b\times m=x\times0.10=T_3-T_1$이다. 따라서 $x=\dfrac{T_3-T_1}{0.10}=10(T_3-T_1)$이다.

3 비휘발성, 비전해질 용질이 녹아 있는 묽은 용액의 어는점 내림(ΔT_f)은 몰랄 내림 상수(K_f)와 몰랄 농도(m)의 곱에 비례한다.
(1) $\Delta T_f=K_f\times m=1.86\text{ ℃}/m\times$몰랄 농도($m$)$=0.93\text{ ℃}$이므로 몰랄 농도($m$)$=0.5\ m$이다.
(2) $\Delta T_b=K_b\times m=0.51\text{ ℃}/m\times0.5\ m=0.255\text{ ℃}$이다. 따라서 X 수용액의 끓는점(℃)은 $100\text{ ℃}+0.225\text{ ℃}=100.255\text{ ℃}$이다.

(3) 분자량(M)$=\dfrac{1000\times w\times K_f}{\Delta T_f\times W}=\dfrac{1000\times 9\times 1.86}{0.93\times 100}=180$

4 (1) 비휘발성, 비전해질 용질이 녹아 있는 묽은 용액의 어는점 내림(ΔT_f)은 몰랄 내림 상수(K_f)와 몰랄 농도(m)의 곱에 비례한다. 어는점 내림이 (가)가 (나)의 2배이므로 수용액의 몰랄 농도는 (가)가 (나)의 2배이다.

(2) 몰랄 농도는 (가)가 (나)의 2배이고, 용매의 질량이 같으므로 용질 A의 분자량을 M_A라 하고 용질 B의 분자량을 M_B라고 하면, $\dfrac{6}{M_A}=2\times\dfrac{9}{M_B}$에서 $M_A : M_B=1:3$이다. 따라서 용질의 분자량은 B가 A의 3배이다.

(3) 몰랄 농도가 (가)>(나)이므로 증기 압력 내림이 (가)>(나)이다. 따라서 증기 압력은 (가)<(나)이다.

개념 확인 문제

100쪽

❶ 반투막 ❷ 삼투 현상 ❸ 삼투압 ❹ 반트호프 ❺ 몰 농도 ❻ wRT ❼ 종류 ❽ 입자 수

1 (1) × (2) × (3) ○ **2** (1) × (2) ○ (3) × **3** (1) (다)>(나)>(가) (2) (가) $30R$ (나) $60R$ (다) $90R$ **4** (1) ㄷ (2) ㄴ (3) ㄱ

1 (1) 삼투 현상에 의해 용매 분자는 반투막을 통과하여 농도가 작은 용액에서 농도가 큰 용액 쪽으로 이동한다.

(2), (3) 비휘발성, 비전해질 용질이 녹아 있는 묽은 용액의 삼투압은 용액의 몰 농도와 절대 온도에 비례한다. 따라서 같은 온도에서 0.1 M 포도당 수용액보다 몰 농도가 더 큰 0.2 M 설탕 수용액의 삼투압이 더 크다.

2 (1) 삼투압은 절대 온도에 비례하므로 (가)에서 온도를 높이면 삼투압이 더 커져 h는 증가한다.

(2) (나)에서 가한 압력은 삼투압과 같으므로 $\pi=CRT=0.5\times R\times(273+27)=150R$이다.

(3) 용질 입자인 포도당은 반투막을 통과하지 못한다.

3 (1) 용액의 농도가 클수록 깔때기관 속 수면이 더 높아진다. 따라서 수면의 높이는 (다)>(나)>(가)이다.

(2) 용액의 삼투압은 몰 농도에 비례하므로 (가)~(다)에서 삼투압은 다음과 같다.

- (가): $\pi=0.1\times R\times(273+27)=30R$
- (나): $\pi=0.2\times R\times(273+27)=60R$
- (다): $\pi=0.3\times R\times(273+27)=90R$

4 (1) 소금물에 배추를 절이면 배추 속 수분이 소금물 쪽으로 빠져 나오므로 배추가 숨이 죽는다. 이는 삼투압과 관련된 현상이다.

(2) 자동차의 냉각수에 부동액을 넣으면 냉각수의 어는점이 낮아져 겨울철에도 잘 얼지 않는다. 이는 어는점 내림과 관련된 현상이다.

(3) 소금물은 순수한 물보다 끓는점이 높아져 물보다 높은 온도에서 끓는다. 이는 끓는점 오름과 관련된 현상이다.

대표 자료 분석

101쪽

자료 ① **1** 물>A>B **2** A: a mmHg, B: b mmHg **3** B>A **4** (1) ○ (2) × (3) × (4) ○

자료 ② **1** X>Y **2** $T_3>T_4$ **3** X>Y **4** (1) × (2) ○ (3) ○

①-1 꼼꼼 문제 분석

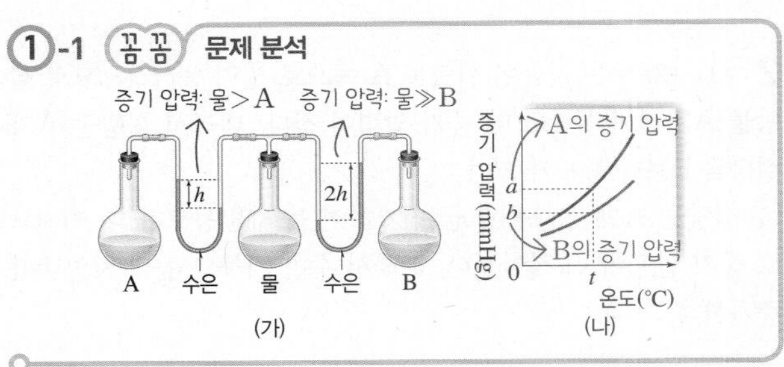

액체의 증기 압력이 클수록 수은 기둥을 더 많이 밀어낸다. 따라서 물의 증기 압력이 가장 크고, 물과 A보다 물과 B에서 수은 기둥이 설탕물 쪽으로 더 많이 밀려 올라갔으므로 A보다 B의 증기 압력이 더 작다.

다른 풀이 (가)에서 물의 증기 압력을 H mmHg라고 하면, A의 증기 압력은 (H$-h$) mmHg이고, B의 증기 압력은 (H$-2h$) mmHg이다. 따라서 물의 증기 압력이 가장 크고, A의 증기 압력은 B의 증기 압력보다 h만큼 크다.

①-2 t ℃에서 증기 압력이 A>B이므로 A의 증기 압력은 a mmHg이고, B의 증기 압력은 b mmHg이다.

①-3 기준 끓는점은 1기압일 때의 끓는점이고, 액체의 증기 압력이 클수록 끓는점이 낮다. 따라서 증기 압력이 큰 A가 B보다 기준 끓는점이 낮다.

①-4 (1) A의 증기 압력 내림은 순수한 용매인 물의 증기 압력과 A의 증기 압력의 차이인 h이다.

(2), (4) 설탕물의 농도는 B가 A보다 크므로 어는점 내림은 B가 A보다 크다. 따라서 어는점은 A가 B보다 높다.
(3) 비휘발성, 비전해질 용질이 녹아 있는 묽은 용액의 증기 압력 내림($\varDelta P$)은 용질의 몰 분율($X_{용질}$)과 용매의 증기 압력($P_{용매}$)의 곱이고, A와 B의 $\varDelta P$은 각각 h와 $2h$이다.
따라서 각 수용액에서 설탕의 몰 분율 $X_{용질}=\dfrac{\varDelta P}{P_{용매}}$이므로

$\dfrac{\text{A에서 설탕의 몰 분율}}{\text{B에서 설탕의 몰 분율}}=\dfrac{\dfrac{h}{P_{용매}}}{\dfrac{2h}{P_{용매}}}=\dfrac{1}{2}$이다.

②-1 꼼꼼 문제 분석

A의 질량(g)	용매와 용액의 끓는점(K)	
	(가)	(나)
	용매 X 100 g	용매 Y 100 g
0	T_1	
a	T_2	T_2
$2a$	T_3	T_4

Y의 기준 끓는점을 T_Y라고 하면, 기준 끓는점은 $T_Y>T_1$이다.

A의 질량에 따른 용액 (가)와 (나)의 끓는점을 그래프로 나타내면 다음과 같다.

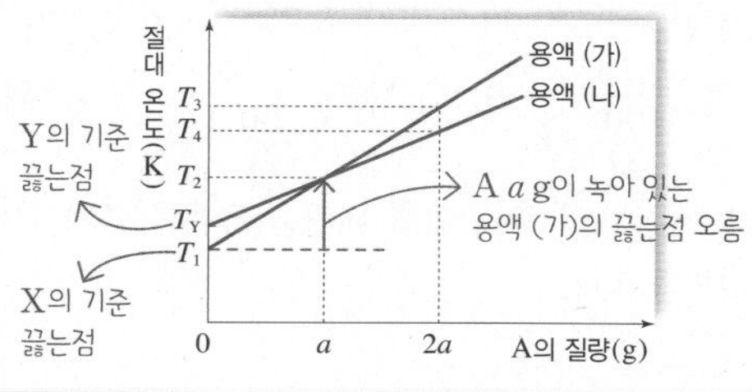

기준 끓는점은 Y가 X보다 높으므로 T_1에서 증기 압력은 X가 Y보다 크다. T_1은 X의 기준 끓는점이므로 T_1에서 X의 증기 압력은 1기압이고, Y는 아직 끓기 전이므로 Y의 증기 압력은 1기압보다 작다.

②-2 기준 끓는점은 Y가 X보다 높은데, X와 Y 100 g에 A를 각각 a g만큼 녹였을 때 용액의 끓는점이 T_2로 같으므로 끓는점 오름은 X가 Y보다 크다. 따라서 A를 똑같이 $2a$ g씩 녹여도 끓는점은 용액 (가)가 (나)보다 높으므로 $T_3>T_4$이다.

②-3 용액의 끓는점 오름은 $\varDelta T_b=K_b\times m$이고, X와 Y 100 g에 A를 각각 a g만큼 녹였을 때 $\varDelta T_b$은 X가 Y보다 크므로 K_b도 X가 Y보다 크다.

②-4 (1) A를 녹이지 않았을 때 용액 (가)의 끓는점인 T_1이 X의 끓는점이고, A a g이 녹아 있는 용액 (가)의 끓는점이 T_2이므로 A a g이 녹아 있는 용액의 끓는점 오름은 (T_2-T_1)이다.
(2) X의 K_b가 Y의 K_b보다 크므로 같은 질량의 A를 녹였을 때 끓는점 오름은 용액 (가)가 용액 (나)보다 항상 크다.
(3) 비휘발성, 비전해질 용질이 녹아 있는 묽은 용액의 끓는점 오름은 용액의 몰랄 농도에 비례한다. 따라서 A a g이 녹아 있는 용액 (가)의 끓는점 오름인 (T_2-T_1)은 A a g이 녹아 있는 용액 (가)에 A a g을 추가로 녹였을 때의 끓는점 오름인 (T_3-T_2)와 같다.

내신 만점 문제

102쪽~105쪽

1 ㄷ 2 ③ 3 ② 4 ① 5 ② 6 ㄷ 7 ⑤ 8 ④
9 ② 10 해설 참조 11 ④ 12 ④ 13 ③ 14 ①
15 ④ 16 ②

01 ㄷ. 외부 압력이 1기압이므로 요소 수용액의 기준 끓는점은 수용액의 증기 압력이 1기압일 때의 온도인 t °C이다.
바로알기 ㄱ. $\varDelta P=P°_{용매}\times X_{용질}=1.0\times X_{용질}=0.1$이므로 $X_{용질}=0.1$이고, 물 16.2 g은 0.9몰이므로 요소 x g은 0.1몰이다. 요소의 분자량이 60이므로 요소 0.1몰의 질량은 0.1 mol×60 g/mol=6 g이다.
ㄴ. $X_{용질}$은 0.1이므로 $X_{용매}=1-X_{용질}=0.9$이다.

02 용액의 농도가 작을수록 용매의 증발이 잘 일어난다. 증발량은 A가 B보다 많고, 밀폐 용기가 수증기로 포화되어 있어서 응축량은 A와 B에서 같으므로 A의 양은 점점 감소하고, B의 양은 점점 증가하다가 시간이 지나면 A와 B의 양이 모두 일정해진다. 따라서 A는 처음에 알짜 증발량이 0보다 크지만 점점 작아져 0이 되고, B는 처음에 알짜 증발량이 0보다 작지만 점점 커져 0이 된다.

03 ㄴ. (가)는 1 M 포도당 수용액이고 밀도는 1 g/mL이므로 용액의 부피가 1 L이면 용액의 질량은 1000 g이고, 포도당의 질량은 180 g이다. 따라서 몰랄 농도는 $\dfrac{1\text{ mol}}{0.82\text{ kg}}$로 1 m보다 크다.
수용액의 몰랄 농도는 (가)가 (나)보다 크므로 수용액의 증기 압력은 (가)가 (나)보다 작다. 증기 압력이 작을수록 끓는점이 높으므로 수용액의 기준 끓는점은 (가)가 (나)보다 높다.
바로알기 ㄱ. 기준 끓는점에서 증기 압력은 외부 압력인 1기압과 같으므로 (가)와 (나)의 증기 압력은 같다.
ㄷ. (가)의 몰랄 농도는 1 m보다 크다.

04 꼼꼼 문제 분석

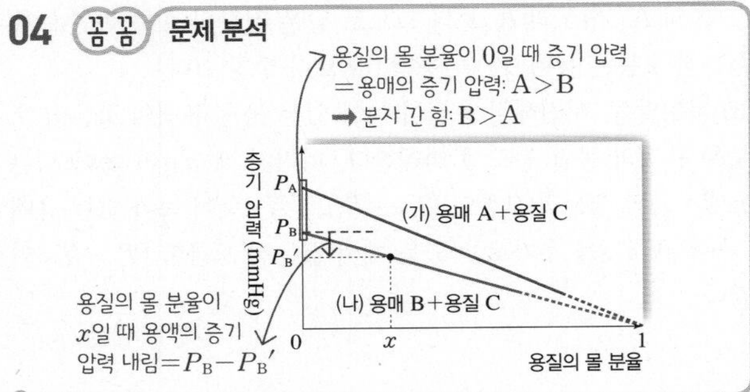

ㄴ. 용질의 몰 분율이 0일 때의 증기 압력은 용매의 증기 압력과 같다. 용매 B의 증기 압력은 P_B이고, 용질의 몰 분율이 x일 때 용액 (나)의 증기 압력은 P_B'이므로 증기 압력 내림은 P_B-P_B'이다.

바로알기 ㄱ. 용매의 증기 압력은 A가 B보다 크고, 이때 분자 간 힘이 클수록 증기 압력이 작으므로 분자 간 힘은 B가 A보다 크다.

ㄷ. 용질의 몰 분율이 x일 때 용액의 증기 압력은 (가)가 (나)보다 크므로 기준 끓는점은 (나)가 (가)보다 높다.

05

ㄴ. 포도당 수용액의 증기 압력은 $P_{용액}=P°_{용매}\times X_{용매}=150\text{ mmHg}\times\dfrac{9.9}{9.9+0.1}=148.5\text{ mmHg}$이고, 요소 수용액의 증기 압력은 $P_{용액}=P°_{용매}\times X_{용매}=150\text{ mmHg}\times\dfrac{9.8}{9.8+0.2}=147\text{ mmHg}$이므로 수은 기둥의 높이 차($h$)는 두 수용액의 증기 압력 차와 같다. 따라서 h는 1.5 mm이다.

바로알기 ㄱ. 포도당 수용액이 요소 수용액보다 증기 압력이 크므로 (가)는 포도당 수용액이고, (나)는 요소 수용액이다.

ㄷ. 수용액에서 용질의 양(mol)은 요소가 포도당의 2배이지만, 요소 수용액에서 물의 양(mol)이 더 작으므로 몰랄 농도는 요소 수용액이 포도당 수용액의 2배보다 크다. 따라서 끓는점 오름도 요소 수용액이 포도당 수용액의 2배보다 크다.

06

ㄷ. X 수용액의 끓는점 오름(ΔT_b)은 (T_1-100)이고, 몰랄 농도(m)는 $\dfrac{\frac{10}{M_X}}{0.1}=\dfrac{100}{M_X}$이므로 물의 몰랄 오름 상수($K_b$)는 $\dfrac{\Delta T_b}{m}=\dfrac{(T_1-100)M_X}{100}$이다. Y 수용액의 끓는점 오름($\Delta T_b$)은 (T_2-100)이고, 몰랄 농도(m)는 $\dfrac{\frac{10}{M_Y}}{0.1}=\dfrac{100}{M_Y}$이므로 $(T_2-100)=\dfrac{(T_1-100)M_X}{100}\times\dfrac{100}{M_Y}$이다.

따라서 $M_Y=M_X\times\dfrac{(T_1-100)}{(T_2-100)}$이다.

바로알기 ㄱ. 용액의 끓는점 오름은 Y 수용액이 X 수용액보다 크다. 따라서 용액 속에 녹아 있는 용질의 양(mol)은 Y가 X보다 크다.

ㄴ. t_2일 때 X 수용액은 끓고 있고, Y 수용액은 끓기 시작하므로 두 용액의 증기 압력은 대기압과 같다.

07

ㄱ. 용매의 끓는점은 용액의 끓는점에서 끓는점 오름을 뺀 값이므로 용매 A의 끓는점은 76.75 °C(=79.28 °C−2.53 °C)이고, 용매 B의 끓는점은 80.09 °C(=82.62 °C−2.53 °C)이다. 따라서 50 °C에서 증기 압력은 끓는점이 낮은 A가 끓는점이 높은 B보다 크다.

ㄴ. 용질 C의 분자량을 M_c라고 하면 몰랄 농도는 (가)가 $\dfrac{\frac{w}{M_C}}{0.1}=\dfrac{10w}{M_C}$이고, (나)가 $\dfrac{\frac{w}{M_C}}{0.05}=\dfrac{20w}{M_C}$이다. (가)와 (나)의 끓는점 오름은 같고, 몰랄 농도는 (나)가 (가)의 2배이므로 몰랄 오름 상수(K_b)는 A가 B의 2배이다.

ㄷ. 용액의 증기 압력 내림은 용매의 증기 압력과 용질의 몰 분율을 곱한 값이다. 용질 C의 양(mol)을 n_C라고 하면 용질의 몰 분율은 (가)가 $\dfrac{n_C}{\frac{100}{2M}+n_C}$이고, (나)가 $\dfrac{n_C}{\frac{50}{M}+n_C}$로 (가)와 (나)가 같다. 따라서 용액의 증기 압력 내림은 용매의 증기 압력이 큰 (가)가 (나)보다 크다.

08 꼼꼼 문제 분석

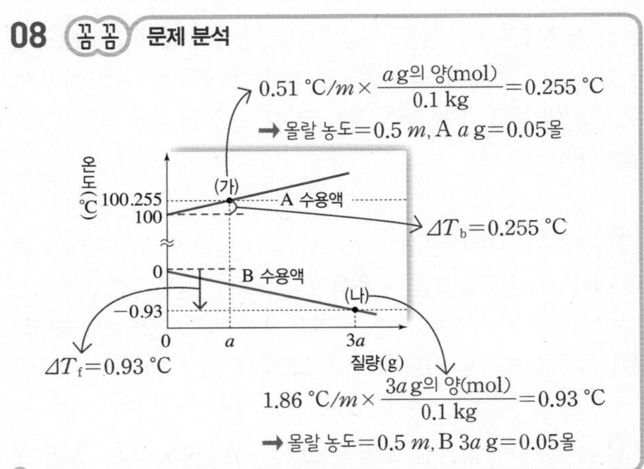

ㄴ. (나)에서 B 수용액의 어는점이 −0.93 °C이므로 어는점 내림은 0.93 °C이다. $1.86\ °C/m\times\dfrac{3a\text{ g의 양(mol)}}{0.1\text{ kg}}=0.93\ °C$이므로 B 수용액의 몰랄 농도는 0.5 m이고, B 3a g은 0.05몰이다. 따라서 (나)의 끓는점 오름은 0.51 °C/m×0.5 m=0.255 °C이므로 끓는점은 100.255 °C이다.

ㄷ. (가)에서 A 수용액의 끓는점이 100.255 °C이므로 끓는점 오름은 0.255 °C이다. $0.51\ ℃/m \times \dfrac{a\,g의\ 양(mol)}{0.1\ kg} = 0.255\ ℃$이므로 A 수용액의 몰랄 농도는 0.5 m이다. (나)에서 B 수용액의 몰랄 농도도 0.5 m이므로 (가)와 (나)를 혼합한 수용액의 몰랄 농도는 0.5 m이다. 따라서 어는점 내림은 1.86 °C/m× 0.5 m=0.93 °C이므로 어는점은 −0.93 °C이다.

바로알기 ㄱ. (가)에서 A 수용액의 몰랄 농도는 0.5 m이므로 A a g은 0.05몰이고 A의 몰 질량은 20a g이다. 따라서 A의 분자량은 20a이다.

09 ㄷ. (다)에서 수용액이 어는 동안 용액의 농도가 점점 커지므로 어는점 내림이 계속 증가하여 온도가 점점 낮아진다.

바로알기 ㄱ. 비휘발성, 비전해질 용질이 녹아 있는 묽은 용액의 어는점 내림은 몰랄 농도에 비례한다. 분자량은 포도당이 설탕보다 작으므로 용질과 용매의 질량이 같은 두 수용액의 몰랄 농도는 포도당 수용액이 설탕 수용액보다 크다. 따라서 어는점 내림은 포도당 수용액이 설탕 수용액보다 크므로 포도당 수용액의 어는점(t_1)이 설탕 수용액의 어는점(t_2)보다 낮다.

ㄴ. (나)에서 포도당 수용액 30 mL를 사용하여도 몰랄 농도가 변하지 않으므로 어는점(t_1)이 변하지 않는다.

10 모범답안 1.9, 용액의 어는점 내림은 몰랄 농도에 비례하는데, A와 B의 몰랄 농도비는 0.31 : 0.62=1 : 2이다.

따라서 $\dfrac{\frac{57}{A의\ 분자량}}{1} : \dfrac{\frac{15}{B의\ 분자량}}{0.25} = 1 : 2$이므로 $\dfrac{57\times2}{A의\ 분자량} = \dfrac{60}{B의\ 분자량}$에서 $\dfrac{A의\ 분자량}{B의\ 분자량} = \dfrac{114}{60} = 1.9$이다.

채점 기준	배점
$\dfrac{A의\ 분자량}{B의\ 분자량}$을 옳게 구하고, 풀이 과정을 옳게 서술한 경우	100 %
$\dfrac{A의\ 분자량}{B의\ 분자량}$만 옳게 구한 경우	40 %

11 ㄴ. 용액 Ⅰ과 Ⅲ은 용질의 종류와 질량이 같고 용매의 질량은 용액 Ⅰ이 Ⅲ의 $\frac{1}{2}$배이므로 몰랄 농도는 용액 Ⅰ이 Ⅲ의 2배이다.

ㄷ. 용액의 어는점 내림은 몰랄 농도와 용매의 몰랄 내림 상수의 곱이고 몰랄 농도는 용액 Ⅰ이 Ⅲ의 2배이므로 용매 A와 B의 몰랄 내림 상수를 각각 K_A, K_B라고 하면 $t_1 : t_2 = 2\times K_A : 1\times K_B$이다. 따라서 $K_A : K_B = t_1 : 2t_2$이다.

바로알기 ㄱ. 용액 Ⅰ과 Ⅱ에서 용매의 질량은 용액 Ⅰ이 Ⅱ의 2배이고 어는점 내림은 용액 Ⅱ가 Ⅰ의 2배이므로 용액 Ⅰ과 Ⅱ는 용매의 종류가 같다.

12 꼼꼼 문제 분석

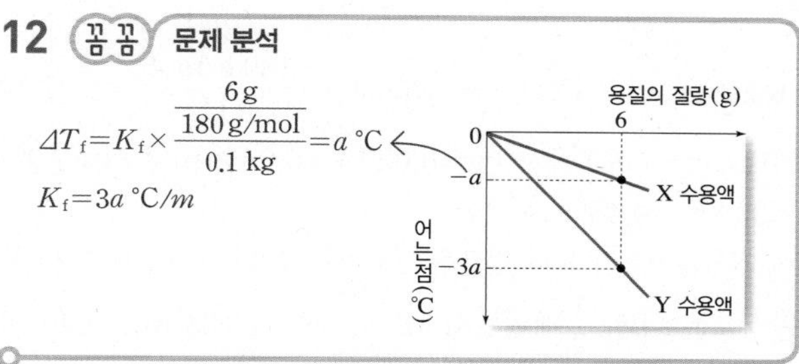

ㄴ. 용액의 어는점 내림은 몰랄 농도에 비례한다. Y 수용액의 어는점 내림이 X 수용액의 3배이므로 몰랄 농도도 3배이다.

ㄷ. 몰랄 내림 상수 $K_f = 3a$ °C/m이고, 용질의 질량이 6 g일 때 어는점 내림이 $3a$ °C이므로 Y의 분자량은 다음과 같다.

$$M = \frac{1000\times w\times K_f}{\Delta T_f \times W} = \frac{1000\times6\times3a}{3a\times100} = 60$$

다른 풀이 같은 질량의 용질을 녹인 수용액의 어는점 내림이 Y 수용액이 X 수용액의 3배이므로 같은 질량의 양(mol)은 Y가 X의 3배이다. 즉, 분자량은 X가 Y의 3배이고 X의 분자량은 180이므로 Y의 분자량은 60이다.

바로알기 ㄱ. 용액의 어는점 내림은 몰랄 농도와 용매의 몰랄 내림 상수의 곱이다. 따라서 X 수용액의 어는점 내림으로 물의 몰랄 내림 상수 K_f를 구하면 다음과 같다.

$$\Delta T_f = K_f \times \frac{\frac{6\,g}{180\,g/mol}}{0.1\,kg} = a\ ℃,\ K_f = 3a\ ℃/m$$

13 ㄱ. 두 수용액의 삼투압 차만큼 높이 차가 나타나는데, 높이 차를 없애기 위해 가해 주어야 하는 압력이 P기압이므로 B 수용액과 A 수용액의 삼투압 차는 P기압이다.

ㄴ. 삼투 현상은 반투막을 사이에 두고 농도가 작은 용액 쪽에서 농도가 큰 용액 쪽으로 용매 입자가 이동하는 현상이다. (가)에서 (나)로 될 때 A 수용액의 수면이 낮아지고, B 수용액의 수면이 높아졌으므로, A 수용액의 용매가 B 수용액 쪽으로 이동한 것이다. 따라서 (가)에서 수용액의 농도는 A 수용액이 B 수용액보다 작다.

바로알기 ㄷ. 반투막은 물과 같이 크기가 작은 용매 입자는 통과하지만, 크기가 큰 용질 입자는 통과하지 못한다. 따라서 (나)에서 A 수용액의 용질은 B 수용액 쪽으로 이동하지 못하고, 용매만 이동한다.

14 $\pi = CRT$에 수용액 (가)의 값을 대입하면 몰 농도 C는 다음과 같다.

0.24 atm=C×0.08 atm·L/(mol·K)×300 K, C=0.01 M

ㄱ. X의 분자량을 M_X라고 하면 $0.01\ M = \dfrac{\frac{0.18\,g}{M_X}}{0.1\,L}$, M_X=180이다.

바로알기 ㄴ. (나)에서 몰 농도(C)는 $\dfrac{\frac{0.36\text{ g}}{180\text{ g/mol}}}{0.1\text{ L}}=0.02\text{ M}$이므로 $\pi=CRT$에서 ㉠$=0.02\text{ M}\times0.08\text{ atm}\cdot\text{L/(mol}\cdot\text{K)}\times300\text{ K}=0.48\text{ atm}$이다.

ㄷ. (다)는 (나)와 X의 질량은 같고, 수용액의 부피만 2배이므로 몰 농도는 (나)의 $\frac{1}{2}$배인 0.01 M이다. 따라서 $0.28\text{ atm}=0.01\text{ M}\times0.08\text{ atm}\cdot\text{L/(mol}\cdot\text{K)}\times$㉡, ㉡$=350\text{ K}$이다.

15 ㄱ. 삼투압은 용액의 몰 농도에 비례하므로 몰 농도는 B 수용액이 A 수용액의 2배이다. 두 수용액의 부피가 같으므로 용질의 양(mol)은 B가 A의 2배이다. 따라서 각 물질의 분자량을 M_A, M_B라고 하면 $1:2=\dfrac{0.01}{M_A}:\dfrac{0.04}{M_B}$, $M_B=2M_A$이므로 분자량은 B가 A의 2배이다.

ㄷ. 물이 반투막을 통과하여 깔때기관 안으로 들어가므로 A 수용액과 B 수용액의 몰 농도는 모두 처음보다 감소한다.

바로알기 ㄴ. 삼투압은 용액의 몰 농도에 비례하므로 초기 몰 농도는 B 수용액이 A 수용액의 2배이다.

16 ① 용액의 농도가 클수록 증기 압력 내림이 커지므로 증기 압력은 더 작다.

④ 끓는점 오름은 용액의 몰랄 농도에 비례한다. 따라서 용액의 몰랄 농도가 2배가 되면 끓는점 오름도 2배가 된다.

바로알기 ② 순수한 용매에 용질을 녹이면 어는점 내림 현상이 나타나므로 순수한 용매에 비해 용액의 어는점은 낮다.

중단원 핵심 정리

106쪽

❶ 극성 ❷ 무극성 ❸ 용매 ❹ 용액 ❺ $\dfrac{10ad}{M_w}$
❻ $\dfrac{1000a}{(100-a)M_w}$ ❼ $\dfrac{1000a}{1000d-aM_w}$ ❽ 비례 ❾ 몰 분율
❿ 몰랄 농도 ⓫ 몰랄 농도 ⓬ 용매 ⓭ 삼투압(π)
⓮ 몰 농도 ⓯ 입자 수

중단원 마무리 문제

107쪽~110쪽

01 ①	02 ④	03 ⑤	04 ③	05 ⑤	06 ②
07 ③	08 ②	09 ⑤	10 ①	11 ⑤	12 ㄱ, ㄴ, ㄷ
13 ③	14 ①	15 해설 참조	16 해설 참조		

01 ㄱ. 혈액 속 혈색소는 160 g/L이므로 혈액 1000 g에 혈색소 160 g이 포함되어 있다. 따라서 퍼센트 농도는 $\dfrac{160\text{ g}}{1000\text{ g}}\times100=16\text{ \%}$이다.

바로알기 ㄴ. 혈액의 부피를 1 L로 하면 혈액 속 혈당의 ppm 농도는 $\dfrac{1.53\text{ g}}{10^3\text{ g}}\times10^6=1530\text{ ppm}$이다.

ㄷ. 혈액 속 혈당 수치는 1530으로 정상보다 높으므로 정상이 아니다.

02 ㄴ. (가) 100 mL 속에 녹아 있는 용질의 양(mol)은 $\dfrac{0.04\text{ g}}{40\text{ g/mol}}=0.001\text{ mol}$이므로 (가) 1 mL에 포함된 용질의 양(mol)은 1×10^{-5} mol이다. 즉, (나)에서 용질의 양(mol)은 1×10^{-5} mol이고, 용액의 부피는 100 mL이므로 몰 농도는 $1\times10^{-4}\text{ M}(=0.0001\text{ M})$이다.

ㄷ. 용액의 질량은 같고, 용질의 질량이 (가)가 (나)의 100배이므로 ppm 농도는 (가)가 (나)의 100배이다.

바로알기 ㄱ. (가) 속에 녹아 있는 용질의 양(mol)은 $\dfrac{0.04\text{ g}}{40\text{ g/mol}}=0.001\text{ mol}$이고, 용액의 질량은 $100\text{ mL}\times1\text{ g/mL}=100\text{ g}$이며 용매의 질량은 $100\text{ g}-0.04\text{ g}=99.96\text{ g}$이므로 (가)의 몰랄 농도는 $\dfrac{0.001\text{ mol}}{0.09996\text{ kg}}\fallingdotseq0.01\ m$이다.

03 꼼꼼 문제 분석

- (가)$=12$ M 염산의 밀도(g/mL)$\times1000$ mL$=12$ M 염산의 질량(g)
- (나)$=12\text{ M}\times1\text{ L}\times$ 염화 수소의 몰 질량(g/mol)
  $=12\text{ mol}\times$ 염화 수소의 몰 질량(g/mol)$=$ 염화 수소 12 mol의 질량(g)
- 몰랄 농도$=\dfrac{12\text{ mol}}{(\text{다})}\times\dfrac{1000\text{ g}}{1\text{ kg}}$
  → 용매의 질량(g)$=$(가)$-$(나)

ㄱ. 12 M 염산의 밀도(g/mL)에 1 L(=1000 mL)를 곱한 값인 (가)는 12 M 염산의 질량(g)이다.

ㄴ. $12\text{ M}\times1\text{ L}$는 염화 수소의 양(mol)인 12몰이고, 여기에 염화 수소의 몰 질량을 곱한 값인 (나)는 염화 수소 12몰의 질량(g)이다.

ㄷ. 용액의 몰랄 농도는 $\dfrac{\text{용질의 양(mol)}}{\text{용매의 질량(kg)}}$이므로 용매의 질량(g)에 해당하는 (다)는 용액의 질량에서 용질의 질량을 뺀 '(가)$-$(나)'이다.

04 ㄱ. 0.5 M $KHCO_3$ 수용액 100 mL에 들어 있는 용질의 양(mol)은 $0.5\text{ M}\times0.1\text{ L}=0.05\text{ mol}$이므로 용질의 질량($x$)은 $0.05\text{ mol}\times100\text{ g/mol}=5\text{ g}$이다.

ㄷ. (다)에서 만든 수용액의 질량은 100 mL × d g/mL = 100d g이고, 용질의 질량이 5 g이므로 용매의 질량은 (100d − 5) g이다. 따라서 몰랄 농도는 다음과 같다.

$$\frac{0.05\text{ mol}}{(100d-5)\text{ g}\times\frac{1\text{ kg}}{1000\text{ g}}}=\frac{50}{100d-5}\ m$$

바로알기 ㄴ. A는 부피 플라스크이다.

05 꼼꼼 문제 분석

수용액	(가)	(나)
용질	X	Y
수용액의 양	100 g	1 L
퍼센트 농도(%)	10	㉠ 1
몰 농도(M)		0.2
밀도(g/mL)		1.0
용질의 분자량		㉡ 50

10 % 수용액이므로 녹아 있는 용질의 질량은 10 g이다.

용액의 질량은 1000 g이고, 용질의 질량은 10 g이므로 퍼센트 농도는 1 %이다.

용질 10 g의 양(mol)이 0.2몰이므로 분자량은 50이다.

ㄱ. (가)에서 퍼센트 농도가 10 %이므로 용질 X의 질량은 10 g이다. (가)와 (나)에서 용질 X와 Y의 질량이 같으므로 Y의 질량도 10 g이다. 따라서 ㉠은 $\frac{10\text{ g}}{1000\text{ mL}\times1.0\text{ g/mL}}\times100=1$ %이다.

ㄴ. (나) 수용액은 Y 10 g이 녹아 있는 0.2 M 수용액 1 L이다. 따라서 Y 10 g의 양(mol)은 0.2 M × 1 L = 0.2 mol이고 Y의 몰 질량은 $\frac{10\text{ g}}{0.2\text{ mol}}$ = 50 g/mol이므로 분자량인 ㉡은 50이다.

ㄷ. (나)에서 Y 10 g의 양(mol)은 0.2 mol이고, 수용액의 질량은 1000 L × 1 g/mL = 1000 g이므로 용매인 물의 질량은 (1000 − 10) g = 990 g = 0.990 kg이다. 따라서 (나)의 몰랄 농도는 $\frac{0.2\text{ mol}}{0.990\text{ kg}}$로 0.2 m보다 크다.

06 ㄴ. (가)에서 용액의 질량은 100 g이고, 밀도가 1 g/mL이므로 부피는 $\frac{100\text{ g}}{1\text{ g/mL}\times1000\text{ mL/L}}$ = 0.1 L이다. 용질의 양(mol)은 0.1 M × 0.1 L = 0.01 mol이므로 용질의 질량은 0.01 mol × 60 g/mol = 0.6 g이고, 용매의 질량은 100 g − 0.6 g = 99.4 g = 0.0994 kg이다. 따라서 (가)의 몰랄 농도는 $\frac{0.01\text{ mol}}{0.0994\text{ kg}}$로 (나)의 몰랄 농도인 0.1 m보다 크다.

바로알기 ㄱ. (가)의 퍼센트 농도는 $\frac{0.6\text{ g}}{100\text{ g}}$ × 100 = 0.6 %이다. (나)에서 용질의 질량을 x g이라고 하면, 몰랄 농도는 $\frac{\frac{x\text{ g}}{60\text{ g/mol}}}{(100-x)\text{ g}\times\frac{1\text{ kg}}{1000\text{ g}}}$ = 0.1 m이므로 $x=\frac{600}{1006}$ g이다. 따라서 (나)의 퍼센트 농도는 $\frac{\frac{600}{1006}\text{ g}}{100\text{ g}}$ × 100이므로 0.6 %보다 작다.

ㄷ. (나)에서 용매의 질량은 100 g보다 작은데, 증류수 50 g을 증발시키면 남아 있는 용매의 질량은 (나)의 $\frac{1}{2}$배보다 작으므로 용액의 몰랄 농도는 (나)의 2배인 0.2 m보다 크다.

07 꼼꼼 문제 분석

수용액	(가)	(나)	(다)
용질	A	B	A
부피(L)	a	$3a$	$2a$
몰 농도(M)	$2b$	$2b$	b
용질의 양(mol)	$2ab$	$6ab$	$2ab$

ㄱ. (가)와 (나)에서 용질의 양(mol)은 (가)가 (나)의 $\frac{1}{3}$배이고, 용질의 질량이 같으므로 화학식량은 A가 B의 3배이다.

ㄴ. 용액의 부피는 (가)가 (나)의 $\frac{1}{3}$배이고, 용액의 밀도가 모두 1 g/mL이므로 용액의 질량은 (가)가 (나)의 $\frac{1}{3}$배이다. 이때 용질의 질량이 같으므로 퍼센트 농도는 (가)가 (나)의 3배이다.

바로알기 ㄷ. (가)와 (다)에서 용질의 질량은 같지만, 용액의 부피가 달라 용매의 부피가 다르다. 또, 용액의 밀도가 같으므로 용매의 질량도 다르다. 따라서 몰랄 농도가 다르다.

08 꼼꼼 문제 분석

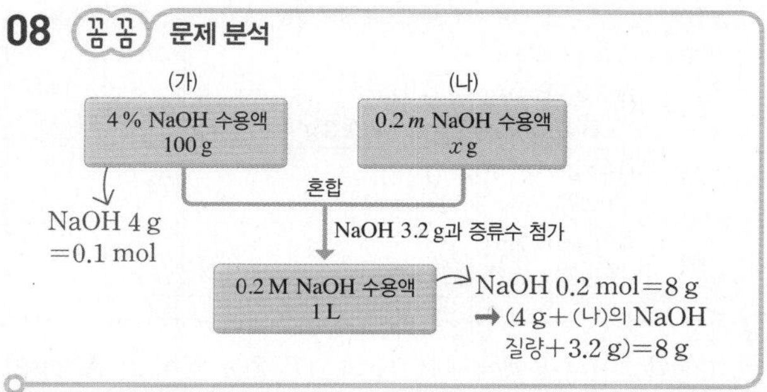

ㄴ. (가)에서 NaOH의 질량은 4 g이고, 0.2 M NaOH 수용액 1 L 속 NaOH의 양(mol)은 0.2 M × 1 L = 0.2 mol로 8 g이므로 (나)에서 NaOH의 질량은 0.8 g(= 8 g − 4 g − 3.2 g)이다. 따라서 NaOH의 질량은 (가)가 (나)의 5배이다.

바로알기 ㄱ. (가)에서 NaOH의 질량은 4 g이고, 용매인 물의 질량은 100 g − 4 g = 96 g이므로 몰랄 농도는 $\frac{0.1\text{ mol}}{0.096\text{ kg}}$로 1 m보다 크다.

ㄷ. (나)에서 0.2 m NaOH 수용액에 녹아 있는 NaOH의 질량은 0.8 g이다. 따라서 $\dfrac{\frac{0.8\text{ g}}{40\text{ g/mol}}}{\text{용매의 질량}}=0.2\ m$이므로 용매의 질량은 100 g(=0.1 kg)이고, 용액의 질량인 x는 100 g+0.8 g=100.8 g이다.

09 꼼꼼 문제 분석

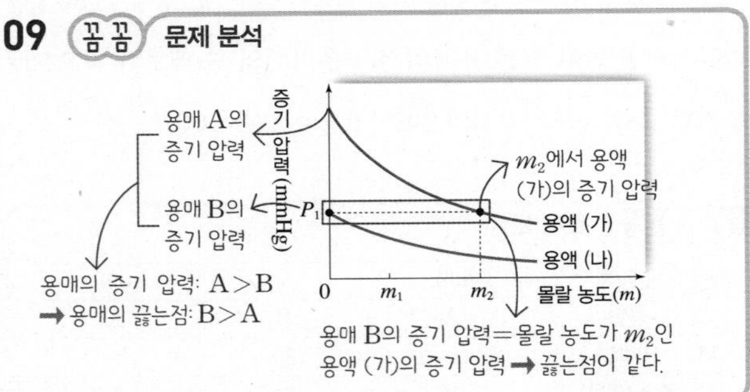

ㄱ. 용액의 몰랄 농도가 0일 때의 증기 압력이 순수한 용매 A와 B의 증기 압력에 해당한다. 이때 용매 A의 증기 압력이 용매 B보다 크므로 용매의 기준 끓는점은 A가 B보다 낮다.

ㄴ. 용액의 끓는점은 외부 압력과 용액의 증기 압력이 같을 때의 온도이므로 외부 압력이 1기압일 경우 몰랄 농도가 m_1인 두 용액 (가)와 (나)의 끓는점에서 증기 압력은 외부 압력인 1기압과 같다.

ㄷ. 외부 압력이 P_1인 경우 용매 B의 증기 압력과 몰랄 농도가 m_2인 용액 (가)의 증기 압력이 같다. 따라서 외부 압력 P_1에서 용매 B와 몰랄 농도가 m_2인 용액 (가)의 끓는점은 같다.

10 꼼꼼 문제 분석

수용액	물 100 g에 용해된 용질의 질량	ΔT_b(℃)
(가)	A 3 g+B 9 g	$2a$
(나)	A 3 g+B 18 g ← B 9 g 차이 ↳ B 18 g의 $\Delta T_b=2a$ ➡ A 3 g의 $\Delta T_b=a$	$3a$ ← a 차이
(다)	B 18 g+C 7.5 g ↳ $\Delta T_b=2a$ ↳ $\Delta T_b=5a$	$7a$
(라)	A 3 g+C 7.5 g ↳ $\Delta T_b=a$ ↳ $\Delta T_b=5a$	㉠ $6a$

ㄱ. (가)와 (나) 수용액에서 B 9 g의 ΔT_b은 a ℃이고, A 3 g의 ΔT_b도 a ℃이다. ΔT_b은 용매의 몰랄 오름 상수와 용액의 몰랄 농도의 곱에 비례하므로 물 100 g에 A 3 g이 용해된 용액과 물 100 g에 B 9 g이 용해된 용액의 몰랄 농도가 같다. 따라서 분자량은 B가 A의 3배이다.

바로알기 ㄴ. 끓는점 오름과 증기 압력 내림은 용질의 종류에 관계없이 입자 수에 비례한다. ΔT_b이 (다)>(가)이므로, 증기 압력 내림도 (다)>(가)이다. 따라서 증기 압력은 (가)가 (다)보다 크다.

ㄷ. (다)에서 물 100 g에 B 18 g이 용해된 용액에 대한 ΔT_b은 $2a$ ℃이므로 물 100 g에 C 7.5 g이 용해된 용액의 ΔT_b은 $5a$ ℃이다. 따라서 물 100 g에 A 3 g이 용해된 용액의 ΔT_b은 a ℃이고, 물 100 g에 C 7.5 g이 용해된 용액의 ΔT_b은 $5a$ ℃이므로 ㉠$=6a$이다.

11 꼼꼼 문제 분석

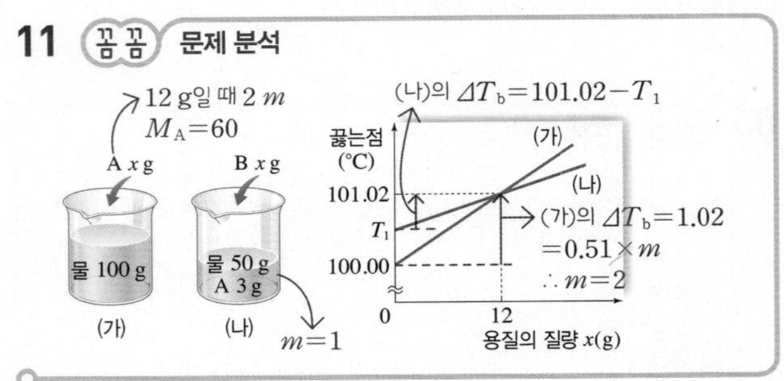

ㄱ. (가)의 $\Delta T_b=101.02$ ℃-100.00 ℃$=1.02$ ℃이므로 $\Delta T_b=K_b\times m=0.51$ ℃$/m\times$몰랄 농도(m)$=1.02$ ℃, (가)의 몰랄 농도는 2 m이다. 물에 A 3 g을 넣을 때의 $\Delta T_b=(T_1-100.00)$ ℃이고, 이 수용액에 B 12 g을 넣을 때의 $\Delta T_b=(101.02-T_1)$ ℃이므로 (나)의 $\Delta T_b=\{(T_1-100.00)+(101.02-T_1)\}$ ℃$=1.02$ ℃이다. 따라서 (나)의 몰랄 농도도 2 m이다.

ㄴ, ㄷ. $\Delta T_b=K_b\times m$이므로 A의 분자량을 M_A라고 하면, (가)에서 $\Delta T_b=1.02$ ℃$=0.51$ ℃$/m\times\dfrac{\frac{12}{M_A}}{0.1}$ m이므로 $M_A=60$이다. 따라서 (나)에서 B를 더 녹이기 전 수용액의 몰랄 농도는 $\dfrac{\frac{3\text{ g}}{60\text{ g/mol}}}{0.05\text{ kg}}=1\ m$이므로, ΔT_b은 0.51 ℃이고, T_1은 100.51 ℃이다. (나)에서 B 12 g을 더 녹였을 때의 $T_b=(101.02-100.51)$ ℃$=0.51$ ℃로, A 3 g이 녹아 있을 때와 B 12 g을 넣었을 때의 ΔT_b이 같으므로 B의 분자량은 A의 4배이다.

12 꼼꼼 문제 분석

[실험]

A의 양(mol): x M$\times$0.1 L$=0.1x$ mol

A의 질량: $0.1x$ mol$\times$200 g/mol$=20x$ g

(가) 500 mL 부피 플라스크에 x M A 수용액 100 mL를 넣은 후 표시선까지 증류수를 채웠다.

↳ • 용액의 부피: 500 mL

• 용액의 질량: 500 mL$\times$1.0 g/mL$=$500 g

(나) (가) 수용액의 어는점을 측정하였더니 -0.93 ℃였다.

↳ $\Delta T_f=0.93$ ℃

[자료]

수용액의 밀도	물의 K_f	A의 분자량
1.0 g/mL	1.86 ℃/m	200

↳ $\Delta T_f=0.93=1.86\times m$, $m=0.5$

ㄱ. 수용액에서 $\Delta T_f = K_f \times m = 1.86\ °C/m \times$ 몰랄 농도(m)$=0.93\ °C$이므로 몰랄 농도는 0.5 m이다.

ㄴ, ㄷ. (가)에서 A의 양(mol)은 $x\,M \times 0.1\,L = 0.1x\,mol$이고, A의 분자량이 200이므로 A의 질량은 $0.1x\,mol \times 200\,g/mol = 20x\,g$이다.

$\Delta T_f = K_f \times m = 1.86\ °C/m \times \dfrac{0.1x\,mol}{\dfrac{500-20x}{1000}\,kg} = 0.93\ °C$이므로 $x = \dfrac{25}{11}$이다.

A의 질량은 $20x$이므로 $\dfrac{500}{11}$ g이다.

13 꼼꼼 문제 분석

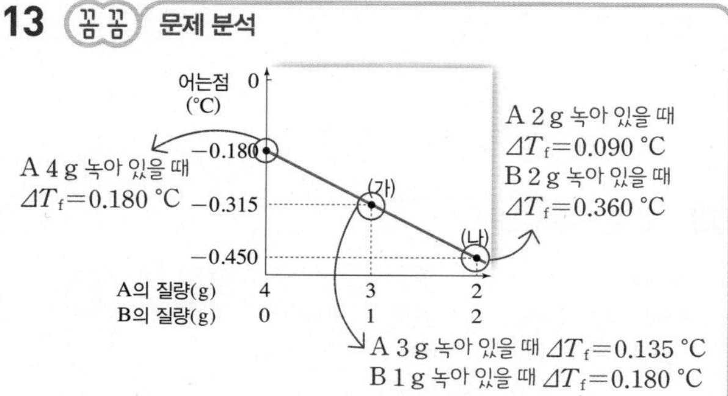

ㄱ. 물 100 g에 A 4 g이 녹아 있을 때 $\Delta T_f = 0\ °C - (-0.180\ °C) = 0.180\ °C$이므로 A 2 g이 녹아 있을 때 $\Delta T_f = \dfrac{0.180}{2}\ °C = 0.090\ °C$이다. 따라서 (나)의 B 2 g에 의한 어는점 내림은 $\Delta T_f = -0.090\ °C - (-0.450\ °C) = 0.360\ °C$이다.

$\Delta T_f = K_f \times m$에 의해 2 g의 양(mol)은 B가 A의 4배이므로 분자량은 A가 B의 4배이다.

ㄴ. (가)와 (나)에서 ΔT_f은 몰랄 농도에 비례하고, 용매의 양이 일정하므로 몰랄 농도는 용질의 양(mol)에 비례한다. 따라서 용질의 몰비는 (가) : (나)$=0.315 : 0.450 = 7 : 10$이다.

바로알기 ㄷ. 어는점 내림은 (가)가 (나)보다 작으므로, 끓는점 오름도 (가)가 (나)보다 작다. 따라서 끓는점은 (가)가 (나)보다 낮다.

14 ㄱ. 설탕물에 설탕을 추가하면 설탕물의 농도가 커지므로 삼투압이 증가하여 h가 증가한다.

바로알기 ㄴ. 삼투압은 몰 농도와 절대 온도에 비례하므로 ($\pi = CRT$) 물과 설탕물의 온도가 높아지면 삼투압이 커져 h가 증가한다.

ㄷ. 삼투 현상이 일어나는 동안에는 물이 설탕물 쪽에서 물 쪽으로 이동하는 양보다 물에서 설탕물 쪽으로 이동하는 양이 더 많으므로 설탕물의 농도가 작아진다.

15 꼼꼼 문제 분석

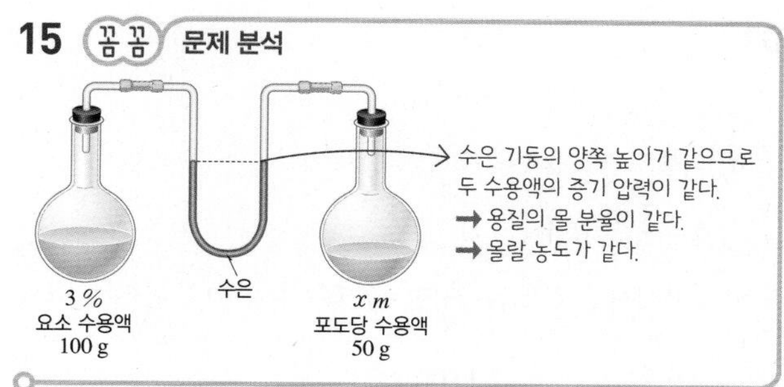

모범답안 (1) 0.52, 3 % 요소 수용액 100 g 속에 녹아 있는 요소의 질량은 3 g이고 물의 질량은 97 g이므로, 요소 수용액의 몰랄 농도는 $\dfrac{\dfrac{3\,g}{60\,g/mol}}{0.097\,kg} \fallingdotseq 0.52\ m$이다. 요소 수용액과 포도당 수용액은 몰랄 농도가 같으므로 x는 약 0.52이다.

(2) 요소 수용액보다 포도당 수용액의 전체 질량이 작으므로 두 수용액에 각각 50 g의 물을 더 넣으면 상대적으로 포도당 수용액에 들어 있는 물 분자의 몰 분율이 더 증가하여 증기 압력이 더 커진다. 따라서 요소 수용액 쪽으로 수은 기둥이 높아진다.

채점 기준		배점
(1)	x를 옳게 구하고, 풀이 과정을 옳게 서술한 경우	50 %
	x만 옳게 구한 경우	20 %
(2)	수은 기둥의 높이 변화와 그 까닭을 모두 옳게 서술한 경우	50 %
	수은 기둥의 높이 변화만 옳게 서술한 경우	20 %

16 꼼꼼 문제 분석

용액		(가)	(나)	(다)
용해된 용질의 질량(g)	A	a	a 증가 → $2a$	a 증가 → $3a$
	B	b	b	b 증가 → $2b$
용액의 어는점(°C)		t	$2k$ 감소 → $t-2k$	$t-5k$

$(2k+k)$ 감소

모범답안 $(t+3k)$ °C, (가)에 비해 (나) 용액에서 A가 a g만큼 추가되었을 때 어는점이 $2k$만큼 낮아지고, (나)에 비해 (다) 용액에서 A는 a g만큼 추가되고, B는 b g만큼 추가되었을 때 어는점이 $3k$만큼 더 낮아지므로 B b g은 어는점을 k만큼 낮춘다. (가)에서 A a g과 B b g이 용해된 용액의 어는점이 t °C이므로 순수한 용매 X의 어는점은 (가)의 어는점에 비해 $3k(=2k+k)$만큼 높으므로 $(t+3k)$ °C이다.

채점 기준	배점
용매 X의 어는점을 옳게 구하고, 풀이 과정을 옳게 서술한 경우	100 %
용매 X의 어는점만 옳게 구한 경우	40 %

수능 실전 문제

111쪽~113쪽

01 ② 02 ⑤ 03 ① 04 ③ 05 ② 06 ③
07 ② 08 ④ 09 ③ 10 ③ 11 ③ 12 ⑤

01

| 선택지 분석 |

ㄱ. ~~퍼센트 농도는 (가)가 (나)의 2배이다.~~ 2배보다 크다

ⓛ $b=\frac{1.05}{1.1}a$이다.

ㄷ. ~~(나)에서 온도가 높아지면 a와 b는 감소한다.~~ a는 일정하다

ㄴ. (나)에서 용액의 부피는 $\frac{1100}{1.05}$ mL이므로 A의 분자량을 M이라고 할 때 몰랄 농도 $a=\frac{\frac{100}{M}\text{ mol}}{1\text{ kg}}$이고, 몰 농도 $b=\frac{\frac{100}{M}\text{ mol}}{\frac{1.1}{1.05}\text{ L}}$이다. 따라서 몰랄 농도와 몰 농도의 관계식은 $b=\frac{1.05}{1.1}a$이다.

| 바로알기 | ㄱ. (가)에서 용액의 질량은 용매의 질량 400 g과 A의 질량 100 g의 합인 500 g이므로 퍼센트 농도는 $\frac{100\text{ g}}{500\text{ g}}\times 100=20$ %이다.

(나)에서 용액의 질량은 용매의 질량 1000 g과 A의 질량 100 g의 합인 1100 g이므로 (나)의 퍼센트 농도는 $\frac{100\text{ g}}{1100\text{ g}}\times 100 \fallingdotseq 9.1$ %이다.

따라서 퍼센트 농도는 (가)가 (나)의 2배보다 크다.

ㄷ. 온도가 높아지면 용액의 부피가 증가하므로 몰 농도 b는 감소하지만, 몰랄 농도 a는 온도에 관계없이 일정하다.

02 꼼꼼 문제 분석

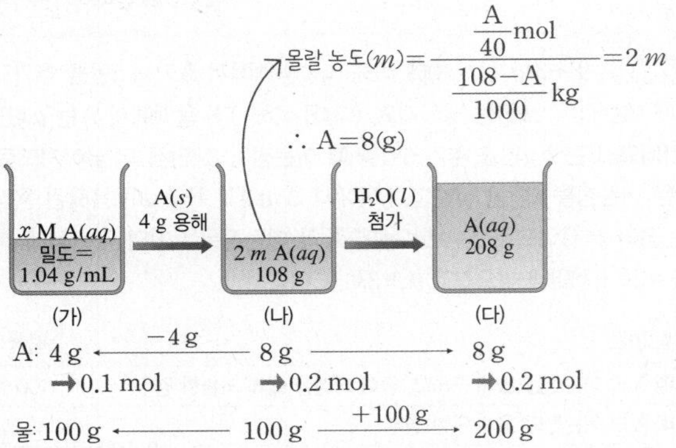

몰랄 농도(m)$=\frac{\frac{A}{40}\text{mol}}{\frac{108-A}{1000}\text{kg}}=2\ m$

$\therefore$ A=8(g)

(가) x M A(aq) 밀도=1.04 g/mL → A(s) 4 g 용해 → (나) 2 m A(aq) 108 g → $H_2O(l)$ 첨가 → (다) A(aq) 208 g

A: 4 g ← −4 g ― 8 g ―→ 8 g

→0.1 mol, →0.2 mol, →0.2 mol

물: 100 g ←― 100 g ― +100 g →200 g

| 선택지 분석 |

ⓖ $x=1$이다.

ⓛ A의 양(mol)은 (나)가 (가)의 2배이다.
└ (가) 0.1 몰 (나) 0.2 몰

ⓒ (다)의 몰랄 농도는 1 m이다.

ㄱ. (나) 수용액 속 A의 질량을 w라고 하면 (나)의 몰랄 농도는 $\frac{\frac{w}{40}\text{ mol}}{\frac{108-w}{1000}\text{ kg}}=2\ m$이므로 $w=8$(g)이다.

(가)에 A 4 g을 녹여 만든 (나)의 질량이 108 g이므로 (가)의 질량은 104 g이다.

(가)에는 A 4 g, 물 100 g이 들어 있고, (가)의 밀도는 1.04 g/mL이므로 (가)의 부피는 100 mL이다. 따라서 (가)의 몰 농도(x)는 $\frac{0.1\text{ mol}}{0.1\text{ L}}=1$ M이다.

ㄴ. A는 (가)에 4 g, 즉 0.1몰이 녹아 있고, (나)에 8 g, 즉 0.2몰이 녹아 있으므로 A의 양(mol)은 (나)가 (가)의 2배이다.

ㄷ. (다)는 물 200 g에 A 8 g이 녹아 있으므로 (다)의 몰랄 농도는 $\frac{0.2\text{ mol}}{0.2\text{ kg}}=1\ m$이다.

03 꼼꼼 문제 분석

수용액의 부피(mL)	X 질량(g)	X 화학식량	X 양(mol)	몰 농도 (M)	밀도 (g/mL)
500	15	60	0.25	a	1.01

↘ 용액 500 mL에 X 15 g이 녹아 있으므로 용액 200 mL에는 X 6 g이 녹아 있다.

↘ $\frac{0.25\text{ mol}}{0.5\text{ L}}$ =0.5 M

| 선택지 분석 |

ⓖ (가)의 a는 0.5이다.

ㄴ. ~~(나)의 b는 100이다.~~ 98

ㄷ. ~~(가)의 몰랄 농도는 0.5 m보다 작다.~~ 크다

ㄱ. (가)의 부피는 0.5 L이고, X의 양(mol)은 $\frac{15\text{ g}}{60\text{ g/mol}}=0.25$ mol이므로 $a=\frac{0.25\text{ mol}}{0.5\text{ L}}=0.5$ M이다.

| 바로알기 | ㄴ. (가)는 밀도가 1.01 g/mL이므로 (가) 200 mL의 질량은 202 g이다.

(가) 202 g에 포함된 X의 질량은 6 g이며 물 b g을 추가한 (나)의 퍼센트 농도는 2 %이므로 $\frac{6\text{ g}}{(202+b)\text{ g}}\times 100=2$ %, $b=98$이다.

ㄷ. (가) 500 mL는 505 g이고, (가) 505 g 속 X의 질량이 15 g이므로 물의 질량은 490 g이다. X의 양(mol)은 $\frac{15\text{ g}}{60\text{ g/mol}}=0.25$ mol이므로 (가) 500 mL의 몰랄 농도는 $\frac{0.25\text{ mol}}{0.49\text{ kg}}$로 0.5 m보다 크다.

04 꼼꼼 문제 분석

(가) 표와 같이 NaOH 수용액 A~C를 각각 2개씩 준비한다.

수용액	A	B	C
농도	2.5 %	2.5 m	2.5 M
질량 또는 부피	400 g	110 g	50 mL
용질의 질량	10 g	10 g	5 g

(나) 표와 같이 각각 두 수용액을 혼합한 후 증류수를 가하여 3개의 0.5 M NaOH 수용액을 만든다.

혼합한 수용액	A, B	A, C	B, C
0.5 M NaOH 수용액의 부피(mL)	V_1 = 1000 mL	V_2 = 750 mL	V_3 = 750 mL

선택지 분석

㉠ NaOH의 양(mol)은 A와 B가 같다.

㉡ V_2는 750이다.

~~ㄷ~~. V_1은 V_3의 2배이다. $\frac{4}{3}$배

ㄱ. A는 2.5 % NaOH 수용액 400 g이므로 수용액 속에 녹아 있는 NaOH의 질량을 x라고 하면 $\frac{x\text{ g}}{400\text{ g}}\times100=2.5\ \%$, $x=10$ g이다.

B는 2.5 m NaOH 수용액 110 g이므로 수용액 속에 녹아 있는 NaOH의 질량을 y라고 하면 $\frac{\frac{y}{40}\text{ mol}}{\frac{110-y}{1000}\text{ kg}}=2.5\ m$, $y=10$ g 이다. A와 B 속에 각각 녹아 있는 NaOH의 질량이 같으므로 NaOH의 양(mol)도 같다.

ㄴ. C는 2.5 M NaOH 수용액 50 mL이므로 수용액 속에 녹아 있는 NaOH의 질량을 z라고 하면 $\frac{\frac{z}{40}\text{ mol}}{0.05\text{ L}}=2.5\text{ M}$, $z=5$ g 이다. 따라서 A와 C를 혼합한 용액 속에 녹아 있는 NaOH의 양(mol)은 $\frac{(10+5)\text{ g}}{40\text{ g/mol}}=\frac{3}{8}$ mol이다.

$0.5\text{ M}\times\frac{V_2}{1000}\text{ L}=\frac{3}{8}$ mol이므로 V_2는 750 mL이다.

바로알기 ㄷ. A와 B를 혼합한 용액 속에 녹아 있는 NaOH의 양(mol)은 $\frac{(10+10)\text{ g}}{40\text{ g/mol}}=\frac{1}{2}$ mol이다.

B와 C를 혼합한 용액 속에 녹아 있는 NaOH의 양(mol)은 $\frac{(10+5)\text{ g}}{40\text{ g/mol}}=\frac{3}{8}$ mol이다.

용질의 양(mol)은 용액의 몰 농도와 부피의 곱인데, 용액의 몰 농도가 0.5 M로 같으므로 용액의 부피비는 용질의 몰비와 같다. 따라서 $V_1 : V_3=\frac{1}{2} : \frac{3}{8}=4 : 3$이므로 V_1은 V_3의 $\frac{4}{3}$배 이다.

05

선택지 분석

~~ㄱ~~. (가)에서 용질의 몰 분율은 $\frac{7}{8}$이다. $\frac{1}{8}$

㉡ $w=30$이다.

~~ㄷ~~. $x=\frac{1}{18}P$이다. $\frac{17}{18}P$

ㄴ. 용매의 분자량을 M이라고 하면 용질 X의 분자량은 $3M$이다. $\Delta P=P°_{용매}\times X_{용질}$이므로 (가)에서 $\Delta P=P-\frac{7}{8}P=\frac{1}{8}P$ $=P\times X_{용질}$이다. 따라서 $X_{용질}=\frac{1}{8}$이다.

이때 X의 양(mol)은 $\frac{w}{3M}$이고, 용매의 양(mol)은 $\frac{100-w}{M}$이므로 $X_{용질}=\frac{\frac{w}{3M}}{\frac{w}{3M}+\frac{100-w}{M}}=\frac{1}{8}$, $w=30$이다.

바로알기 ㄱ. (가)에서 $X_{용질}=\frac{1}{8}$이다.

ㄷ. (나)에서 X의 질량은 30 g, 용매의 질량은 170 g이므로 $P_{용액}=P°_{용매}\times X_{용매}$를 이용하여 x를 구하면 다음과 같다.

$$x=P_{용액}=P\times\frac{\frac{170}{M}}{\frac{30}{3M}+\frac{170}{M}}=\frac{17}{18}P$$

06 꼼꼼 문제 분석

같은 온도에서 용매의 증기 압력은 용액의 증기 압력보다 크다. → t_1: $P_1>P_2$, t_2: $P_2>P_3$

같다.

온도(°C)		t_1	t_2
증기 압력 (mmHg)	물	P_1	P_2
	$a\ m$ 포도당 수용액	P_2	P_3

P_1은 P_2보다 크고, P_2는 P_3보다 크므로 온도는 t_1이 t_2보다 높다. 따라서 이를 그래프로 나타내면 다음과 같다.

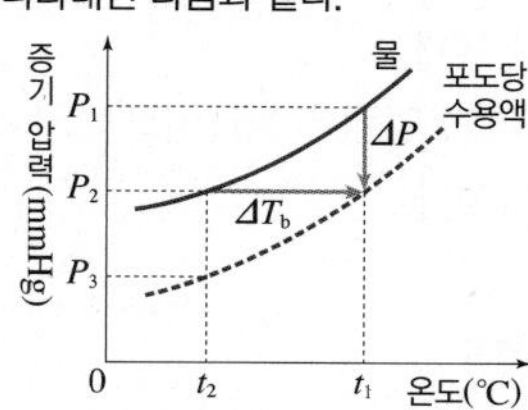

선택지 분석

㉠ t_1은 t_2보다 높다.

~~ㄴ~~. $\frac{P_2}{P_1}$는 $\frac{P_3}{P_2}$보다 크다. 같다

㉢ P_2에서 $a\ m$ 포도당 수용액의 끓는점 오름은 (t_1-t_2) 이다.

ㄱ. 같은 온도에서 용매인 물의 증기 압력은 용액의 증기 압력보다 크다. t_2에서 물의 증기 압력과 t_1에서 $a\ m$ 포도당 수용액의 증기 압력이 P_2로 같으므로 $t_1 > t_2$이다.

ㄷ. P_2일 때 용매인 물의 끓는점은 t_2이고, $a\ m$ 포도당 수용액의 끓는점은 t_1이므로 끓는점 오름은 $(t_1 - t_2)$이다.

바로알기 ㄴ. t_1에서 $P_2 = X_{용매} \times P_1$이 성립하고, t_2에서는 $P_3 = X'_{용매} \times P_2$가 성립한다. 이때 포도당 수용액의 몰랄 농도가 $a\ m$로 일정하므로 온도가 달라도 용매의 몰 분율은 같다. 따라서 $\frac{P_2}{P_1}(=X_{용매})$와 $\frac{P_3}{P_2}(=X'_{용매})$은 같다.

07 꼼꼼 문제 분석

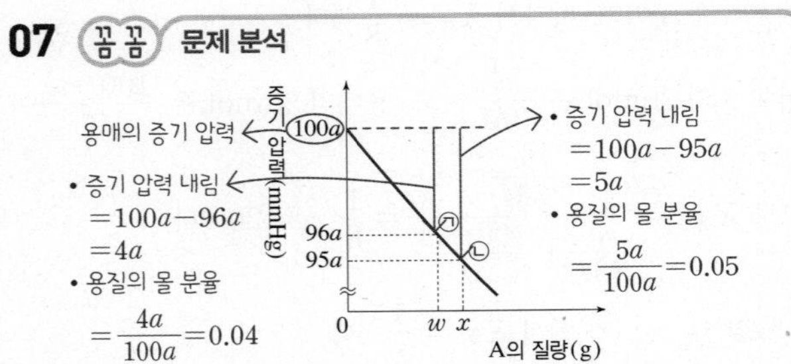

선택지 분석

~~ㄱ.~~ 용액의 기준 끓는점은 ㉠이 ㉡보다 높다. 낮다

~~ㄴ.~~ ㉠에서 증기 압력 내림(ΔP)은 $96a$이다. $4a$

ㄷ. $x = \frac{24}{19}w$이다.

ㄷ. $\Delta P = P°_{용매} \times X_{용질}$이므로 A의 분자량을 M_A라고 하면 ㉠의 $\Delta P = 100a \times \dfrac{\frac{w}{M_A}}{n_{물} + \frac{w}{M_A}} = 4a$, ㉡의 $\Delta P = 100a \times \dfrac{\frac{x}{M_A}}{n_{물} + \frac{x}{M_A}} = 5a$이다. $\frac{w}{M_A} = \frac{n_{물}}{24}$, $\frac{x}{M_A} = \frac{n_{물}}{19}$이므로 $x = \frac{24}{19}w$이다.

바로알기 ㄱ. 용액의 증기 압력은 ㉠이 ㉡보다 크므로 기준 끓는점은 ㉠이 ㉡보다 낮다.

ㄴ. ㉠에서 용액의 증기 압력은 $96a$이므로 증기 압력 내림(ΔP)은 $100a - 96a = 4a$이다.

08 꼼꼼 문제 분석

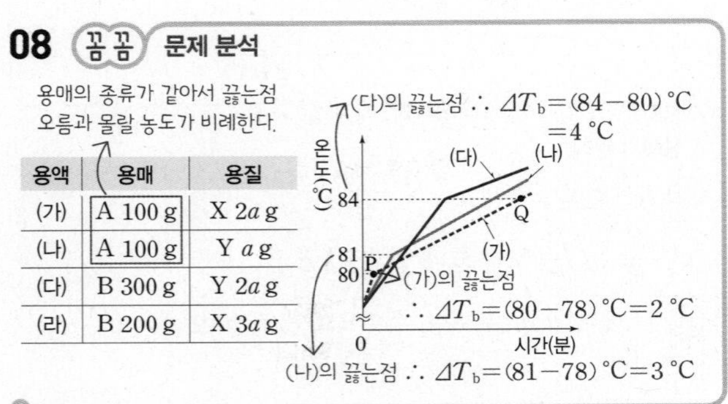

용액	용매	용질
(가)	A 100 g	X $2a$ g
(나)	A 100 g	Y a g
(다)	B 300 g	Y $2a$ g
(라)	B 200 g	X $3a$ g

선택지 분석

~~ㄱ.~~ 분자량은 Y가 X의 3배이다. $\frac{1}{3}$배

ㄴ. 몰랄 농도는 Q가 P의 3배이다.

ㄷ. (라)의 끓는점 오름(ΔT_b)은 3 °C이다.

ㄴ. (가)에서 용매인 A의 끓는점은 78 °C이므로 끓는점 오름(ΔT_b)은 P에서 80 °C−78 °C=2 °C이고, Q에서 84 °C−78 °C=6 °C이다. ΔT_b은 용액의 몰랄 농도에 비례하므로 몰랄 농도는 Q가 P의 3배이다.

ㄷ. (가)에서 ΔT_b은 2 °C이고, (나)에서 ΔT_b은 81 °C−78 °C=3 °C이다. (가)와 (나)에서 용매의 종류가 같아 ΔT_b이 용액의 몰랄 농도에 비례하므로 X와 Y의 분자량을 각각 M_X, M_Y라고 할 때 $2 : 3 = \frac{2a}{M_X} : \frac{a}{M_Y}$에서 $M_X : M_Y = 3 : 1$이다. 이때 (다)와 (라)는 용매의 종류가 같고, (다)의 ΔT_b은 84 °C− 80 °C =4 °C이므로 4 : (라)의 $\Delta T_b = \dfrac{\frac{2a}{M_Y}}{0.3} : \dfrac{\frac{3a}{M_X}}{0.2}$이고, $M_X : M_Y = 3 : 1$이므로 (라)의 ΔT_b은 3 °C이다.

바로알기 ㄱ. $M_X : M_Y = 3 : 1$이므로 분자량은 Y가 X의 $\frac{1}{3}$배이다.

09

선택지 분석

ㄱ. (가)에서 끓는점 오름은 0.63 °C이다.

ㄴ. ㉠은 6.4이다.

~~ㄷ.~~ 퍼센트 농도(%)는 (가)가 (나)의 $\frac{1}{2}$배이다. $\frac{1}{2}$배보다 크다.

ㄱ. (가)에서 $\Delta T_b = K_b \times m = 2.52\ °C/m \times \dfrac{\frac{6.4}{128}\ mol}{0.2\ kg} = 0.63\ °C$이다.

ㄴ. 용매 A의 끓는점은 (80.83−0.63) °C=80.2 °C이다. (나)에서 $\Delta T_b = K_b \times m = 2.52\ °C/m \times \dfrac{\frac{㉠}{128}\ mol}{0.1\ kg} = (81.46 - 80.2)\ °C$이다. 따라서 ㉠은 6.4이다.

바로알기 ㄷ. (가)와 (나)에서 용질의 질량은 같고 용매 A의 질량이 (가)가 (나)의 2배이므로 용액의 질량은 (가)가 (나)의 2배보다 작다. 따라서 퍼센트 농도는 (가)가 (나)의 $\frac{1}{2}$배보다 크다.

다른 풀이 (가)에서 용질의 질량은 6.4 g이고, 용액의 질량은 206.4 g이므로 퍼센트 농도는 $\frac{6.4\ g}{206.4\ g} \times 100 ≒ 3.1\ \%$이다.

(나)에서 용질의 질량은 6.4 g이고, 용액의 질량은 106.4 g이므로 퍼센트 농도는 $\frac{6.4\text{ g}}{106.4\text{ g}} \times 100 ≒ 6.0$ %이다.

10 꼼꼼 문제 분석

용질의 종류	A			B		
용질의 분자량	60			$x=180$		
용질의 질량(g)	3	6	9	9	18	27
용질의 양(mol)	$\frac{3}{60}$	$\frac{6}{60}$	$\frac{9}{60}$	$\frac{9}{x}$	$\frac{18}{x}$	$\frac{27}{x}$
수용액의 어는점(°C)	$-t$	$-2t$	$-3t$	$-t$	$-2t$	$-3t$

선택지 분석

ㄱ. x는 180이다.

ㄴ. 물의 몰랄 내림 상수는 $20t$이다.

ㄷ. A 3 g과 B 9 g이 포함된 두 수용액을 혼합한 수용액의 어는점은 $-2t$이다. $-t$

ㄱ. A 3 g과 B 9 g이 녹아 있는 두 수용액의 어는점이 같으므로 몰랄 농도가 같다. 따라서 $\frac{3}{60}=\frac{9}{x}$, $x=180$이다.

ㄴ. 어는점 내림은 용액의 몰랄 농도에 비례한다. A 3 g이 녹아 있는 용액의 어는점이 $-t$이므로 $t=K_f \times \frac{3}{60}$이다. 따라서 물의 몰랄 내림 상수 $K_f=20t$이다.

바로알기 ㄷ. A 3 g과 B 9 g이 포함된 두 수용액은 몰랄 농도가 같으므로 두 수용액을 혼합하여도 몰랄 농도가 변하지 않는다. 따라서 혼합 용액의 어는점은 혼합 전 두 수용액의 어는점과 같은 $-t$이다.

11 꼼꼼 문제 분석

용질 X, Y의 화학식량을 각각 M_X, M_Y라고 할 때 용질의 양(mol)은 다음과 같다.

용액		(가)	(나)	(다)
용질의 질량(g)	X	9	5	3
	Y	1	5	7
용질의 양(mol)	X	$\frac{9}{M_X}$	$\frac{5}{M_X}$	$\frac{3}{M_X}$
	Y	$\frac{1}{M_Y}$	$\frac{5}{M_Y}$	$\frac{7}{M_Y}$
	X+Y	$\frac{9}{M_X}+\frac{1}{M_Y}$	$\frac{5}{M_X}+\frac{5}{M_Y}$	$\frac{3}{M_X}+\frac{7}{M_Y}$
ΔT_f(°C)		a	$x=\frac{5}{3}a$	$2a$

선택지 분석

ㄱ. 화학식량은 X가 Y의 3배이다.

ㄴ. 용매 A의 몰 분율은 (가)가 (다)보다 작다. 크다

ㄷ. x는 $\frac{5}{3}a$이다.

ㄱ. 용질 X, Y의 화학식량을 각각 M_X, M_Y라고 할 때 (가)와 (다)에서 ΔT_f은 1 : 2이고, 용매의 종류가 같을 때 ΔT_f은 몰랄 농도에 비례하므로 $\left(\frac{9}{M_X}+\frac{1}{M_Y}\right):\left(\frac{3}{M_X}+\frac{7}{M_Y}\right)=1:2$이다. 따라서 $M_X : M_Y=3:1$이므로 화학식량은 X가 Y의 3배이다.

ㄷ. (가)와 (나)에서 $\left(\frac{9}{3M_Y}+\frac{1}{M_Y}\right):\left(\frac{5}{3M_Y}+\frac{5}{M_Y}\right)=\frac{12}{3M_Y}:\frac{20}{3M_Y}=a:x$이다. 따라서 $x=\frac{5}{3}a$이다.

바로알기 ㄴ. A의 몰 분율은 $\frac{n_A}{n_A+n_{용질}}$인데, (가)와 (다)에서 용질의 몰비는 $\left(\frac{9}{3M_Y}+\frac{1}{M_Y}\right):\left(\frac{3}{3M_Y}+\frac{7}{M_Y}\right)=\frac{12}{3M_Y}:\frac{24}{3M_Y}=1:2$이다.
용질의 양(mol)은 (다)가 (가)보다 크므로 A의 몰 분율은 (가)가 (다)보다 크다.

12 꼼꼼 문제 분석

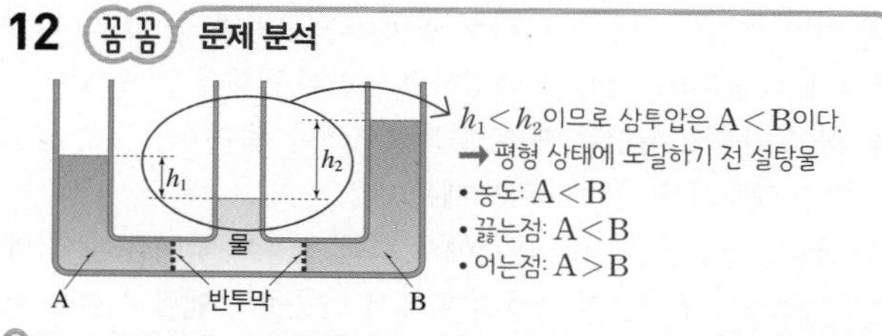

선택지 분석

ㄱ. 설탕물을 용기에 넣은 초기 상태일 때 설탕물의 어는점은 A가 B보다 높다.

ㄴ. h_1과 h_2가 각각 0이 되기 위해 가해 주어야 하는 압력은 B가 A보다 크다.

ㄷ. 온도를 10 °C로 낮추면 물과 A의 수면의 높이 차는 h_1보다 작아진다.

ㄱ. $h_1 < h_2$이므로 초기 상태일 때 설탕물의 농도는 B가 A보다 크다. 따라서 1기압에서 어는점은 A가 B보다 높다.

ㄴ. h_1과 h_2가 각각 0이 되기 위해 가해 주어야 하는 압력은 삼투압과 같으므로 B가 A보다 크다.

ㄷ. 온도를 10 °C로 낮추면 삼투압의 크기가 감소하므로 물과 A의 수면 높이 차는 h_1보다 작아진다.

Ⅱ. 반응엔탈피와 화학 평형

1 반응엔탈피

01 반응엔탈피

개념 확인 문제 121쪽

❶ 반응열 ❷ 엔탈피(H) ❸ 생성물 ❹ 반응물 ❺ 방출 ❻ < ❼ < ❽ 흡수 ❾ > ❿ > ⓫ 열화학 반응식 ⓬ 상태

1 (1) ○ (2) × (3) × (4) × (5) ○ **2** ㄱ, ㄷ **3** ㄱ, ㄴ, ㄷ **4** (1) × (2) ○ (3) ×
5 $C(s, \text{흑연}) + O_2(g) \longrightarrow CO_2(g)$, $\Delta H = -393.5$ kJ

1 (1) 반응물과 생성물이 가진 에너지가 다르므로 화학 반응이 일어날 때 항상 열이 출입한다.
(2) 흡열 반응이 일어나면 열을 흡수하므로 주위의 온도가 낮아진다.
(3) 어떤 물질이 가진 엔탈피의 절댓값은 알아낼 수 없고, 화학 반응에서 출입하는 열량을 측정하여 엔탈피 변화를 알 수 있다.
(4) 화학 반응이 일어날 때 열을 방출하거나 흡수하는 것은 물질이 가진 엔탈피가 서로 다르기 때문이다.
(5) 반응엔탈피는 일정한 압력에서 화학 반응이 일어날 때의 엔탈피 변화로, 생성물의 엔탈피 합에서 반응물의 엔탈피 합을 뺀 값이다.

2 ㄱ, ㄷ. 생성물의 엔탈피가 반응물의 엔탈피보다 크므로, 엔탈피 차이만큼의 에너지를 흡수하는 흡열 반응이다. 흡열 반응에서는 엔탈피가 증가하므로 반응엔탈피(ΔH)가 0보다 크다.

3 열화학 반응식으로 반응물과 생성물의 종류 및 상태, 반응엔탈피(ΔH) 등을 알 수 있지만 반응물이나 생성물의 엔탈피는 알 수 없다.

4 (1) $\Delta H < 0$이므로 반응물의 엔탈피 합이 생성물의 엔탈피 합보다 크다. 즉, 반응물인 [$CH_4(g)$ 1몰+$O_2(g)$ 2몰]은 생성물인 [$CO_2(g)$ 1몰+$H_2O(l)$ 2몰]보다 엔탈피가 890.8 kJ만큼 크다.
(2) $CH_4(g)$ 1몰이 연소할 때 방출하는 열량이 890.8 kJ이므로 $CH_4(g)$ 2몰이 연소할 때 방출하는 열량은 1781.6 kJ이다.
(3) $CH_4(g)$이 연소하여 물($H_2O(l)$) 2몰이 생성될 때의 반응엔탈피가 -890.8 kJ이다. 물질의 상태에 따라 반응엔탈피가 달라지므로 $CH_4(g)$이 연소하여 수증기($H_2O(g)$)가 생성될 때의 반응엔탈피는 알 수 없다.

5 $C(s, \text{흑연})$ 1몰이 $O_2(g)$와 반응하여 완전 연소하면 $CO_2(g)$ 1몰을 생성한다. 연소 반응은 발열 반응이므로 반응엔탈피(ΔH)는 0보다 작다.

개념 확인 문제 124쪽

❶ 연소 엔탈피 ❷ 용해 엔탈피 ❸ 중화 엔탈피 ❹ 생성 엔탈피 ❺ 표준 생성 엔탈피 ❻ 작을 ❼ 분해 엔탈피 ❽ 생성

1 (1) ㄹ (2) ㄴ (3) ㄷ (4) ㄱ (5) ㅁ **2** (1) ○ (2) × (3) × (4) ○ (5) ○ **3** (1) × (2) × (3) ○ **4** $N_2(g) + 3H_2(g) \longrightarrow 2NH_3(g)$, $\Delta H = -92.2$ kJ **5** (1) -393.5 kJ/mol (2) -393.5 kJ/mol (3) 393.5 kJ/mol

1 (1) $NH_4NO_3(s)$ 1몰이 용매에 용해될 때의 반응엔탈피이므로 용해 엔탈피이다.
(2) 가장 안정한 성분 원소인 $H_2(g)$와 $Cl_2(g)$로부터 $HCl(g)$ 1몰이 생성될 때의 반응엔탈피이므로 생성 엔탈피이다.
(3) $CH_4(g)$ 1몰이 가장 안정한 성분 원소인 $C(s, \text{흑연})$과 $H_2(g)$로 분해될 때의 반응엔탈피이므로 분해 엔탈피이다.
(4) $CH_4(g)$ 1몰이 완전 연소할 때의 반응엔탈피이므로 연소 엔탈피이다.
(5) 산($HCl(aq)$)과 염기($NaOH(aq)$)가 중화 반응하여 물 1몰이 생성될 때의 반응엔탈피이므로 중화 엔탈피이다.

2 (1) 연소 엔탈피는 물질 1몰이 연소하여 가장 안정한 상태의 생성물로 될 때의 반응엔탈피이다. 예를 들어, 표준 상태(25 °C, 1기압)에서의 메테인($CH_4(g)$) 연소 반응에서 생성물 중 이산화탄소는 기체 상태($CO_2(g)$), 물은 액체 상태($H_2O(l)$)일 때의 반응엔탈피이다.
(2) 연소 반응은 발열 반응이므로 연소 엔탈피는 항상 0보다 작다.
(3) 중화 엔탈피는 산과 염기가 중화 반응하여 물 1몰이 생성될 때의 반응엔탈피이다.
(4), (5) 중화 반응은 산과 염기의 종류에 관계없이 알짜 이온 반응식이 같으므로 중화 엔탈피는 -55.8 kJ/mol로 같다.

3 (1) $C(s, \text{흑연})$과 $C(s, \text{다이아몬드})$는 모두 원소이지만 25 °C, 1기압에서 가장 안정한 원소는 $C(s, \text{흑연})$이므로 $C(s, \text{흑연})$의 표준 생성 엔탈피는 0이고 $C(s, \text{다이아몬드})$의 표준 생성 엔탈피는 0보다 크다.

(2) 같은 원소로부터 생성된 화합물만 표준 생성 엔탈피를 이용해 상대적 안정성을 비교할 수 있다.

(3) 분해 반응은 생성 반응의 반대 과정이므로, 분해 엔탈피는 생성 엔탈피와 크기는 같고 부호가 반대이다.

4 $\frac{1}{2}N_2(g)+\frac{3}{2}H_2(g) \longrightarrow \underset{\text{1몰 생성}}{NH_3(g)}$, $\Delta H=-46.1$ kJ

$\times 2$

$N_2(g)+3H_2(g) \longrightarrow \underset{\text{2몰 생성}}{2NH_3(g)}$, $\Delta H=-92.2$ kJ

5 (1) C(s, 흑연) 1몰이 산소와 반응하여 완전 연소하므로 반응엔탈피는 C(s, 흑연)의 연소 엔탈피와 같다.

(2) 가장 안정한 성분 원소인 C(s, 흑연)와 $O_2(g)$로부터 $CO_2(g)$ 1몰이 생성되므로 반응엔탈피는 $CO_2(g)$의 생성 엔탈피와 같다.

(3) 분해 엔탈피는 생성 엔탈피와 크기는 같고 부호는 반대이다.

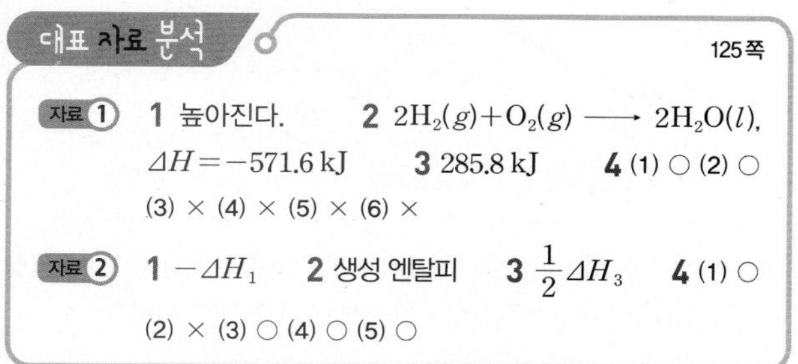

대표 자료 분석 125쪽

자료 ① 1 높아진다. 2 $2H_2(g)+O_2(g) \longrightarrow 2H_2O(l)$, $\Delta H=-571.6$ kJ 3 285.8 kJ 4 (1) ○ (2) ○ (3) × (4) × (5) × (6) ×

자료 ② 1 $-\Delta H_1$ 2 생성 엔탈피 3 $\frac{1}{2}\Delta H_3$ 4 (1) ○ (2) × (3) ○ (4) ○ (5) ○

①-1 꼼꼼 문제 분석

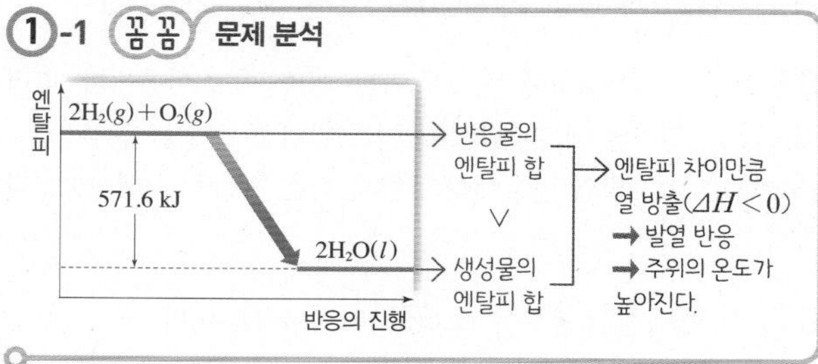

①-2 열화학 반응식은 반응물과 생성물을 상태와 함께 나타내고, 반응엔탈피(ΔH)를 표시한다.

- 반응물: $H_2(g)$ 2몰 + $O_2(g)$ 1몰
- 생성물: $H_2O(l)$ 2몰

571.6 kJ의 열을 방출

$2H_2(g)+O_2(g) \longrightarrow 2H_2O(l)$, $\Delta H=-571.6$ kJ

①-3 역반응의 반응엔탈피(ΔH)는 정반응의 반응엔탈피(ΔH)와 절댓값은 같고 부호는 반대이다. 또한 반응엔탈피는 반응에 참여한 반응물의 양에 비례한다.

$2H_2(g)+O_2(g) \longrightarrow 2H_2O(l)$, $\Delta H=-571.6$ kJ

역반응

$2H_2O(l) \longrightarrow 2H_2(g)+O_2(g)$, $\Delta H=571.6$ kJ

$\times\frac{1}{2}$

$H_2O(l) \longrightarrow H_2(g)+\frac{1}{2}O_2(g)$, $\Delta H=285.8$ kJ

①-4 (1), (2) 반응물의 엔탈피 합이 생성물의 엔탈피 합보다 크므로 발열 반응이다.

(3), (4) 반응엔탈피는 생성물의 엔탈피 합에서 반응물의 엔탈피 합을 뺀 값이므로 $H_2O(l)$ 2몰의 엔탈피가 $H_2(g)$ 2몰과 $O_2(g)$ 1몰의 엔탈피 합보다 571.6 kJ만큼 더 작다는 것을 알 수 있을 뿐, 각 물질의 엔탈피는 알 수 없다.

(5) $H_2(g)$ 1몰이 완전 연소하면 $H_2O(l)$ 1몰이 생성되므로, 이때 방출하는 열은 $285.8\left(=\frac{571.6}{2}\right)$ kJ이다.

(6) 반응물과 생성물의 양이 2배가 되면 반응엔탈피의 크기도 2배가 된다. $H_2(g)$ 2몰과 $O_2(g)$ 1몰이 반응하여 $H_2O(l)$ 2몰을 생성할 때 571.6 kJ의 열을 방출하므로, $H_2(g)$ 4몰과 $O_2(g)$ 2몰이 반응하여 $H_2O(l)$ 4몰을 생성할 때 방출하는 열은 1143.2 kJ이다.

②-1 꼼꼼 문제 분석

(가) $2C(s, \text{흑연})+H_2(g) \longrightarrow C_2H_2(g)$, ΔH_1
→ C_2H_2을 구성하는 가장 안정한 성분 원소 / $C_2H_2(g)$의 생성 엔탈피

(나) $6C(s, \text{흑연})+3H_2(g) \longrightarrow C_6H_6(l)$, ΔH_2
→ $C_6H_6(l)$의 생성 엔탈피

(다) $2C_6H_6(l)+15O_2(g) \longrightarrow 12CO_2(g)+6H_2O(l)$, ΔH_3
연소 반응 → $\Delta H_3<0$ / $C_6H_6(l)$ 2몰이 연소할 때의 반응엔탈피

(가)의 ΔH_1은 $C_2H_2(g)$ 1몰이 가장 안정한 성분 원소인 C(s, 흑연)와 $H_2(g)$로부터 생성될 때의 반응엔탈피이므로 $C_2H_2(g)$의 생성 엔탈피이다. 분해 반응은 생성 반응의 반대 과정이므로 분해 엔탈피는 생성 엔탈피와 크기는 같고 부호는 반대이다.

②-2 (나)의 ΔH_2는 $C_6H_6(l)$ 1몰이 가장 안정한 성분 원소인 C(s, 흑연)와 $H_2(g)$로부터 생성될 때의 반응엔탈피이므로 $C_6H_6(l)$의 생성 엔탈피이다.

②-3 (다)의 ΔH_3은 $C_6H_6(l)$ 2몰이 완전 연소할 때의 반응엔탈피이므로 $C_6H_6(l)$의 연소 엔탈피는 $\frac{1}{2}\Delta H_3$이다.

②-4 (1), (2) 분해 엔탈피는 생성 엔탈피와 크기는 같고 부호는 반대이므로 $C_6H_6(l)$의 분해 엔탈피는 $-\Delta H_2$이다.

(3) 25 °C, 1기압에서의 생성 엔탈피를 표준 생성 엔탈피라고 하며, 같은 원소로부터 생성된 화합물의 경우 표준 생성 엔탈피가 작을수록 상대적으로 안정하다. 따라서 ΔH_1과 ΔH_2를 비교하면 $C_2H_2(g)$과 $C_6H_6(l)$의 상대적 안정성을 비교할 수 있다.

(4) 연소 반응은 발열 반응이므로, 반응이 일어나면 주위의 온도가 높아진다.

(5) (다)의 ΔH_3은 $CO_2(g)$ 12몰이 생성될 때의 반응엔탈피이므로 $CO_2(g)$ 6몰이 생성될 때의 반응엔탈피는 $\frac{1}{2}\Delta H_3$이다.

내신 만점 문제

126쪽~129쪽

01 ④	02 ②	03 ⑤	04 ①	05 ⑤	06 ③
07 ③	08 해설 참조	09 ①	10 ④	11 ①	12 ④
13 ④	14 ②	15 ②	16 ③	17 ④	

01 꼼꼼 문제 분석

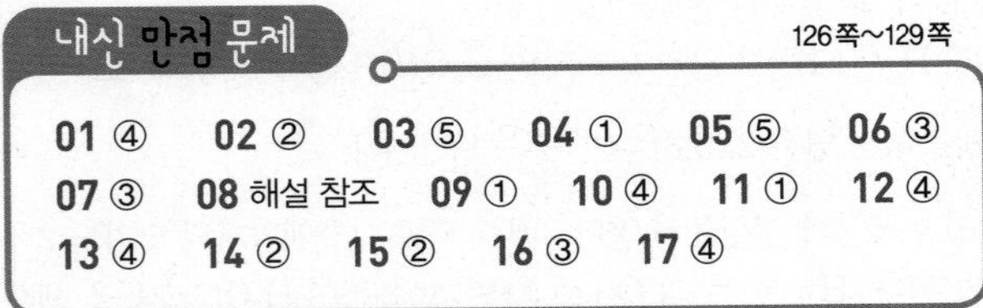

ㄴ, ㄷ. (나)는 생성물의 에너지가 반응물의 에너지보다 큰 흡열 반응이므로 반응이 일어날 때 열을 흡수한다. 따라서 (나)의 반응이 일어날 때 주위의 온도가 낮아진다.

바로알기 ㄱ. (가)는 생성물의 에너지가 반응물의 에너지보다 작은 발열 반응이므로 반응이 일어날 때 열을 방출한다.

02 ㄴ. 메테인의 연소는 발열 반응이므로 (나) 반응이 일어날 때 열이 방출된다.

바로알기 ㄱ. 손난로는 화학 반응이 일어날 때 발생하는 열을 이용하는 것이므로, 철 가루와 산소의 반응은 발열 반응이다.
ㄷ. 냉찜질 주머니는 화학 반응이 일어날 때 열을 흡수하여 주위의 온도가 낮아지는 것을 이용하는 것이므로, 질산 암모늄($NH_4NO_3(s)$)의 용해 반응은 흡열 반응이다. 따라서 (다)에서 생성물의 엔탈피는 반응물의 엔탈피보다 크다.

03 꼼꼼 문제 분석

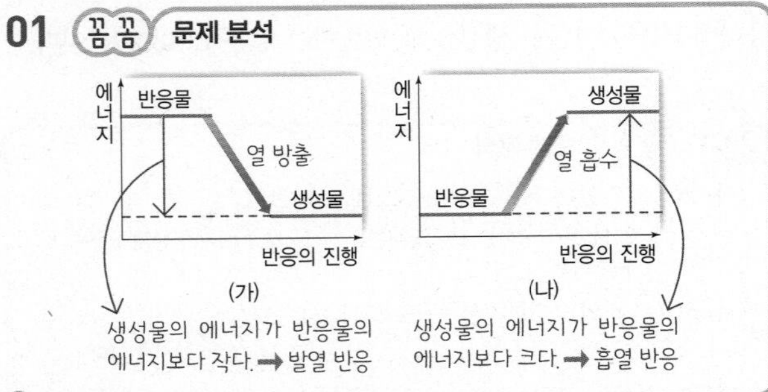

$NaOH(s)$의 질량(g)	4	용액의 질량은 $(4+96)$ g$=100$ g이다. → m
물의 질량(g)	96	
물의 처음 온도(°C)	25	물의 온도가 9 °C 높아졌으므로 발열 반응이 일어났다. → Δt
용액의 나중 온도(°C)	34	
용액의 비열(J/(g·°C))	4.2 → c	→ $Q=cm\Delta t$로 방출한 열량을 구한다.

ㄱ. 용액의 온도가 높아졌으므로 $NaOH(s)$이 용해될 때 열을 방출한 것이다.

ㄴ, ㄷ. 열량계와 외부 사이의 열 출입이 없으므로, $NaOH(s)$이 용해될 때 방출한 열량은 열량계 속 용액이 얻은 열량과 같다. 용액의 질량은 $100(=4+96)$ g, 온도 변화는 9 °C이고, 용액의 비열이 4.2 J/(g·°C)이므로 용액이 얻은 열량은 다음과 같다.
$Q=cm\Delta t=4.2\ \text{J/(g·°C)}\times100\ \text{g}\times9\ \text{°C}=3780\ \text{J}=3.78\ \text{kJ}$

04 ㄱ. 반응물의 엔탈피가 생성물의 엔탈피보다 크므로 반응이 진행되면 엔탈피 차이만큼의 열을 방출한다.

바로알기 ㄴ. 2몰의 $O_3(g)$과 3몰의 $O_2(g)$의 엔탈피 차이가 284.6 kJ이다.
ㄷ. 반응엔탈피(ΔH)는 생성물의 엔탈피 합에서 반응물의 엔탈피 합을 뺀 것으로, 반응물의 엔탈피 합이 생성물의 엔탈피 합보다 더 큰 발열 반응은 반응엔탈피(ΔH)가 0보다 작다.

05 꼼꼼 문제 분석

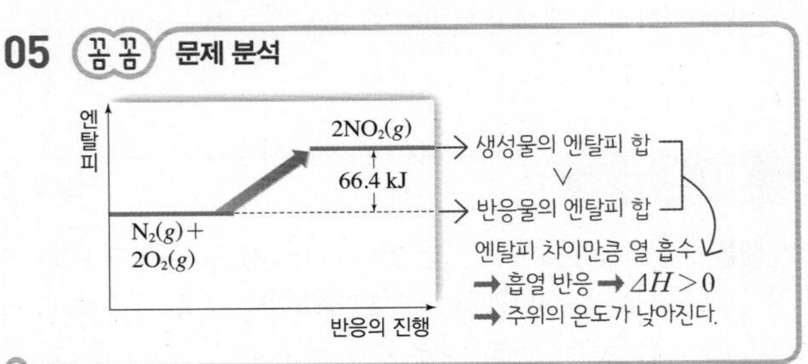

바로알기 ①, ② 반응물 $[N_2(g)+2O_2(g)]$의 엔탈피 합이 생성물 $2NO_2(g)$의 엔탈피 합보다 작으므로 흡열 반응이다.
③, ④ $NO_2(g)$ 2몰의 엔탈피 합$-[N_2(g)$ 1몰$+O_2(g)$ 2몰$]$의 엔탈피 합>0 ➡ 반응엔탈피(ΔH)>0 ➡ $\Delta H=66.4$ kJ

06 ㄱ, ㄴ. 3가지 반응은 모두 $\Delta H<0$인 발열 반응이다. 따라서 반응이 일어날 때 열을 방출하여 주위의 온도가 높아진다.

바로알기 ㄷ. 발열 반응에서 엔탈피 합은 반응물이 생성물보다 크다.

07 ㄱ. 반응물의 종류는 질소(N_2)와 수소(H_2)이다.
ㄴ. 생성물인 NH_3는 기체 상태이다.
ㄹ. 반응엔탈피(ΔH)의 크기는 -92 kJ이다.

바로알기 ㄷ. 열화학 반응식으로 반응물의 엔탈피 합과 생성물의 엔탈피 합의 차이는 알 수 있지만, 반응물과 생성물 각각의 엔탈피는 알 수 없다.

08 모범답안 -138 kJ, $N_2(g)$ 1몰이 충분한 양의 $H_2(g)$와 반응하여 $NH_3(g)$를 생성할 때의 반응엔탈피(ΔH)는 -92 kJ이다. 따라서 $N_2(g)$ $1.5\left(=\frac{42}{28}\right)$몰이 반응할 때의 반응엔탈피($\Delta H$)는 $-138(=-92\times1.5)$ kJ이다.

채점 기준	배점
반응엔탈피를 옳게 구하고, 풀이 과정을 옳게 서술한 경우	100 %
반응엔탈피만 옳게 구한 경우	30 %

09 ㄱ. $\Delta H<0$이므로 발열 반응이다. 따라서 반응이 일어날 때 주위의 온도가 높아진다.

바로알기 ㄴ. 반응엔탈피로 생성물의 엔탈피 합과 반응물의 엔탈피 합의 차이는 알 수 있지만, 반응물과 생성물 각각의 엔탈피 절댓값은 알 수 없다.

ㄷ. $HCl(g)$ 2몰이 생성될 때 185 kJ의 열을 방출하므로 $HCl(g)$ 1몰이 생성될 때 92.5 kJ의 열을 방출한다.

10 ④ $CaO(s)+CO_2(g) \longrightarrow CaCO_3(s)$ 반응은 (나) 반응의 역반응이므로 반응엔탈피(ΔH)의 부호는 (나)의 반응엔탈피와 반대이다. 따라서 $\Delta H<0$이다.

바로알기 ① 열화학 반응식에 반응열(Q)을 나타낼 때 반응열의 부호는 발열 반응은 '+', 흡열 반응은 '−'로 표시하여 생성물 쪽에 나타낸다. (가)는 발열 반응이므로, 반응열로 나타낸 열화학 반응식은 다음과 같다.

$C(s,\text{ 흑연})+O_2(g) \longrightarrow CO_2(g)+393.5\text{ kJ}$

② (가)는 $\Delta H<0$이므로 발열 반응이다. 따라서 (가)에서 생성물의 엔탈피 합은 반응물의 엔탈피 합보다 작다.

③ (나)에서 $CO_2(g)$ 1몰이 생성될 때 178.3 kJ의 열을 흡수하므로 $CO_2(g)$ 2몰이 생성될 때에는 356.6 kJ의 열을 흡수한다.

⑤ 물질의 상태에 따라 반응엔탈피가 달라진다.

11 ②, ⑤ 생성 엔탈피는 가장 안정한 성분 원소로부터 어떤 물질 1몰이 생성될 때의 반응엔탈피이고, 분해 엔탈피는 어떤 물질 1몰이 가장 안정한 성분 원소로 분해될 때의 반응엔탈피이다. 따라서 분해 엔탈피는 생성 엔탈피와 크기는 같고 부호는 반대이다.

③ 어떤 물질 1몰이 완전 연소할 때의 반응엔탈피는 연소 엔탈피이다. 연소 반응은 발열 반응이므로 연소 엔탈피는 항상 0보다 작다.

④ 중화 엔탈피는 산과 염기가 반응하여 물 1몰이 생성될 때의 반응엔탈피이다.

바로알기 ① 가장 안정한 성분 원소의 표준 생성 엔탈피($\Delta H_f°$)가 0이다. 즉, 모든 원소의 $\Delta H_f°$가 0은 아니다.

12 꼼꼼 문제 분석

(가) $H_2SO_4(l) \xrightarrow{\text{용해}} H_2SO_4(aq)$, ΔH_1 → $H_2SO_4(l)$의 용해 엔탈피

(나) $\frac{1}{2}N_2(g)+\frac{3}{2}H_2(g) \xrightarrow{\text{생성}} NH_3(g)$, ΔH_2 → $NH_3(g)$의 생성 엔탈피
→ NH_3를 구성하는 가장 안정한 성분 원소

(다) $CH_3OH(l)+\frac{3}{2}O_2(g) \xrightarrow{\text{연소}} CO_2(g)+2H_2O(l)$, ΔH_3 → $CH_3OH(l)$의 연소 엔탈피 → $\Delta H_3<0$
→ 연소 반응 → 발열 반응

ㄱ. ΔH_1은 $H_2SO_4(l)$ 1몰이 물에 용해되어 $H_2SO_4(aq)$이 될 때의 반응엔탈피로, $H_2SO_4(l)$의 용해 엔탈피이다.

ㄴ. ΔH_2는 $NH_3(g)$ 1몰이 가장 안정한 성분 원소로부터 생성될 때의 반응엔탈피이므로 $NH_3(g)$의 생성 엔탈피이다. 분해 엔탈피는 생성 엔탈피와 크기는 같고 부호가 반대이므로 $NH_3(g)$의 분해 엔탈피는 $-\Delta H_2$이다.

ㄹ. ΔH_3은 $CH_3OH(l)$ 1몰이 완전 연소할 때의 반응엔탈피이므로 연소 엔탈피이다. 연소 엔탈피는 0보다 작다.

바로알기 ㄷ. $NH_3(g)$의 생성 엔탈피는 ΔH_2이다.

13 ①, ② $\Delta H<0$이므로 발열 반응이고, 엔탈피의 합은 반응물이 생성물보다 크다.

③ $NO(g)$ 2몰이 완전 연소할 때 반응엔탈피가 -114.2 kJ이므로 $NO(g)$의 연소 엔탈피는 $-57.1\left(=-\frac{114.2}{2}\right)$kJ/mol이다.

⑤ $NO(g)$ 60 g은 $2\left(=\frac{60}{30}\right)$몰이므로, $NO(g)$ 60 g이 완전 연소하면 114.2 kJ의 열을 방출한다.

바로알기 ④ $NO_2(g)$의 분해 엔탈피는 $NO_2(g)$ 1몰이 가장 안정한 성분 원소로 분해되는 다음 반응의 반응엔탈피(ΔH)이다.

$NO_2(g) \longrightarrow \frac{1}{2}N_2(g)+O_2(g)$, ΔH

따라서 제시된 열화학 반응식으로는 $NO_2(g)$의 분해 엔탈피는 알 수 없다.

14 꼼꼼 문제 분석

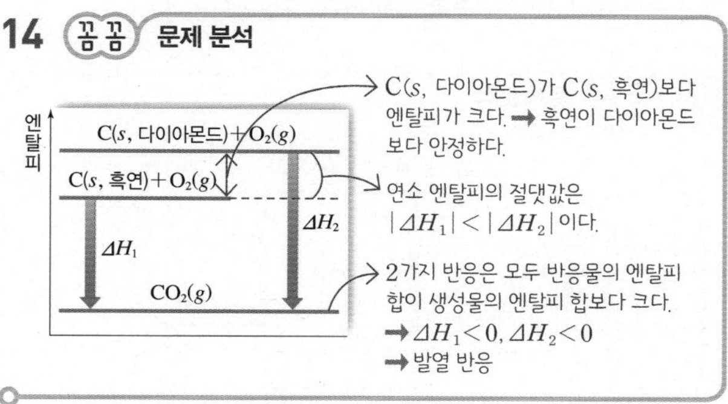

엔탈피
C(s, 다이아몬드)+O₂(g)
C(s, 흑연)+O₂(g)
ΔH₁
ΔH₂
CO₂(g)
C(s, 다이아몬드)가 C(s, 흑연)보다 엔탈피가 크다. → 흑연이 다이아몬드보다 안정하다.
연소 엔탈피의 절댓값은 |ΔH₁|<|ΔH₂|이다.
2가지 반응은 모두 반응물의 엔탈피 합이 생성물의 엔탈피 합보다 크다.
→ΔH₁<0, ΔH₂<0
→발열 반응

ㄷ. $C(s,$ 다이아몬드$)$와 $C(s,$ 흑연$)$의 연소 생성물은 $CO_2(g)$로 같은데 엔탈피는 $C(s,$ 다이아몬드$)$가 $C(s,$ 흑연$)$보다 크다. 따라서 연소 엔탈피의 절댓값은 $C(s,$ 다이아몬드$)$가 $C(s,$ 흑연$)$보다 크다.

바로알기 ㄱ. 2가지 반응은 모두 반응물의 엔탈피 합이 생성물의 엔탈피 합보다 크므로 발열 반응이다. 따라서 ΔH_1과 ΔH_2는 모두 음(−)의 값이다.

ㄴ. 가장 안정한 원소의 표준 생성 엔탈피가 0이다. $C(s,$ 다이아몬드$)$는 원소이지만 $C(s,$ 흑연$)$보다 엔탈피가 크므로 가장 안정한 원소는 아니다. 따라서 생성 엔탈피는 0보다 크다.

15 꼼꼼 문제 분석

$\Delta H<0$ ➡ $HCl(g)$의 용해는 발열 반응이다.

$\Delta H>0$ ➡ $KCl(s)$과 $NH_4NO_3(s)$의 용해는 흡열 반응이다.

물질	$HCl(g)$	$KCl(s)$	$NH_4NO_3(s)$
ΔH(kJ/mol)	−74.8	17.2	25.7

$|\Delta H|$는 $HCl(g)>NH_4NO_3(s)>KCl(s)$이다.

ㄴ. $KCl(s)$의 용해는 흡열 반응이므로, $KCl(s)$을 물에 녹이면 용액의 온도가 낮아진다.

바로알기 ㄱ. $HCl(g)$의 용해 엔탈피가 0보다 작으므로 $HCl(g)$의 용해는 발열 반응이다.

ㄷ. 화학 반응에서 출입하는 열량($Q=cm\Delta t$)이므로, 용액의 비열과 질량이 같을 때 출입하는 열량이 클수록 온도 변화가 크다. 각 물질 1 g이 용해될 때 출입하는 열량은 $\frac{\text{용해 엔탈피의 절댓값}}{\text{화학식량}}$이므로, 1 g을 녹일 때 용액의 온도 변화는 용해 엔탈피의 절댓값이 가장 크고 화학식량은 가장 작은 $HCl(g)$가 가장 크다.

16 ㄱ. 중화 반응이 일어나 $H_2O(l)$ 2몰이 생성될 때의 반응엔탈피(ΔH)가 −111.6 kJ이므로, $H_2O(l)$ 1몰이 생성될 때의 중화 엔탈피(ΔH)는 −55.8 kJ/mol이다.

ㄷ. $\Delta H<0$으로 발열 반응이므로 반응이 일어나면 용액의 온도가 높아진다.

바로알기 ㄴ. 중화 반응은 산과 염기의 종류에 관계없이 알짜 이온 반응식이 $H^+(aq)+OH^-(aq) \longrightarrow H_2O(l)$이다. 따라서 산의 종류를 바꾸어도 중화 엔탈피는 일정하다.

17 꼼꼼 문제 분석

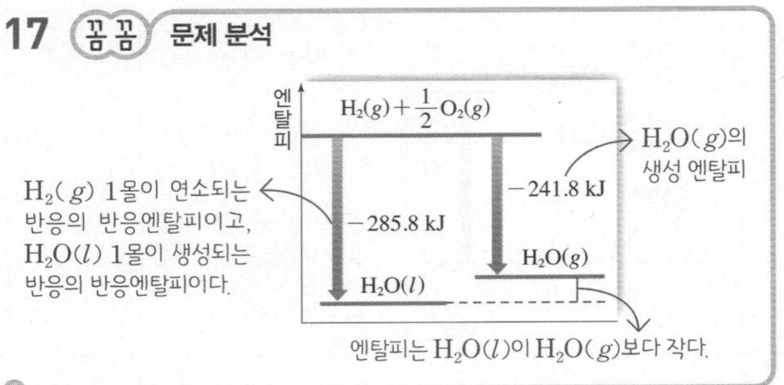
엔탈피
$H_2(g)+\frac{1}{2}O_2(g)$
$H_2O(g)$의 생성 엔탈피
$H_2(g)$ 1몰이 연소되는 반응의 반응엔탈피이고, $H_2O(l)$ 1몰이 생성되는 반응의 반응엔탈피이다.
−285.8 kJ
−241.8 kJ
$H_2O(g)$
$H_2O(l)$
엔탈피는 $H_2O(l)$이 $H_2O(g)$보다 작다.

ㄴ. 엔탈피는 $H_2O(l)$이 $H_2O(g)$보다 작다. 따라서 표준 상태에서의 생성 엔탈피가 더 작은 $H_2O(l)$이 $H_2O(g)$보다 안정하다.

ㄷ. $H_2O(l)$의 생성 엔탈피는 $H_2(g)+\frac{1}{2}O_2(g) \longrightarrow H_2O(l)$ 반응의 반응엔탈피이므로 −285.8 kJ/mol이다.

바로알기 ㄱ. 연소 엔탈피는 어떤 물질 1몰이 완전 연소하여 가장 안정한 생성물이 될 때 수반되는 엔탈피 변화이다. 따라서 $H_2(g)$의 연소 엔탈피는 $H_2(g)+\frac{1}{2}O_2(g) \longrightarrow H_2O(l)$ 반응의 반응엔탈피이므로 −285.8 kJ/mol이다.

02 헤스 법칙

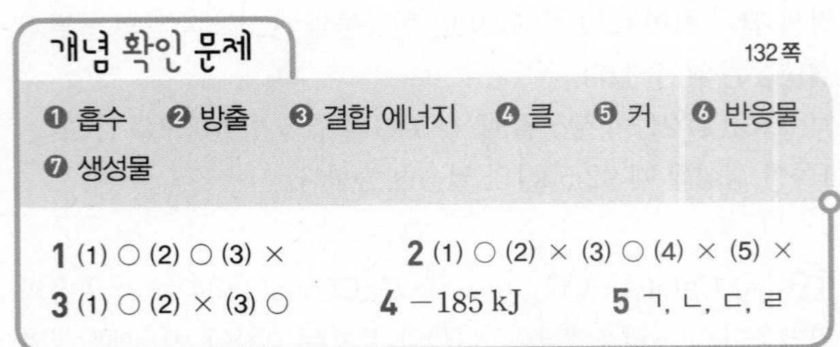
개념 확인 문제 132쪽

❶ 흡수 ❷ 방출 ❸ 결합 에너지 ❹ 클 ❺ 커 ❻ 반응물 ❼ 생성물

1 (1) ○ (2) ○ (3) × **2** (1) ○ (2) × (3) ○ (4) × (5) ×
3 (1) ○ (2) × (3) ○ **4** −185 kJ **5** ㄱ, ㄴ, ㄷ, ㄹ

1 (1), (2) 기체 상태의 H−Cl 결합이 끊어지면 $H(g)$와 $Cl(g)$로 되는데, 이때 에너지를 흡수하므로 기체 상태의 H−Cl 결합을 끊을 때 432 kJ의 에너지를 흡수한다. 따라서 $HCl(g)$의 결합 에너지는 432 kJ/mol이다.

(3) $H(g)$와 $Cl(g)$로부터 $HCl(g)$가 생성되는 과정은 $HCl(g)$의 결합을 끊는 과정의 역반응이므로 발열 반응이다.

2 (1) 원자 사이의 결합을 끊는 과정은 항상 열을 흡수하는 흡열 반응($\Delta H>0$)이므로, 결합 에너지는 0보다 크다.

(2) 결합 에너지가 클수록 결합이 강해 결합을 끊기 어렵다.

(3), (4) 같은 종류의 원자 사이의 결합에서 결합 수가 많을수록 결합의 세기가 크다. 결합 수가 많은 C=C가 C−C보다 결합의 세기가 크므로 두 원자 사이의 결합 1몰을 끊는 데 필요한 에너지는 C=C가 C−C보다 크다.

(5) 전기 음성도가 F>Cl이므로 결합의 극성은 HF>HCl이다. 결합의 극성이 클수록 결합 에너지가 크다.

3 (2) ΔH=(반응물의 결합 에너지 합−생성물의 결합 에너지 합)<0 ➡ 반응물의 결합 에너지 합<생성물의 결합 에너지 합

(3) 반응물의 결합이 끊어질 때에는 에너지를 흡수하고, 생성물의 결합이 형성될 때에는 에너지를 방출한다. 따라서 생성물의 결합 에너지 합이 반응물의 결합 에너지 합보다 큰 경우, 즉 물질을 이루는 원자들의 결합의 세기가 생성물이 반응물보다 큰 경우 방출하는 에너지가 흡수하는 에너지보다 크므로 열을 방출한다.

4 ΔH=반응물의 결합 에너지 합−생성물의 결합 에너지 합 =(H−H 결합 에너지+Cl−Cl 결합 에너지)−(2×H−Cl 결합 에너지)=(436 kJ+243 kJ)−(2×432 kJ)=−185 kJ

5 ΔH=(4×C−H 결합 에너지+Cl−Cl 결합 에너지)−(3×C−H 결합 에너지+C−Cl 결합 에너지+H−Cl 결합 에너지)이다. 따라서 반응엔탈피(ΔH)를 구하기 위해서는 C−H 결합 에너지, Cl−Cl 결합 에너지, C−Cl 결합 에너지, H−Cl 결합 에너지가 필요하다.

136쪽~137쪽

Q1 −197 kJ Q2 −74.3 kJ/mol
Q3 −297 kJ Q4 $\Delta H_3=\Delta H_4-\Delta H_1-\Delta H_2$

Q1 1단계 반응엔탈피를 구하고자 하는 반응의 열화학 반응식을 확인한다.

$2SO_2(g)+O_2(g) \longrightarrow 2SO_3(g)$, $\Delta H=?$

2단계 구하고자 하는 반응의 열화학 반응식이 나올 수 있도록 주어진 열화학 반응식의 계수를 변형한다.

- $S(s)+O_2(g) \longrightarrow SO_2(g)$, ΔH_1
  ➡ $2S(s)+2O_2(g) \longrightarrow 2SO_2(g)$, $2\Delta H_1$
- $2S(s)+3O_2(g) \longrightarrow 2SO_3(g)$, ΔH_2

3단계 2단계의 열화학 반응식을 더하거나 빼서 구하고자 하는 반응의 열화학 반응식을 만든다.

$$\begin{array}{rl} & 2S(s)+3O_2(g) \longrightarrow 2SO_3(g),\ \Delta H_2 \\ -) & 2S(s)+2O_2(g) \longrightarrow 2SO_2(g),\ 2\Delta H_1 \\ \hline & 2SO_2(g)+O_2(g) \longrightarrow 2SO_3(g),\ \Delta H=\Delta H_2-2\Delta H_1 \end{array}$$

4단계 반응엔탈피를 계산하여 구한다.

$\Delta H=\Delta H_2-2\Delta H_1=-791\ \text{kJ}-2\times(-297\ \text{kJ})=-197\ \text{kJ}$

Q2 $CH_4(g)$의 생성 엔탈피를 구할 수 있는 열화학 반응식을 쓴다. 생성 엔탈피는 어떤 물질 1몰이 가장 안정한 성분 원소로부터 생성될 때의 반응엔탈피이므로, $CH_4(g)$의 생성 엔탈피는 다음 반응의 반응엔탈피(ΔH)이다.

$C(s,\ \text{흑연})+2H_2(g) \longrightarrow CH_4(g)$, ΔH

이 반응의 열화학 반응식이 나올 수 있도록 주어진 열화학 반응식의 계수를 변형한다.

- $C(s,\ \text{흑연})+O_2(g) \longrightarrow CO_2(g)$, ΔH_1
- $H_2(g)+\frac{1}{2}O_2(g) \longrightarrow H_2O(l)$, ΔH_2
  ➡ $2H_2(g)+O_2(g) \longrightarrow 2H_2O(l)$, $2\Delta H_2$
- $CH_4(g)+2O_2(g) \longrightarrow CO_2(g)+2H_2O(l)$, ΔH_3

헤스 법칙을 이용하여 구하고자 하는 반응의 열화학 반응식을 만든다.

$$\begin{array}{rl} & C(s,\ \text{흑연})+O_2(g) \longrightarrow CO_2(g),\ \Delta H_1 \\ +) & 2H_2(g)+O_2(g) \longrightarrow 2H_2O(l),\ 2\Delta H_2 \\ \hline & C(s,\ \text{흑연})+2H_2(g)+2O_2(g) \longrightarrow CO_2(g)+2H_2O(l),\ \Delta H_1+2\Delta H_2 \\ -) & CH_4(g)+2O_2(g) \longrightarrow CO_2(g)+2H_2O(l),\ \Delta H_3 \\ \hline & C(s,\ \text{흑연})+2H_2(g) \longrightarrow CH_4(g),\ \Delta H=\Delta H_1+2\Delta H_2-\Delta H_3 \end{array}$$

반응엔탈피를 계산한다.

$\Delta H=\Delta H_1+2\Delta H_2-\Delta H_3$
$=-393.5\ \text{kJ}+2\times(-285.8\ \text{kJ})-(-890.8\ \text{kJ})=-74.3\ \text{kJ}$

Q3 그래프에서 $|\Delta H_1|=|\Delta H_2|+|\Delta H_3|$의 관계가 성립한다. 엔탈피 변화를 나타내는 화살표의 방향이 모두 같으므로 헤스 법칙에 따라 $\Delta H_1=\Delta H_2+\Delta H_3$이다.

$\Delta H_2=\Delta H_1-\Delta H_3=-395\ \text{kJ}-(-98\ \text{kJ})=-297\ \text{kJ}$

Q4 그래프에서 $|\Delta H_1|+|\Delta H_2|=|\Delta H_3|+|\Delta H_4|$의 관계가 성립한다. 헤스 법칙은 반응물과 생성물이 같은 반응 경로에 적용되므로, 엔탈피 변화를 나타내는 화살표의 방향이 모두 같아 반응물과 최종 생성물이 같은 반응 경로가 되도록 화살표 방향이 다른 ΔH_3에 (−) 부호를 붙인다.

$\Delta H_1+\Delta H_2=-\Delta H_3+\Delta H_4$이다.

따라서 $\Delta H_3=\Delta H_4-\Delta H_1-\Delta H_2$이다.

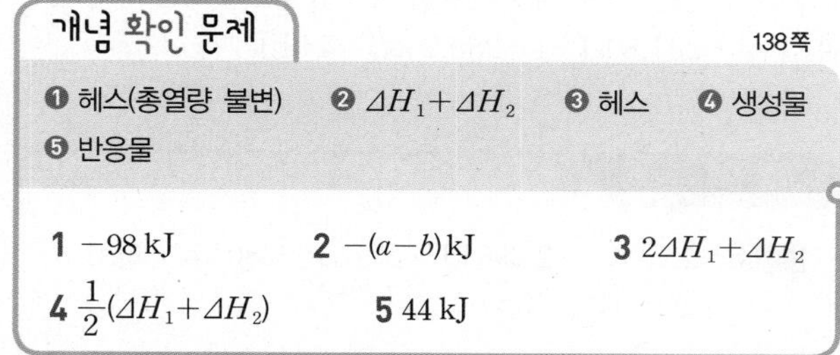

개념 확인 문제 138쪽

❶ 헤스(총열량 불변) ❷ $\Delta H_1+\Delta H_2$ ❸ 헤스 ❹ 생성물 ❺ 반응물

1 −98 kJ **2** −(a−b) kJ **3** $2\Delta H_1+\Delta H_2$
4 $\frac{1}{2}(\Delta H_1+\Delta H_2)$ **5** 44 kJ

1 주어진 열화학 반응식을 각각 ①, ②로 한다.

$H_2(g)+O_2(g) \longrightarrow H_2O_2(l)$, $\Delta H_1=-187.8\ \text{kJ}$ ······ ①

$H_2(g)+\frac{1}{2}O_2(g) \longrightarrow H_2O(l)$, $\Delta H_2=-285.8\ \text{kJ}$ ······ ②

$H_2O_2(l) \longrightarrow H_2O(l)+\frac{1}{2}O_2(g)$ 반응은 ②식−①식이다.

$$\begin{array}{rl} & H_2(g)+\frac{1}{2}O_2(g) \longrightarrow H_2O(l),\ \Delta H_2 \cdots ② \\ -) & H_2(g)+O_2(g) \longrightarrow H_2O_2(l),\ \Delta H_1 \cdots ① \\ \hline & H_2O_2(l) \longrightarrow H_2O(l)+\frac{1}{2}O_2(g),\ \Delta H=\Delta H_2-\Delta H_1 \end{array}$$

$\Delta H=\Delta H_2-\Delta H_1=-285.8\ \text{kJ}-(-187.8\ \text{kJ})=-98\ \text{kJ}$

2 그래프에서 $|a\ \text{kJ}|=|b\ \text{kJ}|+|\Delta H|$의 관계가 성립한다. 즉, $|\Delta H|=|a\ \text{kJ}|-|b\ \text{kJ}|$이다.

$2NO_2(g) \longrightarrow N_2(g)+2O_2(g)$ 반응은 생성물의 엔탈피가 반응물의 엔탈피보다 작은 발열 반응이므로 $\Delta H<0$이다. 따라서 $\Delta H=-(a-b)\ \text{kJ}$이다.

3 주어진 열화학 반응식을 각각 ①, ②로 한다.

$A(g)+B(g) \longrightarrow C(g)+D(g)$, ΔH_1 ······ ①

$2C(g)+2D(g) \longrightarrow 3E(g)$, ΔH_2 ······ ②

$2A(g)+2B(g) \longrightarrow 3E(g)$ 반응은 [2×①식+②식]이다.

$$
\begin{array}{rl}
& 2A(g)+2B(g) \longrightarrow 2C(g)+2D(g),\ 2\Delta H_1 \cdots\cdots 2\times① \\
+) & 2C(g)+2D(g) \longrightarrow 3E(g),\ \Delta H_2 \cdots\cdots ② \\
\hline
& 2A(g)+2B(g) \longrightarrow 3E(g),\ \Delta H=2\Delta H_1+\Delta H_2
\end{array}
$$

4 헤스 법칙에 따라 반응물과 생성물의 종류와 상태가 같으면 반응 경로에 관계없이 반응엔탈피는 같다.

$C(s)+O_2(g) \longrightarrow CO_2(g),\ \Delta H=\Delta H_1+\Delta H_2$

$C(s)$ 6 g은 $\frac{1}{2}\left(=\frac{6}{12}\right)$몰이므로, $C(s)$ 6 g이 완전 연소할 때의 반응엔탈피는 $\frac{1}{2}(\Delta H_1+\Delta H_2)$이다.

5 $H_2O(l)$ 1몰이 기화되는 반응의 열화학 반응식은 다음과 같다.

$H_2O(l) \longrightarrow H_2O(g),\ \Delta H$

반응물과 생성물의 표준 생성 엔탈피를 이용하면 반응엔탈피를 구할 수 있다.

ΔH=생성물의 표준 생성 엔탈피 합−반응물의 표준 생성 엔탈피 합 $=-241.8$ kJ$-(-285.8$ kJ$)=44$ kJ

대표 자료 분석 139쪽

자료 ① **1** C=O **2** 298 kJ/mol **3** −680 kJ **4** (1) × (2) × (3) ○ (4) ○

자료 ② **1** $\Delta H_3=\Delta H_1+\Delta H_2-\Delta H_4$ **2** $\frac{1}{2}\Delta H_2$ **3** $\frac{1}{2}\Delta H_4$ **4** (1) × (2) ○ (3) × (4) ○ (5) ×

①-1 꼼꼼 문제 분석

(반응물의 결합 에너지 합) < (생성물의 결합 에너지 합) → $\Delta H<0$

(가) $H_2(g)+I_2(g) \longrightarrow 2HI(g),\ \Delta H=-8$ kJ

(나) $CH_4(g)+2O_2(g) \longrightarrow CO_2(g)+2H_2O(g),\ \Delta H=?$

결합	결합 에너지 (kJ/mol)	결합	결합 에너지 (kJ/mol)
C−H	410	H−H	436
O=O	498	H−O	430
C=O	732	I−I	152

→ 결합 에너지가 가장 크다. → 1몰의 공유 결합을 끊는 데 가장 큰 에너지가 필요하다.

공유 결합 1몰을 끊는 데 필요한 에너지가 결합 에너지이므로, 표의 결합 중 결합 1몰을 끊는 데 가장 큰 에너지가 필요한 것은 C=O이다.

①-2 ΔH=반응물의 결합 에너지 합−생성물의 결합 에너지 합 =(H−H 결합 에너지+I−I 결합 에너지)−(2×H−I 결합 에너지)

-8(kJ)$=(436+152)-$(2×H−I 결합 에너지)

H−I 결합 에너지$=\frac{436+152+8}{2}=298$(kJ/mol)

①-3 ΔH=반응물의 결합 에너지 합−생성물의 결합 에너지 합=(4×C−H 결합 에너지+2×O=O 결합 에너지)−(2×C=O 결합 에너지+4×O−H 결합 에너지)

$=(4\times410+2\times498)-(2\times732+4\times463)=-680$(kJ)

①-4 (1) 결합 에너지가 C−H<H−O이므로 결합의 세기는 C−H<H−O이다.

(2) (가)에서 ΔH=(반응물의 결합 에너지 합−생성물의 결합 에너지 합)<0이므로, 생성물의 결합 에너지 합이 반응물의 결합 에너지 합보다 크다.

(3) • CH_4의 결합 에너지: 4×C−H 결합 에너지 $=4\times410=1640$(kJ/mol)

• CO_2의 결합 에너지: 2×C=O 결합 에너지 $=2\times732=1464$(kJ/mol)

(4) $H_2O(g)$의 생성 엔탈피는 다음 반응의 반응엔탈피(ΔH)이다.

$H_2(g)+\frac{1}{2}O_2(g) \longrightarrow H_2O(g),\ \Delta H$

ΔH=(H−H 결합 에너지+$\frac{1}{2}$×O=O 결합 에너지)−(2×H−O 결합 에너지)로 구할 수 있다.

②-1 꼼꼼 문제 분석

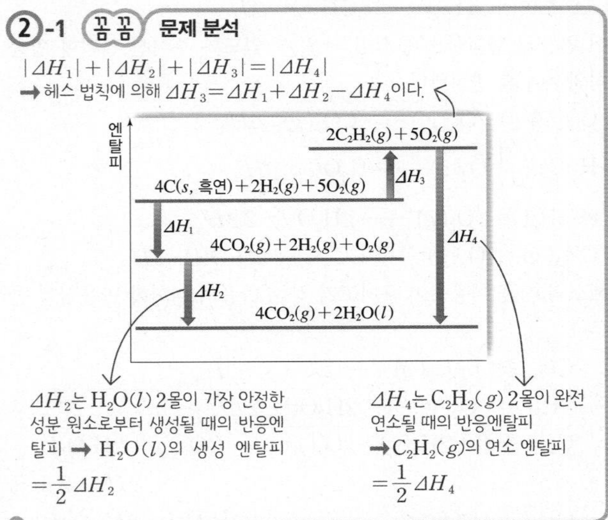

그래프에서 $|\Delta H_1|+|\Delta H_2|+|\Delta H_3|=|\Delta H_4|$의 관계가 성립하고, 엔탈피 변화를 나타내는 화살표의 방향이 모두 같도록 화살표 방향이 위쪽인 ΔH_3에 (−) 부호를 붙이면 다음과 같다.

$\Delta H_1+\Delta H_2-\Delta H_3=\Delta H_4$

따라서 $\Delta H_3=\Delta H_1+\Delta H_2-\Delta H_4$이다.

②-2 $H_2O(l)$의 생성 엔탈피는 다음 반응의 반응엔탈피이다.

$H_2(g)+\frac{1}{2}O_2(g) \longrightarrow H_2O(l)$, ΔH

그림에서 ΔH_2는 $2H_2(g)+O_2(g) \longrightarrow 2H_2O(l)$ 반응의 반응엔탈피이므로, $H_2O(l)$의 생성 엔탈피는 $\frac{1}{2}\Delta H_2$이다.

②-3 $C_2H_2(g)$의 연소 엔탈피는 다음 반응의 반응엔탈피이다.

$C_2H_2(g)+\frac{5}{2}O_2(g) \longrightarrow 2CO_2(g)+H_2O(l)$, ΔH

그림에서 ΔH_4는 $2C_2H_2(g)+5O_2(g) \longrightarrow 4CO_2(g)+2H_2O(l)$ 반응의 반응엔탈피이므로, $C_2H_2(g)$의 연소 엔탈피는 $\frac{1}{2}\Delta H_4$이다.

②-4 (1) $CO_2(g)$의 생성 엔탈피는 다음 반응의 반응엔탈피이다.

$C(s,$ 흑연$)+O_2(g) \longrightarrow CO_2(g)$, ΔH

그림에서 ΔH_1은 $4C(s,$ 흑연$)+4O_2(g) \longrightarrow 4CO_2(g)$ 반응의 반응엔탈피이므로, $CO_2(g)$의 생성 엔탈피는 $\frac{1}{4}\Delta H_1$이다.

(2) $C_2H_2(g)$의 생성 엔탈피는 다음 반응의 반응엔탈피이다.

$2C(s,$ 흑연$)+H_2(g) \longrightarrow C_2H_2(g)$, ΔH

그림에서 ΔH_3은 $4C(s,$ 흑연$)+2H_2(g) \longrightarrow 2C_2H_2(g)$ 반응의 반응엔탈피이므로, $C_2H_2(g)$의 생성 엔탈피는 $\frac{1}{2}\Delta H_3$이다.

(3) $C(s,$ 흑연$)$의 연소 엔탈피는 다음 반응의 반응엔탈피이다.

$C(s,$ 흑연$)+O_2(g) \longrightarrow CO_2(g)$, ΔH

이 반응의 ΔH는 $CO_2(g)$의 생성 엔탈피와도 같으므로 $C(s,$ 흑연$)$의 연소 엔탈피는 $\frac{1}{4}\Delta H_1$이다.

(4) C_2H_2의 분자량이 26이므로 $C_2H_2(g)$ 13 g은 $\frac{1}{2}$몰이다. $C_2H_2(g)$의 연소 엔탈피가 $\frac{1}{2}\Delta H_4$이므로 $C_2H_2(g)$ $\frac{1}{2}$몰이 완전 연소할 때 $\frac{1}{4}|\Delta H_4|$의 열을 방출한다.

(5) $4C(s,$ 흑연$)+2H_2(g) \longrightarrow 2C_2H_2(g)$ 반응의 반응엔탈피 ΔH_3은 0보다 크다. 이때 반응물에 고체 상태의 물질이 있으므로 반응물과 생성물의 결합 에너지로 반응엔탈피를 구할 수 없다. 따라서 반응물과 생성물의 결합 에너지를 비교할 수 없다.

내신 만점 문제

140쪽~142쪽

01 ③ **02** ② **03** ③ **04** ④ **05** ⑤ **06** ④
07 ③ **08** ② **09** ⑤ **10** ⑤
11 $2\Delta H_1+3\Delta H_2-\Delta H_3$ **12** ④ **13** $C_2H_4(g)+3O_2(g) \longrightarrow 2CO_2(g)+2H_2O(l)$, $\Delta H=-1412$ kJ

01 ㄱ. 결합 에너지가 클수록 결합의 세기가 크다.

ㄴ. 같은 원자 사이의 결합에서 두 원자 사이의 결합 수가 늘어날수록 결합 에너지가 커진다. 따라서 C=C의 결합 에너지는 C−C의 결합 에너지보다 크므로 $x>350$이다.

바로알기 ㄷ. 결합 에너지는 결합의 극성이 클수록 커진다. H−Cl과 H−Br에서 수소 원자는 같고 할로젠 원소만 다르다. 이때 전기 음성도가 Cl>Br이므로 결합의 극성은 H−Cl이 H−Br보다 크다. 따라서 결합 에너지는 H−Cl이 H−Br보다 크므로 $y<431$이다.

02 꼼꼼 문제 분석

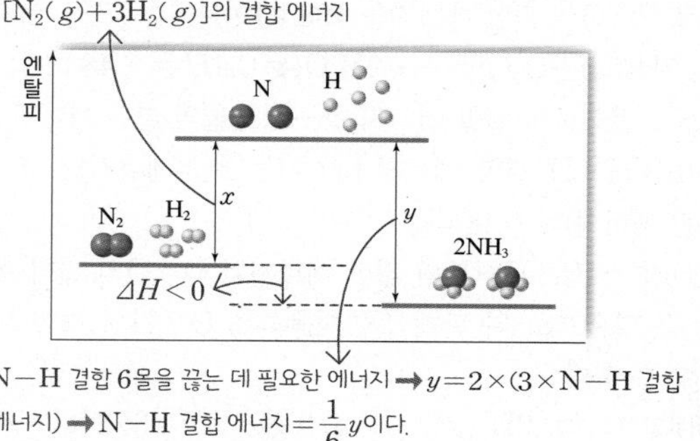
N≡N 결합 1몰과 H−H 결합 3몰을 끊는 데 필요한 에너지
→ $x=[N_2(g)+3H_2(g)]$의 결합 에너지
엔탈피
N
H
N_2
H_2
x
y
$2NH_3$
$\Delta H<0$
N−H 결합 6몰을 끊는 데 필요한 에너지 → $y=2\times(3\times$N−H 결합 에너지$)$ → N−H 결합 에너지$=\frac{1}{6}y$이다.

ㄷ. $N_2(g)+3H_2(g) \longrightarrow 2NH_3(g)$ 반응은 반응물과 생성물이 모두 기체이므로 결합 에너지를 이용해 반응엔탈피(ΔH)를 구할 수 있다.

ΔH=(반응물의 결합 에너지 합−생성물의 결합 에너지 합)이며, 반응이 일어날 때 엔탈피가 작아지므로 반응엔탈피$(\Delta H)<0$이다. 따라서 결합 에너지의 합은 생성물인 $2NH_3(g)$가 반응물인 $[N_2(g)+3H_2(g)]$보다 크다.

바로알기 ㄱ. x는 N≡N 결합 1몰과 H−H 결합 3몰을 끊는 데 필요한 에너지이다. 따라서 x는 $[N_2(g)+3H_2(g)]$의 결합 에너지이다.

ㄴ. y는 N−H 결합 6몰을 끊는 데 필요한 에너지이므로, N−H 결합 1몰을 끊는 데 필요한 에너지는 $\frac{1}{6}y$이다.

03 ㄱ. 결합 에너지는 $A_2(g)$가 436 kJ/mol, $B_2(g)$가 242 kJ/mol, $AB(g)$가 431 kJ/mol이다. 결합 에너지가 클수록 결합의 세기가 강하므로 결합을 끊기 어렵다.

ㄴ. $A_2(g)+B_2(g) \longrightarrow 2AB(g)$, ΔH

ΔH=반응물의 결합 에너지 합−생성물의 결합 에너지 합
=(A−A 결합 에너지+B−B 결합 에너지)−(2×A−B 결합 에너지)=(436+242)−(2×431)=−184(kJ)

바로알기 ㄷ. 반응엔탈피(ΔH)가 −184 kJ로 0보다 작으므로, 반응물의 결합 에너지 합은 생성물의 결합 에너지 합보다 작다.

04 꼼꼼 문제 분석

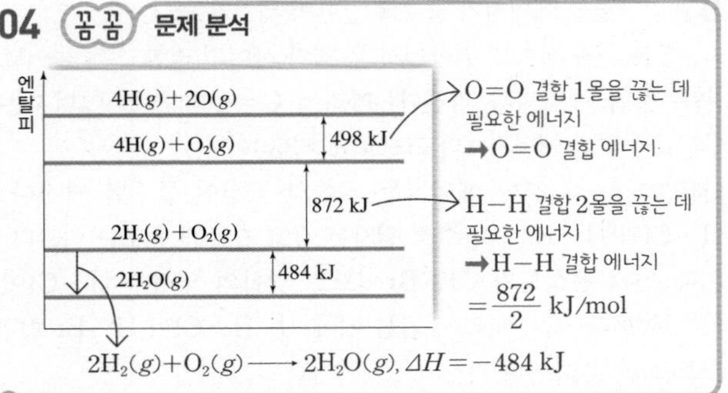

ㄴ. $O_2(g) \longrightarrow 2O(g)$, $\Delta H=498$ kJ

이 반응의 ΔH는 O=O 결합 1몰이 끊어질 때의 반응엔탈피이므로 O=O의 결합 에너지는 498 kJ이다.

ㄷ. $2H_2(g)+O_2(g) \longrightarrow 2H_2O(g)$, $\Delta H=-484$ kJ

ΔH=반응물의 결합 에너지 합−생성물의 결합 에너지 합
=(2×H−H 결합 에너지+O=O 결합 에너지)−(4×O−H 결합 에너지)=−484 kJ

주어진 자료로 H−H의 결합 에너지와 O=O의 결합 에너지를 알 수 있으므로 위 관계식을 이용하면 O−H의 결합 에너지를 구할 수 있다.

바로알기 ㄱ. $2H_2(g) \longrightarrow 4H(g)$, $\Delta H=872$ kJ

이 반응의 ΔH는 H−H 결합 2몰이 끊어질 때의 반응엔탈피이므로 H−H의 결합 에너지는 $436\left(=\frac{872}{2}\right)$ kJ/mol이다.

05 꼼꼼 문제 분석

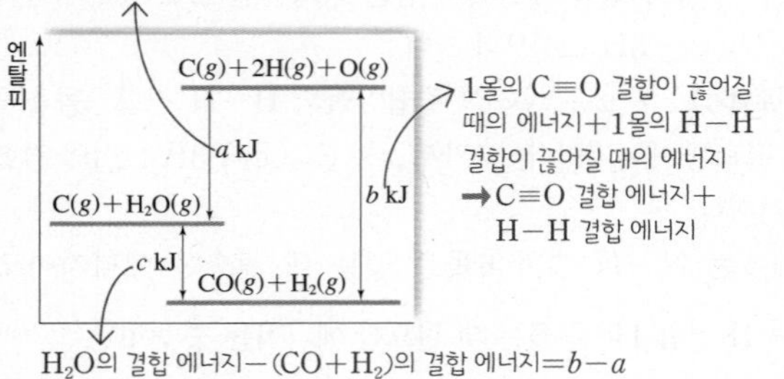

a=2×O−H 결합 에너지=2×463=926(kJ)

b=C≡O 결합 에너지+H−H 결합 에너지
=1072+436=1508(kJ)

$b=a+c$이므로 헤스 법칙에 따라 $c=b-a$이다.

따라서 $c=1508-926=582$(kJ)이다.

다른 풀이 $C(g)+H_2O(g) \longrightarrow CO(g)+H_2(g)$, $\Delta H=-c$ kJ

$-c$ kJ=반응물의 결합 에너지 합−생성물의 결합 에너지 합
=(2×O−H 결합 에너지)−(C≡O 결합 에너지+H−H 결합 에너지)
=(2×463)−(1072+436)=582(kJ)

06

주어진 열화학 반응식을 각각 ①~③으로 한다.

$H_2(g)+\frac{1}{2}O_2(g) \longrightarrow H_2O(l)$, ΔH_1 ······ ①

$C(s)+O_2(g) \longrightarrow CO_2(g)$, ΔH_2 ······ ②

$2C(s)+3H_2(g)+\frac{1}{2}O_2(g) \longrightarrow C_2H_5OH(l)$, ΔH_3 ······ ③

$C_2H_5OH(l)+3O_2(g) \longrightarrow 2CO_2(g)+3H_2O(l)$ 반응은 [3×①식+2×②식−③식]으로 구할 수 있다.

$$3H_2(g)+\frac{3}{2}O_2(g) \longrightarrow 3H_2O(l),\ 3\Delta H_1 \quad \cdots\cdots\ 3\times①$$

$$+)\ 2C(s)+2O_2(g) \longrightarrow 2CO_2(g),\ 2\Delta H_2 \quad \cdots\cdots\ 2\times②$$

$$3H_2(g)+\frac{7}{2}O_2(g)+2C(s) \longrightarrow 3H_2O(l)+2CO_2(g),\ 3\Delta H_1+2\Delta H_2$$

$$-)\ 2C(s)+3H_2(g)+\frac{1}{2}O_2(g) \longrightarrow C_2H_5OH(l),\ \Delta H_3 \quad \cdots\ ③$$

$$C_2H_5OH(l)+3O_2(g) \longrightarrow 3H_2O(l)+2CO_2(g),\ 3\Delta H_1+2\Delta H_2-\Delta H_3$$

따라서 $\Delta H=3\Delta H_1+2\Delta H_2-\Delta H_3$이다.

07 꼼꼼 문제 분석

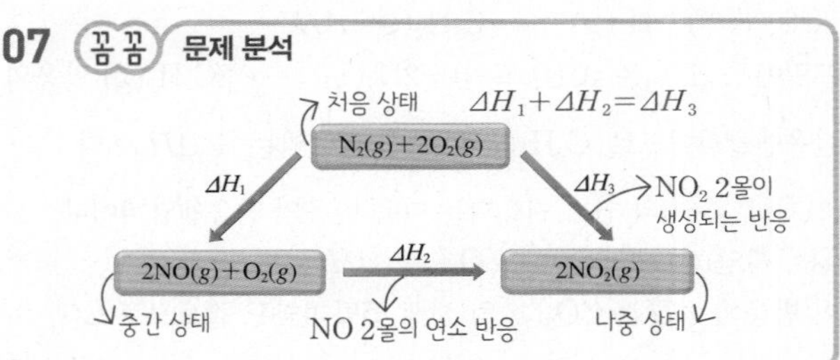

ㄱ. 반응물 $[N_2(g)+2O_2(g)]$가 생성물 $2NO_2(g)$로 되는 반응에서 반응 경로가 다르더라도 반응엔탈피는 같으므로 $\Delta H_1+\Delta H_2=\Delta H_3$이다. 따라서 $\Delta H_1=\Delta H_3-\Delta H_2$이다.

ㄷ. $NO(g)$의 연소 엔탈피는 다음 반응의 반응엔탈피(ΔH)이다.

$NO(g)+\frac{1}{2}O_2(g) \longrightarrow NO_2(g)$, ΔH

그림에서 $NO(g)$ 2몰이 연소할 때의 반응엔탈피가 ΔH_2이다.

$2NO(g)+O_2(g) \longrightarrow 2NO_2(g)$, ΔH_2

따라서 $NO(g)$의 연소 엔탈피는 $\frac{1}{2}\Delta H_2$이다.

$\Delta H_1+\Delta H_2=\Delta H_3$에서 $\Delta H_2=\Delta H_3-\Delta H_1$이므로, $NO(g)$의 연소 엔탈피는 $\frac{1}{2}(\Delta H_3-\Delta H_1)$이다.

바로알기 ㄴ. $N_2(g)+2O_2(g) \longrightarrow 2NO_2(g)$, ΔH_3

$\frac{1}{2}N_2(g)+O_2(g) \longrightarrow NO_2(g)$, $\underline{\Delta H=\frac{1}{2}\Delta H_3}$
$NO_2(g)$의 생성 엔탈피

$\Delta H_1+\Delta H_2=\Delta H_3$이므로, $NO_2(g)$의 생성 엔탈피는 $\frac{1}{2}(\Delta H_1+\Delta H_2)$이다.

08 꼼꼼 문제 분석

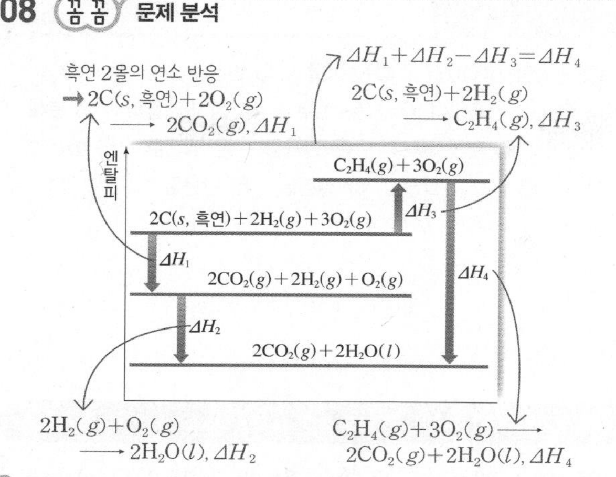

ㄷ. $C_2H_4(g)$ 1몰이 완전 연소할 때의 반응엔탈피가 $\varDelta H_4$이다. 따라서 $C_2H_4(g)$ 14 g, 즉 $\frac{1}{2}\left(=\frac{14}{28}\right)$몰이 완전 연소할 때의 반응엔탈피는 $\frac{1}{2}\varDelta H_4$이다.

바로알기 ㄱ. 분해 엔탈피는 어떤 물질 1몰이 가장 안정한 상태의 성분 원소로 분해될 때의 반응엔탈피이다. 따라서 $C_2H_4(g)$의 분해 엔탈피는 다음 반응의 반응엔탈피($\varDelta H$)이다.

$C_2H_4(g) \longrightarrow 2C(s, 흑연)+2H_2(g),\ \varDelta H$

그림에서 $C_2H_4(g)$ 생성 엔탈피가 $\varDelta H_3$이므로 $C_2H_4(g)$의 분해 엔탈피($\varDelta H$)는 $-\varDelta H_3$이다.

ㄴ. $2C(s, 흑연)+2O_2(g) \longrightarrow 2CO_2(g),\ \varDelta H_1$

$C(s, 흑연)+O_2(g) \longrightarrow CO_2(g),\ \frac{1}{2}\varDelta H_1$

그림에서 $\varDelta H_1+\varDelta H_2-\varDelta H_3=\varDelta H_4$이므로 $\varDelta H_1=\varDelta H_3+\varDelta H_4-\varDelta H_2$이다. 따라서 C(s, 흑연)의 연소 엔탈피는 $\frac{1}{2}\varDelta H_1 = \frac{1}{2}(\varDelta H_3+\varDelta H_4-\varDelta H_2)$이다.

09 꼼꼼 문제 분석

$N_2H_4(l)$ 1몰이 가장 안정한 성분 원소 $N_2(g)$, $H_2(g)$로부터 생성되거나 분해될 때 출입하는 에너지이다.

엔탈피가 감소하는 발열 반응이다.
$2H_2(g)+O_2(g) \longrightarrow 2H_2O(g),\ \varDelta H<0$
➡ 반응물의 결합 에너지 < 생성물의 결합 에너지

엔탈피: $N_2H_4(l)+O_2(g)$ / 51 kJ / $N_2(g)+2H_2(g)+O_2(g)$ / 572 kJ / $N_2(g)+2H_2O(g)$ / 88 kJ / $N_2(g)+2H_2O(l)$

$-51-(572-88) = -535$(kJ)

ㄱ. $N_2H_4(l)$ 1몰이 생성될 때 51 kJ의 에너지를 흡수하므로, $N_2H_4(l)$의 생성 엔탈피는 51 kJ/mol이다.

ㄴ. $2H_2(g)+O_2(g) \longrightarrow 2H_2O(g)$ 반응이 일어날 때 엔탈피가 감소하므로($\varDelta H<0$), 반응물인 $[2H_2(g)+O_2(g)]$의 결합 에너지 합이 생성물인 $2H_2O(g)$의 결합 에너지 합보다 작다.

ㄷ. $N_2H_4(l)+O_2(g) \longrightarrow N_2(g)+2H_2O(g)$의 반응엔탈피($\varDelta H$)는 헤스 법칙에 따라 $-51-(572-88)=-535$(kJ)이다.

10

주어진 열화학 반응식을 각각 ①~④로 한다.

$C(s, 흑연)+O_2(g) \longrightarrow CO_2(g),\ \varDelta H_1$ ······ ①

$CO(g)+\frac{1}{2}O_2(g) \longrightarrow CO_2(g),\ \varDelta H_2$ ······ ②

$H_2(g)+\frac{1}{2}O_2(g) \longrightarrow H_2O(g),\ \varDelta H_3$ ······ ③

$C(s, 흑연)+H_2O(g) \longrightarrow CO(g)+H_2(g),\ \varDelta H_4$ ······ ④

ㄱ. ①식은 C(s, 흑연) 1몰이 연소하는 반응의 열화학 반응식이므로, $\varDelta H_1$은 C(s, 흑연)의 연소 엔탈피이다.

ㄴ. $CO(g)$의 분해 엔탈피는 다음 반응의 반응엔탈피($\varDelta H$)이다.

$CO(g) \longrightarrow C(s, 흑연)+\frac{1}{2}O_2(g),\ \varDelta H$

이 반응은 [②식−①식]으로 구할 수 있다.

$CO(g)+\frac{1}{2}O_2(g) \longrightarrow CO_2(g),\ \varDelta H_2$ ······ ②

$-)\ C(s, 흑연)+O_2(g) \longrightarrow CO_2(g),\ \varDelta H_1$ ······ ①

$CO(g) \longrightarrow C(s, 흑연)+\frac{1}{2}O_2(g),\ \varDelta H=\varDelta H_2-\varDelta H_1$

따라서 $CO(g)$의 분해 엔탈피($\varDelta H$)는 $\varDelta H_2-\varDelta H_1$이다.

ㄷ. ④식은 [①식−②식−③식]으로 구할 수 있다.

$C(s, 흑연)+O_2(g) \longrightarrow CO_2(g),\ \varDelta H_1$ ······ ①

$-)\ CO(g)+\frac{1}{2}O_2(g) \longrightarrow CO_2(g),\ \varDelta H_2$ ······ ②

$C(s, 흑연)+\frac{1}{2}O_2(g) \longrightarrow CO(g),\ \varDelta H_1-\varDelta H_2$

$-)\ H_2(g)+\frac{1}{2}O_2(g) \longrightarrow H_2O(g),\ \varDelta H_3$ ······ ③

$C(s, 흑연)+H_2O(g) \longrightarrow CO(g)+H_2(g),\ \varDelta H_4$ ······ ④

따라서 $\varDelta H_4=\varDelta H_1-\varDelta H_2-\varDelta H_3$이다.

11

$C_2H_5OH(l)$의 생성 엔탈피는 다음 반응의 반응엔탈피($\varDelta H$)이다.

$2C(s)+3H_2(g)+\frac{1}{2}O_2(g) \longrightarrow C_2H_5OH(l),\ \varDelta H=$(가)

연소 엔탈피 $\varDelta H_1$~$\varDelta H_3$에 해당하는 열화학 반응식은 다음과 같다.

$C(s)+O_2(g) \longrightarrow CO_2(g),\ \varDelta H_1$ ······ ①

$H_2(g)+\frac{1}{2}O_2(g) \longrightarrow H_2O(l),\ \varDelta H_2$ ······ ②

$C_2H_5OH(l)+3O_2(g) \longrightarrow 2CO_2(g)+3H_2O(l),\ \varDelta H_3$ ······ ③

$C_2H_5OH(l)$의 생성 반응은 [2×①식+3×②식−③식]으로 구할 수 있다.

$$2C(s)+2O_2(g) \longrightarrow 2CO_2(g),\ 2\Delta H_1 \cdots\cdots 2\times①$$

$$+)\ 3H_2(g)+\frac{3}{2}O_2(g) \longrightarrow 3H_2O(l),\ 3\Delta H_2 \cdots\cdots 3\times②$$

$$-)\ C_2H_5OH(l)+3O_2(g) \longrightarrow 2CO_2(g)+3H_2O(l),\ \Delta H_3\ ③$$

$$2C(s)+3H_2(g)+\frac{1}{2}O_2(g) \longrightarrow C_2H_5OH(l),$$

$$\Delta H=2\Delta H_1+3\Delta H_2-\Delta H_3$$

따라서 (가)는 $2\Delta H_1+3\Delta H_2-\Delta H_3$이다.

12 꼼꼼 문제 분석

- 중화 엔탈피: -56 kJ/mol → 중화 반응으로 물 1몰이 생성될 때 방출하는 열량: 56 kJ
- $NaOH(s)$의 용해 엔탈피: -45 kJ/mol
  $NaOH(s) \longrightarrow NaOH(aq),\ \Delta H=-45$ kJ
  ➡ $NaOH(s)$ 1몰이 용해될 때 방출하는 열량: 45 kJ

$HCl(aq)$에 $NaOH(s)$을 넣으면 $NaOH(s)$이 용해되면서 열을 방출하고, 중화 반응이 일어나면서 열을 방출하므로 이를 모두 고려해야 한다.

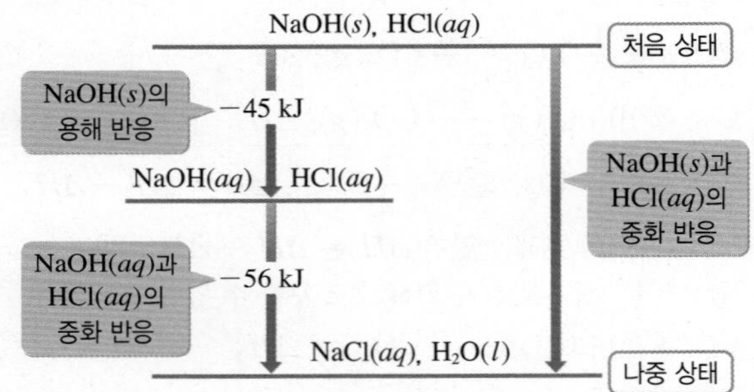

- $NaOH(s)$ 8 g이 용해될 때 방출하는 열량: NaOH의 화학식량이 40이므로 $NaOH(s)$ 8 g은 0.2몰이다. 따라서 $NaOH(s)$ 8 g이 용해될 때 방출하는 열량은 45 kJ/mol × 0.2 mol = 9.0 kJ이다.
- 중화 반응할 때 방출하는 열량: 0.4 M $HCl(aq)$ 500 mL에 들어 있는 H^+의 양은 0.4 mol/L × 0.5 L = 0.2 mol이므로, 중화 반응으로 생성되는 물의 양(mol)은 0.2몰이다. 따라서 중화 반응으로 방출하는 열량은 56 kJ/mol × 0.2 mol = 11.2 kJ이다.

따라서 0.4 M $HCl(aq)$ 500 mL에 $NaOH(s)$ 8 g을 넣어 반응시켰을 때 방출하는 열량은 20.2(=9.0+11.2) kJ이다.

13 $C_2H_4(g)$의 연소 엔탈피는 다음 반응의 반응엔탈피(ΔH)이다.

$C_2H_4(g)+3O_2(g) \longrightarrow 2CO_2(g)+2H_2O(l),\ \Delta H$

ΔH=생성물의 표준 생성 엔탈피 합−반응물의 표준 생성 엔탈피 합$=\{2\times\Delta H_f°(CO_2(g))+2\times\Delta H_f°(H_2O(l))\}-\{\Delta H_f°(C_2H_4(g))+3\times\Delta H_f°(O_2(g))\}$

이때 $O_2(g)$는 가장 안정한 원소로 표준 생성 엔탈피가 0이다.

$\Delta H=\{2\times(-394)+2\times(-286)\}-52=-1412$(kJ)

중단원 핵심 정리 143쪽

❶ 반응엔탈피(ΔH) ❷ 생성물 ❸ 반응물 ❹ < ❺ > ❻ 음(−) ❼ 양(+) ❽ 계수 ❾ 생성 엔탈피 ❿ 분해 엔탈피 ⓫ 결합 에너지 ⓬ 반응물 ⓭ 생성물 ⓮ 반응엔탈피 ⓯ $\Delta H_1-\Delta H_3$ ⓰ 생성물 ⓱ 반응물

중단원 마무리 문제 144쪽~148쪽

01 ④ **02** ⑤ **03** ③ **04** ② **05** $2NO_2(g) \longrightarrow N_2O_4(g),\ \Delta H=-114.4$ kJ **06** ③ **07** ③ **08** ② **09** ③ **10** ⑤ **11** ① **12** ④ **13** ⑤ **14** ③ **15** ② **16** ① **17** ④ **18** ④ **19** ④ **20** 해설 참조 **21** 해설 참조 **22** 해설 참조

01 ㄱ, ㄷ. 반응물의 엔탈피 합이 생성물의 엔탈피 합보다 크므로 발열 반응($\Delta H<0$)이다. 발열 반응이 일어날 때 열을 방출하므로 주위의 온도가 높아진다.

바로알기 ㄴ. 반응물의 엔탈피 합은 생성물의 엔탈피 합보다 크다.

02 꼼꼼 문제 분석

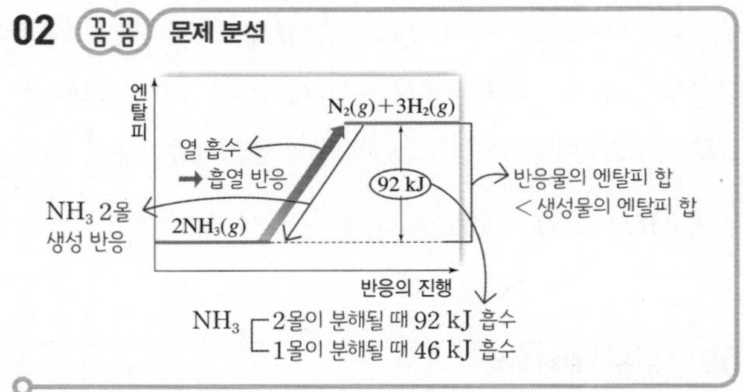

①, ② (생성물의 엔탈피 합)>(반응물의 엔탈피 합)

➡ 생성물의 엔탈피 합−반응물의 엔탈피 합$=\Delta H>0$

③, ④ $NH_3(g)$ 2몰이 가장 안정한 성분 원소인 $N_2(g)$와 $H_2(g)$로 분해될 때 92 kJ의 열이 출입하므로 $NH_3(g)$ 1몰이 분해될 때는 46 kJ의 열이 출입한다.

$$2NH_3(g) \longrightarrow N_2(g)+3H_2(g),\ \Delta H=92\text{ kJ}$$

$$NH_3(g) \longrightarrow \frac{1}{2}N_2(g)+\frac{3}{2}H_2(g),\ \Delta H=46\text{ kJ} \quad \times\frac{1}{2}$$

바로알기 ⑤ 생성 엔탈피는 물질 1몰이 성분 원소로부터 생성될 때의 반응엔탈피이므로 $NH_3(g)$의 생성 엔탈피는 -46 kJ/mol이다.

03 ㄱ, ㄷ. $NH_4NO_3(s)$이 용해될 때 용액의 온도가 낮아지므로 $NH_4NO_3(s)$의 용해 과정은 흡열 반응이다. 따라서 (나)에서 $NH_4NO_3(s)$이 모두 용해되지 않으면 흡수하는 열량이 작아지므로 용액의 온도가 덜 낮아져 t_1과 t_2의 온도 차가 작아진다.

바로알기 ㄴ. 흡열 반응의 반응엔탈피(ΔH)는 0보다 크다.

04 ㄱ, ㄹ. 간이 열량계를 이용하여 반응열을 측정할 때, 화학 반응에서 출입하는 열량은 간이 열량계 속 용액이 흡수하거나 빼앗긴 열량과 같으므로 $Q=c\times m\times \Delta t$($c$: 용액의 비열, m: 용액의 질량, Δt: 온도 변화)로 구한다. 따라서 용액의 비열을 알아야 한다. 또, 실험에서 측정한 반응열은 $NH_4NO_3(s)$ 1 g이 물에 용해될 때 흡수한 열량이고, 용해 엔탈피는 물질 1몰이 용해될 때의 반응엔탈피이므로, NH_4NO_3의 화학식량을 알아야 한다.

05 $NO_2(g) \longrightarrow \frac{1}{2}N_2O_4(g)$, $\Delta H=-57.2$ kJ

따라서 $N_2O_4(g)$ 1몰이 생성될 때는 $NO_2(g)$ 2몰이 반응하며, 반응물의 양에 비례하여 반응엔탈피도 커진다.

$2NO_2(g) \longrightarrow N_2O_4(g)$, $\Delta H=-114.4$ kJ

06 꼼꼼 문제 분석

$O_2(g)$와 반응하여 $CO_2(g)$, $H_2O(l)$을 생성하는 반응이므로 모두 연소 반응이다. 연소 반응은 발열 반응이다.

연소 엔탈피는 항상 0보다 작다. → $\Delta H<0$

(가) $2CO(s)+O_2(g) \longrightarrow 2CO_2(g)$, ΔH_1

(나) $CH_4(g)+2O_2(g) \longrightarrow CO_2(g)+2H_2O(l)$, ΔH_2

(다) $C_2H_4(s)+3O_2(g) \longrightarrow 2CO_2(g)+2H_2O(l)$, ΔH_3

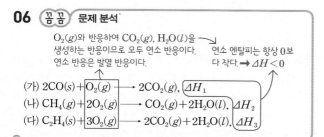

ㄱ. 연소 반응은 발열 반응이므로 $\Delta H<0$이다.

ㄴ. 엔탈피는 어떤 물질이 특정 온도와 압력에서 가지는 고유한 에너지이므로, 온도와 압력이 같을 때 $CO_2(g)$ 1몰의 엔탈피는 동일하다.

바로알기 ㄷ. $CO_2(g)$의 분해 엔탈피는 $CO_2(g)$ 1몰이 가장 안정한 성분 원소인 C와 O_2로 분해될 때의 반응엔탈피이다.

$CO_2(g) \longrightarrow C(s,$ 흑연$)+\frac{1}{2}O_2(g)$, ΔH

따라서 제시된 열화학 반응식으로 $CO_2(g)$의 분해 엔탈피를 구할 수 없다.

07 ㄱ. (가)는 $H_2O(g)$이 가장 안정한 성분 원소로 분해될 때의 반응이고, $\Delta H>0$인 흡열 반응이다. 따라서 (가)의 역반응은 $H_2O(g)$이 생성되는 반응으로, $\Delta H<0$인 발열 반응이다.

ㄷ. $H_2O(g)$의 분해 엔탈피는 $242\left(=\frac{484}{2}\right)$ kJ이다. $H_2O_2(g)$의 분해 엔탈피는 136 kJ이므로 분해 엔탈피는 $H_2O(g)$이 $H_2O_2(g)$보다 크다.

바로알기 ㄴ. (나)는 $\Delta H>0$이므로 반응물의 엔탈피 합은 생성물의 엔탈피 합보다 작다.

08 꼼꼼 문제 분석

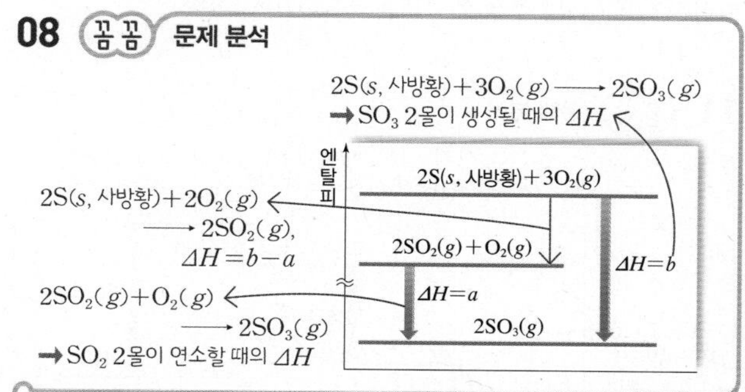

ㄷ. $2S(s,$ 사방황$)+2O_2(g) \longrightarrow 2SO_2(g)$, $\Delta H=(b-a)$ kJ

$S(s,$ 사방황$)+O_2(g) \longrightarrow SO_2(g)$, $\Delta H=\frac{1}{2}(b-a)$ kJ

바로알기 ㄱ. $SO_2(g)$ 2몰이 완전 연소할 때의 반응엔탈피가 a kJ이므로 $SO_2(g)$의 연소 엔탈피는 $\frac{1}{2}a$ kJ/mol이다.

ㄴ. $SO_3(g)$ 2몰이 가장 안정한 성분 원소로부터 생성될 때의 반응엔탈피가 b kJ이므로 $SO_3(g)$의 생성 엔탈피는 $\frac{1}{2}b$ kJ/mol이다.

09 ㄱ. 반응 Ⅰ의 ΔH는 H−H 결합 1몰과 F−F 결합 1몰이 끊어질 때의 반응엔탈피로, 반응이 끊어질 때에는 에너지를 흡수한다. 따라서 $a>0$이다.

ㄷ. $\Delta H=$(H−H 결합 에너지+F−F 결합 에너지)−(2×H−F 결합 에너지)=(436+159)−(2×570)=−545(kJ)

$\therefore c=-545$ kJ

바로알기 ㄴ. 반응 Ⅱ의 ΔH는 H−F 결합 2몰이 형성될 때의 반응엔탈피(ΔH)로, H−F 결합이 끊어지는 반응의 역반응이다. 따라서 반응엔탈피(ΔH)는 −(2×H−F 결합 에너지)=−(2×570 kJ)=−1140 kJ이다. 즉, b는 −1140 kJ이다.

10 ㄱ. 결합 에너지가 $O_2(g)$가 $F_2(g)$보다 크므로 결합의 세기는 $O_2(g)$가 $F_2(g)$보다 크다.

ㄴ. $H_2O(g)$의 생성 엔탈피는 다음 반응의 반응엔탈피(ΔH)이다.

$H_2(g)+\frac{1}{2}O_2(g) \longrightarrow H_2O(g)$, ΔH

$\Delta H=$(H−H 결합 에너지+2×O=O 결합 에너지)−(2×H−O 결합 에너지)=$(436+\frac{1}{2}\times 498)-(2\times 463)=-241$(kJ)

따라서 $H_2O(g)$의 생성 엔탈피는 −241 kJ/mol이다.

ㄷ. $OF_2(g)$의 생성 엔탈피는 다음 반응의 반응엔탈피(ΔH)이다.

$F_2(g)+\frac{1}{2}O_2(g) \longrightarrow OF_2(g)$, ΔH

ΔH=(F−F 결합 에너지+$\frac{1}{2}$×O=O 결합 에너지)−(2×O−F 결합 에너지)=(159+$\frac{1}{2}$×498)−(2×180)=48(kJ)

따라서 $OF_2(g)$의 생성 엔탈피는 48 kJ/mol이다.

11 꼼꼼 문제 분석

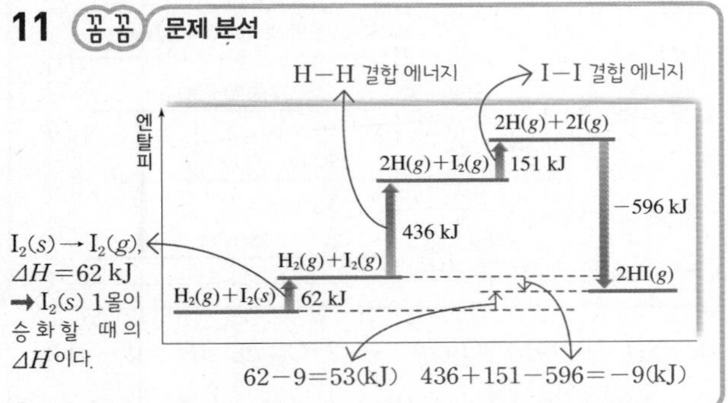

바로알기 ㄴ. (H−H 결합 에너지)−(I−I 결합 에너지)=436 kJ−151 kJ=285 kJ

ㄷ. 25 °C, 1기압에서 수소는 기체, 아이오딘은 고체 상태이므로, $HI(g)$의 생성 엔탈피는 다음 반응의 반응엔탈피(ΔH)이다.

$\frac{1}{2}H_2(g)+\frac{1}{2}I_2(s) \longrightarrow HI(g)$, ΔH

그림에서 헤스 법칙에 따라 다음 열화학 반응식을 구할 수 있다.

$H_2(g)+I_2(s) \longrightarrow 2HI(g)$, ΔH=53 kJ

따라서 $HI(g)$의 생성 엔탈피는 26.5 kJ/mol이다.

12 꼼꼼 문제 분석

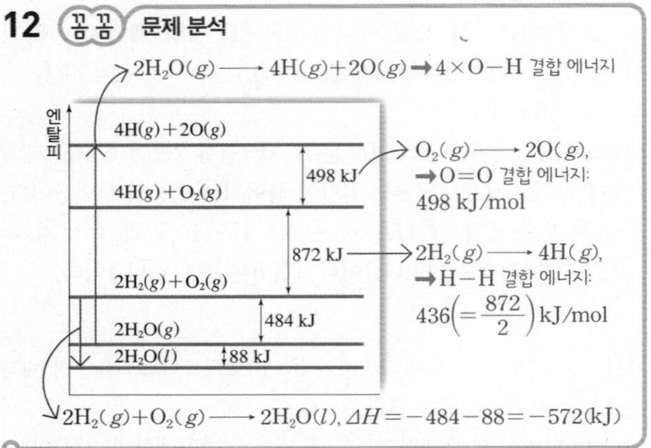

ㄱ. $2H_2(g) \longrightarrow 4H(g)$ 반응에서 872 kJ의 에너지를 흡수하므로 $H_2(g) \longrightarrow 2H(g)$ 반응이 일어날 때에는 436 kJ의 에너지를 흡수한다. 따라서 H−H 결합 에너지는 436 kJ/mol이다. $2H_2O(g) \longrightarrow 4H(g)+2O(g)$ 반응은 O−H 결합 4몰이 끊어지는 반응으로, 이 반응의 반응엔탈피는 헤스 법칙에 따라 (498+872+484)=1854(kJ)이다. 따라서 O−H 결합 에너지는 463.5$\left(=\frac{1854}{4}\right)$ kJ/mol이다.

결합 에너지가 클수록 결합의 세기가 강하므로 결합의 세기는 O−H가 H−H보다 크다.

ㄷ. $2H_2(g)+O_2(g) \longrightarrow 2H_2O(l)$,

ΔH=−(484+88)= −572(kJ)

따라서 $H_2O(l)$의 표준 생성 엔탈피는 −286$\left(=-\frac{572}{2}\right)$kJ/mol이다.

바로알기 ㄴ. $O_2(g) \longrightarrow 2O(g)$ 반응에서 498 kJ의 에너지를 흡수하므로, O=O의 결합 에너지는 498 kJ/mol이다.

13 ㄱ. 반응물 $H_2O(l)$이 생성물 $2H(g)+O(g)$로 되는 반응에서 반응 경로가 다르더라도 반응엔탈피는 같다.

따라서 $\Delta H_1+\Delta H_4=\Delta H_2+\Delta H_3$이다.

ㄴ. $H_2(g)$의 연소 엔탈피는 다음 반응의 반응엔탈피이다.

$H_2(g)+\frac{1}{2}O_2(g) \longrightarrow H_2O(l)$, $-\Delta H_1$

헤스 법칙에 의해 $-\Delta H_1=\Delta H_4-\Delta H_2-\Delta H_3$이다.

ㄷ. $H_2O(g) \longrightarrow 2H(g)+O(g)$, ΔH_3

ΔH_3은 O−H 결합 2몰이 끊어질 때 흡수하는 에너지이므로, O−H 결합 에너지는 $\frac{1}{2}\Delta H_3$이다.

14 첫 번째 반응은 가장 안정한 성분 원소로부터 $NO(g)$ 2몰이 생성될 때의 반응엔탈피이므로, $NO(g)$의 생성 엔탈피는 90.4 kJ/mol이다. 분해 엔탈피는 생성 엔탈피와 크기는 같고 부호는 반대이므로 $NO(g)$의 분해 엔탈피는 −90.4 kJ/mol이다. $NO_2(g)$의 생성 엔탈피는 다음 반응의 반응엔탈피(ΔH)이다.

$\frac{1}{2}N_2(g)+O_2(g) \longrightarrow NO_2(g)$, ΔH

이 반응은 주어진 2가지 반응으로부터 구할 수 있다.

$$\frac{1}{2}N_2(g)+\frac{1}{2}O_2(g) \longrightarrow \cancel{NO}(g),\ \frac{1}{2}\Delta H=90.4\text{ kJ}$$
$$+)\ \cancel{NO}(g)+\frac{1}{2}O_2(g) \longrightarrow NO_2(g),\ \frac{1}{2}\Delta H=-57.1\text{ kJ}$$
$$\frac{1}{2}N_2(g)+O_2(g) \longrightarrow NO_2(g),\ \Delta H=33.3\text{ kJ}$$

따라서 $NO_2(g)$의 생성 엔탈피(ΔH)는 $\frac{1}{2}$(180.8−114.2)=33.3 (kJ/mol)이다.

15 ㄴ. 주어진 열화학 반응식을 각각 ①~③으로 한다.

$2O_3(g) \longrightarrow 3O_2(g)$, ΔH_1 ······ ①

$O_2(g) \longrightarrow 2O(g)$, ΔH_2 ······ ②

$NO(g)+O_3(g) \longrightarrow NO_2(g)+O_2(g)$, ΔH_3 ······ ③

$O_3(g)$ 1몰의 결합을 모두 끊는 데 필요한 에너지는 다음 반응의 반응엔탈피(ΔH)이다.

$O_3(g) \longrightarrow 3O(g)$, ΔH

이 반응은 $\left[\frac{1}{2}\times①식+\frac{3}{2}\times②식\right]$으로 구할 수 있다.

$$O_3(g) \longrightarrow \frac{3}{2}O_2(g),\ \frac{1}{2}\Delta H_1 \cdots\cdots \frac{1}{2}\times①$$
$$+)\ \frac{3}{2}O_2(g) \longrightarrow 3O(g),\ \frac{3}{2}\Delta H_2 \cdots\cdots \frac{3}{2}\times②$$
$$O_3(g) \longrightarrow 3O(g),\ \Delta H=\frac{1}{2}(\Delta H_1+3\Delta H_2)$$

바로알기 ㄱ. 결합 에너지는 원자 사이의 공유 결합 1몰을 끊는 데 필요한 에너지이므로, O=O의 결합 에너지는 $O_2(g) \longrightarrow 2O(g)$ 반응의 반응엔탈피이다. 즉, ΔH_2이다.

ㄷ. $NO(g)+2O_2(g) \longrightarrow NO_2(g)+O_3(g)$ 반응은 [③식−①식]으로 구할 수 있다.

$$NO(g)+O_3(g) \longrightarrow NO_2(g)+O_2(g),\ \Delta H_3 \cdots\cdots ③$$
$$-)\ 2O_3(g) \longrightarrow 3O_2(g),\ \Delta H_1 \cdots\cdots ①$$
$$NO(g)+2O_2(g) \longrightarrow NO_2(g)+O_3(g),\ \Delta H_3-\Delta H_1$$

16 꼼꼼 문제 분석

- 수소($H_2(g)$)의 연소 엔탈피: −285.8 kJ/mol
  → $H_2(g)+\frac{1}{2}O_2(g) \longrightarrow H_2O(l)$, $\Delta H=-285.8$ kJ ······ ①
- 일산화 탄소($CO(g)$)의 생성 엔탈피: −110.5 kJ/mol
  → $C(s,$ 흑연$)+\frac{1}{2}O_2(g) \longrightarrow CO(g)$, $\Delta H=-110.5$ kJ ······ ②
- 이산화 탄소($CO_2(g)$)의 생성 엔탈피: −393.5 kJ/mol
  → $C(s,$ 흑연$)+O_2(g) \longrightarrow CO_2(g)$, $\Delta H=-393.5$ kJ ······ ③

ㄱ. $H_2O(l)$의 생성 반응은 $H_2(g)$의 연소 반응과 같으므로, $H_2O(l)$의 생성 엔탈피는 −285.8 kJ/mol이다.

바로알기 ㄴ. 25 ℃, 1기압에서 $C(s,$ 흑연$)$이 연소할 때 생성되는 가장 안정한 상태의 물질은 $CO_2(g)$이므로, $C(s,$ 흑연$)$의 연소 엔탈피는 다음 반응의 반응엔탈피(ΔH)이다.

$C(s,$ 흑연$)+O_2(g) \longrightarrow CO_2(g)$, ΔH

이 반응의 반응엔탈피는 $CO_2(g)$의 생성 엔탈피와 같으므로 $C(s,$ 흑연$)$의 연소 엔탈피는 −393.5 kJ/mol이다.

ㄷ. $CO(g)$의 연소 엔탈피는 다음 반응의 반응엔탈피(ΔH)이다.

$CO(g)+\frac{1}{2}O_2(g) \longrightarrow CO_2(g)$, ΔH

이 반응은 [③식−②식]으로 구할 수 있다.

$$C(s,\text{흑연})+O_2(g) \longrightarrow CO_2(g),\ \Delta H=-393.5\text{ kJ} \cdots ③$$
$$-)\ C(s,\text{흑연})+\frac{1}{2}O_2(g) \longrightarrow CO(g),\ \Delta H=-110.5\text{ kJ}\ ②$$
$$CO(g)+\frac{1}{2}O_2(g) \longrightarrow CO_2(g),$$
$$\Delta H=-393.5\text{ kJ}-(-110.5)\text{ kJ}$$

따라서 $CO(g)$의 연소 엔탈피는 −283 kJ/mol이다.

17

ΔH_1~ΔH_4에 해당하는 열화학 반응식을 각각 ①~④로 한다.

$N_2H_4(l)+3O_2(g) \longrightarrow 2NO_2(g)+2H_2O(l)$ 반응은 [①식+②식−2×③식−2×④식]으로 구할 수 있다.

$$N_2H_4(l) \longrightarrow N_2(g)+2H_2(g),\ \Delta H_1 \cdots\cdots ①$$
$$+)\ N_2(g)+O_2(g) \longrightarrow 2NO(g),\ \Delta H_2 \cdots\cdots ②$$
$$N_2H_4(l)+O_2(g) \longrightarrow 2H_2(g)+2NO(g),\ \Delta H_1+\Delta H_2$$
$$-)\ 2NO_2(g) \longrightarrow 2NO(g)+O_2(g),\ 2\Delta H_3 \cdots\cdots 2\times③$$
$$N_2H_4(l)+2O_2(g) \longrightarrow 2H_2(g)+2NO_2(g),$$
$$\Delta H_1+\Delta H_2-2\Delta H_3$$
$$-)\ 2H_2O(l) \longrightarrow 2H_2(g)+O_2(g),\ 2\Delta H_4 \cdots\cdots 2\times④$$
$$N_2H_4(l)+3O_2(g) \longrightarrow 2NO_2(g)+2H_2O(l),$$
$$\Delta H=\Delta H_1+\Delta H_2-2\Delta H_3-2\Delta H_4$$

18

ㄴ. 주어진 자료로부터 알 수 있는 열화학 반응식은 다음과 같다.

$C(s,$ 흑연$) \longrightarrow C(s,$ 다이아몬드$)$, $\Delta H_1=1.9$ kJ ······ ①

$C(s,$ 흑연$)+\frac{1}{2}O_2(g) \longrightarrow CO(g)$, $\Delta H_2=-110.5$ kJ ······ ②

$C(s,$ 흑연$)+O_2(g) \longrightarrow CO_2(g)$, $\Delta H_3=-393.5$ kJ ······ ③

$C(s,$ 다이아몬드$)$ 1몰의 연소 반응의 열화학 반응식은 다음과 같다.

$C(s,$ 다이아몬드$)+O_2(g) \longrightarrow CO_2(g)$, ΔH

이 반응은 [③식−①식]으로 구할 수 있다.

$$C(s,\text{흑연})+O_2(g) \longrightarrow CO_2(g),\ \Delta H_3 \cdots\cdots ③$$
$$-)\ C(s,\text{흑연}) \longrightarrow C(s,\text{다이아몬드}),\ \Delta H_1 \cdots\cdots ①$$
$$C(s,\text{다이아몬드})+O_2(g) \longrightarrow CO_2(g),$$
$$\Delta H=\Delta H_3-\Delta H_1$$

$\Delta H=(-393.5)-(1.9)=-395.4$(kJ)이므로, $C(s,$ 다이아몬드$)$ 1몰이 완전 연소할 때 395.4 kJ의 열을 방출한다.

ㄷ. $CO(g)$의 연소 엔탈피는 다음 반응의 반응엔탈피(ΔH)이다.

$CO(g)+\frac{1}{2}O_2(g) \longrightarrow CO_2(g)$, ΔH

이 반응은 [③식−②식]으로 구할 수 있다.

$$C(s,\text{흑연})+O_2(g) \longrightarrow CO_2(g),\ \Delta H_3 \cdots\cdots ③$$
$$-)\ C(s,\text{흑연})+\frac{1}{2}O_2(g) \longrightarrow CO(g),\ \Delta H_2 \cdots\cdots ②$$
$$CO(g)+\frac{1}{2}O_2(g) \longrightarrow CO_2(g),\ \Delta H=\Delta H_3-\Delta H_2$$

$\Delta H=(-393.5)-(-110.5)=-283$(kJ)이고, $CO(g)$의 연소 엔탈피는 −283 kJ/mol이다.

바로알기 ㄱ. $C(s,$ 흑연$) \longrightarrow C(s,$ 다이아몬드$)$, ΔH

ΔH=생성물의 표준 생성 엔탈피 합−반응물의 표준 생성 엔탈피 합=1.9 kJ−0=1.9 kJ

즉, $\Delta H>0$이므로 흡열 반응이다.

19 $\Delta H = \Delta H_f°(\text{생성물}) - \Delta H_f°(\text{반응물})$

$= \{10 \times \Delta H_f°(CO_2(g)) + 4 \times \Delta H_f°(H_2O(l))\} - \{\Delta H_f°(C_{10}H_8(s)) + 12 \times \Delta H_f°(O_2(g))\}$

이때 $O_2(g)$는 가장 안정한 원소로 표준 생성 엔탈피가 0이다.

$-5157 = \{10 \times (-394) + 4 \times (-286)\} - (\Delta H_f°(C_{10}H_8(s)) + 12 \times 0)$

$\therefore \Delta H_f°(C_{10}H_8(s)) = 73(\text{kJ/mol})$

20 꼼꼼 문제 분석

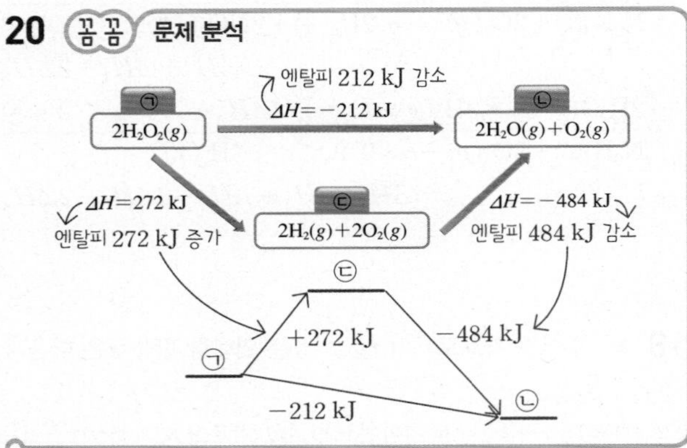

엔탈피(H)는 ㉡<㉠<㉢이고, ㉠이 ㉢보다 272 kJ만큼 작고 ㉡보다는 212 kJ만큼 크다. ㉢은 ㉡보다 484 kJ만큼 크다.

모범답안

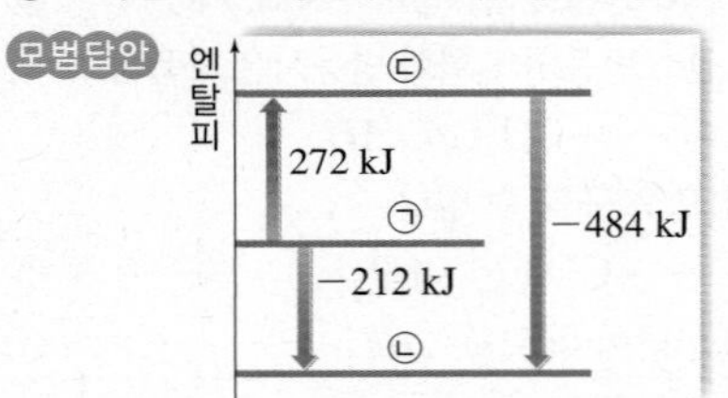

채점 기준	배점
엔탈피(H) 크기 순서가 옳고, 반응엔탈피(ΔH) 관계 3가지를 모두 옳게 나타낸 경우	100 %
엔탈피(H) 크기 순서가 옳고, 반응엔탈피(ΔH) 관계 2가지를 옳게 나타낸 경우	60 %
엔탈피(H) 크기 순서만 옳게 나타낸 경우	30 %

21 $N_2(g) + 2H_2(g) \longrightarrow N_2H_4(g),\ \Delta H = ?$

$N_2(g) + 3H_2(g) \longrightarrow 2NH_3(g),\ \Delta H_1$ ·········· (가)

$-)\ N_2H_4(g) + H_2(g) \longrightarrow 2NH_3(g),\ \Delta H_2$ ·········· (나)

$N_2(g) + 2H_2(g) \longrightarrow N_2H_4(g),\ \Delta H = \Delta H_1 - \Delta H_2$

모범답안 95.4 kJ/mol, $N_2H_4(g)$의 생성 엔탈피는 다음 반응의 반응엔탈피(ΔH)이다.

$N_2(g) + 2H_2(g) \longrightarrow N_2H_4(g),\ \Delta H$

이 반응은 (가)식−(나)식으로 구할 수 있고, 헤스 법칙에 따라 $\Delta H = \Delta H_1 - \Delta H_2 = (-92.2) - (-187.6) = 95.4(\text{kJ})$이다. 따라서 $N_2H_4(g)$의 생성 엔탈피는 95.4 kJ/mol이다.

채점 기준	배점
$N_2H_4(g)$의 생성 엔탈피를 옳게 구하고, 풀이 과정을 옳게 서술한 경우	100 %
$N_2H_4(g)$의 생성 엔탈피만 옳게 구한 경우	50 %

22 꼼꼼 문제 분석

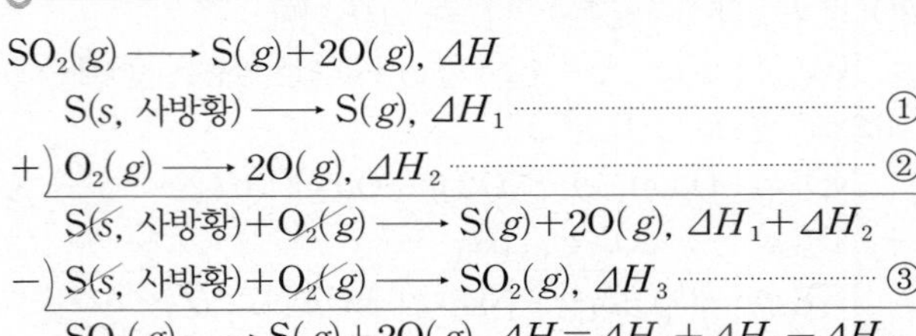

$SO_2(g) \longrightarrow S(g) + 2O(g),\ \Delta H$

$S(s,\ \text{사방황}) \longrightarrow S(g),\ \Delta H_1$ ·········· ①

$+)\ O_2(g) \longrightarrow 2O(g),\ \Delta H_2$ ·········· ②

$S(s,\ \text{사방황}) + O_2(g) \longrightarrow S(g) + 2O(g),\ \Delta H_1 + \Delta H_2$

$-)\ S(s,\ \text{사방황}) + O_2(g) \longrightarrow SO_2(g),\ \Delta H_3$ ·········· ③

$SO_2(g) \longrightarrow S(g) + 2O(g),\ \Delta H = \Delta H_1 + \Delta H_2 - \Delta H_3$

모범답안 $\Delta H_1 + \Delta H_2 - \Delta H_3$, $SO_2(g)$ 1몰의 결합을 모두 끊는 데 필요한 에너지는 다음 반응의 반응엔탈피(ΔH)이다.

$SO_2(g) \longrightarrow S(g) + 2O(g),\ \Delta H$

$S(s,\ \text{사방황}) \longrightarrow S(g),\ \Delta H_1$

$+)\ O_2(g) \longrightarrow 2O(g),\ \Delta H_2$

$-)\ S(s,\ \text{사방황}) + O_2(g) \longrightarrow SO_2(g),\ \Delta H_3$

$SO_2(g) \longrightarrow S(g) + 2O(g),\ \Delta H = \Delta H_1 + \Delta H_2 - \Delta H_3$

채점 기준	배점
필요한 에너지를 ΔH_1, ΔH_2, ΔH_3을 이용해 옳게 나타내고, 풀이 과정을 옳게 서술한 경우	100 %
필요한 에너지만 옳게 나타낸 경우	50 %

수능 실전 문제

149쪽~151쪽

01 ②	02 ②	03 ②	04 ④	05 ⑤	06 ④
07 ③	08 ④	09 ③	10 ③	11 ③	12 ②

01 꼼꼼 문제 분석

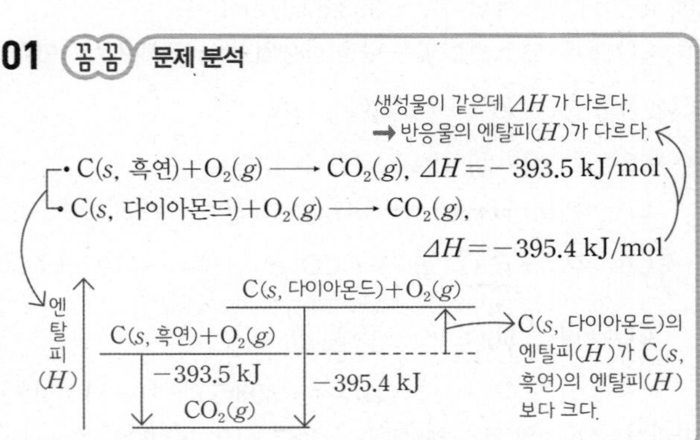

| 선택지 분석 |

~~ㄱ~~. (가)는 공유 결정이고, (나)는 분자 결정이다. 공유 결정

~~ㄴ~~. 표준 생성 엔탈피는 C(*s*, 흑연)이 C(*s*, 다이아몬드)보다 크다. 작다

ⓒ. C(*s*) ⟶ C(*g*) 반응의 반응엔탈피는 C(*s*, 흑연)이 C(*s*, 다이아몬드)보다 크다.

ㄷ. 고체 상태의 물질이 승화되어 기체 상태로 될 때의 반응은 흡열 반응이다. C(*s*, 다이아몬드)의 엔탈피가 C(*s*, 흑연)의 엔탈피보다 크므로 고체 상태의 두 물질이 각각 승화되어 C(*g*)로 될 때 반응엔탈피(ΔH)는 C(*s*, 흑연)이 C(*s*, 다이아몬드)보다 크다.

| 바로알기 | ㄱ. (가)와 (나)는 탄소(C) 원자가 공유 결합으로 결정을 이룬 것으로, 모두 공유 결정이다. (가)는 흑연, (나)는 다이아몬드의 결정 구조 모형이다.

ㄴ. 엔탈피(H)는 C(*s*, 흑연)이 C(*s*, 다이아몬드)보다 작으므로 표준 생성 엔탈피는 C(*s*, 다이아몬드)가 C(*s*, 흑연)보다 크다.

02

| 선택지 분석 |

~~①~~ 22.5 ② 45 ~~③~~ 67.5
~~④~~ 90 ~~⑤~~ 112.5

$H_2O(l)$의 기화 엔탈피를 x kJ/mol이라고 하면, x는 다음 반응의 반응엔탈피(ΔH)이다.

$H_2O(l) \longrightarrow H_2O(g)$, $\Delta H = x$ kJ

x를 구하기 위해 제시된 결합 에너지를 이용해야 한다. 결합 에너지를 이용해서 반응엔탈피를 구하려면 반응물과 생성물이 모두 기체이어야 하므로, 헤스 법칙을 이용해 결합 에너지로 반응엔탈피를 구할 수 있는 열화학 반응식을 만든다.

주어진 열화학 반응식에 ($2\times H_2O(l)$의 기화 반응식)을 더하면 다음 반응식을 얻을 수 있다.

$$2H_2(g)+O_2(g) \longrightarrow 2H_2O(l) \quad \Delta H=-572 \text{ kJ}$$
$$+)\ 2H_2O(l) \longrightarrow 2H_2O(g),\ \Delta H=2x \text{ kJ}$$
$$2H_2(g)+O_2(g) \longrightarrow 2H_2O(g),\ \Delta H=(2x-572) \text{ kJ}$$

이 반응의 반응엔탈피(ΔH)는 반응물의 결합 에너지 합에서 생성물의 결합 에너지 합을 뺀 값과 같다.

$(2x-572)$ kJ$=(2\times$H$-$H 결합 에너지$+$O$=$O 결합 에너지$)-(4\times$O$-$H 결합 에너지$)=(2\times436+498)-(4\times463)=-482$(kJ)

$$\therefore x=\frac{-482+572}{2}=45 \text{ kJ}$$

따라서 $H_2O(l)$의 기화 엔탈피는 45 kJ/mol이다.

03 꼼꼼 문제 분석

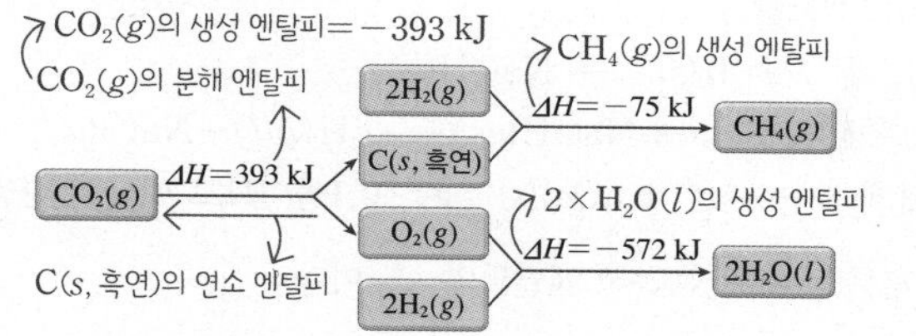

| 선택지 분석 |

~~ㄱ~~. C(*s*, 흑연)의 연소 엔탈피는 393 kJ/mol이다. -393 kJ/mol

~~ㄴ~~. 생성 엔탈피는 $H_2O(l)$이 $CH_4(g)$보다 크다. -286 kJ/mol $<$ -75 kJ/mol ➡ $CH_4(g)$이 더 크다.

ⓒ. $CH_4(g)$의 연소 엔탈피는 -890 kJ/mol이다.

ㄷ. $CH_4(g)$의 연소 엔탈피는 다음 반응의 반응엔탈피(ΔH)이다.

$CH_4(g)+2O_2(g) \longrightarrow CO_2(g)+2H_2O(l)$, ΔH

$\Delta H=$생성물의 표준 생성 엔탈피 합$-$반응물의 표준 생성 엔탈피 합$=\{\Delta H_f°(CO_2(g))+2\times\Delta H_f°(H_2O(l))\}-(\Delta H_f°(CH_4(g))$
$=-393$ kJ$+(-572$ kJ$)-(-75$ kJ$)=-890$ kJ

따라서 $CH_4(g)$의 연소 엔탈피는 -890 kJ/mol이다.

| 바로알기 | ㄱ. C(*s*, 흑연)의 연소 엔탈피는 C(*s*, 흑연)$+O_2(g)$ ⟶ $CO_2(g)$ 반응의 반응엔탈피(ΔH)이다. 이 반응은 $CO_2(g)$ 분해 반응의 역반응이므로, C(*s*, 흑연)의 연소 엔탈피는 $CO_2(g)$의 분해 엔탈피와 크기가 같고 부호가 반대이다.

ㄴ. $H_2O(l)$의 생성 엔탈피는 $-286\left(=\frac{-572}{2}\right)$ kJ이고, $CH_4(g)$의 생성 엔탈피는 -75 kJ이므로, 생성 엔탈피는 $CH_4(g)$이 $H_2O(l)$보다 크다.

04

| 선택지 분석 |

~~ㄱ~~. $\Delta H_1=\Delta H_2$이다.
$\Delta H_2=\frac{1}{10}\times$NaOH(*s*) 용해 엔탈피$+\Delta H_1$ ➡ $|\Delta H_1|<|\Delta H_2|$

ⓛ. 중화 엔탈피는 $10\Delta H_1$ kJ/mol이다.

ⓒ. 중화 반응으로 생성된 물의 양은 (가)와 (나)에서 같다.

ㄴ. 1 M HCl 100 mL에 들어 있는 H^+과 1 M NaOH 수용액 100 mL에 들어 있는 OH^-의 양(mol)은 모두 0.1 mol이다. 따라서 실험 (가)에서 중화 반응으로 물 0.1몰이 생성되므로, ΔH_1은 중화 엔탈피의 $\frac{1}{10}$이다. 그러므로 물 1몰이 생성될 때인 중화 엔탈피는 $10\Delta H_1$ kJ/mol이다.

ㄷ. 실험 (가)와 (나)에서 반응한 H^+과 OH^-은 0.1몰로 같으므로 생성된 물의 양도 (가)와 (나)에서 같다.

| 바로알기 | ㄱ. 실험 (나)에서는 다음과 같은 두 단계의 경로로 반응이 일어난다.

• 1단계: $NaOH(s) \longrightarrow NaOH(aq)$

• 2단계: $HCl(aq)+NaOH(aq) \longrightarrow H_2O(l)+NaCl(aq)$

1단계에서 용해된 $NaOH(s)$ 4 g은 0.1몰이므로 이때의 반응엔탈피는 $NaOH(s)$ 용해 엔탈피의 $\frac{1}{10}$이다.

0.5 M $HCl(aq)$ 200 mL에 들어 있는 H^+의 양(mol)은 0.1몰이므로, 2단계 중화 반응에서 생성된 물의 양(mol)은 0.1몰이고 중화 반응의 반응엔탈피는 ΔH_1과 같다.

따라서 $\Delta H_2=\frac{1}{10}\times NaOH(s)$의 용해 엔탈피 $+\Delta H_1$이다.

$NaOH(s)$ 용해 반응과 중화 반응은 모두 $\Delta H<0$(발열 반응)이므로, $\Delta H_1<\Delta H_2$이다.

05

| 선택지 분석 |

ㄱ. C(s, 흑연)의 승화 엔탈피는 x kJ/mol이다.
C(s, 흑연) ⟶ C(g), $\Delta H=x$

ㄴ. $H_2(g)$의 결합 에너지는 436 kJ/mol이다.

ㄷ. $a=2x+210$이다.

ㄱ. 25 °C, 1기압에서 C의 가장 안정한 원소는 C(s, 흑연)이므로, C(g)의 생성 엔탈피는 다음 반응의 반응엔탈피(ΔH)이다.

C(s, 흑연) ⟶ C(g), ΔH

이 반응이 C(s, 흑연)의 승화 반응과 같으므로 C(s, 흑연)의 승화 엔탈피는 x kJ/mol이다.

ㄴ. 표준 상태에서 H의 가장 안정한 원소는 $H_2(g)$이므로 H(g)의 생성 엔탈피는 다음 반응의 반응엔탈피(ΔH)이다.

$\frac{1}{2}H_2(g) \longrightarrow H(g)$, $\Delta H=218$ kJ

이 반응의 ΔH는 $\frac{1}{2}\times$(H−H 결합 에너지)와 같으므로 $H_2(g)$의 결합 에너지는 436(=218×2) kJ/mol이다.

ㄷ. ΔH=생성물의 표준 생성 엔탈피의 합−반응물의 표준 생성 엔탈피의 합

$=\{2\times\Delta H_f°(C(g))+2\times\Delta H_f°(H(g))\}-\Delta H_f°(C_2H_2(g))$

➡ $a=(2x+2\times218)-226=2x+210$

06

| 선택지 분석 |

~~ㄱ.~~ $a>b$이다. $a=b=0$

ㄴ. ΔH는 −830 kJ이다.

ㄷ. $x-y=-215$이다.

ㄴ. $F_2(g)$, $Cl_2(g)$의 표준 생성 엔탈피는 0이다. 따라서 제시된 반응의 반응엔탈피(ΔH)=생성물의 표준 생성 엔탈피 합−반응물의 표준 생성 엔탈피 합$=\Delta H_f°(CF_4(g))-\Delta H_f°(CCl_4(g))=-930-(-100)=-830$(kJ/mol)이다.

ㄷ. 반응물과 생성물이 모두 기체이므로 반응엔탈피(ΔH)는 반응물의 결합 에너지 합에서 생성물의 결합 에너지 합을 뺀 값과 같다.

ΔH=(4×C−Cl 결합 에너지+2×F−F 결합 에너지)−(4×C−F 결합 에너지+2×Cl−Cl 결합 에너지)

$=4\times410+2x-(4\times510+2y)=-830$(kJ/mol)

$\therefore x-y=-215$(kJ/mol)

| 바로알기 | ㄱ. 25 °C에서 F과 Cl의 가장 안정한 원소는 각각 $F_2(g)$, $Cl_2(g)$이므로 표준 생성 엔탈피는 모두 0이다. 따라서 $a=b$이다.

07 꼼꼼 문제 분석

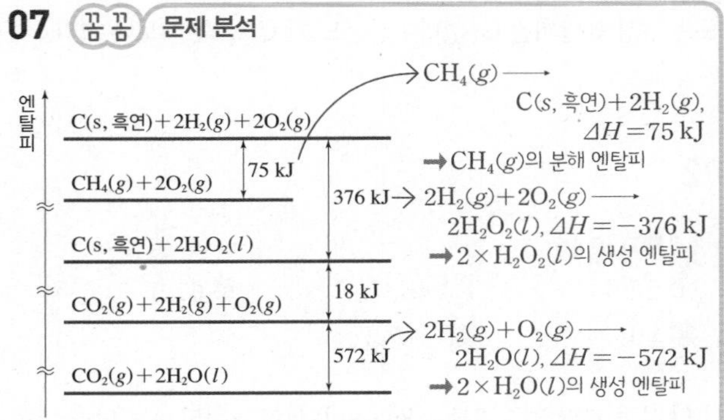

| 선택지 분석 |

ㄱ. $CH_4(g)$의 분해 엔탈피(ΔH)는 75 kJ/mol이다.

~~ㄴ.~~ $H_2O(l)$의 생성 엔탈피(ΔH)는 −572 kJ/mol이다. $-\frac{572}{2}=-286$

ㄷ. $H_2O_2(l) \longrightarrow H_2O(l)+\frac{1}{2}O_2(g)$의 반응엔탈피($\Delta H$)는 −98 kJ이다.

ㄱ. $CH_4(g) \longrightarrow$ C(s, 흑연)$+2H_2(g)$, $\Delta H=75$ kJ

따라서 $CH_4(g)$의 분해 엔탈피(ΔH)는 75 kJ/mol이다.

ㄷ. $H_2O_2(l) \longrightarrow H_2O(l)+\frac{1}{2}O_2(g)$의 반응엔탈피($\Delta H$)는 생성물의 생성 엔탈피와 반응물의 생성 엔탈피 차로 구할 수 있다. $H_2O(l)$의 생성 엔탈피는 $-286\left(=\frac{-572}{2}\right)$ kJ/mol, $O_2(g)$의 생성 엔탈피는 0, $H_2O_2(l)$의 생성 엔탈피는 $-188\left(=\frac{-376}{2}\right)$ kJ/mol이므로 $\Delta H=-286-(-188)=-98$(kJ)이다.

| 바로알기 | ㄴ. 생성 엔탈피는 물질 1몰이 생성될 때의 반응엔탈피이므로, $H_2O(l)$의 생성 엔탈피는 −286 kJ/mol이다.

08 꼼꼼 문제 분석

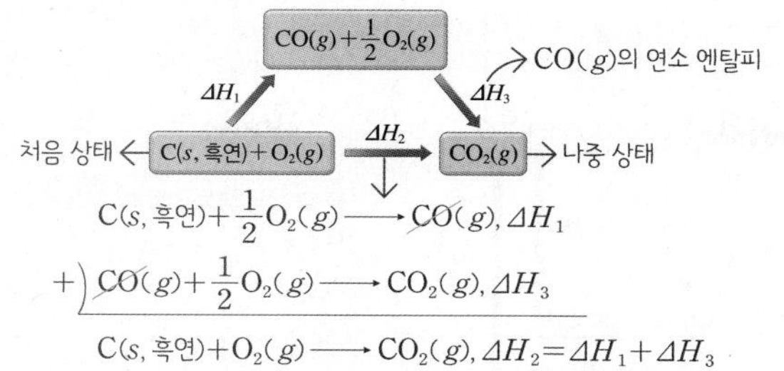

$$C(s, 흑연)+\frac{1}{2}O_2(g) \longrightarrow CO(g),\ \Delta H_1$$
$$+)\ CO(g)+\frac{1}{2}O_2(g) \longrightarrow CO_2(g),\ \Delta H_3$$
$$C(s, 흑연)+O_2(g) \longrightarrow CO_2(g),\ \Delta H_2=\Delta H_1+\Delta H_3$$

선택지 분석

ㄱ. CO(g)의 연소 엔탈피는 $\Delta H_2-\Delta H_1$이다.

~~ㄴ.~~ $|\Delta H_1|>|\Delta H_2|$이다.
$\Delta H_1+\Delta H_3=\Delta H_2 \Rightarrow |\Delta H_1|<|\Delta H_2|$

ㄷ. CO(g)의 결합 에너지는 $(\Delta H_3+2a-\frac{b}{2})$ kJ/mol이다.

ㄱ. CO(g)의 연소 엔탈피는 $CO(g)+\frac{1}{2}O_2(g) \longrightarrow CO_2(g)$ 반응의 반응엔탈피(ΔH)이므로, CO(g)의 연소 엔탈피는 ΔH_3이다. $\Delta H_1+\Delta H_3=\Delta H_2$이므로 $\Delta H_3=\Delta H_2-\Delta H_1$이다.

ㄷ. $CO(g)+\frac{1}{2}O_2(g) \longrightarrow CO_2(g),\ \Delta H_3$

ΔH_3=(C≡O 결합 에너지+$\frac{1}{2}$×O=O 결합 에너지)−(2×C=O 결합 에너지)=C≡O 결합 에너지+$\frac{b}{2}-2a$

∴ CO(g)의 결합 에너지=$(\Delta H_3+2a-\frac{b}{2})$ kJ/mol

바로알기 ㄴ. C(s, 흑연)의 연소 반응은 발열 반응이다. 따라서 ΔH_1, ΔH_2, ΔH_3은 모두 음(−)의 값이다. 또, $\Delta H_1+\Delta H_3=\Delta H_2$이므로 $|\Delta H_1|<|\Delta H_2|$이다.

09

선택지 분석

ㄱ. $\Delta H_1=\Delta H_5$

~~ㄴ.~~ $\Delta H_2=\Delta H_3$ $\Delta H_2\neq\Delta H_3$

ㄷ. $\Delta H_5=\Delta H_2-\Delta H_4$

ΔH_1~ΔH_5에 해당하는 열화학 반응식은 다음과 같다.

$C(s, 흑연)+O_2(g) \longrightarrow CO_2(g),\ \Delta H_1$ ······ ①

$CO(g)+\frac{1}{2}O_2(g) \longrightarrow CO_2(g),\ \Delta H_2$ ······ ②

$C(s, 흑연)+\frac{1}{2}O_2(g) \longrightarrow CO(g),\ \Delta H_3$ ······ ③

$CO(g) \longrightarrow C(s, 흑연)+\frac{1}{2}O_2(g),\ \Delta H_4$ ······ ④

$C(s, 흑연)+O_2(g) \longrightarrow CO_2(g),\ \Delta H_5$ ······ ⑤

ㄱ. ①식과 ⑤식에서 반응물과 생성물의 종류와 상태가 같으므로 출입하는 에너지가 같다. 따라서 $\Delta H_1=\Delta H_5$이다.

ㄷ. $\Delta H_5=\Delta H_2-\Delta H_4$ 관계가 성립하는지는 ②식−④식=⑤식의 성립 여부로 판단할 수 있다.

$$CO(g)+\frac{1}{2}O_2(g) \longrightarrow CO_2(g),\ \Delta H_2 \quad ②$$
$$-)\ CO(g) \longrightarrow C(s, 흑연)+\frac{1}{2}O_2(g),\ \Delta H_4 \quad ④$$
$$C(s, 흑연)+O_2(g) \longrightarrow CO_2(g),\ \Delta H_5=\Delta H_2-\Delta H_4 \quad ⑤$$

②식−④식=⑤식이 성립하므로 $\Delta H_5=\Delta H_2-\Delta H_4$이다.

바로알기 ㄴ. ②식과 ③식에서는 반응물과 생성물의 종류가 다르므로 출입하는 에너지가 같지 않다. 따라서 $\Delta H_2\neq\Delta H_3$이다.

10

선택지 분석

ㄱ. t °C, P기압에서 $H_2(g)$의 연소 엔탈피는 ΔH_1이다.

ㄴ. $CH_3OH(g)$의 연소 엔탈피는 $2\Delta H_1+\Delta H_2-\Delta H_3$이다.

~~ㄷ.~~ $[CH_3OH(g)+\frac{3}{2}O_2(g)]$의 결합 에너지 합은 $[CO_2(g)+2H_2O(g)]$의 결합 에너지 합보다 크다. 작다

t °C, P기압에서 물질은 모두 기체 상태이므로 ΔH_1~ΔH_3에 해당하는 열화학 반응식은 다음과 같다.

$H_2(g)+\frac{1}{2}O_2(g) \longrightarrow H_2O(g),\ \Delta H_1$ ······ ①

$C(s, 흑연)+O_2(g) \longrightarrow CO_2(g),\ \Delta H_2$ ······ ②

$C(s, 흑연)+2H_2(g)+\frac{1}{2}O_2(g) \longrightarrow CH_3OH(g),\ \Delta H_3$ ······ ③

ㄱ. $H_2(g)$의 연소 반응은 $H_2(g)+\frac{1}{2}O_2(g) \longrightarrow H_2O(g)$이므로 $H_2O(g)$의 생성 반응과 같다. 따라서 $H_2(g)$의 연소 엔탈피는 ΔH_1이다.

ㄴ. $CH_3OH(g)$의 연소 엔탈피는 다음 반응의 반응엔탈피이다.

$$CH_3OH(g)+\frac{3}{2}O_2(g) \longrightarrow CO_2(g)+2H_2O(g),\ \Delta H$$

이 반응은 [2×①식+②식−③식]으로 구할 수 있다.

$$2H_2(g)+O_2(g) \longrightarrow 2H_2O(g),\ 2\Delta H_1 \quad 2×①$$
$$+)\ C(s, 흑연)+O_2(g) \longrightarrow CO_2(g),\ \Delta H_2 \quad ②$$
$$2H_2(g)+C(s, 흑연)+2O_2(g) \longrightarrow 2H_2O(g)+CO_2(g),\ 2\Delta H_1+\Delta H_2$$
$$-)\ C(s, 흑연)+2H_2(g)+\frac{1}{2}O_2(g) \longrightarrow CH_3OH(g),\ \Delta H_3 \quad ③$$
$$CH_3OH(g)+\frac{3}{2}O_2(g) \longrightarrow 2H_2O(g)+CO_2(g),\ \Delta H=2\Delta H_1+\Delta H_2-\Delta H_3$$

바로알기 ㄷ. $CH_3OH(g)$의 연소 반응이므로 발열 반응이다.

$$CH_3OH(g)+\frac{3}{2}O_2(g) \longrightarrow CO_2(g)+2H_2O(g),\ \Delta H<0$$

ΔH=(반응물의 결합 에너지의 합−생성물의 결합 에너지의 합) <0이므로 반응물인 [$CH_3OH(g)+\frac{3}{2}O_2(g)$]의 결합 에너지 합은 생성물인 [$CO_2(g)+2H_2O(g)$]의 결합 에너지 합보다 작다.

11  문제 분석

[열화학 반응식]

$C_2H_2(g)$이 가장 안정한 성분 원소로 분해되는 반응
→ ΔH_1=$C_2H_2(g)$의 분해 엔탈피=−226 kJ

- $C_2H_2(g) \longrightarrow 2C(s, \text{흑연})+H_2(g)$, ΔH_1
- $C_2H_4(g) \longrightarrow C_2H_2(g)+H_2(g)$, ΔH_2
- $C_2H_6(g) \longrightarrow C_2H_4(g)+H_2(g)$, ΔH_3

$H_2(g)$의 표준 생성 엔탈피=0

[표준 생성 엔탈피]

물질	$C_2H_2(g)$	$C_2H_4(g)$	$C_2H_6(g)$
표준 생성 엔탈피(kJ/mol)	226	53	−84

ΔH_2=$C_2H_2(g)$의 $\Delta H_f°$−$C_2H_4(g)$의 $\Delta H_f°$
ΔH_3=$C_2H_4(g)$의 $\Delta H_f°$−$C_2H_6(g)$의 $\Delta H_f°$

| 선택지 분석 |

㉠ $\Delta H_1<0$이다.
~~ㄴ.~~ $\Delta H_2<\Delta H_3$이다. ΔH_2(173 kJ)$>\Delta H_3$(137 kJ)
㉢ $\Delta H_1+\Delta H_2+\Delta H_3=84$ kJ이다.

ㄱ. ΔH_1은 $C_2H_2(g)$이 가장 안정한 성분 원소로 분해될 때의 반응엔탈피이며, 분해 엔탈피는 생성 엔탈피와 크기는 같고 부호가 반대이다. $C_2H_2(g)$의 표준 생성 엔탈피가 226 kJ/mol이므로 분해 엔탈피 $\Delta H_1=-226$ kJ<0이다.

ㄷ. $\Delta H_1+\Delta H_2+\Delta H_3$은 주어진 3가지 열화학 반응식을 모두 더한 열화학 반응식의 반응엔탈피(ΔH)이다.

$$
\begin{array}{rl}
 & C_2H_2(g) \longrightarrow 2C(s, \text{흑연})+H_2(g),\ \Delta H_1 \\
 & C_2H_4(g) \longrightarrow C_2H_2(g)+H_2(g),\ \Delta H_2 \\
+) & C_2H_6(g) \longrightarrow C_2H_4(g)+H_2(g),\ \Delta H_3 \\
\hline
 & C_2H_6(g) \longrightarrow 2C(s, \text{흑연})+3H_2(g), \\
 & \Delta H=\Delta H_1+\Delta H_2+\Delta H_3
\end{array}
$$

이 반응은 $C_2H_6(g)$이 가장 안정한 성분 원소로 분해되는 반응이므로, 이 반응의 반응엔탈피(ΔH)는 $C_2H_6(g)$의 분해 엔탈피와 같다. $C_2H_6(g)$의 표준 생성 엔탈피가 −84 kJ/mol이므로, $\Delta H=\Delta H_1+\Delta H_2+\Delta H_3=84$ kJ이다.

| 바로알기 | ㄴ. $H_2(g)$는 25 °C, 1기압에서 H의 가장 안정한 원소이므로 표준 생성 엔탈피가 0이다.

ΔH_2=$C_2H_2(g)$의 표준 생성 엔탈피−$C_2H_4(g)$의 표준 생성 엔탈피
=226−53=173(kJ)

ΔH_3=$C_2H_4(g)$의 표준 생성 엔탈피−$C_2H_6(g)$의 표준 생성 엔탈피
=53−(−84)=137(kJ)

따라서 $\Delta H_2>\Delta H_3$이다.

12  문제 분석

$CH_4(g)+2O_2(g) \longrightarrow C(g)+4H(g)+4O(g)$, ΔH_1 ······ ①
$CO_2(g)+2H_2O(g) \longrightarrow C(g)+4H(g)+4O(g)$, ΔH_2 ······ ②

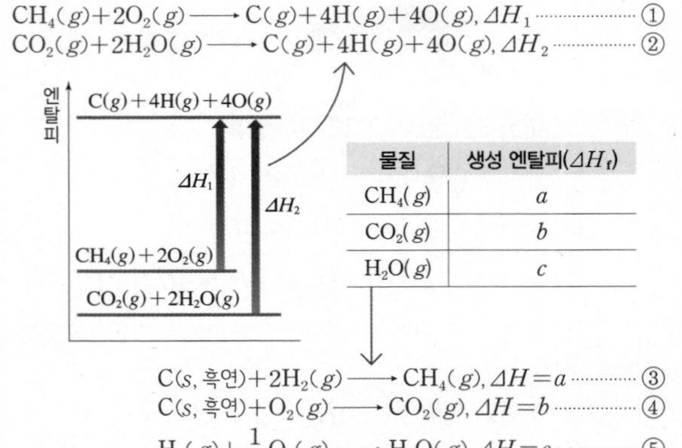

물질	생성 엔탈피(ΔH_f)
$CH_4(g)$	a
$CO_2(g)$	b
$H_2O(g)$	c

$C(s, \text{흑연})+2H_2(g) \longrightarrow CH_4(g)$, $\Delta H=a$ ······ ③
$C(s, \text{흑연})+O_2(g) \longrightarrow CO_2(g)$, $\Delta H=b$ ······ ④
$H_2(g)+\frac{1}{2}O_2(g) \longrightarrow H_2O(g)$, $\Delta H=c$ ······ ⑤

| 선택지 분석 |

~~ㄱ.~~ C−H의 결합 에너지는 $\frac{1}{4}\Delta H_1$보다 크다. 작다
~~ㄴ.~~ $\Delta H_2=-(b+2c)$이다. $\Delta H_2\neq-(b+2c)$
㉢ $\Delta H_1-\Delta H_2=b+2c-a$이다.

ㄷ. $\Delta H_1-\Delta H_2$에 해당하는 열화학 반응식은 [①식−②식]이다.

$$
\begin{array}{rl}
 & CH_4(g)+2O_2(g) \longrightarrow C(g)+4H(g)+4O(g),\ \Delta H_1 \ ① \\
-) & CO_2(g)+2H_2O(g) \longrightarrow C(g)+4H(g)+4O(g),\ \Delta H_2 \ ② \\
\hline
 & CH_4(g)+2O_2(g) \longrightarrow CO_2(g)+2H_2O(g),\ \Delta H_1-\Delta H_2
\end{array}
$$

$b+2c-a$에 해당하는 열화학 반응식은 [④식+2×⑤식−③식]이다.

$$
\begin{array}{rl}
 & C(s, \text{흑연})+O_2(g) \longrightarrow CO_2(g),\ \Delta H=b \ \cdots\cdots \ ④ \\
+) & 2H_2(g)+O_2(g) \longrightarrow 2H_2O(g),\ \Delta H=2c \ \cdots\cdots \ 2\times⑤ \\
-) & C(s, \text{흑연})+2H_2(g) \longrightarrow CH_4(g),\ \Delta H=a \ \cdots\cdots \ ③ \\
\hline
 & CH_4(g)+2O_2(g) \longrightarrow CO_2(g)+2H_2O(g), \\
 & \Delta H=b+2c-a
\end{array}
$$

[①식−②식]으로 구한 반응식과 [④식+2×⑤식−③]식으로 구한 반응식이 같으므로 $\Delta H_1-\Delta H_2=b+2c-a$이다.

| 바로알기 | ㄱ. ΔH_1=(4×C−H 결합 에너지)+(2×O=O 결합 에너지)이므로 C−H의 결합 에너지는 $\frac{1}{4}\Delta H_1$보다 작다.

ㄴ. $-(b+2c)$에 해당하는 열화학 반응식은 [−④식−2×⑤식]이다.

$$
\begin{array}{rl}
 & CO_2(g) \longrightarrow C(s, \text{흑연})+O_2(g),\ \Delta H=-b \ \cdots\cdots \ -④ \\
-) & 2H_2(g)+O_2(g) \longrightarrow 2H_2O(g),\ \Delta H=2c \ \cdots\cdots \ 2\times⑤ \\
\hline
 & CO_2(g)+2H_2O(g) \longrightarrow C(s, \text{흑연})+2H_2(g)+2O_2(g), \\
 & \Delta H=-b-2c
\end{array}
$$

이때 얻은 반응식의 생성물 H_2와 O_2는 분자 상태이다. 그러나 ΔH_2에 해당하는 열화학 반응식은 $CO_2(g)+2H_2O(g) \longrightarrow C(g)+4H(g)+4O(g)$으로, 생성물 H와 O가 원자 상태이므로 $\Delta H_2\neq-(b+2c)$이다.

2 화학 평형

01 화학 평형

개념 확인 문제 156쪽

❶ 가역 ❷ ⇌ ❸ 화학 평형 ❹ 정반응 ❺ 역반응 ❻ 동적 ❼ 동일한 ❽ (화학) 평형

1 (1) × (2) × (3) ○ (4) ○ (5) × **2** (1) × (2) × (3) ○ (4) ○
3 (1) $t_1 > t_2$ (2) 정반응 속도=역반응 속도 (3) [A] : [B]=3 : 1
4 (1) × (2) × (3) ○

1 (1) 화학 평형은 정반응 속도와 역반응 속도가 같아 겉보기에 반응이 멈춘 것처럼 보이는 상태이다.
(2) 비가역 반응은 한 방향으로만 반응이 일어나기 때문에 화학 평형에 도달하지 않는다.
(3), (4) 화학 평형에서는 정반응 속도와 역반응 속도가 같으므로 반응물과 생성물의 농도가 일정하게 유지된다.
(5) 화학 반응식의 계수비는 반응 초기부터 화학 평형에 도달할 때까지 반응하고 생성된 물질의 양적 관계를 의미하는 것이지, 평형 상태에서 각 물질의 농도비를 의미하는 것은 아니다.

2 (1) 가역 반응에서 반응 초기에는 역반응 속도가 정반응 속도에 비해 매우 느려 역반응이 일어나지 않는 것처럼 보일 뿐, 역반응도 일어난다.
(2), (3) $NH_3(g)$의 생성과 분해 반응은 가역 반응이므로 반응물인 $N_2(g)$와 $H_2(g)$만 넣고 반응시키거나, 생성물인 $NH_3(g)$만 넣고 반응시키더라도 동일한 화학 평형에 도달한다.
(4) 화학 평형에서는 반응물과 생성물이 함께 존재한다.

3 (1), (2) t_2 이후 반응물과 생성물의 농도가 일정하게 유지되므로 화학 평형이다. 반응물 A만 용기에 넣어 평형에 도달한 경우이므로, 평형에 도달할 때까지 정반응 속도는 점점 느려지고 역반응 속도는 점점 빨라져 평형에 도달하면 정반응 속도와 역반응 속도 같아진다.
(3) 화학 평형에서 [A]는 3 M, [B]는 1 M이다. 화학 반응식의 계수비 A : B=2 : 1은 반응 초기부터 평형에 도달할 때까지 반응한 A와 B의 몰비이므로 평형 농도와는 관계가 없다.

4 (1) 반응물을 넣은 직후에는 반응물이 생성물로 되는 정반응이 빠르게 진행되지만 시간이 지날수록 반응물의 농도가 감소하므로 정반응은 점점 느려진다. 따라서 v_1은 정반응 속도이다.
(2) 시간이 지남에 따라 점점 빨라지는 v_2는 역반응 속도이므로, 시간 t에서 정반응 속도와 역반응 속도가 같아지는 화학 평형에 도달한다. 화학 평형은 정반응과 역반응이 일어나지 않는 것이 아니라, 정반응과 역반응이 같은 속도로 일어나는 동적 평형이다.
(3) 시간 t 이후에는 정반응 속도와 역반응 속도가 같으므로 [A]와 [B]가 일정하게 유지된다.

완자쌤 비법 특강 160쪽

Q1 ❶ −1.0 ❷ −2.0 ❸ +2.0
❹ $A(g)+2B(g) \rightleftharpoons 2C(g)$ ❺ $\frac{[C]^2}{[A][B]^2}$
❻ $\frac{4}{3}$

Q1 ❶, ❷, ❸, ❹ 그림에서 처음 농도와 평형 농도를 비교하면 반응 농도를 알 수 있으며, 각 물질의 반응 농도비는 화학 반응식의 계수비와 같다.
❺, ❻ 화학 반응식으로부터 구한 평형 상수식에 평형 농도를 대입하여 평형 상수를 구한다.

$$K=\frac{[C]^2}{[A][B]^2}=\frac{2.0^2}{3.0\times1.0^2}=\frac{4}{3}$$

개념 확인 문제 161쪽

❶ 평형 상수(K) ❷ 온도 ❸ 부분 압력 ❹ 정반응 ❺ 생성물 ❻ 반응 지수(Q) ❼ 정반응 ❽ 역반응

1 (1) × (2) × (3) × (4) ○ **2** (1) $K=\frac{[NO]^2}{[N_2][O_2]}$
(2) $K=[NH_3][HCl]$ (3) $K=\frac{[CH_3COO^-][H_3O^+]}{[CH_3COOH]}$ **3** 2
4 (1) ○ (2) × (3) × (4) ○ **5** (1) 25 (2) 역반응

1 (1) 평형 상수는 일반적으로 단위를 표시하지 않는다.
(2) 온도가 일정할 때 평형 상수는 반응물의 농도와 관계없이 일정한 값을 갖는다.
(3) 평형 상수는 반응물의 농도 곱에 대한 생성물의 농도 곱의 비로, 정반응과 역반응은 반응물과 생성물이 반대가 되므로 평형 상수도 달라진다. 어떤 반응의 평형 상수가 K일 때 역반응의 평형 상수는 $\frac{1}{K}$이다.
(4) 평형 상수가 1보다 매우 작은 반응은 역반응이 정반응보다 우세하게 일어나는 반응이므로 평형 상태에서 반응물의 양이 생성물의 양보다 더 크다.

2 $aA+bB \rightleftharpoons cC+dD$ $K=\frac{[C]^c[D]^d}{[A]^a[B]^b}$

([A], [B], [C], [D]: 평형 상태에서 각 물질의 농도)

(2) 반응에 고체가 포함된 경우 고체의 농도는 1로 하므로 평형 상수식에 나타내지 않는다. NH_4Cl은 고체이므로 평형 상수식에 나타내지 않는다.

(3) H_2O은 용매이므로 평형 상수식에 나타내지 않는다.

3 용기의 부피가 1 L이므로 기체 A와 B의 처음 농도는 각각 [A]=1.0 M, [B]=2.0 M이고, 기체 C의 평형 농도는 [C]=1.0 M이다. 또, 평형에 도달할 때까지 반응하는 물질의 몰비는 화학 반응식의 계수비(A : B : C=1 : 2 : 2)와 같으므로, 반응물과 생성물의 양적 관계는 다음과 같다.

	$A(g)$	+ $2B(g)$	$\rightleftharpoons$ $2C(g)$
처음 농도(M)	1.0	2.0	0
반응 농도(M)	−0.5	−1.0	+1.0
평형 농도(M)	0.5	1.0	1.0

→ 주어진 값을 이용해 반응 농도와 평형 농도를 구한다.

각 물질의 평형 농도를 평형 상수식에 대입하여 평형 상수를 구하면 다음과 같다.

$$K=\frac{[C]^2}{[A][B]^2}=\frac{1.0^2}{0.5\times1.0^2}=2$$

4 (1), (2) 반응 지수(Q)는 평형 상수식에 반응물과 생성물의 현재 농도를 대입하여 구하므로, 대입하는 농도에 따라 달라진다.

(3) 반응 지수(Q)가 평형 상수(K)와 같다는 것은 평형 상태임을 의미한다. 평형 상태에서는 정반응 속도와 역반응 속도가 같다.

(4) 반응 지수(Q)가 평형 상수(K)보다 작은 상태는 평형 상태와 비교할 때 반응물의 농도가 생성물의 농도보다 큰 상태이다. 따라서 평형 상태에 도달하려면 반응물이 소모되어야 하므로 평형에 도달할 때까지 정반응이 진행되어 반응물의 농도가 감소한다.

5 반응의 진행 방향은 반응 지수(Q)와 평형 상수(K)를 비교하여 예측할 수 있다. 용기의 부피가 10 L이므로 N_2, H_2, NH_3의 농도는 각각 $[N_2]=0.1$ M, $[H_2]=0.4$ M, $[NH_3]=0.4$ M이다.

(1) $Q=\frac{[NH_3]^2}{[N_2][H_2]^3}=\frac{0.4^2}{0.1\times0.4^3}=25$

(2) $Q>K$이므로 역반응이 우세하게 진행된다.

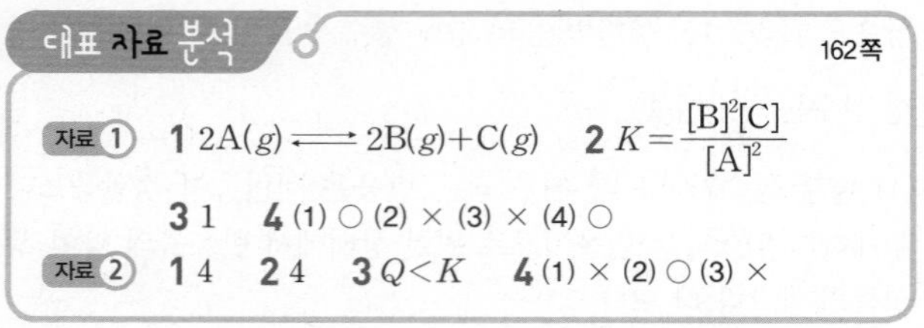

대표 자료 분석 162쪽

자료 ① **1** $2A(g) \rightleftharpoons 2B(g)+C(g)$ **2** $K=\frac{[B]^2[C]}{[A]^2}$ **3** 1 **4** (1) ○ (2) × (3) × (4) ○

자료 ② **1** 4 **2** 4 **3** $Q<K$ **4** (1) × (2) ○ (3) ×

①-1 꼼꼼 문제 분석

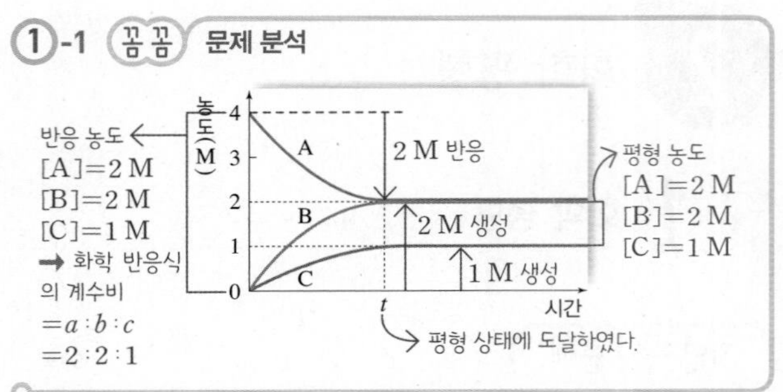

처음 농도와 평형 농도의 차를 이용하면 반응 농도를 구할 수 있다.

물질	A	B	C
처음 농도(M)	4	0	0
평형 농도(M)	2	2	1
반응 농도(M)	−2	+2	+1

반응한 물질의 농도비가 A : B : C=2 : 2 : 1이며, 이는 화학 반응식의 계수비와 같으므로 $a:b:c=2:2:1$이고, 화학 반응식은 $2A(g) \rightleftharpoons 2B(g)+C(g)$이다.

①-2,3 화학 반응식으로 평형 상수식을 쓰고, 각 물질의 평형 농도를 대입하여 평형 상수를 구한다.

• 평형 농도: [A]=2 M, [B]=2 M, [C]=1 M

$$K=\frac{[B]^2[C]}{[A]^2}=\frac{2^2\times1}{2^2}=1$$

①-4 (1) 시간 t 이후 각 물질의 농도가 일정하므로 평형 상태이다. 시간 t에 도달할 때까지 반응물의 농도가 감소하므로 평형에 도달할 때까지 정반응 속도는 감소한다.

(2) 화학 평형 상태는 정반응과 역반응이 끊임없이 일어나는 동적 평형 상태이다.

(3) 같은 조건에서 A 2몰, B 1몰, C 2몰을 넣었을 때 용기의 부피가 1 L이므로 A, B, C의 현재 농도는 각각 [A]=2 M, [B]=1 M, [C]=2 M이다. 따라서 반응 지수(Q)는 다음과 같다.

$$Q=\frac{[B]^2[C]}{[A]^2}=\frac{1^2\times2}{2^2}=\frac{1}{2}$$

$Q<K$이므로, 정반응이 우세하게 일어난다.

(4) 2 L 강철 용기에 A 1몰, B 2몰, C 1몰을 넣었을 때 각 물질의 몰 농도는 [A]=0.5 M, [B]=1 M, [C]=0.5 M이므로, 반응 지수(Q)는 다음과 같다.

$$Q=\frac{[B]^2[C]}{[A]^2}=\frac{1^2\times0.5}{0.5^2}=2$$

온도가 같으므로 평형 상수(K)는 1이다. 따라서 반응 지수(Q)가 평형 상수보다 크므로, 반응 지수가 평형 상수와 같아지려면 생성물이 소모되는 반응이 일어나야 한다. 즉, 역반응이 우세하게 진행된다.

②-1 꼼꼼 문제 분석

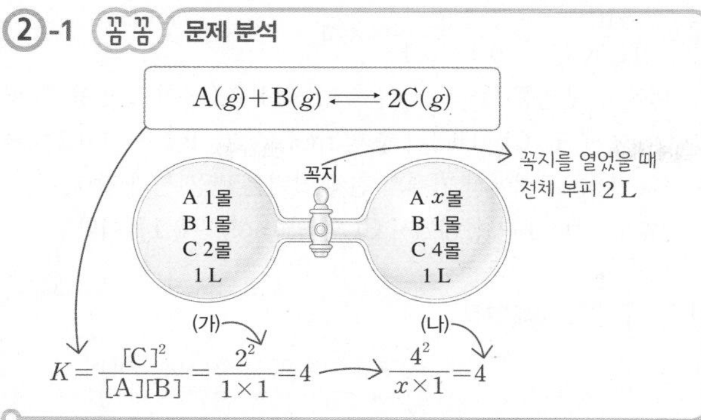

용기 (가)의 부피가 1 L이므로 평형 농도는 각각 [A]=1 M, [B]=1 M, [C]=2 M이고 평형 상수는 다음과 같다.

$$K=\frac{[C]^2}{[A][B]}=\frac{2^2}{1\times1}=4$$

②-2 온도가 같으므로 (가)와 (나)에서 평형 상수는 4로 같다. (나)에서 각 물질의 평형 농도가 각각 [A]=x M, [B]=1 M, [C]=4 M이므로 x는 다음과 같이 구할 수 있다.

$$K=\frac{[C]^2}{[A][B]}=\frac{4^2}{x\times1}=4,\ x=4$$

②-3 꼭지를 열었을 때 각 물질의 양(mol)은 A가 5몰, B가 2몰, C가 6몰이다. 이때 반응 용기의 부피는 2 L가 되므로 각 물질의 농도는 [A]=2.5 M, [B]=1 M, [C]=3 M이다. 따라서 이때 반응 지수(Q)는 다음과 같다.

$$Q=\frac{[C]^2}{[A][B]}=\frac{3^2}{2.5\times1}=3.6<4$$

꼭지를 열었을 때 반응 지수(Q)는 평형 상수(K)보다 작다.

②-4 (1) 평형 상수는 온도가 일정하면 농도와 관계없이 일정하다. 꼭지를 열기 전 평형 상태와 꼭지를 열어 새로운 평형에 도달했을 때의 온도는 같으므로 평형 상수는 4로 같다.

(2), (3) 꼭지를 열었을 때 반응 지수(Q)가 평형 상수(K)보다 작으므로 정반응이 우세하게 진행된다. 따라서 평형에 도달할 때까지 반응한 A의 농도를 y M이라고 하면 양적 관계는 다음과 같다.

	$A(g)$ +	$B(g)$ ⇌	$2C(g)$
처음 평형 농도(M)	2.5	1	3
반응 농도(M)	$-y$	$-y$	$+2y$
새로운 평형 농도(M)	$2.5-y$	$1-y$	$3+2y$

평형 상수식에 새로운 평형 농도를 대입하여 y를 구한다.

$$\frac{(3+2y)^2}{(2.5-y)(1-y)}=4,\ y=\frac{1}{26}$$

따라서 [C]=$\frac{40}{13}$ M이고, 이때 용기의 부피가 2 L이므로 C의 양(mol)은 $\frac{80}{13}$몰이다.

내신 만점 문제

163쪽~165쪽

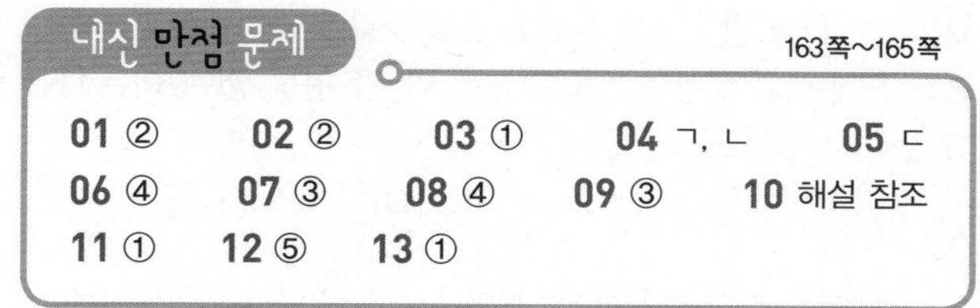

01 ②	02 ②	03 ①	04 ㄱ, ㄴ	05 ㄷ
06 ④	07 ③	08 ④	09 ③	10 해설 참조
11 ①	12 ⑤	13 ①		

01 ② 화학 평형에서는 정반응과 역반응이 모두 일어나므로 반응물과 생성물이 함께 존재한다.

바로알기 ① 화학 평형은 겉으로 보기에는 변화가 없어 반응이 정지된 것처럼 보이지만, 실제로는 정반응과 역반응이 같은 속도로 계속 일어나고 있는 동적 평형 상태이다.

③ 반응이 정지된 상태가 아니므로 정반응과 역반응 속도는 0이 아니다.

④ 화학 평형에서 반응물의 전체 농도와 생성물의 전체 농도가 항상 같지는 않다.

⑤ 화학 평형에 도달하는 반응은 가역 반응이다. 연소 반응, 기체 생성 반응 등의 비가역 반응은 화학 평형에 도달하지 않는다.

02 꼼꼼 문제 분석

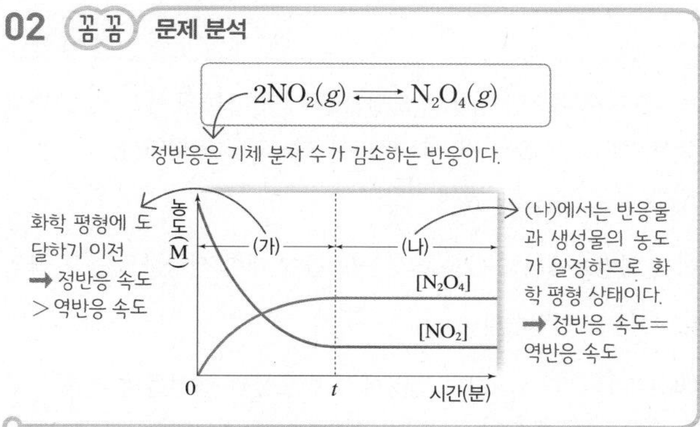

ㄴ. (나)에서는 반응물과 생성물의 농도가 일정하므로 화학 평형 상태이다. 따라서 정반응 속도와 역반응 속도가 같다.

바로알기 ㄱ. (가)에서도 정반응과 역반응이 모두 일어난다.

ㄷ. 정반응은 기체 분자 수가 감소하는 반응이므로 반응 초기에 비해 평형 상태에서의 기체 분자 수가 더 작다. 따라서 온도와 부피가 일정하므로 용기 속 기체의 전체 압력은 (가)에서가 (나)에서보다 크다.

03 ㄱ. 화학 평형에서는 정반응과 역반응이 모두 일어나므로 반응물과 생성물이 함께 존재한다.

바로알기 ㄴ. CO와 H_2의 반응 초기 농도가 같지만 반응 몰비가 CO : H_2=1 : 2이므로 평형에 도달할 때까지 반응한 양이 다르다. 따라서 화학 평형에서 CO와 H_2의 양(mol)은 같지 않다.

ㄷ. 평형 상태에서 정반응과 역반응이 계속 일어나므로 CH_3OH은 계속 생성되고, 또 CO와 H_2로 계속 분해된다.

04 ㄱ. 화학 반응식에서 항상 일정한 값을 나타내는 반응물의 농도 곱에 대한 생성물의 농도 곱의 비, 즉 평형 상수(K)는 다음과 같이 나타낸다.

$$aA+bB \rightleftharpoons cC+dD \quad K=\frac{[C]^c[D]^d}{[A]^a[B]^b}$$

ㄴ. 고체인 $CaCO_3$과 CaO은 평형 상수식에 나타내지 않는다.

바로알기 ㄷ. 일반적으로 반응에 물이 용매로 사용된 경우 물의 농도는 생략하는데, ㄷ의 반응에서 $H_2O(g)$은 용매가 아니라 반응물이다. 따라서 평형 상수식에 포함시켜야 한다.

$$H_2O(g)+CH_4(g) \rightleftharpoons CO(g)+3H_2(g) \quad K=\frac{[CO][H_2]^3}{[H_2O][CH_4]}$$

05 꼼꼼 문제 분석

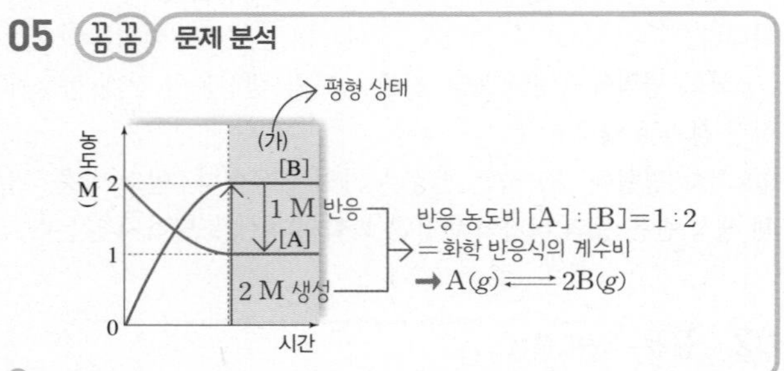

ㄷ. 온도가 같으면 평형에 도달했을 때 반응물의 농도 곱에 대한 생성물의 농도 곱의 비, 즉 평형 상수는 항상 일정하다.

$$A(g) \rightleftharpoons 2B(g) \quad K=\frac{[B]^2}{[A]}$$

이때 역반응에서의 반응물의 농도 곱에 대한 생성물의 농도 곱의 비 $\frac{[A]}{[B]^2}$도 일정하다.

바로알기 ㄱ, ㄴ. 화학 반응에서 반응물과 생성물의 처음 농도가 다를 경우 평형에 도달했을 때의 농도도 다르다.

ㄹ. 화학 평형에서의 농도비는 화학 반응식의 계수비와 관계가 없다.

06 ㄴ. 처음 용기에 $H_2(g)$와 $Cl_2(g)$를 각각 1몰씩 넣었을 때 평형 상태에서 $HCl(g)$ 1.8몰이 생성되었다. 각 물질이 반응하거나 생성되는 몰비는 화학 반응식의 계수비와 같으므로, 평형에 도달할 때까지 반응한 $H_2(g)$, $Cl_2(g)$와 생성된 $HCl(g)$의 몰비는 $H_2(g) : Cl_2(g) : HCl(g)=1 : 1 : 2$이다. 용기의 부피가 1 L이므로 반응물과 생성물의 양적 관계는 다음과 같다.

	$H_2(g)$ +	$Cl_2(g)$ ⇌	$2HCl(g)$
처음 농도(M)	1	1	0
반응 농도(M)	−0.9	−0.9	+1.8
평형 농도(M)	0.1	0.1	1.8

각 물질의 평형 농도는 $[H_2]=0.1$ M, $[Cl_2]=0.1$ M, $[HCl]=1.8$ M이므로, 평형 상수(K)는 다음과 같다.

$$K=\frac{[HCl]^2}{[H_2][Cl_2]}=\frac{1.8^2}{0.1\times0.1}=324$$

ㄷ. 반응 전 반응물 H_2와 Cl_2의 총 양(mol)은 2몰이고, 반응 후 평형 상태에서 H_2, Cl_2, HCl의 총 양(mol)도 2(=0.1+0.1+1.8)몰이므로, 평형 상태에서 기체의 전체 압력은 반응 전과 같다.

바로알기 ㄱ. 평형 상태에서 Cl_2의 양(mol)은 0.1몰이다.

07 꼼꼼 문제 분석

[C](M)
0.4
0
t 시간(초)
→ 시간 t 이후 [C]가 일정하게 유지된다.
➡ 시간 t에서 화학 평형에 도달하였다.
→ C의 평형 농도는 0.4 M이다.
⬇
A + 3B ⇌ 2C
−0.2 −0.6 0.4 → 반응 농도

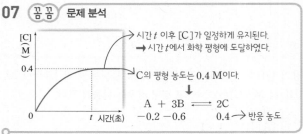

ㄱ. 용기의 부피가 1 L이므로 A와 B의 처음 농도는 각각 1 M이고, 그래프에서 C의 평형 농도는 0.4 M이다. 반응 몰비는 화학 반응식의 계수비와 같으므로 A : B : C=1 : 3 : 2이다. 따라서 평형에 도달할 때까지 반응물과 생성물의 양적 관계는 다음과 같다.

	$A(g)$ +	$3B(g)$ ⇌	$2C(g)$
처음 농도(M)	1	1	0
반응 농도(M)	−0.2	−0.6	+0.4
평형 농도(M)	0.8	0.4	0.4

따라서 시간 t(평형 상태)에서 [A]는 0.8 M이다.

ㄷ. 각 물질의 평형 농도를 평형 상수식에 대입하여 평형 상수를 구하면 다음과 같다.

$$K=\frac{[C]^2}{[A][B]^3}=\frac{0.4^2}{0.8\times0.4^3}=\frac{25}{8}$$

바로알기 ㄴ. 평형 상태에서 각 기체의 양은 A 0.8몰, B 0.4몰, C 0.4몰이므로 B와 C의 몰 분율은 $\frac{0.4}{1.6}=\frac{1}{4}$로 같다.

08 $H_2(g)+I_2(g) \rightleftharpoons 2HI(g) \quad K=\frac{[HI]^2}{[H_2][I_2]}$

실험 (나)의 평형 농도로 평형 상수를 구하면 다음과 같다.

$$K=\frac{[HI]^2}{[H_2][I_2]}=\frac{8.0^2}{4.0\times2.0}=8.0$$

온도가 일정하면 농도에 관계 없이 평형 상수는 일정하다.

- 실험 (가): $\frac{8.0^2}{x\times4.0}=8.0,\ x=2.0$
- 실험 (다): $\frac{y^2}{2.0\times1.0}=8.0,\ y=4.0$

09 ㄱ. 반응 초기 상태 (가)에서 화학 평형 상태 (나)에 도달할 때까지 C가 0.4(=1.0−0.6)몰 감소했으므로, (가)에서 (나)에 도달할 때까지 역반응이 우세하게 일어났다.

용기의 부피가 1 L이고, 반응 몰비가 A : B : C=1 : 1 : 2이므로, 역반응이 우세하게 일어나 평형에 도달할 때까지 반응물과 생성물의 양적 관계는 다음과 같다.

$$A(g) + B(g) \rightleftharpoons 2C(g)$$

	A	B	C	
처음 농도(M)	x	0	1	
반응 농도(M)	+0.2	+0.2	−0.4	⬅ 역반응 진행
평형 농도(M)	x+0.2	0.2	0.6	

(나)에서 A(g)가 0.8몰이므로 $x+0.2=0.8$, $x=0.6$이다.

ㄷ. $K=\frac{[C]^2}{[A][B]}=\frac{0.6^2}{0.8\times0.2}=\frac{9}{4}$

바로알기 ㄴ. (나)에서 각 기체의 양(mol)은 A가 0.8몰, B가 0.2몰, C가 0.6몰이므로 B의 몰 분율은 $\frac{0.2}{1.6}=\frac{1}{8}$이다.

10 용기의 부피가 1 L이므로 처음 농도는 $[H_2]=[F_2]=1.2$ M이고, 평형에 도달할 때까지 반응한 H_2와 F_2의 농도를 x M이라고 하면 양적 관계는 다음과 같다.

$$H_2(g) + I_2(g) \rightleftharpoons 2HF(g)$$

	H_2	I_2	HF
처음 농도(M)	1.2	1.2	0
반응 농도(M)	$-x$	$-x$	$+2x$
평형 농도(M)	$1.2-x$	$1.2-x$	$2x$

$$K=\frac{[HF]^2}{[H_2][F_2]}=\frac{(2x)^2}{(1.2-x)(1.2-x)}=16,\ x=0.8$$

따라서 $[H_2]=[F_2]=0.4$ M, $[HF]=1.6$ M이다.

모범답안 $[H_2]=[F_2]=0.4$ M, $[HF]=1.6$ M, H_2와 F_2이 각각 x몰씩 반응했다면 평형 상태에서 $[H_2]=[F_2]=(1.2-x)$ M이고 $[HF]=2x$ M이므로, x는 다음과 같이 구할 수 있다.

$$K=\frac{[HF]^2}{[H_2][F_2]}=\frac{(2x)^2}{(1.2-x)(1.2-x)}=16,\ x=0.8$$

채점 기준	배점
평형 농도를 옳게 구하고, 풀이 과정을 옳게 서술한 경우	100 %
평형 농도만 옳게 구한 경우	50 %

11 꼼꼼 문제 분석

농도(M) 0.5, 0.4, 0.3, 0.2, 0.1, 0, t, 시간(초)

−0.4, A(g), +0.1, B(g), +0.2, C(g)

$$A + bB \rightleftharpoons cC$$
+0.1 +0.2 −0.4
⬇
$$A + 2B \rightleftharpoons 4C$$

평형에 도달할 때까지 반응물의 농도는 증가하고, 생성물의 농도는 감소한다. ➡ 역반응이 우세하게 진행되다가 평형에 도달한다.

ㄱ. 화학 평형에 도달할 때까지 [A]가 0.1 M 증가할 때 [B]는 0.2 M 증가하고 [C]는 0.4 M 감소하므로, 화학 반응식의 계수비는 1 : 2 : 4이다. 따라서 반응 계수는 $b:c=2:4$이므로 $\frac{c}{b}=2$이다.

바로알기 ㄴ. 각 물질의 평형 농도는 [A]=0.4 M, [B]=0.3 M, [C]=0.1 M이므로 평형 상수는 다음과 같다.

$$K=\frac{[C]^4}{[A][B]^2}=\frac{0.1^4}{0.4\times0.3^2}=\frac{1}{360}$$

ㄷ. 평형에 도달할 때까지 반응물의 농도는 증가하고 생성물의 농도는 감소하므로, 역반응이 우세하게 진행되다가 평형에 도달한다. 따라서 시간 t에서는 역반응이 우세하게 일어나므로, 반응 지수(Q)는 평형 상수(K)보다 크다.

12 꼼꼼 문제 분석

물질	A	B	C
처음 농도(M)	0.4	0.4	0
평형 농도(M)	0.3	0.3	0.2
반응 농도(M)	−0.1	−0.1	+0.2

반응 몰비는 A : B : C=1 : 1 : 2이다.
➡ $a:b:c=1:1:2$

(가) 반응 몰비는 화학 반응식의 계수비와 같으며, 화학 반응식으로 구한 평형 상수식에 각 물질의 평형 농도를 대입한다.

$$A(g)+B(g) \rightleftharpoons 2C(g) \quad K=\frac{[C]^2}{[A][B]}=\frac{0.2^2}{0.3\times0.3}=\frac{4}{9}$$

(나) 1 L 강철 용기에 A, B, C를 각각 1몰씩 넣으면 각 물질의 농도는 [A]=[B]=[C]=1 M이고, 반응 지수(Q)는 다음과 같다.

$$Q=\frac{[C]^2}{[A][B]}=\frac{1^2}{1\times1}=1$$

$Q>K$이므로 생성물의 농도가 감소하는 역반응이 우세하게 진행된다.

13 ㄱ. 용기의 부피가 1 L이므로 (가)에서 평형 농도는 각각 [A]=2 M, [B]=2 M이고, $K=\frac{[B]^2}{[A]}=\frac{2^2}{2}=2$이다.

바로알기 ㄴ. 온도가 같으므로 (가)와 (나)에서 평형 상수는 2로 같다. 또, 용기의 부피가 1 L이므로 (나)에서 평형 농도는 각각 [A]=x M, [B]=4 M이다.

$$K=\frac{[B]^2}{[A]}=\frac{4^2}{x}=2,\ x=8$$

ㄷ. 꼭지를 열었을 때 반응 용기의 부피는 2 L이고, A의 양(mol)은 10몰, B의 양(mol)은 6몰이므로 농도는 [A]=5 M, [B]=3 M이다. 따라서 반응 지수(Q)는 $Q=\frac{3^2}{5}=\frac{9}{5}$이다.

$Q<K$이므로 꼭지를 열면 정반응이 우세하게 일어난다.

02 화학 평형 이동

168쪽

완자쌤 비법 특강 Q1 산소(O_2)의 농도 감소 Q2 두꺼워진다.

Q1 높은 산에는 공기가 희박하여 호흡을 통해 몸속으로 들어오는 산소(O_2)의 양이 감소하므로, O_2의 농도를 증가시키는 방향으로 평형이 이동한다. 즉, 산소 헤모글로빈($Hb(O_2)_4$)이 헤모글로빈(Hb)과 O_2로 분해되는 역반응 쪽으로 평형이 이동하여, O_2의 농도를 증가시킨다. 이로 인해 혈액을 통해 운반되어 세포로 공급되는 O_2의 농도는 오히려 감소하게 되므로 고산병이 나타난다.

Q2 ① $CO_2(g)+H_2O(l) \rightleftharpoons H_2CO_3(aq)$
② $H_2CO_3(aq) \rightleftharpoons H^+(aq)+HCO_3^-(aq)$
③ $CaCO_3(s)+H_2CO_3(aq) \rightleftharpoons Ca^{2+}(aq)+2HCO_3^-(aq)$
혈액 속 CO_2의 농도가 증가하면 반응 ①은 CO_2의 농도가 감소하는 정반응 쪽으로 평형이 이동한다. 이때 H_2CO_3의 농도가 증가하므로 반응 ②는 H_2CO_3의 농도가 감소하는 정반응 쪽으로 평형이 이동한다. 이에 따라 HCO_3^-의 농도가 증가하므로 반응 ③은 HCO_3^-의 농도가 감소하는 역반응 쪽으로 평형이 이동하여 $CaCO_3$의 농도가 증가한다. 따라서 달걀 껍데기의 두께가 두꺼워진다.

개념 확인 문제

169쪽

❶ 평형 이동 ❷ 감소 ❸ 작아 ❹ 정반응 ❺ 증가 ❻ 커 ❼ 역반응

1 (1) ○ (2) ○ (3) × **2** (1) ○ (2) × (3) ○ **3** (1) × (2) ○ (3) ○ (4) × **4** ㄷ

1 (1) 어떤 반응이 평형 상태에 있을 때 농도, 압력, 온도 등의 조건이 변하지 않으면 평형 상태가 계속 유지된다.
(2) 어떤 반응이 평형 상태에 있을 때 반응물을 첨가하면 반응물의 농도가 감소하는 정반응 쪽으로 평형이 이동한다.
(3) 어떤 반응이 평형 상태에 있을 때 생성물을 제거하면 생성물의 농도가 증가하는 정반응 쪽으로 평형이 이동한다.

2 (1) 시간 t에서 N_2의 농도가 급격히 증가했으므로 N_2를 첨가했다. $K=\frac{[NH_3]^2}{[N_2][H_2]^3}$에서 반응물인 N_2의 농도가 커지면 평형 상수식의 분모의 값이 커지므로 반응 지수(Q)는 평형 상수(K)보다 작아진다.
(2) 시간 t에서 N_2를 첨가하였으므로 (나)에서는 N_2의 농도가 감소하는 정반응이 우세하게 일어난다.
(3) 온도가 일정하면 평형 상수는 일정하다. 처음 평형 상태 (가)에서와 새로운 평형 상태 (다)에서의 온도가 같으므로 평형 상수는 같다.

3 (1) $H_2SO_4(aq)$을 첨가하면 수용액 속 H^+의 농도가 증가하므로 H^+의 농도가 감소하는 역반응 쪽으로 평형이 이동한다. 따라서 용액이 주황색으로 변한다.
(2) $HCl(aq)$을 첨가하면 H^+의 농도가 증가므로 평형 상수식 $\frac{[CrO_4^{2-}]^2[H^+]^2}{[Cr_2O_7^{2-}]}$에서 분자의 값이 커진다. 따라서 반응 지수(Q)는 평형 상수(K)보다 커진다.
(3) NaOH 수용액을 첨가하면 OH^-이 H^+과 중화 반응하므로 수용액 속 H^+의 농도가 감소한다. 따라서 H^+의 농도가 증가하는 정반응 쪽으로 평형이 이동한다.
(4) K_2CrO_4을 첨가하면 생성물인 CrO_4^{2-}을 첨가한 것과 같으므로 CrO_4^{2-}의 농도가 감소하는 역반응 쪽으로 평형이 이동한다.

4 화학 반응이 평형 상태에 있을 때 조건에 변화를 주면, 그 변화를 줄이는 방향으로 반응이 진행되어 새로운 평형에 도달한다.
ㄱ. 반응물인 PCl_5을 제거하면 PCl_5의 농도가 증가하는 역반응 쪽으로 평형이 이동한다.
ㄴ. 생성물인 PCl_3을 첨가하면 PCl_3의 농도가 감소하는 역반응 쪽으로 평형이 이동한다.
ㄷ. 생성물인 Cl_2를 제거하면 Cl_2의 농도가 증가하는 정반응 쪽으로 평형이 이동한다.

개념 확인 문제

172쪽

❶ 감소 ❷ 증가 ❸ 작아 ❹ 정반응 ❺ 기체 ❻ 압력 ❼ 부피

1 (1) × (2) × (3) ○ **2** (1) 역반응 (2) 평형이 이동하지 않음 (3) 정반응 **3** (1) $Q=4K$ (2) 역반응 **4** ㄱ **5** (1) × (2) ○ (3) ×

1 (1) 어떤 반응이 평형 상태에 있을 때 압력을 높이면 압력을 감소시키는 방향으로 평형이 이동한다.
(2) 온도가 일정하면 압력이 변해도 평형 상수는 일정하다.
(3) 고체나 액체가 포함된 반응에서는 기체의 양(mol)만 비교한다.

$$C(s)+\underbrace{H_2O(g)}_{1몰} \rightleftharpoons \underbrace{CO(g)+H_2(g)}_{2몰}$$

따라서 압력을 높이면 기체의 양(mol)(분자 수)이 감소하는 역반응 쪽으로 평형이 이동한다.

2 (1) $\underbrace{2SO_2(g)+O_2(g)}_{3몰} \rightleftharpoons \underbrace{2SO_3(g)}_{2몰}$

반응 용기의 압력을 낮추면 기체의 양(mol)이 증가하는 역반응 쪽으로 평형이 이동한다.

(2) $\underbrace{H_2(g)+F_2(g)}_{2몰} \rightleftharpoons \underbrace{2HF(g)}_{2몰}$

반응물과 생성물이 모두 기체 상태이고 양쪽 계수의 합이 2로 같으므로, 정반응이나 역반응이 일어나도 기체의 양(mol)이 변하지 않는다. 따라서 압력이 변해도 평형은 이동하지 않는다.

(3) $\underbrace{CS_2(g)+4H_2(g)}_{5몰} \rightleftharpoons \underbrace{CH_4(g)+2H_2S(g)}_{3몰}$

반응 용기의 압력을 높이면 기체의 양(mol)이 감소하는 정반응 쪽으로 평형이 이동한다.

3 $N_2(g)+3H_2(g) \rightleftharpoons 2NH_3(g)$ $\quad K=\dfrac{[NH_3]^2}{[N_2][H_2]^3}$

(1) $NH_3(g)$ 생성 반응이 평형 상태에 있을 때 압력을 낮추어 부피를 2배로 늘리면 N_2, H_2, NH_3의 농도는 각각 처음 평형 농도의 $\dfrac{1}{2}$배가 된다. 이때 반응 지수(Q)와 평형 상수(K)의 관계는 다음과 같다.

$$Q=\frac{\left(\frac{1}{2}[NH_3]\right)^2}{\left(\frac{1}{2}[N_2]\right)\left(\frac{1}{2}[H_2]\right)^3}=4\frac{[NH_3]^2}{[N_2][H_2]^3}=4K$$

(2) $Q>K$이므로, Q가 K와 같아지려면 분자인 $NH_3(g)$의 농도가 감소해야 하므로 역반응 쪽으로 평형이 이동한다.

4 $\underbrace{CO(g)+2H_2(g)}_{3몰} \rightleftharpoons \underbrace{CH_3OH(g)}_{1몰}$

ㄱ. 정반응이 기체의 양(mol)이 감소하는 방향이므로 평형 상태에 있을 때 압력을 높이면 정반응 쪽으로 평형이 이동한다.

ㄴ. 평형 상태에 있을 때 부피를 증가시키면 압력이 낮아지므로 기체의 양(mol)이 증가하는 역반응 쪽으로 평형이 이동한다.

ㄷ. 아르곤(Ar)은 비활성 기체로 반응에 참여하지 않고 기체 전체의 부피가 일정하므로, Ar을 첨가해도 반응에 관여하는 물질의 농도가 변하지 않는다. 따라서 평형이 이동하지 않는다.

5 $\underbrace{N_2O_4(g)}_{1몰} \rightleftharpoons \underbrace{2NO_2(g)}_{2몰}$

(1) 압력을 가한 직후에는 부피가 줄어들어 농도가 증가하는 효과(단위 부피당 NO_2 분자 수 증가)가 있어 적갈색이 진해진다.

(2) (나)에서 (다)는 새로운 평형 상태에 도달하는 과정으로, 압력이 증가했으므로 기체의 양이 감소하는 방향 즉, $N_2O_4(g)$가 생성되는 역반응이 우세하게 일어난다.

(3) (나)에서 (다)로 진행될 때 역반응이 우세하게 일어나 $NO_2(g)$의 양(mol)이 감소하므로 (나)와 (다)에서 $NO_2(g)$와 $N_2O_4(g)$의 양은 다르다. 평형 상태에서 반응물과 생성물의 양이 같은 것은 아니다.

개념 확인 문제

176쪽

❶ 흡열(열을 흡수하는) ❷ 발열(열을 방출하는) ❸ 역반응 ❹ 정반응 ❺ 낮을 ❻ 높을 ❼ 르샤틀리에 ❽ 줄이는(감소시키는)

1 (1) ○ (2) ○ (3) × **2** (1) 역반응 (2) 역반응 **3** 작아진다. **4** ㄴ **5** (1) $a+b>c$ (2) 음(−)의 값

1 (1) 어떤 반응이 평형 상태에 있을 때 온도를 높이면 온도 변화를 줄이기 위해 열을 흡수하는 쪽으로 반응이 진행된다. 즉, 흡열 반응 쪽으로 평형이 이동한다.

(2) 어떤 반응이 평형 상태에 있을 때 온도를 낮추면 온도 변화를 줄이기 위해 열을 방출하는 쪽으로 반응이 진행된다. 즉, 발열 반응 쪽으로 평형이 이동한다.

(3) 온도가 달라지면 평형 상수도 변한다.

2 (1) $\Delta H<0$이므로 정반응은 발열 반응이다. 따라서 온도를 높이면 흡열 반응인 역반응 쪽으로 평형이 이동한다.

(2) $\Delta H>0$이므로 정반응은 흡열 반응이다. 따라서 온도를 낮추면 발열 반응인 역반응 쪽으로 평형이 이동한다.

3 입자 모형 ●●와 ●●가 A_2 또는 B_2이며, ●●가 AB이다. 온도가 300 K에서 400 K로 높아졌을 때 생성물인 AB의 수가 감소하고, 반응물인 A_2와 B_2의 수는 증가했으므로 역반응이 일어났다. 즉, 온도가 높아졌을 때 역반응이 일어났으므로 역반응은 흡열 반응이고, 정반응은 발열 반응이다. 발열 반응은 온도가 높아지면 역반응 쪽으로 평형이 이동하여 생성물의 농도가 감소하므로 평형 상수(K)가 작아진다.

4 수득률을 높이려면 평형을 정반응 쪽으로 이동시켜야 한다.

ㄱ. NH_3 생성 반응은 정반응이 발열 반응($\Delta H<0$)이므로 온도를 높이면 흡열 반응인 역반응 쪽으로 평형이 이동하여 수득률이 낮아진다.

ㄴ. 압력을 높이면 기체의 양(mol)이 감소하는 정반응 쪽으로 평형이 이동하므로 수득률이 높아진다.

ㄷ. 촉매를 사용하면 평형에 도달하는 속도가 빨라질 뿐 수득률은 변하지 않는다.

5 (1) 압력이 높을수록 수득률이 높아지므로 압력이 높을수록 정반응이 우세하게 진행된다. 즉, 정반응이 기체의 양(mol)이 감소하는 방향이므로 화학 반응식의 계수는 $(a+b)>c$이다.

(2) 온도가 낮을수록 수득률이 높아지므로 온도가 낮을수록 정반응이 우세하게 진행된다. 즉, 정반응은 발열 반응이므로 $\Delta H<0$이다.

대표 자료 분석

177쪽

자료 1 1 정반응 2 (가)>(나) 3 (가)=(나) 4 (1) ○ (2) × (3) × (4) ○

자료 2 1 $a<b$ 2 음(−)의 값 3 $K_{\text{I}}=K_{\text{II}}<K_{\text{III}}$ 4 (1) ○ (2) ○ (3) ○ (4) ×

1-1 꼼꼼 문제 분석

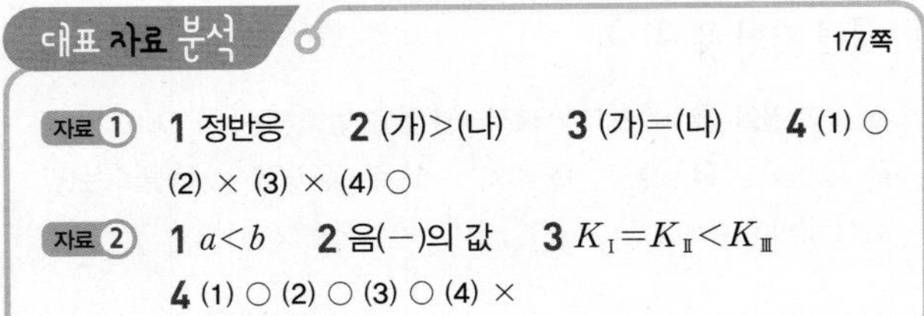

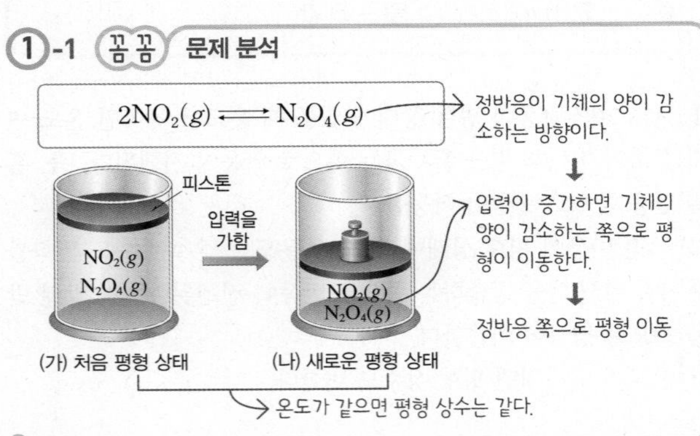

1-2 (가)에서 (나)로 되는 동안 기체 분자 수가 감소하는 방향인 정반응 쪽으로 평형이 이동하므로 NO_2의 양은 감소하고 N_2O_4의 양은 증가한다. 따라서 NO_2의 몰 분율이 감소하므로 NO_2의 몰 분율은 (가)에서가 (나)에서보다 크다.

1-3 (가)와 (나)에서 온도가 같으므로 평형 상수는 (가)와 (나)에서 같다.

1-4 (1) 압력이 증가할 때 기체의 양(mol)이 감소하는 정반응 쪽으로 평형이 이동하므로 혼합 기체의 전체 분자 수는 (가)에서가 (나)에서보다 많다.

(2) (가)의 평형 상태에서 압력을 가해 2기압이 되도록 한 직후에는 부피가 $\frac{1}{2}$배로 감소하므로 NO_2와 N_2O_4의 농도가 각각 처음의 2배가 된다. 이때의 반응 지수(Q)는 다음과 같다.

$$Q=\frac{(2[N_2O_4])}{(2[NO_2])^2}=\frac{2}{4}\frac{[N_2O_4]}{[NO_2]^2}=\frac{1}{2}K$$

반응 지수(Q)가 평형 상수(K)보다 작으므로 정반응 쪽으로 평형이 이동한다.

(3) 온도가 같으므로 기체의 양(mol)이 같을 때 기체의 부피는 압력에 반비례한다. (가)에 압력을 가해 2배로 하면 평형은 기체 분자 수를 감소시키는 방향으로 진행하므로 (나)에서 기체의 양(mol)은 (가)에서보다 작다. 따라서 혼합 기체의 부피는 (가)에서가 (나)에서의 2배보다 크다.

(4) 부피가 일정한 용기에 반응에 영향을 미치지 않는 비활성 기체를 넣어 압력이 변해도 평형이 이동하지 않는다.

2-1 꼼꼼 문제 분석

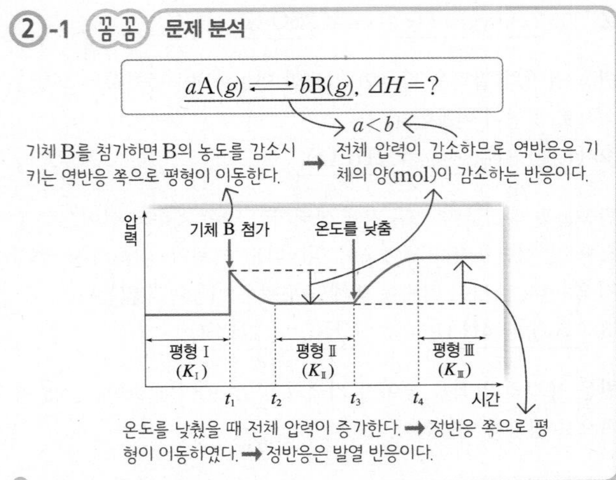

$aA(g) \rightleftharpoons bB(g)$, $\Delta H=?$
$a<b$
기체 B를 첨가하면 B의 농도를 감소시키는 역반응 쪽으로 평형이 이동한다.
전체 압력이 감소하므로 역반응은 기체의 양(mol)이 감소하는 반응이다.
압력
기체 B 첨가
온도를 낮춤
평형 I (K_{I})
평형 II (K_{II})
평형 III (K_{III})
t_1
t_2
t_3
t_4
시간
온도를 낮췄을 때 전체 압력이 증가한다. → 정반응 쪽으로 평형이 이동하였다. → 정반응은 발열 반응이다.

기체 B를 첨가하면 B의 농도를 감소시키는 역반응 쪽으로 평형이 이동하는데, 이때 전체 압력이 감소하였으므로 역반응은 기체의 양(mol)이 감소하는 반응이다. 따라서 화학 반응식의 계수는 $a<b$이다.

2-2 온도를 낮췄을 때 전체 압력이 증가했으므로 정반응 쪽으로 평형이 이동하였다. 온도를 낮추면 평형은 발열 반응 쪽으로 이동하므로 정반응은 발열 반응($\Delta H<0$)이다.

2-3 평형 I과 II에서의 온도는 같으므로 평형 상수 K_{I}과 K_{II}는 같다. 평형 III에서의 온도는 평형 I과 II에서의 온도보다 낮고, 발열 반응의 경우 온도가 낮을수록 생성물의 농도가 커져 평형 상수가 커지므로 K_{III}은 K_{I}과 K_{II}보다 크다.

2-4 (1) t_1에서 기체 B를 첨가하면 평형 상수식 $\frac{[B]^b}{[A]^a}$에서 분자의 값이 커지므로 반응 지수(Q)가 K_{I}보다 커진다. 따라서 B의 농도를 감소시키는 역반응 쪽으로 평형이 이동한다.

(2) t_3에서 온도를 낮췄을 때 정반응 쪽으로 평형이 이동하므로 t_3~t_4에서는 정반응 속도가 역반응 속도보다 빠르다.

(3) t_4 이후 반응물인 기체 A를 첨가하면 A의 농도가 감소하는 정반응 쪽으로 평형이 이동한다.

(4) 정반응은 발열 반응($\Delta H<0$)이므로 생성물의 엔탈피 합은 반응물의 엔탈피 합보다 작다.

내신 만점 문제

178쪽~181쪽

01 ② **02** ③ **03** ④ **04** ④ **05** ② **06** 해설 참조 **07** ① **08** ⑤ **09** ③ **10** ⑤ **11** (가) H_2 첨가 (나) 온도 높임 **12** ④ **13** ③ **14** ② **15** ㄱ, ㄷ **16** ①

01 꼼꼼 문제 분석

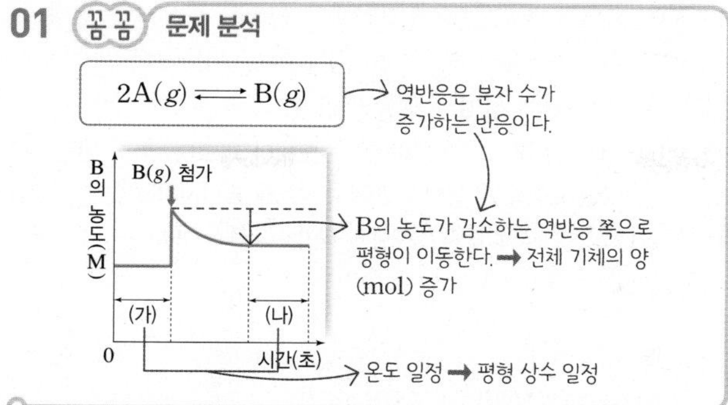

$2A(g) \rightleftharpoons B(g)$
역반응은 분자 수가 증가하는 반응이다.
B(g) 첨가
B의 농도(M)
B의 농도가 감소하는 역반응 쪽으로 평형이 이동한다. ➡ 전체 기체의 양(mol) 증가
(가)
(나)
0
시간(초)
온도 일정 ➡ 평형 상수 일정

ㄷ. 평형 상태 (가)에서 생성물인 B를 첨가하면 새로운 평형 (나)에 도달할 때까지 B의 농도가 감소하는 역반응이 우세하게 일어난다. 이때 역반응은 기체의 양(mol)이 증가하는 방향($B(g) \longrightarrow 2A(g)$)이므로 용기 속 전체 기체의 양(mol)은 (나)에서가 (가)에서보다 많다. 용기의 부피와 온도가 일정하므로 기체의 전체 압력은 기체의 양(mol)이 많은 (나)에서가 (가)에서보다 크다.

바로알기 ㄱ. 평형 상태 (가)에서 역반응 쪽으로 평형이 이동하여 새로운 평형 상태 (나)에 도달하므로 반응물인 A의 몰 농도는 (나)에서가 (가)에서보다 크다.

ㄴ. (가)와 (나)에서의 온도가 같으므로 평형 상수는 같다.

02 평형 상태의 혼합 용액에 NaOH 수용액을 넣으면 OH^-과 H^+이 중화 반응하여 H^+의 농도가 감소하므로, H^+의 농도가 증가하는 정반응 쪽으로 평형이 이동한다.

ㄱ, ㄷ. 정반응 쪽으로 평형이 이동하므로 생성물인 CrO_4^{2-}의 양(mol)이 증가한다. 따라서 수용액은 노란색으로 변한다.

바로알기 ㄴ. 반응의 평형 상수식 $K=\frac{[CrO_4^{2-}]^2[H^+]^2}{[Cr_2O_7^{2-}]}$에서 분자의 값인 $[H^+]$가 감소하면 반응 지수(Q)는 평형 상수(K)보다 작아진다. 따라서 반응 지수(Q)가 평형 상수(K)와 같아지려면 분자의 값이 커져야 하므로 생성물의 농도가 커지는 정반응 쪽으로 평형이 이동한다.

03 꼼꼼 문제 분석

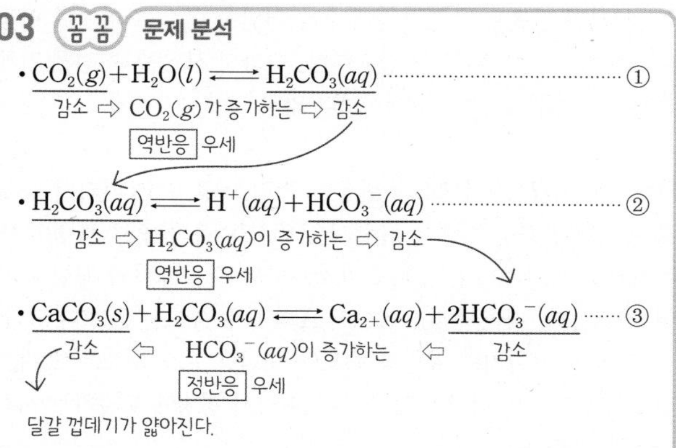

• $CO_2(g)+H_2O(l) \rightleftharpoons H_2CO_3(aq)$ ······ ①
감소 ⇨ $CO_2(g)$가 증가하는 ⇨ 감소
역반응 우세
• $H_2CO_3(aq) \rightleftharpoons H^+(aq)+HCO_3^-(aq)$ ······ ②
감소 ⇨ $H_2CO_3(aq)$이 증가하는 ⇨ 감소
역반응 우세
• $CaCO_3(s)+H_2CO_3(aq) \rightleftharpoons Ca_{2+}(aq)+2HCO_3^-(aq)$ ······ ③
감소 ⇦ $HCO_3^-(aq)$이 증가하는 ⇦ 감소
정반응 우세
달걀 껍데기가 얇아진다.

ㄴ. 혈액 속 H^+의 농도가 증가하면 반응 ②는 역반응 쪽으로 평형이 이동하므로 H_2CO_3의 농도가 증가한다. 이에 따라 반응 ③은 H_2CO_3의 농도를 감소시키는 정반응 쪽으로 평형이 이동하여 $CaCO_3$의 양이 감소하므로, 달걀 껍데기가 얇아진다.

ㄷ. 땀샘이 없는 닭은 호흡으로 열을 방출하므로 여름철 닭의 호흡량이 많아지면 CO_2의 방출량이 증가하므로 혈액 속 CO_2의 농도가 감소한다. 따라서 반응 ①은 감소한 CO_2의 농도를 증가시키기 위해 역반응 쪽으로 평형이 이동한다. 이때 H_2CO_3의 농도가 감소하므로 반응 ②도 역반응 쪽으로 평형이 이동한다. 이에 따라 HCO_3^-의 농도가 감소하므로 반응 ③은 HCO_3^-의 농도를 증가시키기 위해 정반응 쪽으로 평형이 이동하여 $CaCO_3$의 양이 감소하므로 달걀 껍데기가 얇아진다.

바로알기 ㄱ. 혈액에 CO_2가 많이 녹으면 CO_2의 농도가 감소한 것과 반대 방향으로 평형이 이동한다. 즉, 반응 ①과 ②가 정반응 쪽으로 평형이 이동하고, 이에 따라 HCO_3^-이 증가하므로 반응 ③은 역반응 쪽으로 이동하므로 $CaCO_3$의 양이 증가하여 달걀 껍데기가 두꺼워진다.

04 꼼꼼 문제 분석

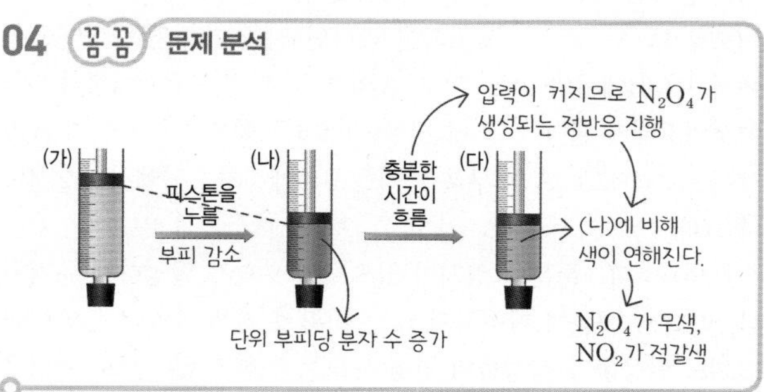

압력이 커지므로 N_2O_4가 생성되는 정반응 진행
(가)
(나)
(다)
피스톤을 누름
부피 감소
충분한 시간이 흐름
(나)에 비해 색이 연해진다.
단위 부피당 분자 수 증가
N_2O_4가 무색, NO_2가 적갈색

① (가)에서와 (다)에서 온도가 같으므로 평형 상수는 같다.

② 압력을 높이면 기체의 양(mol)이 감소하는 정반응 쪽으로 평형이 이동한다. 즉, (나)에서 N_2O_4가 생성되는 정반응 쪽으로 평형이 이동하고, 그 결과 새로운 평형 상태인 (다)에서 혼합 기체의 색이 (나)에 비해 연해졌으므로 N_2O_4가 무색이고 NO_2가 적갈색을 띠는 기체이다.

③ 압력을 가해 부피를 $\frac{1}{2}$배로 줄였다고 가정하면 각 물질의 농도는 각각 처음 평형 농도의 2배가 되는데, 평형 상수 $K=\frac{[N_2O_4]}{[NO_2]^2}$이므로 분모의 값이 분자의 값보다 더 크게 증가한다. 따라서 $Q<K$이므로 정반응이 우세하게 진행된다.

⑤ 압력이 높아져 기체의 양(mol)이 감소하는 방향으로 평형이 이동하므로 혼합 기체 전체의 양(mol)은 (다)에서가 (가)에서보다 적다.

바로알기 ④ 압력을 가한 직후인 (나)에서 혼합 기체의 색이 진해진 것은 평형이 이동한 것이 아니라 부피가 줄어들어 적갈색을 띠는 NO_2 기체의 농도가 커졌기 때문이다.

05 꼼꼼 문제 분석

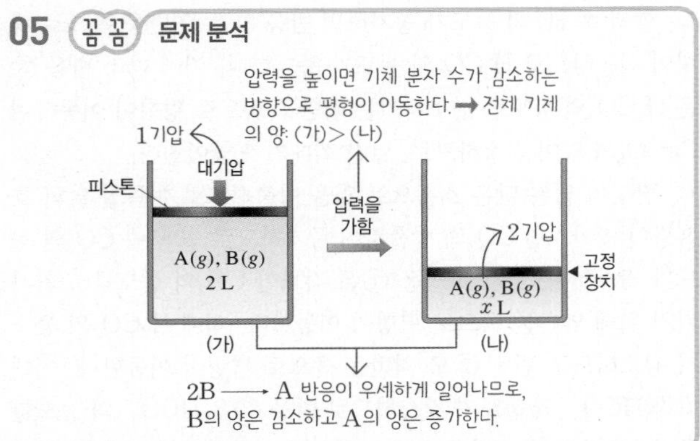

압력을 높이면 기체 분자 수가 감소하는 방향으로 평형이 이동한다. ➡ 전체 기체의 양: (가) > (나)
1기압
대기압
피스톤
압력을 가함
2기압
A(g), B(g) 2 L
A(g), B(g) x L
고정 장치
(가)
(나)
2B ⟶ A 반응이 우세하게 일어나므로, B의 양은 감소하고 A의 양은 증가한다.

ㄱ. (가)에서 압력을 높이면 기체 분자 수가 감소하는 방향인 역반응 쪽으로 평형이 이동한다. (나)의 압력이 2기압이므로 기체의 양(mol)이 같다면 부피는 1 L이다. 그러나 역반응 쪽으로 평형이 이동하여 (나)에서 기체의 양이 (가)에서보다 작으므로 부피는 1 L보다 작다.

ㄷ. 역반응 쪽으로 평형이 이동하므로 B의 양은 감소하고 A의 양은 증가하여 B의 몰 분율은 감소한다.

바로알기 ㄴ. A의 양(mol)이 같다면 전체 기체의 압력이 (나)에서가 (가)에서의 2배이므로 A의 부분 압력도 (나)에서가 (가)에서의 2배가 된다. 그러나 평형이 역반응 쪽으로 이동하여 A의 양이 증가하므로 A의 부분 압력은 (나)에서가 (가)에서의 2배보다 크다.

ㄹ. (나)의 피스톤은 고정되어 있으므로 부피가 일정하게 유지된다. 따라서 반응에 참여하지 않는 비활성 기체를 첨가해 압력이 변해도 반응물과 생성물의 평형 농도는 변하지 않으므로 평형은 이동하지 않는다.

06 꼼꼼 문제 분석

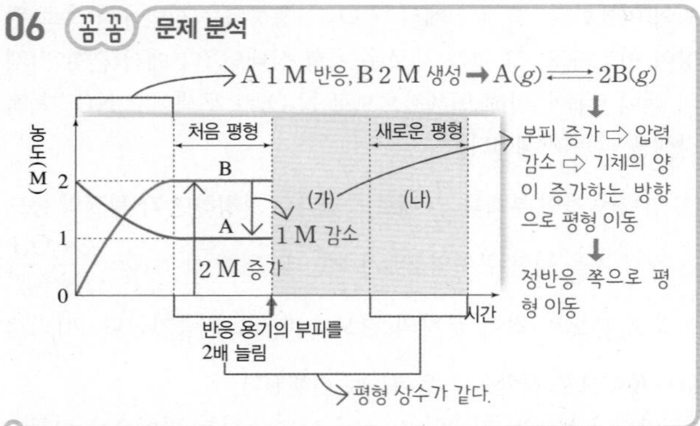

A 1 M 반응, B 2 M 생성 ➡ A(g) ⇌ 2B(g)
농도(M)
처음 평형
새로운 평형
부피 증가 ⇨ 압력 감소 ⇨ 기체의 양이 증가하는 방향으로 평형 이동
정반응 쪽으로 평형 이동
B
A
(가)
(나)
1 M 감소
2 M 증가
시간
반응 용기의 부피를 2배 늘림
평형 상수가 같다.

(1) A로부터 B가 생성되는 반응에서 평형에 도달할 때까지 반응한 A와 B의 농도비가 1 : 2이므로 화학 반응식은 $A(g) \rightleftharpoons 2B(g)$이다. 평형 상태에서 용기의 부피를 2배로 증가시키면 압력이 감소하므로 기체 분자 수가 증가하는 정반응이 우세하게 일어난다.

(2) 처음 평형과 새로운 평형 (나)에서 온도가 같으므로 평형 상수(K)는 같다. 따라서 평형 상수식에 처음 평형 농도 $[A]=1$, $[B]=2$를 대입하여 평형 상수를 구한다.

모범답안 (1) 정반응 속도가 역반응 속도보다 빠르다. 화학 반응식이 $A(g) \rightleftharpoons 2B(g)$이므로, 평형 상태에서 부피를 증가시키면 전체 기체의 양(mol)이 증가하는 정반응이 우세하게 일어나기 때문이다.

(2) $K=\dfrac{[B]^2}{[A]}=\dfrac{2^2}{1}=4$

채점 기준		배점
(1)	정반응 속도와 역반응 속도를 옳게 비교하고, 그 까닭을 화학 반응식과 이를 근거로 한 평형 이동으로 옳게 서술한 경우	70 %
	정반응 속도와 역반응 속도를 옳게 비교하고, 그 까닭을 화학 반응식을 제시하지 않고 정반응 쪽으로 평형 이동이 일어난다고만 서술한 경우	40 %
	정반응 속도와 역반응 속도만 옳게 비교한 경우	20 %
(2)	평형 상수를 옳게 구한 경우	30 %

07

주어진 반응에서 반응물과 생성물이 모두 기체 상태이고, 양쪽 계수의 합이 2로 같으므로 압력을 변화시켜도 평형이 이동하지 않는다. 따라서 외부 압력이 2배가 되면 용기 속 전체 압력도 2배로 되고 더 이상 변화가 없다.

08 꼼꼼 문제 분석

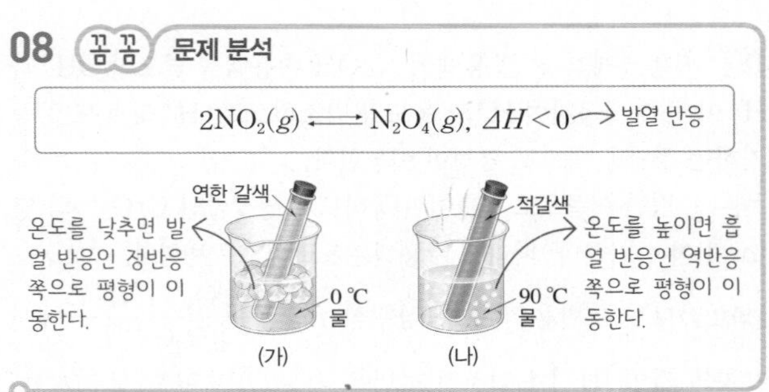

2NO₂(g) ⇌ N₂O₄(g), ΔH < 0 → 발열 반응
연한 갈색
적갈색
온도를 낮추면 발열 반응인 정반응 쪽으로 평형이 이동한다.
온도를 높이면 흡열 반응인 역반응 쪽으로 평형이 이동한다.
0 ℃ 물
90 ℃ 물
(가)
(나)

ㄱ, ㄴ. $\Delta H<0$이므로 정반응이 발열 반응이다. 온도를 높이면 흡열 반응인 역반응 쪽으로 평형이 이동하므로 NO_2의 농도는 (나)에서가 (가)에서보다 크고, N_2O_4의 몰 분율은 (가)에서가 (나)에서보다 크다.

ㄷ. 제시된 반응은 온도가 높을수록 역반응 쪽으로 평형이 이동하고 이때 기체 분자 수는 증가한다. 따라서 시험관 속 전체 기체 분자 수는 (나)에서가 (가)에서보다 많다.

09

ㄱ. $\Delta H<0$이므로 정반응이 발열 반응이다. 따라서 온도를 높이면 온도를 낮추는 흡열 반응인 역반응 쪽으로 평형이 이동하므로 A의 농도는 300 K에서보다 400 K에서의 평형 상태에서 더 크다. 따라서 400 K에서 A의 평형 농도는 C_1보다 크다.

ㄴ. 온도가 높아지면 정반응 속도와 역반응 속도가 모두 빨라져 평형에 도달하는 시간이 짧아진다. 따라서 평형에 도달하는 시간은 t_1보다 작다.

| 바로알기 | ㄷ. 정반응이 발열 반응이므로 온도가 높을수록 역반응이 우세하게 일어나 반응물의 농도가 커지므로 평형 상수가 작아진다. $2A(g) \rightleftharpoons B(g)$ 반응의 평형 상수식은 $\frac{[B]}{[A]^2}$이므로 400 K일 때의 $\frac{[B]}{[A]^2}$는 300 K일 때보다 작다.

10 꼼꼼 문제 분석

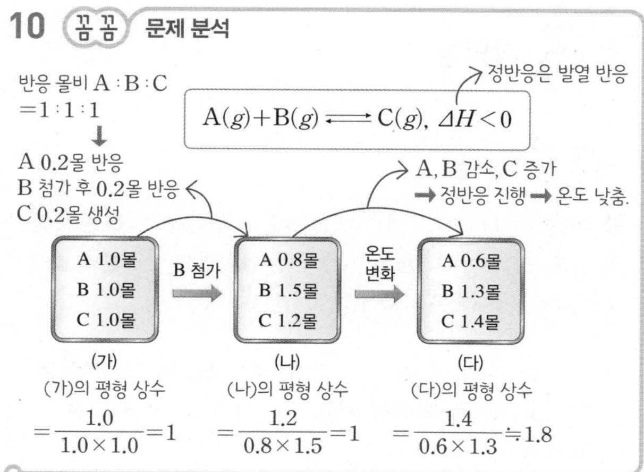

ㄱ. 평형에 도달할 때까지 반응하는 몰비는 화학 반응식의 계수비와 같다. (나)에서 A의 감소량이 0.2몰이고 C의 증가량은 0.2몰이므로 B는 첨가한 이후 0.2몰이 감소한다. 따라서 (가)에 B를 첨가한 직후 B의 양(mol)은 1.7몰이고, 첨가한 B의 양(mol)은 0.7몰이다.

ㄴ. (나)에서 (다)로 평형이 이동할 때 반응물인 A와 B의 양(mol)은 감소하고 생성물인 C의 양(mol)은 증가했으므로 정반응이 우세하게 일어났다. 주어진 반응은 발열 반응($\Delta H<0$)이므로 (나)에서 온도를 낮춘 것이다. 따라서 온도는 (나)에서가 (다)에서보다 높다.

ㄷ. 온도가 일정한 (가)와 (나)의 평형 상수는 같고, 온도 변화에 의해 정반응이 진행된 (다)의 평형 상수는 (가) 또는 (나)보다 크다.

11 꼼꼼 문제 분석

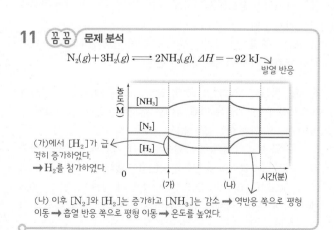

$N_2(g)+3H_2(g) \rightleftharpoons 2NH_3(g)$, $\Delta H=-92$ kJ → 발열 반응

농도(M), $[NH_3]$, $[N_2]$, $[H_2]$, 0, (가), (나), 시간(분)

(가)에서 $[H_2]$가 급격히 증가하였다. → H_2를 첨가하였다.

(나) 이후 $[N_2]$와 $[H_2]$는 증가하고 $[NH_3]$는 감소 → 역반응 쪽으로 평형 이동 → 흡열 반응 쪽으로 평형 이동 → 온도를 높였다.

(가)에서 $[H_2]$가 급격히 증가하였으므로 H_2를 첨가한 것이다. H_2 첨가에 의해 정반응 쪽으로 평형이 이동하여 H_2, N_2의 농도는 감소하고 NH_3의 농도는 증가하여 새로운 평형에 도달하였다. (나)에서 특정 물질의 농도가 급격하게 변하지 않으므로 반응물이나 생성물의 농도를 변화시킨 것이 아니다. 또, 부피가 일정한 밀폐된 강철 용기이므로 부피를 변화시켜 압력 변화에 따라 평형 이동이 일어난 것도 아니다. (나) 이후 생성물인 NH_3의 농도는 감소하고 반응물인 N_2와 H_2의 농도가 증가하였다. 따라서 (나)에서 온도가 높아져 흡열 반응인 역반응 쪽으로 평형이 이동한 것이다.

12 꼼꼼 문제 분석

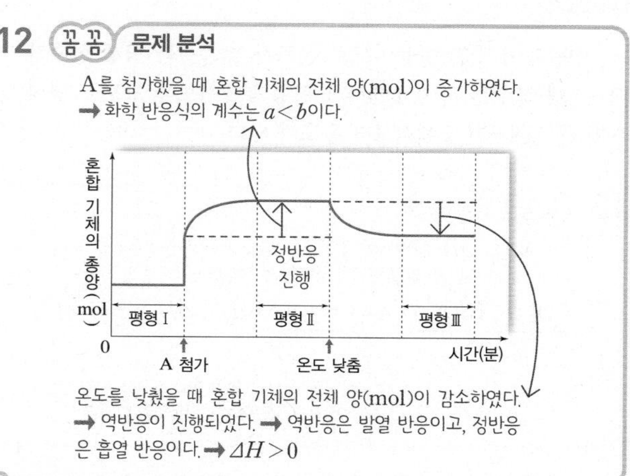

A를 첨가했을 때 혼합 기체의 전체 양(mol)이 증가하였다.
→ 화학 반응식의 계수는 $a<b$이다.
혼합 기체의 총 양(mol)
정반응 진행
평형 Ⅰ
평형 Ⅱ
평형 Ⅲ
0
A 첨가
온도 낮춤
시간(분)
온도를 낮췄을 때 혼합 기체의 전체 양(mol)이 감소하였다.
→ 역반응이 진행되었다. → 역반응은 발열 반응이고, 정반응은 흡열 반응이다. → $\Delta H>0$

ㄴ. 평형 Ⅰ에서 반응물인 A를 첨가하면 정반응이 진행되는데, 이때 혼합 기체의 총양(mol)이 증가하므로 화학 반응식의 계수는 $a<b$이다.
평형 Ⅱ에서 온도를 낮추었을 때 혼합 기체의 총양(mol)이 감소하므로 역반응이 진행되었다. 따라서 역반응이 발열 반응이고, 정반응은 흡열 반응이므로 $\Delta H>0$이다.

ㄷ. 일정한 온도에서 용기의 부피를 줄이면 압력이 증가하므로 기체의 양(mol)이 감소하는 역반응 쪽으로 반응이 진행된다. 따라서 B의 양(mol)이 감소하므로 B의 몰 분율이 감소한다.

| 바로알기 | ㄱ. $a<b$이다.

13 ㄱ. 실험 Ⅰ과 실험 Ⅱ에서 압력이 일정할 때 온도가 높을수록 평형 상수가 커진다. 즉, 온도가 높을수록 정반응 쪽으로 평형이 이동하는데, 온도가 높아지면 흡열 반응 쪽으로 평형이 이동하므로 정반응은 흡열 반응($\Delta H>0$)이다.

ㄴ. 온도가 낮아지면 열을 방출하는 발열 반응인 역반응 쪽으로 평형이 이동한다.

| 바로알기 | ㄷ. 실험 Ⅱ와 실험 Ⅲ을 비교하면 온도가 일정할 때 압력이 2배로 되어도 평형 상수는 일정하다. 평형 상수는 온도가 일정하면 변하지 않으므로 이 자료만으로 화학 반응식의 계수 a와 b의 크기를 비교할 수 없다.

14 주어진 화학 반응식으로부터 평형 상수식을 쓰고, 평형 상수식에 평형 농도를 대입하여 a와 b를 구하면 다음과 같다.

• 평형 Ⅰ: $K=\frac{[C]^2}{[A]^a[B]^b}=\frac{2^2}{2^a\times1^b}=2,\ 2^a=2\ \therefore\ a=1$

• 평형 Ⅱ: $K=\frac{[C]^2}{[A]^a[B]^b}=\frac{2^2}{1^a\times2^b}=1,\ 2^b=4\ \therefore\ b=2$

따라서 화학 반응식은 $A(g)+2B(g) \rightleftharpoons 2C(g)$이다.

ㄷ. 평형 Ⅰ에서 압력을 높이면 전체 기체의 양(mol)이 감소하는 방향인 정반응 쪽으로 평형이 이동하므로 생성물인 C의 양이 증가한다.

바로알기 ㄱ. $\frac{b}{a}=2$이다.

ㄴ. 정반응이 발열 반응이므로 온도가 낮을수록 평형 상수가 크다. 평형 상수는 평형 Ⅰ에서가 평형 Ⅱ에서보다 크므로 평형 상수가 큰 Ⅰ에서가 Ⅱ에서보다 온도가 낮다.

15 꼼꼼 문제 분석

$\Delta H<0$이므로 정반응은 발열 반응이다. → 온도를 낮추면 발열 반응인 정반응 쪽으로 평형이 이동한다.

$CO(g)+H_2O(g) \rightleftharpoons CO_2(g)+H_2(g),\ \Delta H=-41$ kJ

2몰　　2몰

→ 양쪽 계수의 합이 2로 같으므로 압력을 변화시켜도 평형이 이동하지 않는다.

ㄱ. 정반응이 발열 반응($\Delta H<0$)이므로 반응 용기의 온도를 낮추면 발열 반응인 정반응 쪽으로 평형이 이동한다.

ㄷ. 반응 용기에 수증기(H_2O)를 넣으면 $H_2O(g)$의 농도가 증가하므로, 이를 감소시키는 정반응 쪽으로 평형이 이동한다.

바로알기 ㄴ. 반응물과 생성물이 모두 기체 상태이고 양쪽 계수의 합이 2로 같으므로 정반응이나 역반응에 의해 기체의 양(mol)이 변하지 않는다. 따라서 용기의 부피가 변해 압력이 변해도 평형은 이동하지 않는다.

16 꼼꼼 문제 분석

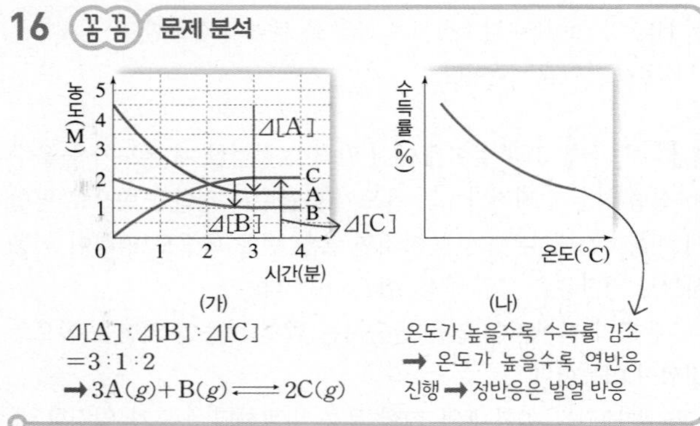

ㄱ. (가)에서 화학 평형에 도달할 때까지 [A]는 3 M 감소, [B]는 1 M 감소, [C]는 2 M 증가하였으므로 화학 반응식의 계수비는 $a:b:c=3:1:2$이다. 따라서 $a+b+c=6$이다.

바로알기 ㄴ. 온도가 높을수록 수득률이 감소하므로 온도가 높을수록 역반응이 우세하게 일어난다. 즉, 역반응은 흡열 반응이고, 정반응은 발열 반응이다. 따라서 $\Delta H<0$이다.

ㄷ. $3A(g)+B(g) \rightleftharpoons 2C(g)$이므로 반응물이 생성물보다 기체의 전체 양(mol)이 많다. 따라서 압력을 낮추면 역반응 쪽으로 평형이 이동하여 생성물인 C의 수득률이 감소한다.

03 상평형

개념 확인 문제 184쪽

❶ 상평형 ❷ 속도 ❸ 상평형 그림 ❹ 융해 ❺ 증기 압력 ❻ 승화 ❼ 3중점 ❽ 음 ❾ 낮아 ❿ 증기 압력 ⓫ 3중점 ⓬ 3중점 ⓭ 승화

1 (1) ○ (2) ○ (3) × (4) × **2** (1) 액체 (2) 고체 (3) 액체 (4) 액체 **3** (1) 승화 (2) 융해, 기화 **4** (1) × (2) ○ (3) ○ (4) ○ **5** (1) ㄷ (2) ㄴ

1 (1) 상평형 그림은 고체, 액체, 기체 상태 사이의 평형을 온도와 압력에 따라 나타낸 그림이다.
(2) 융해 곡선은 고체와 액체가 평형을 이루는 온도와 압력을 나타낸 곡선이다.
(3) 증기 압력 곡선은 액체의 증기 압력이 외부 압력과 같아졌을 때의 온도를 나타낸 것이므로 증기 압력 곡선 상의 온도는 주어진 압력에서 물질의 끓는점이다.
(4) 3중점보다 낮은 압력에서는 승화가 일어난다.

2 상평형 그림에서 각 온도와 압력에 해당하는 영역에서 물의 안정한 상을 찾는다.

3 (1) A에서 온도를 일정하게 하고 압력을 낮추면 승화 곡선을 지나 기체가 된다.
(2) A는 3중점보다 압력이 높으므로, 이 압력에서 온도를 높여 주면 액체를 거쳐 기체로 상태가 변한다.

4 (1) 이산화 탄소의 3중점의 압력은 5.1기압으로 1기압보다 높으므로 1기압에서는 액체 상태로 존재하지 않는다. 따라서 이산화 탄소의 기준 어는점은 없다.
(2) 이산화 탄소의 상평형 그림에서 융해 곡선의 기울기는 양의 값을 가지므로 압력이 높을수록 어는점이 높다.
(3) −56.6 ℃, 5.1기압은 3중점의 온도와 압력이므로 이 조건에서 고체, 액체, 기체가 평형을 이룬다. 따라서 융해 속도와 기화 속도가 같다.

(4) 이산화 탄소는 3중점의 압력이 1기압보다 높으므로, 1기압에서 고체와 기체 사이에 승화가 일어난다.

5 (1) 높은 산에서는 대기압이 지표면보다 낮아 물의 끓는점이 낮아지므로, 물이 100 °C보다 낮은 온도에서 빨리 끓는다. 상평형 그림에서 압력에 따른 끓는점 변화는 증기 압력 곡선으로 설명할 수 있다.
(2) 동결 건조 식품은 3중점 이하의 압력에서 얼음이 승화하는 현상을 이용한 것으로, 승화 곡선으로 설명할 수 있다.

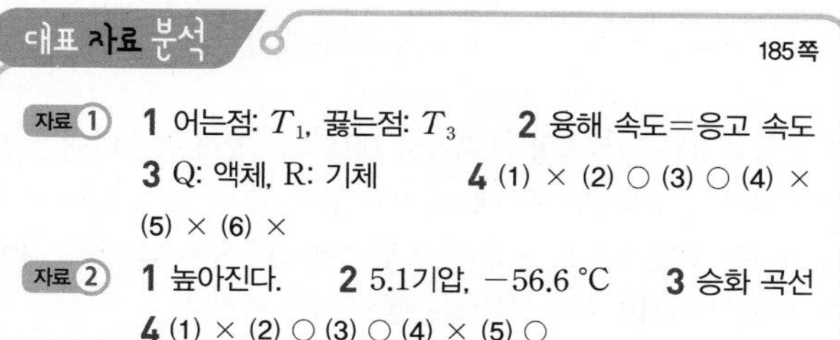

대표 자료 분석 185쪽

자료 ① **1** 어는점: T_1, 끓는점: T_3 **2** 융해 속도=응고 속도 **3** Q: 액체, R: 기체 **4** (1) × (2) ○ (3) ○ (4) × (5) × (6) ×

자료 ② **1** 높아진다. **2** 5.1기압, −56.6 °C **3** 승화 곡선 **4** (1) × (2) ○ (3) ○ (4) × (5) ○

①-1, 2, 3 꼼꼼 문제 분석

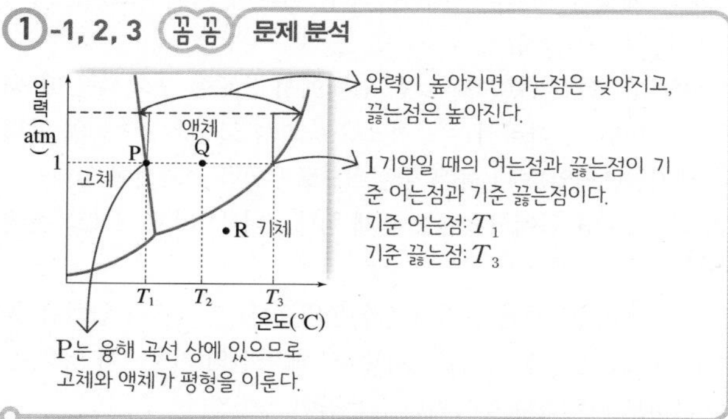

압력(atm)
액체
Q
P
1
고체
R 기체
T_1 T_2 T_3
온도(°C)
압력이 높아지면 어는점은 낮아지고, 끓는점은 높아진다.
1기압일 때의 어는점과 끓는점이 기준 어는점과 기준 끓는점이다.
기준 어는점: T_1
기준 끓는점: T_3
P는 융해 곡선 상에 있으므로 고체와 액체가 평형을 이룬다.

①-4 (1), (3) 물의 융해 곡선의 기울기는 음의 값을 가지므로 압력이 높을수록 어는점이 낮다. 따라서 2기압에서 물의 어는점은 T_1보다 낮고, 얼음에 압력을 가하면 어는점이 낮아져 얼음이 녹는다.
(2) 물의 증기 압력 곡선의 기울기는 양의 값을 가지므로 압력이 높을수록 끓는점이 높다. 따라서 2기압에서 물의 끓는점은 T_3보다 높다.
(4) R에서 온도를 일정하게 유지하고 압력을 높여 증기 압력 곡선에 이르면 액화가 일어난다.
(5) 1기압, T_3은 물의 증기 압력 곡선 상의 온도와 압력이므로 이 조건에서는 액체와 기체가 평형을 이룬다. 즉 물의 증발 속도와 응축 속도는 같다.
(6) 물의 3중점의 압력이 1기압보다 낮으므로 1기압에서 승화가 일어나지 않는다. 따라서 1기압에서 동결 건조 식품을 만들 수 없다.

②-1, 2, 3 꼼꼼 문제 분석

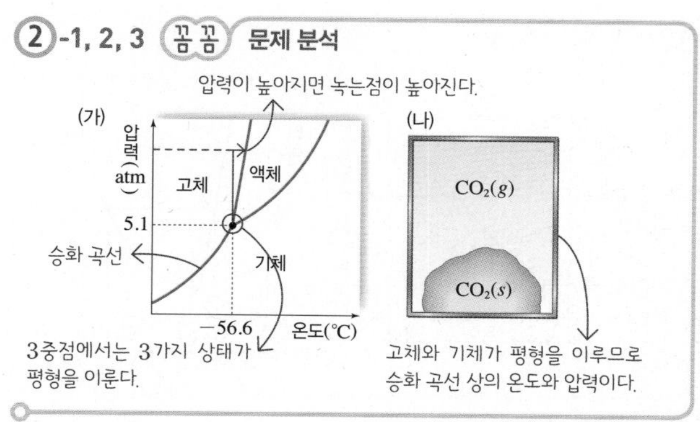

②-4 (1) (나)에서 고체와 기체 상태가 평형을 이루므로 승화 곡선 상의 온도와 압력이다. 따라서 압력은 5.1기압보다 작다.
(2), (5) 이산화 탄소의 3중점의 압력이 1기압보다 높으므로 1기압에서 자발적으로 승화한다. 따라서 드라이아이스는 실온에서 녹지 않고 승화하여 크기가 점점 작아진다.
(3) 이산화 탄소는 1기압에서 액체 상태로 존재하지 못하므로, 1기압에서 어는점이 존재하지 않는다.
(4) 이산화 탄소가 액체 상태로 존재할 수 있는 가장 낮은 온도는 3중점의 온도인 −56.6 °C이다.

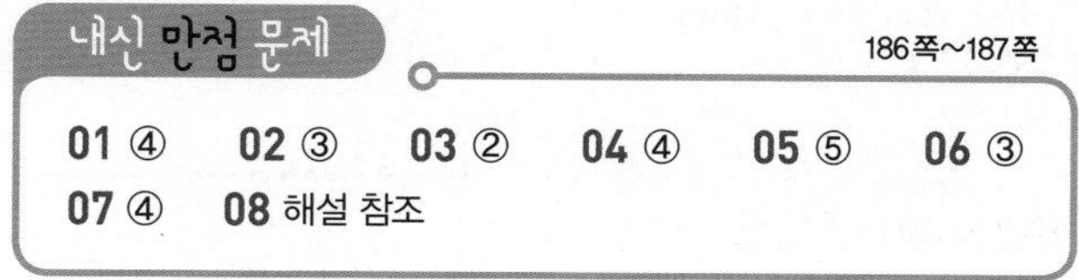

내신 만점 문제 186쪽~187쪽

01 ④ 02 ③ 03 ② 04 ④ 05 ⑤ 06 ③ 07 ④ 08 해설 참조

01 꼼꼼 문제 분석

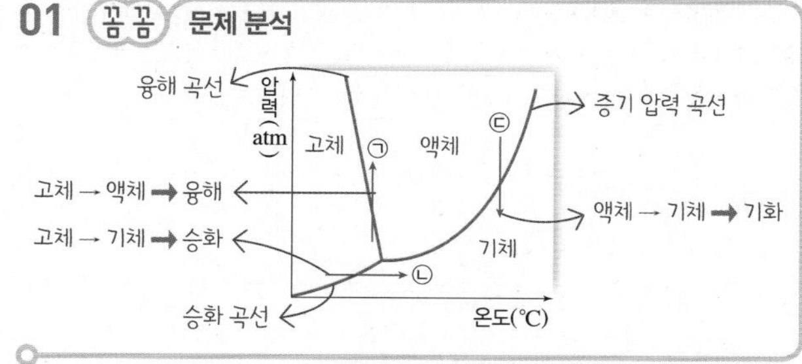

02 ㄱ. P_1, T_1은 승화 곡선 상의 온도와 압력이다.
ㄷ. 증기 압력 곡선의 기울기가 양의 값을 가지므로, 압력이 커질수록 끓는점이 높아진다. 따라서 P_2보다 압력이 높아지면 A는 더 높은 온도에서 끓는다.
바로알기 ㄴ. P_2, T_2는 증기 압력 곡선 상의 온도와 압력이므로, P_2, T_2에서 증발 속도와 응축 속도는 같다.

03 꼼꼼 문제 분석

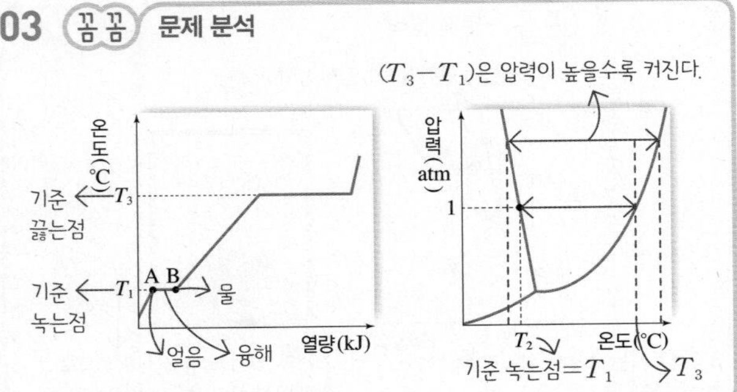

ㄷ. T_3은 끓는점이고 T_1은 녹는점이다. 상평형 그림에서 융해 곡선의 기울기가 음의 값을 가지므로, 압력이 커질수록 녹는점은 낮아진다. 반면, 증기 압력 곡선의 기울기는 양의 값을 가지므로 압력이 커질수록 끓는점은 높아진다.

따라서 (T_3-T_1), 즉 끓는점과 녹는점의 차는 2기압에서가 1기압에서보다 크다.

바로알기 ㄱ. (가)에서 얼음에 열을 가했을 때 첫 번째 수평 구간에서는 융해가 일어나고, 두 번째 수평 구간에서는 기화가 일어나므로 T_1은 기준 녹는점, T_3은 기준 끓는점이다. (나)에서 T_2는 융해 곡선에서 1기압일 때의 온도이므로 기준 녹는점이다. 따라서 T_1과 T_2는 같다.

ㄴ. 기준 녹는점에서 A는 얼음(고체)이고, B는 물(액체)이다. 물의 밀도는 액체인 B에서가 고체인 A에서보다 크기 때문에 얼음에 압력을 가하면 밀도가 커져 물이 된다. 따라서 융해 곡선의 기울기는 음의 값을 가진다.

04 꼼꼼 문제 분석

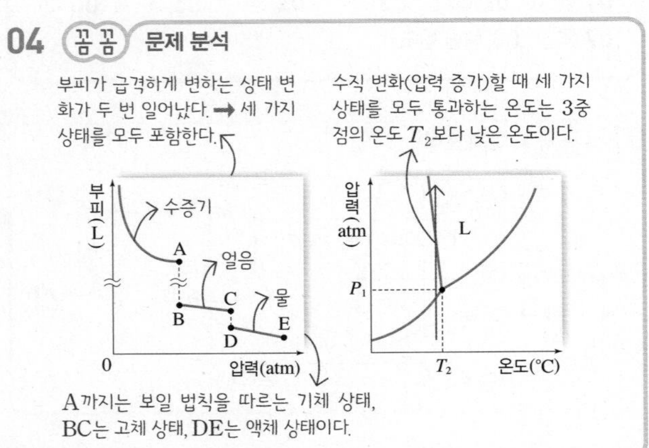

부피가 급격하게 변하는 상태 변화가 두 번 일어났다. ➡ 세 가지 상태를 모두 포함한다.
수직 변화(압력 증가)할 때 세 가지 상태를 모두 통과하는 온도는 3중점의 온도 T_2보다 낮은 온도이다.
부피(L)
수증기
A
얼음
C
물
B
D
E
0
압력(atm)
압력(atm)
L
P_1
T_2
온도(°C)
A까지는 보일 법칙을 따르는 기체 상태, BC는 고체 상태, DE는 액체 상태이다.

ㄴ. A에서 B로의 변화는 승화이므로 3중점의 압력인 P_1보다 낮은 압력에서 일어난다.

ㄷ. (가)의 구간 DE는 액체 상태이므로 (나)의 L 영역에 속한다.

바로알기 ㄱ. (가)에서 상태 변화가 두 번 일어나므로 (가)의 온도 T_1은 T_2보다 낮다. T_2보다 높은 온도에서는 압력을 높이면 상태 변화가 기체에서 액체로 한 번만 일어난다.

05 꼼꼼 문제 분석

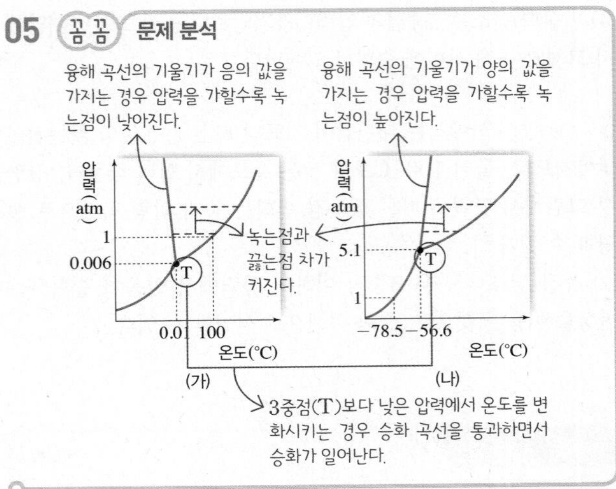

⑤ (가)와 (나)의 상평형 그림에서 세로축의 압력을 나타내는 점에서 가로로 선을 그렸을 때 그 선과 융해 곡선, 증기 압력 곡선이 만나는 지점의 온도가 각각 그 압력에서의 녹는점과 끓는점이며, 압력이 커지면 녹는점과 끓는점의 차가 커진다.

바로알기 ① 물질 (가)는 융해 곡선의 기울기가 음의 값을 가지므로 고체보다 액체의 밀도가 크다. 따라서 액체 > 고체 > 기체 순으로 밀도가 크다.

② 물질은 3중점(T)보다 낮은 압력에서 온도를 변화시킬 때 승화가 일어난다. 따라서 일반적으로 승화성 물질은 3중점의 압력이 대기압(1기압)보다 높은 물질이므로 (나)만 승화성이 있다.

③ 1기압, 25 °C에서 (가)는 액체 상태, (나)는 기체 상태로 존재한다.

④ (가)는 융해 곡선의 기울기가 음의 값을 가지므로 압력이 높아지면 녹는점이 낮아지고, (나)는 융해 곡선의 기울기가 양의 값을 가지므로 압력이 높아지면 녹는점이 높아진다.

06 꼼꼼 문제 분석

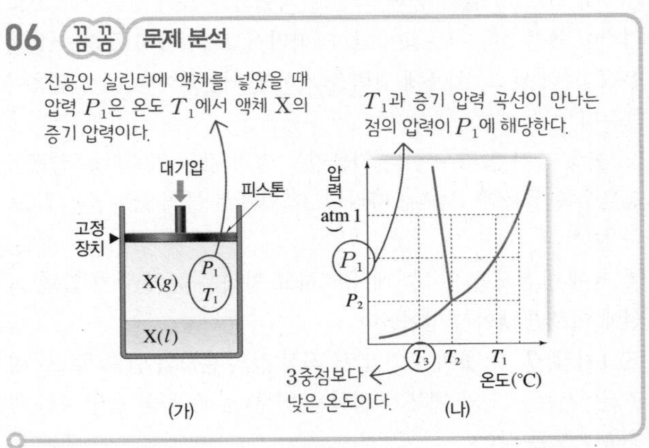

ㄱ. 고정 장치를 제거하지 않았으므로 실린더의 부피는 일정하게 유지되고 P_1은 액체의 증기에 의한 압력이다. 따라서 T_1일 때 액체의 증기 압력은 P_1이다.

ㄴ. (나)의 상평형 그림에서 T_1일 때 액체의 증기 압력 P_1은 1기압보다 작다. 따라서 대기압(1기압)에서 (가)의 고정 장치를 제거하면 외부 압력이 실린더 내부 압력 P_1보다 크므로 실린더 내부 부피가 감소한다.

바로알기 ㄷ. (가)에서 고정 장치를 제거하지 않고 온도를 T_3으로 낮추어 새로운 평형에 도달하면 물질 X는 고체와 기체가 평형을 이룬다. (나)의 승화 곡선에서 T_3일 때의 압력은 P_2보다 작다.

07 (가) 압력솥 내부의 압력은 1기압보다 높아 물의 끓는점이 높아져 100 °C보다 높은 온도에서 끓는다. 따라서 쌀이 빨리 익는다. 이러한 현상은 증기 압력 곡선으로 설명할 수 있다.

(나) 동결 건조는 얼음을 승화시켜 건조시키는 방법으로, 승화 곡선으로 설명할 수 있다.

(다) 스케이트를 탈 때 스케이트 날이 닿는 부분은 압력이 높아져 얼음이 녹아 물이 되고, 물이 얼음과 스케이트 날의 마찰력을 감소시켜 스케이트를 잘 탈 수 있다. 이러한 압력에 따른 녹는점 변화는 융해 곡선으로 설명할 수 있다.

08 모범답안 식품을 기준 어는점(0 °C)보다 낮은 온도로 냉동(동결)시킨다. 얼린 식품을 물의 3중점의 압력인 0.006기압 이하로 낮추어 식품 속 얼음을 승화시켜 식품 속 수분을 제거한다.

채점 기준	배점
동결과 승화에 필요한 온도와 압력 조건을 포함시켜 동결 건조 방법을 옳게 서술한 경우	100 %
동결과 승화에 필요한 온도와 압력 조건 중 하나만 포함시켜 서술한 경우	40 %

중단원 핵심 정리

188쪽~189쪽

❶ 농도 ❷ $\frac{[C]^c[D]^d}{[A]^a[B]^b}$ ❸ 온도 ❹ 정반응 ❺ 역반응
❻ 정반응 ❼ 역반응 ❽ 감소 ❾ 증가 ❿ 작아
⓫ 커 ⓬ 증가 ⓭ 감소 ⓮ $\frac{1}{4}$ ⓯ 흡열 ⓰ 발열
⓱ 커 ⓲ 작아 ⓳ 르샤틀리에 ⓴ 정반응 ㉑ 3중점
㉒ 낮아 ㉓ 높아 ㉔ 높아 ㉕ 3중점 ㉖ 승화

중단원 마무리 문제

190쪽~195쪽

01 ④ 02 ① 03 ① 04 ④ 05 ② 06 ⑤
07 ③ 08 ② 09 ③ 10 ① 11 ⑤ 12 ③
13 ③ 14 ④ 15 ③ 16 ③ 17 ④ 18 ②
19 해설 참조 20 해설 참조

01 ㄴ. 화학 평형 상태에서는 정반응과 역반응이 같은 속도로 일어나므로 N_2O_4의 생성 속도와 분해 속도는 같다.

ㄷ. 화학 평형 상태에서는 반응물과 생성물의 농도가 일정하므로 용기 속 전체 기체의 분자 수도 일정하다. 따라서 용기 속 기체의 압력은 일정하게 유지된다.

바로알기 ㄱ. 화학 반응식의 계수비는 반응 초기부터 화학 평형에 도달할 때까지 반응하거나 생성되는 물질의 몰비를 의미한다. 화학 반응식만으로 평형 상태에서 존재하는 반응물과 생성물의 농도비를 알 수 없다.

02 꼼꼼 문제 분석

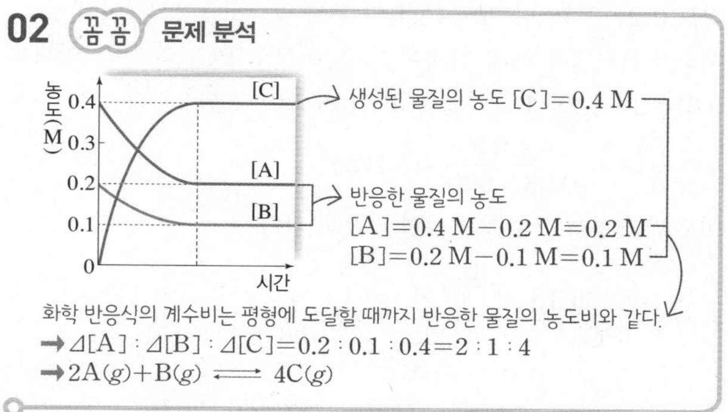

ㄱ. $a+b+c=2+1+4=7$이다.

바로알기 ㄴ. $K=\frac{[C]^4}{[A]^2[B]}=\frac{0.4^4}{0.2^2\times0.1}=6.4$

ㄷ. 1 L 용기에 A, B, C를 각각 1몰씩 넣으면 각 물질의 농도는 [A]=[B]=[C]=1 M이므로 반응 지수(Q)는 1이다.

$$Q=\frac{[C]^4}{[A]^2[B]}=\frac{1^4}{1^2\times1}=1$$

$Q<K$이므로 정반응 쪽으로 반응이 진행되다가 평형에 도달한다.

03 꼼꼼 문제 분석

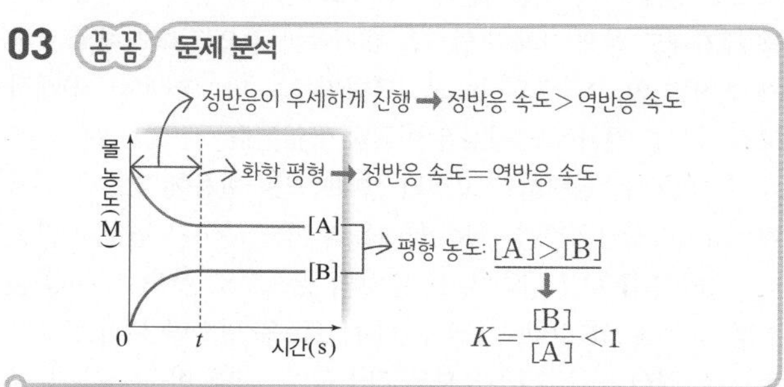

ㄱ. 평형 상태에 도달할 때까지 정반응이 우세하게 진행되는데 정반응 속도는 줄어들고 역반응 속도는 빨라지다가, 평형에 도달하면 정반응 속도와 역반응 속도가 같아진다. 따라서 평형에 도달할 때까지는 정반응 속도가 역반응 속도보다 빠르므로 $\frac{\text{정반응 속도}}{\text{역반응 속도}}>1$이다.

바로알기 ㄴ. 화학 평형은 가역 반응에서 정반응 속도와 역반응 속도가 같아 반응이 정지된 것처럼 보이는 동적 평형 상태이다.

t초에서 평형 상태에 도달했으며, 평형 상태에서도 반응은 계속 일어난다.

ㄷ. $K=\dfrac{[B]}{[A]}$이다. 평형 상태에서 [A]>[B]이므로 $K<1$이다.

04 ㄴ, ㄷ. (나)에서 전체 압력이 3기압인데 Cl_2의 몰 분율이 0.4이므로, Cl_2의 부분 압력은 1.2(=3×0.4)기압이다. 따라서 Cl_2의 양(mol)은 $n=\dfrac{PV}{RT}=\dfrac{1.2\times 8}{0.08\times 600}=0.2$(몰)이다.

화학 반응식에서 PCl_3과 Cl_2의 계수가 같으므로, 생성된 PCl_3의 양도 0.2몰이고 (나)에서 PCl_3의 부분 압력도 1.2기압이다.

따라서 (나)에서 전체 압력이 3기압이므로 PCl_5의 부분 압력은 0.6(=3−1.2−1.2)기압이고 양(mol)은 다음과 같다.

$$n=\frac{PV}{RT}=\frac{0.6\times 8}{0.08\times 600}=0.1(\text{몰})$$

이로부터 평형 상수를 구하면 다음과 같다.

$$K=\frac{[PCl_3][Cl_2]}{[PCl_5]}=\frac{\frac{0.2}{8}\times\frac{0.2}{8}}{\frac{0.1}{8}}=\frac{1}{20}$$

바로알기 ㄱ. 평형에 도달할 때까지 생성된 PCl_3과 Cl_2가 0.2몰이므로 반응한 PCl_5도 0.2몰이다. (나)에서 PCl_5의 양이 0.1몰이므로 (가)에서 넣어 준 PCl_5의 양은 0.3몰이다.

05 ㄷ. (나)에서 온도를 높이면 평형이 흡열 반응 쪽인 역반응 쪽으로 이동하므로 N_2O_4의 양은 감소한다. 또, 온도 증가에 따라 전체 기체의 부피가 증가하므로 $[N_2O_4]$는 감소한다.

바로알기 ㄱ. (가)와 (나)에서 전체 기체의 양은 같고 부피가 같으므로 전체 기체의 압력은 1기압으로 같다. (가)에서 고정 장치를 제거해도 전체 기체의 압력은 대기압과 같으므로 기체의 부피가 변하지 않고 물질의 농도도 변하지 않는다. 따라서 (가)에서 고정 장치를 제거해도 평형은 이동하지 않는다.

ㄴ. (가)에서는 실린더가 고정된 상태이므로 반응에 영향을 미치지 않는 비활성 기체인 헬륨(He)을 넣어도 부피가 변하지 않는다. 따라서 $[NO_2]$, $[N_2O_4]$가 변하지 않으므로 반응 지수(Q)는 평형 상수(K)와 같다. 그러나 (나)에 He을 넣으면 부피가 증가하므로 $[NO_2]$, $[N_2O_4]$가 모두 감소하며, 이때 반응 계수가 큰 NO_2의 농도 감소 효과가 더 크다. 예를 들어, 헬륨을 넣어 부피가 2배가 되었다고 가정하면 이때 물질의 농도는 처음의 $\frac{1}{2}$배가 되므로, 반응 지수(Q)는 다음과 같다.

$$Q=\frac{\frac{1}{2}[N_2O_4]}{\left(\frac{1}{2}[NO_2]\right)^2}=2\frac{[N_2O_4]}{[NO_2]^2}=2K$$

Q가 K보다 커지므로, Q는 (나)에서가 (가)에서보다 크다.

06 꼼꼼 문제 분석

NH₃ 농도가 급격히 감소 → NH₃ 제거
H₂ 농도가 급격히 증가 → H₂ 첨가
평형 Ⅰ, 평형 Ⅱ, 평형 Ⅲ
(가), (나) → 정반응 진행

ㄴ. (나)에서 생성물인 NH_3의 농도가 급격히 감소하므로, NH_3를 제거한 것이다. 따라서 NH_3의 농도가 증가하는 정반응 쪽으로 평형이 이동한다.

ㄷ. 온도가 일정하므로 평형 상태 Ⅰ, Ⅱ, Ⅲ에서 평형 상수(K)는 모두 같다.

바로알기 ㄱ. (가)에서 H_2의 농도가 급격히 증가하므로 H_2를 첨가한 것이다.

07 ㄱ, ㄴ. 부피가 1 L로 일정한 강철 용기에 SO_3 5몰을 넣고 반응시켰을 때, t초 이후 생성물인 SO_2의 농도가 3 M로 일정하게 유지되므로 t초에서 평형에 도달하였다. 평형에 도달할 때까지 반응한 물질의 양적 관계는 다음과 같다.

	$2SO_3(g)$	$\rightleftharpoons$	$2SO_2(g)$	+	$O_2(g)$
처음 농도(M)	5		0		0
반응 농도(M)	−3		+3		+1.5
평형 농도(M)	2		3		1.5

평형 상태일 때 $[SO_3]$는 2 M이고, 평형 상수식에 평형 농도를 대입하면 평형 상수(K)는 다음과 같다.

$$K=\frac{[SO_2]^2[O_2]}{[SO_3]^2}=\frac{3^2\times\frac{3}{2}}{2^2}=\frac{27}{8}$$

바로알기 ㄷ. $SO_3(g)$이 $SO_2(g)$과 $O_2(g)$로 되는 반응은 흡열 반응($\Delta H>0$)이므로 온도를 T ℃에서 $2T$ ℃로 높이면 온도를 낮추는 흡열 반응 쪽으로 반응이 진행된다. 즉, 정반응 쪽으로 평형이 이동하므로 반응물인 SO_3의 몰 분율은 감소한다.

08 꼼꼼 문제 분석

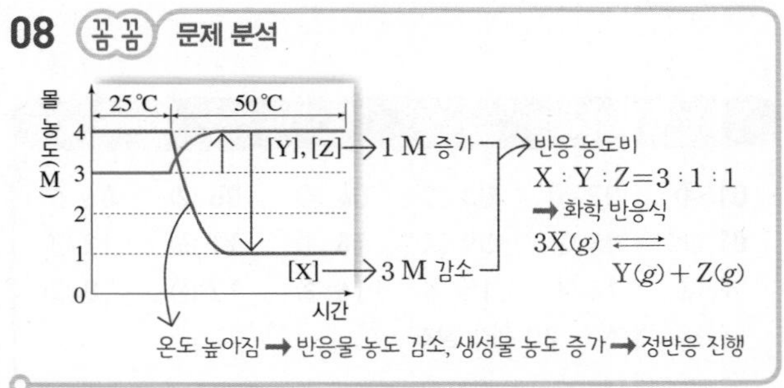

부피가 일정하므로 물질의 양(mol)은 몰 농도에 비례한다. 온도를 변화시켰을 때 각 물질의 농도 변화는 다음과 같다.

물질	X	Y	Z
처음 농도(mol/L)	4	3	3
평형 농도(mol/L)	1	4	4
반응 농도(mol/L)	−3	+1	+1

따라서 화학 반응식은 $3X(g) \rightleftharpoons Y(g)+Z(g)$이다.

ㄴ. 50 °C에서의 평형 농도를 평형 상수식에 대입하면 평형 상수(K)는 다음과 같다.

$$K=\frac{[Y][Z]}{[X]^3}=\frac{4\times4}{1^3}=16$$

바로알기 ㄱ. $a+b+c=3+1+1=5$이다.

ㄷ. 온도가 높아졌을 때 반응물이 감소하고 생성물이 증가하는 정반응이 일어나므로 X의 분해 반응은 흡열 반응이다.

09 ㄱ. (나)에서 시험관을 얼음물에 넣어 온도를 낮췄을 때 $Co(H_2O)_6^{2+}(aq)$의 농도가 증가해 붉은색을 띠므로, 온도를 낮추면 역반응 쪽으로 평형이 이동한다. 즉, 역반응이 발열 반응이므로 정반응은 흡열 반응($\varDelta H>0$)이다.

ㄷ. 용매의 농도는 평형 상수식에 나타내지 않으므로 제시된 반응의 평형 상수식은 다음과 같다.

$$K=\frac{[CoCl_4^{2-}]}{[Co(H_2O)_6^{2+}][Cl^-]^4}$$

그런데 용액에 물($H_2O(l)$)을 넣으면 반응물과 생성물의 농도가 같은 비율로 감소하며, 이때 평형 상수에서 분모의 값이 분자의 값보다 더 크게 감소한다. 따라서 용액에 물을 넣으면 반응 지수(Q)가 평형 상수(K)보다 커지므로 평형이 역반응 쪽으로 이동한다.

바로알기 ㄴ. 용액에 $NaCl(aq)$을 소량 넣으면 반응물인 Cl^-의 농도가 증가하므로, Cl^-의 농도를 감소시키는 정반응 쪽으로 평형이 이동하여 붉은색이 연해지고 파란색이 진해진다.

10 꼼꼼 문제 분석

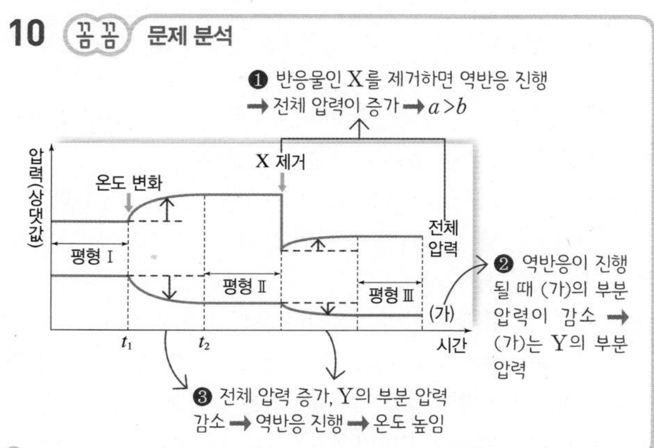

ㄱ. 반응물인 X를 제거하면 X의 농도가 증가하는 역반응이 진행되는데, 이때 전체 압력이 증가하므로 반응 계수는 $a>b$이고, 부분 압력이 감소하는 (가)는 Y의 부분 압력이다.

바로알기 ㄴ. $t_1 \sim t_2$에서 전체 압력은 증가하고 Y의 부분 압력이 작아지므로 역반응이 우세하게 일어난다.

ㄷ. 정반응이 발열 반응이므로 역반응은 흡열 반응이고, t_1에서 역반응이 진행되므로 온도를 높인 것이다. 이후 온도 변화가 없으므로, 각 평형에서의 온도는 평형 Ⅰ에서보다 평형 Ⅱ와 평형 Ⅲ에서 높다. 발열 반응은 온도가 높을수록 평형 상수가 작아지므로 평형 상수는 평형 Ⅰ에서가 평형 Ⅲ에서보다 크다.

11 꼼꼼 문제 분석

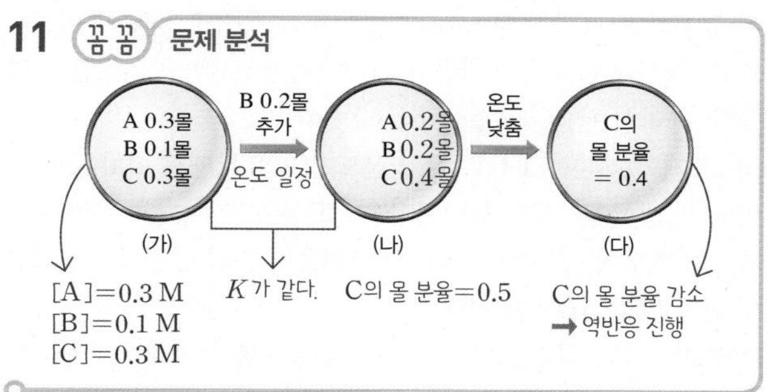

ㄱ. (가)와 (나)에서의 온도가 같으므로 평형 상수(K)는 같다.

$$K=\frac{[C]}{[A][B]}=\frac{0.3}{0.3\times0.1}=10$$

ㄴ. (가)에 B 0.2몰을 추가하여 평형 (나)에 도달할 때까지 반응한 A의 양을 x몰이라고 하면 양적 관계는 다음과 같다.

	$A(g)$	+	$B(g)$	⇌	$C(g)$
반응 전(몰)	0.3		(0.1+0.2)		0.3
반응(몰)	$-x$		$-x$		$+x$
평형(몰)	$0.3-x$		$0.3-x$		$0.3+x$

이때 반응 용기의 부피가 1 L이고, (나)의 평형 상수(K)가 10이므로 x를 구하면 다음과 같다.

$$K=\frac{[C]}{[A][B]}=\frac{(0.3+x)}{(0.3-x)^2}=10$$

$10(0.3-x)^2=(0.3+x)$, $(10x-6)(x-0.1)=0$

$x=0.6$인 경우 조건에 부합되지 않으므로, $x=0.1$이다.

따라서 (나)에서 각 물질의 양(mol)은 A가 0.2몰, B가 0.2몰, C가 0.4몰이므로, (나)에서 B의 몰 분율은 $\frac{1}{4}$이다. (가)에서 B의 몰 분율은 $\frac{1}{7}$이므로 $\frac{\text{(나)에서 B의 몰 분율}}{\text{(가)에서 B의 몰 분율}}=\frac{7}{4}$이다.

ㄷ. (나)에서 C의 몰 분율은 0.5이고, (나)의 온도를 낮추어 새로운 평형 (다)에 도달했을 때 C의 몰 분율이 0.4로 감소했다. 즉, 온도를 낮추었을 때 C의 양이 감소하는 역반응 쪽으로 평형이 이동하므로 역반응이 발열 반응이고, 정반응은 흡열 반응($\varDelta H>0$)이다.

12 꼼꼼 문제 분석

온도가 높을수록 때 C의 양 감소 ➡ 온도가 높을수록 역반응 쪽으로 평형 이동 ➡ 역반응이 흡열 반응

온도(K)	300	300	400
반응 용기의 부피(L)	1	2	1
C의 평형 농도(M)	0.50	0.31	0.40
	0.50몰	0.62몰	0.4몰

부피 2배 ⇨ C의 양 증가 ➡ 압력을 낮추면 정반응 쪽으로 평형 이동

ㄱ. 온도는 300 K로 같고 반응 용기의 부피가 2배가 되었을 때 생성물인 C의 양(mol)이 증가하였다. 용기의 부피가 커져 압력이 감소하면 기체의 양(mol)이 증가하는 쪽으로 평형이 이동하므로, 제시된 반응은 정반응이 기체의 양(mol)이 증가하는 방향이다. 따라서 반응 계수는 $a+b<c+d$이다.

ㄴ. 용기의 부피는 1 L로 같고 온도가 300 K에서 400 K로 높아질 때 생성물인 C의 양이 감소하므로, 온도가 높을수록 역반응 쪽으로 평형이 이동한다. 따라서 역반응이 흡열 반응이고 정반응이 발열 반응($\Delta H<0$)이다.

바로알기 ㄷ. 발열 반응은 온도가 높을수록 역반응이 진행되어 반응물의 농도는 커지고 생성물의 농도는 작아지므로 평형 상수(K)가 작아진다.

13 ㄱ. 온도가 높을수록 평형 상수가 작아지므로 역반응 쪽으로 평형이 이동한 것이다. 온도가 높아지면 열을 흡수하는 흡열 반응 쪽으로 평형이 이동하므로 역반응이 흡열 반응이고 정반응이 발열 반응이다. 따라서 정반응이 일어나면 주위의 온도가 높아진다.

ㄴ. 온도가 낮아지면 열을 방출하는 발열 반응 쪽으로 평형이 이동하므로 정반응 쪽으로 평형이 이동한다.

바로알기 ㄷ. 압력이 높을수록 수득률이 높아지므로, 압력이 높아지면 정반응 쪽으로 평형이 이동한다.

14 꼼꼼 문제 분석

온도가 높을수록 반응물의 몰 분율이 증가 ➡ 온도가 높을수록 역반응 쪽으로 평형 이동 ➡ 역반응은 흡열 반응, 정반응은 발열 반응

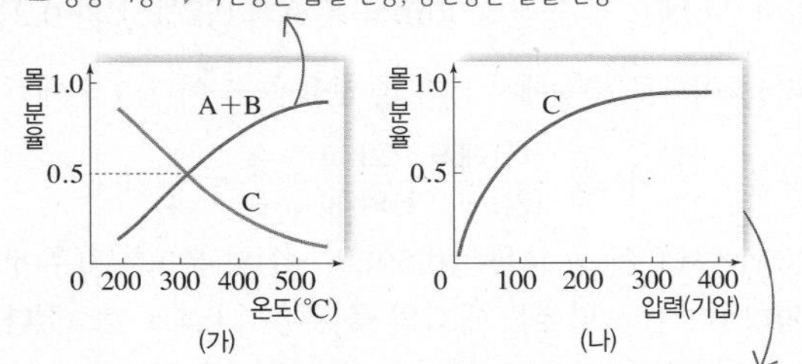

압력이 높을수록 생성물의 몰 분율이 증가 ➡ 압력이 높을수록 정반응 쪽으로 평형 이동 ➡ 정반응이 기체의 양(mol)이 감소하는 방향

ㄴ. 온도가 높을수록 역반응이 일어나므로 $\Delta H<0$이다.

ㄷ. 반응 초기에 넣어 준 A와 B의 양(mol)이 같고 반응식의 계수가 같으므로, 평형에 도달할 때까지 반응한 양(mol)이 같다. 따라서 평형에서 A와 B의 양(mol)은 같다.

바로알기 ㄱ. 정반응은 기체의 양(mol)이 감소하는 방향이므로 c는 2보다 작다.

15 꼼꼼 문제 분석

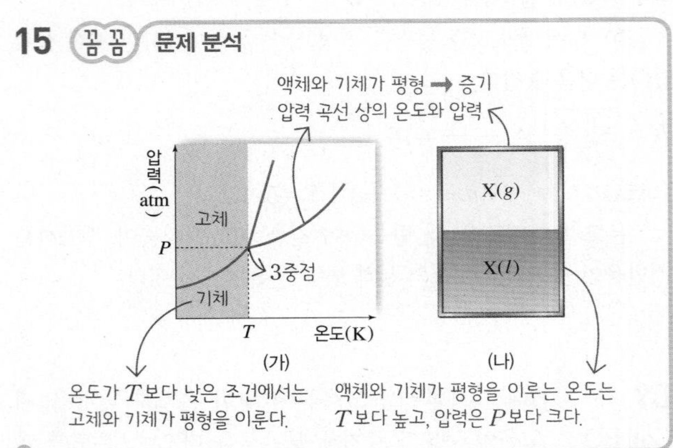

액체와 기체가 평형 ➡ 증기 압력 곡선 상의 온도와 압력
압력(atm)
고체
P
3중점
기체
T
온도(K)
(가)
X(g)
X(l)
(나)
온도가 T보다 낮은 조건에서는 고체와 기체가 평형을 이룬다.
액체와 기체가 평형을 이루는 온도는 T보다 높고, 압력은 P보다 크다.

ㄱ, ㄴ. (가)의 상평형 그림에서 3중점의 온도와 압력이 T와 P이므로 증기 압력 곡선의 시작 온도와 압력은 T와 P이다. 따라서 (나)에서 액체와 기체가 평형을 이루는 온도는 T보다 높고, 압력은 P보다 크다.

바로알기 ㄷ. T보다 낮은 온도에서는 고체와 기체가 평형을 이루므로 고체 상태뿐만 아니라 기체 상태로도 존재한다.

16 꼼꼼 문제 분석

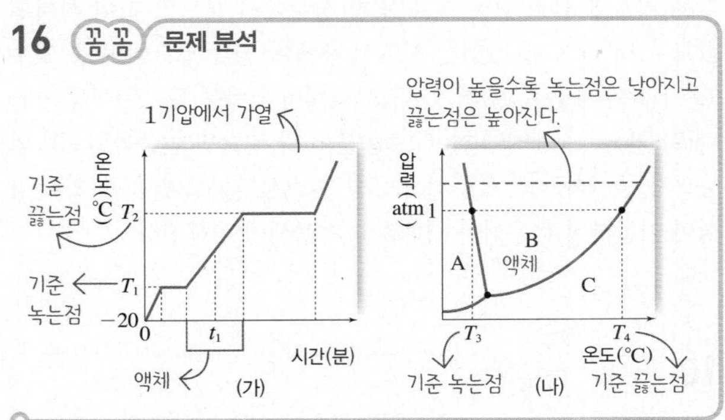

ㄱ. (가)에서 T_1은 기준 녹는점이고, T_2는 기준 끓는점이다. (나)에서 T_3와 T_4도 기준 녹는점, 기준 끓는점이다.

따라서 $T_1=T_3$, $T_2=T_4$이므로 $(T_2-T_1)=(T_4-T_3)$이다.

ㄴ. (가)에서 가열 시간 t_1일 때 물의 상태는 액체이므로 (나)에서 B 영역에 속한다.

바로알기 ㄷ. 융해 곡선의 기울기가 음의 값을 가지므로 압력이 높을수록 녹는점은 낮아지고, 증기 압력 곡선의 기울기가 양의 값을 가지므로 압력이 높을수록 끓는점은 높아진다.

따라서 1.5기압에서 가열하면 T_1은 작아지고 T_2는 높아진다.

17 꼼꼼 문제 분석

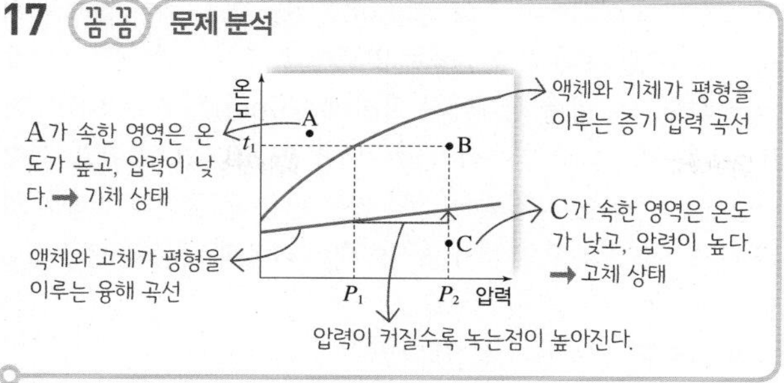

ㄴ. 외부 압력이 P_1일 때 증기 압력 곡선 상의 온도가 t_1이다. 따라서 외부 압력이 P_1일 때 끓는점은 t_1이다.

ㄷ. C는 고체 상태이고, B는 액체 상태이다. 따라서 P_2에서 C에서 B로 상태가 변할 때 열을 흡수한다.

바로알기 ㄱ. 융해 곡선에서 압력이 커질수록 온도(녹는점)가 높아지므로 융해 곡선의 기울기는 양의 값을 가진다. 따라서 밀도는 고체 > 액체이다.

18

ㄷ. 녹는점은 융해 곡선 상의 온도로, 외부 압력이 같으면 녹는점이 같다. (나)와 (라)에서 얼음에 가해지는 압력이 (대기압+추 4개)로 같으므로 얼음의 녹는점은 같다.

바로알기 ㄱ, ㄴ. 온도가 T_1로 같은 실험 Ⅰ과 Ⅱ에서 (대기압+추 2개)의 압력으로는 얼음이 녹지 않지만 (대기압+추 4개)의 압력으로 얼음이 녹는다. 즉, 압력이 증가하면 녹는점이 낮아져 얼음이 녹으므로, 상평형 그림에서 융해 곡선의 기울기는 음의 값을 가진다. 또, 실험 Ⅲ에서 온도 T_2일 때 (대기압+추 4개)의 압력으로는 얼음이 녹지 않는다. 이로부터 T_1은 1기압에서 얼음의 녹는점인 0 °C보다 낮은 온도이고, T_2는 T_1보다 낮은 온도이다. 이를 바탕으로 상평형 그림을 모식적으로 나타내면 오른쪽과 같다.

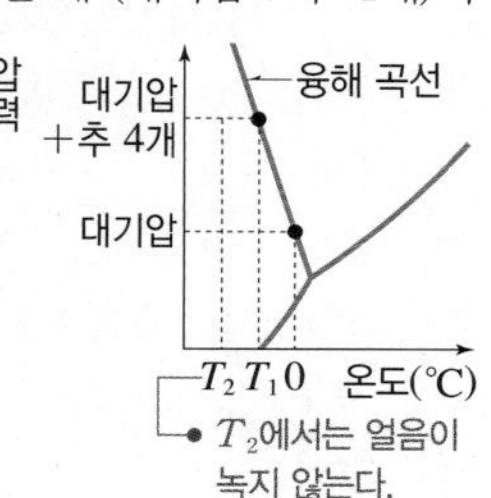

19 꼼꼼 문제 분석

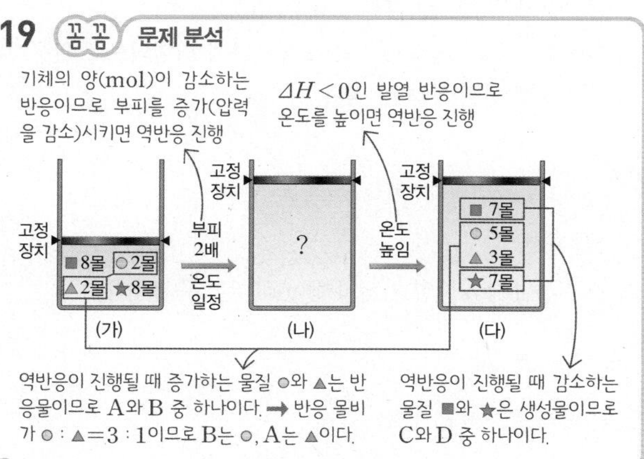

기체의 양(mol)이 감소하는 반응이므로 부피를 증가(압력을 감소)시키면 역반응 진행
$\Delta H < 0$인 발열 반응이므로 온도를 높이면 역반응 진행
고정 장치
■8몰 ○2몰
▲2몰 ★8몰
부피 2배
온도 일정
?
온도 높임
■7몰
○5몰
▲3몰
★7몰
(가)
(나)
(다)
역반응이 진행될 때 증가하는 물질 ○와 ▲는 반응물이므로 A와 B 중 하나이다. ➡ 반응 몰비가 ○ : ▲=3 : 1이므로 B는 ○, A는 ▲이다.
역반응이 진행될 때 감소하는 물질 ■와 ★은 생성물이므로 C와 D 중 하나이다.

(1) $\underset{4\text{몰}}{\underline{A(g)+3B(g)}} \rightleftharpoons \underset{2\text{몰}}{\underline{C(g)+D(g)}}$

일정한 온도에서 부피를 2배로 하면 압력이 감소하므로 기체의 양(mol)이 증가하는 방향인 역반응 쪽으로 평형이 이동한다.

(2) 정반응이 발열 반응이므로 온도를 높이면 흡열 반응인 역반응 쪽으로 평형이 이동하여 생성물의 양은 감소하고, 반응물의 양은 증가한다. 따라서 증가하는 ▲와 ○는 A와 B 중 하나인데, B는 A의 3배 만큼 증가하므로 화학 반응식의 계수가 1인 A가 ▲이고 계수가 3인 B가 ○이다. 감소하는 ■와 ★은 C와 D 중 하나이다.

모범답안 (1) 부피를 2배로 하면 압력이 감소하므로 평형은 기체의 양(mol)(또는 분자 수)이 증가하는 역반응 쪽으로 이동한다.

(2) $\frac{49}{375}$, 발열 반응은 온도를 높이면 평형이 역반응 쪽으로 이동하므로, (가)에서 (나), (나)에서 (다)로 될 때 평형이 모두 역반응 쪽으로 이동한다. 따라서 감소한 ■과 ★은 각각 C와 D 중 하나이고, 3몰이 증가한 ○은 B이고 ▲은 A이다. 이로부터 평형 상수(K)는 $K=\frac{[C][D]}{[A][B]^3}=\frac{7\times7}{3\times5^3}=\frac{49}{375}$이다.

채점 기준		배점
(1)	평형 이동 방향과 그 까닭을 옳게 서술한 경우	40%
	평형 이동 방향만 옳게 쓴 경우	20%
(2)	평형 상수를 옳게 구하고, 풀이 과정을 옳게 서술한 경우	60%
	평형 상수만 옳게 구한 경우	30%

20

• 증기 압력 곡선에서 증기 압력이 1기압이 되는 온도는 240 K이며, 기준 녹는점이 196 K이므로 1기압에서 융해 곡선 상의 온도는 196 K이다.

• 실험 조건에서 고체의 밀도가 항상 액체보다 크므로, 압력이 커질수록 녹는점이 높아진다. 즉, 융해 곡선의 기울기는 양의 값을 가진다.

• 기체와 고체만 존재하는 영역은 3중점보다 낮은 온도이므로 190 K는 3중점보다 낮은 온도이고, 이 온도에서 고체의 증기 압력은 0.035기압이다.

모범답안

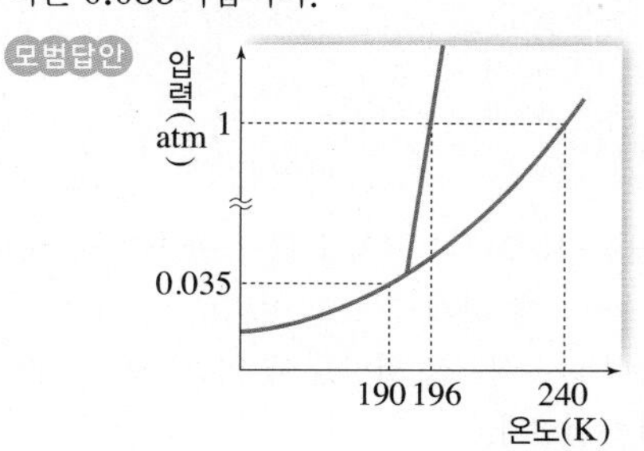

채점 기준	배점
4가지 자료를 모두 옳게 나타낸 경우	100 %
3가지 자료를 옳게 나타낸 경우	60 %
1가지~2가지 자료만 옳게 나타낸 경우	30 %

수능 실전 문제 196쪽~199쪽

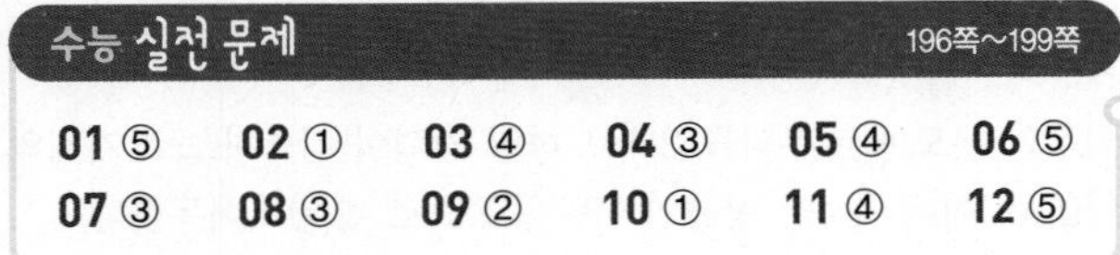

01 ⑤	02 ①	03 ④	04 ③	05 ④	06 ⑤
07 ③	08 ③	09 ②	10 ①	11 ④	12 ⑤

01

꼼꼼 문제 분석

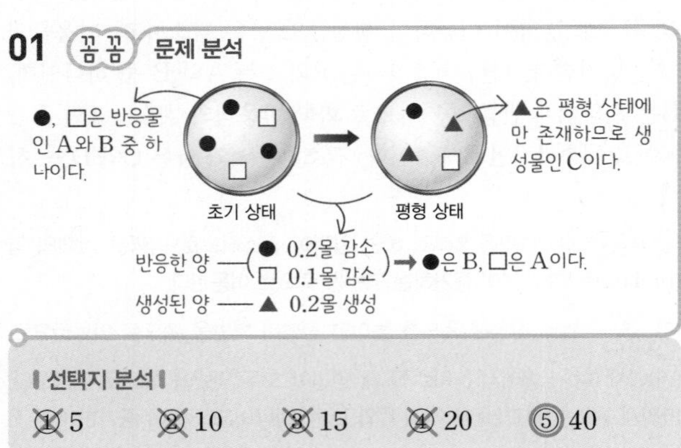

●, □은 반응물인 A와 B 중 하나이다.
▲은 평형 상태에만 존재하므로 생성물인 C이다.
초기 상태
평형 상태
반응한 양 ● 0.2몰 감소 □ 0.1몰 감소 → ●은 B, □은 A이다.
생성된 양 ▲ 0.2몰 생성

선택지 분석

~~①~~ 5 ~~②~~ 10 ~~③~~ 15 ~~④~~ 20 ⑤ 40

반응 초기 상태에 존재하는 ●, □은 반응물인 A와 B 중 하나이고 평형 상태에만 존재하는 ▲은 생성물인 C이다.

반응 초기부터 평형에 도달할 때까지 반응한 ●의 양이 0.2몰, □의 양이 0.1몰, 생성된 ▲의 양이 0.2몰이다. ●를 A라고 하면 □은 B가 되는데, □이 B일 경우 반응 몰비가 ● : □=2 : 1이 되므로 A의 반응 계수 a는 4가 되어 주어진 조건(3이하의 자연수)에 부합하지 않는다. 이로부터 ●은 B, □은 A이며 반응 몰비는 A : B : C= 1 : 2 : 2이고, 반응 계수 a, c는 각각 1, 2이다. 용기의 부피가 1 L이고 모형 1개가 0.1몰이므로 평형 농도는 [A]=[B]=0.1 M, [C]=0.2 M이고 평형 상수는 다음과 같다.

$$A+2B(g) \rightleftharpoons 2C(g) \quad K=\frac{[C]^2}{[A][B]^2}=\frac{0.2^2}{0.1\times0.1^2}=40$$

02

선택지 분석

ㄱ. A의 평형 농도는 2 M이다.

~~ㄴ~~. 평형 상태에서 $\frac{\text{B의 질량}}{\text{A의 질량}}$=2이다. $\frac{4몰\times1.5}{8몰}=\frac{3}{4}$

~~ㄷ~~. 평형 상수(K)는 $\frac{1}{16}$이다. $K=\frac{[B]^2}{[A]^3}=\frac{1^2}{2^3}=\frac{1}{8}$

ㄱ. 반응 전 전체 기체는 10몰이고 꼭지를 열어 반응이 진행된 후 평형에 도달했을 때 전체 기체가 12몰이므로, 기체의 양(mol)이 증가하였다. 따라서 꼭지를 열었을 때 역반응이 우세하게 진행되다가 평형에 도달한다.

	$3A(g) \rightleftharpoons$	$2B(g)$	
반응 전(mol)	2	8	
반응(mol)	$+3x$	$-2x$	⬅ 역반응
평형(mol)	$2+3x$	$8-2x$	➡ 전체 12몰 ∴ $x=2$

따라서 평형 상태에서 A의 양(mol)은 8몰이고, 용기 전체 부피가 4 L이므로 A의 평형 농도는 2 M이다.

바로알기 ㄴ. 평형 상태에서 물질의 양(mol)은 A는 8몰이고, B는 4몰이다. 화학 반응식의 계수비가 A : B=3 : 2이고, 화학 반응에서 반응 전 물질의 질량의 합은 반응 후 물질의 질량의 합과 같으므로 A와 B의 분자량 사이에는 다음과 같은 관계가 성립한다.

A의 분자량×3=B의 분자량×2

따라서 분자량, 즉 물질 1몰의 질량은 B가 A의 1.5배이므로 평형 상태에서 $\frac{\text{B의 질량}}{\text{A의 질량}}=\frac{4몰\times1.5}{8몰}=\frac{3}{4}$이다.

ㄷ. B의 평형 농도는 $1\left(=\frac{4몰}{4\ L}\right)$M이므로 $K=\frac{[B]^2}{[A]^3}=\frac{1^2}{2^3}=\frac{1}{8}$이다.

03

선택지 분석

~~ㄱ~~. (가)에서 반응 지수(Q)는 평형 상수(K)보다 크다. 작다

ㄴ. (나)에서 $\frac{x}{y}$=0.2이다. $\frac{1}{5}=0.2$

ㄷ. 평형 상수(K)는 50이다.

ㄴ. (가)에서 반응이 진행되어 (나)에 도달할 때까지 A가 0.1몰 감소하므로 반응물인 A가 소모되는 정반응이 우세하게 진행되다가 평형에 도달한다.

	$A(g)$ +	$B(g) \rightleftharpoons$	$C(g)$
처음(몰)	0.2	0.2	0.4
반응(몰)	−0.1	−0.1	+0.1
평형(몰)	0.1	0.1	0.5

따라서 (나)에서 A는 0.1몰, B는 0.1몰, C는 0.5몰 존재하므로, $\frac{x}{y}=\frac{0.1}{0.5}$=0.2이다.

ㄷ. 평형 상수(K)$=\frac{[C]}{[A][B]}=\frac{0.5}{0.1\times0.1}=50$

바로알기 ㄱ. (가)에서 정반응이 우세하게 진행되므로 반응 지수(Q)는 평형 상수(K)보다 작다.

04

선택지 분석

ㄱ. 평형 Ⅱ에서 혼합 기체의 양(mol)은 $\frac{25}{3}$몰이다.

ㄴ. $\frac{V_1}{V_2}=\frac{15}{32}$이다.

~~ㄷ~~. $P=\frac{53}{25}$이다. $\frac{128}{125}$

ㄱ. 평형 Ⅰ에 반응에 참여하지 않는 비활성 기체를 넣고 고정 장치를 제거하면 기체의 부피가 증가한다. 따라서 기체의 압력이 감소하므로 기체의 양(mol)이 증가하는 정반응 쪽으로 평형이 이동하여 새로운 평형 Ⅱ에 도달한다. 평형 Ⅰ에서 평형 Ⅱ에 도달할 때가지 반응한 A의 양을 x몰이라고 하면, 양적 관계는 다음과 같다.

	$A(g) \rightleftarrows$	$2B(g)$
평형 Ⅰ(몰)	2	2
반응(몰)	$-x$	$+2x$
평형 Ⅱ(몰)	$2-x$	$2+2x$

이때 비활성 기체인 He(g)은 반응에 참여하지 않으므로, 평형 Ⅱ에서 전체 기체의 양은 $(4+x)$몰$+$He(g) 4몰$=(8+x)$몰이다.

A(g)의 몰 분율이 $\frac{1}{5}$이므로 x는 다음과 같다.

$\frac{2-x}{8+x}=\frac{1}{5}$, $10-5x=8+x$ $\therefore x=\frac{1}{3}$

따라서 평형 Ⅱ에서 혼합 기체의 양은 $\frac{25}{3}\left(=8+\frac{1}{3}\right)$몰이다.

ㄴ. 부피가 V_1인 평형 Ⅰ에서의 평형 상수는 다음과 같다.

• 평형 Ⅰ: $K=\frac{[B]^2}{[A]}=\frac{\left(\frac{2}{V_1}\right)^2}{\frac{2}{V_1}}=\frac{2}{V_1}$

부피가 V_2인 평형 Ⅱ에서 A(g)는 $\frac{5}{3}\left(=2-\frac{1}{3}\right)$몰이고, B($g$)는 $\frac{8}{3}\left(=2+\frac{2}{3}\right)$몰이므로, 평형 Ⅱ에서의 평형 상수($K$)는 다음과 같다.

• 평형 Ⅱ: $K=\frac{[B]^2}{[A]}=\frac{\left(\frac{8}{3V_2}\right)^2}{\frac{5}{3V_2}}=\frac{64}{15V_2}$

평형 Ⅰ과 평형 Ⅱ에서 온도가 같으므로 평형 상수(K)가 같다. 따라서 $\frac{2}{V_1}=\frac{64}{15V_2}$이므로 $\frac{V_1}{V_2}=\frac{15}{32}$이다.

| 바로알기 | $PV=nRT$에서 $T=\frac{PV}{nR}$이고, 평형 Ⅰ과 Ⅱ의 온도가 같으므로 다음과 같은 관계식이 성립한다.

$\frac{PV_1}{4n}=\frac{1\times V_2}{\frac{25}{3}n}$, $P=\frac{V_2}{V_1}\times\frac{12}{25}=\frac{32}{15}\times\frac{12}{25}=\frac{128}{125}$

다른 풀이 ㄷ. 일정 온도에서 기체의 압력은 기체의 양(mol)에 비례하고 부피에 반비례한다. 평형 Ⅰ에서 혼합 기체의 양(4몰)은 평형 Ⅱ에서 혼합 기체의 양$\left(\frac{25}{3}\text{몰}\right)$의 $\frac{12}{25}$ 만큼의 양이고, 평형 Ⅰ에서 전체 기체의 부피 $V_1=\frac{15}{32}V_2$이므로 평형 Ⅰ에서 혼합 기체의 압력 P는 다음과 같다.

$P=1\text{기압}\times\frac{12}{25}\times\frac{32}{15}=\frac{128}{125}$

05 꼼꼼 문제 분석

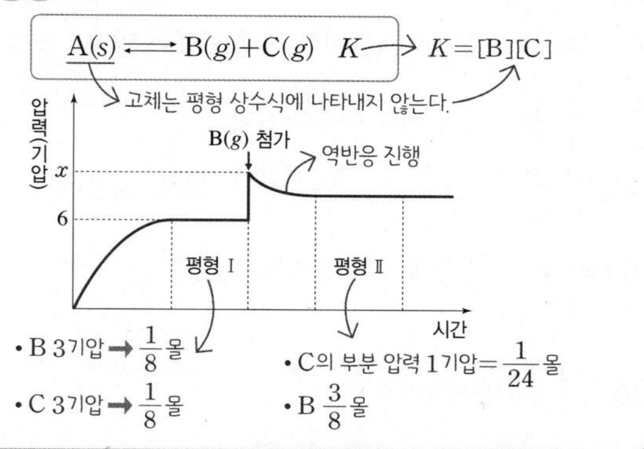

| 선택지 분석 |

~~ㄱ~~. 평형 Ⅱ에서 평형 상수(K)는 $\frac{1}{8}$이다. $\frac{1}{64}$

ⓛ 용기 속 A(s)의 질량은 평형 Ⅱ에서가 평형 Ⅰ에서보다 크다.

ⓒ $x=14$이다.

ㄴ. 평형 Ⅰ에서 생성물 B(g)를 첨가하면 B(g)의 농도가 감소하는 역반응이 우세하게 진행되다가 평형 Ⅱ에 도달하므로, A(s)의 질량은 평형 Ⅱ에서가 평형 Ⅰ에서보다 크다.

ㄷ. 순수한 고체는 평형 상수식에 나타내지 않으므로 주어진 반응의 평형 상수는 $K=[B][C]$이다.

평형 Ⅰ에서 1 L 용기 속에 들어 있는 기체의 전체 압력이 6기압인데, B(g)와 C(g)의 반응 몰비가 같으므로 부분 압력은 각각 3기압이고 각 기체의 양(mol)은 다음과 같다.

$n=\frac{PV}{RT}=\frac{3\times1}{24}=\frac{1}{8}$ 몰

따라서 $[B]=[C]=\frac{1}{8}$ M이므로 평형 상수는 다음과 같다.

평형 Ⅰ에서 $K=[B][C]=\frac{1}{8}\times\frac{1}{8}=\frac{1}{64}$

평형 Ⅰ과 Ⅱ에서 온도가 같으므로 평형 Ⅱ에서의 평형 상수도 $\frac{1}{64}$이다. 평형 Ⅱ에서 C(g)의 부분 압력이 1기압이므로 C(g)의 양은 $\frac{1}{24}$몰이고, 평형 상수를 이용해 B(g)의 양을 구하면 다음과 같다.

$K=[B]\times\frac{1}{24}=\frac{1}{64}$, $[B]=\frac{3}{8}$ M $\therefore$ B의 양(mol)$=\frac{3}{8}$몰

평형 Ⅰ에서 첨가한 B의 양을 y몰이라고 하면, B를 첨가한 이후 평형 Ⅱ에 도달할 때까지의 양적 관계는 다음과 같다.

	$A(s) \rightleftarrows$	$B(g)$	$+$ $C(g)$	
반응 전(몰)		$\frac{1}{8}+y$	$\frac{1}{8}$	
반응(몰)		$-\frac{2}{24}$	$-\frac{2}{24}$	⬅ 역반응
반응 후(몰)		$\frac{3}{8}$	$\frac{1}{24}$	

$\frac{1}{8}+y-\frac{2}{24}=\frac{3}{8}$ $\therefore$ $y=\frac{1}{3}$몰

이로부터 B(g)를 넣어 준 직후 전체 기체의 양은 $\frac{7}{12}\left(=\frac{1}{8}+\frac{1}{3}+\frac{1}{8}\right)$몰이고, 압력은 다음과 같다.

$$P=\frac{nRT}{V}=\frac{7}{12}\text{ mol}\times\frac{24\text{기압}\cdot\text{L/mol}}{1\text{ L}}=14\text{기압} \therefore x=14$$

| 바로알기 | ㄱ. 평형 Ⅱ에서 평형 상수(K)는 $\frac{1}{64}$이다.

06 꼼꼼 문제 분석

$$\text{A}(g)+\text{B}(g) \rightleftharpoons 2\text{C}(g)$$

	A(g)	B(g)	2C(g)
초기(몰)	1	2	
반응(몰)	−0.5	−0.5	+1
(나)(몰)	0.5	1.5	1

$Q=\frac{[\text{C}]^2}{[\text{A}][\text{B}]}=\frac{1^2}{\frac{1}{2}\times\frac{3}{2}}=\frac{4}{3}$ → $K=3Q=4$

(가) A(g) 1몰, B(g) 2몰 → (나) C(g) 1몰 → (다) A(g) x몰

| 선택지 분석 |

ㄱ. (나)에서 C의 몰 분율은 $\frac{1}{3}$이다.

ㄴ. (나)에서 반응 지수(Q)는 $\frac{4}{3}$이다.

ㄷ. $x=\frac{1}{3}$이다.

ㄱ. (가)에서 (나)로 될 때까지 생성된 C(g)의 양(mol)이 1몰이므로 반응한 A(g)와 B(g)의 양은 각각 0.5몰이다. 따라서 (나)에서 A(g)는 0.5몰, B(g)는 1.5몰이고 전체 기체의 양이 3몰이므로 C의 몰 분율은 $\frac{1}{3}$이다.

ㄴ. (나)에서 반응 지수$(Q)=\frac{1^2}{\frac{1}{2}\times\frac{3}{2}}=\frac{4}{3}$이다.

ㄷ. (다)에서 평형 상수 $K=3Q$이므로 $K=4$이다. (가)에서 평형 (다)에 도달할 때까지 반응한 A와 B의 양을 각각 y몰이라고 하면, 양적 관계는 다음과 같다.

	A(g)	+ B(g)	⇌ 2C(g)
반응 전(몰)	1	2	0
반응(몰)	$-y$	$-y$	$+2y$
평형(몰)	$1-y$	$2-y$	$2y$

$$K=\frac{[\text{C}]^2}{[\text{A}][\text{B}]}=\frac{(2y)^2}{(1-y)(2-y)}=4,$$

$4y^2=4y^2-12y+8$ $\therefore$ $y=\frac{2}{3}$

따라서 (다)에서 A의 양은 $\frac{1}{3}\left(=1-\frac{2}{3}\right)$몰이므로 $x=\frac{1}{3}$이다.

07

| 선택지 분석 |

ㄱ. $T_1<T_2$이다.

ㄴ. 평형 Ⅰ에서 평형 상수(K)는 40이다. $\frac{[\text{B}]^3}{[\text{A}]^2}=\frac{2^3}{1^2}=8$

ㄷ. $x=\frac{7}{8}$이다.

ㄱ. A의 몰 분율이 평형 Ⅱ에서가 평형 Ⅰ에서보다 크므로 평형 Ⅱ는 Ⅰ보다 역반응이 더 진행되어 평형을 이룬다. 정반응이 발열 반응이므로 흡열 반응인 역반응이 일어나려면 온도가 높아져야 하므로, 온도는 $T_1<T_2$이다.

ㄷ. 평형 Ⅰ에서 전체 기체의 양(mol)이 15몰인데 A의 몰 분율이 $\frac{1}{3}$이므로 A의 양이 5몰, B의 양이 10몰이다. 따라서 평형 Ⅰ에 도달할 때까지의 양적 관계는 다음과 같다.

	aA(g)	⇌ bB(g)
반응 전(몰)	7	7
반응(몰)	−2	+3
평형(몰)	5	10

이로부터 화학 반응식의 계수 $a=2$, $b=3$이다.

평형 Ⅱ는 평형 Ⅰ에서 역반응이 우세하게 진행되다가 도달한 평형이므로, 이때 생성된 A의 양을 $2n$몰이라고 하면 반응한 B의 양은 $3n$몰이므로 양적 관계는 다음과 같다.

	2A(g)	⇌ 3B(g)
평형 Ⅰ(몰)	5	10
반응(몰)	$+2n$	$-3n$
평형 Ⅱ(몰)	$5+2n$	$10-3n$

이때 전체 기체의 양은 $(15-n)$몰이고, A의 몰 분율이 $\frac{2}{3}$이므로 $\frac{5+2n}{15-n}=\frac{2}{3}$, $n=\frac{15}{8}$이다. 따라서 평형 Ⅱ에서 전체 기체의 양은 $15\times\frac{7}{8}$이므로 $x=\frac{7}{8}$이다.

| 바로알기 | ㄴ. 평형 Ⅰ에서의 농도는 $[\text{A}]=1\left(=\frac{5\text{몰}}{5\text{ L}}\right)$M, $[\text{B}]=2\left(=\frac{10\text{몰}}{5\text{ L}}\right)$M이다. 따라서 평형 상수$(K)=\frac{[\text{B}]^3}{[\text{A}]^2}=\frac{2^3}{1^2}=8$이다.

08 꼼꼼 문제 분석

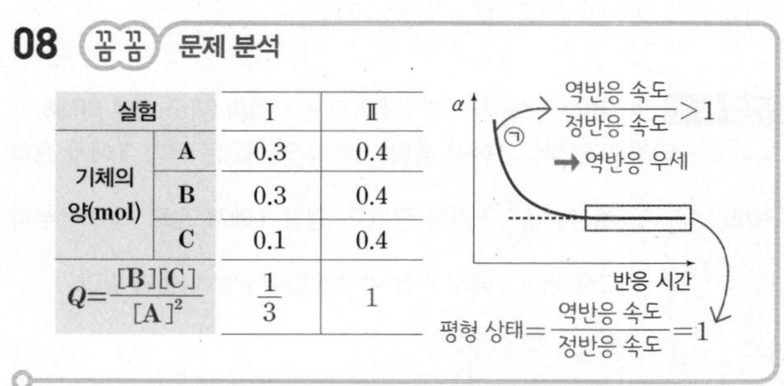

실험		Ⅰ	Ⅱ
기체의 양(mol)	A	0.3	0.4
	B	0.3	0.4
	C	0.1	0.4
$Q=\frac{[\text{B}][\text{C}]}{[\text{A}]^2}$		$\frac{1}{3}$	1

선택지 분석

ㄱ. ㉠은 실험 Ⅱ에서 일어나는 반응에 대한 α를 나타낸 것이다.
ㄴ. 실험 Ⅰ에서 반응 초기 상태에서 $\alpha<1$이다.
~~ㄷ~~. 실험 Ⅰ의 평형 상태에서 온도를 $2T$로 높여 새로운 평형에 도달하면 B의 몰 분율은 작아진다.
흡열 반응인 정반응 쪽으로 평형 이동 ➡ 생성물의 몰 분율 증가

ㄱ, ㄴ. 실험 Ⅰ과 Ⅱ의 반응 초기의 반응 지수(Q)는 다음과 같다.

• 실험 Ⅰ: $Q_{\mathrm{I}}=\frac{0.3\times0.1}{0.3^2}=\frac{1}{3}$ • 실험 Ⅱ: $Q_{\mathrm{II}}=\frac{0.4\times0.4}{0.4^2}=1$

이때 주어진 온도 T에서 $K=\frac{2}{3}$이므로 $Q_{\mathrm{I}}<K$인 실험 Ⅰ은 평형에 도달할 때까지 정반응이 우세하게 일어나므로, 정반응 속도가 역반응 속도보다 빠르다가 평형에 도달하면 정반응 속도와 역반응 속도가 같아진다. 즉 $\alpha\left(\frac{\text{역반응 속도}}{\text{정반응 속도}}\right)$는 1보다 작다.

실험 Ⅱ에서는 $Q_{\mathrm{II}}>K$이므로 평형에 도달할 때까지 역반응이 우세하게 일어나 역반응 속도가 정반응 속도보다 빠르다가, 평형에 도달하면 정반응 속도와 역반응 속도가 같아진다. 따라서 그림의 ㉠은 $\alpha\left(\frac{\text{역반응 속도}}{\text{정반응 속도}}\right)$가 1보다 크고, 점점 감소하다가 일정해지므로 실험 Ⅱ에서 일어나는 반응에 대한 α를 나타낸 것이다.

바로알기 ㄷ. 주어진 반응의 정반응이 흡열 반응이므로 실험 Ⅰ의 평형 상태에서 온도를 $2T$로 높이면 평형은 흡열 반응인 정반응 쪽으로 이동한다. 따라서 B의 양이 증가하므로 B의 몰 분율은 처음 평형 상태보다 커진다.

09 꼼꼼 문제 분석

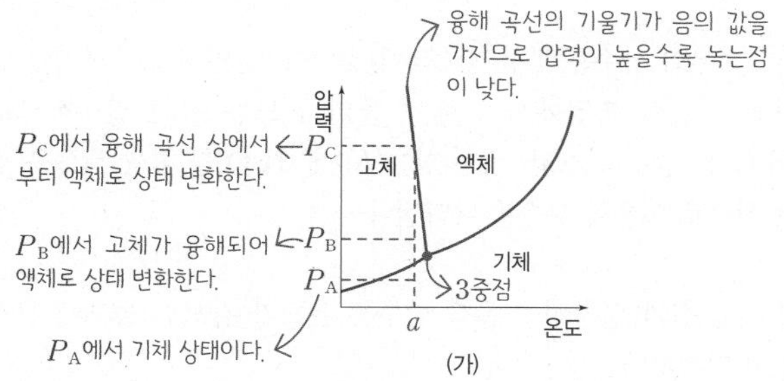

융해 곡선의 기울기가 음의 값을 가지므로 압력이 높을수록 녹는점이 낮다.

압력 / 온도 / 고체 / 액체 / 기체 / 3중점 / a

P_C에서 융해 곡선 상에서부터 액체로 상태 변화한다.

P_B에서 고체가 융해되어 액체로 상태 변화한다.

P_A에서 기체 상태이다.

(가)

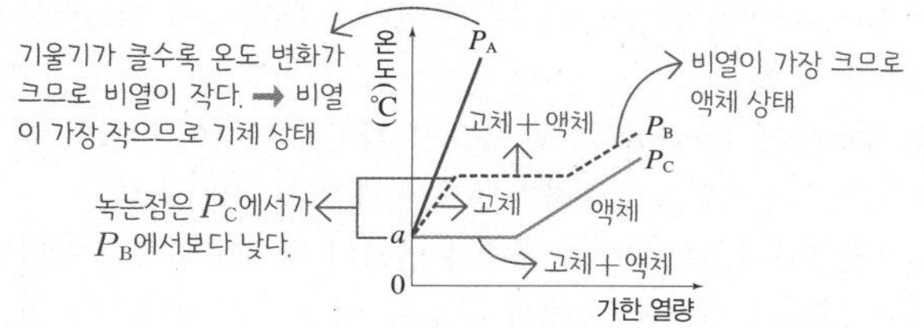

기울기가 클수록 온도 변화가 크므로 비열이 작다. ➡ 비열이 가장 작으므로 기체 상태

비열이 가장 크므로 액체 상태

녹는점은 P_C에서가 P_B에서보다 낮다.

온도(°C) / 가한 열량 / 0 / a / P_A / P_B / P_C / 고체+액체 / 고체 / 액체 / 고체+액체

(나)

선택지 분석

~~ㄱ~~. $P_A<P_C<P_B$이다. $P_A<P_B<P_C$
ㄴ. 온도 a는 3중점의 온도보다 낮다.
~~ㄷ~~. 물질 X의 3중점의 압력은 P_C보다 높다. 낮다

ㄴ. 온도 a와 P_A에서는 기체 상태로만 존재하므로 온도 a는 3중점의 온도보다 낮다.

바로알기 ㄱ. (나)에서 기울기가 클수록 같은 열량을 가했을 때 온도 변화가 큰 것이므로 비열이 가장 작은 P_A에서는 기체 상태로만 존재하고, P_B에서는 고체에서 액체 상태로 상태 변화가 일어나고, P_C에서는 고체와 액체가 상평형을 이루다가 액체로 변한다. 따라서 압력은 P_A가 가장 낮고, P_C가 가장 높으므로 $P_A<P_B<P_C$이다.

ㄷ. 압력 P_C에서는 고체와 액체가 상평형을 이루고 있으므로 3중점의 압력은 P_C보다 낮다.

10

선택지 분석

ㄱ. 기준 녹는점은 16.6 °C이다.
~~ㄴ~~. 상평형 그림에서 융해 곡선의 기울기는 음의 값을 가진다.
기준 녹는점의 온도가 3중점의 온도보다 높으므로 압력이 높을수록 녹는점이 높아진다. ➡ 융해 곡선의 기울기는 양의 값을 가진다.
~~ㄷ~~. 온도 t에서 압력을 0.013기압으로 낮추면 승화가 일어난다.

ㄱ. 16.6 °C에서 밀도가 크게 감소하므로 부피가 크게 증가한다. 즉, 고체가 액체로 되는 상태 변화가 일어나므로 1기압에서의 녹는점, 즉 기준 녹는점은 16.6 °C이다.

바로알기 ㄴ. 3중점의 온도와 압력이 16.5 °C, 0.013기압이고 1기압일 때의 녹는점은 16.6 °C이므로, 압력이 높을수록 녹는점이 높아진다. 따라서 물질 A의 상평형 그림에서 융해 곡선의 기울기는 양의 값을 가진다.

ㄷ. t °C, 0.013기압에서 물질 A의 안정한 상은 고체이므로 승화가 일어나지 않는다.

11

선택지 분석

~~①~~ 고체 ~~②~~ 액체 ~~③~~ 고체, 액체
④ 고체, 기체 ~~⑤~~ 액체, 기체

3가지 상태가 평형을 이루고 있는 (나)가 3중점이고, (가)는 3중점보다 낮은 온도와 압력이므로 승화 곡선 상의 상태이다.

3중점의 압력보다 높은 압력에서 안정한 상의 수가 2인 (다)와 (라)는 융해 곡선 상이나 증기 압력 곡선 상의 상태 중 하나이므로, 온도가 낮은 (다)가 융해 곡선 상의 상평형 상태이다.

압력이 1기압(760 mmHg)일 때의 온도 273.15 K가 3중점의 온도보다 낮으므로 X의 상평형 그림에서 융해 곡선의 기울기는 음의 값을 가진다. 이를 근거로 X의 상평형 그림을 모식적으로 나타내면 다음과 같다.

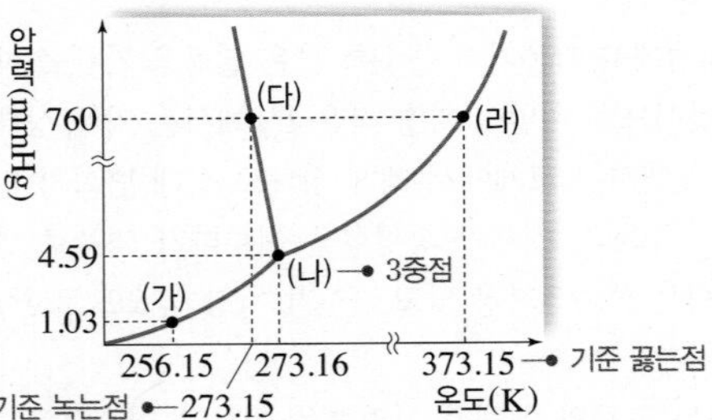

따라서 300 K에서 액체와 기체가 평형을 이루고 있는 물질 X의 온도를 270 K로 점차 낮추면 3중점을 지나 승화 곡선에 이르게 되므로 X는 고체와 기체가 평형을 이룬다.

12

선택지 분석

㉠ $\frac{P_1}{P_2} > 1$이다.

㉡ 꼭지를 열어 평형에 도달할 때까지 $CO_2(s) \rightleftharpoons CO_2(g)$ 반응의 정반응 속도가 역반응 속도보다 빠르다.

㉢ 꼭지를 열고 T K를 유지하여 평형에 도달했을 때 $CO_2(s)$의 양은 0.075몰이다.

ㄱ. (나)에서 오른쪽 용기에 들어 있는 CO_2는 온도 T K에서 기체 상태로만 존재하므로 승화 곡선 아래쪽에 위치한다. 즉, 압력 P_2는 P_1보다 작으므로 $\frac{P_1}{P_2} > 1$이다.

ㄴ. (나)에서 꼭지를 열면 부피가 2배가 되므로 압력이 P_1보다 작아진다. 따라서 평형에 도달하기 위해 고체($CO_2(s)$)가 기체($CO_2(g)$)로 되는 승화가 일어나야 한다.

ㄷ. T K, P_1기압에서 기체 1몰의 부피가 16 L이므로, (나)에서 꼭지를 열어 부피가 4 L가 되었을 때 T K, P_1기압에서 상평형에 도달하려면 $CO_2(g)$ 0.25$\left(=\frac{4}{16}\right)$몰이 있어야 한다. 꼭지를 열기 전 $CO_2(g)$는 왼쪽 용기에 0.125$\left(=\frac{2}{16}\right)$몰이 있고 오른쪽 용기에 0.1몰이 있으므로, 꼭지를 열면 총 0.225몰이 되어 평형에 도달하기 위해서는 0.025(=0.25−0.225)몰이 더 필요하다. 따라서 $CO_2(s)$ 0.025몰이 승화하여 평형에 도달하고, 이때 남아 있는 $CO_2(s)$의 양은 0.075(=0.1−0.025)몰이다.

3 산 염기 평형

01 산 염기 평형

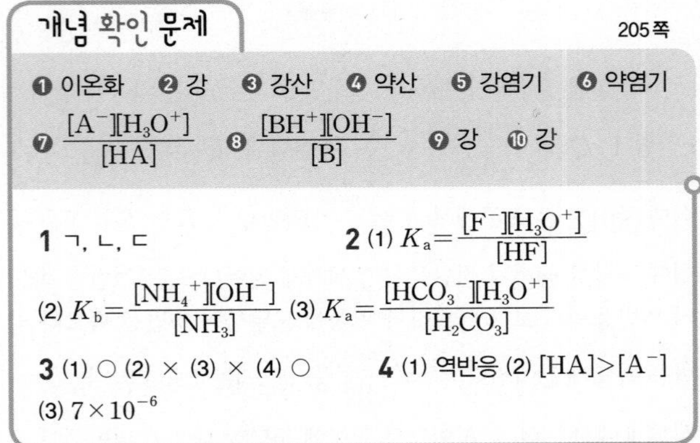

개념 확인 문제 205쪽

❶ 이온화 ❷ 강 ❸ 강산 ❹ 약산 ❺ 강염기 ❻ 약염기 ❼ $\frac{[A^-][H_3O^+]}{[HA]}$ ❽ $\frac{[BH^+][OH^-]}{[B]}$ ❾ 강 ❿ 강

1 ㄱ, ㄴ, ㄷ

2 (1) $K_a = \frac{[F^-][H_3O^+]}{[HF]}$ (2) $K_b = \frac{[NH_4^+][OH^-]}{[NH_3]}$ (3) $K_a = \frac{[HCO_3^-][H_3O^+]}{[H_2CO_3]}$

3 (1) ○ (2) × (3) × (4) ○

4 (1) 역반응 (2) [HA]>[A⁻] (3) 7×10^{-6}

1 ㄱ. HA 분자는 10개 중 9개가 H_3O^+과 A^-으로 이온화하였고, HB 분자는 10개 중 1개만 H_3O^+과 B^-으로 이온화하였다. 따라서 이온화하는 정도는 HA가 HB보다 크다.

ㄴ. 물의 양과 물에 녹인 HA와 HB의 양(mol)이 같으므로 수용액의 농도는 같다. 같은 농도의 수용액에서 HA 수용액은 HB 수용액보다 전하를 운반하는 이온의 농도가 크므로 전기 전도도가 크다.

ㄷ. 마그네슘이 H^+과 반응하면 수소 기체가 발생한다.

$Mg(s) + 2H^+(aq) \longrightarrow Mg^{2+}(aq) + H_2(g)$

HA 수용액은 HB 수용액보다 $[H_3O^+]$가 크므로 마그네슘 조각을 넣은 직후 수소 기체가 더 격렬하게 발생한다.

2 이온화 상수는 평형 상수의 일종이다. 일반적으로 산이나 염기의 이온화 과정에서 용매인 물의 농도는 거의 일정하므로 $[H_2O]$는 상수로 보고, 평형 상수(K)에 $[H_2O]$를 곱한 새로운 평형 상수로 이온화 상수를 나타낸다.

3 (1) 산과 염기의 이온화 상수는 온도가 같으면 농도에 관계없이 일정하다.

(2) 염기의 이온화 상수가 클수록 염기가 물에 녹아 이온화하는 정도가 크다.

(3) 수용액에 물을 첨가하면 농도가 묽어져 평형이 이동하지만, 평형 상수는 온도가 일정하면 농도에 관계없이 일정하다.

(4) 염기의 이온화 상수가 클수록 염기의 이온와 반응의 정반응이 우세하게 일어난 쪽에서 평형을 이루므로 생성물인 이온 BH^+, OH^-의 농도가 크다.

4 HA(aq)의 이온화 상수 $K_a=\frac{[A^-][H_3O^+]}{[HA]}$이다.

(1), (2) HA(aq)의 이온화 상수(K_a)가 매우 작으므로 역반응이 우세하게 일어나 반응물이 더 남아 있는 쪽에서 평형이 이루어진다. 따라서 [HA]가 $[A^-]$보다 크다.

(3) 0.1 M HA 수용액에서 평형에 도달할 때까지 반응한 농도를 x라고 하면 양적 관계는 다음과 같다.

	$HA(aq)+H_2O(l)$	$\rightleftharpoons$	$A^-(aq)$	$+H_3O^+(aq)$
처음 농도(M)	0.1		0	0
반응 농도(M)	$-x$		$+x$	$+x$
평형 농도(M)	$0.1-x$		x	x

HA의 이온화 상수가 매우 작으므로 $0.1-x≒0.1$로 하여 계산하면 x는 다음과 같다.

$$K_a=\frac{[A^-][H_3O^+]}{[HA]}=\frac{x\times x}{0.1-x}≒\frac{x^2}{0.1}=4.9\times10^{-10}$$

$x^2=49\times10^{-12}$ ∴ $x=7\times10^{-6}$

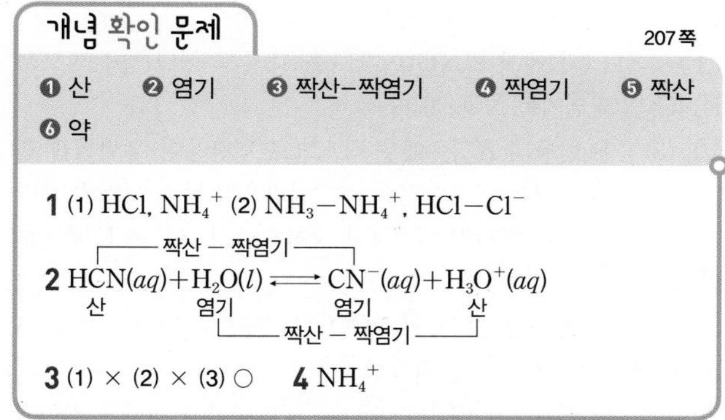

개념 확인 문제 207쪽

❶ 산 ❷ 염기 ❸ 짝산-짝염기 ❹ 짝염기 ❺ 짝산 ❻ 약

1 (1) HCl, NH_4^+ (2) $NH_3-NH_4^+$, $HCl-Cl^-$

2 $HCN(aq)+H_2O(l) \rightleftharpoons CN^-(aq)+H_3O^+(aq)$
산 / 염기 / 염기 / 산 (HCN–CN^-: 짝산 – 짝염기, H_2O–H_3O^+: 짝산 – 짝염기)

3 (1) × (2) × (3) ○ **4** NH_4^+

1 (1) 브뢴스테드·로리 산은 수소 이온(H^+)을 내놓는 물질이다. 암모니아(NH_3)와 염화 수소(HCl)의 반응에서 정반응이 일어날 때는 HCl가 H^+을 내놓으므로 산이고, 역반응이 일어날 때는 NH_4^+이 H^+을 내놓으므로 산으로 작용한다.

(2) 짝산-짝염기는 H^+의 이동에 의해 산과 염기로 되는 한 쌍의 물질이다. 염기인 NH_3의 짝산은 NH_4^+이고, 산인 HCl의 짝염기는 Cl^-이다.

2 사이안화 수소(HCN)는 물에 녹아 H^+을 내놓는 산이다.

3 (1) 산 CH_3COOH의 짝염기는 CH_3COO^-이다.

(2) 산의 이온화 상수(K_a)가 매우 작으므로 역반응이 우세하게 일어난 쪽에서 평형이 이루어진다. 즉, 생성물이 반응물에 비해 강산, 강염기이므로 역반응에서 산으로 작용하는 H_3O^+이 정반응에서 산으로 작용하는 CH_3COOH보다 강한 산이다.

(3) 역반응이 우세하게 일어난 쪽에서 평형을 이루므로 역반응에서 염기로 작용하는 CH_3COO^-이 H_2O보다 강한 염기이다.

4 염기의 이온화 상수(K_b)가 작을수록 염기의 세기는 약하고 그 짝산의 세기는 강하다. 정반응에서 H^+을 내놓는 H_2O과 역반응에서 H^+을 내놓는 NH_4^+이 산이고, NH_3의 이온화 상수(K_b)가 매우 작으므로 NH_3의 짝산인 NH_4^+이 H_2O보다 강한 산이다.

- 염기의 세기: $NH_3 < OH^-$
- 산의 세기: $H_2O < NH_4^+$

(NH_3–NH_4^+, OH^-–H_2O: 짝산 – 짝염기)

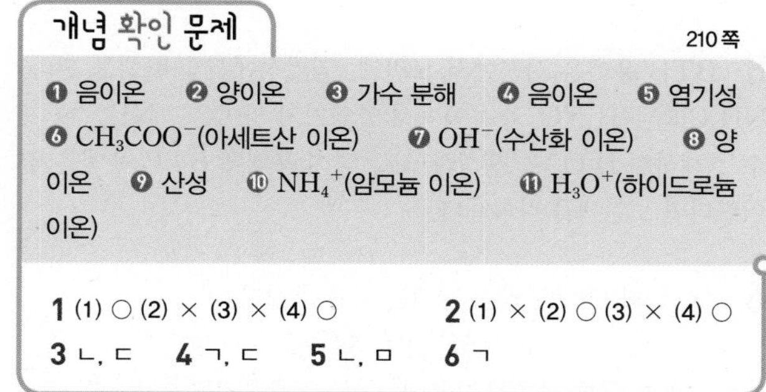

개념 확인 문제 210쪽

❶ 음이온 ❷ 양이온 ❸ 가수 분해 ❹ 음이온 ❺ 염기성 ❻ CH_3COO^-(아세트산 이온) ❼ OH^-(수산화 이온) ❽ 양이온 ❾ 산성 ❿ NH_4^+(암모늄 이온) ⓫ H_3O^+(하이드로늄 이온)

1 (1) ○ (2) × (3) × (4) ○ **2** (1) × (2) ○ (3) × (4) ○

3 ㄴ, ㄷ **4** ㄱ, ㄷ **5** ㄴ, ㅁ **6** ㄱ

1 (1) 염은 양이온과 음이온이 결합하여 생성된 이온 화합물이다.

(2) 중화 반응으로 생성된 염이 모두 물에 잘 녹는 것은 아니다. 중화 반응으로 생성된 염 중에서 $BaSO_4$, $CaCO_3$ 등은 물에 잘 녹지 않는다.

(3) 염이 물에 녹아 생성된 이온이 어떤 반응을 하느냐에 따라 염 수용액의 액성이 달라진다. $KHCO_3$은 H를 포함하고 있지만, 물에 녹아 생성된 HCO_3^-이 가수 분해하여 수산화 이온(OH^-)을 내놓으므로 염기성을 띤다.

(4) NaOH과 HCl의 중화 반응으로 생성된 염화 나트륨(NaCl)은 수용액에서 Na^+과 Cl^-으로 거의 그대로 존재한다.

2 (1) 약산의 음이온은 물보다 강한 염기이므로 물과 반응하여 OH^-을 생성한다.

(2) 강산의 음이온은 물과 반응하지 않는다.

(3) 약염기의 양이온은 물보다 강한 산이므로 물과 반응하여 H_3O^+을 생성한다.

(4) 강염기의 양이온은 물과 반응하지 않는다.

3 ㄱ, ㄹ. NaCl과 Na_2SO_4은 강염기의 양이온과 강산의 음이온으로 이루어진 염으로, 물에 녹아 가수 분해하지 않아 H_3O^+이나 OH^-을 생성하지 않으므로 수용액은 중성이다.

ㄴ, ㄷ. KCN과 K_2CO_3의 양이온인 K^+은 가수 분해하지 않는다.

그러나 각 물질에서 약산의 짝염기인 CN^-과 CO_3^{2-}은 가수 분해하여 OH^-을 생성하므로 수용액은 염기성을 나타낸다.

$CN^-(aq)+H_2O(l) \rightleftharpoons HCN(aq)+OH^-(aq)$

$CO_3^{2-}(aq)+2H_2O(l) \rightleftharpoons H_2CO_3(aq)+2OH^-(aq)$

ㅁ. NH_4NO_3의 음이온 NO_3^-은 가수 분해하지 않지만 약염기의 짝산인 NH_4^+은 가수 분해하여 H_3O^+을 생성하므로 수용액은 산성을 나타낸다.

$NH_4^+(aq)+H_2O(l) \rightleftharpoons NH_3(aq)+H_3O^+(aq)$

4 NH_4Cl은 강산의 음이온인 Cl^-과 약염기의 양이온인 NH_4^+이 결합하여 생성된 염으로 물에 녹으면 이온화한다(ㄱ). 이때 생성된 NH_4^+의 일부가 물과 반응하여 H_3O^+을 생성한다(ㄷ).

5 BTB 용액은 산성에서 노란색, 염기성에서 파란색을 띤다. NH_4Cl과 NH_4NO_3 수용액에서 약염기의 양이온인 NH_4^+이 가수 분해하여 H_3O^+을 생성하므로, 염 수용액에 BTB 용액을 떨어뜨리면 노란색을 나타낸다.

6 ㄱ. 중화 반응의 양적 관계는 다음과 같다.

$$nMV=n'M'V'$$

(n, n': 산과 염기의 가수, M, M': 산과 염기의 몰 농도, V, V': 산과 염기의 부피)

따라서 0.1 M 아세트산(CH_3COOH) 수용액 50 mL에 0.1 M 수산화 나트륨(NaOH) 수용액 50 mL를 혼합하면 H^+과 OH^-이 1 : 1의 몰비로 반응하여 중화 반응이 완결된다.

ㄴ. 중화 반응이 완결된 후 용액에는 CH_3COO^-, Na^+ 등의 이온이 존재한다.

ㄷ. CH_3COO^-은 약산의 음이온으로 가수 분해하여 OH^-을 생성하므로 수용액은 염기성이다.

$CH_3COO^-(aq)+H_2O(l) \rightleftharpoons CH_3COOH(aq)+OH^-(aq)$

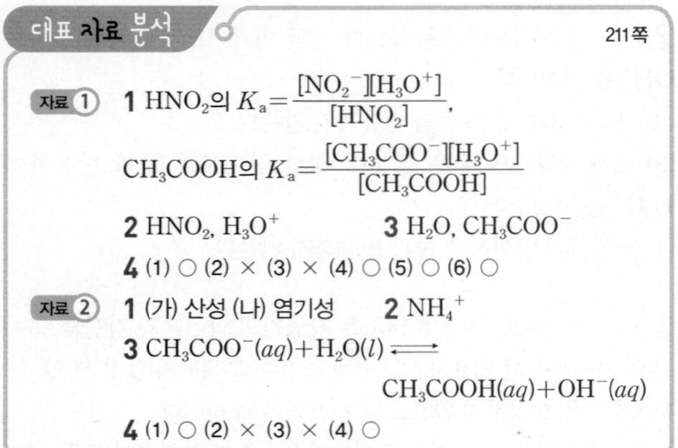
대표 자료 분석 211쪽

자료 ① 1 HNO_2의 $K_a=\frac{[NO_2^-][H_3O^+]}{[HNO_2]}$, CH_3COOH의 $K_a=\frac{[CH_3COO^-][H_3O^+]}{[CH_3COOH]}$

2 HNO_2, H_3O^+ 3 H_2O, CH_3COO^-

4 (1) ○ (2) × (3) × (4) ○ (5) ○ (6) ○

자료 ② 1 (가) 산성 (나) 염기성 2 NH_4^+

3 $CH_3COO^-(aq)+H_2O(l) \rightleftharpoons CH_3COOH(aq)+OH^-(aq)$

4 (1) ○ (2) × (3) × (4) ○

①-1 꼼꼼 문제 분석

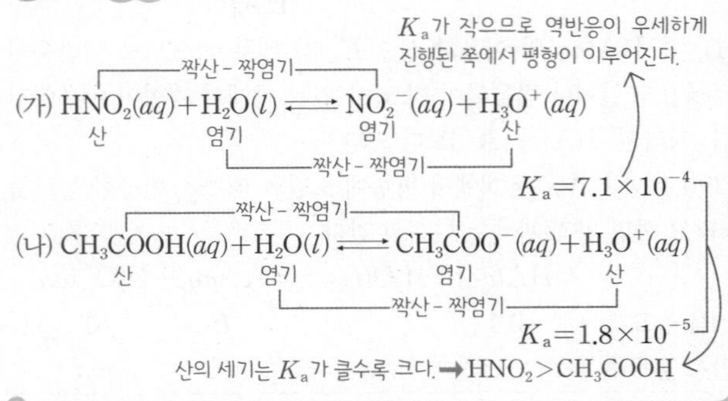

이온화 반응 (가)와 (나)의 이온화 상수(K_a)는 각각 다음과 같다.

(가) $K_a=\frac{[NO_2^-][H_3O^+]}{[HNO_2]}$ (나) $K_a=\frac{[CH_3COO^-][H_3O^+]}{[CH_3COOH]}$

①-2,3 (가)의 정반응에서는 HNO_2이 H^+을 내놓는 산으로 작용하고, 역반응에서는 H_3O^+이 H^+을 내놓는 산으로 작용한다. (나)의 정반응에서는 H_2O이 H^+을 받는 염기로 작용하고, 역반응에서는 CH_3COO^-이 H^+을 받는 염기로 작용한다.

①-4 (1) (가)에서 HNO_2이 H^+을 내놓고 NO_2^-이 되므로 HNO_2의 짝염기는 NO_2^-이다.

(2), (3) (가) 반응의 K_a는 매우 작으므로 역반응이 우세하게 진행된 쪽에서 평형이 이루어진다. 즉, 역반응의 산과 염기의 세기가 정반응의 산과 염기의 세기보다 강하므로, H_3O^+은 HNO_2보다 강한 산이다.

(4) (나)의 정반응에서는 CH_3COOH이 역반응에서는 H_3O^+이 H^+을 내놓으므로 산으로 작용한다.

(5) (나) 반응의 K_a는 매우 작으므로 역반응이 우세하게 진행된 쪽에서 평형이 이루어진다. 즉, 역반응의 염기가 정반응의 염기보다 강한 염기이므로, CH_3COO^-은 H_2O보다 강한 염기이다.

(6) 이온화 상수(K_a)가 HNO_2이 CH_3COOH보다 크므로 산의 세기는 HNO_2이 CH_3COOH보다 강하고, 그 짝염기의 세기는 CH_3COO^-이 NO_2^-보다 강하다.

②-1,2 꼼꼼 문제 분석

염	NaCl	NH_4Cl	CH_3COONa	Na_2CO_3
수용액의 액성	중성	(가)	염기성	(나)
음이온의 짝산	HCl	HCl	CH_3COOH	H_2CO_3
짝산 세기	강산	강산	약산	약산
양이온의 짝염기	NaOH	NH_3	NaOH	NaOH
짝염기 세기	강염기	약염기	강염기	강염기

가수 분해하여 H_3O^+ 생성 / 가수 분해하여 OH^- 생성

(가) NH_4Cl의 음이온 Cl^-은 강산의 음이온이므로 물과 반응하지 않고, 양이온 NH_4^+은 약염기의 양이온으로 가수 분해하여 H_3O^+을 생성하므로 수용액은 산성이다.
(나) Na_2CO_3의 양이온 Na^+은 강염기의 양이온이므로 가수 분해하지 않고, 음이온 CO_3^{2-}은 약산의 음이온으로 가수 분해하여 OH^-을 생성하므로 수용액은 염기성이다.

②-3 CH_3COONa의 양이온 Na^+은 강염기의 양이온이므로 가수 분해하지 않고, CH_3COO^-은 약산의 음이온으로 가수 분해하여 OH^-을 생성하므로 수용액은 염기성이다.

②-4 (1) NaCl은 강산의 음이온과 강염기의 양이온으로 이루어진 염이므로 수용액에서 가수 분해하지 않는다. 따라서 수용액은 중성이다.
(2) NH_4Cl 수용액이 산성인 까닭은 NH_4^+이 가수 분해하여 H_3O^+을 생성하기 때문이다. Cl^-은 물속에서 거의 그대로 존재한다.
(3), (4) Na_2CO_3을 물에 녹이면 Na^+은 물속에 거의 그대로 존재하고, CO_3^{2-}이 가수 분해하여 OH^-을 생성하므로 Na_2CO_3을 녹인 수용액에 BTB 용액을 떨어뜨리면 파란색을 나타낸다.

내신 만점 문제

212쪽~215쪽

01 ③ **02** ③ **03** ② **04** ⑤ **05** ② **06** ㄱ, ㄴ, ㄷ **07** ⑤ **08** ① **09** ⑤ **10** ② **11** ⑤ **12** ④ **13** ③ **14** ④ **15** ⑤ **16** ③ **17** ④

01 꼼꼼 문제 분석

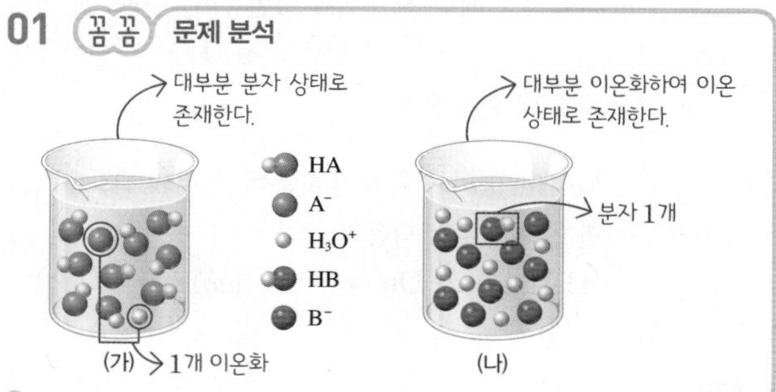

ㄱ, ㄴ. HA는 수용액에서 대부분 분자 상태로 존재하므로 약산이고, HB는 수용액에서 대부분 이온화하여 이온 상태로 존재하므로 강산이다. 따라서 이온화 정도와 산의 세기는 HA < HB이다.

바로알기 ㄷ. $pH = -\log[H_3O^+]$이므로, 수용액의 $[H_3O^+]$가 클수록 pH는 작다. (가)는 약산의 수용액이고, (나)는 강산의 수용액이므로 pH는 (가) > (나)이다.

02 꼼꼼 문제 분석

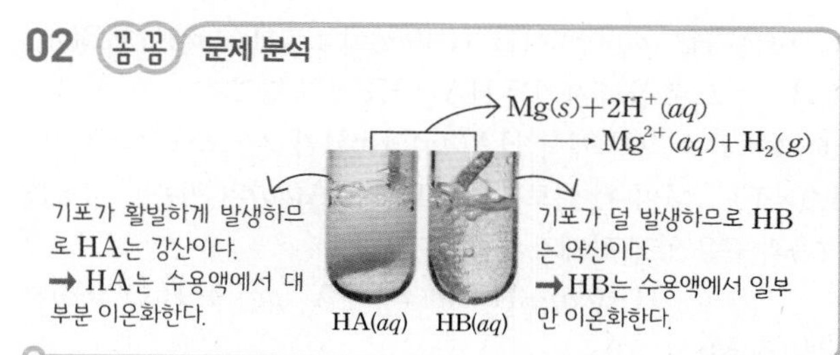

Mg(s)+2H⁺(aq) ⟶ Mg²⁺(aq)+H₂(g)
기포가 활발하게 발생하므로 HA는 강산이다.
➞ HA는 수용액에서 대부분 이온화한다.
기포가 덜 발생하므로 HB는 약산이다.
➞ HB는 수용액에서 일부만 이온화한다.
HA(aq)
HB(aq)

ㄱ. 농도와 부피가 같은 두 수용액에 크기가 같은 마그네슘 리본을 넣었을 때 기포는 HA(aq)에서가 HB(aq)에서보다 활발하게 발생하므로 수용액 속 H_3O^+의 농도는 HA(aq)이 HB(aq)보다 크다. 따라서 음이온의 농도도 HA(aq)이 HB(aq)보다 크다.
ㄴ. HA(aq)이 HB(aq)보다 이온의 농도가 크므로 전류가 더 강하게 흘러 전기 전도도가 더 크다.

바로알기 ㄷ. 수용액 속 $[H_3O^+]$는 HA(aq)가 HB(aq)보다 크므로 수용액의 pH는 HB(aq)가 HA(aq)보다 크다.

03 ㄴ. B(aq)의 이온화 상수(K_b)가 매우 작으므로 역반응이 우세하게 일어난 쪽에서 평형이 이루어진다. 즉, 평형 상태에서 대부분 B(aq)로 존재하고, $BH^+(aq)$과 $OH^-(aq)$은 매우 적게 존재한다. 따라서 평형 상태에서 [B]가 $[BH^+]$보다 크다.

바로알기 ㄱ. $K_b = \dfrac{[BH^+][OH^-]}{[B]}$
ㄷ. 이온화 상수는 온도가 일정하면 농도에 관계없이 일정하다. 따라서 온도가 일정하면 B의 농도가 커져도 K_b는 변하지 않는다.

04 ㄱ. 몰 농도가 같은 HA(aq)과 HB(aq)에서 이온화하여 생성된 $[B^-]$가 $[A^-]$보다 크므로, 이온화 정도가 HA < HB이고 산의 세기는 HB가 HA보다 강하다. 따라서 산의 이온화 상수(K_a)는 HA < HB이다.
ㄴ. 1가 산이 이온화하여 생성된 음이온의 농도와 H_3O^+의 농도는 같다. 따라서 수용액 속 $[H_3O^+]$는 HB(aq)이 HA(aq)보다 크므로 수용액의 pH는 HA(aq)이 HB(aq)보다 크다.
ㄷ. 물에 용해된 HA는 $\frac{1}{10}$이 이온화하였고, HB는 $\frac{1}{2}$이 이온화하였으므로 이온화도는 HB가 HA의 5배이다.

05 꼼꼼 문제 분석

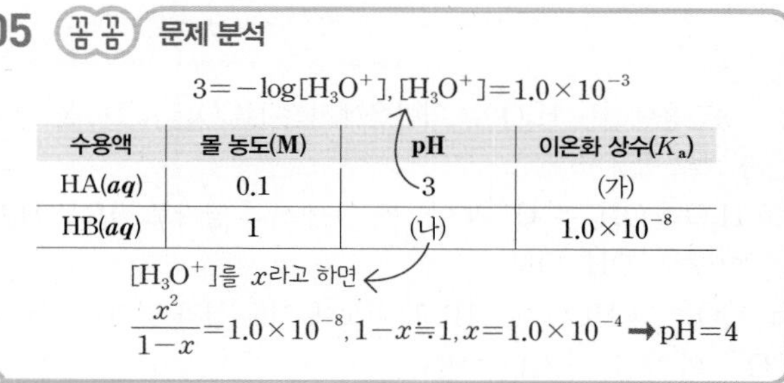

$3 = -\log[H_3O^+]$, $[H_3O^+] = 1.0 \times 10^{-3}$

수용액	몰 농도(M)	pH	이온화 상수(K_a)
HA(aq)	0.1	3	(가)
HB(aq)	1	(나)	1.0×10^{-8}

$[H_3O^+]$를 x라고 하면

$\dfrac{x^2}{1-x} = 1.0 \times 10^{-8}$, $1-x \fallingdotseq 1$, $x = 1.0 \times 10^{-4}$ ➞ pH = 4

ㄷ. pH는 $HA(aq)$이 3이고, $HB(aq)$이 4로 $HA(aq)$이 $HB(aq)$보다 작으므로 산의 세기는 HA가 HB보다 강하다.

바로알기 ㄱ. (가)에서 $HA(aq)$의 pH가 3이므로 $[H_3O^+]$는 1.0×10^{-3} M이다. 이로부터 0.1 M $HA(aq)$의 이온화 평형은 다음과 같은 양적 관계가 성립한다.

	$HA(aq)+H_2O(l) \rightleftharpoons$	$A^-(aq)$	$+\ H_3O^+(aq)$
반응 전(M)	0.1	0	0
반응(M)	-1.0×10^{-3}	$+1.0\times10^{-3}$	$+1.0\times10^{-3}$
평형(M)	약 0.1	1.0×10^{-3}	1.0×10^{-3}

HA의 이온화 상수$(K_a)=\frac{(1.0\times10^{-3})^2}{0.1}=1.0\times10^{-5}$

ㄴ. (나)에서 $HB(aq)$의 농도가 1.0 M이고, K_a가 1.0×10^{-8}이다. 1.0 M $HB(aq)$의 이온화 평형에서 $[H_3O^+]$를 x라고 하면 양적 관계는 다음과 같다.

	$HB(aq)+H_2O(l) \rightleftharpoons$	$B^-(aq)$	$+H_3O^+(aq)$
반응 전(M)	1	0	0
반응(M)	$-x$	$+x$	$+x$
평형(M)	$1-x$	x	x

$K_a=\frac{x^2}{1-x}=1.0\times10^{-8}$이고, 이때 HA는 K_a가 매우 작은 약산이므로 $1-x≒1$로 하여 계산하면 다음과 같다.

$x=1.0\times10^{-4}$, $[H_3O^+]=1.0\times10^{-4}$

$\therefore$ $pH=-\log(1.0\times10^{-4})=4$

다른 풀이 ㄱ. 0.1 M $HA(aq)$의 pH가 3이므로 수용액 속 $[H_3O^+]$는 1.0×10^{-3} M이다. 몰 농도가 C M인 산 HA에서 $[H_3O^+]=C\alpha$이다.

$1.0\times10^{-3}\text{ M}=0.1\text{ M}\times\alpha$

$\therefore$ 0.1 M HA의 이온화도$(\alpha)=0.01$

약산의 이온화 상수(K_a)와 초기 몰 농도(C), 이온화도(α) 사이에는 $K_a=C\alpha^2$의 관계가 성립한다.

$K_a=0.1\times(1.0\times10^{-2})^2=1.0\times10^{-5}$

ㄴ. 25 °C에서 약산 HB의 이온화 상수(K_a)는 1.0×10^{-8}이므로 몰 농도가 1.0 M인 $HB(aq)$의 이온화도(α)는 1.0×10^{-4}이다. 따라서 1.0 M $HB(aq)$ 속 $[H_3O^+]=1.0\times10^{-4}$이므로 pH는 4이다.

06 꼼꼼 문제 분석

$CO_3^{2-}(aq)+H_2O(l) \rightleftharpoons HCO_3^-(aq)+OH^-(aq)$

염기, 산, 산, 염기 (CO_3^{2-}–HCO_3^-: 짝산 - 짝염기, H_2O–OH^-: 짝산 - 짝염기)

ㄱ. 정반응에서는 H_2O이, 역반응에서는 HCO_3^-이 H^+을 내놓는 산으로 작용한다.

ㄴ. H_2O과 OH^-은 H^+의 이동에 의해 산과 염기로 되므로 H_2O의 짝염기는 OH^-이다.

ㄷ. CO_3^{2-}과 HCO_3^-은 H^+의 이동에 의해 산과 염기로 되므로 CO_3^{2-}의 짝산은 HCO_3^-이다.

07 꼼꼼 문제 분석

(가) $HCN(aq)+H_2O(l) \rightleftharpoons CN^-(aq)+H_3O^+(aq)$ (산, 염기, 염기, 산)

(나) $CH_3NH_2(aq)+HCl(aq) \rightleftharpoons CH_3NH_3^+(aq)+Cl^-(aq)$ (염기, 산, 산, 염기)

(가)의 정반응에서는 H^+을 받는 H_2O이 염기이고, 역반응에서는 CN^-이 염기이다. (나)의 정반응에서는 H^+을 받는 CH_3NH_2이 염기이고, 역반응에서는 Cl^-이 염기이다.

08 꼼꼼 문제 분석

(가) $HF(aq)+H_2O(l) \rightleftharpoons F^-(aq)+H_3O^+(aq)$ (산, 염기, 염기, 산)

(나) $NH_3(aq)+H_2O(l) \rightleftharpoons NH_4^+(aq)+OH^-(aq)$ (염기, 산, 산, 염기)

(다) $NH_3(aq)+HCl(aq) \rightleftharpoons NH_4^+(aq)+Cl^-(aq)$ (염기, 산, 산, 염기)

ㄱ. H_2O은 (가)에서는 H^+을 받는 염기로 작용하고, (나)에서는 H^+을 내놓는 산으로 작용한다.

바로알기 ㄴ. NH_3는 (나)와 (다)에서 모두 H^+을 받는 염기로 작용하므로 양쪽성 물질이 아니다.

ㄷ. (다)에서 NH_3와 NH_4^+은 H^+의 이동에 의해 산과 염기로 되는 짝산 - 짝염기 쌍이다. 따라서 NH_4^+의 짝염기는 NH_3이다.

09 꼼꼼 문제 분석

$CH_3COOH(aq)+H_2O(l) \rightleftharpoons CH_3COO^-(aq)+H_3O^+(aq)$

산, 염기, 염기, 산 (CH_3COOH–CH_3COO^-: 짝산 - 짝염기)

ㄱ. H_2O은 H^+을 받으므로 염기로 작용하였다.

ㄴ. 염기에 H^+ 1개가 결합한 것이 짝산이다.

ㄷ. 이온화 상수(K_a)가 매우 작으므로 역반응이 우세하게 일어난 쪽에서 평형을 이룬다. 따라서 역반응의 산 H_3O^+이 정반응의 산 CH_3COOH보다 강한 산이다.

10

ㄷ. 0.1 M $HA(aq)$에서 이온화하여 생성된 $[H_3O^+]$를 x M이라고 하면 양적 관계는 다음과 같다.

	$HA(aq)+H_2O(l) \rightleftharpoons$	$A^-(aq)$	$+H_3O^+(aq)$
반응 전(M)	0.1	0	0
반응(M)	$-x$	$+x$	$+x$
평형(M)	$0.1-x$	x	x

$K_a=\frac{x^2}{0.1-x}=1.0\times10^{-7}$이다. 이때 HA는 K_a가 매우 작은 약산이므로 $0.1-x≒0.1$이라고 할 수 있다.

$\frac{x^2}{0.1}=1.0\times10^{-7}$, $x^2=1.0\times10^{-8}$, $x=[H_3O^+]=1.0\times10^{-4}$

$pH=-\log[H_3O^+]=-\log(1.0\times10^{-4})=4$

바로알기 ㄱ. HA의 이온화 상수가 매우 작으므로 이온화 평형은 역반응이 우세하게 일어난 쪽에서 이루어진다. 즉, 역반응의 산과 염기가 정반응의 산과 염기보다 세기가 강하므로 염기의 세기는 A^-이 H_2O보다 강하다.

ㄴ. 반응물이 더 남아 있는 쪽에서 평형이 이루어지므로, $[A^-]$이 $[HA]$보다 작다. 따라서 $\frac{[A^-]}{[HA]} < 1$이다.

11 꼼꼼 문제 분석

- $CH_3COOH(aq) + H_2O(l) \rightleftharpoons CH_3COO^-(aq) + H_3O^+(aq)$ (짝산-짝염기: CH_3COOH – CH_3COO^-) $K_a = 1.8 \times 10^{-5}$
- $H_2CO_3(aq) + H_2O(l) \rightleftharpoons HCO_3^-(aq) + H_3O^+(aq)$ (짝산-짝염기: H_2CO_3 – HCO_3^-) $K_a = 4.3 \times 10^{-7}$
- $H_2S(aq) + H_2O(l) \rightleftharpoons HS^-(aq) + H_3O^+(aq)$ $K_a = 1.0 \times 10^{-7}$

산의 세기: $CH_3COOH > H_2CO_3 > H_2S$

ㄴ. 이온화 상수(K_a)가 클수록 산의 세기가 강하므로 CH_3COOH이 H_2CO_3보다 강한 산이다. 산의 세기가 강할수록 그 짝염기의 세기는 약하므로 CH_3COO^-은 HCO_3^-보다 약한 염기이다.

ㄷ. H_2CO_3이 H_2S보다 강한 산이므로 같은 농도의 수용액에서 더 강한 산성을 나타낸다. 따라서 농도가 같을 때 수용액의 pH는 $H_2CO_3(aq)$이 $H_2S(aq)$보다 작다.

바로알기 ㄱ. 이온화 상수가 CH_3COOH이 H_2S보다 크므로 CH_3COOH이 H_2S보다 강한 산이다.

12 꼼꼼 문제 분석

- $CH_3COOH(aq) + H_2O(l) \rightleftharpoons CH_3COO^-(aq) + H_3O^+(aq)$ (산, 염기, 염기, 산) $K_a = 1.8 \times 10^{-5}$
  산의 세기: $H_3O^+ > CH_3COOH$
- $NH_3(aq) + H_2O(l) \rightleftharpoons NH_4^+(aq) + OH^-(aq)$ (염기, 산, 산, 염기) $K_b = 1.8 \times 10^{-5}$
  염기의 세기: $OH^- > NH_3$

① H_2O은 CH_3COOH과의 반응에서는 염기로 작용하고, NH_3와의 반응에서는 산으로 작용한다.

② 이온화 평형에서 H^+을 받는 물질은 염기이므로 CH_3COO^-은 CH_3COOH의 짝염기이다.

③ 아세트산(CH_3COOH)은 K_a가 매우 작은 약산이므로 산의 세기는 $CH_3COOH < H_3O^+$이다.

⑤ 두 수용액의 농도와 이온화 상수가 같으므로 평형 상태에서 CH_3COO^-의 농도와 NH_4^+의 농도는 같다.

바로알기 ④ 암모니아(NH_3)가 약염기이므로 염기의 세기는 $NH_3 < OH^-$이다.

13 • $3 = -\log[H_3O^+]$ ➡ $HA(aq)$의 $[H_3O^+] = 1.0 \times 10^{-3}$

• $5 = -\log[H_3O^+]$ ➡ $HB(aq)$의 $[H_3O^+] = 1.0 \times 10^{-5}$

ㄱ. 0.1 M $HA(aq)$의 이온화 평형은 다음과 같은 양적 관계가 성립한다.

	$HA(aq)$	$+H_2O(l) \rightleftharpoons$	$A^-(aq)$	$+\ H_3O^+(aq)$
반응 전(M)	0.1		0	0
반응(M)	-1.0×10^{-3}		$+1.0 \times 10^{-3}$	$+1.0 \times 10^{-3}$
평형(M)	약 0.1		1.0×10^{-3}	1.0×10^{-3}

이온화 상수 $K_a = \frac{(1.0 \times 10^{-3})^2}{0.1} = 1.0 \times 10^{-5}$이다.

ㄴ. pH가 작을수록 $[H_3O^+]$가 큰 강한 산이다. pH는 $HA(aq)$이 $HB(aq)$보다 작으므로 산의 세기는 HA가 HB보다 강하다.

바로알기 ㄷ. 산의 세기가 강할수록 그 짝염기의 세기는 약하다. 산의 세기는 HA가 HB보다 강하므로 염기의 세기는 B^-이 A^-보다 강하다.

14 각 염의 수용액에서 액성은 다음과 같다.

염	NaCl	NH_4Cl	$KHSO_4$	$NaHCO_3$	CH_3COONa
액성	중성	산성	(가) 산성	(나) 염기성	염기성

① NaCl은 가수 분해하지 않으므로 Na^+과 Cl^-으로 존재한다.

② NH_4Cl 수용액은 약염기의 양이온인 NH_4^+이 일부 가수 분해하여 H_3O^+을 생성하므로 산성을 나타낸다.

③ K^+과 HSO_4^-은 가수 분해하지 않는데, HSO_4^-은 강산의 음이온으로 추가로 이온화할 수 있는 수소 이온을 가지고 있어 다음과 같이 이온화하므로 수용액은 산성을 나타낸다.

$HSO_4^- + H_2O \rightleftharpoons SO_4^{2-} + H_3O^+$

⑤ CH_3COONa 수용액은 약산의 음이온인 CH_3COO^-이 일부 가수 분해하여 OH^-을 생성한다.

바로알기 ④ $NaHCO_3$ 수용액은 약산의 음이온인 HCO_3^-이 일부 가수 분해하여 OH^-을 생성하므로 염기성을 나타낸다.

$HCO_3^-(aq) + H_2O(l) \rightleftharpoons H_2CO_3(aq) + OH^-(aq)$

15 ㄱ. $NaHCO_3(s)$은 물에 녹아 약산의 음이온인 HCO_3^-이 가수 분해하여 OH^-을 생성한다.

$NaHCO_3(aq) \longrightarrow Na^+(aq) + HCO_3^-(aq)$

$HCO_3^-(aq) + H_2O(l) \rightleftharpoons H_2CO_3(aq) + OH^-(aq)$ ➡ 염기성

따라서 $NaHCO_3$을 녹인 수용액 (나)의 pH는 (가)보다 크다.

ㄴ. $pH = -\log[H_3O^+]$이므로 pH가 작을수록 H_3O^+의 농도가 크다. 따라서 수용액의 H_3O^+ 농도는 (다) > (가) > (나) 순이다.

ㄷ. pH가 6.0보다 큰 용액 (나)에 NH_4Cl을 녹였을 때 pH가 5.6으로 감소하므로, NH_4Cl 수용액의 NH_4^+이 가수 분해하여 H_3O^+의 농도를 증가시킨다.

$NH_4Cl \longrightarrow NH_4^+ + Cl^-$

$NH_4^+ + H_2O \rightleftharpoons NH_3 + H_3O^+$ ➡ 산성

16 ㄱ. Na^+은 중화 반응의 구경꾼 이온이고, 가수 분해하지 않으므로 반응 전후에 양(mol)이 변하지 않는다. 반응 전 Na^+의 양(mol)은 0.1 mol/L×0.1 L=0.01 mol이다. 반응 후 용액의 부피는 200 mL이므로 혼합 용액에서 $Na^+(aq)$의 몰 농도는 $\frac{0.01\ \text{mol}}{0.2\ \text{L}}=0.05$ M이다.

ㄴ. 중화 반응으로 생성된 염 NaA의 양이온 Na^+은 가수 분해하지 않지만, 음이온인 A^-은 약산의 짝염기이므로 가수 분해하여 OH^-을 생성한다. 따라서 수용액의 pH는 7보다 크다.

바로알기 ㄷ. 중화 반응이 완결되므로 Na^+과 A^-의 양(mol)은 같다. 그런데 Na^+은 가수 분해하지 않지만 음이온인 A^-은 일부가 가수 분해하므로, 수용액 속 $[Na^+]>[A^-]$이다. 따라서 $\frac{[Na^+]}{[A^-]}>1$이다.

17 꼼꼼 문제 분석

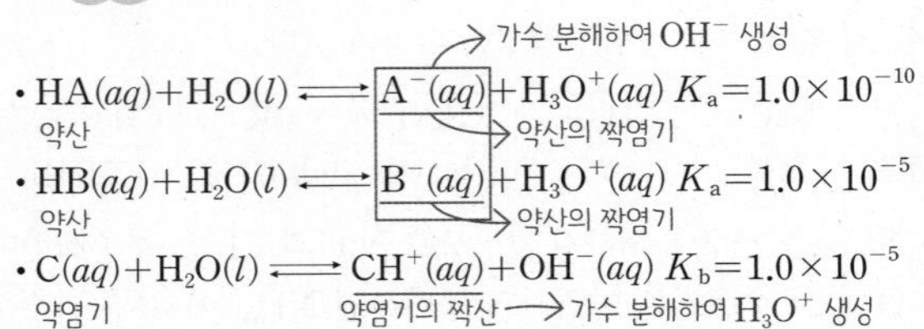

ㄴ. $CHCl(aq)$에서 $CH^+(aq)$은 약염기의 짝산으로 일부가 가수 분해하여 H_3O^+을 생성하므로 수용액은 산성이다.

ㄷ. $CHB(aq)$에서 $B^-(aq)$은 일부가 가수 분해한다.

$B^-(aq)+H_2O(l) \rightleftharpoons HB(aq)+OH^-(aq)$

이때 $B^-(aq)$의 이온화 상수(K_b)를 $HB(aq)$의 이온화 상수(K_a)와 물의 이온화 상수(K_w)를 이용하여 구하면 다음과 같다.

$$K_b=\frac{[HB][OH^-]}{[B^-]}=\underbrace{\frac{[HB]}{[B^-][H_3O^+]}}_{\frac{1}{K_a}}\times\underbrace{[H_3O^+][OH^-]}_{K_w}=\frac{K_w}{K_a}$$
$$=\frac{1.0\times10^{-14}}{1.0\times10^{-5}}=1.0\times10^{-9}$$

또, $CH^+(aq)$은 약염기의 짝산으로 일부가 가수 분해한다.

$CH^+(aq)+H_2O(l) \rightleftharpoons C(aq)+H_3O^+(aq)$

이때 $CH^+(aq)$의 이온화 상수(K_a)를 $C(aq)$의 이온화 상수(K_b)와 K_w를 이용하여 구하면 다음과 같다.

$$K_a=\frac{[C][H_3O^+]}{[CH^+]}=\frac{[C]}{[CH^+][OH^-]}\times[H_3O^+][OH^-]=\frac{K_w}{K_b}$$
$$=\frac{1.0\times10^{-14}}{1.0\times10^{-5}}=1.0\times10^{-9}$$

$CHB(aq)$에서 $B^-(aq)$의 K_b와 $CH^+(aq)$의 K_a가 같으므로 수용액은 중성이다.

바로알기 ㄱ. $NaA(aq)$에서 A^-은 약산의 짝염기로 일부가 가수 분해하여 OH^-을 생성하므로 수용액은 염기성이다.

$A^-(aq)+H_2O(l) \rightleftharpoons HA(aq)+OH^-(aq)$

02 완충 용액

개념 확인 문제 219쪽

❶ 완충 ❷ 공통 이온 ❸ CH_3COO^- ❹ CH_3COO^- ❺ $CH_3COOH(H_3O^+)$ ❻ H_2CO_3 ❼ HCO_3^-

1 ㄱ, ㄷ, ㄹ **2** (1) × (2) ○ (3) × (4) ○ **3** (가) ㄱ (나) ㄷ
4 (1) × (2) × (3) ○

1 ㄱ. $HF(aq)+NaF(aq)$는 약산인 HF와 그 짝염기인 F^-의 혼합 용액이므로 완충 작용을 한다.

ㄴ. HCl은 강산이고 NaOH는 강염기이므로 혼합 용액에는 중화 반응 후 생성된 NaCl이 존재한다. NaCl은 물속에서 완전히 이온화하므로 완충 작용을 할 수 없다.

ㄷ. $NH_3(aq)+NH_4Cl(aq)$은 약염기인 NH_3와 그 짝산인 NH_4^+의 혼합 용액이므로 완충 작용을 한다.

ㄹ. $NaH_2PO_4(aq)+Na_2HPO_4(aq)$은 약산인 $H_2PO_4^-$과 그 짝염기인 HPO_4^{2-}의 혼합 용액이므로 완충 작용을 한다.

2 (1) 아세트산(CH_3COOH) 수용액의 이온화 평형 상태에서 Cl^-은 존재하지 않으므로 $HCl(aq)$을 넣을 때 Cl^-은 공통 이온이 아니다.

(2), (3) CH_3COONa이 이온화하여 CH_3COO^-을 생성하므로 CH_3COOH 수용액에 CH_3COONa을 넣으면 공통 이온 효과가 나타난다. 공통 이온인 CH_3COO^-의 농도가 커지면 르샤틀리에 원리에 따라 이온화 평형이 CH_3COO^-의 농도를 감소시키는 역반응 쪽으로 이동하여 새로운 평형에 도달한다.

(4) CH_3COOH은 약산이므로 이 수용액에 CH_3COOH의 짝염기인 CH_3COO^-을 포함한 CH_3COONa을 넣어 주면 완충 용액이 된다.

3 (가) 산이 내놓은 H^+은 수용액 속 NH_3와 반응한다. (나) 염기가 내놓은 OH^-은 수용액 속 NH_4^+과 중화 반응한다.

4 (1), (2) 혈액은 약산인 H_2CO_3과 그 짝염기인 HCO_3^-으로 이루어진 완충 용액이므로 소량의 산이나 염기가 들어오더라도 pH가 크게 변하지 않는다.

(3) 혈액에 소량의 $HCl(aq)$이 들어오면 H^+과 HCO_3^-이 반응하여 H_2CO_3을 생성하므로 혈액 속 H_2CO_3의 농도가 증가한다.

$H^+(aq)+HCO_3^-(aq) \longrightarrow H_2CO_3(aq)$

이때 증가한 H_2CO_3은 H_2O과 CO_2로 분해되며, CO_2는 몸 밖으로 배출된다.

대표 자료 분석

220쪽

자료 1 **1** 거의 변화 없다. **2** 정반응 **3** 거의 변화 없다.
4 (1) ○ (2) × (3) × (4) ×

자료 2 **1** H_2CO_3, HCO_3^- **2** 역반응 **3** 증가한다.
4 (1) ○ (2) ○ (3) ○ (4) ×

1-1 꼼꼼 문제 분석

• $CH_3COOH(aq)+H_2O(l) \rightleftarrows CH_3COO^-(aq)+H_3O^+(aq)$ (약산 / 약산의 짝염기)
↳ OH^-을 첨가하면 CH_3COOH과 중화 반응한다.
공통 이온
• $CH_3COONa(aq) \longrightarrow CH_3COO^-(aq)+Na^+(aq)$
↳ H^+을 첨가하면 CH_3COO^-과 반응하여 CH_3COOH을 생성한다.

혼합 용액은 완충 용액이므로 pH 변화가 거의 없다.

1-2 염기가 내놓은 OH^-은 CH_3COOH과 중화 반응한다.
$CH_3COOH(aq)+OH^-(aq) \longrightarrow CH_3COO^-(aq)+H_2O(l)$
중화 반응으로 H_3O^+이 감소하므로 CH_3COOH의 이온화 평형은 정반응이 우세하게 진행되어 새로운 평형에 도달한다.

1-3 CH_3COOH의 $K_a=\frac{[CH_3COO^-][H_3O^+]}{[CH_3COOH]}$이다. 이때 $\frac{[CH_3COO^-]}{[CH_3COOH]}$가 거의 1이므로 혼합 용액의 $[H_3O^+]$는 K_a와 같다. K_a는 온도가 일정하면 농도에 관계 없이 일정하므로, 용액에 증류수를 넣어 10배로 희석해도 pH 변화는 거의 없다.

1-4 (1) 같은 양(mol)의 아세트산(CH_3COOH)과 아세트산 나트륨(CH_3COONa)을 혼합했으므로, 용액 중에는 CH_3COOH과 CH_3COO^-이 비슷한 농도로 공존한다.
(2), (3) $CH_3COOH(aq)$에 강염기 $NaOH(aq)$을 넣거나, 강산 $HCl(aq)$에 $CH_3COONa(aq)$을 넣으면 완충 작용을 하지 못한다.
(4) 혼합 용액에 $NaCl(aq)$을 넣어 주어도 이온화 평형에 관여하는 공통 이온이 없으므로 평형이 이동하지 않는다.

2-1 꼼꼼 문제 분석

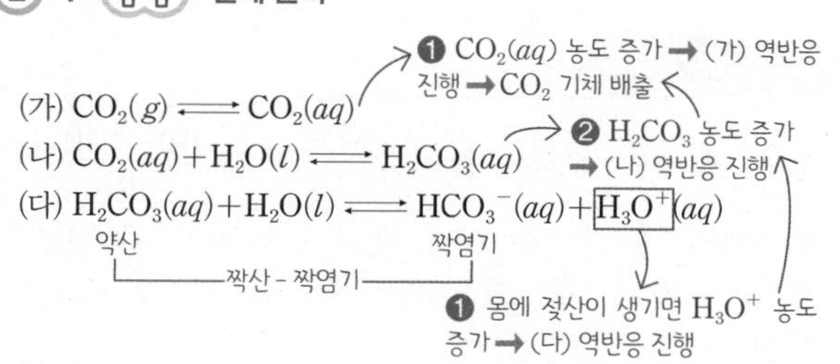

완충 작용을 하는 물질은 약산인 H_2CO_3과 그 짝염기인 HCO_3^-이다.

2-2 몸에 젖산이 생기면 H^+의 농도가 증가하므로 반응 (다)의 평형에서 H^+의 농도를 감소시키는 역반응 쪽으로 평형이 이동한다.

2-3 몸에 염기가 유입되면 OH^-이 H_2CO_3과 중화 반응한다.
$H_2CO_3(aq)+OH^-(aq) \longrightarrow HCO_3^-(aq)+H_2O(l)$
따라서 HCO_3^-의 농도는 증가한다.

2-4 (1) $H_2CO_3(aq)$과 $NaHCO_3(aq)$의 혼합 용액은 약산인 H_2CO_3과 그 짝염기인 HCO_3^-의 혼합 용액으로 완충 용액이다.
(2) 혈액에 소량의 산이 유입되면 H^+은 HCO_3^-과 반응한다.
$HCO_3^-(aq)+H^+(aq) \longrightarrow H_2CO_3(aq)$
이 반응으로 H_2CO_3의 농도가 증가하므로, 반응 (나)는 H_2CO_3의 농도를 감소시키는 역반응 쪽으로 평형이 이동한다. 이에 따라 몸속 CO_2의 농도가 증가하므로 반응 (가)의 역반응이 진행되어 CO_2가 몸 밖으로 배출된다.
(3), (4) 혈액에 소량의 염기가 유입되면 중화 반응이 일어나 (다)의 평형이 정반응 쪽으로 이동하여 H_2CO_3의 농도가 감소하므로, 반응 (나)는 H_2CO_3의 농도를 증가시키는 정반응 쪽으로 평형이 이동한다.

내신 만점 문제

221쪽~222쪽

01 ② **02** ③ **03** ㄷ **04** ④ **05** ㄱ, ㄴ **06** ⑤
07 ① **08** ④ **09** ①

01 약산과 그 짝염기가 섞여 있는 수용액이나, 약염기와 그 짝산이 섞여 있는 수용액이 완충 용액이다. (다)는 약염기(NH_3)와 그 짝산(NH_4^+)의 혼합 용액이므로 완충 작용을 한다.
바로알기 (가)는 강산(H_2SO_4)과 그 짝염기(HSO_4^-)의 혼합 용액이므로 완충 작용을 하지 못한다.
(나)는 강염기($NaOH$)와 그 양이온(Na^+)의 혼합 용액이므로 완충 작용을 하지 못한다.

02 ㄱ. HA는 K_a가 작은 약산이고 A^-은 HA의 짝염기이므로, HA와 A^-을 1 : 1의 몰비로 혼합한 용액은 완충 용액이다.
ㄴ. B는 K_b가 작은 약염기이고 BH^+은 B의 짝산이므로, B와 BH^+을 1 : 1의 몰비로 혼합한 용액은 완충 용액이다.
바로알기 ㄷ. HA와 B를 1 : 1의 몰비로 혼합하면 중화 반응에 의해 염의 수용액이 되므로 완충 용액이 아니다.

03 ㄷ. $CH_3COOH(aq)$에 CH_3COONa을 넣으면 CH_3COO^-의 농도가 증가하므로, CH_3COO^-의 농도를 감소시키는 역반응 쪽으로 평형이 이동하므로 H_3O^+의 농도는 감소한다.

바로알기 ㄱ. $CH_3COOH(aq)$에 Mg 조각을 넣으면 Mg이 H^+과 반응하여 H_2 기체가 발생하므로 H^+이 소모된다. 따라서 평형이 정반응 쪽으로 이동하여 CH_3COOH의 농도가 감소한다.
ㄴ. 산 수용액인 $CH_3COOH(aq)$에 염기인 NaOH을 넣으면 중화 반응이 일어나 H_3O^+이 감소하므로 용액의 pH가 커진다.

04 ㄴ, ㄷ. $CH_3COOH(aq)$에 CH_3COONa을 녹이면 CH_3COO^-의 공통 이온 효과에 의해 평형이 역반응 쪽으로 이동하여 CH_3COOH의 몰 농도가 증가하고, H_3O^+의 몰 농도는 감소한다. 따라서 용액의 pH는 커진다.

바로알기 ㄱ. 온도가 일정하면 K_a는 변하지 않는다.

05 꼼꼼 문제 분석

$NaNO_2(aq) \longrightarrow NO_2^-(aq) + Na^+(aq)$

$HNO_2(aq) + H_2O(l) \rightleftharpoons NO_2^-(aq) + H_3O^+(aq)$

공통 이온

NO_2^-을 감소시키는 역반응 진행 → H_3O^+ 감소

바로알기 ㄷ. NO_2^-의 공통 이온 효과에 의해 평형이 역반응 쪽으로 이동한다.

06 ㄱ. 산의 몰 농도가 같더라도 수용액에서의 이온화 정도는 HCl가 CH_3COOH보다 크므로 $[H_3O^+]$는 $HCl(aq)$이 더 크다. 따라서 용액의 pH는 $[H_3O^+]$가 작은 (나)가 (가)보다 크다.
ㄴ. (다)에서 $CH_3COO^-(aq)$의 공통 이온 효과가 나타난다.

$CH_3COOH(aq) + H_2O(l) \rightleftharpoons CH_3COO^-(aq) + H_3O^+(aq)$

$CH_3COONa \longrightarrow CH_3COO^-(aq) + Na^+(aq)$

즉, (다)에서는 CH_3COO^-을 감소시키는 역반응 쪽으로 평형이 이동하므로 H_3O^+의 몰 농도가 감소한다. 따라서 H_3O^+의 몰 농도는 (나)가 (다)보다 크다.
ㄷ. (다)는 완충 용액이므로 NaOH을 소량 넣어도 pH 변화가 크지 않지만 산 수용액인 (나)는 pH가 크게 증가한다.

07 꼼꼼 문제 분석

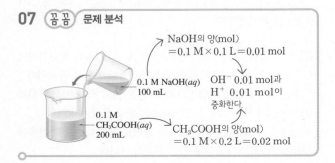

NaOH의 양(mol) $= 0.1\ M \times 0.1\ L = 0.01\ mol$

0.1 M $NaOH(aq)$ 100 mL

OH^- 0.01 mol과 H^+ 0.01 mol이 중화한다.

0.1 M $CH_3COOH(aq)$ 200 mL

CH_3COOH의 양(mol) $= 0.1\ M \times 0.2\ L = 0.02\ mol$

ㄱ. 0.1 M 아세트산(CH_3COOH) 수용액 200 mL에 들어 있는 CH_3COOH의 양은 0.02 mol이고, 0.1 M 수산화 나트륨(NaOH) 수용액 100 mL에 들어 있는 NaOH의 양(mol)은 0.01 mol이다. 따라서 이 두 수용액을 혼합하면 H^+ 0.01 mol과 OH^- 0.01 mol이 중화 반응을 하므로, 혼합 용액은 CH_3COOH 0.01 mol과 CH_3COONa 0.01 mol의 혼합 용액과 같아진다. 즉, 이 혼합 용액은 약산(CH_3COOH)과 그 짝염기(CH_3COO^-)가 1 : 1의 몰비로 혼합된 용액이므로 완충 용액이다.

바로알기 ㄴ, ㄷ. 완충 용액이 아닌 경우 증류수를 넣어 10배로 희석시키면 $[H_3O^+]$가 $\frac{1}{10}$배로 감소하므로 pH가 1만큼 커진다. 그러나 완충 용액은 소량의 산을 첨가하거나 물을 넣어 희석하여도 pH가 거의 일정하게 유지된다.

08 (가) 소량의 $HCl(aq)$을 첨가하면 H^+이 HCO_3^-과 반응(ㄴ)하므로 혈액의 pH는 거의 일정하게 유지된다.
(나) 소량의 NaOH 수용액을 첨가하면 OH^-이 H_2CO_3과 중화 반응(ㄷ)을 하여 pH는 거의 일정하게 유지된다.

09 꼼꼼 문제 분석

(가) $H_3PO_4(aq) + H_2O(l) \rightleftharpoons H_2PO_4^-(aq) + H_3O^+(aq)$
산 염기 염기 산

짝산 - 짝염기

(나) $H_2PO_4^-(aq) + H_2O(l) \rightleftharpoons HPO_4^{2-}(aq) + H_3O^+(aq)$
산 염기 염기 산

몸에 젖산이 생겨 H_3O^+ 농도 증가 → (가), (나) 역반응 진행

몸에 염기가 유입되어 H_3O^+ 농도 감소 → (가), (나) 정반응 진행

ㄱ. NaH_2PO_4가 수용액에서 이온화하면 $H_2PO_4^-$이 생성되고, Na_2HPO_4이 이온화하면 HPO_4^{2-}이 생성된다. $H_2PO_4^-$은 약산이고, HPO_4^{2-}은 $H_2PO_4^-$의 짝염기이므로 NaH_2PO_4과 Na_2HPO_4 혼합 수용액은 완충 용액이다.

바로알기 ㄴ. 몸에 젖산이 생기면 H_3O^+의 농도가 증가하므로 (나)에서 평형이 역반응 쪽으로 이동한다.
ㄷ. 체내에 유입된 OH^-이 $H_2PO_4^-$과 중화 반응하여 HPO_4^{2-}과 H_2O이 생성되므로 HPO_4^-의 농도가 증가한다.

중단원 핵심 정리 223쪽

❶ 클 ❷ 강산 ❸ 약산 ❹ $\frac{[A^-][H_3O^+]}{[HA]}$ ❺ $\frac{[BH^+][OH^-]}{[B]}$
❻ 정반응 ❼ 강 ❽ 일정 ❾ H^+(수소 이온) ❿ NH_4^+
⓫ OH^- ⓬ > ⓭ 약산+강염기 ⓮ 강산+약염기 ⓯ pH
⓰ HCO_3^-

중단원 마무리 문제 224쪽~227쪽

01 ③	02 ①	03 0.05	04 ③	05 ⑤	06 ①
07 ②	08 ③	09 ⑤	10 ④	11 ⑤	12 ④
13 ②	14 ④	15 ②	16 해설 참조	17 해설 참조	

01 ㄱ. HA는 수용액에서 대부분 이온화하고, HB는 일부만 이온화한다. 따라서 수용액 속 이온의 농도는 (가)>(나)이므로 수용액의 전류의 세기는 (가)>(나)이다.

ㄷ. 수용액 속 H^+의 농도가 클수록 pH는 작다. H^+의 농도가 (가)>(나)이므로 pH는 (가)<(나)이다.

바로알기 ㄴ. Mg이 수용액 속 H^+과 반응하면 H_2 기체가 발생한다.

$$Mg(s)+2H^+(aq) \longrightarrow Mg^{2+}(aq)+H_2(g)$$

H^+의 농도는 (가)>(나)이므로 기체 발생 정도는 (가)에서가 (나)에서보다 더 활발하다.

02 HA의 이온화 상수 $K_a=\frac{[A^-][H_3O^+]}{[HA]}=1.0\times10^{-5}$

이때 pH가 3이므로 수용액 속 $[H_3O^+]=1.0\times10^{-3}$ M이고, HA가 이온화하여 생성된 H_3O^+의 양과 A^-의 양이 같으므로 $[A^-]=1.0\times10^{-3}$ M이다. 이 값을 이온화 상수식에 대입하면 다음과 같다.

$$K_a=\frac{1.0\times10^{-3}\times[H_3O^+]}{[HA]}=1.0\times10^{-5}$$

$$\frac{[H_3O^+]}{[HA]}=1.0\times10^{-2}\left(=\frac{1}{100}\right)$$

03 1몰의 HA를 물에 녹여 이온화 평형을 이룰 때 수용액 속 $H_3O^+(H^+)$과 A^-은 각각 0.2몰이고, 분자 상태로 존재하는 HA는 0.8몰이다. 수용액의 부피가 1 L이므로 각 입자의 몰 농도는 [HA]=0.8 M, $[H^+]$=0.2 M, $[A^-]$=0.2 M이다. 이 값을 이온화 상수식에 대입하여 이온화 상수를 구하면 다음과 같다.

$$K_a=\frac{[A^-][H_3O^+]}{[HA]}=\frac{0.2\times0.2}{0.8}=0.05$$

04 꼼꼼 문제 분석

(가) $HCN(aq)+H_2O(l) \rightleftharpoons CN^-(aq)+H_3O^+(aq)$ (산 / 염기 / 염기 / 산; H^+ 이동)

(나) $CH_3NH_2(aq)+H_2O(l) \rightleftharpoons CH_3NH_3^+(aq)+OH^-(aq)$ (염기 / 산 / 산 / 염기; 짝산-짝염기)

(다) $NH_2CH_2COOH(aq)+NaOH(aq) \longrightarrow NH_2CH_2COO^-(aq)+Na^+(aq)+H_2O(l)$ (산 / 염기; 중화 반응)

ㄱ. (가)에서 HCN는 H^+을 내놓으므로 브뢴스테드·로리 산이다.

ㄴ. H^+의 이동에 의해 산과 염기로 되는 한 쌍의 물질이 짝산-짝염기이다. (나)에서 CH_3NH_2이 H^+을 받으면 $CH_3NH_3^+$이 되므로 CH_3NH_2의 짝산은 $CH_3NH_3^+$이다.

바로알기 ㄷ. (다)는 중화 반응으로 NH_2CH_2COOH은 H^+을 내놓으므로 브뢴스테드·로리 산이다.

05 꼼꼼 문제 분석

• $H_2SO_4(aq)+H_2O(l) \rightleftharpoons HSO_4^-(aq)+H_3O^+(aq)$ (산 / 염기 / 염기 / 산) $K_{a1}=1.0\times10^2$

• $HSO_4^-(aq)+H_2O(l) \rightleftharpoons SO_4^{2-}(aq)+H_3O^+(aq)$ (산 / 염기 / 염기 / 산) $K_{a2}=1.3\times10^{-2}$

$K_{a1}>K_{a2}$ → 산의 세기: $H_2SO_4>HSO_4^-$ → 염기의 세기: $HSO_4^-<SO_4^{2-}$

ㄱ. HSO_4^-은 H_3O^+과의 반응에서는 염기로 작용하고, H_2O과의 반응에서는 산으로 작용하므로 양쪽성 물질이다.

ㄴ. H_2SO_4의 이온화 반응에서 H_2O은 H^+을 받으므로 브뢴스테드·로리 염기이다.

ㄷ. $K_{a1}>K_{a2}$이므로 산의 세기는 H_2SO_4이 HSO_4^-보다 강하다. 산의 세기가 강할수록 그 짝염기의 세기는 약하므로 H_2SO_4의 짝염기인 HSO_4^-보다 HSO_4^-의 짝염기인 SO_4^{2-}의 세기가 강하다.

06 꼼꼼 문제 분석

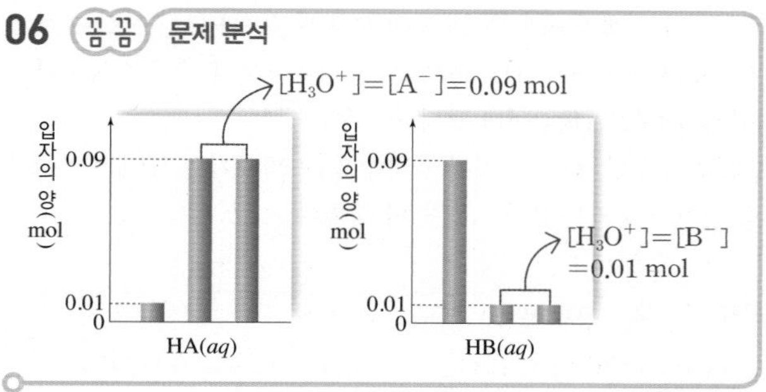

ㄱ. 물에 녹은 산 HA와 HB의 전체 양(mol)은 같은데, 산이 수용액에서 이온화하여 생성된 H_3O^+과 음이온의 양(mol)은 HA가 HB보다 크므로 이온화하는 정도는 HA가 HB보다 크다.

바로알기 ㄴ. H_3O^+의 양(mol)은 HA(*aq*)에서 0.09 mol이고, HB(*aq*)에서 0.01 mol이다. 수용액의 부피는 모두 100 mL이므로 $[H_3O^+]$는 HA(*aq*)에서 0.9 M이고, HB(*aq*)에서 0.1 M이다. 따라서 수용액의 pH는 $[H_3O^+]$가 큰 HA(*aq*)가 HB(*aq*)보다 작다.

ㄷ. 산의 세기는 이온화가 잘 되는 HA가 HB보다 강하다. 산의 세기가 강할수록 그 짝염기의 세기는 약하므로 염기의 세기는 B^-이 A^-보다 강하다.

07 꼼꼼 문제 분석

$NH_3(aq) + H_2O(l) \rightleftharpoons NH_4^+(aq) + OH^-(aq)$

염기 / 산 / 산 / 염기 (짝산 - 짝염기: H_2O – OH^-), $K_b = 1.8 \times 10^{-5}$

산의 세기: $H_2O < NH_4^+$ ← 염기의 세기: $NH_3 < OH^-$

ㄴ. NH_3의 이온화 상수(K_b)가 매우 작으므로 정반응보다 역반응이 우세하게 일어난 쪽에서 이온화 평형이 이루어진다. 따라서 산의 세기는 역반응에서 산으로 작용하는 NH_4^+이 정반응에서 산으로 작용하는 H_2O보다 강하다.

바로알기 ㄱ. 이온화 상수가 매우 작으므로 반응물이 더 남아 있는 쪽에서 평형이 이루어진다. 따라서 평형 상태에서 $[NH_3]$가 $[NH_4^+]$보다 크다.

ㄷ. H_2O과 OH^-은 H^+의 이동에 의해 산과 염기로 되는 짝산 – 짝염기 관계이며, OH^-이 염기로 작용하므로 OH^-의 짝산이 H_2O이다.

08 꼼꼼 문제 분석

• $HA(aq) + H_2O(l) \rightleftharpoons A^-(aq) + H_3O^+(aq)$ $K_a = 2.0 \times 10^{-4}$
  산 / 염기 / 염기 / 산

• $HB(aq) + H_2O(l) \rightleftharpoons B^-(aq) + H_3O^+(aq)$ $K_a = 1.0 \times 10^{-10}$
  산 / 염기 / 염기 / 산

산의 세기: $HA > HB$ / 염기의 세기: $B^- > A^-$

ㄱ. HA의 이온화 상수가 HB의 이온화 상수보다 크므로 산의 세기는 HA가 HB보다 강하다.

ㄷ. 두 수용액의 농도가 같을 때 수용액 속 $[H_3O^+]$는 산의 세기가 큰 $HA(aq)$이 $HB(aq)$보다 크다. 따라서 수용액의 pH는 $HB(aq)$이 $HA(aq)$보다 크다.

바로알기 ㄴ. 산의 세기가 강할수록 그 짝염기의 세기는 약하므로 염기의 세기는 B^-이 A^-보다 강하다.

09 꼼꼼 문제 분석

• $CH_3COOH(aq) + H_2O(l) \rightleftharpoons CH_3COO^-(aq) + H_3O^+(aq)$
  산 / 염기 / 염기 / 산

CH_3COO^-의 $K_b = \dfrac{1.0 \times 10^{-14}}{1.8 \times 10^{-5}}$ ← $K_a = 1.8 \times 10^{-5}$

• $CH_3NH_2(aq) + H_2O(l) \rightleftharpoons CH_3NH_3^+(aq) + OH^-(aq)$
  염기 / 산 / 산 / 염기

$CH_3NH_3^+$의 $K_a = \dfrac{1.0 \times 10^{-14}}{4.0 \times 10^{-4}}$ ← $K_b = 4.0 \times 10^{-4}$

ㄱ. CH_3COOH의 짝염기인 CH_3COO^-의 이온화 상수(K_b)는 물의 이온화 상수(K_w)를 이용해 구한다.

$K_b \times K_a = K_w$, $K_b = \dfrac{K_w}{K_a} = \dfrac{1.0 \times 10^{-14}}{1.8 \times 10^{-5}} = \dfrac{1}{18} \times 10^{-8}$

CH_3COO^-의 K_b는 CH_3NH_2의 K_b보다 작으므로 염기의 세기는 CH_3NH_2이 CH_3COO^-보다 강하다.

ㄴ. $CH_3NH_3^+$의 이온화 상수(K_a)는 다음과 같다.

$K_a = \dfrac{K_w}{K_b} = \dfrac{1.0 \times 10^{-14}}{4.0 \times 10^{-4}} = \dfrac{1}{4} \times 10^{-10}$

$CH_3NH_3^+$의 K_a는 CH_3COOH의 K_a보다 작으므로, 산의 세기는 CH_3COOH이 $CH_3NH_3^+$보다 강하다.

ㄷ. 1.0 M $CH_3NH_2(aq)$에 들어 있는 $[OH^-]$를 x M이라고 하면 이온화 평형에서 다음과 같은 양적 관계가 성립한다.

	$CH_3NH_2(aq)$	$+ H_2O(l) \rightleftharpoons$	$CH_3NH_3^+(aq)$	$+ OH^-(aq)$
반응 전(M)	1.0		0	0
반응(M)	$-x$		$+x$	$+x$
평형(M)	$1.0-x$		x	x

$K_b = \dfrac{x^2}{1.0-x} = 4.0 \times 10^{-4}$이다. CH_3NH_2은 K_b가 매우 작으므로 $1.0-x \fallingdotseq 1.0$로 하여 계산하면 다음과 같다.

$x = 2 \times 10^{-2}$ M $= [OH^-]$, $pOH = -\log(2 \times 10^{-2}) = 2 - \log 2$

$pH + pOH = 14$, $pH = 14 - (2 - \log 2) = 12 + \log 2$

따라서 pH는 12보다 크다.

10 꼼꼼 문제 분석

염	CH_3COONa	NaCl	NH_4Cl
수용액에 BTB 용액을 넣었을 때의 색	파란색	초록색	노란색
액성	염기성	중성	산성
염 생성 반응	CH_3COOH(약산)+ NaOH(강염기)	HCl(강산)+ NaOH(강염기)	HCl(강산)+ NH_3(약염기)
가수 분해	$CH_3COO^- + H_2O \rightleftharpoons CH_3COOH + OH^-$	가수 분해하지 않음	$NH_4^+ + H_2O \rightleftharpoons NH_3 + H_3O^+$

ㄴ. 약산의 음이온 CH_3COO^-은 가수 분해하여 염기성을, 약염기의 양이온 NH_4^+은 가수 분해하여 산성을 나타낸다.

ㄷ. NH_4CH_3COO은 약산과 약염기의 염이므로 양이온과 음이온이 모두 가수 분해하는데, 가수 분해 결과 생성된 H_3O^+과 OH^-이 중화 반응하여 거의 중성이 되므로 BTB 용액을 넣으면 초록색을 나타낸다.

바로알기 ㄱ. NaOH이 물에 녹아 생성된 양이온 Na^+은 가수 분해하지 않고 NH_3가 물에 녹아 생성된 양이온 NH_4^+은 가수 분해하므로, NaOH은 강염기이고 NH_3는 약염기이다.

11 KNO_3, NH_4NO_3, Na_2CO_3 중에서 강산의 음이온과 강염기의 양이온으로 이루어진 KNO_3은 가수 분해하지 않으므로 (다)에 해당한다. NH_4NO_3의 양이온 NH_4^+은 가수 분해하여 H_3O^+을 생성하고, Na_2CO_3의 음이온 CO_3^{2-}은 가수 분해하여 OH^-을 생성한다. 따라서 (가)는 Na_2CO_3, (나)는 NH_4NO_3이다.

12 꼼꼼 문제 분석

$NH_4Cl(aq) \longrightarrow NH_4^+(aq) + Cl^-(aq)$

염화 암모늄(NH_4Cl)은 수용액에서 대부분 이온화한다.

$NH_4^+(aq) + H_2O(l) \rightleftharpoons NH_3(aq) + H_3O^+(aq)$

산 염기 염기 산

$K_a = 5.7 \times 10^{-10}$

NH_4^+이 물과 반응(가수 분해)하여 NH_3와 H_3O^+을 생성하는 산 염기 반응이다.

K_a가 매우 작다.

④ 염화 암모늄(NH_4Cl)이 물에 녹으면 NH_4^+과 Cl^-이 1 : 1로 생성되는데, NH_4^+은 일부가 가수 분해하여 NH_3로 되므로 수용액에 가장 많이 존재하는 이온은 Cl^-이다.

바로알기 ① 산인 NH_4^+의 짝염기는 NH_3이다.

② NH_4^+의 가수 분해 반응의 K_a가 매우 작으므로 역반응이 우세하게 일어난 쪽에서 평형을 이룬다. 따라서 역반응의 산인 H_3O^+이 정반응의 산인 NH_4^+보다 더 강한 산이다.

③ NH_4^+이 가수 분해하여 H_3O^+을 생성하므로 수용액은 산성을 띤다. 즉, 수용액의 pH는 7보다 작다.

⑤ NH_4^+은 약염기의 양이온으로, 강산과 약염기의 중화 반응으로 생성된 염이 가수 분해하면 H_3O^+을 생성한다. 약산과 강염기의 중화 반응으로 생성된 염은 약산의 음이온 일부가 가수 분해하여 OH^-을 생성한다.

13 ㄷ. 평형 상태의 수용액에 NaA를 소량 녹이면 A^-의 농도가 증가하므로 평형이 역반응 쪽으로 이동하여 H_3O^+의 농도가 감소한다. 따라서 수용액의 pH는 커진다.

바로알기 ㄱ. K_a가 매우 작으므로 역반응의 산과 염기의 세기가 정반응의 산과 염기의 세기보다 강하다. 즉, 산의 세기는 H_3O^+이 HA보다 강하다.

ㄴ. 이온화 상수는 평형 상수의 일종으로 온도가 일정하면 농도에 관계없이 일정한 값을 갖는다. 따라서 평형 상태의 수용액에 HA를 더 녹여도 K_a는 변하지 않는다.

14 ㄴ. 0.1 M $B(aq)$ 50 mL를 완전 중화시키기 위해 필요한 0.1 M $HCl(aq)$의 부피는 50 mL이므로, 0.1 M $B(aq)$ 50 mL에 $HCl(aq)$ 25 mL를 넣으면 중화 반응이 절반 진행된다.

- 0.1 M $B(aq)$ 25 mL 중화 ⇨ 중화 후 BH^+ 25 mL 생성
- 0.1 M $B(aq)$ 25 mL 남아 있음.

따라서 혼합 용액에는 중화되지 않고 남은 약염기인 B와 그 짝산 BH^+이 같은 양(mol) 존재하므로 혼합 용액은 완충 용액이다.

ㄷ. 2.0 M $HA(aq)$ 100 mL에 들어 있는 HA의 양(mol)은 0.2몰이다. 여기에 $NaOH(s)$ 0.1몰을 넣으면 NaOH 0.1몰이 모두 반응하여 염 NaA 0.1몰을 생성하고, 중화되지 않은 약산 HA가 0.1몰 남는다. 따라서 혼합 용액에는 약산 HA와 그 짝염기 A^-이 같은 양 존재하므로 완충 용액이다.

바로알기 ㄱ. 1.0 M $B(aq)$이 이온화 평형을 이룰 때 생성된 OH^-의 몰 농도를 x M이라고 하면 양적 관계는 다음과 같다.

	$B(aq) + H_2O(l) \rightleftharpoons$	$BH^+(aq)$	$+OH^-(aq)$
반응 전(M)	1.0	0	0
반응(M)	$-x$	$+x$	$+x$
평형(M)	$1.0-x$	x	x

평형 농도를 이온화 상수식에 대입하면 다음과 같다.

$$K_b = \frac{[BH^+][OH^-]}{[B]} = \frac{x^2}{1.0-x} = 9.0 \times 10^{-8}$$

B의 K_b가 작아 이온화하는 농도 x M가 매우 작으므로 $1.0-x≒1$로 하여 계산할 수 있다.

$x^2 = 9.0 \times 10^{-8}$, $x = 3 \times 10^{-4}$ ∴ $[OH^-] = 3.0 \times 10^{-4}$ M

$pOH = -\log(3 \times 10^{-4}) = 4 - \log 3$

$pH + pOH = 14$, $pH = 14 - (4 - \log 3) = 10 + \log 3$

따라서 pH는 10보다 크다.

15 ㄷ. 혈액 속 H^+의 농도가 증가하면 H^+이 HCO_3^-과 반응하여 소모되므로 pH가 유지된다.

$HCO_3^-(aq) + H^+(aq) \longrightarrow H_2CO_3(aq)$

이 반응으로 H_2CO_3의 농도가 증가하므로, 증가한 H_2CO_3의 농도를 줄이는 역반응 쪽으로 평형이 이동한다. 따라서 혈액 속 CO_2의 농도가 증가한다.

다른 풀이 혈액 속 H^+의 농도가 증가하면 H^+의 농도를 감소시키는 방향으로 평형이 이동하므로 역반응 쪽으로 평형이 이동한다.

바로알기 ㄱ. 혈액 속에 CO_2의 농도가 증가하면 CO_2의 농도를 줄이는 정반응 쪽으로 평형이 이동하여 H^+의 농도가 증가한다. 따라서 혈액의 pH는 작아진다.

ㄴ. 혈액에 소량의 염기가 유입되어 OH^-의 농도가 증가하면, OH^-이 H_2CO_3과 중화 반응하여 HCO_3^-이 생성되므로 HCO_3^-의 농도가 증가한다.

$H_2CO_3(aq) + OH^-(aq) \longrightarrow HCO_3^-(aq) + H_2O(l)$

다른 풀이 혈액에 유입된 OH^-이 H^+과 중화 반응하여 혈액 속 H^+의 농도가 감소하므로 평형이 정반응 쪽으로 이동하여 HCO_3^-의 농도가 증가한다.

16 꼼꼼 문제 분석

$HCOO^-$의 $K_b = \frac{K_w}{K_a} = \frac{1 \times 10^{-14}}{2 \times 10^{-4}} = \frac{1}{2} \times 10^{-10}$

약산	이온화 상수 (K_a)	약염기	이온화 상수 (K_b)
HCOOH	2×10^{-4}	CH_3NH_2	4×10^{-4}
HCN	6×10^{-10}	$C_6H_5NH_2$	4×10^{-10}

CN^-의 $K_b = \frac{1 \times 10^{-14}}{6 \times 10^{-10}} = \frac{1}{6} \times 10^{-4}$

모범답안 (1) $CN^- > C_6H_5NH_2 > HCOO^-$, $HCOO^-$의 이온화 상수(K_b)는 $\frac{1\times10^{-14}}{2\times10^{-4}}=\frac{1}{2}\times10^{-10}$이고, CN^-의 이온화 상수(K_b)는 $\frac{1\times10^{-14}}{6\times10^{-10}}=\frac{1}{6}\times10^{-4}$이다. 염기의 이온화 상수($K_b$)가 클수록 염기의 세기가 강하다.

(2) $CH_3NH_2(aq)$, 농도가 같은 산 또는 염기 수용액에서 이온화 상수가 클수록 이온화 정도가 크고, 수용액 속 이온의 농도가 크다.

채점 기준		배점
(1)	염기의 세기를 옳게 비교하고, 그 까닭을 K_b를 구하여 옳게 서술한 경우	60 %
	염기의 세기만 옳게 비교한 경우	20 %
(2)	0.1 M 수용액 중 전체 이온의 농도가 가장 큰 것을 옳게 쓰고, 그 까닭을 옳게 서술한 경우	40 %
	0.1 M 수용액 중 전체 이온의 농도가 가장 큰 것만 옳게 쓴 경우	20 %

17 (1) 0.1 M $HA(aq)$의 pH가 3.0이므로 이온화 평형 상태에서 $[H_3O^+]=[A^-]=1.0\times10^{-3}$ M이다.

$$HA(aq)+H_2O(l) \rightleftharpoons A^-(aq)+H_3O^+(aq)$$

	$HA(aq)$	$A^-(aq)$	$H_3O^+(aq)$
반응 전(M)	0.1	0	0
반응(M)	-1.0×10^{-3}	$+1.0\times10^{-3}$	$+1.0\times10^{-3}$
평형(M)	$0.1-10^{-3}$	1.0×10^{-3}	1.0×10^{-3}

$$K_a=\frac{[A^-][H_3O^+]}{[HA]}=\frac{(1.0\times10^{-3})^2}{0.1-(1.0\times10^{-3})}\fallingdotseq\frac{10^{-6}}{0.1}=1.0\times10^{-5}$$

다른 풀이 처음 농도가 C M인 약산 HA의 이온화도를 α라고 할 때 약산의 $K_a=C\alpha^2$이다.

$[H_3O^+]=C\alpha$, 1×10^{-3} M$=0.1$ M$\times\alpha$, $\alpha=0.01$

HA의 이온화 상수(K_a)$=0.1\times(1.0\times10^{-2})^2=1.0\times10^{-5}$

(2) 산이 내놓은 H^+과 염기가 내놓은 OH^-은 1 : 1의 몰비로 중화 반응하므로 0.1 M $HA(aq)$ 10 mL를 완전 중화시키는 데 필요한 0.1 M $NaOH(aq)$의 부피는 10 mL이다. 따라서 용액 Ⅰ에 0.1 M $NaOH(aq)$ 5 mL를 넣으면, $NaOH(aq)$ 5 mL가 모두 반응하여 염 NaA를 생성한다. 또한 혼합 용액에는 중화 반응하지 않은 $HA(aq)$ 5 mL가 남아 있으므로, 용액 Ⅱ는 약산 HA와 그 짝염기 A^-이 같은 양(mol)으로 들어 있는 완충 용액이다. 따라서 용액 Ⅱ에 소량의 $HCl(aq)$을 넣어도 pH는 크게 감소하지 않는다.

모범답안 (1) $K_a=1.0\times10^{-5}$

(2) pH는 크게 변하지 않는다. 용액 Ⅱ는 약산인 HA와 그 짝염기 A^-이 같은 양(mol)으로 들어 있는 완충 용액이므로, 소량의 $HCl(aq)$을 넣어도 pH는 거의 일정하게 유지된다.

채점 기준		배점
(1)	HA의 이온화 상수를 옳게 구한 경우	40 %
(2)	pH 변화를 옳게 쓰고 그 까닭을 옳게 서술한 경우	60 %
	pH 변화만 옳게 쓴 경우	30 %

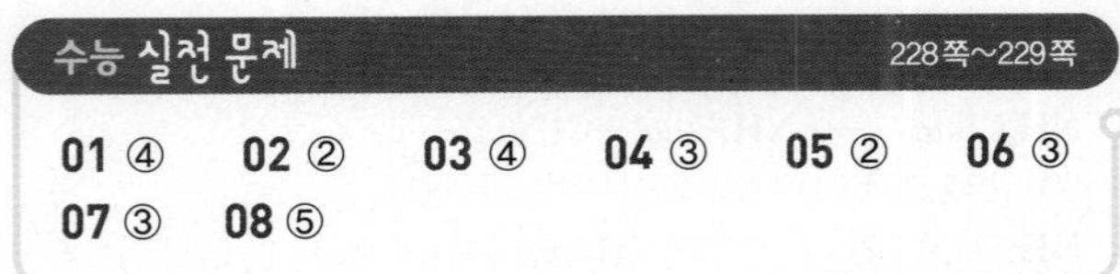
수능 실전 문제

228쪽~229쪽

01 ④ 02 ② 03 ④ 04 ③ 05 ② 06 ③ 07 ③ 08 ⑤

01 꼼꼼 문제 분석

HA가 대부분 분자 상태로 존재하므로 약산이다.

$HA+H_2O \rightleftharpoons H_3O^+ + A^-$ → $A^-+H_2O \rightleftharpoons HA+OH^-$

산 염기 산 염기

○ H^+ ■ A^- △ B^+ ⬬ OH^-

HA 수용액 BOH 수용액

BOH가 모두 이온화되었으므로 강염기이다.

선택지 분석

~~ㄱ.~~ HA의 이온화도는 $\frac{1}{3}$이다. $\frac{1}{4}$

ⓛ HA의 짝염기는 ■이다.

ⓒ 두 수용액을 같은 부피로 혼합한 용액의 액성은 염기성이다.

ㄴ. HA의 짝염기는 A^-이므로 ■이다.

ㄷ. BOH는 수용액에서 모두 이온화하므로 강염기이다. 물에 녹인 HA와 BOH의 양(mol)이 같으므로 두 수용액을 같은 부피로 혼합하면 중화 반응이 완결되어 염 BA를 생성한다. 이때 BA의 양이온 B^+은 가수 분해하지 않지만, 음이온 A^-은 약산의 짝염기로 가수 분해하여 OH^-을 생성한다. 따라서 수용액의 액성은 염기성이다.

바로알기 ㄱ. 용해된 HA 4개 중 1개가 이온화하였으므로 이온화도$\left(=\frac{\text{이온화한 물질의 양(mol)}}{\text{용해된 물질의 양(mol)}}\right)$는 $\frac{1}{4}$이다.

02

선택지 분석

~~ㄱ.~~ pH는 $HA(aq)$이 $HB(aq)$보다 크다. 작다

ⓛ Mg 조각을 넣을 때 기체가 발생하는 정도는 $HA(aq)$이 $HB(aq)$보다 크다.

~~ㄷ.~~ 염기의 세기는 A^-이 B^-보다 강하다. 약하다

ㄴ. 이온화도가 클수록 $[H^+]$가 크고 산의 세기가 강하다. Mg 조각을 넣을 때 기체의 발생 정도는 이온화도가 커서 $[H^+]$가 큰 $HA(aq)$이 $HB(aq)$보다 크다.

바로알기 ㄱ. $[H^+]$는 $HA(aq)$이 $HB(aq)$보다 크므로 pH는 $HB(aq)$이 $HA(aq)$보다 크다.

ㄷ. 산의 세기는 HA > HB이고, 산의 세기가 강할수록 그 짝염기의 세기는 약하므로 염기의 세기는 B^-이 A^-보다 강하다.

03

| 선택지 분석 |

~~①~~ 2 ~~②~~ 3 ~~③~~ 4 ④ 5 ~~⑤~~ 6

HA $0.1\left(=\frac{6}{60}\right)$몰이 녹아 있는 수용액의 부피가 1 L이므로 수용액의 초기 농도 x는 0.1 M이다. 또, HA가 이온화할 때 생성된 H_3O^+의 양과 A^-의 양이 같으므로 y는 0.02 M이다.

따라서 $\frac{x}{y}=\frac{0.1}{0.02}=5$이다.

04

| 선택지 분석 |

ㄱ. $x=1$이다. (○)

ㄴ. 25 °C에서 HA(aq)의 이온화 상수(K_a)는 1×10^{-6}이다. (○)

ㄷ. x M NaA(aq)의 $\frac{[OH^-]}{[H_3O^+]}$=10000이다. (×) 1×10^6

ㄱ. (나)에서 $\frac{[HA]}{[A^-]}=4$이므로 $\frac{[A^-]}{[HA]}=\frac{1}{4}$이고, $\frac{[A^-]}{[HA]}$는 약산인 HA가 이온화하여 중화 반응한 정도를 의미한다. 즉, NaOH(aq) 20 mL를 가할 때 [HA] : $[A^-]$=4 : 1이므로, 중화 반응이 $\frac{1}{5}$ 진행된다. 따라서 x M HA(aq) 80 mL를 완전히 중화시키는 데 필요한 0.8 M NaOH(aq)의 부피는 100 mL이다. 중화 반응의 양적 관계 ($n_1V_1M_1=n_2V_2M_2$)를 이용해 x를 구하면 다음과 같다.

$1\times x\times80=1\times0.8\times100,\ x=1$

ㄴ. (가)에서 pH가 3이므로 HA(aq)의 이온화 평형 상태에서 $[H_3O^+]=[A^-]=1\times10^{-3}$ M이다.

	$HA(aq)+H_2O(l)$ ⇌	$A^-(aq)$	$+H_3O^+(aq)$
반응 전(M)	1	0	0
반응(M)	-1×10^{-3}	$+1\times10^{-3}$	$+1\times10^{-3}$
평형(M)	$1-1\times10^{-3}$	1×10^{-3}	1×10^{-3}

$$K_a=\frac{(1\times10^{-3})^2}{1-(1\times10^{-3})}\fallingdotseq\frac{(1\times10^{-3})^2}{1}=1\times10^{-6}$$

| 바로알기 | ㄷ. HA는 이온화 상수가 작은 약산이므로, HA의 짝염기 A^-은 수용액에서 가수 분해하여 OH^-을 생성한다. A^-의 이온화 상수(K_b)$=\frac{K_w}{K_a}=\frac{1\times10^{-14}}{1\times10^{-6}}=1\times10^{-8}$이므로, A^-과 물의 반응에서 생성된 OH^-의 몰 농도를 a M이라고 하면 양적 관계는 다음과 같다.

	$A^-(aq)+H_2O(l)$ ⇌	$HA(aq)$	$+OH^-(aq)$
반응 전(M)	1	0	0
반응(M)	$-a$	$+a$	$+a$
평형(M)	$1-a$	a	a

$$K_b=\frac{a^2}{1-a}\fallingdotseq a^2=1\times10^{-8},\ a=1\times10^{-4}$$

$[OH^-]=1\times10^{-4}$ M이고 25 °C에서 $[H_3O^+][OH^-]=1\times10^{-14}$이므로 $[H_3O^+]=1\times10^{-10}$ M이다.

따라서 $\frac{[OH^-]}{[H_3O^+]}=\frac{1\times10^{-4}}{1\times10^{-10}}=1\times10^6$이다.

05

| 선택지 분석 |

ㄱ. 25 °C에서 HA의 이온화 상수(K_a)는 $2000a^2$이다. (×) $4000a^2$

ㄴ. 염기의 세기는 B^-이 A^-보다 강하다. (○)

ㄷ. pH는 HB(aq)이 HA(aq)의 2배이다. (×) 같다

ㄴ. HA(aq)의 부피가 50 mL이고 수용액 속 H_3O^+의 양(mol)이 a몰이므로 이온화 평형 상태에서 $[H_3O^+]=[A^-]=20a\left(=\frac{a}{0.05}\right)$ M이다. HA는 약산으로 이온화 정도가 매우 작으므로, 이온화 평형 상태에서 [HA]는 초기 농도와 같은 0.1 M이라고 할 수 있다. 따라서 이온화 상수는 다음과 같다.

$$\text{HA의 }K_a=\frac{[A^-][H_3O^+]}{[HA]}=\frac{(20a)^2}{0.1}=4000a^2$$

HB(aq)의 부피가 100 mL이고 수용액 속 H_3O^+의 양(mol)이 $2a$몰이므로 이온화 평형 상태에서 $[H_3O^+]=[B^-]=20a$ M이다. 또, HB도 약산이므로 이온화 평형 상태에서 [HB]는 초기 농도와 같은 0.2 M이라고 할 수 있다.

$$\text{HB의 }K_a=\frac{[B^-][H_3O^+]}{[HB]}=\frac{(20a)^2}{0.2}=2000a^2$$

산의 세기는 이온화 상수가 큰 HA가 HB보다 강하므로 그 짝염기의 세기는 B^-이 A^-보다 강하다.

| 바로알기 | ㄱ. HA의 K_a는 $4000a^2$이다.

ㄷ. HA(aq)과 HB(aq) 속 $[H_3O^+]$는 모두 $20a$ M이므로 pH는 HA(aq)과 HB(aq)이 같다.

06 꼼꼼 문제 분석

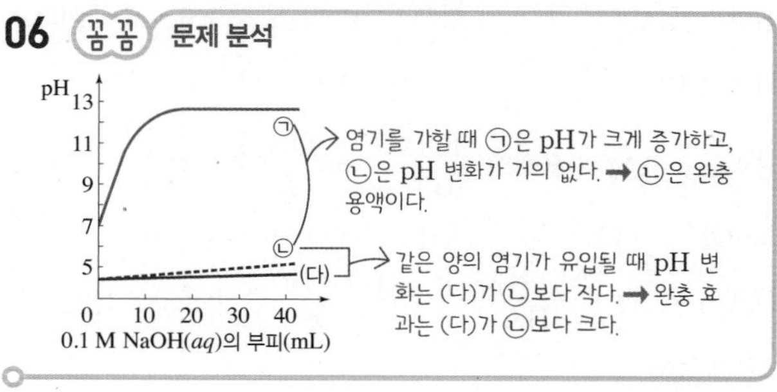
pH
13
11
9
7
5
㉠
㉡
(다)
0 10 20 30 40
0.1 M NaOH(aq)의 부피(mL)
염기를 가할 때 ㉠은 pH가 크게 증가하고, ㉡은 pH 변화가 거의 없다. → ㉡은 완충 용액이다.
같은 양의 염기가 유입될 때 pH 변화는 (다)가 ㉡보다 작다. → 완충 효과는 (다)가 ㉡보다 크다.

| 선택지 분석 |

ㄱ. ㉡은 용액 (나)이다.

ㄴ. 완충 용액의 농도가 클수록 완충 효과가 크다.

~~ㄷ~~. 용액 ㉡에 $NaOH(aq)$ 대신 $HCl(aq)$을 넣으면 pH가 크게 감소한다. 크게 감소하지 않고 거의 일정하다

ㄱ. 염기를 가할 때 ㉡은 pH 변화가 거의 없으므로 완충 용액이다. 따라서 ㉡은 약산과 그 짝염기의 혼합 용액인 (나)이다.

ㄴ. 완충 효과는 (다)가 (나)보다 크므로 완충 용액의 농도가 클수록 완충 효과가 크다.

| 바로알기 | ㄷ. 용액 ㉡은 완충 용액이므로 염기 대신 산 수용액을 소량 넣어도 pH는 거의 일정하게 유지된다.

07

| 선택지 분석 |

~~① 0.001~~ ~~② 0.01~~ ③ 0.1 ~~④ 1~~ ~~⑤ 10~~

$K_w=[H_3O^+][OH^-]=1.0\times10^{-14}$(25 °C)

$$\frac{[OH^-]}{[H_3O^+]}=\frac{[OH^-][OH^-]}{[H_3O^+][OH^-]}=\frac{[OH^-]^2}{K_w}$$

• 0.01 M $BOH(aq)$: $\frac{[OH^-]}{[H_3O^+]}=\frac{[OH^-]^2}{K_w}=\frac{[OH^-]^2}{1.0\times10^{-14}}$ $=1.0\times10^{10}$이므로, $[OH^-]=0.01$ M이다. 즉, 염기 BOH는 녹은 용질이 모두 이온화하므로 강염기이다. 따라서 B^+은 가수 분해하지 않는다.

• 0.1 M $BA(aq)$: $\frac{[OH^-]}{[H_3O^+]}>1$로 수용액이 염기성이므로 음이온인 A^-이 가수 분해했다.

$A^-(aq)+H_2O(l) \rightleftharpoons HA(aq)+OH^-(aq)$

이 이온화 평형에서 생성된 $[OH^-]$는 다음과 같다.

$$\frac{[OH^-]}{[H_3O^+]}=\frac{[OH^-]^2}{K_w}=1.0\times10^4,\ [OH^-]=1.0\times10^{-5}\text{ M}$$

$$A^-\text{의 } K_b=\frac{[HA][OH^-]}{[A^-]}=\frac{(1.0\times10^{-5})^2}{0.1}=1.0\times10^{-9}$$

• x M $HA(aq)$: HA의 K_a와 그 짝염기의 K_b 사이에는 $K_a=\frac{K_w}{K_b}$ 관계가 성립한다. HA의 짝염기 A^-의 $K_b=1.0\times10^{-9}$이므로 HA의 $K_a=\frac{1.0\times10^{-14}}{1.0\times10^{-9}}=1.0\times10^{-5}$이다.

$HA(aq)$ x M 수용액의 $\frac{[OH^-]}{[H_3O^+]}=\frac{[OH^-]^2}{K_w}=1.0\times10^{-8}$이므로 $[OH^-]=1.0\times10^{-11}$ M이고, $[H_3O^+]=1.0\times10^{-3}$이다.

$$HA\text{의 } K_a=\frac{[A^-][H_3O^+]}{[HA]}=\frac{(1.0\times10^{-3})^2}{x}=1.0\times10^{-5}\text{ M},$$

$x=0.1$(M)

08 꼼꼼 문제 분석

$HA(aq)$ 100 mL + 0.1 M $NaOH(aq)$ 100 mL → 완전 중화 → $HA(aq)$ 0.1 M

용액	부피(mL)		pH
	$HA(aq)$	$NaOH(aq)$	
(가)	150	0	x
(나)	100	50	5
(다)	75	75	y

(나): $\frac{[A^-]}{[HA]}=1$ → 절반 중화

(다): $HA(aq)+NaOH(aq) \longrightarrow H_2O(l)+NaA(aq)$ (완전 중화, A^- 가수 분해)

| 선택지 분석 |

ㄱ. $x=3$이다.

ㄴ. (나)는 완충 용액이다. HA : A^- = 1 : 1로 존재

ㄷ. $y>7$이다. A^-이 가수 분해하여 OH^- 생성

ㄱ. HA의 K_a는 1.0×10^{-5}이고, (나)에서 pH가 5이므로 $[H_3O^+]=1.0\times10^{-5}$ M이다. 따라서 $HA(aq)$ 100 mL와 0.1 M $NaOH(aq)$ 50 mL를 혼합한 (나)에서는 다음 관계식이 성립한다.

$$K_a=\frac{[A^-][H_3O^+]}{[HA]}=\frac{[A^-]\times10^{-5}}{[HA]}=1.0\times10^{-5},\ \frac{[A^-]}{[HA]}=1$$

즉, 중화 반응하고 남은 HA와 중화 반응으로 생성된 A^-의 양(mol)이 같으므로, (나)는 중화 반응이 절반 진행된 용액이다. 따라서 $HA(aq)$ 100 mL를 완전 중화시키는 데 필요한 0.1 M $NaOH(aq)$의 부피는 100 mL이므로, 중화 반응의 양적 관계를 이용하여 $HA(aq)$의 몰 농도 M를 구하면 다음과 같다.

$1\times M\times100=1\times0.1\times100,\ M=0.1$ M

(가)에서 0.1 M $HA(aq)$이 평형을 이룰 때 $[H_3O^+]=[A^-]$를 a M이라고 하면 다음과 같다.

$$K_a=\frac{[A^-][H_3O^+]}{[HA]}=\frac{a^2}{0.1}=1.0\times10^{-5},\ a^2=1.0\times10^{-6}$$

따라서 $a=[H_3O^+]=1.0\times10^{-3}$ M이므로 pH는 3이다.

즉, 용액 (가)에서 $x=3$이다.

다른 풀이 약산에서 $[H_3O^+]=C\alpha$, $\alpha=\sqrt{\frac{K_a}{C}}$이므로 $[H_3O^+]=\sqrt{CK_a}$이다. 따라서 $[H_3O^+]=\sqrt{0.1\times1\times10^{-5}}=10^{-3}$ M이므로 pH=3이다.

ㄴ. (나)는 $HA(aq)$ 50 mL와 $NaOH(aq)$ 50 mL가 중화 반응하여 염 NaA를 생성하고, 혼합 용액에는 중화 반응하지 않은 $HA(aq)$ 50 mL가 남아 있다. 따라서 약산인 HA와 그 짝염기 A^-이 1 : 1의 몰비로 혼합된 완충 용액이다.

ㄷ. (다)는 농도가 같은 $HA(aq)$과 $NaOH(aq)$이 같은 부피로 혼합된 용액이므로 중화 반응이 완결된 용액이다. 이때 생성된 염 NaA이 수용액에 존재하며, 약산의 음이온인 A^-이 가수 분해하여 OH^-을 생성하므로 용액의 액성은 염기성(pH>7)이다. 따라서 $y>7$이다.

Ⅲ. 반응 속도와 촉매

1 반응 속도

01 반응 속도

개념 확인 문제 238쪽

❶ 빠른 ❷ 느린 ❸ 반응 속도 ❹ 평균 반응 속도 ❺ 순간 반응 속도 ❻ 접선 ❼ 순간

1 (1) 빠른 (2) 느린 (3) 느린 (4) 빠른 **2** (1) 이산화 탄소 (2) ㉠ 감소 ㉡ 질량 (3) 감소 **3** 0.8 mL/s **4** (1) ○ (2) ○ (3) × **5** (1) 0.1 M/s (2) $v_1 > v_2$

1 (1), (4) 불꽃놀이나 앙금 생성 반응은 빠른 반응의 예이다.
(2), (3) 석회 동굴의 생성 반응이나 철의 부식 반응은 느린 반응의 예이다.

2 (1) 충분한 양의 묽은 염산에 탄산 칼슘을 넣어 반응시키면 염화 칼슘과 물이 생성되고, 이산화 탄소 기체가 발생하여 솜을 빠져나간다.

$CaCO_3(s) + 2HCl(aq) \longrightarrow CaCl_2(aq) + H_2O(l) + CO_2(g)$

(2), (3) 이 반응에서 일정 시간 동안 발생하는 이산화 탄소 기체의 질량은 점점 감소하다가 0이 된다. 따라서 일정 시간 동안 감소한 반응 용기의 질량 변화량으로 반응의 빠르기를 나타낼 수 있다.

3 10초에서 30초 사이에 발생한 B 기체의 부피는 16(=46−30) mL이므로 반응 속도는 $\frac{16\ mL}{20\ s} = 0.8\ mL/s$이다.

4 (1) 반응 속도는 일정 시간 동안 감소한 반응물의 양이나 증가한 생성물의 양으로 나타낼 수 있다.
(2) 반응 속도는 항상 양의 값을 갖는다. 그런데 반응물의 농도 변화량은 음의 값을 나타내므로 반응물의 농도 변화량을 이용하여 반응 속도를 나타낼 때에는 앞에 '−'를 붙여 양의 값을 갖게 만든다.
(3) 반응 속도는 $\frac{\text{물질의 농도 변화량}}{\text{시간}}$이므로 반응 속도의 단위는 M/s 또는 M/min이다.

5 (1) 10초에서 30초 사이에 생성물 $B(g)$의 농도 변화량은 2 M이므로 평균 반응 속도는 $\frac{2\ M}{20\ s} = 0.1\ M/s$이다.
(2) 반응이 진행될수록 접선의 기울기가 감소하므로 순간 반응 속도는 점점 느려진다. 따라서 접선의 기울기가 더 큰 v_1이 v_2보다 더 크다.

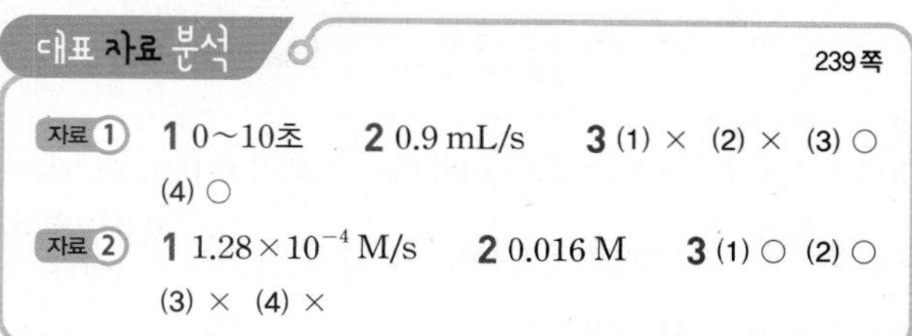

대표 자료 분석 239쪽

자료 ① **1** 0~10초 **2** 0.9 mL/s **3** (1) × (2) × (3) ○ (4) ○

자료 ② **1** 1.28×10^{-4} M/s **2** 0.016 M **3** (1) ○ (2) ○ (3) × (4) ×

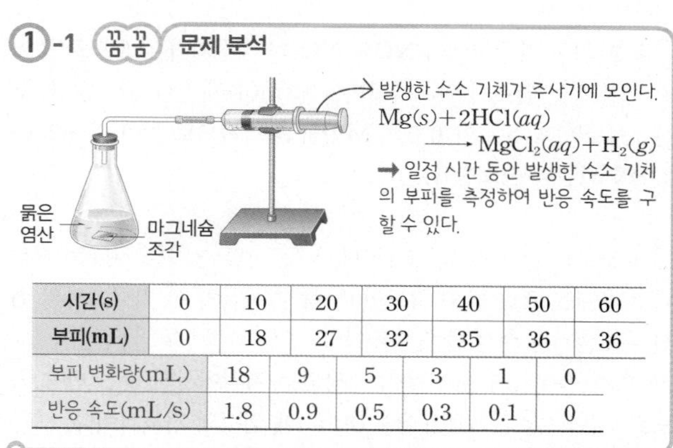

①-1 꼼꼼 문제 분석

발생한 수소 기체가 주사기에 모인다.
묽은 염산
마그네슘 조각

$Mg(s) + 2HCl(aq) \longrightarrow MgCl_2(aq) + H_2(g)$
➡ 일정 시간 동안 발생한 수소 기체의 부피를 측정하여 반응 속도를 구할 수 있다.

시간(s)	0	10	20	30	40	50	60
부피(mL)	0	18	27	32	35	36	36

부피 변화량(mL)	18	9	5	3	1	0
반응 속도(mL/s)	1.8	0.9	0.5	0.3	0.1	0

시간이 지날수록 10초 단위의 구간에서 발생하는 수소 기체의 부피가 점점 감소하므로 반응 속도는 반응 초기인 0~10초 구간에서 가장 빠르다.

①-2 10초~20초 구간에서 수소 기체 9 mL가 발생하므로 반응 속도는 $\frac{9\ mL}{10\ s} = 0.9\ mL/s$이다.

①-3 (1) 이 실험에서 반응 속도는 단위 시간 동안 발생하는 수소 기체의 부피를 측정하여 구한다.
(2) 일정 시간 동안 발생하는 수소 기체의 부피는 점점 감소한다. 따라서 시간이 지날수록 반응 속도가 점점 느려진다.
(3) 일정 시간 동안 발생하는 수소 기체의 부피가 점점 감소하므로 일정 시간 동안 묽은 염산 속 수소 이온(H^+)의 농도 변화량은 점점 감소한다.
(4) 50초 이후에는 발생하는 수소 기체의 부피가 0이 되므로 반응 속도는 점차 느려지다 50초 이후에 0이 된다.

②-1 꼼꼼 문제 분석

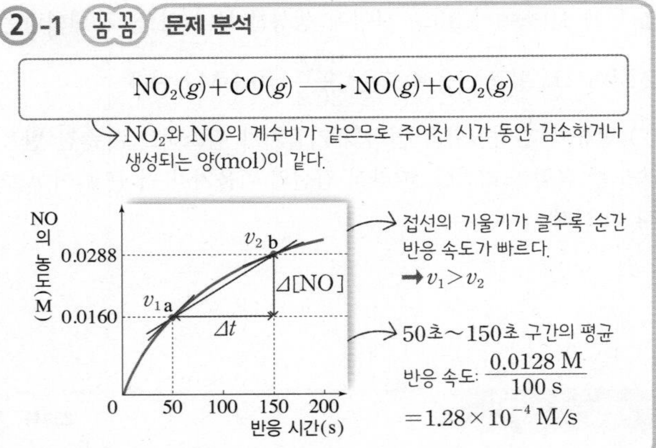

$NO_2(g)+CO(g) \longrightarrow NO(g)+CO_2(g)$
NO_2와 NO의 계수비가 같으므로 주어진 시간 동안 감소하거나 생성되는 양(mol)이 같다.
NO의 농도(M)
0.0288
0.0160
v_2 b
v_1 a
Δ[NO]
Δt
0 50 100 150 200
반응 시간(s)
접선의 기울기가 클수록 순간 반응 속도가 빠르다.
➡ $v_1 > v_2$
50초~150초 구간의 평균 반응 속도: $\frac{0.0128\text{ M}}{100\text{ s}}$
$=1.28\times10^{-4}$ M/s

50초~150초 구간에서 NO(g)의 농도 변화량은 0.0128 M(= 0.0288 M−0.0160 M)이므로 평균 반응 속도는 $\frac{0.0128\text{ M}}{100\text{ s}}$ $=1.28\times10^{-4}$ M/s이다.

②-2 화학 반응식에서 NO와 NO_2의 계수비가 같으므로 주어진 시간 동안 감소하거나 생성되는 양(mol)이 같다. 0~50초 구간에서 NO의 농도가 0.016 M만큼 증가하므로 NO_2의 농도는 0.016 M만큼 감소한다.

②-3 (1) 시간-농도 그래프에서 두 지점 사이를 지나는 직선의 기울기는 평균 반응 속도이고, 특정 시간의 한 지점에서의 접선의 기울기는 순간 반응 속도이다.
(2) 초기 반응 속도는 반응이 시작되는 지점에서의 순간 반응 속도로, 시간-농도 그래프에서 0초일 때 접선의 기울기이다.
(3) 반응이 진행될수록 접선의 기울기가 감소하므로 반응 속도는 점점 감소한다.
(4) 50초에서의 순간 반응 속도는 50초에서 접선의 기울기에 해당하므로 0~50초 사이의 평균 반응 속도인 $\frac{0.0160}{50}$ M/s보다 작다.

내신 만점 문제

240쪽~241쪽

01 ⑤	02 ④	03 ⑤	04 ①	05 해설 참조
06 ③	07 ⑤	08 ⑤	09 ④	

01 철의 부식(가)이나 종이의 변색(나)은 느린 반응에 해당하고, 강철 솜의 연소(다)나 염산과 수산화 나트륨의 중화 반응(라)은 빠른 반응에 해당한다.

02 ㄴ. 평균 반응 속도가 가장 큰 구간은 발생한 수소 기체의 부피 증가량이 가장 큰 0~20초일 때이다.
ㄷ. 반응이 진행될수록 20초 단위의 구간에서 발생한 수소 기체의 부피가 점점 감소하므로 반응 속도는 점점 느려진다.
바로알기 ㄱ. 수용액 속 염화 이온(Cl^-)은 반응에 참여하지 않으므로 농도가 변하지 않고 일정하다.

03 ① 반응 속도는 항상 양의 값으로 나타낸다.
②, ③ 반응 속도는 반응물이나 생성물의 양의 변화량으로 나타내고, 측정한 양을 시간으로 나누어 계산하므로 반응 속도의 단위는 mL/s, M/s 등으로 나타낸다.
④ 초기 반응 속도는 반응이 시작되는 지점, 즉 $t=0$에서의 순간 반응 속도이다.
바로알기 ⑤ 평균 반응 속도는 시간-농도 그래프에서 두 점을 지나는 직선의 기울기로 구할 수 있다.

[04~05] 꼼꼼 문제 분석

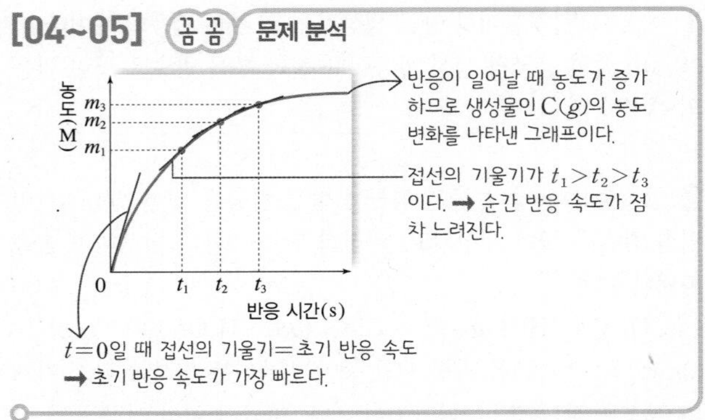

농도(M)
m_3
m_2
m_1
0 t_1 t_2 t_3
반응 시간(s)
반응이 일어날 때 농도가 증가하므로 생성물인 C(g)의 농도 변화를 나타낸 그래프이다.
접선의 기울기가 $t_1>t_2>t_3$이다. ➡ 순간 반응 속도가 점차 느려진다.
$t=0$일 때 접선의 기울기=초기 반응 속도
➡ 초기 반응 속도가 가장 빠르다.

ㄱ. 반응 시간에 따라 농도가 점점 증가하므로 그래프의 세로축은 생성물인 C(g)의 농도이다.
바로알기 ㄴ. 초기 반응 속도는 $t=0$일 때 접선의 기울기이다. $\frac{m_1}{t_1}$은 0~t_1초 사이의 평균 반응 속도이다.
ㄷ. t_2에서의 순간 반응 속도는 t_2에서의 접선의 기울기이다. $\frac{m_3-m_1}{t_3-t_1}$은 t_1초~t_3초 구간의 평균 반응 속도이다.

05 모범답안 $t_1>t_2>t_3$, 순간 반응 속도는 각 시각에서의 접선의 기울기에 해당하므로 순간 반응 속도는 t_1에서가 가장 빠르고 시간이 지날수록 점차 느려진다.

채점 기준	배점
순간 반응 속도의 크기를 옳게 비교하고, 그 까닭을 옳게 서술한 경우	100 %
순간 반응 속도의 크기만 옳게 비교한 경우	40 %

06 꼼꼼 문제 분석

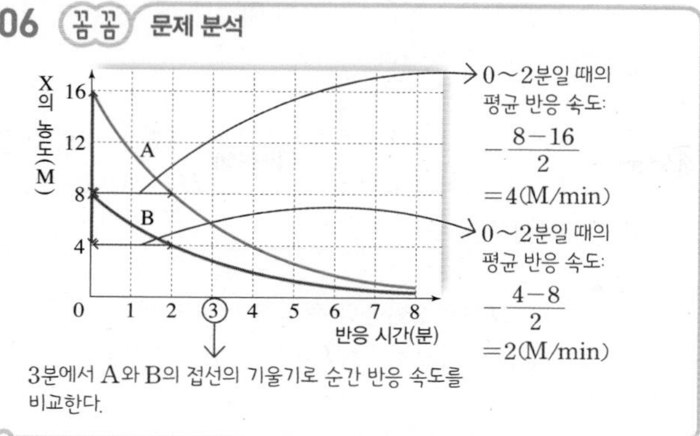

ㄱ. 초기 반응 속도는 그래프의 기울기가 더 큰 A가 B보다 크다.

ㄴ. 0~2분일 때의 평균 반응 속도는 A의 경우 4 M/분이고, B의 경우 2 M/분이다. 따라서 A가 B의 2배이다.

바로알기 ㄷ. 3분에서의 순간 반응 속도는 접선의 기울기에 해당하므로 B가 A보다 작다.

07 꼼꼼 문제 분석

시간(분)	0	10	20	30	40
O_2의 농도 (M)	0.000	0.021	0.036	0.043	0.047
농도 변화량 (M)	0.021	0.015	0.007	0.004	

→ 단위 시간당 O_2의 발생량은 점점 감소한다.

ㄱ. 시간이 지남에 따라 단위 시간당 생성물인 O_2의 농도 변화량이 감소하는 것으로 보아 단위 시간당 O_2의 발생량은 감소한다.

ㄴ. 20분~30분일 때의 평균 반응 속도는 $\frac{(0.043-0.036)\text{ M}}{(30-20)\text{분}}$ $=0.0007$ M/분이다.

ㄷ. 화학 반응식에서 NO_2와 O_2의 계수비가 4 : 1이므로 같은 시간 동안 농도 변화량은 NO_2가 O_2의 4배이다.

08

ㄱ. 화학 반응식에서 N_2와 H_2의 계수비가 1 : 3이므로 N_2 1 mol이 반응할 때 같은 시간 동안 H_2는 3 mol이 반응하여 NH_3를 생성한다. 따라서 같은 시간 동안 N_2와 H_2의 농도가 감소하는 속도비도 1 : 3이다.

ㄴ. 화학 반응식에서 N_2와 NH_3의 계수비가 1 : 2이므로 N_2 1 mol이 충분한 양의 H_2와 반응할 때 같은 시간 동안 NH_3 2 mol이 생성된다. 따라서 같은 시간 동안의 농도 변화량은 NH_3가 N_2의 2배이다.

ㄷ. 반응 속도(v)$=-\frac{\Delta[H_2]}{3\Delta t}=\frac{\Delta[NH_3]}{2\Delta t}$이므로 $v=-\frac{2\Delta[H_2]}{\Delta t}=\frac{3\Delta[NH_3]}{\Delta t}$로도 나타낼 수 있다.

09 꼼꼼 문제 분석

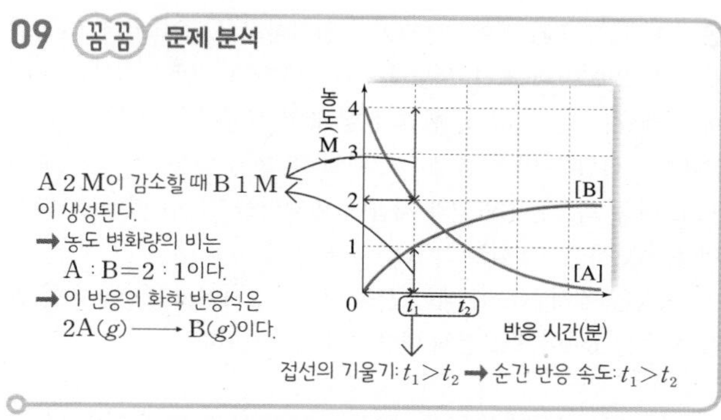

농도(M)
[B]
[A]
반응 시간(분)
A 2 M이 감소할 때 B 1 M이 생성된다.
→ 농도 변화량의 비는 A : B=2 : 1이다.
→ 이 반응의 화학 반응식은 2A(g) ⟶ B(g)이다.
접선의 기울기: $t_1>t_2$ → 순간 반응 속도: $t_1>t_2$

ㄱ. A가 2 M 감소할 때 B는 1 M 생성되므로 화학 반응식의 계수비는 a : b=2 : 1이다.

ㄷ. t_1~t_2에서 A의 농도 감소량은 1 M, B의 농도 증가량은 0.5 M이므로 평균 반응 속도는 A가 B의 2배이다. 즉, A의 농도 감소 속도는 B의 농도 증가 속도의 2배이다.

바로알기 ㄴ. t_1과 t_2에서의 순간 반응 속도는 각 점에서의 접선의 기울기에 해당하므로 순간 반응 속도는 t_1에서가 t_2에서보다 크다.

02 반응 속도식/활성화 에너지

개념 확인 문제

244쪽

❶ 반응 속도식 ❷ $k[A]^m[B]^n$ ❸ 반응 속도 상수 ❹ 농도 ❺ 2차 ❻ 1차 ❼ 3차 ❽ 반감기 ❾ 정비례 ❿ 일정

1 $v=k[B]$ **2** (1) × (2) ○ (3) × **3** (1) $v=k[NO]^2[O_2]$ (2) 3차 **4** (1) ○ (2) ○ (3) × **5** (1) 1차 반응 (2) 1/s($=s^{-1}$) (3) 2초 (4) 0.025 M

1 aA+bB ⟶ cC의 반응에서 [A]를 일정하게 하고 [B]를 2배로 할 때 반응 속도가 2배가 되므로 이 반응의 반응 속도는 B의 농도에 정비례한다. 즉, 이 반응에서 B에 대한 반응 차수는 1차이다. 또, [B]를 일정하게 하고 [A]를 2배로 할 때 반응 속도의 변화가 없었으므로 이 반응의 반응 속도는 A의 농도에 영향을 받지 않는다. 즉, 이 반응에서 A에 대한 반응 차수는 0차이다. 따라서 반응 속도식은 $v=k[B]$이다.

2 (1) 반응 속도(v)는 A와 B의 농도에 비례한다.
(2) 반응 속도 상수는 반응의 종류, 온도에 의해서 변한다.
(3) 반응 속도 상수의 단위는 반응 차수에 따라 달라진다.

3 (1) 실험 Ⅰ과 Ⅱ에서 [NO]가 일정하고 $[O_2]$가 실험 Ⅱ가 실험 Ⅰ의 2배일 때 초기 반응 속도가 2배이므로 반응 속도는 $[O_2]$에 비례함을 알 수 있다. 한편 실험 Ⅱ와 Ⅲ에서 $[O_2]$가 일정하고 [NO]가 실험 Ⅲ이 실험 Ⅱ의 2배일 때 초기 반응 속도가 4배이므로 반응 속도는 [NO]의 제곱에 비례함을 알 수 있다. 따라서 반응 속도식은 $v=k[NO]^2[O_2]$이다.
(2) 이 반응에서 NO에 대한 반응 차수는 2차이고, O_2에 대한 반응 차수는 1차이므로 전체 반응 차수는 3차이다.

4 (1) 1차 반응에서 반응 속도는 반응물의 농도에 정비례하므로 반응물의 농도가 진할수록 빠르다.
(2) 1차 반응에서 반응 속도는 반응물의 농도에 정비례하므로 반응물의 농도에 따른 반응 속도 그래프에서 기울기가 반응 속도 상수(k)이다.
(3) 1차 반응의 반감기는 반응물의 초기 농도와 관계없이 항상 일정하다.

5 (1) 이 반응은 시간이 지남에 따라 A의 농도가 일정한 비율로 감소하므로 A에 대한 1차 반응이다.
(2) 이 반응은 1차 반응이므로 반응 속도 상수(k)의 단위는 $1/s(=s^{-1})$이다.
(3) 농도가 절반이 되는 데 2초가 걸리므로 반감기는 2초이다.
(4) 6초에서의 농도는 0.05 M이므로 다음 반감기인 8초에서 0.025 M이 된다.

개념 확인 문제 247쪽

❶ 유효 충돌 ❷ 활성화 에너지 ❸ 활성화 ❹ 활성화물 ❺ 느리 ❻ 정반응 ❼ 역반응

1 (1) × (2) ○ (3) × **2** (1) × (2) × (3) × (4) ○
3 174.6 kJ **4** −41 kJ **5** (1) × (2) ○ (3) ○

1 (1) 화학 반응이 일어나기 위해서는 충분한 에너지를 가진 입자들이 적합한 방향으로 충돌해야 한다.
(2) 활성화 에너지는 화학 반응이 일어나기 위해 필요한 최소한의 에너지로, 반응물과 생성물 사이에 넘어야 하는 에너지 장벽이라고 할 수 있다.
(3) ΔH는 활성화 에너지에 관계없이 일정하다.

2 (1) 활성화 상태는 에너지가 가장 높은 상태이다. (가)는 반응물이다.
(2) E_a가 낮아져도 ΔH는 변하지 않는다.
(3) 반응 속도 상수가 변해도 ΔH는 변하지 않는다.
(4) 이 반응은 발열 반응으로 정반응의 활성화 에너지보다 역반응의 활성화 에너지가 더 크다.

3 반응엔탈피(ΔH)=정반응의 활성화 에너지(E_a)−역반응의 활성화 에너지(E_a')이므로 $E_a'=E_a-\Delta H=(184-9.4)$ kJ$=174.6$ kJ이다.

4 반응엔탈피(ΔH)=정반응의 활성화 에너지(E_a)−역반응의 활성화 에너지(E_a')이므로 $\Delta H=E_a-E_a'=(248-289)$ kJ$=-41$ kJ이다.

5 (1) 흡열 반응의 경우에는 활성화 에너지에 반응엔탈피(ΔH) 값이 포함되므로 정반응의 활성화 에너지가 항상 ΔH보다 크다. 그러나 발열 반응의 경우에는 정반응의 활성화 에너지에 ΔH 값이 포함되지 않으므로 정반응의 활성화 에너지와 $|\Delta H|$ 값을 비교할 수 없다.
(2) 발열 반응이므로 일단 반응이 진행되면 방출한 에너지의 일부가 반응하지 못한 분자들의 활성화 에너지로 쓰일 수 있다.
(3) 역반응의 활성화 에너지(E_a')=정반응의 활성화 에너지(E_a)$-\Delta H$이므로 $E_a'=210$ kJ$-(-180$ kJ$)=390$ kJ이다.

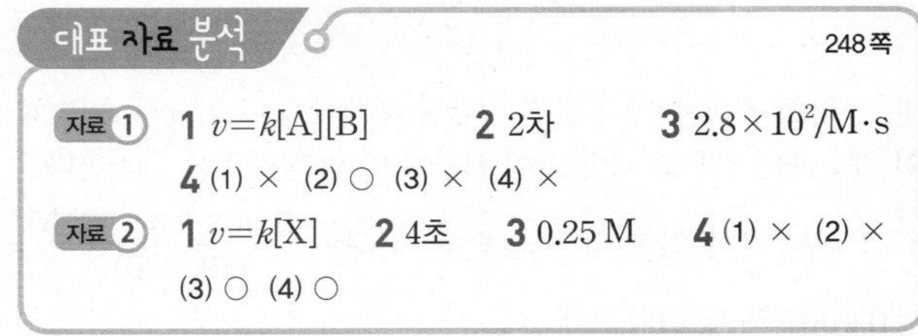

대표 자료 분석 248쪽

자료 ① **1** $v=k[A][B]$ **2** 2차 **3** 2.8×10^2/M·s
4 (1) × (2) ○ (3) × (4) ×
자료 ② **1** $v=k[X]$ **2** 4초 **3** 0.25 M **4** (1) × (2) ×
(3) ○ (4) ○

①-1 꼼꼼 문제 분석

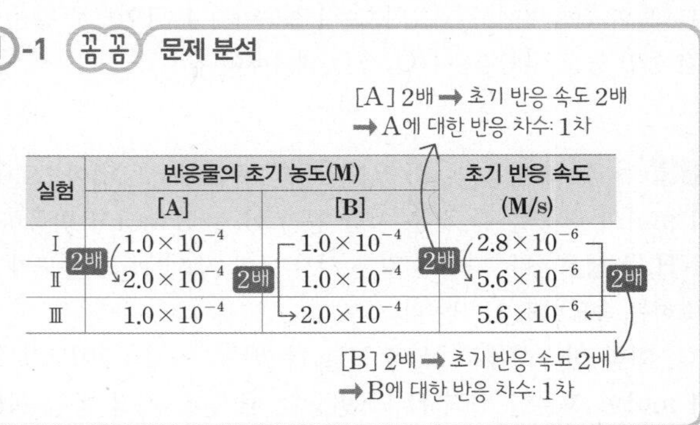

실험	반응물의 초기 농도(M) [A]	반응물의 초기 농도(M) [B]	초기 반응 속도 (M/s)
Ⅰ	1.0×10^{-4}	1.0×10^{-4}	2.8×10^{-6}
Ⅱ	2.0×10^{-4}	1.0×10^{-4}	5.6×10^{-6}
Ⅲ	1.0×10^{-4}	2.0×10^{-4}	5.6×10^{-6}

반응 속도식을 $v=k[A]^m[B]^n$이라고 할 때, 실험 Ⅰ과 Ⅱ를 비교하면 [B]가 일정하고 [A]가 2배 증가할 때 초기 반응 속도가 2배 빨라지므로 이 반응은 A에 대한 반응 차수가 1차이다. 즉, $m=1$이다. 또, 실험 Ⅰ과 Ⅲ을 비교하면 [A]가 일정하고 [B]가 2배 증가할 때 초기 반응 속도가 2배 빨라지므로 이 반응은 B에

대한 반응 차수가 1차이다. 즉 $n=1$이다.
따라서 $v=k[A][B]$이다.

①-2 A와 B에 대한 반응 차수가 각각 1차이므로 전체 반응 차수는 2차이다.

①-3 $v=k[A][B]$에 실험 I의 값을 넣으면 $k\times(1.0\times10^{-4}\ M)^2=2.8\times10^{-6}\ M/s$이므로 $k=2.8\times10^2/M\cdot s$이다.

①-4 (1) 반응 속도식에서 반응 차수는 반응식의 계수와 다르며, 실험을 통해서만 구할 수 있다.
(2) 이 반응의 반응 속도는 [B]에 비례하므로 B에 대하여 1차 반응이다.
(3) 이 반응은 A와 B에 대하여 각각 1차 반응이므로 A와 B의 농도를 각각 2배로 하면 초기 반응 속도는 4배 빨라진다.
(4) 반응 속도 상수(k)는 반응물 농도의 영향을 받지 않으므로 A와 B의 농도가 변해도 달라지지 않는다.

②-1 꼼꼼 문제 분석

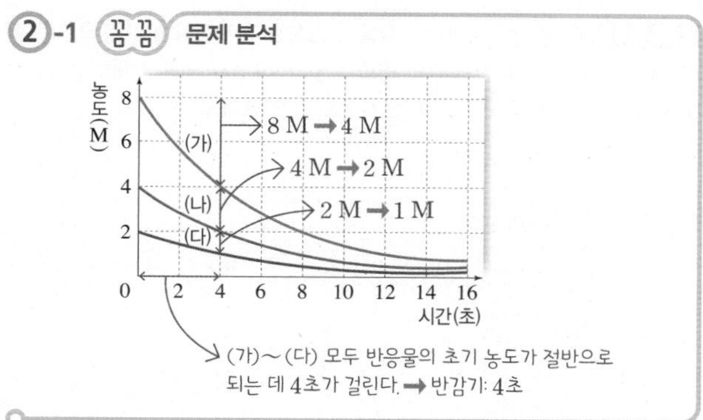

반응물의 초기 농도에 관계없이 반응물의 농도가 시간에 따라 일정한 비율로 감소하므로 이 반응은 1차 반응이다. 따라서 반응 속도식은 $v=k[X]$이다.

②-2 (가)~(다) 모두 반응물의 초기 농도가 절반으로 줄어드는 데 4초가 걸리므로 반감기는 4초이다.

②-3 (다)의 반감기가 4초이고 초기 농도가 2 M이므로 4초에서 1 M, 8초에서 0.5 M, 12초에서 0.25 M이다.

②-4 (1) (가)~(다)는 반감기가 4초로 일정한 1차 반응으로, 반응 차수는 (가)~(다)가 모두 같다.
(2) (나)에서 시간이 지나도 반감기는 4초로 일정하다.
(3) $X(g) \longrightarrow Y(g)$ 반응은 X의 초기 농도에 관계없이 X의 농도가 시간에 따라 일정한 비율로 감소하므로 1차 반응이다.
(4) $X(g) \longrightarrow Y(g)$ 반응은 1차 반응이므로 반응 속도가 반응물의 농도에 비례한다.

내신 만점 문제

249쪽~251쪽

01 ④	02 ③	03 ③	04 ④	05 ③	06 ⑤
07 ④	08 ④	09 ①	10 ②	11 ①	12 ③

01 ① 실험 Ⅰ과 Ⅱ에서 A의 농도가 같을 때 B의 농도가 1.2배가 되어도 초기 반응 속도가 변하지 않으므로 이 반응은 B에 대한 0차 반응이다. 실험 Ⅱ와 Ⅲ에서 B의 농도가 같을 때 A의 농도가 3배가 되면 초기 반응 속도가 3배가 되므로 A에 대한 1차 반응이다. 따라서 반응 속도식은 $v=k[A]$이다.
② 실험 Ⅲ에서 A의 농도가 0.60 M일 때 반응 속도는 0.060 M/s이므로 실험 Ⅳ에서 A의 농도가 0.70 M일 때의 반응 속도 x는 0.070 M/s이다.
③ 반응 속도식은 $v=k[A]$로 B에 대해 0차 반응이므로 B의 농도를 증가시켜도 반응 속도는 변하지 않는다.
⑤ 이 반응은 1차 반응이므로 반응 속도 상수(k)의 단위는 $s^{-1}(=1/s)$이다.
바로알기 ④ 반응 속도 상수는 농도의 영향을 받지 않으며, 온도의 영향을 받는데, 온도가 일정하므로 실험 Ⅰ과 Ⅲ에서 반응 속도 상수는 같다.

02 ㄱ. 실험 Ⅰ과 Ⅱ에서 B의 농도가 일정할 때, A의 농도를 2배로 하면 초기 반응 속도가 2배가 되므로 A에 대한 반응 차수는 1차이다. 실험 Ⅱ와 Ⅲ에서 A의 농도가 일정할 때, B의 농도를 2배로 하면 초기 반응 속도가 4배가 되므로 B에 대한 반응 차수는 2차이다. 따라서 전체 반응 차수는 3차이다.
ㄴ. 반응 속도식은 $v=k[A][B]^2$이므로 실험 Ⅰ의 농도와 반응 속도를 대입하면 반응 속도 상수 k는 $0.05\ M/s=k\times0.5\ M\times(0.5\ M)^2$에서 $k=0.4\ M^{-2}\cdot s^{-1}$이다.
바로알기 ㄷ. 반응 용기의 부피가 2배로 되면 각 물질의 농도는 $\frac{1}{2}$배가 되므로 반응 속도는 $\frac{1}{8}$배가 된다. 따라서 실험 Ⅲ에서 반응 용기의 부피를 2배로 하면 초기 반응 속도는 0.05 M/s가 된다.

03 ㄱ. 순간 반응 속도는 그래프에서 주어진 시간에서의 접선의 기울기에 해당하므로 1분일 때가 2분일 때보다 크다. 또한 이 반응은 1차 반응으로, 반응 속도가 반응물의 농도에 비례하므로 [A]가 큰 1분일 때가 2분일 때보다 순간 반응 속도도 크다.
ㄴ. 3분일 때 A의 몰 농도는 $1.2\times\left(\frac{1}{2}\right)^3=0.15\ M$이고, 이때 반응한 A의 몰 농도는 1.05 M이다. 화학 반응식에서 A와 B의 계수비는 1 : 2이므로 생성된 B의 몰 농도는 $2\times1.05\ M=2.1\ M$로 A의 14배이다.

바로알기 ㄷ. A의 반감기가 1분이므로 초기 농도가 1.6 M이면 1분일 때 0.8 M, 2분일 때 0.4 M, 3분일 때 0.2 M, 4분일 때 0.1 M이다.

04 반응 속도가 [A]에 비례하므로 이 반응은 1차 반응이다. 따라서 반응 속도식은 $v=k[A]$이다.
ㄴ. T_1에서 [A]=0.2 M일 때 v=0.8 M/s이다. T_1에서의 반응 속도 상수를 k_1이라고 하면 $k_1=\frac{v}{[A]}$이므로 $k_1=\frac{0.8\ M/s}{0.2\ M}$ =4/s이다.
T_2에서 [A]=0.2 M일 때 v=0.4 M/s이다. T_2에서의 반응 속도 상수를 k_2라고 하면 $k_2=\frac{v}{[A]}$이므로 $k_2=\frac{0.4\ M/s}{0.2\ M}$=2/s이다. 따라서 T_1에서의 반응 속도 상수 k_1은 T_2에서의 반응 속도 상수 k_2의 2배이다.
ㄷ. 농도가 같을 때 초기 반응 속도는 T_2일 때가 T_1일 때의 $\frac{1}{2}$배이다. 따라서 반감기는 T_2일 때가 T_1일 때의 2배이다.
바로알기 ㄱ. 반응 속도식은 $v=k[A]$이다.

05 꼼꼼 문제 분석

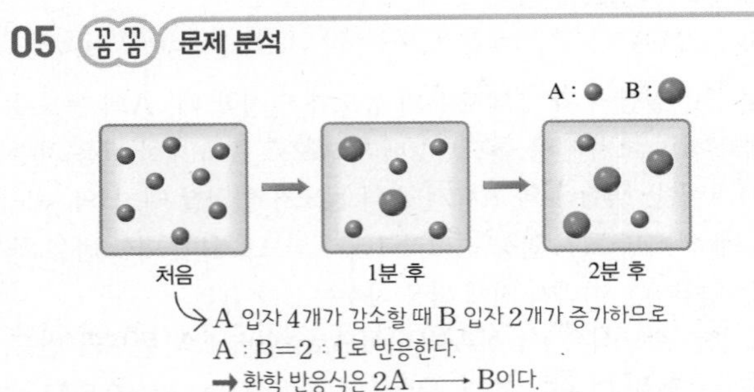

A : ● B : ●
처음
1분 후
2분 후
A 입자 4개가 감소할 때 B 입자 2개가 증가하므로
A : B=2 : 1로 반응한다.
➡ 화학 반응식은 2A ⟶ B이다.

시간에 따른 입자 수 변화를 나타내면 다음과 같다.

입자 수 \ 시간(분)	0	1	2
A	8	4	2
B	0	2	3

A의 초기 입자 수가 절반이 되는 데 걸리는 시간이 1분이다. ➡ 반감기: 1분

ㄱ. 반응물인 A의 농도가 절반이 되는 반감기가 1분이므로 이 반응은 1차 반응이다. 따라서 전체 반응 차수는 1차이다.
ㄷ. A의 초기 농도를 2배로 하여도 반응 속도 상수(k)는 변하지 않는다. k는 반응의 종류, 온도에 따라 달라지며 농도에 영향을 받지 않는다.
바로알기 ㄴ. 화학 반응식은 2A ⟶ B이므로 반응 속도(v)= $-\frac{1}{2}\frac{\Delta[A]}{\Delta t}=\frac{\Delta[B]}{\Delta t}$이다. 따라서 B의 단위 시간당 농도 변화량은 A의 농도 변화량의 $\frac{1}{2}$배이다.

06 꼼꼼 문제 분석

표는 시간에 따른 A와 B의 농도 및 농도 변화량을 나타낸 것이다.

A와 B의 계수비가 2 : 1이므로 A의 농도 변화량은 B의 2배이다.

농도(M) \ 시간(분)	0	t	$2t$	$3t$
A	2.0	1.0	0.5	0.25
Δ[A]		−1	−0.5	−0.25
B	0	0.5	0.75	0.875
Δ[B]		+0.5	+0.25	+0.125

A의 초기 농도가 절반이 되는 데 걸리는 시간이 t분(반감기: t분)으로 일정하다. ➡ 1차 반응

ㄱ. 1차 반응이므로 반응 속도가 A의 농도에 비례한다.
ㄴ. 반감기가 t분이므로 t분일 때 A의 농도는 1.0 M이다.
ㄷ. t분일 때 농도는 A가 1.0 M, B와 C가 각각 0.5 M이고, $3t$분일 때 농도는 A가 0.25 M, B와 C가 각각 0.875 M이다. 따라서 혼합 기체의 농도는 t분일 때와 $3t$분일 때 모두 2 M로 같다.

다른 풀이 화학 반응식에서 반응물과 생성물의 계수의 합이 같으므로 화학 반응 전과 후 기체 입자 수의 변화가 없다. 따라서 혼합 기체의 농도는 t분일 때와 $3t$분일 때 모두 A의 초기 농도인 2 M과 같다.

07 꼼꼼 문제 분석

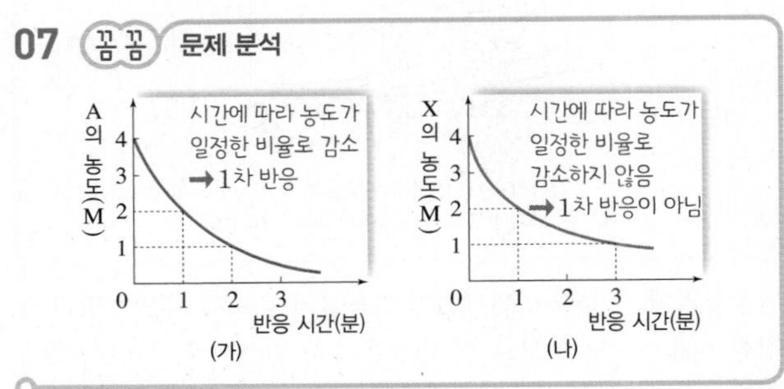

ㄴ. 0~1분에서 반응물인 A와 X의 농도 변화량은 2 M로 같으므로 0~1분에서 평균 반응 속도는 (가)와 (나)가 같다.
ㄷ. A의 초기 농도를 2 M로 하여 반응시켰을 때 2분 후는 반감기를 2회 지나므로 A의 농도는 0.5 M이 된다. A와 B의 계수비가 같고 반응한 A의 농도 변화량이 1.5 M(=2.0 M−0.5 M)이므로 생성된 B의 농도도 1.5 M이다.
X의 초기 농도를 2 M로 하여 반응시켰을 때 2분 후 농도 변화는 그래프 (나)에서 3분이 경과했을 때의 X의 농도와 같은 1 M이다. 즉, 1분~3분에서 반응한 X의 농도 변화량은 1 M이고 X와 Y의 계수비가 2 : 1이므로 생성된 Y의 농도는 0.5 M이다. 따라서 생성물의 농도는 [B]가 [Y]의 3배이다.
바로알기 ㄱ. (가)는 반감기가 1분으로 일정한 1차 반응이고, (나)는 반감기가 일정하지 않으므로 1차 반응이 아니다. 따라서 $m+n$은 2가 아니다.

08 꼼꼼 문제 분석

그림에서 (가)와 (나)에서의 시간에 따른 X의 농도([X])는 다음과 같다.

시간(초)		0	5	10	15	20	25	30
X의 농도 (M)	(가)	$\frac{1}{2}$	–	–	$\frac{1}{4}$	–	–	$\frac{1}{8}$
	(나)	2	–	1	–	$\frac{1}{2}$	–	$\frac{1}{4}$

(가): 반감기 15초로 일정 → 1차 반응

(나): 반감기 10초로 일정 → 1차 반응 → 반응 속도식 $v=k[X]$

(가)와 (나)는 시간에 따라 [X]가 감소하는 비율이 일정한 1차 반응이다. 동일한 농도에 대해 반응 속도는 반감기의 역수와 같다. (가)의 반감기는 15초, (나)의 반감기는 10초이므로 반응 속도는 동일한 농도에 대해 (나)가 (가)의 1.5배이고, 반응 속도 상수도 (나)가 (가)의 1.5배이다.

09 꼼꼼 문제 분석

시간(분)	0	1	2	3	4
A의 농도 (M)	2.0	1.75	1.50 x	1.25	1.0
농도 변화량 (M)	0.25	0.25	0.25	0.25	

→ 1분 동안의 농도 감소량이 0.25 M로 일정하다.

ㄱ. A의 농도는 1분당 0.25 M만큼 일정하게 감소하므로 2분에서의 x는 1분에서의 농도인 1.75 M에서 0.25 M이 감소한 1.5(M)이다.

바로알기 ㄴ. 이 반응은 A의 농도에 관계없이 1분 동안의 농도 감소량이 0.25 M로 일정하다. 즉, 반응 속도가 농도의 영향을 받지 않는다. 반응 속도가 A의 농도에 비례하는 반응은 1차 반응으로 농도가 시간에 따라 일정한 비율로 감소한다.

ㄷ. 이 반응은 A의 농도에 관계없이 반응 속도가 일정한 0차 반응이므로 반응 속도(v)는 k로 일정하다. 0차 반응의 반응 속도식 $v=k$이므로 k의 단위는 M/분이다.

10 ㄴ. 유효 충돌이 일어나려면 반응이 일어나기에 적합한 방향과 활성화 에너지보다 큰 에너지를 가져야 하므로 활성화 에너지보다 작은 에너지를 가진 입자인 경우 방향이 맞아도 유효 충돌이 일어나지 않는다.

바로알기 ㄱ. 활성화 에너지보다 큰 에너지를 가진 입자들이 충돌하더라도 반응이 일어나려면 적합한 방향으로 충돌이 일어나야 한다.

ㄷ. 활성화 에너지가 클수록 활성화물이 되기 위해 필요한 에너지가 크므로 반응할 수 있는 입자 수가 적어 반응 속도가 느리다.

11 ㄱ. ΔH=(반응물의 결합 에너지 합)−(생성물의 결합 에너지 합)이다. HI가 분해되는 반응은 ΔH가 0보다 크므로 반응물의 결합 에너지 합은 생성물의 결합 에너지 합보다 크다.

바로알기 ㄴ. E_a는 농도, 온도 등의 영향은 받지 않으며, 촉매에 의해서만 변한다. 따라서 HI의 농도를 2배로 해도 E_a는 변하지 않는다.

ㄷ. 역반응의 활성화 에너지(E_a')$=E_a-\Delta H$이다. 따라서 $E_a'=184\ \text{kJ}-9.4\ \text{kJ}=174.6\ \text{kJ}$이다.

12 꼼꼼 문제 분석

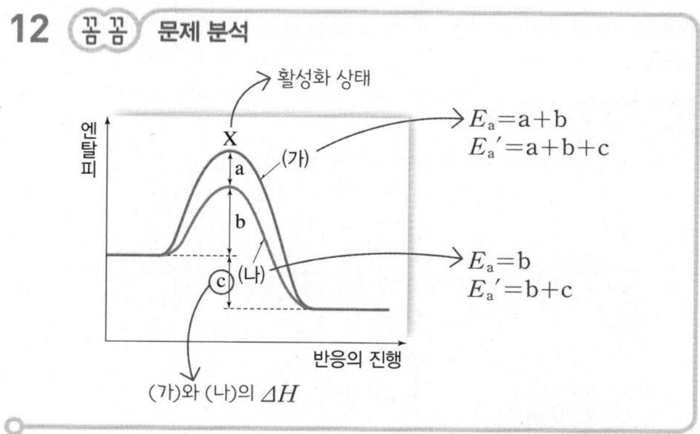

③ 역반응의 활성화 에너지(E_a')는 정반응의 활성화 에너지(E_a)$+\Delta H$이므로 (나)에서 역반응의 활성화 에너지는 정반응의 활성화 에너지 b와 반응엔탈피(ΔH) c를 더한 b+c이다.

바로알기 ① X는 에너지가 가장 높아 불안정한 활성화 상태이다.

② (가)에서 정반응의 활성화 에너지는 a+b이다.

④ (가)와 (나)는 활성화 에너지의 크기는 다르지만, ΔH의 크기는 c로 같다.

⑤ 반응물의 에너지가 생성물의 에너지보다 크므로 발열 반응이다. 따라서 반응이 진행되면 주위로 열을 방출하므로 주위의 온도가 높아진다.

중단원 핵심 정리 252쪽

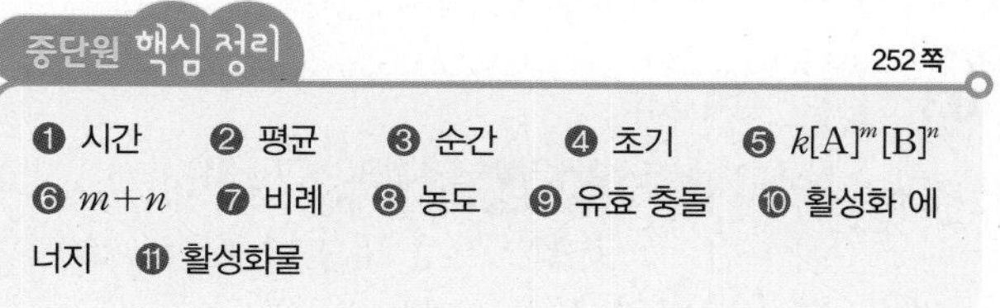

❶ 시간 ❷ 평균 ❸ 순간 ❹ 초기 ❺ $k[A]^m[B]^n$ ❻ $m+n$ ❼ 비례 ❽ 농도 ❾ 유효 충돌 ❿ 활성화 에너지 ⓫ 활성화물

중단원 마무리 문제 253쪽~256쪽

01 ⑤ 02 ④ 03 ③ 04 ② 05 ⑤ 06 ①
07 ⑤ 08 ⑤ 09 ③ 10 ③ 11 ② 12 ②
13 ① 14 ③ 15 해설 참조 16 해설 참조

01 ① 과일이 익는 것은 느린 반응이고, 나무의 연소는 빠른 반응으로 (가)는 (나)에 비해 느린 반응이다.

② 나무의 연소는 빠른 반응이므로 반응 결과를 바로 확인할 수 있다.

③ 석회 동굴이 생성되는 과정은 수천~수만 년이 걸리는 매우 느린 반응으로 (가)~(라) 중 가장 느린 반응이다.

④ 야광 팔찌를 꺾으면 빛이 나는 것은 빠른 반응이고, 과일이 익는 것은 느린 반응으로 (라)는 (가)에 비해 빠르게 일어난다.

바로알기 ⑤ (가)~(라)의 반응의 빠르기를 구분하는 것은 상대적으로 비교하여 구분한 것으로 객관적인 기준이 아니다.

02 꼼꼼 문제 분석

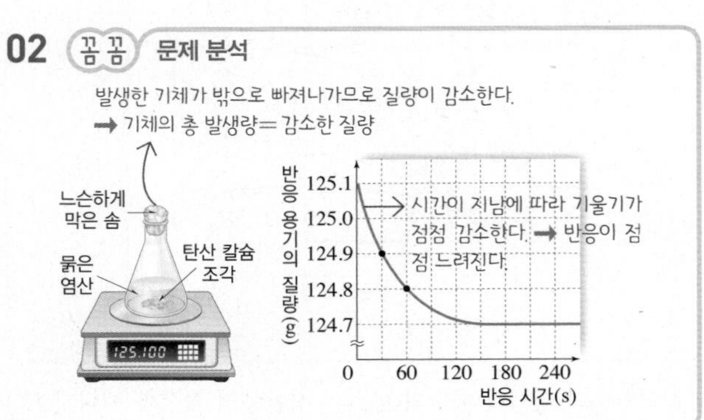
발생한 기체가 밖으로 빠져나가므로 질량이 감소한다.
➡ 기체의 총 발생량=감소한 질량
느슨하게 막은 솜
묽은 염산
탄산 칼슘 조각
125.100
반응 용기의 질량(g)
125.1
125.0
124.9
124.8
124.7
0
60
120
180
240
반응 시간(s)
시간이 지남에 따라 기울기가 점점 감소한다. ➡ 반응이 점점 느려진다.

ㄴ. 0~30초 구간에서의 질량 감소량은 0.2 g, 30초~60초 구간에서의 질량 감소량은 0.1 g으로 단위 시간당 질량 변화량이 점점 감소한다.

ㄷ. 평균 반응 속도는 $\frac{\text{반응 용기 전체의 질량 변화량}}{\text{시간 변화}}$이므로

0~30초일 때는 $\frac{(125.1-124.9)}{30}=\frac{1}{150}$(g/s)이고,

30초~60초일 때는 $\frac{(124.9-124.8)}{30}=\frac{1}{300}$(g/s)이다.

바로알기 ㄱ. 묽은 염산에 탄산 칼슘을 넣으면 $CaCO_3+2HCl \longrightarrow CaCl_2+H_2O+CO_2$의 중화 반응이 일어나 묽은 염산의 농도는 감소한다.

03 꼼꼼 문제 분석

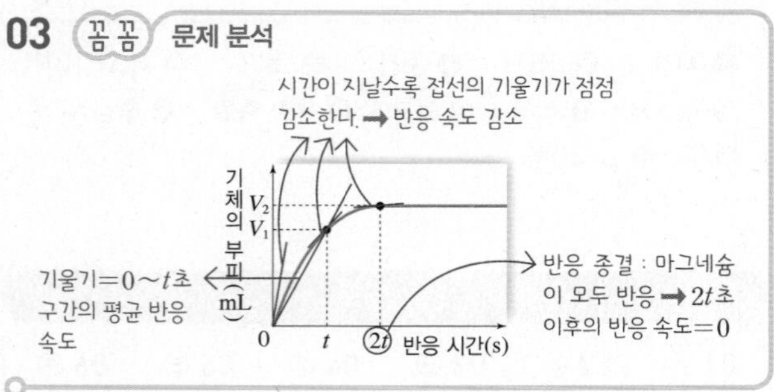
시간이 지날수록 접선의 기울기가 점점 감소한다. ➡ 반응 속도 감소
기체의 부피(mL)
V_2
V_1
0
t
$2t$
반응 시간(s)
기울기=0~t초 구간의 평균 반응 속도
반응 종결 : 마그네슘이 모두 반응 ➡ $2t$초 이후의 반응 속도=0

① 시간이 지날수록 일정한 시간 간격으로 발생하는 기체의 부피가 감소한다.

② 0~t초 동안 증가한 생성물의 양은 V_1이므로 0~t초일 때의 평균 반응 속도 $v=\frac{V_1}{t}$이다.

④ 특정 시간의 한 점에서의 접선의 기울기가 순간 반응 속도이다. t초, $2t$초에서 그은 접선의 기울기가 시간이 지날수록 점점 감소하므로 순간 반응 속도는 t초일 때가 $2t$초일 때보다 빠르다.

⑤ 마그네슘 조각의 질량이 2 g으로 일정하므로 충분한 양의 2 M 묽은 염산을 사용해도 발생하는 수소 기체의 부피(V_2)는 일정하다.

바로알기 ③ $2t$초 이후 생성물의 양에는 변화가 없으므로 반응 속도는 0이다.

04 꼼꼼 문제 분석

$\underset{1}{a}A(g)+\underset{3}{b}B(g) \longrightarrow \underset{2}{c}C(g)$ (a, b, c: 반응 계수)

시간(분)	기체의 농도(M)		
	[A]	[B]	[C]
0	0.100	0.200	0.000
t	0.090	0.170	0.020
$2t$	0.085	x 0.155	y 0.030

농도 변화량의 비가 A : B : C=1 : 3 : 2이다.

ㄷ. A의 농도 변화량으로 구한 평균 반응 속도는 0~t분일 때는 $\frac{0.010}{t}$이고, t분~$2t$분일 때는 $\frac{0.005}{t}$이므로 0~t분일 때가 t분~$2t$분일 때의 2배이다.

바로알기 ㄱ. 일정 시간 동안의 농도 변화량은 계수에 비례하므로 a=1, b=3, c=2임을 알 수 있다. 따라서 $a+b$는 c와 같지 않다.

ㄴ. t분~$2t$분일 때 A의 농도 감소량이 0.005 M이므로 B는 0.170 M에서 0.015 M 감소한 0.155 M이고, C는 0.020 M에서 0.010 M 증가한 0.030 M이다. 즉, x=0.155, y=0.030이므로 x는 $5y$가 아니다.

05 꼼꼼 문제 분석

실험	[A](M)	[B](M)	초기 반응 속도(M/s)
Ⅰ	1.0×10^{-1}	1.0×10^{-1}	2.5×10^{-2}
Ⅱ	1.0×10^{-1}	2.0×10^{-1}	5.0×10^{-2}
Ⅲ	2.0×10^{-1}	2.0×10^{-1}	2.0×10^{-1}

([A]: Ⅰ→Ⅱ 일정, Ⅱ→Ⅲ 2배 / [B]: Ⅰ→Ⅱ 2배, Ⅱ→Ⅲ 일정 / 초기 반응 속도: Ⅰ→Ⅱ 2배, Ⅱ→Ⅲ 4배)

ㄱ. 반응 속도식을 $v=k[A]^m[B]^n$이라고 하면

- 실험 Ⅰ, Ⅱ 비교 – [A] 일정, [B] 2배일 때 반응 속도는 $2(=2^1)$배 → B에 대한 1차 반응이므로 $n=1$
- 실험 Ⅱ, Ⅲ 비교 – [B] 일정, [A] 2배일 때 반응 속도는 $4(=2^2)$배 → A에 대한 2차 반응이므로 $m=2$

따라서 반응 속도식은 $v=k[A]^2[B]$이다.

ㄷ. A와 B의 농도를 각각 4.0×10^{-1} M로 하면 실험 Ⅲ과 비교하여 A와 B의 농도가 각각 2배가 된 것이므로 반응 속도는 실험 Ⅲ의 8배가 된다. 따라서 1.6 M/s이다.

바로알기 ㄴ. 반응 속도 상수는 농도에 의해 달라지지 않으므로 실험 Ⅰ, Ⅱ, Ⅲ에서 반응 속도 상수는 모두 같다.

06 X의 초기 농도가 절반이 되는 데 걸리는 시간은 3초로 일정하므로 이 반응은 X에 대한 1차 반응이다.

① 1차 반응이므로 반응 속도식은 $v=k[X]$이며, 반응 속도 상수의 단위는 1/s이다.

바로알기 ② 반응 속도 상수는 농도의 영향을 받지 않으므로 A, B, C에서 반응 속도 상수는 모두 같다.

③ 반응물의 농도가 절반이 되는 데 걸리는 시간은 3초로 일정하므로 반감기는 3초이다.

④ 3초일 때 접선의 기울기는 A에서 가장 크고 C에서 가장 작으므로 순간 반응 속도는 C에서 가장 작다.

⑤ X에 대한 1차 반응이므로 반응 속도는 X의 농도에 정비례한다.

07 꼼꼼 문제 분석

(가)는 A의 농도가 절반이 되는 데 20초가 걸린다. → 반감기: 20초

반응	화학 반응식	반응물의 농도(M) $t=0$	반응물의 농도(M) $t=20$초	반응 속도식	반응 차수
(가)	A → P	0.8	0.4	$v=k_1[A]$	1차
(나)	B → Q	2.0	0.5	$v=k_2[B]$	1차

(나)는 B의 농도가 $\frac{1}{4}$이 되는 데 20초가 걸렸으므로 절반이 되는 데는 10초가 걸린다. → 반감기: 10초

ㄱ. (가)와 (나)는 모두 1차 반응으로 (가)의 반감기는 20초이고, (나)의 반감기는 10초이다. 따라서 반감기는 (가)가 (나)의 2배이다.

ㄴ. 반응 속도 상수는 반감기에 반비례하므로 k_2는 k_1보다 크다.

ㄷ. $t=40$초일 때 (가)는 반감기가 2번 진행되어 농도는 $0.2\text{ M}\left(=0.8\times\left(\frac{1}{2}\right)^2\right)$이고, (나)는 반감기가 4번 진행되어 농도는 $0.125\text{ M}\left(=2.0\times\left(\frac{1}{2}\right)^4\right)$이므로 (가)가 (나)보다 크다.

08 ㄱ. 그래프에서 반응 속도는 A의 농도에 정비례하므로 A에 대한 1차 반응이다. 실험 Ⅱ에서 A의 농도는 실험 Ⅰ의 2배이고, B의 농도는 $\frac{1}{2}$배인데 반응 속도가 실험 Ⅰ과 같으므로 B에 대한 1차 반응이다. 따라서 반응 속도식은 $v=k[A][B]$이다.

ㄴ. 이 반응은 A에 대한 1차 반응이므로 실험 Ⅰ과 Ⅲ에서 B의 농도가 일정할 때 A의 농도를 3배하면 반응 속도는 3배가 된다. 따라서 $a=0.6$ M/초이다.

ㄷ. A에 대한 1차 반응, B에 대한 1차 반응으로 전체 반응 차수는 2차이므로, 반응 속도 상수의 단위는 1/M·초($M^{-1}\cdot s^{-1}$)이다.

09 꼼꼼 문제 분석

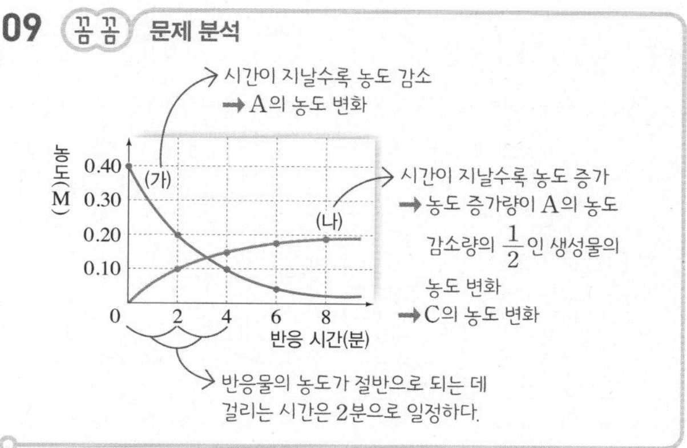

ㄱ. 반감기가 2분인 1차 반응이므로 반응 속도식은 $v=k[A]$이다. 즉, 반응 속도는 A의 농도에 정비례한다.

ㄷ. 화학 반응식에서 A와 B의 계수비가 같으므로 같은 시간 동안 A의 농도 감소량과 B의 농도 증가량은 같다.

반감기가 2분이므로 A의 농도 변화는 다음과 같다.

$$0.40\text{ M} \xrightarrow{2\text{분 후}} 0.20\text{ M} \xrightarrow{2\text{분 후}} 0.10\text{ M} \xrightarrow{2\text{분 후}} 0.05\text{ M} \xrightarrow{2\text{분 후}} 0.025\text{ M}$$

즉, 8분 동안 A의 농도가 (0.40−0.025) M만큼 감소한다. 생성물인 B는 A가 감소한 만큼 생성되므로 8분일 때 B의 농도는 0.375 M이다.

바로알기 ㄴ. (가)는 시간이 지날수록 농도가 감소하므로 A의 농도 변화이다. (나)는 시간이 지날수록 농도가 증가하므로 생성물의 농도 변화이다. 그런데 (나)의 농도 증가량은 A의 농도 감소량의 $\frac{1}{2}$이므로 C의 농도 변화를 나타낸 것이다.

10 ㄱ. 0~10초에서 감소한 X의 농도 변화량을 x M이라 하면 10초일 때 X와 Y의 농도는 다음과 같다.

	$X(g)$ ⟶	$2Y(g)$
초기(M)	4	0
반응(M)	$-x$	$+2x$
10초(M)	$4-x$	$2x$

이때 Y의 몰 분율이 $\frac{6}{7}$이므로 $\frac{2x}{(4-x)+2x}=\frac{6}{7}$, $x=3$이다.

따라서 10초일 때 X의 농도는 1 M이고, Y의 농도는 6 M이다. $X(g)$의 농도가 0~10초에서 4 M → 1 M로 감소하므로 반감기는 5초이다.

ㄷ. X의 반감기는 5초이므로 20초일 때에는 반감기가 4번 지난 후이므로 X의 농도는 0.25 M이다. 10초~20초에서 X의 농도는 1 M에서 0.25 M로 0.75 M 감소하므로 평균 반응 속도는 0.075 M/초이다.

바로알기 ㄴ. 20초일 때 X의 농도는 0.25 M이다.

11 꼼꼼 문제 분석

그래프의 자료를 시간에 따른 A의 농도로 변환하여 표로 나타내면 다음과 같다.

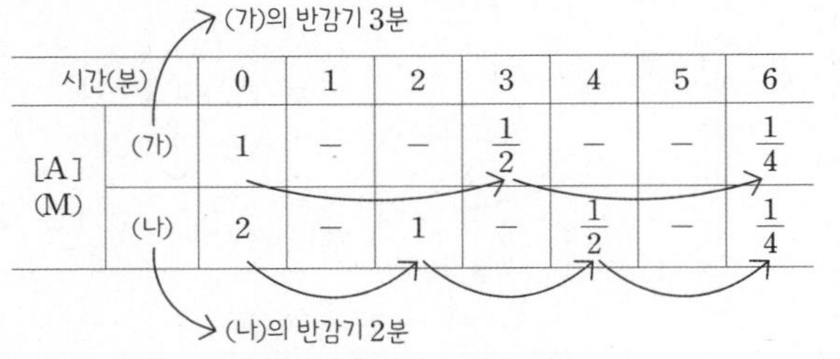

시간(분)		0	1	2	3	4	5	6
[A] (M)	(가)	1	–	–	$\frac{1}{2}$	–	–	$\frac{1}{4}$
	(나)	2	–	1	–	$\frac{1}{2}$	–	$\frac{1}{4}$

ㄴ. (가)와 (나)에서 반감기가 일정하므로 A에 대한 1차 반응이고, 반감기는 (가)에서 3분, (나)에서 2분이다. 이때 반응 속도 상수는 반감기에 반비례하므로 반응 속도 상수는 (나)가 (가)보다 크다.

바로알기 ㄱ. A의 초기 농도는 (가)에서 1 M이고 (나)에서 2 M이므로 (가)가 (나)의 $\frac{1}{2}$배이다.

ㄷ. 초기 농도가 1 M인 (가)와 초기 농도가 2 M로 (가)의 2배인 (나)의 농도가 6분일 때 같아졌으므로 12분일 때 A의 농도는 (가)가 (나)의 2배가 된다.

12 꼼꼼 문제 분석

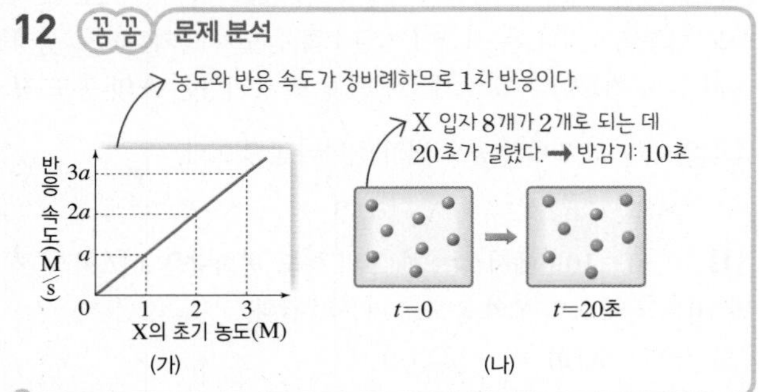

이 반응은 초기 반응 속도가 X의 농도에 정비례하는 1차 반응이고, 반감기는 10초이다.

ㄷ. (나)에서 X가 반응하여 Y가 생성될 때 전체 양(mol)은 변하지 않으므로 화학 반응식에서 반응물과 생성물의 계수는 같다. 10초일 때 X의 농도는 절반이 되므로 0.5 M이 되고, 생성된 Y의 농도도 0.5 M이다.

바로알기 ㄱ. $x=y$이다.

ㄴ. $v=k[\mathrm{X}]$이므로 $[\mathrm{X}]=1(\mathrm{M})$일 때 $v=a(\mathrm{M/s})$를 대입하면 반응 속도 상수 $k=a(\mathrm{s^{-1}})$이다.

13 꼼꼼 문제 분석

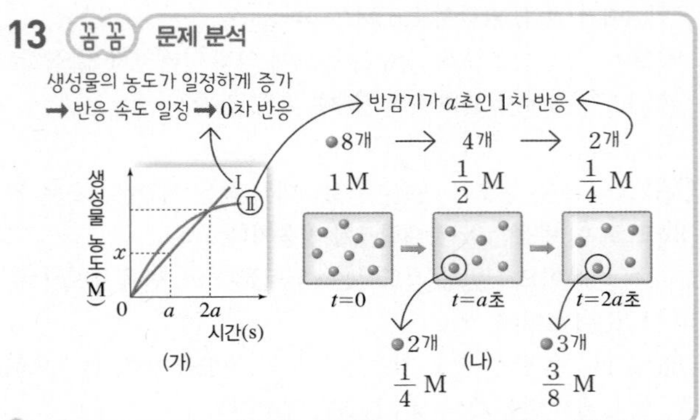

ㄱ. Ⅰ은 시간이 지남에 따라 생성물의 농도가 일정하게 증가하므로 반응 속도가 반응물의 농도에 관계없이 일정한 반응이다. 이러한 반응을 0차 반응이라고 한다. (나)에서 반응물은 a초마다 농도가 절반이 되므로 반감기가 a초인 1차 반응이고, (가)의 Ⅱ에 해당한다.

바로알기 ㄴ. (나)는 반감기가 a초인 1차 반응이다. 따라서 Ⅱ에 해당한다.

ㄷ. (나)에서 $2a$초일 때 생성물의 농도가 $\frac{3}{8}$ M(=0.375 M)이므로 x는 $\frac{3}{16}$ M이다.

14 ㄱ. (가)는 활성화 상태로 반응물의 결합 일부가 끊어지고 생성물의 결합 일부가 형성된 매우 불안정한 상태이다.

ㄷ. ΔH는 E_a에 관계없이 일정하다.

바로알기 ㄴ. E_a는 반응물의 농도의 영향을 받지 않는다.

15 꼼꼼 문제 분석

A와 B의 반응 몰비는 2 : 1이므로 온도 T_1과 T_2에서 시간에 따른 A의 농도는 다음과 같다.

시간(분)		0	2	4	6	8
B의 농도(M)	T_1	0	0.23	0.40	0.52	0.60
	T_2	0	0.40	0.60	a	0.75
A의 농도(M)	T_1	1.6	1.14	0.80	0.56	0.40
	T_2	1.6	0.80	0.40	0.20	0.10

(T_1: 반감기 4분, T_2: $\frac{1}{2}$, $\frac{1}{2}$ ➔ 반감기 2분)

이 반응은 반감기가 일정한 1차 반응으로 반응 속도식은 $v=k[\mathrm{A}]$이다.

모범답안 (1) T_2에서 반감기가 2분이므로 6분일 때 A는 0.2 M이다. A와 B의 반응 몰비가 2 : 1이므로, 6분 동안 A가 1.40(=1.60−0.20) M 반응하면 B는 0.7 M 생성된다.

(2) $k_1 : k_2 = 1 : 2$, 1차 반응이므로 반응 속도 상수(k)는 반감기에 반비례하고, T_1과 T_2에서의 반감기는 각각 4분과 2분이므로 $k_1 : k_2 = 1 : 2$이다.

채점 기준		배점
(1)	a를 옳게 구하고 풀이 과정을 옳게 서술한 경우	50 %
	a만 옳게 구한 경우	20 %
(2)	k_1과 k_2의 비를 옳게 쓰고, 그 까닭을 옳게 서술한 경우	50 %
	k_1과 k_2의 비만 옳게 구한 경우	20 %

16 모범답안 $\frac{2}{5}$, A의 양(mol)을 1몰로 가정하고 $0 \sim 20$초에서 반응한 A의 양을 $2x$몰이라고 하면, 생성된 B의 양은 x몰이다. 20초일 때 A의 몰 분율이 $\frac{1-2x}{(1-2x)+x} = \frac{2}{3}$이므로, $x = \frac{1}{4}$이다. 즉, 20초일 때 A의 양이 0.5몰이므로 반감기가 20초이다. 따라서 40초일 때 A의 양은 0.25몰이고, A의 몰 분율은 $\frac{0.25}{0.25+0.375} = \frac{2}{5}$이다.

채점 기준	배점
몰 분율과 반감기를 포함한 풀이 과정을 옳게 서술한 경우	100 %
몰 분율을 옳게 구하였으나, 풀이 과정이 미흡한 경우	50 %
몰 분율만 옳게 구한 경우	20 %

수능 실전 문제

257쪽~259쪽

01 ③	02 ⑤	03 ④	04 ⑤	05 ⑤	06 ④
07 ④	08 ②	09 ⑤	10 ②	11 ②	12 ③

01 꼼꼼 문제 분석

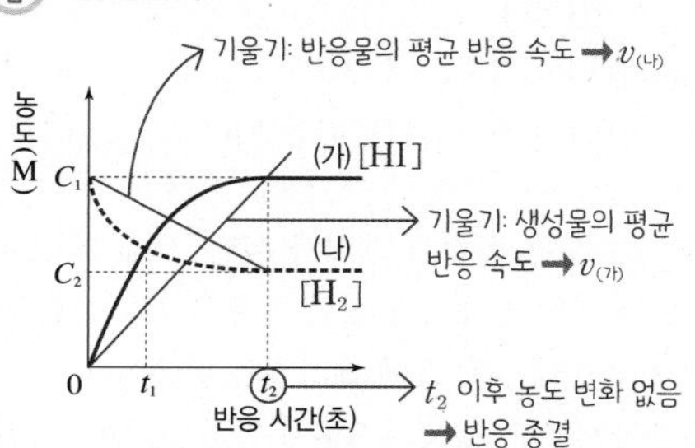

선택지 분석

ㄱ. $C_1 = 2C_2$이다.
ㄴ. $0 \sim t_1$에서 I_2의 농도 변화량은 (가)와 같다. (나)
ㄷ. t_1에서 접선의 기울기의 절댓값은 (가)에서가 (나)에서의 2배이다.

(가)는 농도가 점점 증가하므로 생성물인 [HI]의 변화이고, (나)는 농도가 점점 감소하므로 반응물인 [H_2]의 변화이다.

ㄱ. $H_2(g) + I_2(g) \longrightarrow 2HI(g)$ 반응에서 계수비는 $H_2 : I_2 : HI = 1 : 1 : 2$이므로 증가한 생성물의 농도는 감소한 반응물의 농도의 2배이다. $C_1 = 2(C_1 - C_2)$이므로, $C_1 = 2C_2$이다.

다른 풀이 반응 속도 $v = -\frac{[H_2]}{\Delta t} = \frac{1}{2}\frac{[HI]}{\Delta t}$이다. 따라서 반응 속도 $v = -\frac{C_2 - C_1}{t_2} = \frac{1}{2}\frac{C_1}{t_2}$이므로 $C_1 = 2C_2$이다.

ㄷ. $C_1 = 2C_2$이므로 HI의 생성 속도는 H_2의 감소 속도의 2배로, 접선의 기울기인 순간 반응 속도는 (가)에서가 (나)에서의 2배이다. 따라서 t_1에서 접선의 기울기의 절댓값은 (가)에서가 (나)에서의 2배이다.

바로알기 ㄴ. H_2와 I_2이 1 : 1의 몰비로 반응하므로 H_2와 I_2의 농도 변화량은 같다. 따라서 $0 \sim t_1$에서 I_2의 농도 변화량은 (나)와 같다.

02 꼼꼼 문제 분석

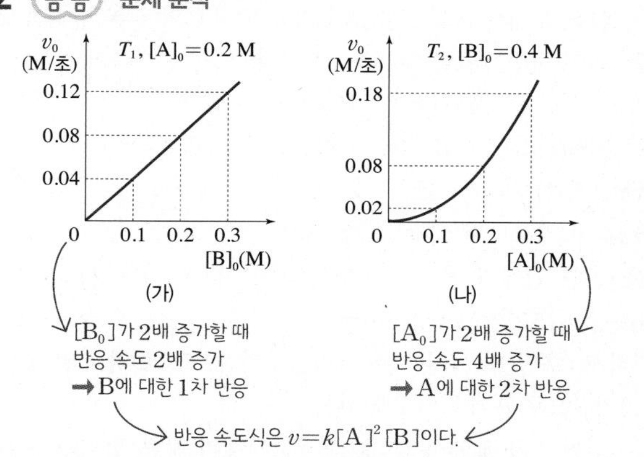

선택지 분석

ㄱ. 전체 반응 차수는 3차이다.
ㄴ. T_1일 때 반응 속도 상수(k)는 10 $L^2/mol^2 \cdot s$이다.
ㄷ. 반응 속도 상수는 T_1에서가 T_2에서보다 크다.

ㄱ. A에 대한 반응 차수는 2차이고, B에 대한 반응 차수는 1차이므로 전체 반응 차수는 3차이다.

ㄴ. 온도가 T_1인 (가)에서 $[A]_0$가 0.2 M, $[B]_0$가 0.1 M일 때 v_0가 0.04 M/초이므로, 이를 $v = k[A]^2[B]$에 대입하여 T_1일 때의 k를 구한다.

0.04 M/초 $= k \times (0.2\ M)^2 \times 0.1$ M

$\therefore k = 10/M^2 \cdot$초 $= 10\ L^2/mol^2 \cdot s$

ㄷ. 온도가 T_2인 (나)에서 $[A]_0$가 0.1 M, $[B]_0$가 0.4 M일 때 v_0가 0.02 M/초이므로, 이를 $v = k[A]^2[B]$에 대입하여 T_2일 때의 k를 구한다.

0.02 M/초 $= k \times (0.1\ M)^2 \times 0.4$ M

$\therefore k = 5/M^2 \cdot$초 $= 5\ L^2/mol^2 \cdot s$

따라서 반응 속도 상수는 T_1에서가 T_2에서보다 크다.

03 꼼꼼 문제 분석

생성된 C의 양 일정 ➞ B에 대한 0차 반응

실험	반응 전 기체의 부분 압력(기압) A	반응 전 기체의 부분 압력(기압) B	t초일 때 기체의 전체 압력(기압)	A	B	C
Ⅰ	6	6	9	3	4.5	1.5
Ⅱ	6	12	15	3	10.5	1.5
Ⅲ	12	6	12	6	3	3

생성된 C의 양 2배 ➞ A에 대한 1차 반응
➞ $v=k[A]$

선택지 분석

~~ㄱ.~~ $v=k[A]^2$이다. $v=k[A]$

ⓛ 실험 Ⅱ에서 t초일 때 부분 압력은 A가 C의 2배이다.

ⓒ 실험 Ⅲ에서 $2t$초일 때 기체의 전체 압력은 9기압이다.

ㄴ. 실험 Ⅱ에서 A와 B를 반응시켰을 때 C의 부분 압력을 x기압이라고 하면, t초일 때 A~C의 부분 압력은 다음과 같다.

	$2A(g)$ +	$B(g)$ ⟶	$C(g)$
반응 전(기압)	6	12	0
반응(기압)	$-2x$	$-x$	$+x$
반응 후(기압)	$6-2x$	$12-x$	x

t초일 때 기체의 전체 압력이 15기압이므로 $(6-2x)+(12-x)+x=15$기압, $x=1.5$이다.

따라서 t초일 때 A의 부분 압력은 3기압이고, C의 부분 압력은 1.5기압으로 A가 C의 2배이다.

ㄷ. 실험 Ⅰ과 Ⅲ에서 t초일 때 각 기체의 부분 압력은 다음과 같다.

• 실험 Ⅰ:	$2A(g)$ +	$B(g)$ ⟶	$C(g)$
반응 전(기압)	6	6	0
반응(기압)	$-2x$	$-x$	$+x$
반응 후(기압)	$6-2x$	$6-x$	x

$(6-2x)+(6-x)+x=9$, $x=1.5$

➞ A 3기압, B 4.5기압, C 1.5기압

• 실험 Ⅲ:	$2A(g)$ +	$B(g)$ ⟶	$C(g)$
반응 전(기압)	12	6	0
반응(기압)	$-2x$	$-x$	$+x$
반응 후(기압)	$12-2x$	$6-x$	x

$(12-2x)+(6-x)+x=12$, $x=3$

➞ A 6기압, B 3기압, C 3기압

기체의 반응에서 기체의 부분 압력은 기체의 양(mol)에 비례하므로 기체의 부분 압력은 몰 농도로 나타낼 수 있다. 실험 Ⅰ과 Ⅱ에서 A의 농도가 일정할 때 B의 농도를 2배로 하여도 t초일 때 생성되는 C의 농도가 일정하므로 반응 속도는 B에 대한 0차 반응이다. 실험 Ⅰ과 Ⅲ에서 B의 농도가 일정할 때 A의 농도를 2배로 하면 t초일 때 C의 양이 2배가 되므로 A에 대한 1차 반응이다.

또, 실험 Ⅱ에서 t초일 때 A의 부분 압력이 반응 전의 절반이 되므로 이 반응의 반감기는 t초이다.

따라서 실험 Ⅲ의 경우 t초일 때와 $2t$초일 때 A~C의 부분 압력은 다음과 같다.

		$2A(g)$ +	$B(g)$ ⟶	$C(g)$
[t초일 때]	반응 전(기압)	6	3	3
	반응(기압)	-3	-1.5	$+1.5$
[$2t$초일 때]	반응 후(기압)	3	1.5	4.5

실험 Ⅲ에서 $2t$초일 때 기체의 전체 압력은 9기압(=A 3기압 +B 1.5기압+C 4.5기압)이다.

바로알기 ㄱ. A에 대해서는 1차 반응이고, B에 대해서는 0차 반응이므로 반응 속도식은 $v=k[A]$이다.

04 꼼꼼 문제 분석

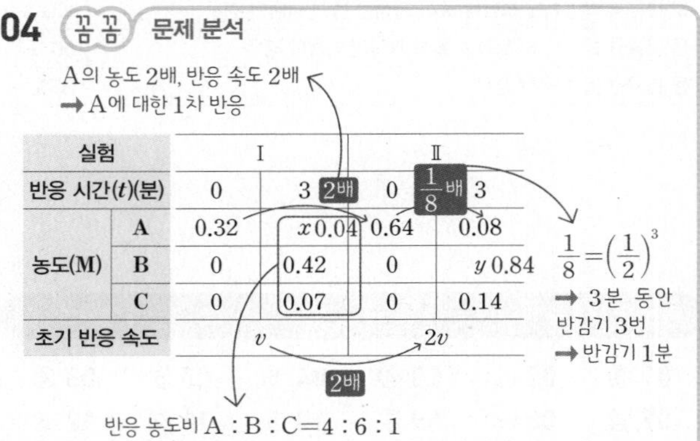

실험	Ⅰ		Ⅱ	
반응 시간(t)(분)	0	3	0	3
농도(M) A	0.32	x 0.04	0.64	0.08
농도(M) B	0	0.42	0	y 0.84
농도(M) C	0	0.07	0	0.14
초기 반응 속도	v		$2v$	

선택지 분석

ⓖ $a=4$, $b=6$이다.

ⓛ $x+y=0.88$이다.

ⓒ $t=2$분일 때 Ⅰ에서 [A] : Ⅱ에서 [C]=2 : 3이다.

ㄱ. A의 초기 농도는 실험 Ⅱ에서가 실험 Ⅰ에서의 2배이고, 초기 반응 속도는 실험 Ⅱ에서가 실험 Ⅰ에서 2배이므로 반응 속도는 [A]에 정비례한다. 즉, A에 대한 1차 반응이다.

한편, 실험 Ⅱ에서 A의 농도가 3분 동안 0.64 M에서 0.08 M로 $\frac{1}{8}$로 되었으므로 반감기가 3번$\left(\frac{1}{2^3}\right)$ 경과하였다. 따라서 반감기는 1분이고, 이를 실험 Ⅰ에 적용하면 $t=3$분일 때 x는 $0.32\times\left(\frac{1}{2^3}\right)=0.04$이다.

실험 Ⅰ에서 반응 몰비는 A : B : C=0.28(=0.32−0.04) : 0.42 : 0.07이므로 화학 반응식의 계수비는 4 : 6 : 1이다. 따라서 $a=4$, $b=6$이다.

ㄴ. 화학 반응식의 계수비가 4 : 6 : 1이므로 실험 Ⅱ에서 A

0.56 M(=0.64 M−0.08 M)이 반응하면 B 0.84 M과 C 0.14 M이 생성된다. 즉, y는 0.84이다. x는 0.04이고, y는 0.84이므로 $x+y=0.88$이다.

ㄷ. 반감기가 1분이므로 $t=2$분일 때 Ⅰ에서 [A]=0.08 M이고, Ⅱ에서 [C]=0.12 M이므로 Ⅰ에서 [A] : Ⅱ에서 [C]=0.08 M : 0.12 M=2 : 3이다.

05 꼼꼼 문제 분석

B의 초기 농도가 $\frac{1}{2}$배일 때, 생성되는 C의 양도 $\frac{1}{2}$배
→ B에 대한 1차 반응

실험		Ⅰ	Ⅱ	Ⅲ
반응 초기 양(mol)	A	16	24	16
	B	16	8	8
전체 기체 양(mol)	$t=10$분	24 B: 8, C:16	28 A: 16, B: 4 C: 8	20 A: 8, B: 4 C: 8
	$t=20$분	24 B: 8, C:16	26 A: 12, B: 2 C: 12	x 18 A: 4, B: 2 C: 12

A의 초기 농도가 달라져도 생성되는 C의 양 일정
→ A에 대한 0차 반응

| 선택지 분석 |

ㄱ. 반응 속도는 B의 농도에 비례한다.
ㄴ. $x=9a$이다.
ㄷ. $t=20$분일 때, C(g)의 몰 분율은 Ⅰ과 Ⅲ에서 같다.

실험 Ⅰ에서는 $t=10$분일 때와 $t=20$분일 때 전체 기체의 양(mol)이 같으므로 $t=10$분에서 반응이 완결되었다.

이 반응은 화학 평형에 도달하는 반응이 아니므로, 반응이 완결되었을 때 반응물 중 어느 한 가지가 모두 소모된다. B 16몰이 모두 소모된 경우 C 32몰이 생성되어야 하는데 반응 후 전체 기체의 양이 24몰이므로, A가 전부 반응한 경우이다.

실험 Ⅰ에서 반응한 양(mol)을 y몰이라고 하면, 반응이 완결되었을 때 A는 모두 소모되므로 전체 기체 24몰은 B $(16-y)$몰과 C $2y$몰의 합이다. 따라서 $y=8$몰이므로, A 16몰과 반응하는 B는 8몰로 A의 계수 $a=2$이다.

실험 Ⅱ에서 반응 후 남은 기체의 양은 다음과 같다.

	2A(g) +	B(g) ⟶	2C(g)	
반응 전(mol)	24	8	0	
반응(mol)	$-2y$	$-y$	$+2y$	
$t=10$분(mol)	$24-2y$	$8-y$	$2y$	→ 전체 28몰

$(24-2y)+(8-y)+2y=28$, ∴ $y=4$

→ $t=10$분일 때 A 16몰, B 4몰, C 8몰이다.

이와 같은 방법으로 실험 Ⅱ의 $t=20$분일 때와 실험 Ⅲ에서 반응 후 남은 기체의 양을 구해 정리하면 다음과 같다.

[실험 Ⅱ]

	2A(g) +	B(g) ⟶	2C(g)	
$t=10$분(mol)	16	4	8	
반응(mol)	−4	−2	+4	
$t=20$분(mol)	12	2	12	→ 전체 26몰

[실험 Ⅲ]

	2A(g) +	B(g) ⟶	2C(g)	
반응 초기(mol)	16	8	0	
반응($t=10$분)	−8	−4	+8	
$t=10$분(mol)	8	4	8	(전체 20몰)
반응	−4	−2	+4	
$t=20$분(mol)	4	2	12	(전체 18몰)

따라서 $x=18$이다.

ㄱ. 실험 Ⅱ와 Ⅲ에서 B의 양(mol)이 일정할 때 A의 양(mol)이 달라져도 $t=10$분일 때 생성되는 C의 양(mol)이 8몰로 같다. 따라서 A에 대한 0차 반응이다. 또한 실험 Ⅰ과 Ⅲ에서 B의 농도는 실험 Ⅰ에서가 실험 Ⅲ에서의 2배이며 $t=10$분일 때 생성되는 C의 양도 실험 Ⅰ에서가 실험 Ⅲ에서의 2배이므로 반응 속도는 B의 농도에 비례하는 1차 반응이다.

ㄴ. 화학 반응식에서 A의 계수 $a=2$이고, 실험 Ⅲ에서 $t=20$분일 때 전체 기체의 양(mol) $x=18$몰이므로 $x=9a$이다.

ㄷ. $t=20$분일 때, C(g)의 몰 분율은 Ⅰ에서 $\frac{16}{24}$이고, Ⅲ에서 $\frac{12}{18}$이므로 몰 분율은 $\frac{2}{3}$로 같다.

06 꼼꼼 문제 분석

실험	Ⅰ		Ⅱ	
반응 시간(초)	0	t	0	t
전체 양(mol)	8	6	4	3
몰비	A B A: 4, B: 4	A B C A: 3, B: 2 C: 1	A B A: 2, B: 2	(가) A: 1.5 B: 1 C: 0.5

| 선택지 분석 |

ㄱ. 반감기는 t초이다. t초보다 크다
ㄴ. 실험 Ⅰ에서 t초일 때 B는 2몰, C는 1몰이다.
ㄷ. (가)에서 물질의 몰비는 A : B : C=3 : 2 : 1이다.

ㄴ. 실험 Ⅰ에서 반응 전 A와 B의 양(mol)은 4몰로 같고, t초 후 전체 양(mol)은 6몰이므로 생성되는 C의 양(mol)을 x라 하면 t초일 때 각 물질의 양은 다음과 같이 구한다.

	$A(g)$ +	$2B(g)$ ⟶	$C(g)$
초기 양(mol)	4	4	0
반응하는 양(mol)	$-x$	$-2x$	$+x$
t초일 때 양(mol)	$4-x$	$4-2x$	x

$(4-x)+(4-2x)+x=6$, $x=1$이므로, t초일 때 A는 3몰, B는 2몰, C는 1몰이다.

ㄷ. 이 반응은 A에 대한 1차 반응이므로 반응 속도는 A의 농도에 비례한다. 실험 Ⅰ의 초기 농도가 실험 Ⅱ의 초기 농도의 2배이고, 실험 Ⅱ에서 t초일 때 전체 양(mol)은 3몰이므로 A는 1.5몰, B는 1몰, C는 0.5몰이다. 따라서 (가)에서 물질의 몰비는 A : B : C=3 : 2 : 1이다.

바로알기 ㄱ. 실험 Ⅰ과 Ⅱ에서 t초일 때 A의 양(mol)이 절반보다 크므로 반감기는 t초보다 크다.

07 꼼꼼 문제 분석

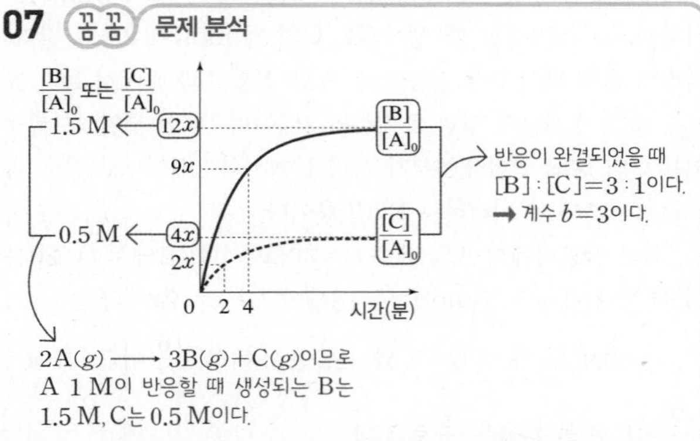

선택지 분석

ㄱ. A에 대한 2차 반응이다. 1차

ㄴ. $x=\frac{1}{8}$이다.

ㄷ. 반감기는 2분이다.

ㄴ. 그래프에서 반응이 완결되었을 때 생성물의 농도비 $\frac{[B]}{[A]_0}$가 $\frac{[C]}{[A]_0}$의 3배이므로 B의 계수 b는 C의 계수 1의 3배인 3이다. 따라서 1 M의 A가 모두 반응할 때 생성되는 B의 농도는 1.5 M이므로 $12x=1.5$, $x=\frac{1}{8}$이다.

ㄷ. 2분일 때 $[C]=2x=\frac{1}{4}$ M이고, A와 C의 계수비가 2 : 1이므로 소모된 $[A]=\frac{1}{2}$ M이고, 남아 있는 $[A]=\frac{1}{2}$ M이다. 한편, 4분일 때 $[B]=9x=\frac{9}{8}$ M이고, A와 B의 계수비가 2 : 3이므로 소모된 $[A]=\frac{6}{8}$ M$=\frac{3}{4}$ M이고, 남아 있는 $[A]=\frac{1}{4}$ M이다.

따라서 2분이 경과할 때마다 A의 농도가 $\frac{1}{2}$배가 되므로 반감기는 2분이다.

바로알기 ㄱ. A는 반감기가 2분으로 일정하므로 A에 대한 1차 반응이다.

08 꼼꼼 문제 분석

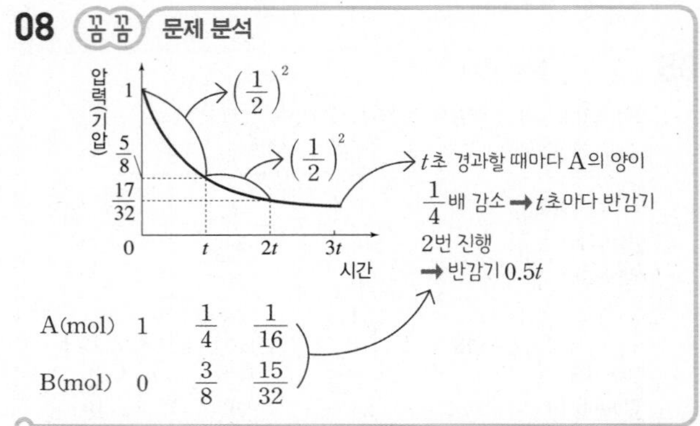

선택지 분석

ㄱ. 반감기는 t이다. $0.5t$

ㄴ. $2t$일 때의 양(mol)은 B가 A의 1.5배이다. $A=\frac{1}{16}$몰, $B=\frac{15}{32}$몰 ➡ B가 A의 7.5배

ㄷ. 반응 속도는 t일 때가 $2t$일 때의 4배이다.

ㄷ. 반응 초기 1몰의 기체 A가 나타내는 압력이 1기압이므로, 시간 t와 $2t$일 때 전체 기체의 압력은 전체 기체의 양(mol)과 같다. A 2몰이 반응할 때 B 1몰이 생성되므로, 다음과 같은 양적 관계가 성립한다.

	$2A(g)$ ⟶	$B(g)$
반응 전(mol)	1	0
반응(mol)	$-2x$	$+x$
반응 후(mol)	$1-2x$	x

• t일 때: $(1-2x)+x=\frac{5}{8}$ ∴ $x=\frac{3}{8}$ ➡ $A=\frac{1}{4}$몰

• $2t$일 때: $(1-2x)+x=\frac{17}{32}$ ∴ $x=\frac{15}{32}$ ➡ $A=\frac{1}{16}$몰

따라서 A의 농도가 절반으로 되는 데 걸리는 시간이 $0.5t$로 일정하므로, 이 반응은 1차 반응으로 반응 속도는 A의 농도에 비례한다. A의 농도는 t일 때가 $2t$일 때의 4배이므로 반응 속도는 t일 때가 $2t$일 때의 4배이다.

바로알기 ㄱ. A에 대한 1차 반응이고, A 1몰이 $\frac{1}{4}$몰로 되는 데 t가 걸리므로 반감기는 $0.5t$이다.

ㄴ. $2t$일 때의 양(mol)은 A가 $\frac{1}{16}$몰이고, B가 $\frac{15}{32}$몰이다. 따라서 B가 A의 7.5배이다.

09 꼼꼼 문제 분석

시간(초)	0	t	$2t$	$3t$
P(기압)	3.2	4.4	5.0	5.3
ΔP	+1.2	+0.6	+0.3	

→ Δt 동안 P의 증가량이 반으로 줄어든다. ➡ 반감기가 t초로 일정

| 선택지 분석 |

ㄱ. 반감기는 t초이다. (○)

ㄴ. $b=6$이다. (○)

ㄷ. t초일 때 [B]는 $2t$초일 때 [C]의 4배이다. (○)

ㄱ. 온도가 일정할 때 기체의 압력은 양(mol)에 비례한다. t초 동안 P의 증가량이 반으로 일정하게 감소하므로 반감기가 t초로 일정한 1차 반응이다.

ㄴ. 반감기가 t초이므로 다음과 같은 양적 관계가 성립한다.

	$4A(g) \longrightarrow$	$bB(g)$ +	$C(g)$
초기(기압)	3.2	0	0
반응	−1.6	+0.4b	+0.4
t초일 때(기압)	1.6	0.4b	0.4

이때 전체 기체의 압력이 4.4기압이므로 $1.6+0.4b+0.4=4.4$이고, b는 6이다.

ㄷ. 시간에 따른 A~C의 압력은 다음과 같다.

시간(초)		0	t	$2t$	$3t$
P(기압)	전체	3.2	4.4	5.0	5.3
	A	3.2	1.6	0.8	0.4
	B	0	2.4	3.6	4.2
	C	0	0.4	0.6	0.7

t초일 때 B는 2.4기압이고, $2t$초일 때 C는 0.6기압이다. 기체의 압력은 기체의 양(mol)에 비례하므로 t초일 때 [B]는 $2t$초일 때 [C]의 4배이다.

10 꼼꼼 문제 분석

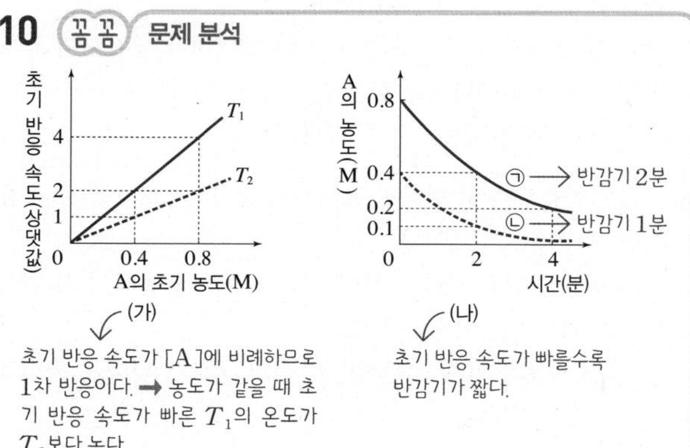

초기 반응 속도(상댓값)
A의 초기 농도(M)
T_1
T_2
(가)
초기 반응 속도가 [A]에 비례하므로 1차 반응이다. ➡ 농도가 같을 때 초기 반응 속도가 빠른 T_1의 온도가 T_2보다 높다.
A의 농도(M)
시간(분)
㉠ → 반감기 2분
㉡ → 반감기 1분
(나)
초기 반응 속도가 빠를수록 반감기가 짧다.

| 선택지 분석 |

ㄱ. ㉠은 T_1에서의 반응이다. (×) T_2

ㄴ. ㉡에서 2분일 때 B의 농도는 0.15 M이다. (○)

ㄷ. B의 생성 속도는 4분일 때 ㉠과 1분일 때 ㉡이 같다. (×) 다르다

(가)에서 초기 반응 속도는 A의 농도에 비례하는 1차 반응이고, 그래프의 기울기가 T_1에서가 T_2에서의 2배이므로 온도 $T_1=2T_2$이다. 한편 (나)에서 ㉠은 반감기가 2분이고, ㉡은 반감기가 1분이므로 ㉠은 온도가 낮은 T_2이고, ㉡은 온도가 높은 T_1이다.

ㄴ. ㉡에서 2분일 때 반응한 A의 농도는 0.3 M이므로 생성된 B의 농도는 0.15 M이다.

| 바로알기 | ㄱ. ㉠은 T_2에서의 반응이다.

ㄷ. 4분일 때 ㉠에서 A의 농도는 0.2 M이고, 1분일 때 ㉡에서 A의 농도는 0.2 M이지만 반응 속도 상수가 ㉡에서가 ㉠에서의 2배이므로 B의 생성 속도는 같지 않다.

11 꼼꼼 문제 분석

시간(초)	0	t	$2t$	$3t$
[A]+[B](M)	2.0 [A] 1.2 [B] 0.8	1.4 [A] 1.0 [B] 0.4	1.0 [A] 0.8 [B] 0.2	[A] 0.6 [B] 0.1
[X]+[Y](M)	0	0.8 [X] 0.4 [Y] 0.4	1.4 [X] 0.8 [Y] 0.6	1.9 [X] 1.2 [Y] 0.7
전체 기체의 농도 합(M)	2.0	2.2	2.4	2.6

| 선택지 분석 |

ㄱ. $m=1$, $n=0$이다. (×) $m=0$, $n=1$

ㄴ. 1차 반응의 반감기는 t초이다. (○)

ㄷ. $2t$에서 [X]와 [Y]는 같다. (×) 다르다

$A(g) \longrightarrow 2X(g)$ 반응은 반응 후 기체의 양(mol)이 증가하고, $B(g) \longrightarrow Y(g)$ 반응은 기체의 양(mol)의 변화가 없다. 이때 t초마다 전체 기체의 몰 농도의 합이 0.2 M씩 일정하게 증가하므로 $A(g) \longrightarrow 2X(g)$은 0차 반응이고, $B(g) \longrightarrow Y(g)$은 1차 반응이다.

ㄴ. t초마다 전체 기체의 몰 농도의 합이 0.2 M씩 증가하는 것은 $A(g) \longrightarrow 2X(g)$ 반응의 영향이고, $B(g) \longrightarrow Y(g)$ 반응은 $B(g)$가 소모된 만큼 $Y(g)$가 생성되어 몰 농도 변화량에 영향을 미치지 못한다. 따라서 $B(g) \longrightarrow Y(g)$ 반응의 반감기는 t초이다.

| 바로알기 | ㄱ. $A(g) \longrightarrow 2X(g)$은 0차 반응이므로 $m=0$이고, $B(g) \longrightarrow Y(g)$은 1차 반응이므로 $n=1$이다.

ㄷ. 초기에 전체 기체의 몰 농도의 합이 2.0 M이므로 A와 B의 초기 농도를 [A]$=2.0-a$, [B]$=a$로 두면 $0\sim t$초에서는 다음과 같은 양적 관계가 성립한다.

	$A(g)$	$\longrightarrow$	$2X(g)$
초기(M)	$2.0-a$		0
반응(M)	-0.2		$+0.4$
t초일 때(M)	$1.8-a$		0.4

	$B(g)$	$\longrightarrow$	$Y(g)$
초기(M)	a		0
반응(M)	$-\frac{a}{2}$		$+\frac{a}{2}$
t초일 때(M)	$\frac{a}{2}$		$\frac{a}{2}$

t초일 때 [A]+[B]$=1.4$이므로 $(1.8-a)+\frac{a}{2}=1.4$, $a=0.8$이다. 따라서 초기 농도는 [A]$=1.2$, [B]$=0.8$이고, t초일 때의 농도는 [A]$=1.0$, [B]$=0.4$이다.

t초$\sim 2t$초에서는 다음과 같은 양적 관계가 성립한다.

	$A(g)$	$\longrightarrow$	$2X(g)$
t초일 때(M)	1.0		0.4
반응(M)	-0.2		$+0.4$
$2t$초일 때(M)	0.8		0.8

	$B(g)$	$\longrightarrow$	$Y(g)$
t초일 때(M)	0.4		0.4
반응(M)	-0.2		$+0.2$
$2t$초일 때(M)	0.2		0.6

따라서 $2t$에서 [X]는 0.8 M이고, [Y]는 0.6 M이다.

12

선택지 분석

ㄱ. (가)에서 H−I 결합 일부가 끊어지고 새로운 결합 일부가 형성된다.

~~ㄴ~~. 반응엔탈피(ΔH)는 b−a이다. a−b

ㄷ. a가 작아지면 반응할 수 있는 입자 수가 많아지므로 반응 속도가 빨라진다.

ㄱ. (가)는 H−I 결합 일부가 끊어지고 새로운 결합 일부가 형성된 매우 불안정한 활성화 상태이다.

ㄷ. 반응이 일어나기 위해서는 반응을 일으킬 수 있는 충분한 운동 에너지를 가진 입자가 적합한 방향으로 충돌해야 한다. 활성화 에너지 a가 작아지면 반응이 일어날 수 있는 운동 에너지를 가진 입자 수가 많아지므로 반응 속도가 빨라진다.

바로알기 ㄴ. 반응엔탈피(ΔH)는 정반응의 활성화 에너지 − 역반응의 활성화 에너지이므로 a−b이다.

2 반응 속도와 농도, 온도, 촉매

01 반응 속도와 농도, 온도

개념 확인 문제 265쪽

❶ 충돌수 ❷ 부피 ❸ 충돌수 ❹ 증가 ❺ 증가 ❻ 활성화 에너지 ❼ 온도

1 (1) (다) (2) (다)>(나)>(가) (3) 빨라 **2** (1) × (2) × (3) ○ **3** ㄴ, ㄷ, ㄹ **4** (1) < (2) < (3) < **5** (1) ㄷ (2) ㄱ (3) ㄴ (4) ㄱ

1 (1) 입자 사이의 충돌수가 가장 많은 것은 단위 부피당 입자 수가 가장 큰 (다)이다.
(2) 단위 부피당 입자 수가 증가할수록 충돌수가 증가하여 반응 속도가 빨라지므로 반응 속도는 (다)>(나)>(가) 순이다.
(3) (다)의 부피를 줄이면 단위 부피당 입자 수가 증가하여 반응 속도는 빨라진다.

2 (1) 압력이 증가하여 부피가 감소하면 단위 부피당 입자 수가 증가하므로 입자의 충돌수는 (나)에서가 (가)에서보다 크다.
(2) (가)에서 (나)로 변할 때 단위 부피당 입자 수가 증가하므로 기체의 농도는 (나)에서가 (가)에서보다 크다.
(3) 반응 속도는 단위 부피당 입자 수가 많아 충돌수가 큰 (나)에서가 (가)에서보다 빠르다.

3 고체 물질을 잘게 쪼개면 표면적이 증가하여 입자 사이의 충돌수가 증가하므로 반응 속도가 빨라진다.

4 (1), (2) 온도가 높아지면 분자의 평균 운동 에너지가 증가하므로 운동 에너지가 큰 분자 수가 많아진다. 따라서 온도 및 분자의 평균 운동 에너지는 $T_1 < T_2$이다.
(3) 온도가 높아지면 분자의 평균 운동 에너지가 증가하여 활성화 에너지 이상의 에너지를 갖는 분자 수가 증가한다. 따라서 반응할 수 있는 분자 수는 $T_1 < T_2$이다.

5 (1) 알약을 가루로 만들면 표면적이 증가하므로 가루로 복용했을 때 체내 흡수가 빠르다.
(2) 저산소증에 걸린 사람은 체내의 산소 농도를 높여 주기 위해 고압 산소 치료기를 이용하여 치료한다.
(3) 생선을 얼음과 함께 보관하면 생선의 온도가 낮아져 생선의 부패 속도가 느려진다.
(4) 밀폐 용기 속은 산소의 농도가 작으므로 음식을 밀폐 용기에 보관하면 음식의 부패 속도가 느려진다.

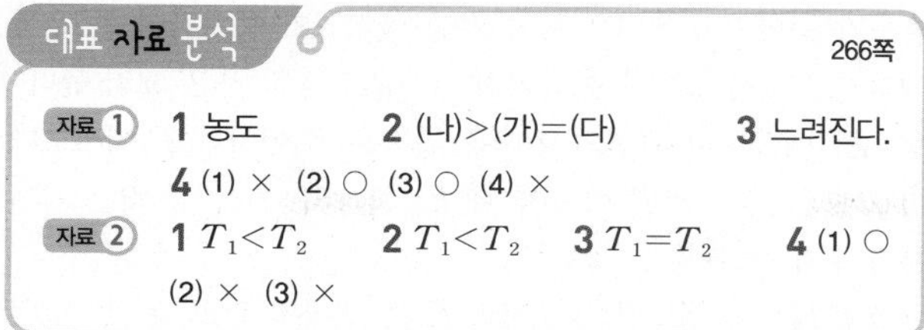
대표 자료 분석 266쪽

자료 1 **1** 농도 **2** (나)>(가)=(다) **3** 느려진다. **4** (1) × (2) ○ (3) ○ (4) ×

자료 2 **1** $T_1<T_2$ **2** $T_1<T_2$ **3** $T_1=T_2$ **4** (1) ○ (2) × (3) ×

1-1 꼼꼼 문제 분석

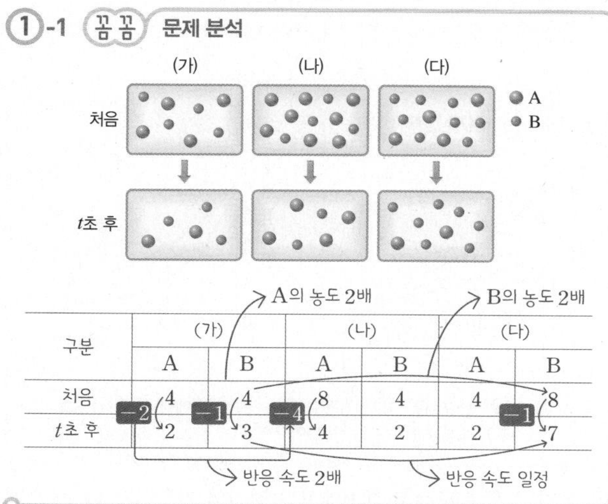

구분	(가)		(나)		(다)	
	A	B	A	B	A	B
처음	4	4	8	4	4	8
t초 후	2	3	4	2	2	7

단위 부피당 입자 수가 많을수록 충돌수가 증가하므로 충돌수에 영향을 미치는 요인은 농도이다.

1-2 (가)와 (나)에서 B(*g*)의 농도가 일정할 때 A(*g*)의 농도가 2배가 되면 반응 속도가 2배가 되므로 A에 대한 1차 반응이다. (가)와 (다)에서 A(*g*)의 농도가 일정할 때 B(*g*)의 농도가 2배가 되어도 반응 속도가 변하지 않으므로 B에 대한 0차 반응이다. 따라서, 반응 속도는 A의 농도에 정비례하므로 A의 농도가 가장 큰 (나)에서 반응 속도가 가장 빠르고, A의 농도가 같은 (가)와 (다)에서는 반응 속도가 같다.

1-3 (다)에서 용기의 부피를 2배로 하면 반응물의 농도가 절반이 되므로 반응 속도가 느려진다.

1-4 (1) A에 대한 1차 반응이고, B에 대한 0차 반응이므로 반응 속도식은 $v=k[\mathrm{A}]$이다.

(2) (나)에서가 (가)에서보다 단위 부피당 입자 수가 많으므로 입자들 사이의 평균 거리가 가까워 충돌수가 더 많다.

(3) 용기의 부피를 $\frac{1}{2}$배로 하면 단위 부피당 입자 수가 2배로 증가한다.

(4) 숯을 작은 조각으로 쪼개면 표면적이 커지므로 숯을 쪼개서 태울 때 더 빠르게 연소한다. 즉, 농도에 의해 반응 속도가 변하는 경우가 아니므로 제시된 모형으로는 설명할 수 없다.

2-1 꼼꼼 문제 분석

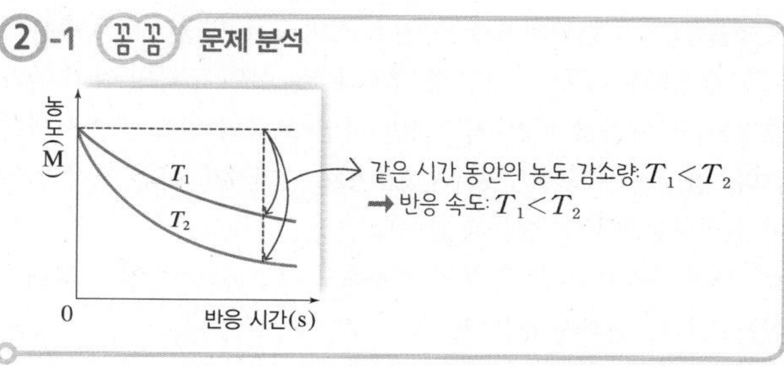

T_1보다 T_2에서 단위 시간당 농도 감소량이 크므로 T_1보다 T_2에서 반응 속도가 더 빠르다.

2-2 온도가 높을수록 반응 속도가 빠르다. 반응 속도는 T_1에서보다 T_2에서 더 빠르므로 온도는 T_1보다 T_2가 높다.

2-3 온도가 달라져도 활성화 에너지는 변하지 않으므로 T_1과 T_2에서의 활성화 에너지는 같다.

2-4 (1) 온도가 높을수록 분자의 평균 운동 에너지가 증가하여 반응 속도가 빨라지므로 유효 충돌수는 $T_1<T_2$이다.

(2) 온도가 높을수록 분자의 평균 운동 에너지가 크므로 활성화 에너지 이상의 운동 에너지를 갖는 기체 분자 수는 $T_1<T_2$이다.

(3) 온도가 높아질 때 입자 사이의 충돌수도 증가하지만, 온도 상승에 따른 반응 속도 변화의 주된 까닭은 활성화 에너지 이상의 에너지를 가진 분자 수가 증가하기 때문이다.

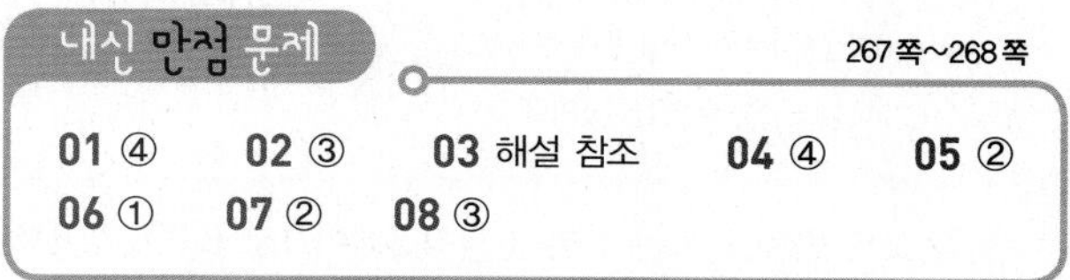
내신 만점 문제 267쪽~268쪽

01 ④ **02** ③ **03** 해설 참조 **04** ④ **05** ② **06** ① **07** ② **08** ③

01 ㄱ, ㄴ, ㄷ. 일정한 온도에서 기체에 가해지는 압력이 감소하여 부피가 증가하면 기체의 농도, 즉 단위 부피당 입자 수가 감소하여 단위 시간당 충돌수가 감소하므로 반응 속도가 느려진다.

바로알기 ㄹ. 반응물이 기체이므로 부피가 변해도 반응물 사이의 접촉 면적은 변하지 않는다. 반응물의 표면적 변화에 따라 반응 속도가 변하는 경우는 반응물에 고체가 포함된 경우에 해당한다.

02 아연과 묽은 염산이 반응하면 수소 기체가 발생한다.

$\mathrm{Zn}(s)+2\mathrm{HCl}(aq) \longrightarrow \mathrm{ZnCl_2}(aq)+\mathrm{H_2}(g)$

ㄴ. 염산의 농도가 증가하면 반응 속도가 빨라지므로 반응이 완결될 때까지의 시간 t가 짧아진다.

ㄹ. 시간이 지날수록 그래프에서 접선의 기울기가 작아지므로 반응 속도는 점점 느려진다. 즉, 시간이 지날수록 반응물의 충돌수가 점점 감소한다.

바로알기 ㄱ. 염산의 양은 아연 조각이 모두 반응하기에 충분하므로 생성되는 수소 기체의 총 부피(V)는 아연 조각의 양에 따라 결정된다. 따라서 V가 커지려면 아연 조각의 양을 증가시켜야 한다. 염산의 농도가 5 %에서 10 %로 증가해도 아연 조각의 양이 일정하므로 V는 변하지 않는다.
ㄷ. 아연 조각을 작게 잘라서 사용해도 아연 조각의 양이 그대로이므로 V는 변하지 않는다.

03 고체 물질의 표면적이 커지면 반응 속도가 빨라진다.

모범답안 알약보다 가루약을 먹을 때 더 빠르게 흡수된다. 숯이나 장작을 작은 조각으로 쪼개어 태우면 더 빠르게 연소한다. 등

채점 기준	배점
표면적으로 반응 속도를 조절하는 예 2가지를 옳게 서술한 경우	100 %
표면적으로 반응 속도를 조절하는 예 1가지만 옳게 서술한 경우	40 %

04 꼼꼼 문제 분석

실험	0.2 M KIO_3 수용액의 부피(mL)	증류수의 부피(mL)	$NaHSO_3$ 수용액의 농도(M)	시간(s)	반응 속도(s^{-1})
Ⅰ	10.0	0	0.1	6.0	$\frac{1}{6}$
Ⅱ	7.5	2.5	0.1	8.0	$\frac{1}{8}$
Ⅲ	x	$10.0-x$	0.1	12.0	$\frac{1}{12}$

0.2 M
0.15 M
$\frac{3}{4}$배
$\frac{3}{4}$배

증류수로 묽히지 않은 실험 Ⅰ에서 KIO_3의 몰 농도가 0.2 M이므로, 실험 Ⅱ에서의 몰 농도는 $0.2\text{ M}\times\frac{7.5}{10.0}=0.15\text{ M}$이다.

$[KIO_3]$에 대한 1차 반응

ㄱ. 실험 Ⅲ의 반응 속도는 실험 Ⅰ의 0.5배이므로 KIO_3 수용액의 농도는 실험 Ⅰ의 0.5배이다. 따라서 x는 5.0이다.
ㄴ, ㄹ. 이 반응은 반응 속도가 $[KIO_3]$에 비례하므로 $[KIO_3]$에 대한 1차 반응이다. 또 이 실험의 결과로부터 반응물의 농도가 반응 속도에 미치는 영향을 알 수 있다.
바로알기 ㄷ. 반응 속도가 빠를수록 용액의 색이 청람색으로 변하는 데 걸린 시간이 짧다. 즉, 반응 속도는 시간의 역수에 비례한다.

05 꼼꼼 문제 분석

반응이 불가능한 분자
반응이 가능한 분자
분자 수
T_1
T_2
0
E_a
운동 에너지
온도가 높아지면 분자의 평균 운동 에너지가 증가하므로 큰 운동 에너지를 가진 분자 수가 증가한다.
→ 온도: $T_1<T_2$
온도가 높아지면 활성화 에너지 이상의 에너지를 갖는 분자 수가 증가하여 반응 속도가 빨라진다.

온도가 높아지면 분자의 평균 운동 에너지가 증가하여 큰 운동 에너지를 가진 입자 수가 증가하므로 온도는 T_2가 T_1보다 높다.
ㄷ. E_a 이상에서 곡선의 아래쪽 면적은 T_2에서가 T_1에서보다 더 크므로 T_1에서 T_2로 변할 때 E_a 이상의 에너지를 갖는 기체 분자 수가 증가한다.
바로알기 ㄱ. 온도가 높아져도 E_a는 변하지 않고, E_a 이상의 에너지를 가진 분자 수가 증가한다.
ㄴ. 반응 속도 상수(k)는 온도에 따라 변한다.

06 꼼꼼 문제 분석

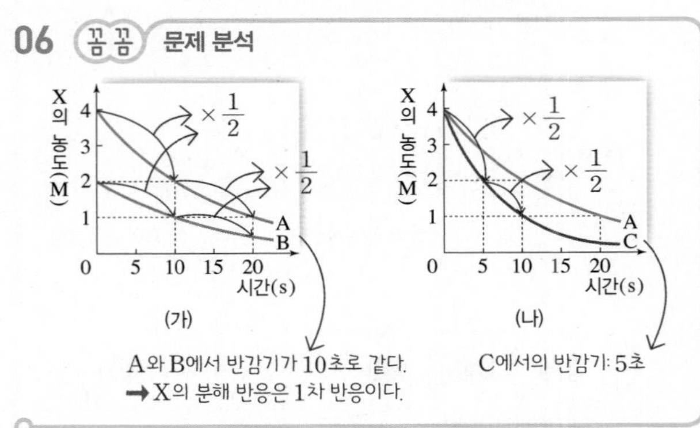

X의 농도(M)
$\times\frac{1}{2}$
A
B
C
시간(s)
(가)
(나)
A와 B에서 반감기가 10초로 같다.
→ X의 분해 반응은 1차 반응이다.
C에서의 반감기: 5초

ㄱ. 초기 반응 속도는 시간 0에서의 접선의 기울기가 더 큰 A에서가 B에서보다 빠르다.
바로알기 ㄴ. 초기 농도가 같을 때 반감기는 C에서가 A에서보다 짧다. 즉, C에서가 A에서보다 반응 속도가 더 빠르므로 온도는 C에서가 A에서보다 높다.
ㄷ. 반응 속도 상수(k)가 클수록 반응 속도가 빠르고, 반감기가 짧을수록 반응 속도가 빠르다. 즉, 반감기는 반응 속도 상수에 반비례한다. 따라서 반응 속도 상수는 반감기가 가장 짧은 C에서 가장 크다.

07 꼼꼼 문제 분석

수용액의 온도(°C)	20	30	40
×표가 보이지 않을 때까지 걸린 시간(초)	70	33	15
반응 속도	$\frac{1}{70}$	$\frac{1}{33}$	$\frac{1}{15}$

ㄱ. ×표가 보이지 않게 되는 까닭은 화학 반응에 의해 노란색 황(S) 앙금이 생성되기 때문이다.
ㄴ. ×표가 보이지 않을 때까지 걸린 시간이 짧을수록 반응 속도가 빠르다.
바로알기 ㄷ. 온도가 10 °C 높아질 때 반응 속도가 2배 정도 빨라지는 까닭은 활성화 에너지 이상의 에너지를 갖는 분자 수가 증가하기 때문이다. 온도가 10 °C 높아질 때 충돌수는 약 2 % 증가한다.

08 ① 압력솥에서는 물이 높은 온도에서 끓기 때문에 밥이 빨리 된다.
② 비닐하우스는 온도를 인위적으로 높여 식물이 빨리 자라게 한다.
④, ⑤ 온도를 낮추어 음식의 부패 속도나 발효 속도를 늦추는 사례이다.
바로알기 ③ 에베레스트 산과 같이 고도가 높은 곳은 기압이 낮아 산소의 양이 부족하다. 따라서 산소의 농도가 큰 산소 호흡기를 사용해야 한다.

02 반응 속도와 촉매

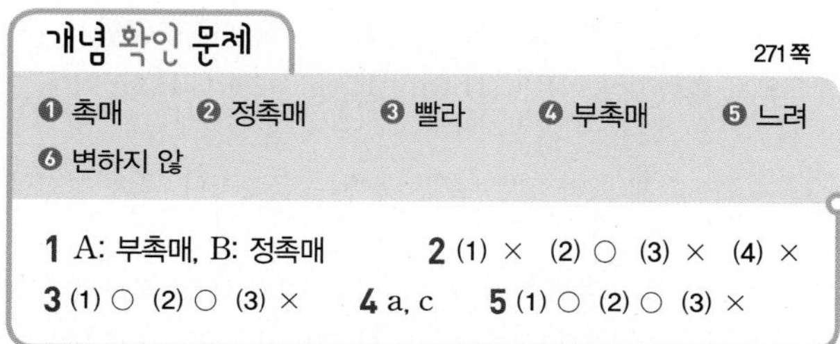
개념 확인 문제 271쪽

❶ 촉매 ❷ 정촉매 ❸ 빨라 ❹ 부촉매 ❺ 느려 ❻ 변하지 않

1 A: 부촉매, B: 정촉매 **2** (1) × (2) ○ (3) × (4) ×
3 (1) ○ (2) ○ (3) × **4** a, c **5** (1) ○ (2) ○ (3) ×

1 정촉매를 사용하면 활성화 에너지가 작아져 반응 속도가 빨라지고, 부촉매를 사용하면 활성화 에너지가 커져 반응 속도가 느려진다.

2 (1) 온도를 높이면 E_a는 변하지 않지만, 기체 분자들의 평균 운동 에너지가 커져 E_a 이상의 에너지를 갖는 분자 수가 증가한다.
(2), (4) 정촉매를 사용하면 활성화 에너지 E_a가 E_a'로 작아지므로 반응할 수 있는 입자 수가 증가한다. 정촉매를 사용했을 때 반응할 수 있는 입자 수는 A+B+C이다.
(3) 부촉매를 사용하면 활성화 에너지 E_a가 E_a''로 커지므로 반응할 수 있는 입자 수가 감소한다.

3 (1) 과산화 수소가 분해되면 물과 산소 기체가 생성된다. 이 산소 기체에 의해 주방용 세제가 거품을 발생시킨다.
(2) KI은 과산화 수소의 분해 반응 속도를 빠르게 해주는 정촉매이다.
(3) 정촉매로 작용한 KI이 활성화 에너지를 감소시키므로 활성화 에너지 이상의 에너지를 갖는 분자 수가 증가하여 과산화 수소의 분해 반응 속도가 빨라진다. 분자의 운동 에너지는 온도에 의해서만 변한다.

4 촉매를 사용하면 정반응의 활성화 에너지(a)와 역반응의 활성화 에너지(c)는 변하지만, 반응물과 생성물의 엔탈피는 변하지 않으므로 반응엔탈피(b)는 변하지 않는다.

5 (1) 촉매는 활성화 에너지가 작거나 큰 새로운 반응 경로로 반응이 일어나게 한다.
(2) 정촉매는 정반응과 역반응의 활성화 에너지를 모두 감소시키므로 정반응 속도와 역반응 속도가 모두 빨라진다.
(3) 촉매를 사용해도 생성물의 양은 변하지 않는다.

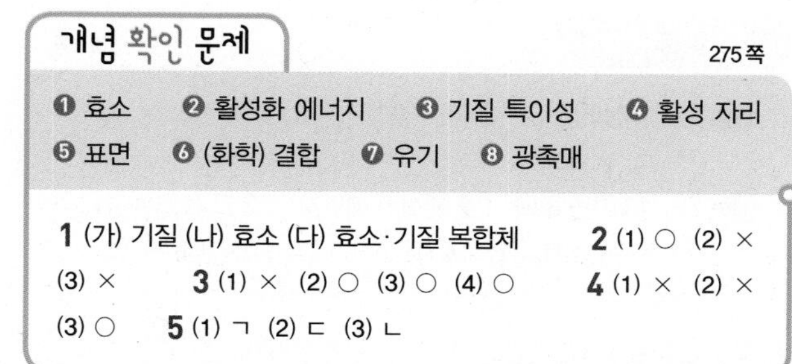
개념 확인 문제 275쪽

❶ 효소 ❷ 활성화 에너지 ❸ 기질 특이성 ❹ 활성 자리 ❺ 표면 ❻ (화학) 결합 ❼ 유기 ❽ 광촉매

1 (가) 기질 (나) 효소 (다) 효소·기질 복합체 **2** (1) ○ (2) × (3) × **3** (1) × (2) ○ (3) ○ (4) ○ **4** (1) × (2) × (3) ○ **5** (1) ㄱ (2) ㄷ (3) ㄴ

1 (나)의 활성 자리에 (가)가 결합하므로 (가)는 기질, (나)는 효소이며, 기질과 효소가 결합한 (다)는 효소·기질 복합체이다.

2 (1) 효소에는 기질과 결합하여 촉매 작용을 하는 특정 자리인 활성 자리가 있다.
(2) 효소와 기질이 결합하여 효소·기질 복합체가 될 때 활성화 에너지가 작아지므로 반응 속도가 빨라진다.
(3) (라)는 생성물이며, 생성물과 분리된 효소가 다시 촉매 작용을 할 수 있다.

3 (1) 효소는 활성 자리에 맞는 특정 기질에만 작용하여 반응 속도를 변화시킨다.
(2) 효소는 효소의 활성이 최대가 되는 온도(최적 온도)가 존재하는데, 대부분의 효소는 체온 범위의 온도에서 가장 활발하게 작용한다.
(3) 효소마다 반응 속도가 최대가 되는 pH가 존재하며, pH에 따라 그 기능이 크게 영향을 받는다.
(4) 효소는 발효 식품, 생활용품, 의약품 등을 만드는 데 활용된다.

4 (1) X는 금속 원소로 이루어진 표면 촉매로, 반응의 활성화 에너지를 감소시키지만 반응엔탈피(ΔH)를 변화시키지는 않는다.
(2) 촉매는 반응물이나 생성물에 포함시키지 않으므로 화학 반응식은 $N_2+3H_2 \longrightarrow 2NH_3$이다.
(3) X는 H−H 결합과 N≡N 결합을 약화시켜 반응의 활성화 에너지를 작게 하고, 활성화 상태의 H 원자와 N 원자들이 결합하여 NH_3를 생성하도록 한다.

5 (1) 표면 촉매는 화학 반응의 활성화 에너지를 작게 하는 금속이나 금속 산화물과 같은 고체 상태의 촉매이다.
(2) 광촉매는 빛에너지를 받을 때 촉매 작용을 일으키는 물질이다.
(3) 유기 촉매는 탄소, 수소, 질소, 산소 등의 비금속 원소로 이루어진 유기물 형태의 촉매로, 반응 선택성이 높고 금속 촉매에 비해 쉽게 분해되어 친환경적이다.

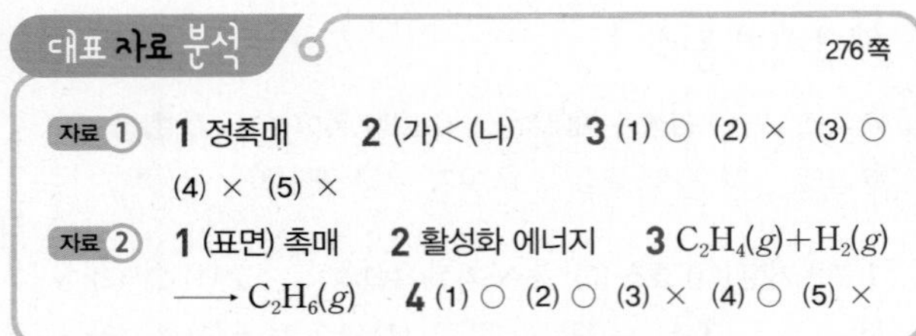

대표 자료 분석 276쪽

자료 ① 1 정촉매 2 (가)<(나) 3 (1) ○ (2) × (3) ○ (4) × (5) ×

자료 ② 1 (표면) 촉매 2 활성화 에너지 3 $C_2H_4(g)+H_2(g) \longrightarrow C_2H_6(g)$ 4 (1) ○ (2) ○ (3) × (4) ○ (5) ×

①-1 꼼꼼 문제 분석

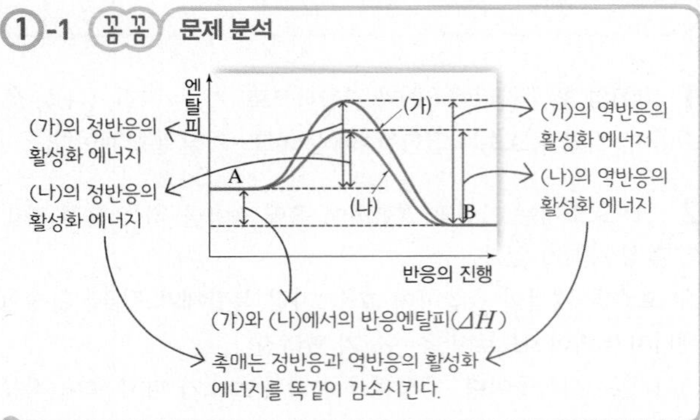

(가)에 비해 X를 사용한 (나)에서 활성화 에너지가 작으므로 X는 정촉매이다.

①-2 반응 속도는 활성화 에너지가 작은 (나)에서가 (가)에서보다 빠르다. (가)와 (나)에서의 온도가 같으므로 반응 속도 상수(k)는 반응 속도가 빠른 (나)에서가 (가)에서보다 크다.

①-3 (1) X는 정촉매이므로 정반응과 역반응의 활성화 에너지를 모두 감소시킨다.
(2) 촉매에 의해 활성화 에너지는 변하지만 반응엔탈피(ΔH)는 변하지 않는다.
(3) 활성화 에너지는 (나)에서가 (가)에서보다 작으므로 반응 속도는 (나)에서가 (가)에서보다 빠르다.
(4) (가)와 (나)는 활성화 에너지가 달라 반응 속도가 다를 뿐 평형 상수는 같다.
(5) 온도가 일정하므로 분자의 평균 운동 에너지는 (가)와 (나)에서 같다.

②-1 꼼꼼 문제 분석

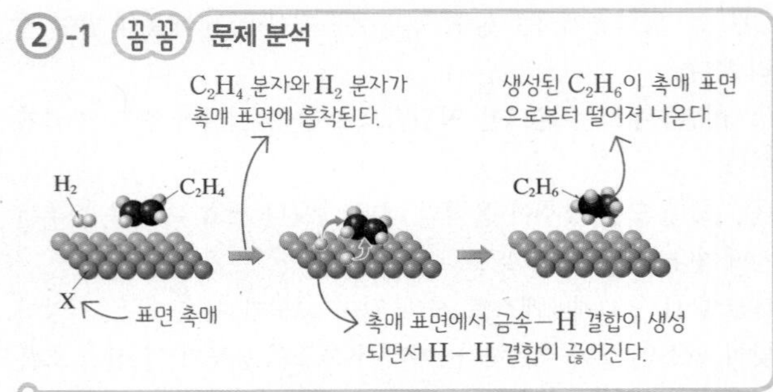

고체 X는 표면 촉매로, 표면에 반응물이 흡착되면 반응물을 이루는 원자 사이의 화학 결합이 약해져 활성화 에너지가 작아지므로 반응이 쉽게 일어날 수 있다.

②-2 고체 X 표면에서 금속−H 결합을 형성하여 H−H 결합을 약화시킴으로써 활성화 에너지를 감소시켜 반응 속도를 빠르게 한다.

②-3 촉매는 화학 반응식의 반응물이나 생성물에 포함시키지 않으므로 화학 반응식은 $C_2H_4(g)+H_2(g) \longrightarrow C_2H_6(g)$이다.

②-4 (1) 고체 X와 같은 표면 촉매는 금속이나 금속 산화물이다.
(2), (4) 고체 X 표면에 기체 반응물인 C_2H_4과 H_2가 흡착되면 고체 X가 H와 결합을 형성하여 H−H 결합이 약화되므로 반응이 빨라진다.
(3) 고체 X는 표면 촉매이므로 기질 특이성이 없다. 기질 특이성은 생체 촉매인 효소의 특성이다.
(5) 촉매는 반응물로 작용하여 생성물로 변하는 것이 아니므로 반응 전후에 질량이 변하지 않는다.

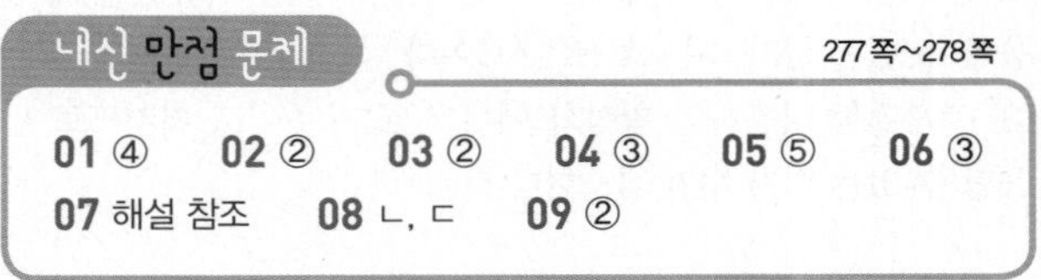

내신 만점 문제 277쪽~278쪽

01 ④ 02 ② 03 ② 04 ③ 05 ⑤ 06 ③
07 해설 참조 08 ㄴ, ㄷ 09 ②

01 ㄴ, ㄷ. 반응 경로가 (가)에서 (나)로 변할 때 활성화 에너지가 작아지므로 활성화 에너지 이상의 에너지를 갖는 분자 수, 즉 반응이 일어날 수 있는 분자 수가 증가하여 반응 속도가 빨라진다.
바로알기 ㄱ. 반응엔탈피(ΔH)는 생성물의 엔탈피 합에서 반응물의 엔탈피 합을 뺀 값으로, 반응 경로가 (가)에서 (나)로 변해도 반응엔탈피(ΔH)는 변하지 않는다.

02 꼼꼼 문제 분석

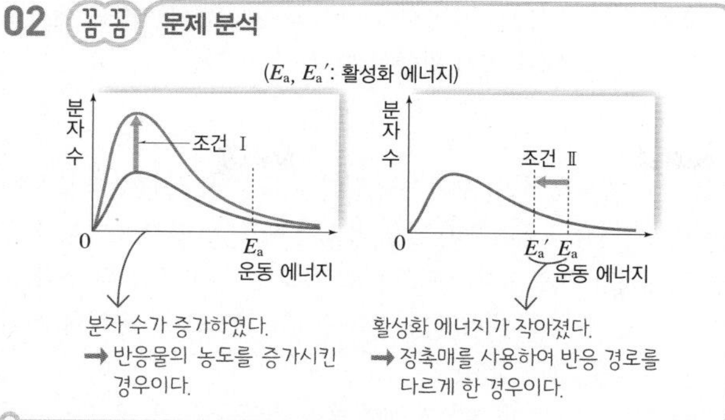

ㄴ. 조건 Ⅱ는 정촉매를 사용하여 활성화 에너지를 감소시킨 경우이므로 반응 경로가 달라져 반응 속도가 빨라진다.

바로알기 ㄱ. 조건 Ⅰ은 '농도 증가'에 해당하며, 조건 Ⅱ는 '정촉매 사용'에 해당한다.

ㄷ. 분자의 운동 에너지는 온도에 의해서만 변하며, 농도 변화와 촉매의 사용에 의해서는 변하지 않는다.

03 꼼꼼 문제 분석

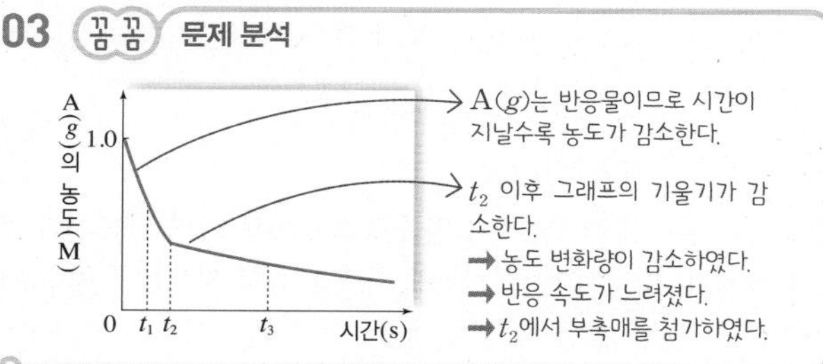

A(g)의 농도(M)
1.0
0
t_1 t_2
t_3
시간(s)
A(g)는 반응물이므로 시간이 지날수록 농도가 감소한다.
t_2 이후 그래프의 기울기가 감소한다.
➡ 농도 변화량이 감소하였다.
➡ 반응 속도가 느려졌다.
➡ t_2에서 부촉매를 첨가하였다.

ㄷ. 화학 반응식에서 계수의 합은 반응물보다 생성물이 더 크므로 화학 반응 후 전체 기체 입자 수가 증가한다. 따라서 용기 내 기체의 압력은 반응이 더 많이 진행된 t_3일 때가 t_2일 때보다 크다.

바로알기 ㄱ. t_2에서 고체 촉매를 넣은 후 A의 농도 변화량이 감소하므로 t_2에서 부촉매를 첨가하여 반응 속도가 느려졌다. 부촉매는 활성화 에너지를 증가시키므로, 부촉매를 넣기 전인 t_1일 때가 부촉매를 넣은 후인 t_3일 때보다 활성화 에너지가 작다.

ㄴ. 온도가 일정하므로 A(g) 분자의 평균 운동 에너지는 일정하다. 따라서 t_1일 때와 t_3일 때 분자의 평균 운동 에너지는 같다.

04 꼼꼼 문제 분석

실험	온도	첨가한 촉매	초기 반응 속도
Ⅰ	T_1	없음	$4v$
Ⅱ	T_1	X(s)	v
Ⅲ	T_2	없음	$2v$

Ⅰ→Ⅱ: 촉매 X 첨가 후 반응 속도가 느려졌다. ➡ X는 부촉매이다.

Ⅰ→Ⅲ: (촉매가 없을 때) 반응 속도가 느려졌다. ➡ 온도는 $T_1 > T_2$이다.

ㄱ. 실험 Ⅰ과 Ⅱ에서 온도가 같을 때 고체 X를 넣은 실험 Ⅱ의 반응 속도가 실험 Ⅰ의 반응 속도보다 느리므로 X는 부촉매이다.

ㄴ. 실험 Ⅰ과 Ⅲ에서 T_1일 때의 반응 속도가 T_2일 때의 반응 속도보다 빠르므로 온도는 T_1이 T_2보다 높다.

바로알기 ㄷ. 실험 Ⅱ는 부촉매를 첨가했으므로 실험 Ⅰ보다 활성화 에너지가 크지만, 실험 Ⅲ은 첨가한 촉매가 없으므로 활성화 에너지가 실험 Ⅰ과 같다.

05 꼼꼼 문제 분석

1단계: $Cl(g) + O_3(g) \longrightarrow ClO(g) + O_2(g)$

2단계: $ClO(g) + O(g) \longrightarrow Cl(g) + O_2(g)$

전체 반응식: $O_3(g) + O(g) \longrightarrow 2O_2(g)$

1단계에서 소모되었던 Cl가 2단계에서 다시 생성된다.
➡ Cl는 소모되지 않는다.

①, ②, ④ Cl는 O_3 분해 반응의 촉매로 작용한다. 즉, 활성화 에너지를 작게 하는 새로운 반응 경로로 바꾸어 반응을 빠르게 한다.
③ Cl는 O_3 분해 반응 후 없어지지 않으므로 계속 오존을 분해하는 촉매로 작용한다.

바로알기 ⑤ 화학 평형은 농도, 압력, 온도에 의해 이동하며, 촉매에 의해서는 이동하지 않는다. 촉매는 반응 속도를 빠르게 하여 평형에 도달하는 데 걸리는 시간을 감소시킨다.

06 ㄱ, ㄴ. 수크레이스는 효소이므로 설탕 분해 반응의 활성화 에너지를 감소시켜 반응 속도를 빠르게 한다. 수크레이스에서 A는 설탕과만 결합하는 특정 자리인 활성 자리이다.

바로알기 ㄷ. 수크레이스와 결합하는 기질은 설탕이며, 포도당과 과당은 생성물이다.

07 **모범답안** 백금(Pt), 로듐(Rh), 팔라듐(Pd) 등의 금속은 표면 촉매로, 자동차 배기가스에 포함된 C_xH_y, NO_x, CO 등의 해로운 기체들이 CO_2, H_2O, N_2 등으로 변하는 반응의 활성화 에너지를 작게 하여 반응이 잘 일어나도록 한다.

채점 기준	배점
표면 촉매를 언급하고 촉매 변환기에서 금속의 역할을 옳게 서술한 경우	100 %
표면 촉매를 언급하지 않고 촉매의 역할만 서술한 경우	60 %
표면 촉매만 언급한 경우	20 %

08 ㄴ. 고체 X는 촉매로, 화학 반응 전후에 질량이 변하지 않는다.

ㄷ. 고체 X는 표면에 흡착된 반응물의 원자 사이의 화학 결합을 약화시킴으로써 활성화 에너지를 감소시켜 반응이 빠르게 일어나게 한다.

바로알기 ㄱ. 고체 X는 표면 촉매이다.

09 이산화 타이타늄(TiO_2)이 표면에 빛을 받으면 전자가 들뜨게 되며 이 전자가 산소와 반응하여 활성 산소가 만들어지는데, 활성 산소는 반응성이 커서 유해 물질을 분해한다.

중단원 핵심 정리 279쪽

❶ 충돌수 ❷ 압력 ❸ 표면적 ❹ 활성화 에너지(E_a)
❺ < ❻ = ❼ 표면적 ❽ 활성화 에너지 ❾ 작아져
❿ 커져 ⓫ 기질 특이성 ⓬ 표면 ⓭ 광촉매

중단원 마무리 문제 280쪽~283쪽

01 ⑤ 02 ④ 03 ③ 04 ④ 05 ④ 06 ①
07 ② 08 ③ 09 ② 10 ① 11 ④ 12 ②
13 ④ 14 ⑤ 15 해설 참조 16 해설 참조

01 꼼꼼 문제 분석

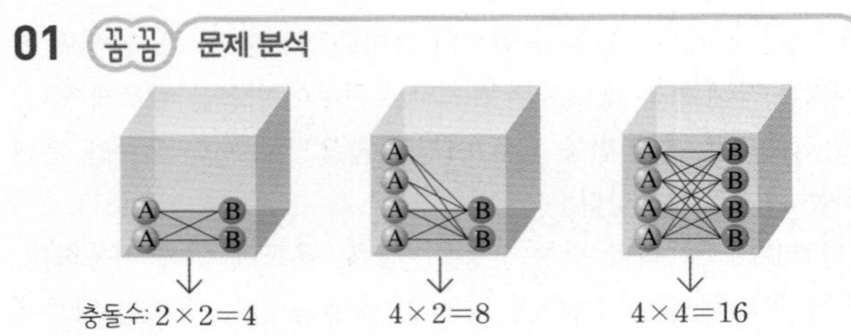

충돌수는 입자 수의 곱(농도의 곱)에 비례하므로 반응 속도는 농도 곱에 비례하는 형태로 표현할 수 있다.

⑤ 단위 부피당 입자 수가 증가하면 입자 사이의 충돌수가 많아져 반응 속도가 빨라진다. 따라서 모형은 농도에 따른 반응 속도를 설명하는 모형이다. 강철 솜은 산소의 농도가 약 21 %인 공기 중에서보다 순수한 산소 기체 속에서 더 빠르게 연소한다.

바로알기 ① 침에는 녹말을 분해하는 효소인 아밀레이스가 들어 있으므로, 먹다 남은 밥은 침의 효소로 인해 그대로 놓아둔 밥에 비해 쉽게 상한다. – 촉매
② 압력솥에서는 압력이 높아져 물이 100 °C보다 높은 온도에서 끓으므로 쌀이 익는 속도가 빨라져 밥이 빨리 된다. – 온도
③ 온도가 낮은 냉장고에서는 김치가 익는 속도가 느리므로 오랫동안 보관할 수 있다. – 온도
④ 암석이 기계적 풍화를 받으면 부서지면서 표면적이 커지기 때문에 화학적 풍화가 잘 일어난다. – 표면적

02 고체의 표면적이 반응 속도에 미치는 영향을 알아보기 위한 실험이다. 고체의 표면적이 커지면 반응물 사이의 접촉 면적이 증가하여 입자 사이의 충돌수가 증가하므로 반응 속도가 빨라진다.
ㄴ. 입자 사이의 충돌수는 표면적이 큰 (나)에서가 (가)에서보다 크다.
ㄷ. 반응 속도 상수(k)는 반응에 따라 고유한 값을 가지며, 고체 물질의 표면적 변화에 의해서는 변하지 않는다. 따라서 (가)와 (나)에서 반응 속도 상수는 같다.

바로알기 ㄱ. 고체의 표면적이 커져도 활성화 에너지는 변하지 않으므로 (가)와 (나)에서 활성화 에너지는 같다.

03 ㄱ. 생성된 H_2의 부피가 일정하게 유지되는 시간, 즉 반응이 완결되는 시간이 짧을수록 반응 속도가 빠르다. 따라서 반응 속도는 T_1에서가 T_2에서보다 빠르므로, 온도는 T_1이 T_2보다 높다.
ㄷ. 온도는 활성화 에너지를 변화시키지 않으므로, 활성화 에너지는 T_1과 T_2에서 같다.

바로알기 ㄴ. T_1에서가 T_2에서보다 반응 속도가 빠르므로 반응 속도 상수(k)는 T_1에서가 T_2에서보다 크다.

04 ㄴ. (가)와 (다)는 반응물의 농도와 온도는 같고, 표면적이 (다)에서가 (가)에서보다 크다. 따라서 초기 반응 속도는 표면적이 큰 (다)에서가 (가)에서보다 빠르다.
ㄷ. (나)와 (라)에서 반응한 탄산 칼슘의 양이 같으므로 반응이 완결되었을 때 생성되는 기체의 총량(mol)은 같다.

바로알기 ㄱ. (가)와 (나)는 온도가 같으므로 반응 속도 상수(k)가 같다.

05 ㄱ. 실험 Ⅰ과 Ⅱ에서 I_2의 농도를 2배로 하면 반응 속도가 2배가 된다. 따라서 실험 Ⅰ과 Ⅱ의 반응 속도 차이는 충돌수 때문이다.
ㄴ. 온도가 높을수록 분자의 운동 에너지가 커져 반응할 수 있는 입자 수가 증가하므로 반응 속도가 빨라진다. 따라서 실험 Ⅲ에서 T_1과 T_2의 반응 속도 차이는 분자의 운동 에너지 때문이다.
ㄹ. 실험 Ⅰ과 Ⅱ에서 I_2의 농도를 2배로 하면 반응 속도가 2배가 되고, 실험 Ⅱ와 Ⅲ에서 H_2의 농도를 2배로 하면 반응 속도가 2배가 되므로 반응 속도는 $v=k[A][B]$이다. 즉, 반응 속도는 $[H_2]$와 $[I_2]$의 영향을 받는다.

바로알기 ㄷ. 온도가 높을수록 반응 속도가 빠르므로 온도는 T_2가 T_1보다 높다.

06 꼼꼼 문제 분석

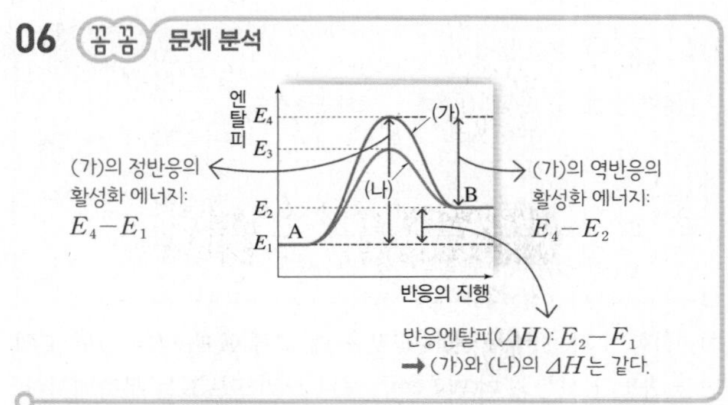

ㄱ. (가)에서 정반응의 활성화 에너지는 E_4-E_1이고, 역반응의 활성화 에너지는 E_4-E_2이므로 그 차이는 $(E_4-E_1)-(E_4-E_2)=E_2-E_1$이다.

바로알기 ㄴ. (가)에서 온도를 높여도 활성화 에너지는 변하지 않으므로 (나)로 경로가 바뀌지 않는다.

ㄷ. (나)는 (가)보다 촉매에 의해 활성화 에너지가 E_4-E_3만큼 감소하지만, 반응엔탈피(ΔH)는 E_2-E_1으로 변하지 않는다.

07 꼼꼼 문제 분석

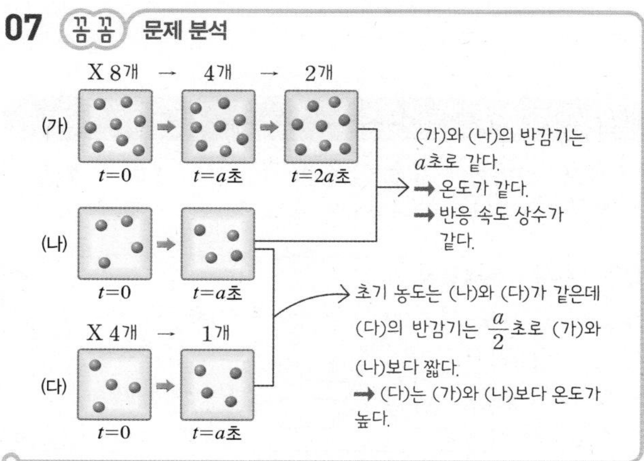

ㄷ. (나)와 (다)에서 초기 농도가 같은데, 반감기는 (나)에서가 a초, (다)에서가 $\frac{a}{2}$초로 (나)에서가 (다)에서보다 길다. 즉, 반응 속도는 (나)에서가 (다)에서보다 느리므로 온도는 (나)에서가 (다)에서보다 낮다.

바로알기 ㄱ. (가)와 (나)에서 반감기가 a초로 같으므로 반응 속도 상수(k)는 (가)와 (나)에서 같다.

ㄴ. 온도가 높아지면 분자들의 평균 속력이 커지므로 충돌수가 증가한다. 그러나 온도 상승에 따른 반응 속도 변화의 주된 요인은 활성화 에너지 이상의 에너지를 갖는 분자 수가 증가하기 때문이다. 즉, 반응 속도는 (다)에서가 (나)에서의 2배로 빠르지만, 충돌수는 (다)에서가 (나)에서의 2배보다 작다.

08 ㄱ, ㄷ. 반응 경로 Ⅰ과 Ⅱ에서 A의 초기 농도와 온도가 같을 때, B의 초기 생성 속도는 반응 경로 Ⅰ에서가 반응 경로 Ⅱ에서보다 빠르다. 따라서 반응 경로 Ⅰ에 첨가한 물질인 (다)는 정촉매이다. 정촉매는 활성화 에너지를 작게 하여 반응 속도를 빠르게 하므로 반응 경로 Ⅰ의 활성화 에너지인 (가)는 185보다 작다.

바로알기 ㄴ. B의 초기 생성 속도는 반응 경로 Ⅰ에서가 반응 경로 Ⅱ에서보다 빠르므로 반응 속도 상수는 k_1이 (나)보다 크다.

09 꼼꼼 문제 분석

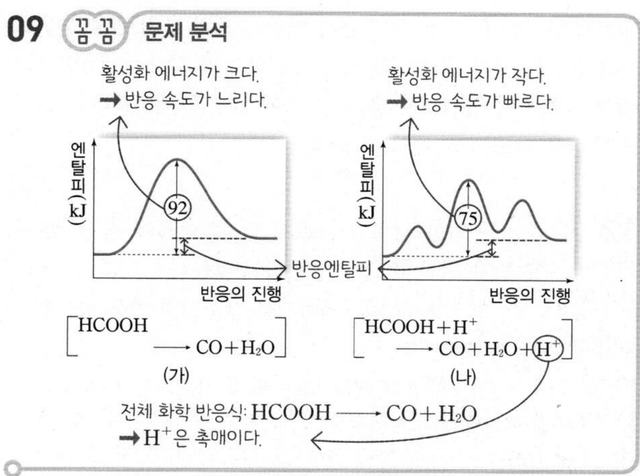

ㄷ. (나)가 (가)보다 반응 속도가 빠르므로 전체 반응에 대한 반응 속도 상수(k)는 (나)가 (가)보다 크다.

바로알기 ㄱ. (나)에서 H^+은 활성화 에너지를 작게 하는 정촉매이다.

ㄴ. (가)와 (나)는 반응 경로가 다를 뿐 반응물과 생성물의 종류가 같은 동일한 반응이다. 즉, 촉매에 의해 반응 경로가 달라져도 최종 반응물과 생성물의 엔탈피는 변하지 않으므로, 반응엔탈피(ΔH)도 변하지 않는다.

10 ㄱ. E_2가 E_1보다 크므로 첨가한 X는 부촉매임을 알 수 있다.

바로알기 ㄴ. 평균 운동 에너지는 T_2에서가 T_1에서보다 크므로 온도는 T_2가 T_1보다 높다.

ㄷ. (가)의 a는 활성화 에너지로, 온도에 의해서는 변하지 않는다. 따라서 (가)의 a는 T_1과 T_2에서 같다.

11 꼼꼼 문제 분석

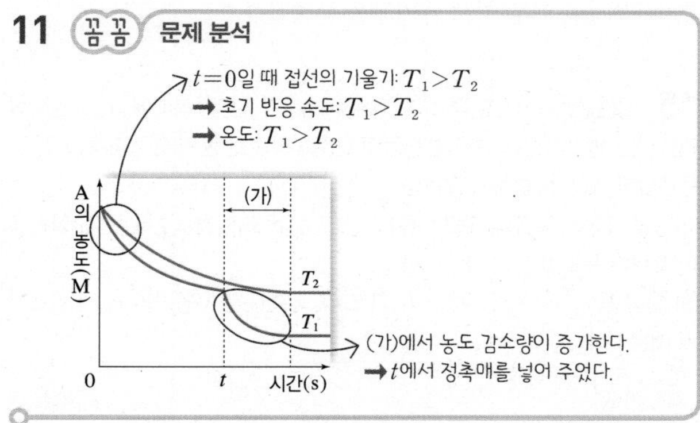

ㄴ. T_1일 때 (가)에서 반응물인 A의 농도 감소량이 증가하므로 시간 t에서 정촉매를 넣어 주었다. 따라서 t에서 활성화 에너지가 감소한다.

ㄷ. (가)에서 반응 속도 상수는 온도가 높고 정촉매가 첨가된 T_1에서가 T_2에서보다 크다.

바로알기 ㄱ. $t=0$일 때의 순간 반응 속도가 초기 반응 속도로, $t=0$인 지점에서 그래프의 접선의 기울기와 같다. $t=0$인 지점에서 그래프의 접선의 기울기는 T_1에서가 T_2에서보다 크므로, 초기 반응 속도는 T_1에서 더 크다.

12 ㄴ. 효소는 반응 경로를 다르게 할 뿐 반응에 직접 참여하지 않으므로 반응 전과 후 질량이 변하지 않는다.

바로알기 ㄱ. 효소는 활성화 에너지를 감소시켜 반응 속도를 빠르게 하는 생체 촉매이다.

ㄷ. 하나의 효소는 활성 자리가 맞는 특정 기질과만 반응하여 효소·기질 복합체를 형성한다.

13 ④ Pt은 표면 촉매로, Pt 표면에서 Pt−H 결합이 생성되고 H−H 결합이 끊어진다.

바로알기 ① 촉매에 의해 반응엔탈피는 변하지 않는다.

② C_2H_4과 H_2가 Pt 표면에 흡착되어 H−H 결합이 끊어지고 이 H와 C_2H_4 사이에 새로운 C−H 결합이 생성된다.

③, ⑤ 촉매는 반응물로 작용하여 소모되는 것이 아니므로 반응 전후 질량이 변하지 않는다. 또한 촉매는 반응물이나 생성물에 포함되지 않으므로 화학 반응식은 $C_2H_4 + H_2 \longrightarrow C_2H_6$이다.

14 ㄱ. 이산화 타이타늄은 광촉매로 가장 많이 사용되는 물질이고, 막 표면이 빛에너지를 받으면 산소, 물과 반응을 일으키므로 광촉매의 원리를 모식적으로 나타낸 것이다.

ㄴ. 광촉매가 빛에너지를 받으면 표면의 전자가 들뜨게 되고, 들뜬 전자가 이동하여 빈 공간(양공)이 생긴다. 이 전자와 양공이 흡착 물질과 산화 환원 반응을 한다.

ㄷ. (가)는 산소(O_2)가 전자를 얻어(환원) 생성된 활성 산소(O_2^-)로, 반응성이 매우 커서 유기물을 분해한다.

15 모범답안 (1) 실험 Ⅰ과 Ⅱ에서 ΔH가 같다. 촉매에 의해 물질의 엔탈피는 변하지 않으므로 생성물의 엔탈피와 반응물의 엔탈피 차이인 반응엔탈피(ΔH)는 변하지 않는다.

(2) 실험 Ⅰ에서가 Ⅲ에서보다 k가 크다. k는 온도가 높을수록 큰데, 실험 Ⅰ이 Ⅲ보다 온도가 높기 때문이다.

(3) 실험 Ⅲ에서가 Ⅱ에서보다 E_a가 크다. 정촉매를 사용하면 E_a가 감소하기 때문이다.

채점 기준		배점
(1)	ΔH를 옳게 비교하고, 그 까닭을 옳게 서술한 경우	35 %
	ΔH만 옳게 비교한 경우	15 %
(2)	k를 옳게 비교하고, 그 까닭을 옳게 서술한 경우	35 %
	k만 옳게 비교한 경우	15 %
(3)	E_a를 옳게 비교하고, 그 까닭을 옳게 서술한 경우	30 %
	E_a만 옳게 비교한 경우	15 %

16 모범답안 (1) 기질 특이성, 하나의 효소는 특정한 기질에만 결합하여 작용한다.

(2) $a-b$, 효소에 의해 반응 경로가 달라져 활성화 에너지는 $(a-b)$만큼 감소한다.

채점 기준		배점
(1)	효소의 특성을 옳게 쓰고, 그 특성을 옳게 서술한 경우	50 %
	효소의 특성만 옳게 쓴 경우	30 %
(2)	감소한 활성화 에너지의 크기를 옳게 구하고, 그 까닭을 옳게 서술한 경우	50 %
	감소한 활성화 에너지의 크기만 옳게 구한 경우	30 %

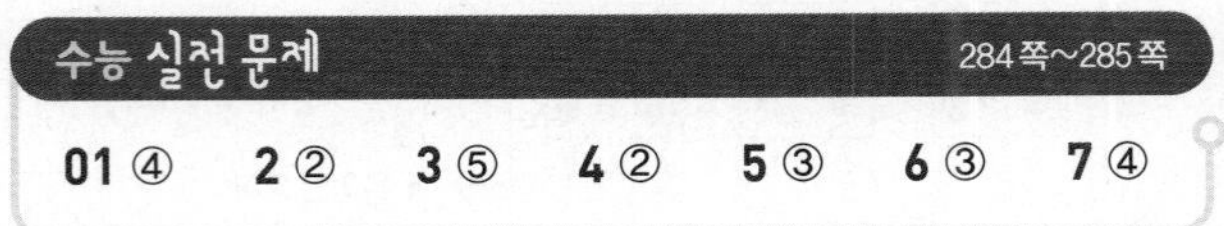

01 꼼꼼 문제 분석

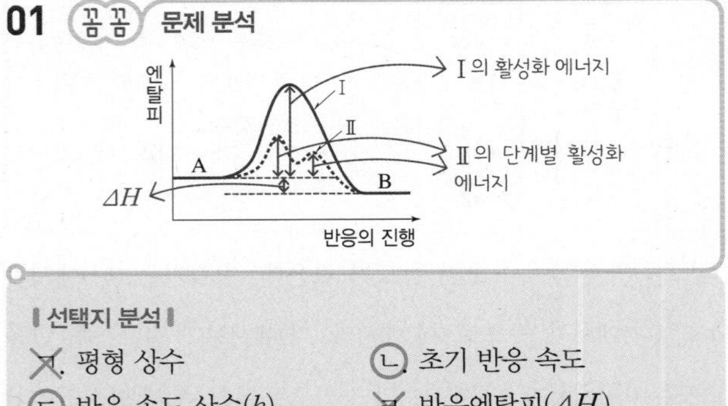

ㄴ, ㄷ. Ⅱ는 Ⅰ에 비해 활성화 에너지가 작은 새로운 경로로 반응이 진행되므로 반응 속도가 크다. 따라서 초기 반응 속도는 Ⅱ에서가 Ⅰ에서보다 크며, 반응 속도 상수도 Ⅱ에서가 Ⅰ에서보다 크다.

바로알기 ㄱ. 평형 상수는 온도에 의해서만 달라지므로 평형 상수는 Ⅰ과 Ⅱ에서 서로 같다.

ㄹ. 반응 경로가 달라져 반응 속도가 달라질 뿐 반응엔탈피(ΔH)는 Ⅰ과 Ⅱ에서 서로 같다.

02 꼼꼼 문제 분석

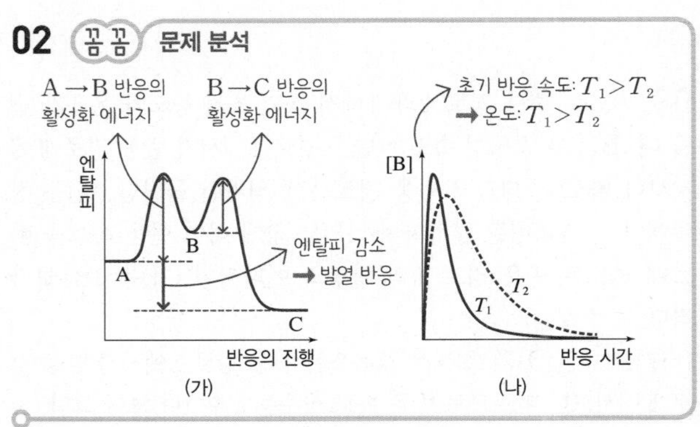

| 선택지 분석 |

~~ㄱ. $\Delta H>0$~~ ($\Delta H<0$) ㄴ. $k_2>k_1$ ~~ㄷ. $T_2>T_1$~~ ($T_1>T_2$)

ㄴ. 활성화 에너지는 A ⟶ B 반응에서가 B ⟶ C 반응에서보다 크므로 반응 속도 상수는 k_2가 k_1보다 크다.

| 바로알기 | ㄱ. 반응물인 A의 엔탈피가 생성물인 C의 엔탈피보다 크므로 이 반응은 발열 반응이다. 발열 반응에서 반응엔탈피(ΔH)는 0보다 작다.

ㄷ. A의 초기 농도가 같을 때 초기 반응 속도는 T_1에서가 T_2에서보다 크므로 온도는 T_1이 T_2보다 높다.

03 꼼꼼 문제 분석

반응 조건	Ⅰ	Ⅱ
반응 온도	T_{I} >	T_{II}
활성화 에너지	E_{I} >	E_{II}
초기 반응 속도	v_{I} <	$2v_{\mathrm{I}}$
첨가한 물질	없음	X

정촉매 사용

온도가 높아지면 운동 에너지가 큰 분자 수 증가 ➡ 온도: $T_{\mathrm{I}}>T_{\mathrm{II}}$

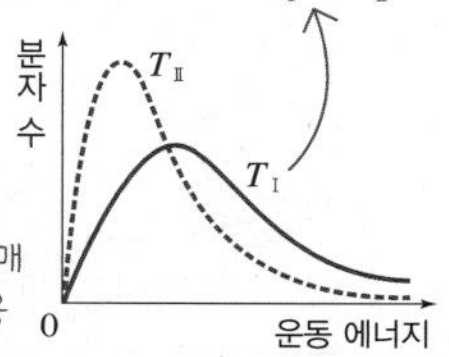

| 선택지 분석 |

ㄱ. $E_{\mathrm{I}}>E_{\mathrm{II}}$이다.

ㄴ. X는 정촉매이다.

ㄷ. Ⅰ과 Ⅱ에서의 반응 경로는 서로 다르다.

ㄱ. 온도가 $T_{\mathrm{I}}>T_{\mathrm{II}}$인데 초기 반응 속도는 반응 조건 Ⅱ에서가 반응 조건 Ⅰ에서보다 크므로 활성화 에너지는 반응 조건 Ⅰ에서가 반응 조건 Ⅱ에서보다 크다.

ㄴ. 반응 조건 Ⅱ에서의 활성화 에너지가 반응 조건 Ⅰ에서의 활성화 에너지보다 작으므로 반응 조건 Ⅱ에서 X는 활성화 에너지를 감소시키는 정촉매이다.

ㄷ. 정촉매인 X에 의해 반응 경로가 달라지므로 반응 조건 Ⅰ과 반응 조건 Ⅱ에서의 반응 경로는 서로 다르다.

04 꼼꼼 문제 분석

Ⅰ과 Ⅲ 비교: 촉매가 있을 때 생성된 B의 농도가 더 크다. ➡ Ⅲ에서 정촉매를 넣었다.

실험	온도	촉매
Ⅰ	T_1	없음
Ⅱ	T_2	없음
Ⅲ	T_1	있음

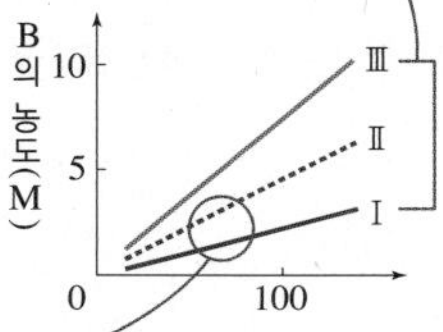

Ⅰ과 Ⅱ 비교: T_1보다 T_2일 때 생성된 B의 농도가 더 크다. ➡ 온도: $T_2>T_1$

| 선택지 분석 |

~~ㄱ. T_1은 T_2보다 높다.~~ 낮다

~~ㄴ. 반응 속도 상수는 Ⅰ에서가 Ⅱ에서보다 크다.~~ 작다

ㄷ. Ⅲ의 촉매는 활성화 에너지를 감소시킨다.

ㄷ. A의 초기 농도와 온도가 일정할 때 생성물인 B의 농도가 실험 Ⅲ이 실험 Ⅰ보다 크므로 반응 속도는 실험 Ⅲ에서가 실험 Ⅰ에서보다 크다. 따라서 실험 Ⅲ에서 넣어 준 촉매는 활성화 에너지를 감소시키는 정촉매이다.

| 바로알기 | ㄱ. A의 초기 농도가 일정할 때 B의 농도는 실험 Ⅱ가 실험 Ⅰ보다 크므로 반응 속도는 실험 Ⅱ에서가 실험 Ⅰ에서보다 크다. 따라서 온도는 T_2가 T_1보다 높다.

ㄴ. 온도는 T_2가 T_1보다 높으므로 반응 속도 상수는 실험 Ⅱ에서가 실험 Ⅰ에서보다 크다.

05 꼼꼼 문제 분석

실험	초기 반응 조건		0~50초 동안
	첨가한 물질	온도	생성된 $C(g)$의 양(몰)
Ⅰ	없음	T_1	n
Ⅱ	없음	T_2	$5n$
Ⅲ	$X(s)$	T_1	$100n$

Ⅰ과 Ⅱ 비교: T_1보다 T_2에서 반응 속도가 빠르다. ➡ 온도는 T_2가 T_1보다 높다.

Ⅰ과 Ⅲ 비교: $X(s)$를 첨가하면 반응 속도가 빨라진다. ➡ $X(s)$는 정촉매이다.

| 선택지 분석 |

ㄱ. T_2가 T_1보다 높다.

ㄴ. Ⅱ에서 0~50초에서의 $-\frac{\Delta[A]}{\Delta t}=8n$ M/s이다.

~~ㄷ. Ⅲ에서 $X(s)$는 활성화 에너지를 증가시킨다.~~ 감소

ㄱ. 일정 시간 동안 생성되는 $C(g)$의 양은 실험 Ⅱ에서가 Ⅰ에서보다 크므로 반응 속도는 실험 Ⅱ에서가 실험 Ⅰ에서보다 빠르다. 즉, 온도는 T_2가 T_1보다 높다.

ㄴ. 화학 반응식에서 계수의 비는 소모되거나 생성되는 물질의 몰비이므로, 반응 속도를 표현할 때 반응물이나 생성물의 농도 변화를 화학 반응식의 계수로 나누어 준다. 따라서 $-\frac{\Delta[A]}{2\Delta t}=\frac{\Delta[C]}{\Delta t}$의 관계가 성립한다.

실험 Ⅱ에서 C가 $5n$몰 생성될 때 A는 $10n$몰 반응하며, $A(aq)$의 부피는 0.025 L이므로 감소한 $[A]=\frac{10n\text{몰}}{0.025\text{ L}}=400n$ M이다. 따라서 0~50초에서의 $-\frac{\Delta[A]}{\Delta t}=\frac{400n\text{ M}}{50\text{ s}}=8n$ M/s이다.

| 바로알기 | ㄷ. 일정 시간 동안 생성되는 C(g)의 양은 실험 Ⅲ에서가 실험 Ⅰ에서보다 크므로 X(s)는 활성화 에너지를 감소시키는 정촉매이다.

06 꼼꼼 문제 분석

밀폐 용기에서 기체의 부분 압력은 그 기체의 양(몰)에 비례한다.

반응 시간 (분)	온도 (K)	X의 압력 (기압)	Y의 압력 (기압)
0	T_1	3.2	0
1	T_1	1.6	0.8
2	T_1	0.8	1.2
3	T_2	0.8	x

X의 압력: 0분→1분 1.6기압 감소, 1분→2분 0.8기압 감소

Y의 압력: 0분→1분 0.8기압 증가, 1분→2분 0.4기압 증가

온도가 높아졌음에도 X의 압력이 일정하므로 넣어 준 고체 촉매는 부촉매이다.

반응 몰비=X : Y=2 : 1
➡ 화학 반응식
2X(g) ⟶ Y(g)

| 선택지 분석 |

ㄱ. $a=2b$이다.

ㄴ. x는 1.2기압이다. 1.2기압보다 크다

ㄷ. 평균 반응 속도는 0~1분에서가 2분~3분에서의 4배보다 크다.

ㄱ. 온도와 압력이 같을 때 기체의 압력은 기체의 양(mol)에 비례하며, 반응하거나 생성되는 기체의 몰비는 화학 반응식의 계수비와 같다. 일정 시간 동안 감소하는 X의 압력이 증가하는 Y의 압력의 2배이므로, 반응 몰비는 X : Y=2 : 1이다. 따라서 계수비는 a : b=2 : 1이다.

ㄷ. $PV=nRT$에서 부피(V)가 일정할 때 압력(P)은 기체의 양(n)과 온도(T)에 비례한다. 3분일 때 온도가 T_1이라면 X의 압력은 0.4기압으로 2분일 때의 $\frac{1}{2}$배가 되므로 이때 X의 양은 $0.4n$몰이라고 할 수 있다. 그런데 3분에서 온도가 T_2이고 $T_2<2T_1$이므로 온도에 의한 압력 증가는 2배보다 작다. 따라서 2분~3분 사이에 온도만 T_2로 높아졌다면 3분일 때 X의 압력은 0.8기압보다 작아야 하는데, X의 압력이 0.8기압이므로 2분이 경과한 직후 넣어 준 촉매는 부촉매이고 부촉매의 작용으로 반응 속도가 느려져 이때의 X의 양은 $0.4n$몰보다 크다.

평균 반응 속도$=\dfrac{\text{반응물의 농도 변화량}}{\text{반응 시간}}$이다.

따라서 0~1분 사이의 평균 반응 속도는 $1.6n$ M/분이고, 반응 시간 3분에서 X의 양을 $n_{3분}$이라고 하면 2분~3분 사이의 평균 반응 속도는 $(0.8n-n_{3분})$ M/분이다. 3분일 때 X의 양이 $0.4n$몰보다 크므로($n_{3분}>0.4n$몰), 2분~3분 사이의 평균 반응 속도는 $0.4n$ M/분보다 작다.

• 0~1분 사이의 평균 반응 속도$=1.6n$ M/분

• 2분~3분 사이의 평균 반응 속도$<0.4n$ M/분

따라서 평균 반응 속도는 0~1분에서가 2분~3분에서의 4배보다 크다.

| 바로알기 | ㄴ. 2분~3분일 때도 반응이 진행되므로 3분에서 Y의 양은 2분에서보다 많고, 온도는 T_2로 높아진다. 부피가 일정할 때 기체의 양이 많아지고 온도가 높아지므로 3분에서 Y의 압력은 1.2기압보다 크다.

07 꼼꼼 문제 분석

실험	Ⅰ	Ⅱ	Ⅲ	Ⅳ
A(g)의 초기 농도(M)	n	n	$2n$	$2n$
온도	T_1	T_1	T_1	T_2
촉매	없음	X(s)	없음	없음

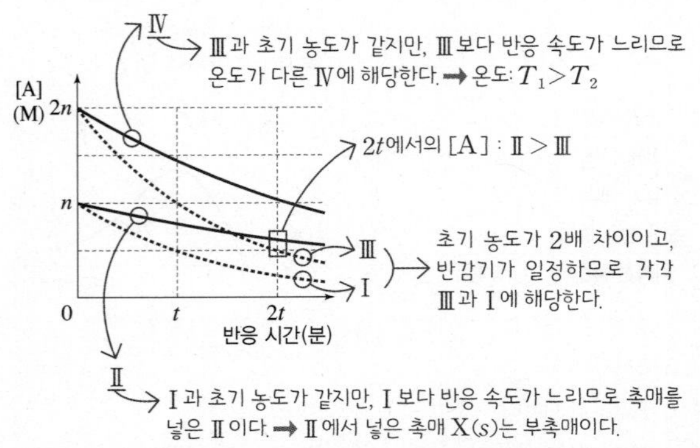
Ⅳ
Ⅲ과 초기 농도가 같지만, Ⅲ보다 반응 속도가 느리므로 온도가 다른 Ⅳ에 해당한다. ➡ 온도: $T_1>T_2$
[A] (M)
2n
n
0
t
2t
반응 시간(분)
2t에서의 [A] : Ⅱ > Ⅲ
Ⅲ
Ⅰ
초기 농도가 2배 차이이고, 반감기가 일정하므로 각각 Ⅲ과 Ⅰ에 해당한다.
Ⅱ
Ⅰ과 초기 농도가 같지만, Ⅰ보다 반응 속도가 느리므로 촉매를 넣은 Ⅱ이다. ➡ Ⅱ에서 넣은 촉매 X(s)는 부촉매이다.

| 선택지 분석 |

ㄱ. X(s)는 정촉매이다. 부촉매

ㄴ. $2t$에서 [A]는 실험 Ⅱ에서가 Ⅲ에서보다 크다.

ㄷ. 반응 속도 상수(k)는 실험 Ⅲ에서가 Ⅳ에서보다 크다.

ㄴ. 이 반응은 [A]에 대한 1차 반응이므로 반감기가 일정하다. 따라서 초기 농도가 n M일 때 반감기가 t로 일정한 점선 그래프가 실험 Ⅰ이고, $2n$ M일 때 반감기가 t로 일정한 점선 그래프가 실험 Ⅲ이며, 초기 농도가 n M일 때의 실선 그래프가 실험 Ⅱ이다. 따라서 $2t$에서 [A]는 실험 Ⅱ에서가 Ⅲ에서보다 크다.

ㄷ. 실험 Ⅲ과 Ⅳ에서 반감기는 Ⅳ에서가 Ⅲ에서보다 크므로 온도는 T_1이 T_2보다 높다. 따라서 반응 속도 상수(k)도 실험 Ⅲ에서가 Ⅳ에서보다 크다.

| 바로알기 | ㄱ. 실험 Ⅱ는 실험 Ⅰ과 초기 농도가 같지만, 반응 속도가 더 느리므로 X(s)는 부촉매이다.

Ⅳ. 전기 화학과 이용

1 전기 화학과 이용

01 화학 전지의 원리

개념 확인 문제 292쪽

❶ 큰 ❷ Zn ❸ 큰 ❹ 작은 ❺ 작은 ❻ 큰 ❼ 큰 ❽ 작은

1 (1) ○ (2) ○ (3) × **2** (1) × (2) ○ (3) × (4) ○
3 Zn>Cu>Ag **4** (1) ○ (2) ○ (3) × (4) ○
5 (1) 반응 안 함
(2) $2Ag^+(aq)+Mg(s) \longrightarrow Mg^{2+}(aq)+2Ag(s)$
(3) $3Cu^{2+}(aq)+2Al(s) \longrightarrow 2Al^{3+}(aq)+3Cu(s)$
(4) 반응 안 함
(5) $Fe^{2+}(aq)+Mg(s) \longrightarrow Mg^{2+}(aq)+Fe(s)$
(6) 반응 안 함

1 (1) 수소보다 반응성이 큰 금속은 자신이 산화되면서 염산의 수소 이온(H^+)을 환원시켜 수소(H_2) 기체를 발생한다.
(2) 수소보다 산화되기 어려운 금속은 H^+을 환원시키지 못하므로 산 수용액과 반응하지 않는다.
(3) 반응성이 큰 금속일수록 전자를 잃고 산화되기 쉽다.

2 (1) Mg은 전자를 잃고 산화되면서 염산 속 H^+을 환원시켜 H_2 기체를 발생한다.
$Mg(s)+2H^+(aq) \longrightarrow Mg^{2+}(aq)+H_2(g)$
(2) Mg이 염산 속 H^+을 환원시키므로 반응성은 Mg이 H보다 크다.
(3) Cu는 염산 속 H^+을 환원시키지 못하므로 반응성은 H가 Cu보다 크다.
(4) 반응성은 Mg>H>Cu이다.

3 Cu^{2+}이 들어 있는 $CuSO_4$ 수용액에 Zn판을 넣었을 때 금속이 석출되는 반응이 일어난 것으로 보아, 금속의 반응성은 Zn>Cu이다.
$Cu^{2+}(aq)+Zn(s) \longrightarrow Zn^{2+}(aq)+Cu(s)$
또, Cu^{2+}이 들어 있는 $CuSO_4$ 수용액에 Ag판을 넣었을 때 반응이 일어나지 않은 것으로 보아, 금속의 반응성은 Cu>Ag이다.
$Cu^{2+}(aq)+2Ag(s) \longrightarrow$ 반응이 일어나지 않음
따라서 반응성의 크기는 Zn>Cu>Ag이다.

4 (1) Fe은 전자를 잃고 Fe^{2+}으로 산화되고, Ag^+은 전자를 얻어 Ag으로 환원된다.
(2) Fe은 Fe^{2+}으로 산화되면서 Ag^+을 Ag으로 환원시키므로 반응성은 Fe이 Ag보다 크다.
(3) NO_3^-은 반응에 참여하지 않는 구경꾼 이온이므로 반응 전후 NO_3^-의 수는 일정하다. 즉, NO_3^-은 산화되거나 환원되지 않는다.
(4) Ag^+ 2개가 반응할 때 Fe^{2+} 1개가 생성되므로 수용액 속의 양이온 수는 감소한다.
$2Ag^+(aq)+Fe(s) \longrightarrow Fe^{2+}(aq)+2Ag(s)$

5 수용액 속에 양이온 상태로 들어 있는 금속의 이온화 경향이 넣어 준 금속보다 작아야 반응이 일어난다.
(1) 반응성은 Zn>Fe이므로 염화 아연 수용액에 철을 넣으면 반응이 일어나지 않는다.
$Zn^{2+}(aq)+Fe(s) \longrightarrow$ 반응 안 함
(2) 반응성은 Mg>Ag이므로 질산 은 수용액에 마그네슘을 넣으면 다음의 반응이 일어난다.
$2Ag^+(aq)+Mg(s) \longrightarrow Mg^{2+}(aq)+2Ag(s)$
(3) 반응성은 Al>Cu이므로 염화 구리(Ⅱ) 수용액에 알루미늄을 넣으면 다음의 반응이 일어난다.
$3Cu^{2+}(aq)+2Al(s) \longrightarrow 2Al^{3+}(aq)+3Cu(s)$
(4) 반응성은 Ca>Ag이므로 질산 칼슘 수용액에 은을 넣으면 반응이 일어나지 않는다.
$Ca^{2+}(aq)+2Ag(s) \longrightarrow$ 반응 안 함
(5) 반응성은 Mg>Fe이므로 염화 철(Ⅱ) 수용액에 마그네슘을 넣으면 다음의 반응이 일어난다.
$Fe^{2+}(aq)+Mg(s) \longrightarrow Mg^{2+}(aq)+Fe(s)$
(6) 반응성은 Na>Ni이므로 염화 나트륨 수용액에 니켈을 넣으면 반응이 일어나지 않는다.
$2Na^+(aq)+Ni(s) \longrightarrow$ 반응 안 함

개념 확인 문제 298쪽

❶ 화학 전지 ❷ 전해질 ❸ 산화 ❹ 환원 ❺ 묽은 황산 ❻ 분극 ❼ 염다리 ❽ 1차 ❾ 2차

1 (1) × (2) ○ (3) × **2** (1) ○ (2) ○ (3) ○ (4) × (5) ×
3 (1) (−)극: Zn판, (+)극: Cu판 (2) (−)극: $Zn(s) \longrightarrow Zn^{2+}(aq)+2e^-$, (+)극: $Cu^{2+}(aq)+2e^- \longrightarrow Cu(s)$ (3) 증가한다.
(4) Zn판 → Cu판 **4** (1) × (2) × (3) ○

1 (1) 화학 전지는 산화 환원 반응을 이용하여 화학 에너지를 전기 에너지로 전환하는 장치이다.
(2) 화학 전지의 (−)극에서는 산화 반응이 일어나므로 금속이 전자를 잃는다.
(3) 볼타 전지는 분극 현상이 일어나지만, 다니엘 전지는 분극 현상이 일어나지 않는다.

2 (1) 금속의 반응성은 Zn > Cu이므로 반응성이 큰 아연(Zn)판은 전자를 잃는 산화 반응이 일어나는 산화 전극((−)극)으로 작용한다.
(2) 금속의 반응성이 작은 Cu판에서는 도선을 따라 이동해 온 전자를 전해질 수용액 속의 H^+이 받는 환원 반응이 일어난다.
(3) 화학 전지에서 전자는 (−)극에서 (+)극으로 이동하므로 ㉠은 전자의 이동 방향, ㉡은 전류의 이동 방향이다.
(4) Zn은 전자를 잃고 산화되므로 Zn판의 질량은 감소한다. 반면, Cu판에서는 전해질 수용액 속의 H^+이 전자를 얻어 H_2로 환원되므로 Cu판의 질량은 변하지 않는다.
(5) 볼타 전지에서 일어나는 전체 반응은 $Zn(s)+2H^+(aq) \longrightarrow Zn^{2+}(aq)+H_2(g)$이므로 전지 반응이 진행되면 수용액 속 양이온 수가 감소한다.

3 (1) 금속의 반응성은 Zn > Cu이므로 반응성이 큰 Zn판이 (−)극(산화 전극)이고, 반응성이 작은 Cu판이 (+)극(환원 전극)이다.
(2) (−)극(산화 전극)에서는 Zn이 전자를 잃고 산화되어 수용액에 Zn^{2+}으로 녹아 들어간다. 즉, (−)극에서 일어나는 반응은 다음과 같다.
(−)극: $Zn(s) \longrightarrow Zn^{2+}(aq)+2e^-$
(+)극(환원 전극)에서는 $CuSO_4$ 수용액 속 Cu^{2+}이 전자를 받아 Cu로 석출된다. 즉, (+)극에서 일어나는 반응은 다음과 같다.
(+)극: $Cu^{2+}(aq)+2e^- \longrightarrow Cu(s)$
(3) Cu판에서는 전해질 수용액 속의 Cu^{2+}이 Cu로 석출되는 환원 반응이 일어나므로 Cu판의 질량이 증가한다.
(4) Zn판에서는 전자를 잃는 산화 반응이 일어나고, Cu판에서는 전자를 얻는 환원 반응이 일어나므로 전자는 Zn판에서 Cu판으로 이동한다.

4 (1) 1차 전지는 한 번 사용하여 방전되면 재사용할 수 없는 전지이다.
(2) 납축전지는 방전되면 충전하여 여러 번 사용할 수 있는 2차 전지이고, 건전지는 1차 전지이다.
(3) 리튬 이온 전지는 가볍고 에너지 밀도가 높아 휴대용 전자 기기에 많이 사용된다.

개념 확인 문제

302쪽

❶ 반쪽 전지 ❷ 표준 전극 전위 ❸ 표준 수소 전극 ❹ 0.00 ❺ 표준 환원 전위 ❻ 전지 전위 ❼ $E°_{(+)극}$ ❽ $E°_{(-)극}$

1 (1) ○ (2) × (3) ○ (4) × (5) ○ (6) × **2** (1) A (2) (−)극: A, (+)극: C (3) +1.56 V **3** (1) (−)극: Pb, (+)극: Cu (2) +1.10 V **4** (1) × (2) ○ (3) ○

1 (1) 표준 수소 전극은 전극 전위의 기준이 되는 전극으로, 이때의 전위를 0.00 V로 정한다.
(2) 표준 환원 전위가 클수록 환원되기 쉽고, 표준 환원 전위가 작을수록 산화되기 쉽다. 금속의 반응성은 전자를 잃고 산화되려는 정도를 의미하므로 표준 환원 전위가 작을수록 금속의 반응성이 크다.
(3) 수소보다 이온화 경향이 작은 금속은 수소 이온보다 환원되기 쉬우므로 표준 환원 전위가 (+)값이다.
(4) 표준 환원 전위가 클수록 환원되기 쉬우므로 전자를 얻는 (+)극이 된다.
(5) 표준 전지 전위는 (+)극의 표준 환원 전위에서 (−)극의 표준 환원 전위를 빼서 구하므로 두 전극의 표준 환원 전위 차이가 클수록 크다.
(6) 표준 전지 전위가 (+)값일 때 자발적인 전지 반응이 일어난다.

2 (1) 금속의 반응성은 전자를 잃고 산화되려는 정도를 의미하므로 표준 환원 전위가 작을수록 금속의 반응성이 크다. 따라서 금속의 반응성은 A > B > C이다.
(2) 표준 환원 전위의 차이가 클수록 전지의 표준 전지 전위가 크므로 A와 C로 이루어진 전지의 표준 전지 전위가 가장 크다. 이때 표준 환원 전위가 큰 C가 (+)극이고, 표준 환원 전위가 작은 A가 (−)극이다.
(3) 표준 전지 전위는 (+)극의 표준 환원 전위에서 (−)극의 표준 환원 전위를 빼서 구하므로 금속 A와 C로 만든 다니엘 전지의 표준 전지 전위($E°_{전지}$)는 다음과 같다.

$$E°_{전지}=E°_{(+)극}-E°_{(-)극} = +0.80\text{ V}-(-0.76\text{ V})=+1.56\text{ V}$$

3 (1) Pb과 Cu로 화학 전지를 구성할 때 표준 환원 전위가 작은 Pb이 (−)극이 되고, 표준 환원 전위가 큰 Cu가 (+)극이 된다.
(2) 표준 전지 전위는 (+)극의 표준 환원 전위에서 (−)극의 표준 환원 전위를 빼서 구하므로 Zn과 Cu로 만든 다니엘 전지의 표준 전지 전위($E°_{전지}$)는 다음과 같다.

$$E°_{전지}=E°_{(+)극}-E°_{(-)극} = +0.34\text{ V}-(-0.76\text{ V})=+1.10\text{ V}$$

4. (1) 표준 환원 전위가 클수록 환원되기 쉽고, 표준 환원 전위가 작을수록 산화되기 쉽다. 수소의 표준 환원 전위는 0.00 V이므로 수소보다 표준 환원 전위가 작은 금속인 C와 D가 수소보다 반응성이 크다.

(2) 금속 B를 (−)극으로 사용할 때 (+)극으로 사용할 수 있는 금속은 B보다 표준 환원 전위가 큰 금속이다. 즉, (+)극으로 사용할 수 있는 금속은 A이다.

(3) 표준 환원 전위가 가장 큰 금속과 표준 환원 전위가 가장 작은 금속으로 구성된 전지의 표준 전지 전위($E°_{전지}$)가 가장 크다. 따라서 A와 D로 구성된 전지의 표준 전지 전위가 가장 크다.

대표 자료 분석 303쪽

자료 ① **1** A>Cu>B **2** (−)극: A판, (+)극: B판 **3** (1) × (2) ○ (3) ○ (4) × (5) ○

자료 ② **1** (−)극: $Zn(s) \longrightarrow Zn^{2+}(aq)+2e^-$, (+)극: $Cu^{2+}(aq)+2e^- \longrightarrow Cu(s)$ **2** +1.10 V **3** (1) ○ (2) × (3) ○ (4) × (5) ○

①-1 꼼꼼 문제 분석

[실험 과정]
금속 A, B를 그림과 같이 장치하여 금속 표면에서 일어나는 변화를 관찰한다.

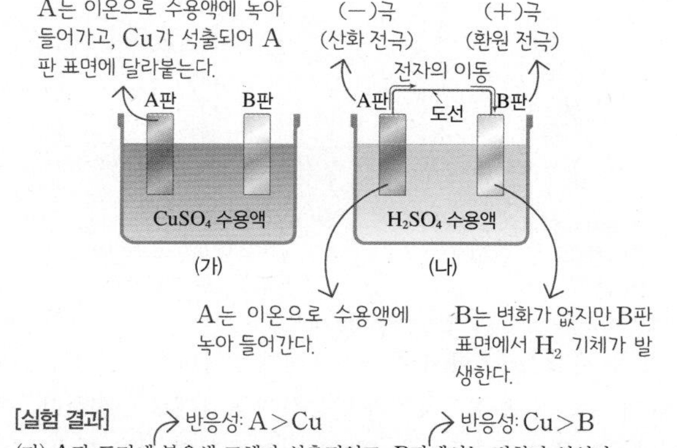

[실험 결과]
(가) A판 표면에 붉은색 고체가 석출되었고, B판에서는 변화가 없었다. (→ 반응성: A>Cu, → 반응성: Cu>B)
(나) A판은 질량이 감소하였고, B판 표면에서 기체가 발생하였다. (→ A가 이온으로 수용액에 녹아 들어가므로, → 수소 기체)

(가)에서 $CuSO_4$ 수용액에 금속 A와 B를 각각 넣을 때 A판 표면에서만 붉은색 고체(구리)가 석출되는 것으로 보아, A는 전자를 잃고 산화되면서 Cu^{2+}을 환원시킬 수 있지만 B는 Cu^{2+}을 환원시키지 못함을 알 수 있다. 따라서 금속의 반응성은 A>Cu>B이다.

①-2 반응성이 큰 A판에서는 산화 반응이 일어나므로 A판은 (−)극(산화 전극)으로 작용하고, 반응성이 작은 B판에서는 환원 반응이 일어나므로 B판은 (+)극(환원 전극)으로 작용한다.

①-3 (1) (가)에서 A는 전자를 잃고 A 이온으로 산화된다.

(2) (가)의 A판에서는 수용액 속 Cu^{2+}이 전자를 얻어 금속 Cu로 환원된다.

(3), (4) (나)에서 반응성이 큰 A판 표면에서는 A가 전자를 잃고 산화되면서 이온으로 되고, 전자가 도선을 따라 B판으로 이동하여 B판의 표면에서 수용액 속 H^+이 환원되는 반응이 일어난다. 그러나 B는 반응이 일어나는 전극으로서의 역할만 하므로 수용액에 B 이온은 생성되지 않는다.

(5) (나)에서 A가 산화되면서 내놓은 전자는 도선을 따라 B판으로 이동하여 수용액 속 H^+을 환원시킨다.

②-1 꼼꼼 문제 분석

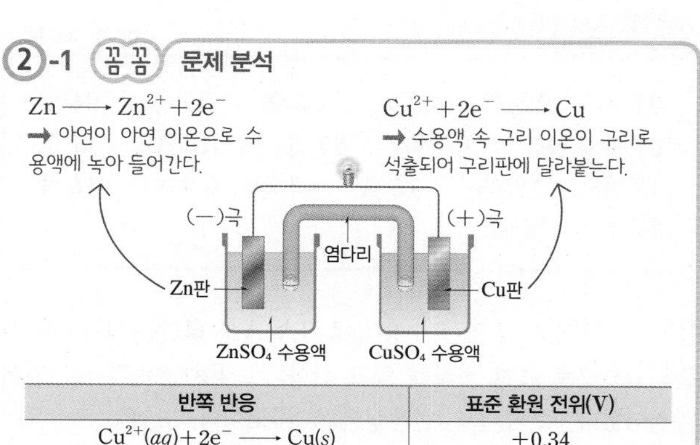

반쪽 반응	표준 환원 전위(V)
$Cu^{2+}(aq)+2e^- \longrightarrow Cu(s)$	+0.34
$Zn^{2+}(aq)+2e^- \longrightarrow Zn(s)$	−0.76

→ 표준 환원 전위가 작은 금속이 (−)극이 되고, 표준 환원 전위가 큰 금속이 (+)극이 된다.
→ Zn판이 (−)극, Cu판이 (+)극이다.

(−)극은 산화 전극이므로 환원되기 어려운 물질이 산화되고, (+)극은 환원 전극이므로 환원되기 쉬운 물질이 환원된다. Zn과 Cu의 반응성은 Zn>Cu이므로 (−)극에서는 Zn이 산화되고, (+)극에서는 Cu^{2+}이 환원되는 다음과 같은 반응이 일어난다.

(−)극: $Zn(s) \longrightarrow Zn^{2+}(aq)+2e^-$

(+)극: $Cu^{2+}(aq)+2e^- \longrightarrow Cu(s)$

②-2 전지의 표준 전지 전위($E°_{전지}$)는 (+)극의 표준 환원 전위에서 (−)극의 표준 환원 전위를 빼서 구한다. 따라서 $E°_{전지} = +0.34\ V-(-0.76\ V)=+1.10\ V$이다.

②-3 (1) Cu판에서는 Cu^{2+}이 전자를 얻어 환원되어 Cu로 되므로 Cu^{2+}의 농도가 감소한다. 따라서 $CuSO_4$ 수용액의 푸른색이 점점 옅어진다.

(2) Cu판에서 기체가 발생하지 않으므로 분극 현상이 나타나지 않는다.
(3) Zn판에서 산화 반응이 일어나고, Cu판에서 환원 반응이 일어나므로 전자는 Zn판에서 도선을 따라 Cu판으로 이동한다.
(4) Zn판에서는 Zn이 산화되어 Zn^{2+}으로 녹아 들어가 수용액 속의 양전하가 증가하므로 전하의 균형을 맞추기 위해 염다리의 음이온이 $ZnSO_4$ 수용액 쪽으로 이동한다. 또, Cu판에서는 Cu^{2+}이 환원되어 Cu로 되어 수용액 속의 양전하가 감소하므로 전하의 균형을 맞추기 위해 염다리의 양이온이 $CuSO_4$ 수용액 쪽으로 이동한다.
(5) (−)극에서는 Zn이 전자를 잃고 산화되어 Zn^{2+}을 생성하고, (+)극에서는 Cu^{2+}이 전자를 얻어 환원되어 Cu를 생성하므로 전지 반응이 진행될수록 수용액 속 $\frac{[Zn^{2+}]}{[Cu^{2+}]}$는 증가한다.

내신 만점 문제

304쪽~307쪽

01 ④ **02** ④ **03** ⑤ **04** ② **05** ④ **06** ②
07 해설 참조 **08** ④ **09** ⑤ **10** ③ **11** ④
12 ③ **13** ② **14** ③ **15** B>C>A **16** ③
17 ⑤ **18** ④

01 Fe^{2+}이 들어 있는 수용액에 금속 A를 넣었을 때 Fe이 석출되었으므로 A가 전자를 잃고 산화되고 Fe^{2+}이 전자를 얻어 환원되었다. 즉, 금속의 반응성은 A>Fe이다. 또, Fe^{2+}이 들어 있는 수용액에 금속 B를 넣었을 때 반응이 일어나지 않았으므로 금속의 반응성은 Fe>B이다. 따라서 금속 A, B, Fe의 반응성은 A>Fe>B이다.

02 꼼꼼 문제 분석

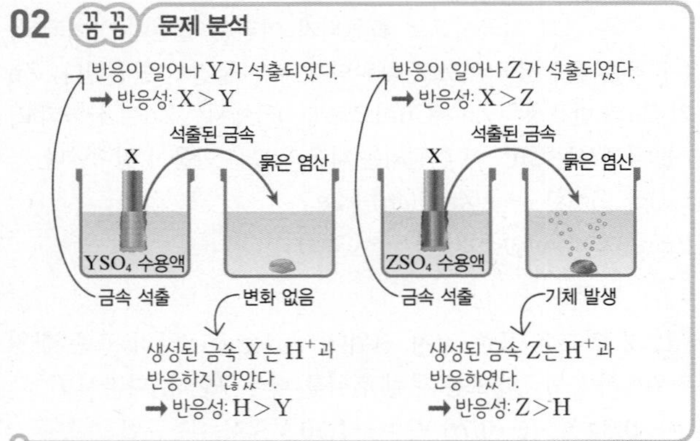

묽은 염산에 넣었을 때 기체가 발생하는 Z는 수소(H)보다 반응성이 크고, 기체가 발생하지 않는 Y는 수소(H)보다 반응성이 작다. 또, X는 Z보다 반응성이 크므로 수소(H)보다 반응성이 큰 금속은 X, Z이다.

03 꼼꼼 문제 분석

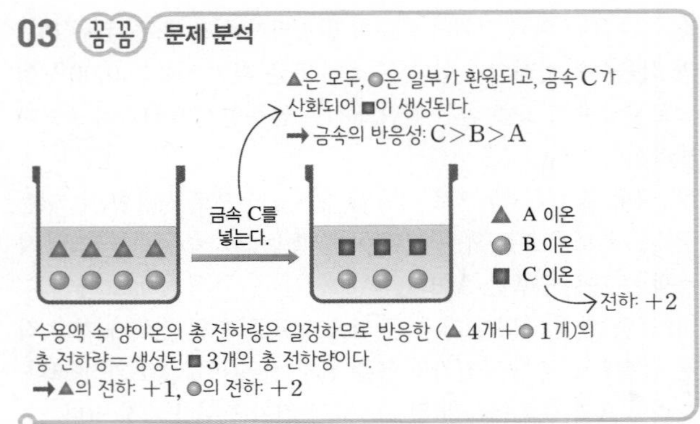

ㄴ. 수용액에 금속 C를 넣을 때 A 이온 4개와 B 이온 1개가 반응하고, C 이온이 3개 생성된다. 생성된 C 이온의 전하가 +2이므로 반응한 양이온의 총 전하량은 +6이다. 따라서 A 이온의 전하는 +1이고, B 이온의 전하는 +2이다.
ㄷ. C는 전자를 내놓고 산화되고, A 이온과 B 이온은 전자를 얻어 환원된다.
바로알기 ㄱ. 수용액에 금속 C를 넣을 때 A 이온은 모두, B 이온은 일부가 반응하여 C 이온이 생성된 것으로 보아, C가 전자를 잃고 C 이온으로 산화되면서 A 이온과 B 이온이 전자를 얻어 금속 A와 B로 환원됨을 알 수 있다. 이때 A 이온이 먼저, B 이온이 나중에 환원되므로 금속의 반응성은 C>B>A이다.

04 꼼꼼 문제 분석

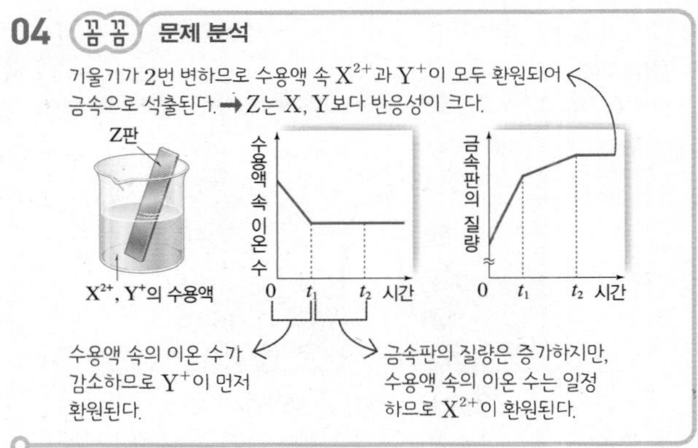

ㄴ. 반응 시간 t_1~t_2에서 Z 원자 1개가 반응하여 Z^{2+} 1개가 생성될 때 수용액 속 X^{2+} 1개가 반응하여 X 1개를 생성한다. 즉, Z판에서는 Z 원자 1개가 X 원자 1개로 치환된 것과 같다. 이때 금속판의 질량이 증가하는 것으로 보아, 원자 1개의 질량은 X가 Z보다 크다는 것을 알 수 있다. 따라서 원자량은 X>Z이다.
바로알기 ㄱ. 반응 시간 0~t_1에서는 이온 수가 감소하므로 Z는 Z^{2+}으로 산화되고 Y^+은 Y로 환원된다.

$Z+2Y^+ \longrightarrow Z^{2+}+2Y$

또, 반응 시간 t_1~t_2에서도 금속판의 질량 변화가 일어나므로 반응이 일어나며, 이때 수용액의 이온 수가 일정하므로 Z는 Z^{2+}으로 산화되고 X^{2+}은 X로 환원된다.

$Z+X^{2+} \longrightarrow Z^{2+}+X$

금속 Z판을 수용액에 넣을 때 반응성이 작은 금속의 이온이 먼저 환원되므로 금속의 반응성은 X가 Y보다 크다.

ㄷ. 금속의 반응성은 Z>X>Y이므로 Z^{2+}의 수용액에 금속 Y 판을 넣으면 반응이 일어나지 않는다.

05 꼼꼼 문제 분석

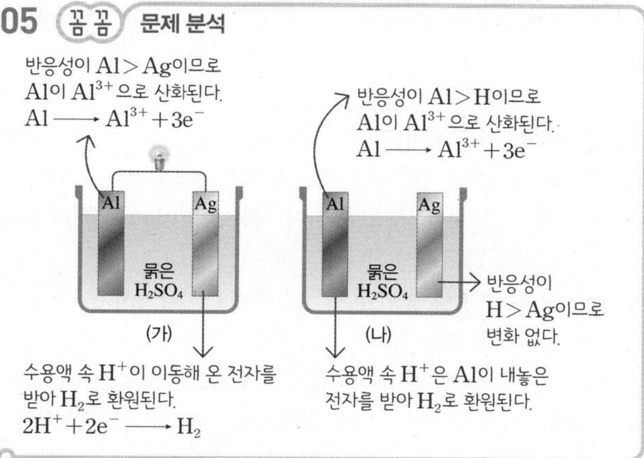

④ (가)와 (나)에서는 모두 다음과 같은 반응이 일어난다.

$2Al+6H^+ \longrightarrow 3H_2+2Al^{3+}$

즉, H^+ 6개가 반응하여 소모될 때 Al^{3+} 2개가 생성되므로 수용액 속 양이온 수는 (가)와 (나)에서 모두 감소한다.

바로알기 ① Al은 H보다 반응성이 크므로 (가)와 (나) 모두에서 Al은 전자를 잃고 Al^{3+}으로 산화되고, H^+은 전자를 얻어 H_2로 환원된다.

② (가)와 (나)에서 Al은 전자를 잃고 Al^{3+}으로 산화되어 수용액 속으로 녹아 들어가므로 Al판의 질량은 (가)와 (나)에서 모두 감소한다.

③ (가)에서 Ag판은 (+)극(환원 전극)으로 작용하므로 Ag판 표면에서는 전해질 수용액 속 H^+이 전자를 얻어 H_2 기체를 생성하는 반응이 일어난다. 그러나 Ag은 H보다 반응성이 작으므로 (가)와 (나) 모두에서 Ag판의 Ag은 반응하지 않는다. 따라서 Ag판의 질량은 (가)와 (나)에서 모두 변화 없다.

⑤ 황산 이온(SO_4^{2-})은 반응에 참여하지 않는 구경꾼 이온이므로 (가)와 (나)에서 그 수가 변하지 않는다.

06 꼼꼼 문제 분석

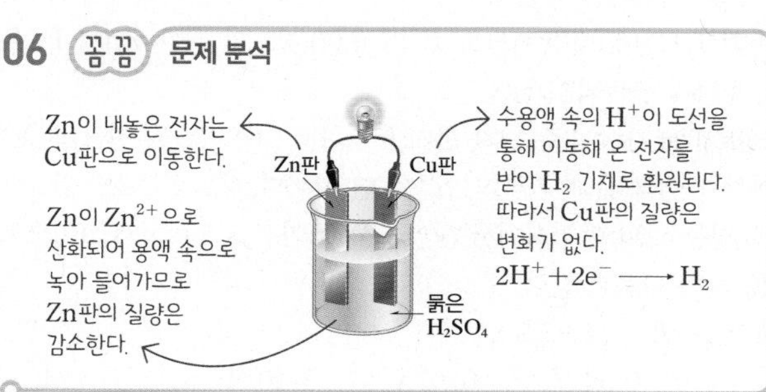

ㄴ. Zn판이 (−)극(산화 전극)이고, Cu판이 (+)극(환원 전극)이므로 전자는 Zn판에서 Cu판으로 이동한다.

바로알기 ㄱ. Zn판의 Zn은 산화되지만, Cu판의 Cu는 변화가 없다.

ㄷ. Zn이 Zn^{2+}으로 녹아 들어가므로 Zn판의 질량은 감소하지만, Cu판에서는 수소 기체가 발생하므로 Cu판의 질량은 변하지 않는다.

07 볼타 전지는 묽은 황산을 전해질로 사용하므로 H^+이 환원되어 H_2 기체가 발생하고, 발생한 H_2 기체가 (+)극인 구리판 표면에 달라붙어 전지의 전압이 급격히 떨어지는 분극 현상이 나타난다. 반면, 다니엘 전지는 금속 이온이 들어 있는 수용액을 전해질로 사용하므로 환원되어 생성되는 물질이 H_2 기체가 아닌 금속 고체이다. 따라서 분극 현상이 나타나지 않는다.

모범답안 볼타 전지는 묽은 황산을 전해질로 사용하므로 H_2 기체가 발생하여 분극 현상이 나타난다. 그러나 다니엘 전지는 금속 이온이 들어 있는 수용액을 전해질로 사용하므로 H_2 기체가 발생하지 않아 분극 현상이 나타나지 않는다.

채점 기준	배점
다니엘 전지에서는 H_2 기체가 발생하지 않아 분극 현상이 나타나지 않는다고 서술한 경우	100 %
분극 현상을 방지하기 위해서라고만 서술한 경우	50 %

08 꼼꼼 문제 분석

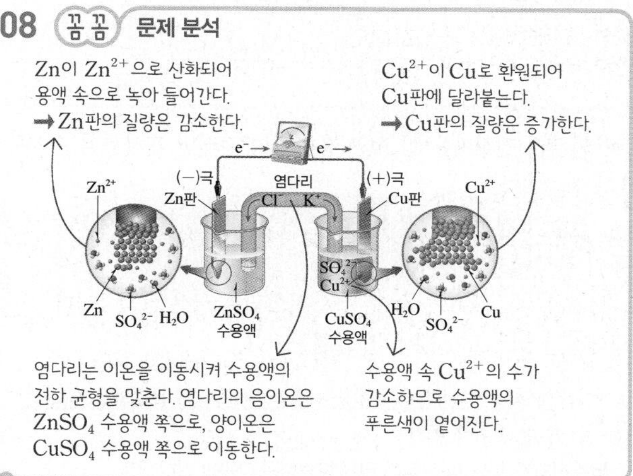

Zn이 Cu보다 반응성이 크므로 Zn판이 (−)극(산화 전극)이고, Cu판이 (+)극(환원 전극)이다. (−)극에서는 Zn이 전자를 잃어 Zn^{2+}으로 산화되고, (+)극에서는 Cu^{2+}이 전자를 얻어 Cu로 환원된다.

ㄴ. (+)극인 Cu판에서는 Cu^{2+}이 전자를 얻어 Cu로 환원된다.

$Cu^{2+}+2e^- \longrightarrow Cu$

이때 수용액 속 Cu^{2+}의 농도가 점점 감소하므로 $CuSO_4$ 수용액의 푸른색이 점점 옅어진다.

ㄷ. (−)극인 Zn판에서는 Zn이 전자를 잃어 Zn^{2+}으로 산화된다.

$Zn \longrightarrow Zn^{2+} + 2e^-$

Zn 원자 1개가 산화되어 수용액 속으로 녹아 들어갈 때 Cu^{2+} 1개가 환원되어 Cu로 석출된다. 이때 원자량은 Zn > Cu이므로 두 전극의 질량의 합은 감소한다.

바로알기 ㄱ. 염다리는 염화 칼륨(KCl), 질산 칼륨(KNO_3) 등을 채운 관으로, 전지 반응이 일어날 때 염다리 속의 음이온은 $ZnSO_4$ 수용액 쪽으로 이동하고, 양이온은 $CuSO_4$ 수용액 쪽으로 이동하여 양쪽 수용액의 전하 균형을 맞추는 역할을 한다. 전자는 외부 도선을 통해 (−)극인 Zn판에서 (+)극인 Cu판으로 이동한다.

09 망가니즈 건전지의 (−)극은 아연통, (+)극은 탄소 막대, 전해질로는 이산화 망가니즈, 염화 암모늄, 흑연 가루의 반죽을 사용한다.

ㄱ. 아연통은 (−)극(산화 전극)으로, Zn이 Zn^{2+}으로 산화되므로 아연통의 질량은 점점 감소한다.

ㄴ. 탄소 막대는 (+)극(환원 전극)으로, H^+이 H_2로 환원되는 반응이 일어난다.

ㄷ. MnO_2는 감극제로, H_2를 H_2O로 산화시켜 분극 현상을 방지한다.

10 꼼꼼 문제 분석

염기성 전해질

$Zn(s) \mid KOH(aq) \mid MnO_2, C(s)$

(−)극(산화 전극) (+)극(환원 전극)

ㄱ. 알칼리 건전지는 한 번 사용하여 방전되면 재사용할 수 없는 1차 전지이다.

ㄷ. 알칼리 건전지는 전해질이 염기성 물질인 KOH이므로 아연통이 부식되지 않는다.

바로알기 ㄴ. Zn이 Zn^{2+}으로 산화되는 극은 (−)극이다. (+)극에서는 MnO_2가 Mn_2O_3로 환원된다.

11 꼼꼼 문제 분석

납축전지가 충전, 방전될 때 전체 반응식은 다음과 같다.

$$Pb(s) + PbO_2(s) + 2H_2SO_4(aq) \underset{충전}{\overset{방전}{\rightleftharpoons}} 2PbSO_4(s) + 2H_2O(l)$$

[방전될 때]

(−)극(산화 전극): $Pb(s) + SO_4^{2-}(aq) \longrightarrow PbSO_4(s) + 2e^-$

(+)극(환원 전극): $PbO_2(s) + 4H^+(aq) + SO_4^{2-}(aq) + 2e^- \longrightarrow PbSO_4(s) + 2H_2O(l)$

$PbSO_4$이 생성되므로 두 전극의 질량이 모두 증가한다.

H^+이 H_2O로 되므로 H^+의 수가 감소한다.

ㄴ. 납축전지가 방전될 때 두 전극에서 모두 생성되는 황산 납($PbSO_4$)은 물에 녹지 않으며, 두 전극을 이루는 Pb이나 PbO_2보다 무거우므로 두 전극의 질량이 모두 증가한다.

ㄷ. 납축전지가 방전될 때 H_2SO_4이 소모되므로 수용액의 H^+ 농도가 감소하여 pH가 커진다.

바로알기 ㄱ. 화학 전지에서 산화가 일어나는 전극은 전자를 공급하는 (−)극이다. 납축전지에서 Pb판은 산화되므로 (−)극으로 작용한다.

12 ① 리튬 이온 전지는 (−)극은 흑연(C), (+)극은 리튬 코발트 산화물($LiCoO_2$), 전해질로 유기 용매가 사용된 2차 전지이다.

② 리튬 이온 전지는 가볍고 에너지 저장 능력이 매우 커서 휴대용 전자 기기에 많이 사용된다.

④ 리튬 이온 전지를 충전할 때는 Li^+이 (+)극에서 (−)극으로 이동하고, 방전할 때는 Li^+이 (−)극에서 (+)극으로 이동한다.

⑤ 리튬 이온 전지에 폴리머(고분자 중합체) 상태의 전해질을 사용한 리튬−폴리머 전지는 다른 전지들에 비해 성능이 뛰어나다.

바로알기 ③ Li은 원자량이 가장 작은 금속이므로 다른 2차 전지에 비해 가볍다.

13 ① 표준 수소 전극은 전극 전위의 기준이 되는 것으로, 이때의 전위는 0.00 V이다.

③ 표준 전극 전위는 25 °C, 1기압, 1 M 수용액, 즉 표준 상태일 때의 전극 전위이다.

④ 표준 환원 전위는 표준 수소 전극과 연결하여 측정한 반쪽 전지의 환원 전위이다. 표준 환원 전위가 클수록 환원되기 쉽고, 작을수록 산화되기 쉽다.

⑤ 표준 전지 전위는 25 °C에서 전해질 수용액의 농도가 1 M, 기체의 압력이 1기압일 때 두 반쪽 전지를 연결한 화학 전지의 전위로, (+)극과 (−)극의 표준 환원 전위 차이로 구한다.

바로알기 ② 금속의 반응성은 전자를 잃고 산화되려는 정도를 의미하므로 반응성이 큰 금속일수록 표준 환원 전위가 작다.

14 ㄱ. 표준 환원 전위($E°$)가 클수록 환원되기 쉽다. 따라서 환원되기 가장 쉬운 금속의 양이온은 $E°$가 가장 큰 Cu^{2+}이다.

ㄴ. $E°$가 작을수록 금속의 반응성이 크다. 즉, 산화되기 쉽다. 수소의 $E°$는 0.00 V이므로 $E°$가 0.00 V보다 작은 Zn과 Fe은 수소보다 산화되기 쉽다.

바로알기 ㄷ. 표준 전지 전위($E°_{전지}$)는 (+)극(환원 전극)의 $E°$에서 (−)극(산화 전극)의 $E°$를 뺀 값이다. Zn과 Cu를 전극으로 하는 다니엘 전지에서 (−)극은 Zn이고, (+)극은 Cu이므로 $E°_{전지}$는 다음과 같다.

$E°_{전지} = E°_{(+)극} - E°_{(-)극}$

$= +0.34\ V - (-0.76\ V) = +1.10\ V$

15 금속의 반응성은 전자를 잃고 산화되려는 정도를 의미하므로 반응성이 큰 금속일수록 표준 환원 전위가 작다. A~C 중 D와의 전지에서 전지 전위가 가장 작게 측정된 B의 표준 환원 전위가 가장 작고, 전지 전위가 가장 크게 측정된 A의 표준 환원 전위가 가장 크다. 따라서 금속의 반응성 크기는 B>C>A이다.

16 ㄱ. 표준 환원 전위($E°$)가 클수록 환원되기 쉽다. 즉, 금속의 반응성은 표준 환원 전위가 작은 B가 A보다 크다. 따라서 $A^{2+}(aq)$에 $B(s)$를 넣으면 반응성이 큰 B가 산화되면서 A^{2+}이 환원되는 산화 환원 반응이 일어난다.
$A^{2+}(aq)+2B(s) \longrightarrow 2B^{+}(aq)+A(s)$
ㄷ. B의 $E°$는 H의 $E°$보다 작으므로 B는 H보다 반응성이 크다. 따라서 B의 반쪽 전지를 표준 수소 전극에 연결하면 B 전극에서 산화 반응이 일어난다.
바로알기 ㄴ. A의 $E°$는 표준 수소 전극의 전위보다 크므로 A는 H보다 반응성이 작다. 따라서 $HCl(aq)$에 $A(s)$를 넣으면 반응이 일어나지 않는다.

17 ㄱ. 표준 환원 전위($E°$)가 큰 쪽이 (+)극(환원 전극)이 되고, 표준 환원 전위가 작은 쪽이 (−)극(산화 전극)이 되므로 A와 B를 전극으로 하는 화학 전지에서 A는 (−)극(산화 전극)이고 B는 (+)극(환원 전극)이다. 따라서 전자는 외부 도선을 따라 A에서 B로 이동한다.
ㄴ. 표준 전지 전위($E°_{전지}$)는 (+)극(환원 전극)의 $E°$에서 (−)극(산화 전극)의 $E°$를 뺀 값이다. 따라서 이 전지의 표준 전지 전위($E°_{전지}$)$=+0.80\ V-(-0.76\ V)=+1.56\ V$이다.
ㄷ. 이 전지의 전극 반응은 다음과 같다.
(−)극(산화 전극): $A(s) \longrightarrow A^{2+}(aq)+2e^-$
(+)극(환원 전극): $B^{+}(aq)+e^- \longrightarrow B(s)$
전지 반응이 진행될 때 A^{2+}의 농도는 증가하고, B^{+}의 농도는 감소하므로 $\dfrac{[A^{2+}]}{[B^{+}]}$는 증가한다.

18 표준 전지 전위($E°_{전지}$)는 (+)극(환원 전극)의 $E°$에서 (−)극(산화 전극)의 $E°$를 뺀 값이며, $E°_{전지}$가 (+)값이면 전지 반응이 자발적으로 일어나고 (−)값이면 전지 반응이 자발적으로 일어나지 않는다.
① $E°_{전지}=-0.76\ V-(-1.66\ V)=+0.90\ V$
② $E°_{전지}=+0.34\ V-(-1.66\ V)=+2.00\ V$
③ $E°_{전지}=+0.80\ V-(-1.66\ V)=+2.46\ V$
④ $E°_{전지}=-0.76\ V-(+0.34\ V)=-1.10\ V$
⑤ $E°_{전지}=+0.80\ V-(+0.34\ V)=+0.46\ V$
따라서 $E°_{전지}<0$인 ④의 경우는 반응이 자발적으로 일어나지 않는다.

02 전기 분해의 원리

개념 확인 문제

311쪽

❶ 전기 분해 ❷ 음 ❸ 양 ❹ 물(H_2O) ❺ 물(H_2O) ❻ 산소(O_2) ❼ 수소(H_2) ❽ (+)(산화 전극) ❾ (−)(환원 전극) ❿ (+)(산화 전극) ⓫ (−)(환원 전극)

1 (1) × (2) ○ (3) ○ (4) × **2** (1) (+)극: Cl_2, (−)극: Cu (2) (+)극: Cl_2, (−)극: Na (3) (+)극: O_2, (−)극: Cu (4) (+)극: O_2, (−)극: H_2 **3** (1) × (2) ○ (3) ○ (4) × **4** (1) ㉠ 산화 ㉡ 환원 (2) ㉠ 큰 ㉡ 작은

1 (1) 전기 분해는 전기 에너지를 이용하여 산화 환원 반응을 일으켜 물질을 분해하는 반응이다.
(2) 전해질 용융액을 전기 분해할 때 (−)극에서는 항상 전해질의 양이온이 환원된다.
(3) 전해질 수용액을 전기 분해할 때 (−)극에서 물이 환원되면 수소 기체와 함께 OH^-이 생성되므로 (−)극 주변의 pH는 커진다.
(4) 물을 전기 분해할 때 염화 나트륨을 넣어 주면 (+)극에서는 염소 기체가 생성되므로 염화 나트륨은 적절한 전해질이 아니다.

2 전해질 용융액을 전기 분해하면 (+)극에서는 전해질의 음이온이 산화되고, (−)극에서는 전해질의 양이온이 환원된다.
전해질 수용액을 전기 분해하면 F^-, SO_4^{2-}, PO_4^{3-}, CO_3^{2-}, NO_3^- 등이 녹아 있는 경우 (+)극에서 물이 산화되어 O_2 기체가 발생하고, Li^+, K^+, Ca^{2+}, Na^+, Mg^{2+}, Al^{3+}, NH_4^+ 등이 녹아 있는 경우 (−)극에서 물이 환원되어 H_2 기체가 발생한다.
(1) 염화 구리(Ⅱ)($CuCl_2$) 용융액을 전기 분해하면 (+)극에서는 Cl_2 기체가 발생하고, (−)극에서는 고체 Cu가 생성된다.
(2) 염화 나트륨(NaCl) 용융액을 전기 분해하면 (+)극에서는 Cl_2 기체가 발생하고, (−)극에서는 액체 Na이 생성된다.
(3) 황산 구리(Ⅱ)($CuSO_4$) 수용액을 전기 분해하면 (+)극에서는 SO_4^{2-} 대신 물이 산화되어 O_2 기체가 발생하고, (−)극에서는 고체 Cu가 생성된다.
(4) 황산 나트륨(Na_2SO_4) 수용액을 전기 분해하면 (+)극에서는 SO_4^{2-} 대신 물이 산화되어 O_2 기체가 발생하고, (−)극에서는 Na^+ 대신 물이 환원되어 H_2 기체가 발생한다.

3 (1), (3) NaCl 수용액을 전기 분해하면 (−)극에서는 물이 환원되어 H_2 기체가 발생한다. 이때 OH^-이 함께 생성되어 수용액의 액성이 염기성이 되므로 (−)극 주변에 BTB 용액을 떨어뜨리면 파란색을 띤다.

(−)극: $2H_2O(l)+2e^- \longrightarrow H_2(g)+2OH^-(aq)$

(2), (4) NaCl 수용액을 전기 분해하면 (+)극에서는 Cl^-이 산화되어 Cl_2 기체가 발생한다. 따라서 (+)극 막대의 질량은 변하지 않는다.

(+)극: $2Cl^-(aq) \longrightarrow Cl_2(g)+2e^-$

4 (1) 은 도금 시 Ag을 (+)극에, 도금할 물체를 (−)극에 연결하여 전류를 흘려 주면 (+)극에서 Ag이 Ag^+으로 산화되어 수용액에 녹아 들어가고, (−)극에서 Ag^+이 Ag으로 환원되어 물체에 도금된다.

(2) 구리의 제련 시 (+)극의 구리판에 포함된 불순물 중 구리보다 반응성이 큰 금속은 산화되어 수용액 속에 이온 상태로 존재하고, 구리보다 반응성이 작은 금속은 산화되지 않고 찌꺼기로 남는다.

개념 확인 문제

314쪽

❶ 수소 연료 전지 ❷ (−)(산화 전극, 연료극) ❸ (+)(환원 전극, 공기극) ❹ 탄소 ❺ 수소(H_2) ❻ 산소(O_2) ❼ 물(H_2O) ❽ 광분해

1 (1) ○ (2) ○ (3) × (4) × (5) ○ **2** (1) × (2) × (3) ○ (4) ○ **3** (1) ○ (2) × (3) × (4) ○ (5) ○ **4** (1) A: 산소(O_2), B: 수소(H_2) (2) 산화: 광촉매 전극, 환원: 백금 전극

1 (1) 수소 연료 전지는 수소를 연료로 하여 화학 에너지를 전기 에너지로 바꾸는 장치이다.

(2) 연료 전지는 기존의 화학 전지와는 달리 연료를 외부에서 계속적으로 공급하는 화학 전지이다.

(3) 수소 연료 전지에서 연료는 수소이고, 산소는 수소를 산화시키는 산화제이다.

(4) 수소 연료 전지는 연료가 외부에서 공급되면 계속 사용할 수 있으므로 충전할 필요가 없다.

(5) 수소 연료 전지는 최종 생성물이 물이므로 환경오염 물질을 배출하지 않는다.

2 수소 연료 전지에서 (−)극으로는 H_2 기체를 공급하고, (+)극으로는 O_2 기체를 공급한다.

(1) (−)극은 산화 전극이므로 H_2가 전자를 내놓고 산화된다.

(2) (+)극은 환원 전극이므로 O_2가 전자를 얻어 환원된다.

(3) (−)극 쪽에서 생성된 H^+은 (+)극 쪽으로 이동하여 O_2와 반응하여 물을 생성한다.

(4) 최종 생성물이 물이므로 환경오염 물질을 배출하지 않는다.

3 (1) 수소 연료 전지는 에너지 효율이 40 %~60 % 정도로, 화석 연료에 비해 높다.

(2) 수소 연료 전지는 운송수단뿐만 아니라 가정용 발전, 산업용 발전, 휴대용 전자 기기의 전지 등에 이용할 수 있어 활용 범위가 넓다.

(3) 물을 전기 분해하여 수소를 제조하는 방법은 전기 에너지가 많이 소모되므로 비용이 많이 든다.

(4) 화석 연료와 수증기를 반응시켜 수소를 얻는 방법은 많은 양의 이산화 탄소를 배출하므로 지구 온난화와 기후 변화 등의 문제를 일으킨다.

(5) 수소는 가연성이 있어 폭발 위험성이 있다. 따라서 수소 연료 전지를 실용화하려면 연료인 수소의 안전성 확보가 필요하다.

4 광촉매 전극에 빛을 쪼여 주면 광촉매 전극에서 물이 전자를 내놓고 산소로 산화되고, 전자는 외부 도선을 따라 백금 전극으로 이동하여 수소 이온을 수소 기체로 환원시키므로 수소를 얻을 수 있다.

(1) A에서는 산소(O_2), B에서는 수소(H_2)가 생성된다.

(2) 광촉매 전극에서는 산화 반응이, 백금 전극에서는 환원 반응이 일어난다.

대표 자료 분석

315쪽

자료 ① **1** (가) $2Cl^-(l) \longrightarrow Cl_2(g)+2e^-$ (나) $2Cl^-(aq) \longrightarrow Cl_2(g)+2e^-$ **2** (가) 나트륨(Na) (나) 수소(H_2) **3** (1) ○ (2) × (3) ○ (4) × (5) × (6) ○

자료 ② **1** 전극 A: (−)극(산화 전극, 연료극), 전극 B: (+)극(환원 전극, 공기극) **2** $2H_2(g)+O_2(g) \longrightarrow 2H_2O(l)$ **3** (1) × (2) × (3) × (4) ○ (5) ○

①-1 꼼꼼 문제 분석

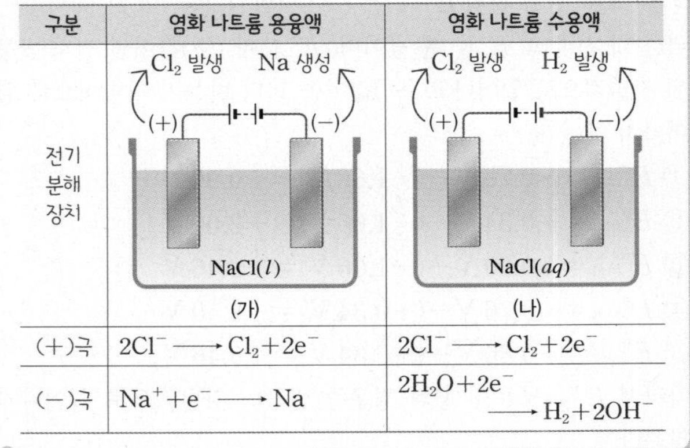

구분	염화 나트륨 용융액	염화 나트륨 수용액
전기 분해 장치	(가)	(나)
(+)극	$2Cl^- \longrightarrow Cl_2+2e^-$	$2Cl^- \longrightarrow Cl_2+2e^-$
(−)극	$Na^++e^- \longrightarrow Na$	$2H_2O+2e^- \longrightarrow H_2+2OH^-$

전해질 용융액을 전기 분해하면 (+)극에서는 음이온이 끌려와 전자를 잃고 산화된다. 또, 전해질 수용액을 전기 분해하면 (+)극에서는 물과 전해질의 음이온 중에서 산화되기 쉬운 물질이 먼저 산화된다. 따라서 (가)와 (나)의 (+)극에서는 공통적으로 Cl^-이 전자를 잃고 산화되어 Cl_2 기체가 발생하는 반응이 일어난다.
(가)의 (+)극(산화 전극): $2Cl^-(l) \longrightarrow Cl_2(g)+2e^-$
(나)의 (+)극(산화 전극): $2Cl^-(aq) \longrightarrow Cl_2(g)+2e^-$

1-2 (가)는 전해질 용융액이므로 (−)극에서는 전해질의 양이온이 끌려와 전자를 얻어 환원된다. 즉, Na^+이 전자를 얻어 환원되어 액체 Na이 생성된다.
(−)극(환원 전극): $Na^+(l)+e^- \longrightarrow Na(l)$
(나)는 전해질 수용액이므로 (−)극에서는 물과 전해질의 양이온 중에서 환원되기 쉬운 물질(표준 환원 전위가 큰 물질)이 먼저 환원된다. 따라서 물이 환원되어 H_2 기체가 발생한다.
(−)극(환원 전극): $2H_2O(l)+2e^- \longrightarrow H_2(g)+2OH^-(aq)$

1-3 (1) 전기 분해 장치의 (+)극에서는 전자를 잃는 산화 반응이 일어나고, (−)극에서는 전자를 얻는 환원 반응이 일어난다.
(2) (나)의 (−)극에서는 Na^+ 대신 물이 환원되어 H_2 기체가 발생한다.
(3) (가)와 (나)의 (+)극에서는 공통적으로 Cl^-이 전자를 잃고 산화되어 Cl_2 기체가 생성된다.
(4) (가)의 (−)극에서는 액체 Na이 생성되고, (나)의 (−)극에서는 H_2 기체가 발생한다.
(5) (가)에서는 (나)에서와 달리 OH^-이 생성되지 않으므로 pH가 커지지 않는다.
(6) (나)에서는 (−)극에서 물이 환원될 때 H_2 기체와 함께 OH^-이 생성되므로 (−)극 주변의 pH는 커진다.

2-1 꼼꼼 **문제 분석**

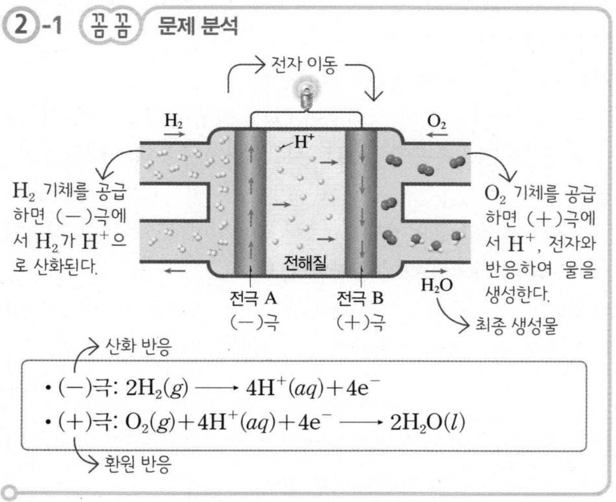

전극 A에서는 H_2 기체가 전자를 잃는 산화 반응이 일어나므로 전극 A는 (−)극(산화 전극, 연료극)이다. 또, 전극 B에서는 O_2 기체가 전자를 얻는 환원 반응이 일어나므로 전극 B는 (+)극(환원 전극, 공기극)이다.

2-2 수소 연료 전지의 각 전극에서 일어나는 반쪽 전지 반응을 더하면 다음과 같다.
(−)극(산화 전극, 연료극): $2H_2(g) \longrightarrow 4H^+(aq)+4e^-$
(+)극(환원 전극, 공기극): $O_2(g)+4H^+(aq)+4e^- \longrightarrow 2H_2O(l)$

전체 반응: $2H_2(g)+O_2(g) \longrightarrow 2H_2O(l)$

2-3 (1) 전극 A는 (−)극이므로 H_2 기체가 전자를 잃는 산화 반응이 일어난다.
(2) 전극 B는 (+)극이므로 O_2가 환원되어 물이 생성된다.
(3) 전극 A는 (−)극이고, 전극 B는 (+)극이므로 전자는 전극 A에서 도선을 따라 전극 B로 이동한다.
(4), (5) 전지 반응의 전체 반응은 수소와 산소가 반응하여 물을 생성하는 반응이다. 따라서 전체 반응식은 수소의 연소 반응식과 같다.

내신 만점 문제

316쪽~318쪽

01 ②	02 ②	03 해설 참조	04 ⑤	05 ②
06 ③	07 ③	08 ①	09 ②	10 ③
11 ①	12 ③	13 ②	14 ③	

01 ① 전기 분해는 전기 에너지를 이용하여 (−)극에서는 물질을 환원시키고, (+)극에서는 물질을 산화시켜 분해 생성물을 얻는 반응이다.
③ 전해질 용융액을 전기 분해할 때 용융액 속에는 전해질의 양이온과 음이온만 존재하므로 (+)극에서는 항상 전해질의 음이온이 산화된다.
④ 순수한 물은 전기를 통하지 않으므로 KNO_3, Na_2SO_4 등과 같은 전해질을 조금 넣어 분해한다.
⑤ 전기 분해로 금속을 제련하여 불순물이 포함된 금속에서 순수한 금속을 얻거나, 금속의 표면에 다른 금속을 입히는 도금을 할 수 있다.
바로알기 ② 전해질 수용액을 전기 분해할 때 (−)극에서는 전해질의 양이온과 물 분자 중에서 환원되기 쉬운 것(표준 환원 전위가 큰 것)이 먼저 환원된다.

02 꼼꼼 문제 분석

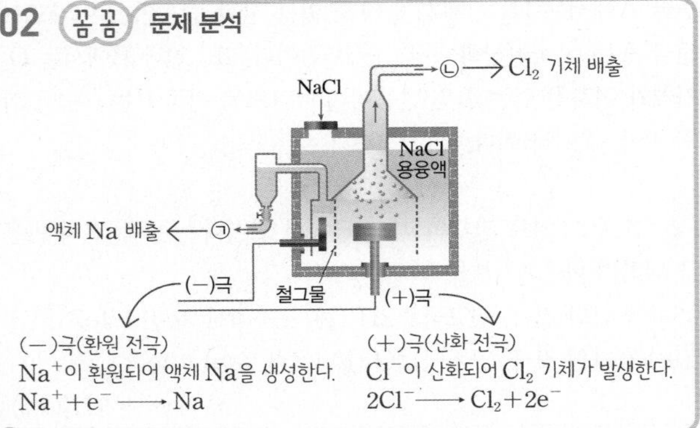

NaCl 용융액에는 Na^+과 Cl^-만 존재하므로 (−)극에서는 Na^+이 전자를 얻어 액체 Na이 되고, (+)극에서는 Cl^-이 전자를 잃고 Cl_2 기체가 발생한다.

(−)극(환원 전극): $Na^+(l) + e^- \longrightarrow Na(l)$

(+)극(산화 전극): $2Cl^-(l) \longrightarrow Cl_2(g) + 2e^-$

따라서 (−)극(환원 전극)에서 생성되어 ㉠으로 배출되는 물질은 Na이고, (+)극(산화 전극)에서 생성되어 ㉡으로 배출되는 물질은 Cl_2이다.

03 꼼꼼 문제 분석

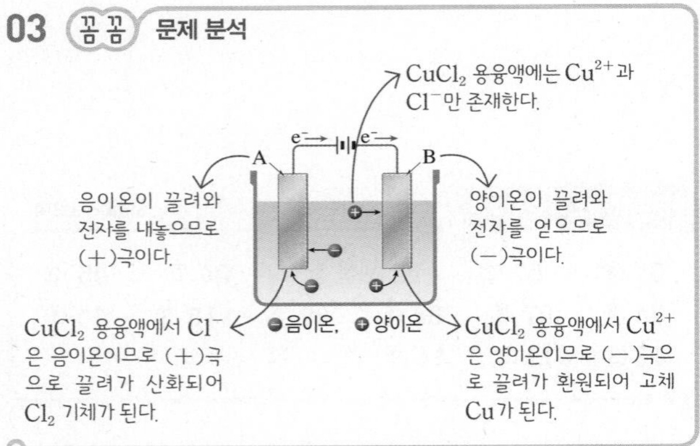

$CuCl_2$ 용융액에는 Cu^{2+}과 Cl^-만 존재하므로 (+)극에서는 음이온인 Cl^-이 Cl_2로 산화되고, (−)극에서는 양이온인 Cu^{2+}이 Cu로 환원된다.

(+)극(산화 전극): $2Cl^-(l) \longrightarrow Cl_2(g) + 2e^-$

(−)극(환원 전극): $Cu^{2+}(l) + 2e^- \longrightarrow Cu(s)$

모범답안 전극 A: 염화 이온(Cl^-)이 산화되어 염소(Cl_2) 기체가 발생한다.

전극 B: 구리 이온(Cu^{2+})이 환원되어 고체 구리(Cu)가 생성된다.

채점 기준	배점
전극 A와 B에서 일어나는 반응을 생성 물질을 포함하여 모두 옳게 서술한 경우	100 %
전극 A와 B 중 한 극에서 일어나는 반응만 생성 물질을 포함하여 옳게 서술한 경우	40 %
전극 A와 B에서 생성되는 물질만 옳게 쓴 경우	

04 

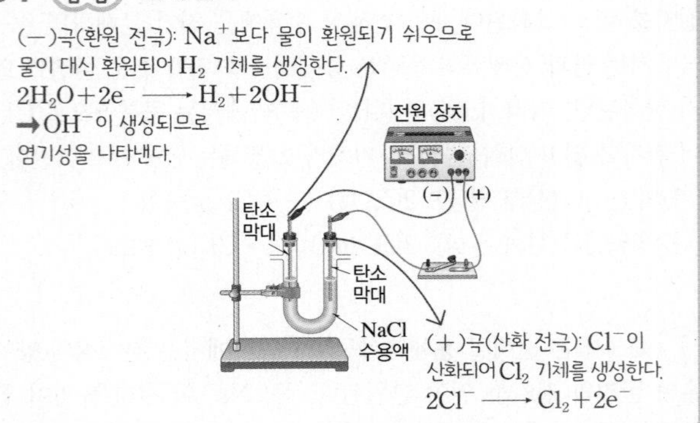

(−)극(환원 전극): Na^+보다 물이 환원되기 쉬우므로 물이 대신 환원되어 H_2 기체를 생성한다.
$2H_2O + 2e^- \longrightarrow H_2 + 2OH^-$
→ OH^-이 생성되므로 염기성을 나타낸다.
전원 장치
(−) (+)
탄소 막대
탄소 막대
NaCl 수용액
(+)극(산화 전극): Cl^-이 산화되어 Cl_2 기체를 생성한다.
$2Cl^- \longrightarrow Cl_2 + 2e^-$

(−)극에서는 물과 전해질의 양이온 중에서 환원되기 쉬운 물질(표준 환원 전위가 큰 물질)이 먼저 환원된다. 따라서 물이 환원되어 H_2 기체가 발생한다.

(−)극(환원 전극): $2H_2O(l) + 2e^- \longrightarrow H_2(g) + 2OH^-(aq)$

(+)극에서는 Cl^-이 전자를 잃고 산화되어 Cl_2 기체가 발생한다.

(+)극(산화 전극): $2Cl^-(aq) \longrightarrow Cl_2(g) + 2e^-$

05 ㄷ. 반응이 진행될 때 (−)극에서 H_2 기체와 함께 OH^-이 생성되므로 (−)극 주변 수용액의 pH는 증가한다.

바로알기 ㄱ. (+)극에서는 Cl^-이 전자를 잃고 산화되는 반응이 일어난다.

ㄴ. Na^+보다 H_2O이 환원되기 쉬우므로 (−)극에서는 H_2O이 환원되어 H_2 기체가 발생한다. 따라서 (−)극 막대의 질량은 변하지 않는다.

06 • (−)극(환원 전극): 구리 전극의 표면에서 Cu^{2+}이 전자를 얻어 환원된다.

$Cu^{2+}(aq) + 2e^- \longrightarrow Cu(s)$

• (+)극(산화 전극): 백금 전극의 표면에서 SO_4^{2-} 대신 물이 산화되어 O_2 기체가 발생한다.

$2H_2O(l) \longrightarrow O_2(g) + 4H^+(aq) + 4e^-$

ㄱ. (+)극에서는 물이 산화되어 O_2가 발생하는데, 이때 H^+도 함께 생성되므로 수용액 속 H^+ 농도가 커져 수용액의 pH는 작아진다.

ㄴ. 구리 전극의 표면에서 Cu^{2+}이 환원되어 금속 Cu로 석출되므로 구리 전극의 질량이 증가한다.

바로알기 ㄷ. 백금 전극은 반응성이 작아 자신은 전자를 전달만 하고 수용액 속 물이 산화되어 산소 기체가 발생한다.

07 전해질 수용액을 전기 분해할 때 (−)극에서 H_2 기체가 발생하는 경우는 물이 환원된 경우이다.

$2H_2O(l) + 2e^- \longrightarrow H_2(g) + 2OH^-(aq)$

물이 환원된 것으로 보아 전해질의 양이온이 물보다 환원되기 어려운 경우이므로 전해질의 양이온은 이온화 경향이 큰 금속의 양이온이다. 따라서 X로 적절한 것은 $NaNO_3$, KI, $Ca(NO_3)_2$이다.

08 꼼꼼 문제 분석

구분	MCl 용융액	MCl 수용액
전기 분해 장치	Cl_2 발생, M 생성, (+) (−) 전원 장치, 흑연 전극, 흑연 전극, MCl(l) (가)	Cl_2 발생, H_2 발생, (+) (−) 전원 장치, 백금 전극, 백금 전극, MCl(aq) (나)
(+)극	$2Cl^- \longrightarrow Cl_2 + 2e^-$	$2Cl^- \longrightarrow Cl_2 + 2e^-$
(−)극	$M^+ + e^- \longrightarrow M$	$2H_2O + 2e^- \longrightarrow H_2 + 2OH^-$

(−)극의 질량이 증가한다. pH가 증가한다.

표준 환원 전위가 클수록 환원되기 쉽다.

- $M^+(aq) + e^- \longrightarrow M(s)$ $E° = -2.71$ V
- $2H_2O(l) + 2e^- \longrightarrow H_2(g) + 2OH^-(aq)$ $E° = -0.83$ V
- $Cl_2(g) + 2e^- \longrightarrow 2Cl^-(aq)$ $E° = +1.36$ V

(가)의 MCl 용융액에는 M^+과 Cl^-만 존재한다. 따라서 (−)극에서는 M^+이 끌려와 전자를 얻어 환원되고, (+)극에서는 Cl^-이 끌려와 전자를 잃고 산화된다.

(−)극(환원 전극): $M^+(l) + e^- \longrightarrow M(l)$

(+)극(산화 전극): $2Cl^-(l) \longrightarrow Cl_2(g) + 2e^-$

(나)의 MCl 수용액에는 전해질의 M^+과 Cl^-뿐만 아니라 물도 존재한다. 따라서 (−)극에서는 M^+과 물 중에서 환원되기 쉬운 물질, 즉 표준 환원 전위가 더 큰 물이 환원된다. 또, (+)극에서는 Cl^-과 물 중에서 산화되기 쉬운 물질, 즉 Cl^-이 끌려와 전자를 잃고 산화된다.

(−)극(환원 전극): $2H_2O(l) + 2e^- \longrightarrow H_2(g) + 2OH^-(aq)$

(+)극(산화 전극): $2Cl^-(aq) \longrightarrow Cl_2(g) + 2e^-$

ㄱ. (가)와 (나)의 (+)극에서는 공통적으로 Cl^-이 끌려와 전자를 잃고 산화되어 Cl_2 기체가 발생한다. 따라서 (+)극에서 생성되는 물질은 (가)와 (나)에서 같다.

바로알기 ㄴ, ㄷ. (가)의 (−)극에서는 M^+이 전자를 얻어 금속 M이 석출되므로 pH는 변화 없고, 전극의 질량이 증가한다. (나)의 (−)극에서는 물이 환원되어 H_2 기체가 생성되고, 이때 OH^-도 함께 생성되므로 (−)극 주변의 pH는 커지고, 전극의 질량은 변하지 않는다.

09 꼼꼼 문제 분석

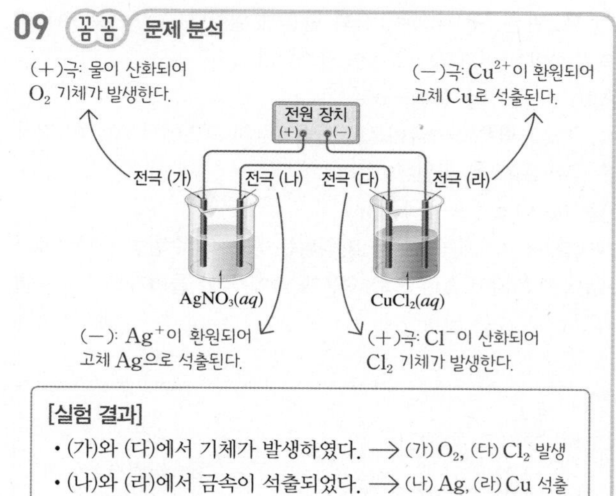

(+)극: 물이 산화되어 O_2 기체가 발생한다.
(−)극: Cu^{2+}이 환원되어 고체 Cu로 석출된다.
전원 장치 (+) (−)
전극 (가)
전극 (나)
전극 (다)
전극 (라)
$AgNO_3(aq)$
$CuCl_2(aq)$
(−): Ag^+이 환원되어 고체 Ag으로 석출된다.
(+)극: Cl^-이 산화되어 Cl_2 기체가 발생한다.
[실험 결과]
• (가)와 (다)에서 기체가 발생하였다. → (가) O_2, (다) Cl_2 발생
• (나)와 (라)에서 금속이 석출되었다. → (나) Ag, (라) Cu 석출

전극 (가)~(라)의 반쪽 반응은 다음과 같다.

전극		반쪽 반응
(가)	(+)극	$2H_2O(l) \longrightarrow O_2(g) + 4H^+(aq) + 4e^-$
(나)	(−)극	$Ag^+(aq) + e^- \longrightarrow Ag(s)$
(다)	(+)극	$2Cl^-(aq) \longrightarrow Cl_2(g) + 2e^-$
(라)	(−)극	$Cu^{2+}(aq) + 2e^- \longrightarrow Cu(s)$

ㄷ. (가)에서는 $2H_2O(l) \longrightarrow O_2(g) + 4H^+(aq) + 4e^-$ 반응이 일어나 전자 4몰의 이동에 의해 O_2 기체 1몰이 발생하고, (다)에서는 $2Cl^-(aq) \longrightarrow Cl_2(g) + 2e^-$ 반응이 일어나 전자 2몰의 이동에 의해 Cl_2 기체 1몰이 발생한다. 따라서 같은 양의 전류가 흘렀을 때 발생하는 기체의 부피비는 (가) : (다)=1 : 2이다.

바로알기 ㄱ. (가)는 (+)극이므로 전자를 잃는 산화 반응이, (나)는 (−)극이므로 전자를 얻는 환원 반응이 일어난다.

ㄴ. (나)에서는 $Ag^+(aq) + e^- \longrightarrow Ag(s)$ 반응이 일어나 전자 1몰의 이동에 의해 Ag 1몰이 석출되고, (라)에서는 $Cu^{2+}(aq) + 2e^- \longrightarrow Cu(s)$ 반응이 일어나 전자 2몰의 이동에 의해 Cu 1몰이 석출된다. 따라서 같은 양의 전류가 흘렀을 때 석출되는 금속의 몰비는 (나) : (라)=2 : 1이다.

10 꼼꼼 문제 분석

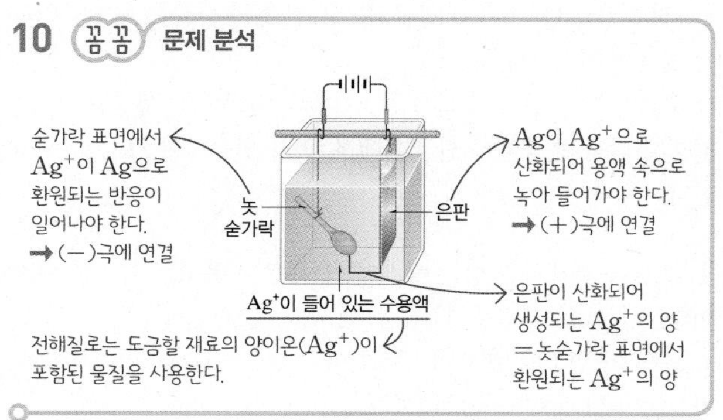

전해질로는 도금할 재료의 양이온(Ag^+)이 포함된 물질을 사용한다.

ㄱ. Ag판은 (+)극으로, 산화 반응이 일어나 Ag^+으로 수용액 속에 녹아 들어가므로 질량이 감소한다.

$Ag(s) \longrightarrow Ag^+(aq)+e^-$

ㄷ. 놋숟가락은 (−)극이므로 놋숟가락의 표면에서 Ag^+이 전자를 받아 Ag으로 환원된다.

$Ag^+(aq)+e^- \longrightarrow Ag(s)$

| 바로알기 | ㄴ. (−)극에서 환원되는 Ag^+의 수만큼 (+)극에서 Ag이 산화되어 Ag^+으로 수용액 속에 녹아 들어가므로 수용액 속 Ag^+의 수는 일정하다.

11 꼼꼼 문제 분석

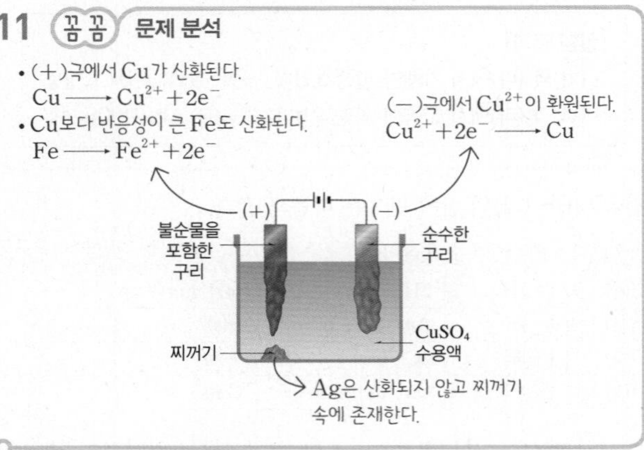

ㄱ. (−)극에서는 전해질 수용액 속에 존재하는 Cu^{2+}이 전자를 얻어 Cu로 석출되는 반응이 일어나므로 구리의 질량이 점점 증가한다.

| 바로알기 | ㄴ. (+)극에 연결된 구리에 포함된 Ag은 Cu보다 산화되기 어려우므로 산화되지 않고 원소 상태로 찌꺼기 속에 존재한다.

ㄷ. (+)극에 연결된 구리에 포함된 Fe은 Cu보다 산화되기 쉬우므로 구리보다 먼저 산화되어 전해질 수용액에 Fe^{2+} 상태로 존재한다.

12 ㄱ. 전극 A로 H_2 기체가 공급되므로 전극 A에서는 H_2가 전자를 잃고 H^+으로 산화되는 반응이 일어난다. 따라서 A는 (−)극, 즉 산화 전극이다.

ㄴ. 전극 B로 O_2 기체가 공급되므로 전극 B에서는 O_2가 환원되는 반응이 일어난다.

| 바로알기 | ㄷ. 전극 A에서 H_2 기체가 산화되어 생성된 H^+은 전해질 막을 통과하여 전극 B에서 O_2와 반응하여 H_2O을 생성한다.

13 물을 분해하여 얻는 물질 중 연료로 사용하는 물질은 수소이다.

ㄴ. 수소가 연소할 때 물을 생성한다.

$2H_2(g)+O_2(g) \longrightarrow 2H_2O(l)$

| 바로알기 | ㄱ. X는 수소이다.

ㄷ. 수소를 얻기 위해 광분해 방법으로 분해하는 물질은 물이다.

14 꼼꼼 문제 분석

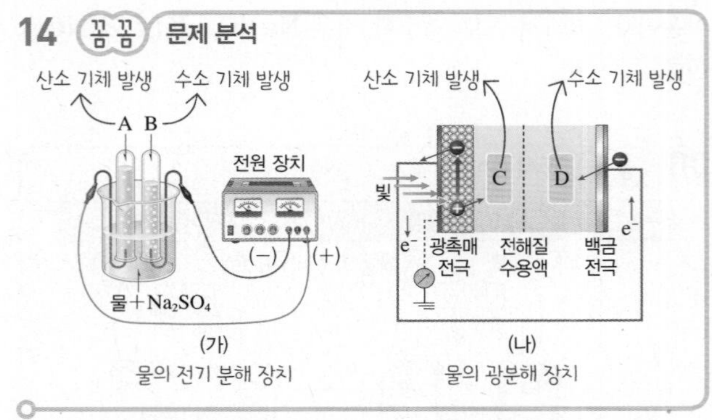

(가)
물의 전기 분해 장치

(나)
물의 광분해 장치

ㄱ. (가)는 물의 전기 분해 장치로, 전기 에너지 소모가 많아 수소를 생산하는 데 비용이 많이 들어 비효율적이다.

ㄴ. (나)는 물의 광분해 장치로, 광촉매 전극은 식물의 엽록소와 같이 물을 산화시키는 역할을 한다.

| 바로알기 | ㄷ. (가)의 A와 (나)의 C에서는 산화 반응을 통해 산소 기체가 발생하고, (가)의 B와 (나)의 D에서는 환원 반응을 통해 수소 기체가 발생한다.

중단원 핵심 정리

319쪽

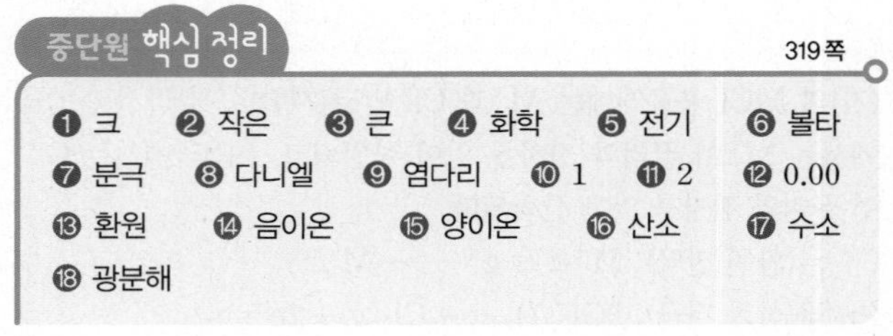

❶ 크 ❷ 작은 ❸ 큰 ❹ 화학 ❺ 전기 ❻ 볼타
❼ 분극 ❽ 다니엘 ❾ 염다리 ❿ 1 ⓫ 2 ⓬ 0.00
⓭ 환원 ⓮ 음이온 ⓯ 양이온 ⓰ 산소 ⓱ 수소
⓲ 광분해

중단원 마무리 문제

320쪽~324쪽

01 ⑤ **02** ⑤ **03** ② **04** ④ **05** ③ **06** ③
07 ④ **08** ⑤ **09** ④ **10** ④ **11** ② **12** ④
13 ② **14** ① **15** ④ **16** ① **17** 해설 참조
18 해설 참조 **19** 해설 참조 **20** 해설 참조 **21** 해설 참조 **22** 해설 참조

01 ㄱ. Zn은 H보다 반응성이 크므로 $HCl(aq)$에 Zn판을 담그면 Zn은 전자를 잃고 산화되면서 H_2 기체가 발생한다.

ㄴ. Zn이 산화되는 반쪽 반응은 $Zn \longrightarrow Zn^{2+}+2e^-$이므로 Zn 1몰이 반응할 때 이동한 전자의 양은 2몰이다. Zn의 원자량이 65이므로 Zn 3.25 g은 0.05몰이다. 따라서 Zn 0.05몰이 반응할 때 이동한 전자의 양은 0.1몰이다.

ㄷ. 이 반응의 알짜 이온 반응식은 다음과 같다.

$Zn + 2H^+ \longrightarrow Zn^{2+} + H_2$

H^+ 2개가 반응하여 Zn^{2+} 1개가 생성되므로 수용액 속 양이온 수는 감소한다.

02 꼼꼼 문제 분석

(가) 금속 A를 묽은 염산에 담갔더니 기체가 발생하였다.
↳ H_2 기체가 생성되므로 금속 A는 H보다 반응성이 크다.

(나) 금속 A를 황산 구리(Ⅱ) 수용액에 담갔더니 금속이 석출되었고, 수용액 속 이온 수는 일정하였다.
↳ • Cu^{2+}이 Cu로 석출되므로 반응성은 A가 Cu보다 크다.
• 반응이 일어나도 이온 수가 일정하므로 생성된 A 이온 수와 반응한 Cu^{2+}의 수가 같다. ➡ A 이온의 전하는 +2이다.

(다) 금속 A 이온의 수용액에 금속 B를 담갔더니 금속이 석출되었다. → A^{2+}이 A로 석출되므로 반응성은 B가 A보다 크다.

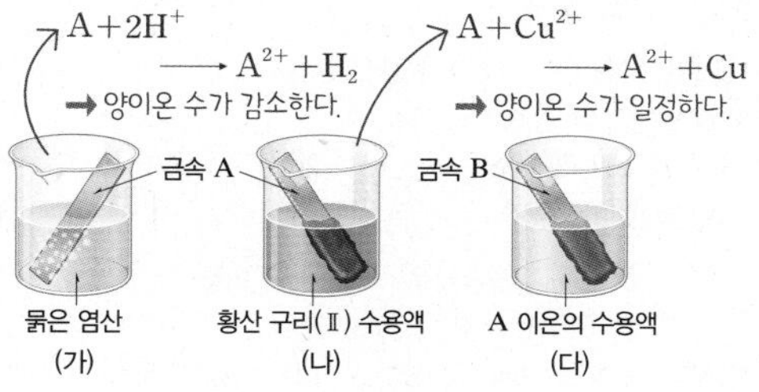

ㄱ. (나)에서 금속 A와 황산 구리(Ⅱ) 수용액이 반응할 때 생성된 A 이온 수와 반응한 Cu^{2+}의 수가 같다. 이로부터 A 이온의 전하가 +2임을 알 수 있다. 따라서 (가)에서 일어나는 반응을 알짜 이온 반응식으로 나타내면 다음과 같다.

$A + 2H^+ \longrightarrow A^{2+} + H_2$

반응이 일어날 때 음이온 수는 일정하고 양이온 수는 감소하므로 $\frac{\text{양이온 수}}{\text{음이온 수}}$는 감소한다.

ㄴ. (나)에서 A가 산화되어 A^{2+}이 생성되고, Cu^{2+}이 환원되어 Cu가 생성되므로 A 이온 수는 증가하고 Cu^{2+} 수는 감소한다. 따라서 (나)에서 $\frac{\text{A 이온 수}}{Cu^{2+}\text{ 수}}$는 증가한다.

ㄷ. (나)에서 반응이 일어났으므로 반응성은 A>Cu이며, (다)에서도 반응이 일어났으므로 반응성은 B>A이다. 즉, B는 Cu보다 반응성이 크므로 황산 구리(Ⅱ) 수용액에 금속 B를 담그면 금속 Cu가 석출된다.

03 (가)는 볼타 전지이고, (나)는 다니엘 전지이다.

ㄴ. 아연은 구리보다 반응성이 크므로 아연판에서는 전자를 잃는 산화 반응이, 구리판에서는 전자를 얻는 환원 반응이 일어난다. 따라서 아연판은 (−)극(산화 전극)으로 작용하고, 구리판은 (+)극(환원 전극)으로 작용한다.

바로알기 ㄱ. (가)의 구리판에서는 H_2 기체가 생성되므로 분극 현상이 나타나지만, (나)의 구리판에서는 기체가 발생하지 않으므로 분극 현상이 나타나지 않는다.

ㄷ. (−)극인 아연판에서는 두 전지 모두 아연이 산화되는 반응이 일어난다. 그러나 (+)극인 구리판에서는 (가)의 경우 H^+이 환원되고, (나)의 경우 Cu^{2+}이 환원되는 반응이 일어난다.

04 B의 표면에서 H_2가 발생하므로 B 전극에서 전해질의 H^+이 전자를 얻어 H_2로 환원되는 반응이 일어난다. 따라서 B 전극은 (+)극(환원 전극)이고, A 전극은 (−)극(산화 전극)이다.

ㄴ. A 전극은 (−)극으로 작용하여 A가 산화되어 A^{2+}을 생성하므로 기체가 발생하는 동안 $[A^{2+}]$는 증가한다.

ㄷ. 전자는 도선을 따라 (−)극인 A 전극에서 (+)극인 B 전극으로 이동한다.

바로알기 ㄱ. A 전극은 (−)극으로 작용하므로 A는 H보다 반응성이 크고, B 전극은 (+)극으로 작용하므로 B는 A보다 산화되기 어렵다. 즉, B의 $E°$는 A의 $E°$보다 크므로 $a<b$이다.

05 ㄱ. $E°$가 큰 금속이 (+)극(환원 전극)이 되고, $E°$가 작은 금속이 (−)극(산화 전극)이 되므로 Cd은 산화되고, Ag^+은 환원된다.

ㄴ. $E°_{전지}$는 (+)극으로 작용하는 물질의 $E°$에서 (−)극으로 작용하는 물질의 $E°$를 빼서 구한다.

$E°_{전지} = E°_{(+)극} - E°_{(-)극} = +0.80\text{ V} - (-0.40\text{ V}) = +1.20\text{ V}$

바로알기 ㄷ. Cd판이 담긴 비커에서는 산화 반응이 일어나 Cd^{2+} 수가 증가하고, Ag판이 담긴 비커에서는 Ag^+이 환원되어 Ag^+ 수가 감소하며, 이때 음이온은 반응에 참여하지 않는다. 따라서 Ag판이 담긴 비커에서 양전하의 양이 적어지므로 염다리의 양이온인 K^+은 전하의 균형을 맞추기 위해 Ag판이 담긴 비커 쪽으로 이동한다.

06 꼼꼼 문제 분석

반쪽 반응	$E°$(V)
$A^{2+} + 2e^- \longrightarrow A$	−0.76
$B^{2+} + 2e^- \longrightarrow B$	−0.45
$C^{2+} + 2e^- \longrightarrow C$	+0.34
$D^+ + e^- \longrightarrow D$	+0.80

표준 환원 전위가 크다.
➡ 환원되기 쉽다.
➡ 반응성이 작다.
➡ 반응성: A>B>C>D

ㄱ. $E°$가 클수록 환원되기 쉽고, $E°$가 작을수록 산화되기 쉽다. 따라서 산화가 가장 잘 되는 금속은 $E°$가 가장 작은 A이다.

ㄴ. $B + C^{2+} \longrightarrow B^{2+} + C$ 반응에서 $E°_{전지}$는 C의 $E°$에서 B의 $E°$를 빼서 구한다. 즉, $E°_{전지} = +0.34\text{ V} - (-0.45\text{ V}) = +0.79\text{ V}$로 (+)값이므로 반응이 자발적으로 일어난다.

바로알기 ㄷ. 반쪽 전지 B와 D를 이용하여 만든 전지에서 $E°$가 큰 D가 (+)극(환원 전극)이고, $E°$가 작은 B가 (−)극(산화 전극)이므로 $E°_{전지}$는 다음과 같다.

$E°_{전지}=E°_{(+)극}-E°_{(-)극}=+0.80\ V-(-0.45\ V)=+1.25\ V$

07 $E°$는 B가 A보다 크므로 A 전극에서는 산화 반응이 일어나고, B 전극에서는 환원 반응이 일어난다. 즉, A는 (−)극(산화 전극)이고, B는 (+)극(환원 전극)이다.

ㄴ, ㄷ. A 전극은 (−)극(산화 전극)이므로 A가 산화되어 A^{2+}이 된다. 따라서 A판의 질량은 감소하고, A^{2+}의 농도는 증가한다. 또, B 전극은 (+)극(환원 전극)이므로 전해질 수용액 속 B^{2+}이 전자를 얻어 B로 석출된다. 따라서 B판의 질량은 증가하고, B^{2+}의 농도는 감소한다.

바로알기 ㄱ. $E°_{전지}=E°_{(+)극}-E°_{(-)극}=(b-a)$ V이다.

08 ① 납축전지는 2차 전지로, 충전하면 재사용할 수 있다.

② 화학 전지식에서 (−)극은 왼쪽에 쓰고, (+)극은 오른쪽에 쓴다. 따라서 Pb은 (−)극으로 작용하고, PbO_2은 (+)극으로 작용한다.

$$(-)\ Pb(s)\ |\ H_2SO_4(aq)\ |\ PbO_2(s)\ (+)$$

③, ④ 전지를 사용하면 (−)극인 Pb이 전자를 잃어 산화되고, (−)극과 (+)극 표면에 각각 $PbSO_4$이 석출되므로 두 전극의 질량이 모두 증가한다.

(−)극(산화 전극): $Pb(s)+SO_4^{2-}(aq) \longrightarrow PbSO_4(s)+2e^-$

(+)극(환원 전극): $PbO_2(s)+4H^+(aq)+SO_4^{2-}(aq)+2e^- \longrightarrow PbSO_4(s)+2H_2O(l)$

바로알기 ⑤ 전지를 사용하면 H_2SO_4이 소모되어 묽은 황산의 농도가 묽어지므로 전해질의 pH가 커진다.

09 NaCl 수용액에는 Na^+, Cl^-, H_2O이 존재한다. 이 수용액에 전류를 흘려 주면 (−)극(환원 전극)에서는 Na^+과 H_2O 중에서 환원되기 쉬운 H_2O이 환원되어 H_2 기체(㉠)를 생성한다. 또, (+)극(산화 전극)에서는 Cl^-과 H_2O 중에서 산화되기 쉬운 Cl^-(㉡)이 산화되어 Cl_2 기체가 생성된다.

ㄴ. 전극 B는 (+)극으로, Cl^-(㉡)이 전자를 잃고 산화되어 Cl_2 기체를 생성한다.

ㄷ. 전극 A에서는 H_2O이 전자를 얻어 환원되는 반응이 일어나므로 전극 A는 (−)극이다.

바로알기 ㄱ. 전극 A에서는 H_2O이 환원되어 H_2가 생성되므로 ㉠은 H_2이다.

10 $CuSO_4$ 수용액을 전기 분해하면 (+)극(산화 전극)에서는 물이 산화되어 O_2 기체가 발생하고, (−)극(환원 전극)에서는 Cu^{2+}이 환원되어 Cu가 석출된다.

(+)극(산화 전극): $2H_2O(l) \longrightarrow O_2(g)+4H^+(aq)+4e^-$

(−)극(환원 전극): $Cu^{2+}(aq)+2e^- \longrightarrow Cu(s)$

① (+)극에 연결된 전극 A는 (+)극(산화 전극)이다.

② 전기 분해가 진행되면 (+)극(산화 전극)에서 물이 산화되어 H^+의 농도가 커지므로 수용액의 pH가 작아진다.

③ 전기 분해가 진행되면 (−)극(환원 전극)인 전극 B에서는 Cu가 석출되므로 전극 B의 질량이 증가한다.

⑤ 전극 A(산화 전극)에서는 O_2 기체가 발생하고, 전극 B(환원 전극)에서는 금속 Cu가 석출된다.

바로알기 ④ (+)극(산화 전극)에서는 전자 4몰에 의해 O_2 기체 1몰이 발생하고, (−)극(환원 전극)에서는 전자 2몰에 의해 Cu 1몰이 생성된다. 따라서 같은 시간 동안 같은 전기량에 의해 전극 A, B에서 생성되는 물질의 몰비는 A : B=1 : 2이다.

11 꼼꼼 문제 분석

- 물의 산화 반응: $2H_2O \longrightarrow O_2+4H^++4e^-$
  → O_2 기체 발생, pH 감소
- 물의 환원 반응: $2H_2O+2e^- \longrightarrow H_2+2OH^-$
  → H_2 기체 발생, pH 증가

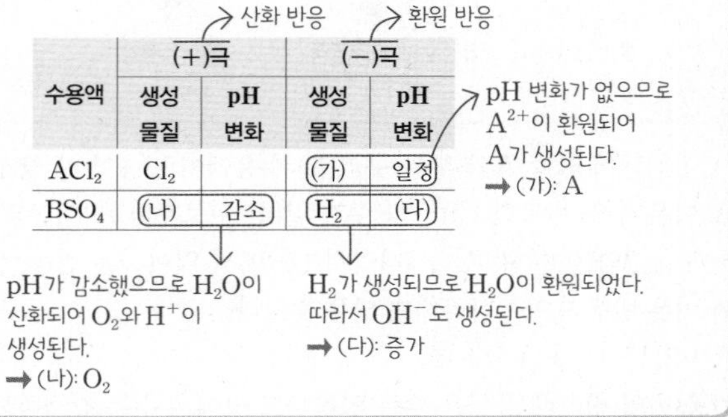

① ACl_2 수용액을 전기 분해할 때 (−)극 주변에서 pH 변화가 없으므로 (−)극에서 물이 아닌 A^{2+}이 환원되어 A가 생성된다는 것을 알 수 있다.

③ BSO_4 수용액을 전기 분해할 때 (−)극에서 H_2O이 환원되어 H_2와 함께 OH^-이 생성되므로 pH는 증가한다.

④ ACl_2 수용액을 전기 분해할 때 (−)극에서 A^{2+}이 환원되어 A가 생성되므로 표준 환원 전위는 A가 물보다 크다. 또, BSO_4 수용액을 전기 분해할 때 (−)극에서 물이 환원되어 H_2가 생성되므로 표준 환원 전위는 물이 B보다 크다. 따라서 표준 환원 전위는 A가 B보다 크다.

⑤ BSO_4 수용액을 전기 분해할 때 물이 분해되어 (+)극에서는 O_2 기체가, (−)극에서는 H_2 기체가 생성되므로 물을 전기 분해할 때 BSO_4를 전해질로 사용할 수 있다.

바로알기 ② BSO_4 수용액을 전기 분해할 때 (+)극 주변에서 pH가 감소했으므로 (+)극에서 H_2O이 산화되어 O_2와 H^+이 생성되었음을 알 수 있다.

12 각 수용액을 전기 분해할 때 (−)극에서 일어나는 반응은 각각 다음과 같다.

- $CuSO_4$ 수용액: $Cu^{2+} + 2e^- \longrightarrow Cu$
- $AgNO_3$ 수용액: $Ag^+ + e^- \longrightarrow Ag$

같은 양의 전자가 이동할 때 생성되는 금속의 양(mol)은 Cu : Ag=1 : 2이고, 원자량은 Ag>Cu이므로 같은 전하량에 의해 석출된 금속의 질량이 큰 (가)는 $AgNO_3$ 수용액이고, (나)는 $CuSO_4$ 수용액이다.

ㄴ. (가)에서 금속이 석출되는 반응은 다음과 같다.

$Ag^+ + e^- \longrightarrow Ag$

Ag은 원자량이 108이므로 Ag 21.6 g은 0.2몰이고, 화학 반응식에서 Ag 1몰이 생성될 때 이동한 전자의 양은 1몰이므로 Ag 0.2몰이 생성될 때 이동한 전자의 양은 0.2몰이다.

ㄷ. (가)와 (나)의 두 수용액을 전기 분해할 때 (+)극에서는 모두 다음과 같은 물의 산화 반응이 일어나면서 산소(O_2) 기체가 발생한다.

$2H_2O \longrightarrow O_2 + 4H^+ + 4e^-$

따라서 t에서 발생한 기체의 양(mol)은 (가)와 (나)에서 같다.

바로알기 ㄱ. (가)는 $AgNO_3$ 수용액이다.

13 꼼꼼 **문제 분석**

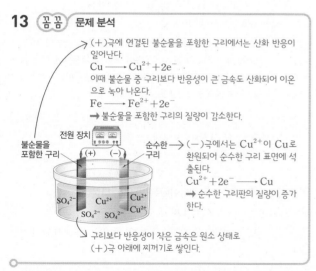

(+)극에 연결된 불순물을 포함한 구리에서는 산화 반응이 일어난다.
$Cu \longrightarrow Cu^{2+} + 2e^-$
이때 불순물 중 구리보다 반응성이 큰 금속도 산화되어 이온으로 녹아 나온다.
$Fe \longrightarrow Fe^{2+} + 2e^-$
➡ 불순물을 포함한 구리의 질량이 감소한다.

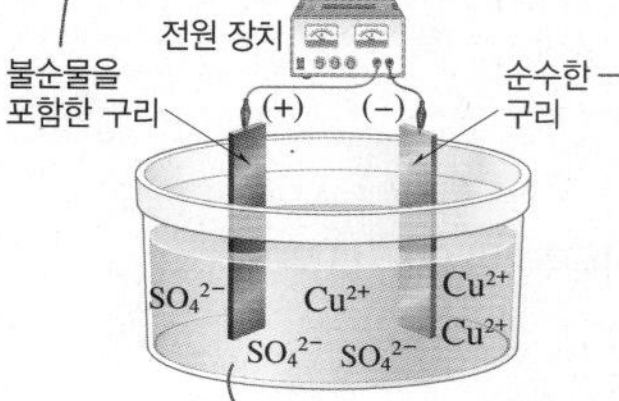

전원 장치
불순물을 포함한 구리
(+) (−)
순수한 구리
SO_4^{2-} Cu^{2+} Cu^{2+} Cu^{2+} SO_4^{2-} SO_4^{2-}

(−)극에서는 Cu^{2+}이 Cu로 환원되어 순수한 구리 표면에 석출된다.
$Cu^{2+} + 2e^- \longrightarrow Cu$
➡ 순수한 구리판의 질량이 증가한다.

구리보다 반응성이 작은 금속은 원소 상태로 (+)극 아래에 찌꺼기로 쌓인다.

전기 분해 장치에 일정한 양의 전류가 흐를 때 (+)극에서는 금속이 전자를 잃고 산화되는데, 이때 Cu뿐만 아니라 불순물로 포함된 금속 중 Cu보다 반응성이 큰 금속(Fe)도 산화된다.

(+)극(산화 전극): $Cu \longrightarrow Cu^{2+} + 2e^-$

$Fe \longrightarrow Fe^{2+} + 2e^-$

(−)극에서는 전해질 속 Cu^{2+}이 전자를 얻어 Cu로 환원되는 반응이 일어난다.

(−)극(환원 전극): $Cu^{2+} + 2e^- \longrightarrow Cu$

ㄴ. 불순물을 포함한 구리에서는 산화 반응이 일어나 금속이 금속 이온으로 수용액에 녹아 들어가므로 질량이 감소한다.

바로알기 ㄱ. Cu보다 반응성이 큰 Fe은 전해질 수용액에 이온 상태로 존재한다.

ㄷ. 전기 분해 장치에서 전자 4몰에 해당하는 전기량이 흘렀다고 가정하면 (+)극에서 산화되어 생성된 Cu^{2+}의 수는 1몰, Fe^{2+}의 수는 1몰이고, (−)극에서는 Cu^{2+} 2몰이 환원된다. 따라서 전해질 속 Cu^{2+}의 수는 감소한다.

14 전해질 수용액의 전기 분해에는 전해질의 양이온, 음이온 외에도 물이 관여할 수 있다. 따라서 전극 (가)~(라)의 반응은 다음과 같다.

전극		반응식
(가)	(+)극	$2Cl^-(aq) \longrightarrow Cl_2(g) + 2e^-$
(나)	(−)극	$2H_2O(l) + 2e^- \longrightarrow H_2(g) + 2OH^-(aq)$
(다)	(+)극	$2H_2O(l) \longrightarrow O_2(g) + 4H^+(aq) + 4e^-$
(라)	(−)극	$Cu^{2+}(aq) + 2e^- \longrightarrow Cu(s)$

ㄱ. 전극 (가)에서는 전자 2몰의 이동에 의해 염소(Cl_2) 기체 1몰이 생성되고, 전극 (다)에서는 전자 4몰의 이동에 의해 산소(O_2) 기체 1몰이 생성된다. 따라서 같은 전하량에 의해 생성되는 물질의 몰비는 2 : 1인데, 같은 온도와 압력이므로 몰비는 기체의 부피비가 된다. 따라서 전극 (가)와 (다)에서 생성되는 물질의 부피비는 $Cl_2 : O_2 = 2 : 1$이다.

바로알기 ㄴ. 전극 (라)에서는 구리가 전극의 표면에 석출되므로 전극의 질량이 증가하지만, 전극 (나)에서는 수소(H_2) 기체가 발생하므로 전극의 질량은 변화 없다.

ㄷ. 전극 (나) 주변에서는 물이 환원되므로 OH^-의 농도가 커져 pH가 커지고, 전극 (다) 주변에서는 물이 산화되므로 H^+의 농도가 커져 pH가 작아진다.

15 수소는 반응성이 커서 화합물의 형태로 존재하는데, 대부분은 물의 성분 원소로 포함되어 있다. 따라서 수소를 얻기 위해 광촉매 전극을 이용하여 물을 분해하는 연구가 진행되고 있다. 또 수소 연료 전지의 전체 반응은 수소와 산소가 반응하여 물을 생성하는 반응이다. 따라서 제시된 설명에서 ㉠으로 적절한 물질은 물이다.

16 A로 유입된 물질이 (−)극에서 산화되므로 A로는 H_2 기체가 유입되고, B로 유입된 물질이 (+)극에서 환원되므로 B로는 O_2 기체가 유입된다. (+)극에서는 전해질을 통해 이동해 온 H^+과 O_2, 전자가 반응하여 H_2O을 생성하고, 생성된 물이 C로 배출된다.

17 모범답안 (가) 금속 A 막대를 금속 B 이온의 수용액에 넣었을 때 반응이 일어났으므로 반응성은 A>B이다.

(나) 반응이 진행되면서 용액의 전체 이온 수가 감소했으므로 금속 A가 전자를 잃고 산화된 금속 A 이온의 전하보다 전자를 얻어 환원되는 금속 B 이온의 전하가 더 작음을 알 수 있다. 따라서 금속 이온의 전하 크기는 A > B이다.

채점 기준	배점
(가)와 (나)를 옳게 서술한 경우	100 %
(가)와 (나) 중 1가지만 옳게 서술한 경우	40 %

18 꼼꼼 문제 분석

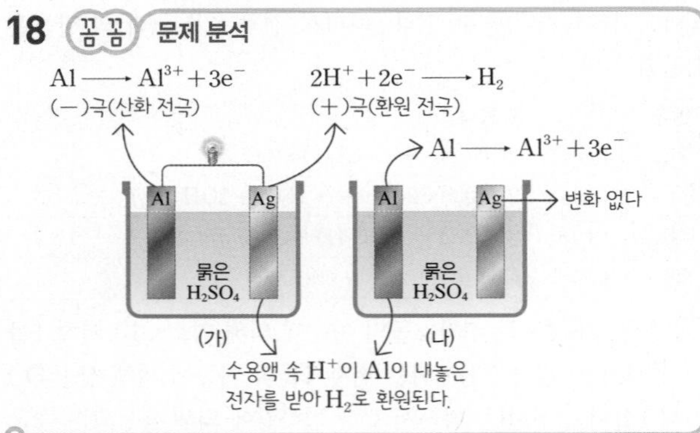

모범답안 공통점: Al이 산화되어 Al^{3+}으로 녹아 들어가므로 Al판의 질량이 감소한다. 수용액 속 H^+이 H_2 기체로 환원되어 H^+의 농도가 감소하므로 수용액의 pH가 커진다. 등

차이점: (가)에서는 전지가 형성되므로 반응성이 작은 Ag판에서 H_2 기체가 발생하지만, (나)에서는 H보다 반응성이 큰 Al판에서 H_2 기체가 발생한다.

채점 기준	배점
공통점과 차이점을 각각 1가지씩 옳게 서술한 경우	100 %
공통점과 차이점 중 1가지만 옳게 서술한 경우	40 %

19

표준 환원 전위가 큰 Cu가 (+)극(환원 전극)이 되고, 표준 환원 전위가 작은 Al이 (−)극(산화 전극)이 된다.

(+)극(환원 전극): $3Cu^{2+}(aq) + 6e^- \longrightarrow 3Cu(s)$

(−)극(산화 전극): $2Al(s) \longrightarrow 2Al^{3+}(aq) + 6e^-$

전체 반응: $2Al(s) + 3Cu^{2+}(aq) \longrightarrow 2Al^{3+}(aq) + 3Cu(s)$

전체 반응식을 구할 때 전자의 양(mol)을 맞추기 위해 반쪽 반응에 정수배를 해 주더라도 표준 전지 전위를 구할 때에는 정수배를 하면 안 된다.

표준 전지 전위($E°_{전지}$) $= E°_{(+)극} - E°_{(-)극}$

$= +0.34\ V - (-1.66\ V) = +2.00\ V$

모범답안 $2Al(s) + 3Cu^{2+}(aq) \longrightarrow 2Al^{3+}(aq) + 3Cu(s)$

$E°_{전지} = +2.00\ V$

채점 기준	배점
전체 반응식과 표준 전지 전위를 모두 옳게 쓴 경우	100 %
전체 반응식과 표준 전지 전위 중 1가지만 옳게 쓴 경우	50 %

20

전해질 용융액을 전기 분해하면 전해질의 양이온이 (−)극에서 환원되고, 음이온이 (+)극에서 산화되어 전해질의 성분 원소로 분해된다. 전해질 수용액을 전기 분해하면 각 전극에서 물과 전해질을 구성하는 이온이 서로 경쟁하여 (+)극에서는 산화되기 쉬운 물질이 산화되고, (−)극에서는 환원되기 쉬운 물질이 환원된다.

모범답안 전극 B: $Na^+(l) + e^- \longrightarrow Na(l)$, $NaCl(l)$에 존재하는 양이온은 Na^+뿐이기 때문이다.

전극 D: $2H_2O(l) + 2e^- \longrightarrow H_2(g) + 2OH^-(aq)$, $NaCl(aq)$에는 Na^+과 H_2O이 존재하는데, H_2O이 Na^+보다 더 환원되기 쉽기 때문(표준 환원 전위가 더 크기 때문)이다.

채점 기준	배점
전극 B와 D에서 일어나는 반쪽 반응을 옳게 쓰고, 그 까닭을 옳게 서술한 경우	100 %
전극 B와 D에서 일어나는 반쪽 반응만 옳게 쓴 경우	40 %
전극 B와 D에서 일어나는 반쪽 반응 중 1가지만 옳게 쓰고, 그 까닭을 옳게 서술한 경우	

21

(+)극에서는 Cu와 Cu보다 반응성이 큰 금속이 산화되어 수용액 속에 녹아 들어간다.

$Cu(s) \longrightarrow Cu^{2+}(aq) + 2e^-$

(−)극에서는 Cu^{2+}이 환원되어 Cu로 석출된다.

$Cu^{2+}(aq) + 2e^- \longrightarrow Cu(s)$

모범답안 (가) Ag (나) Fe, Zn, Cu, Cu보다 표준 환원 전위가 작은 금속은 Cu가 산화될 때 모두 산화될 수 있으므로 전해질 수용액에 이온 상태로 존재한다. 반면, Cu보다 표준 환원 전위가 큰 금속은 Cu보다 산화되기 어려우므로 찌꺼기에 금속 원소 상태로 존재한다.

채점 기준	배점
(가)와 (나)를 옳게 쓰고, 그 까닭을 옳게 서술한 경우	100 %
(가)와 (나)만 옳게 쓴 경우	40 %

22

수소 연료 전지에서 일어나는 반응은 다음과 같다.

$2H_2(g) + O_2(g) \longrightarrow 2H_2O(l)$

모범답안 최종 생성물이 물이므로 환경오염 물질을 배출하지 않기 때문이다.

채점 기준	배점
최종 생성물인 물을 언급하여 옳게 서술한 경우	100 %
최종 생성물인 물을 언급하지 못한 경우	0 %

수능 실전 문제

325쪽~327쪽

01 ③	02 ①	03 ④	04 ①	05 ②	06 ③
07 ④	08 ②	09 ②	10 ③	11 ③	12 ②

01 꼼꼼 문제 분석

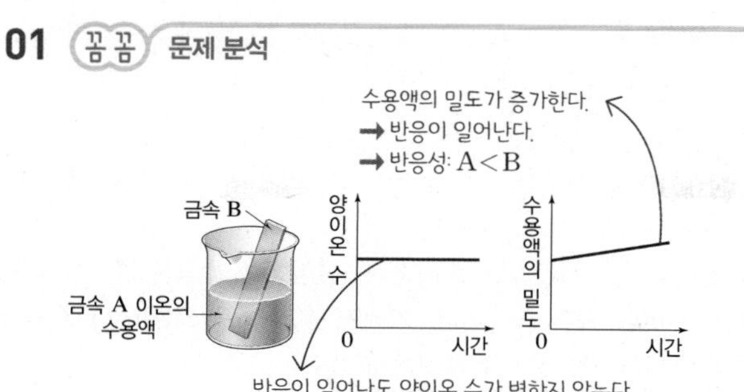

수용액의 밀도가 증가한다.
→ 반응이 일어난다.
→ 반응성: A<B
금속 B
금속 A 이온의 수용액
양이온 수
수용액의 밀도
0
시간
반응이 일어나도 양이온 수가 변하지 않는다.
→ 반응한 A 이온 수와 생성된 B 이온 수가 같다.
→ A 이온과 B 이온의 전하 크기가 같다.

선택지 분석

ㄱ. 반응성은 A<B이다.

ㄴ. 금속 이온의 전하 크기는 A 이온과 B 이온이 같다.

~~ㄷ~~. 원자량은 A>B이다. A<B

ㄱ. 시간에 따라 수용액의 밀도가 증가하므로 반응이 일어났다. 따라서 반응성은 A<B이다.

ㄴ. 반응이 일어나도 양이온 수가 변하지 않으므로 반응한 A 이온 수와 생성된 B 이온 수가 같다. 따라서 금속 양이온의 전하 크기는 A 이온과 B 이온이 같다.

바로알기 ㄷ. 수용액에서 A 이온 1개가 환원되어 A로 될 때 B 이온 1개가 생성되는데, 이때 수용액의 밀도가 증가하므로 금속 이온 1개의 질량은 B 이온이 A 이온보다 크다. 따라서 원자량은 A<B이다.

02 꼼꼼 문제 분석

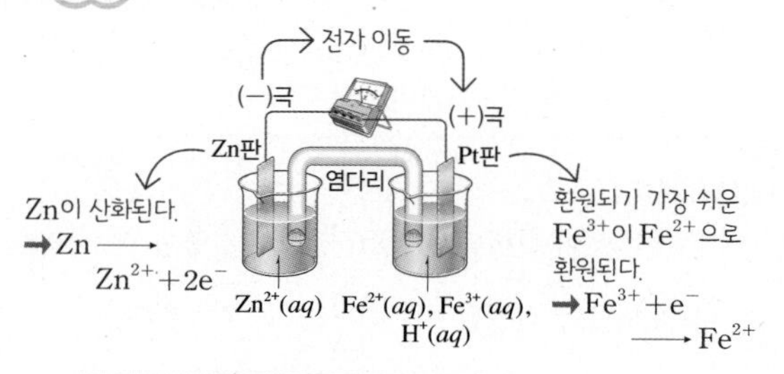

전자 이동
(−)극
(+)극
Zn판
Pt판
염다리
Zn이 산화된다.
→ $Zn \longrightarrow Zn^{2+} + 2e^-$
환원되기 가장 쉬운 Fe^{3+}이 Fe^{2+}으로 환원된다.
→ $Fe^{3+} + e^- \longrightarrow Fe^{2+}$
$Zn^{2+}(aq)$
$Fe^{2+}(aq)$, $Fe^{3+}(aq)$, $H^+(aq)$

반쪽 반응	$E°$(V)
$Zn^{2+}(aq) + 2e^- \longrightarrow Zn(s)$	−0.76
$Fe^{2+}(aq) + 2e^- \longrightarrow Fe(s)$	−0.45
$Fe^{3+}(aq) + e^- \longrightarrow Fe^{2+}(aq)$	+0.77

$E°$가 클수록 환원되기 쉽다.

선택지 분석

ㄱ. 표준 전지 전위($E°_{전지}$)는 +1.53 V이다.

~~ㄴ~~. 전지 반응이 일어날 때 Zn판의 질량은 감소하고, Pt판의 질량은 증가한다. 일정하다

~~ㄷ~~. 전지 반응이 일어날 때 $\frac{[Fe^{3+}]}{[Fe^{2+}]}$는 증가한다. 감소

ㄱ. (−)극에서는 Zn이 Zn^{2+}으로 산화되고, (+)극에서는 환원되기 가장 쉬운 Fe^{3+}이 Fe^{2+}으로 환원된다. 따라서 표준 전지 전위($E°_{전지}$)$=E°_{(+)극} - E°_{(-)극} = +0.77\ V - (-0.76\ V) = +1.53\ V$이다.

바로알기 ㄴ. 각 전극에서 일어나는 반응은 다음과 같다.

(−)극: $Zn(s) \longrightarrow Zn^{2+}(aq) + 2e^-$

(+)극: $2Fe^{3+}(aq) + 2e^- \longrightarrow 2Fe^{2+}(aq)$

전체 반응: $Zn(s) + 2Fe^{3+}(aq) \longrightarrow Zn^{2+}(aq) + 2Fe^{2+}(aq)$

Zn판에서 Zn이 전자를 잃고 Zn^{2+}이 되어 용액 속으로 녹아 들어가므로 Zn판의 질량은 감소한다. Pt판에서는 Fe^{3+}이 전자를 얻어 Fe^{2+}으로 환원되므로 Pt판의 질량은 일정하다.

ㄷ. (+)극에서 Fe^{3+}이 환원되어 Fe^{2+}을 생성하므로 $[Fe^{3+}]$는 감소하고, $[Fe^{2+}]$는 증가한다. 따라서 $\frac{[Fe^{3+}]}{[Fe^{2+}]}$는 감소한다.

03 꼼꼼 문제 분석

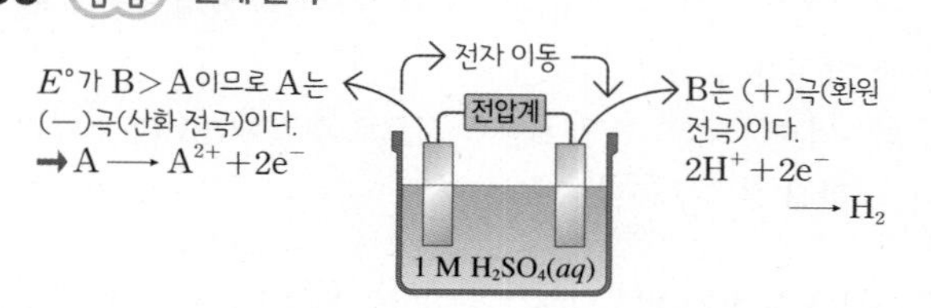

전자 이동
$E°$가 B>A이므로 A는 (−)극(산화 전극)이다.
→ $A \longrightarrow A^{2+} + 2e^-$
전압계
B는 (+)극(환원 전극)이다.
$2H^+ + 2e^- \longrightarrow H_2$
1 M $H_2SO_4(aq)$

반쪽 반응	$E°$(V)(25 °C)
$A^{2+}(aq) + 2e^- \longrightarrow A(s)$	−0.76
$B^+(aq) + e^- \longrightarrow B(s)$	+0.80

$E°$가 큰 것이 환원 전극으로 작용한다.

선택지 분석

~~ㄱ~~. B는 산화 전극이다. 환원 전극

ㄴ. 반응이 진행됨에 따라 수용액의 질량은 증가한다.

ㄷ. 이 전지의 표준 전지 전위($E°_{전지}$)는 +0.76 V이다.

표준 환원 전위($E°$)가 B>A이므로 A는 (−)극(산화 전극)이고, B는 (+)극(환원 전극)이다.

ㄴ. 이 화학 전지의 각 극에서 일어나는 반응과 전체 반응은 다음과 같다.

(−)극: $A(s) \longrightarrow A^{2+}(aq) + 2e^-$

(+)극: $2H^+(aq) + 2e^- \longrightarrow H_2(g)$

전체 반응: $A(s) + 2H^+(aq) \longrightarrow A^{2+}(aq) + H_2(g)$

반응이 진행되면 수용액 속의 H^+이 환원되면서 A^{2+}이 생성되므로 수용액의 질량은 반응 전보다 증가한다.

ㄷ. (−)극에서는 A가 A^{2+}으로 산화되고, (+)극에서는 수용액 속의 H^+이 H_2로 환원된다. 따라서 $E°_{전지} = E°_{(+)극} - E°_{(-)극} = 0.00\ V - (-0.76\ V) = +0.76\ V$이다.

바로알기 ㄱ. 표준 환원 전위가 큰 B는 (+)극(환원 전극)이다.

04 꼼꼼 문제 분석

표면에서 기포가 발생하는 금속은 H^+을 H_2로 환원시킨다.
→ 금속 A와 B는 H보다 산화되기 어렵고, C는 H보다 산화되기 쉽다.

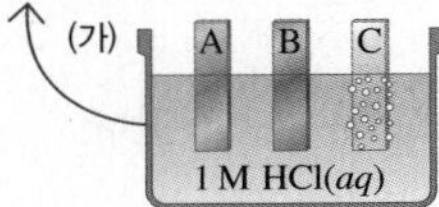

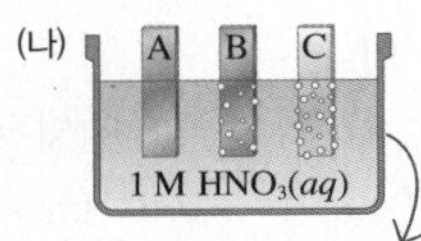

표면에서 기포가 발생하는 금속은 NO_3^-을 NO로 환원시킨다.
→ 금속 A는 NO보다 산화되기 어렵고, B와 C는 NO보다 산화되기 쉽다.

반쪽 반응	$E°$(V)
$2H^+(aq)+2e^- \longrightarrow H_2(g)$	0.00
$NO_3^-(aq)+4H^+(aq)+3e^- \longrightarrow NO(g)+2H_2O(l)$	+0.96
$A^+(aq)+e^- \longrightarrow A(s)$	$a>0$
$B^{2+}(aq)+2e^- \longrightarrow B(s)$	+0.34
$C^{2+}(aq)+2e^- \longrightarrow C(s)$	$b<0$

선택지 분석

ㄱ. $a>b$이다.

~~ㄴ.~~ (가)와 (나)의 금속 C 표면에서 생성되는 기체는 같은 종류이다. (H_2, NO)

~~ㄷ.~~ (가)에서 금속 A와 B를 도선으로 연결하면 B가 전지의 환원 전극이 된다. (A)

ㄱ. (가)에서 표면에서 기체가 발생하는 C는 H보다 산화되기 쉬우므로 C의 표준 환원 전위 b는 H^+의 표준 환원 전위인 0보다 작고, A는 H보다 산화되기 어려우므로 A의 표준 환원 전위 a는 H^+의 표준 환원 전위인 0보다 크다. 따라서 $a>b$이다.

바로알기 ㄴ. $NO_3^-(aq)$이 환원되어 $NO(g)$를 생성하는 반응의 표준 환원 전위는 $H^+(aq)$이 환원되어 $H_2(g)$를 생성하는 반응의 표준 환원 전위보다 크므로 (가)에서는 H_2가 발생하고 (나)에서는 NO가 발생한다.

ㄷ. (나)에서 금속 A는 변화가 없고, 금속 B 표면에서는 $NO_3^-(aq)$이 환원되어 NO 기체가 발생하므로 표준 환원 전위는 A가 B보다 크다. 따라서 (가)에서 A와 B를 도선으로 연결하면 A는 전지의 환원 전극이 되고, B는 전지의 산화 전극이 된다.

05 꼼꼼 문제 분석

- $A^{2+}+2e^- \longrightarrow A$ $\quad E°=+1.18$ V
- $B^{2+}+2e^- \longrightarrow B$ $\quad E°=-0.76$ V
- $C^++e^- \longrightarrow C$ $\quad E°=-0.14$ V

$E°$가 작을수록 → 산화되기 쉽다. → 반응성이 크다.

선택지 분석

~~ㄱ.~~ A~C 중 HCl(aq)에 넣을 때 산화되는 것은 1가지이다. (2가지(B, C))

~~ㄴ.~~ $B^{2+}(aq)$에 C(s)를 넣으면 B가 석출된다. (반응이 일어나지 않는다)

ㄷ. $A^{2+}+2C \longrightarrow A+2C^+$ 반응의 표준 전지 전위($E°_{전지}$)는 +1.32 V이다.

ㄷ. $A^{2+}+2C \longrightarrow A+2C^+$ 반응에서 (−)극과 (+)극의 반쪽 전지 반응은 다음과 같다.

(−)극: $2C \longrightarrow 2C^++2e^-$, (+)극: $A^{2+}+2e^- \longrightarrow A$

따라서 전체 반응의 $E°_{전지}=E°_{(+)극}-E°_{(-)극}=+1.18\text{ V}-(-0.14\text{ V})=+1.32$ V이다.

바로알기 ㄱ. HCl(aq)에 넣을 때 산화되는 금속은 H보다 표준 환원 전위가 작은 금속이다. 따라서 A~C 중 HCl(aq)에 넣을 때 산화되는 것은 B와 C로 2가지이다.

ㄴ. 표준 환원 전위가 작을수록 금속이 산화되기 쉬우므로 반응성은 B가 C보다 크다. 따라서 $B^{2+}(aq)$에 C(s)를 넣으면 반응이 일어나지 않는다.

06 꼼꼼 문제 분석

$+x\text{ V}=E°_{(+)극}-E°_{(-)극}$
$=+0.34\text{ V}-(-0.76\text{ V})$
$=+1.10$ V

$+0.46\text{ V}=E°_{(+)극}-E°_{(-)극}$
$=E°_{(+)극}-(+0.34\text{ V})$
$\therefore E°_{(+)극}=a\text{ V}=+0.80$ V

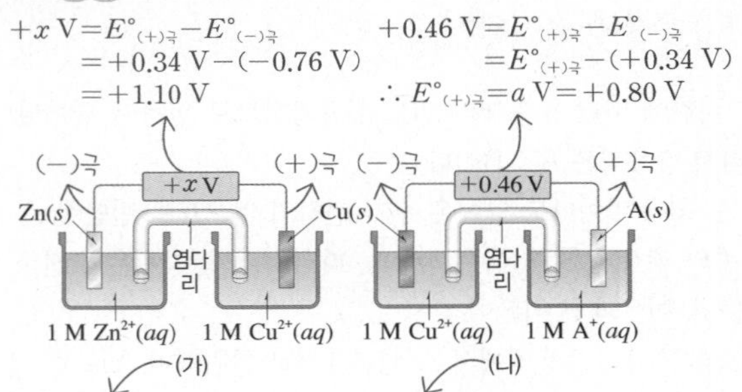

$E°$는 Cu>Zn이므로 Zn은 (−)극, Cu는 (+)극이다.

$E°$는 A>Cu이므로 Cu는 (−)극, A는 (+)극이다.

- $Zn^{2+}(aq)+2e^- \longrightarrow Zn(s)$ $\quad E°=-0.76$ V
- $Cu^{2+}(aq)+2e^- \longrightarrow Cu(s)$ $\quad E°=+0.34$ V
- $A^+(aq)+e^- \longrightarrow A(s)$ $\quad E°=a\text{ V}(a>0)$

(나)에서 A가 (−)극으로 작용하려면 $a<0$이 되어야 하는데, $a>0$라고 했으므로 A는 (+)극으로 작용한다.

선택지 분석

ㄱ. (가)의 반응이 진행될수록 Zn 전극의 질량이 감소한다.

~~ㄴ.~~ (나)의 반응이 진행될수록 $\frac{[Cu^{2+}]}{[A^+]}$는 감소한다. (증가)

ㄷ. $x=1.10$이다.

ㄱ. (가)에서 $E°$는 Cu>Zn이므로 Zn은 (−)극(산화 전극)으로 작용한다. 따라서 반응이 진행될수록 Zn이 Zn^{2+}으로 수용액 속에 녹아 들어가므로 Zn의 질량이 감소한다.

ㄷ. $E°_{전지}=E°_{(+)극}-E°_{(-)극}$이므로 (가)에서 $+x\text{ V}=+0.34\text{ V}-(-0.76\text{ V})=+1.10$ V이다. 즉, $x=1.10$이다.

바로알기 ㄴ. (나)의 표준 전지 전위가 +0.46 V이고 $a>0$이므로 A의 표준 환원 전위는 +0.80 V이다. 표준 환원 전위가 A가 더 크므로 A(s)가 환원 전극, Cu(s)가 산화 전극이 된다. 따라서 반응이 진행될수록 $[A^+]$는 감소하고, $[Cu^{2+}]$는 증가한다.

07 꼼꼼 문제 분석

생성물의 양(mol)
1
0.25
0
x
전자의 양(mol)
(가)
(나)

같은 양(mol)의 전자 이동에 의해 생성되는 물질의 몰비는 (가) : (나)=4 : 1이다.
→ (가) 금속 A, (나) O_2 기체

반쪽 반응	$E°$(V)
$A^+(aq)+e^- \longrightarrow A(s)$	㉠
$2H_2O(l)+2e^- \longrightarrow H_2(g)+2OH^-(aq)$	-0.83
$O_2(g)+4H^+(aq)+4e^- \longrightarrow 2H_2O(l)$	$+1.23$

(−)극에서 A가 생성되려면 $E°$는 A > 물이어야 한다.
→ ㉠ > −0.83

❙선택지 분석❙

~~ㄱ~~. (가)는 H_2 기체이다. 금속 A
ⓛ. x는 1이다.
ⓒ. ㉠ > −0.83이다.

그래프에서 같은 양(mol)의 전자 이동에 의해 생성되는 물질의 몰비는 (가) : (나)=4 : 1이다. 표의 반쪽 반응식으로 보아 4몰의 전자가 이동할 때 A는 4몰, H_2는 2몰, O_2는 1몰 생성되므로 (가)는 금속 A이고, (나)는 O_2 기체이다.

ㄴ. (가)는 A이고, A 1몰이 생성될 때 이동한 전자의 양은 1몰이므로 x는 1이다.

ㄷ. 표준 환원 전위가 큰 물질일수록 환원되기 쉬우므로 (−)극에서 A가 생성되려면 A의 표준 환원 전위가 물의 표준 환원 전위보다 커야 한다. 따라서 ㉠ > −0.83이다.

❙바로알기❙ ㄱ. 같은 양(mol)의 전자 이동에 의해 생성되는 물질의 몰비는 (가) : (나)=4 : 1이므로 (가)는 금속 A이고, (나)는 O_2 기체이다.

08 꼼꼼 문제 분석

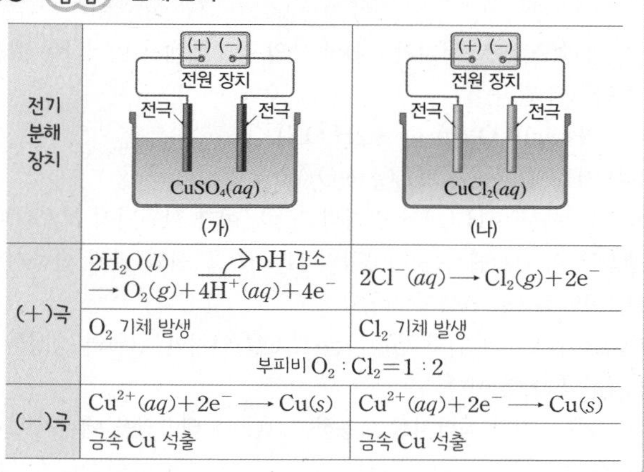

	(가)	(나)
전기 분해 장치	(+) (−) 전원 장치, 전극, 전극, $CuSO_4(aq)$	(+) (−) 전원 장치, 전극, 전극, $CuCl_2(aq)$
(+)극	$2H_2O(l) \longrightarrow O_2(g)+4H^+(aq)+4e^-$ (pH 감소)	$2Cl^-(aq) \longrightarrow Cl_2(g)+2e^-$
	O_2 기체 발생	Cl_2 기체 발생
	부피비 $O_2 : Cl_2=1:2$	
(−)극	$Cu^{2+}(aq)+2e^- \longrightarrow Cu(s)$	$Cu^{2+}(aq)+2e^- \longrightarrow Cu(s)$
	금속 Cu 석출	금속 Cu 석출

❙선택지 분석❙

~~ㄱ~~. (가)에서 수용액의 pH가 커진다. 작아진다
~~ㄴ~~. (가)와 (나)에서 발생하는 기체의 종류는 같다. (가) O_2 기체, (나) Cl_2 기체
ⓒ. 발생하는 기체의 부피비는 (가) : (나)=1 : 2이다.

(가)의 (+)극에서는 O_2 기체가 발생하고, (−)극에서는 금속 Cu가 석출된다. (나)의 (+)극에서는 Cl_2 기체가 발생하고, (−)극에서는 금속 Cu가 석출된다.

ㄷ. 같은 양의 전자 이동에 의해 발생하는 기체의 몰비는 $O_2 : Cl_2=1:2$이다. 일정한 온도와 압력에서 기체의 양(mol)과 부피는 비례하므로 발생하는 기체의 부피비는 (가) : (나)=1 : 2이다.

❙바로알기❙ ㄱ. (가)에서 금속 Cu가 석출되면서 H^+이 생성되므로 수용액의 pH는 작아진다.

ㄴ. (가)에서는 O_2 기체가 발생하고, (나)에서는 Cl_2 기체가 발생한다.

09 꼼꼼 문제 분석

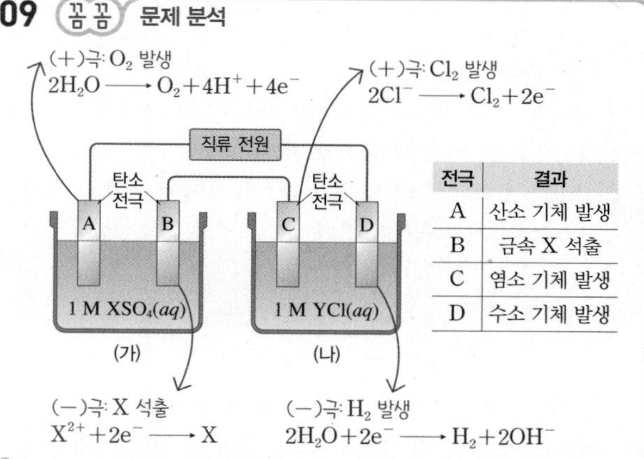

❙선택지 분석❙

~~ㄱ~~. A에서 환원 반응이 일어난다. 산화 반응
~~ㄴ~~. (가)에서 수용액의 전체 양이온 수는 감소한다. 증가
ⓒ. (나)의 C와 D에서 생성되는 기체의 양(mol)은 같다.

각 전극에서 일어나는 반응의 반쪽 반응식은 다음과 같다.

전극	반응식
A	$2H_2O(l) \longrightarrow O_2(g)+4H^+(aq)+4e^-$
B	$X^{2+}(aq)+2e^- \longrightarrow X(s)$
C	$2Cl^-(aq) \longrightarrow Cl_2(g)+2e^-$
D	$2H_2O(l)+2e^- \longrightarrow H_2(g)+2OH^-(aq)$

ㄷ. 전극 C와 전극 D에서 Cl_2 기체와 H_2 기체가 각각 1몰이 생성될 때 이동한 전자의 양(mol)이 같으므로 같은 양의 전류를 흘려 줄 때 생성되는 기체의 양(mol)은 같다.

바로알기 ㄱ. 전극 A에서는 H_2O이 산화되어 O_2가 생성된다.

ㄴ. (가)의 전극 A와 전극 B에서 반응이 일어날 때 이동한 전자의 양(mol)을 같게 하면 전체 반응은 다음과 같다.

전극 A: $2H_2O(l) \longrightarrow O_2(g)+4H^+(aq)+4e^-$

전극 B: $2X^{2+}(aq)+4e^- \longrightarrow 2X(s)$

전체 반응: $2H_2O(l)+2X^{2+}(aq) \longrightarrow O_2(g)+4H^+(aq)+2X(s)$

따라서 수용액의 전체 양이온 수는 증가한다.

10 꼼꼼 문제 분석

철이 포함된 구리 막대 / 순수한 구리 막대 / 전원 장치

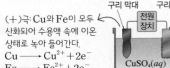

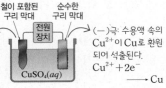

(+)극: Cu와 Fe이 모두 산화되어 수용액 속에 이온 상태로 녹아 들어간다.
$Cu \longrightarrow Cu^{2+}+2e^-$
$Fe \longrightarrow Fe^{2+}+2e^-$

(−)극: 수용액 속의 Cu^{2+}이 Cu로 환원되어 석출된다.
$Cu^{2+}+2e^- \longrightarrow Cu$

$CuSO_4(aq)$

- $Fe^{2+}(aq)+2e^- \longrightarrow Fe(s)$ $E° = -0.45$ V
- $Cu^{2+}(aq)+2e^- \longrightarrow Cu(s)$ $E° = +0.34$ V

선택지 분석

㉠ 순수한 구리 막대는 전원 장치의 (−)극에 연결한다.

㉡ Fe은 수용액에 양이온으로 존재한다.

~~ㄷ~~. Fe이 포함된 구리 막대의 감소한 질량과 순수한 구리 막대의 증가한 질량은 같다.
→ Fe이 포함된 구리 막대에서 Cu와 Fe이 산화되고, 순수한 구리 막대의 표면에서 Cu^{2+}이 Cu로 환원되므로 Fe이 포함된 구리 막대에서 감소한 질량과 순수한 구리 막대에서 증가한 질량은 같지 않다.

ㄱ. 순수한 구리 막대에서 전해질 수용액 속 Cu^{2+}이 전자를 얻어 석출되는 반응이 일어나야 하므로 순수한 구리 막대는 전원 장치의 (−)극에 연결한다.

ㄴ. Fe은 Cu보다 표준 환원 전위가 작아 반응성이 크므로 전자를 잃고 산화되어 전해질 수용액에 Fe^{2+}의 형태로 존재한다.

바로알기 ㄷ. 전기 분해 장치의 (+)극에서는 금속이 전자를 잃고 산화되는데, 이때 Cu와 Fe이 모두 산화된다.

(+)극: $Cu \longrightarrow Cu^{2+}+2e^-$

$Fe \longrightarrow Fe^{2+}+2e^-$

(−)극에서는 Cu^{2+}이 전자를 얻어 Cu로 환원되는 반응이 일어난다.

(−)극: $Cu^{2+}+2e^- \longrightarrow Cu$

전기 분해 장치에서 전자 4몰이 이동했다고 가정하면 (+)극에서 Cu와 Fe이 각각 1몰씩 산화될 때 (−)극에서는 Cu 2몰이 생성된다. 따라서 Fe이 포함된 구리 막대의 감소한 질량과 순수한 구리 막대의 증가한 질량은 같지 않다.

11 꼼꼼 문제 분석

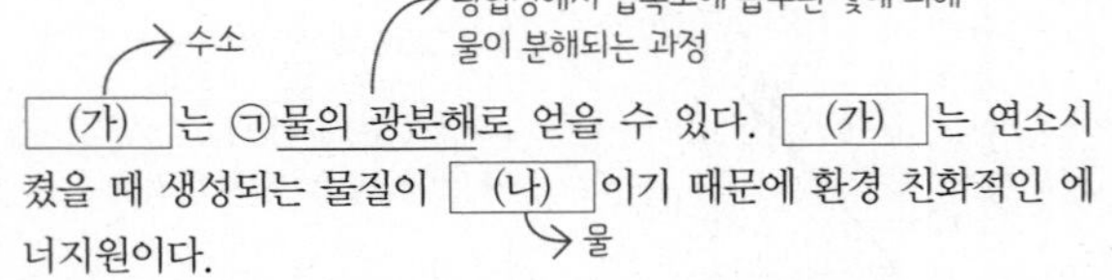

선택지 분석

㉠ (가)는 물의 전기 분해로도 얻을 수 있다.

~~ㄴ~~. (나)는 수소 연료 전지의 연료로 이용할 수 있다. (가)

㉢ ㉠은 흡열 반응이다.

물의 광분해로 수소와 산소를 얻을 수 있는데, (가)를 연소시킨다고 하였으므로 (가)는 수소이다.

ㄱ. 물을 전기 분해하면 수소와 산소를 얻을 수 있다.

ㄷ. 물의 광분해는 빛에너지를 흡수하여 물을 분해하는 것이므로 흡열 반응이다.

바로알기 ㄴ. 수소를 연소시켰을 때 생성되는 물질, 즉 (나)는 물이다. 수소 연료 전지의 연료는 수소이다.

12 꼼꼼 문제 분석

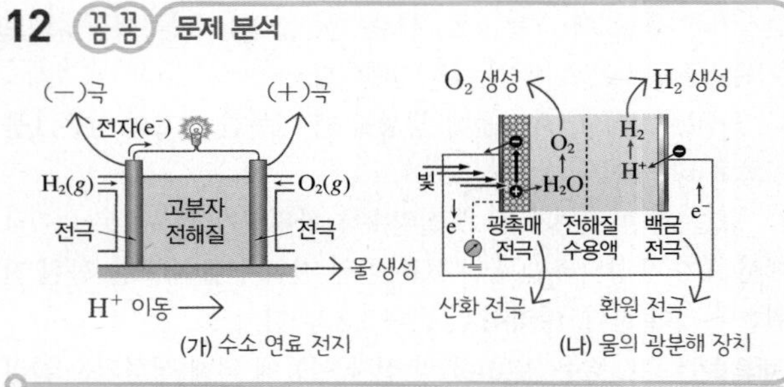

(가) 수소 연료 전지 (나) 물의 광분해 장치

선택지 분석

~~ㄱ~~. 생성물이 $H_2O(l)$이다. (가) $H_2O(l)$ (나) $H_2(g)$, $O_2(g)$

㉡ 산화 환원 반응이 일어난다.

~~ㄷ~~. 태양광을 에너지로 이용한다. (가) 화학 에너지 (나) 태양광

(가)의 수소 연료 전지와 (나)의 물의 광분해에서 일어나는 반응은 다음과 같다.

(가) $2H_2(g)+O_2(g) \longrightarrow 2H_2O(l)$

(나) $2H_2O(l) \longrightarrow 2H_2(g)+O_2(g)$

ㄴ. (가)에서는 $H_2(g)$가 산화되고, $O_2(g)$가 환원되어 $H_2O(l)$이 생성되고, (나)에서는 태양광이 $H_2O(l)$을 산화 환원 반응시켜 $H_2(g)$와 $O_2(g)$가 생성된다.

바로알기 ㄱ. (가)의 생성물은 $H_2O(l)$이지만, (나)의 생성물은 $H_2(g)$와 $O_2(g)$이다.

ㄷ. (가)는 화학 에너지를 이용하고, (나)는 태양광을 에너지로 이용한다.

완자 시·리·즈 친절한 개념설명으로 완벽한 자율학습이 가능하여 공부의 자신감을 갖게 합니다.

대표전화 1544-0554
주소 경기도 과천시 과천대로2길 54(갈현동, 그라운드브이)